胡经之文集

胡经之文集
第三卷

比较文艺学

海天出版社（中国·深圳）

图书在版编目（CIP）数据

比较文艺学 / 胡经之著. — 深圳：海天出版社，2015.10
（胡经之文集；3）
ISBN 978-7-5507-1469-4

Ⅰ.①比… Ⅱ.①胡… Ⅲ.①文艺学—对比研究—中国、西方国家—文集 Ⅳ.①I0-03

中国版本图书馆CIP数据核字（2015）第224730号

胡经之文集·第三卷·比较文艺学
HUJINGZHI WENJI · DISANJUAN · BIJIAO WENYIXUE

出 品 人	聂雄前
项目负责人	于志斌
责 任 编 辑	曾韬荔　梁　萍
责 任 校 对	万妮霞　陈少扬
责 任 技 编	蔡梅琴
装 帧 设 计	龙瀚文化

出版发行	海天出版社
地　　址	深圳市彩田南路海天综合大厦（518033）
网　　址	www.htph.com.cn
订购电话	0755-83460293（批发）　83460397（邮购）
排版制作	深圳市龙瀚文化传播有限公司　33133493
印　　刷	深圳市新联美术印刷有限公司
开　　本	787mm×1092mm　1/16
印　　张	50
字　　数	700千
版　　次	2015年10月第1版
印　　次	2015年10月第1次
定　　价	200.00元

海天版图书版权所有，侵权必究。
海天版图书凡有印装质量问题，请随时向承印厂调换。

目 录

比较文艺学

第一辑 中西比较各扬长 ………………………… 2

比较文艺学漫说 ………………………………… 2
比较诗学和比较美学 …………………………… 9
为创新声觅异音 ………………………………… 21
博采众长道路宽 ………………………………… 26
西方文艺理论发展历程 ………………………… 33
洋为中用先入门 ………………………………… 63
中西交流与时进 ………………………………… 65
文艺学方法的多样和统一 ……………………… 69
文艺学美学方法论透视 ………………………… 87
方法可贵在应用 ………………………………… 107
附文一　文艺学方法自成系统 ………………… 109
附文二　比较文艺学：90年代的期待 ………… 113
附文三　纵论比较文艺学 ……………………… 115

第二辑 中华文化向世界 ………………………… 118

中华文化如何走向世界 ………………………… 118
比较更彰中华美 ………………………………… 126

· 1 ·

  融合中西铸新范 ……………………………… 133
  主客互动求平衡 ……………………………… 142
  艺术文本巧经营 ……………………………… 145
  潜心为学天酬勤 ……………………………… 149

第三辑　海外华文文学及美学 ……………………… 153

  关注海外华文文学 …………………………… 153
  世界华文文学新格局 ………………………… 164
  坚毅不拔精神 ………………………………… 169
  中华情结长存 ………………………………… 172
  寻求美好人生 ………………………………… 175
  艺术美的探求 ………………………………… 178

第四辑　建设马克思主义文艺学 …………………… 199

  周扬北大讲美学 ……………………………… 199
  燕园谈艺再论道 ……………………………… 230
  走向当代文艺学 ……………………………… 252
  建构当代文艺学 ……………………………… 256
  我看文艺学教材 ……………………………… 262
  发展马克思主义文艺学 ……………………… 267
  我们相识于乱世 ……………………………… 269
  会通中西创新路 ……………………………… 279
  文艺学向何处去 ……………………………… 289
  纽结连牵方成网 ……………………………… 301
  精心构思重意蕴 ……………………………… 303

第五辑　附文 ………………………………………… 307

  附文一　北大始攻文艺学 …………………… 307
  附文二　文艺理论波折多 …………………… 324

附文三　关注更多是美学 ·········· 337
附文四　中国文艺学的主体性 ·········· 355
附文五　导师杨晦、钱学熙先生为文艺学副博士研究生规定的必读书（1956） ·········· 366

西方二十世纪文论史

绪　论 ·········· 372

第一辑　作者系统 ·········· 388

第一章　表现主义 ·········· 388
第二章　象征主义 ·········· 406
第三章　直觉主义 ·········· 423
第四章　文艺心理学派 ·········· 443
第五章　原型批评 ·········· 467

第二辑　作品系统 ·········· 489

第六章　形式主义 ·········· 489
第七章　英美新批评派 ·········· 507
第八章　结构主义 ·········· 530
第九章　解构主义 ·········· 561
第十章　文艺符号学 ·········· 588

第三辑　读者系统 ·········· 606

第十一章　阅读现象学 ·········· 606
第十二章　文艺阐释学 ·········· 627
第十三章　接受美学 ·········· 650

第四辑　社会—文化系统 ········· 675

第十四章　艺术文化学 ········· 675
第十五章　存在主义 ········· 700
第十六章　新马克思主义 ········· 728
第十七章　法兰克福学派 ········· 751
第十八章　新历史主义 ········· 770

后　记 ········· 795

比较文艺学

第一辑

中西比较各扬长

比较文艺学漫说

比较文学研究,虽然在18世纪已由欧洲的启蒙学派开启(例如法国的孟德斯鸠、伏尔泰,稍后又有德国的歌德),但是,作为一门文艺科学的学科而兴盛起来,却是19世纪末、20世纪初的事。近数十年来,比较文学研究更是在许多国家(不只是西方,而且还有东方,如日本、印度、阿拉伯地区)得到蓬勃发展。许多学派出现了,最有名的有美国学派(以倡导"平行研究"而著称)、法国学派(以主张"影响研究"为特点)。还出现了一些国际学术组织,如"国际比较文学协会"。因此,比较文学研究成了国际性现象,无怪它被称为20世纪的孩子。

中国,也需要这个孩子吗?我们需要比较文艺学吗?

依我看,这种需要是不言而喻、毫无疑义的。这是历史发展的必然和当前现实的实际需要。

作为社会现象,文学艺术广泛存在于世界各国,到处都有。文艺研究当然要从研究各别的民族、不同文化的文学艺术开始,它是整个文艺学的基石。只有在对各别民族、不同文化的文学艺术的研究的基础上，才可能作更高或更深一层的研究。因此，传统的文艺学注重对各别文学艺术的研究，弄清各别国家、民族文学艺术的来龙去脉、历史发展，这十分必要。然而，随着文学艺术在不同国家、民族之间的交往，特别是在全世界范围内的更广泛的交往，文艺学势必要对不同民族、不同文化的文学艺术作比较的研究，以便弄清：究竟什么是世界各国文学艺术共同具有的普遍性，什么是某些文化体系（如欧洲的、东方的）文学艺术所独具的特殊性，什么又是各别国家（如中国的、印度的）所特有的个别性。

从历史发展的趋势看，比较文学研究的领域，随着国际文化交流的发展，正在不断扩大和深入。比较文学研究，开始主要是在英欧文化体系内部进行，但有的早已跳出这个范围。歌德很早就把中国文学（《好逑传》这类作品）和西方文学（他自己的《赫尔曼与窦绿苔》，理查森的小说，贝朗瑞的诗，等等）作了比较。后来，比较文学研究由英欧文化体系扩展到美欧文化体系，美国学派扩大了法国学派的领域。进而，比较文学研究又推进到西方与东方文化体系之间，而且这种东西方文学的比较，越来越显得重要。比较研究的范围也越来越扩大，不仅限于文学，其他艺术，如绘画、建筑、雕塑、戏剧、歌舞以至实用艺术等等，也都在研究比较之列。于是，比较文艺学作为一门文艺科学，成为世界性的学科。历史发展的趋势是比较文艺学的方向日益转向东方，而中国的文学艺术更受到了特别的注意。国际上一些著名的比较文艺学家声称：比较文学研究要注视中国；中文应是重要的国际语言。没读过《西游记》，就像没读过托尔斯泰和陀思妥耶夫斯基的作品一样，不能谈论小说理论。由此，杨周翰教授就旗帜鲜明地提出：比较文艺学，除了法国学派、美国学派之外，还应该有中国学派。

其实，中国也早有比较文学研究的传统。在20世纪初，我国较早接触西方文化的先驱王国维、梁启超、苏曼殊等，曾对中西文艺作过一些零星、点滴的比较。30年代以来，郑振铎、吴宓、朱光潜、钱锺书、戈宝权等人，都曾在文学的不同方面，作过比较研究的尝试。就是鲁迅，虽无专著论述，但在评述中外文艺时，亦时有比较，发表过精辟见解。许多台湾学者以及海外华裔学者，数十年来一直致力于中西文学的比较研究，取得了不少积极成果。

对比较文艺学究竟能否成为一门独立学科，尽管至今尚在争论之中，但我毫不怀疑，对不同民族、不同文化的文学艺术作比较研究，应该是，也必然要成为文艺美学研究的重要方法。德国伟大的文学家歌德曾对中国小说和欧洲文学作过对比，他在1827年和爱克曼的一次谈话中提出：不仅要发展民族文学，而且要建立世界文学。马克思在《共产党宣言》中也曾指出历史发展的这样的必然趋向：随着人类的交往扩及世界各国，不仅物质生产领域结束了自给自足的闭关自守状态，而且精神生产也是如此，各民族的精神产品成了世界共同的财富，"于是由许多种民族的和地方的文学形成了一种世界的文学"。这里说的文学是广义的，包括科学、哲学、艺术等精神文化，因此，文学艺术也成了人类共同的精神财富。但这丝毫不意味着民族的和不同文化的文学艺术就必然要损失民族独特性，这就促使文艺学必然要认真探索各国文学艺术中普遍的、特殊的和个别的辩证法。

比较文艺学，对于我们来说，更有现实的需要。为了发展社会主义文学艺术以及马克思主义文艺学，我们也需要比较文艺学。

社会主义文学艺术不能在废墟上发展，必须继承和发扬中国自己的优秀历史传统，同时汲取和借鉴国外的优秀的文学艺术。这就需要对中外的文学艺术进行比较研究。有比较才有鉴别；不比较，就会既不知己又不知彼，既不知长又不知短，更谈不上取长补短了。更糟的是把糟粕当精华、垃圾当珍宝，还谈什么批判继承、洋为中用！

我们要建立和发展马克思主义文艺学，无疑必须以马克思主义作指导。马克思主义是完整的思想体系，是指导一切科学研究的根本方法。但根本方法不能代替具体方法，正如具体方法不能代替根本方法一样。比较文艺学要在马克思主义这个根本方法指导下，运用比较研究这个具体方法，进行文学艺术的比较研究。马克思主义文艺学，只有在对许多具体文学艺术现象作比较研究的基础上，才能建立和发展起来。因此，对文学艺术作比较研究，乃是建立和发展马克思主义文艺学的重要途径，是通向马克思主义文艺学的桥梁。

马克思、恩格斯一向很重视"比较"的方法，对于法国人、美国人、英国人在实践和理论中"经常进行比较"的这一传统,给予首肯。马克思自己在评说文学艺术时,就经常运用比较的方法,例如,把莎士比亚和席勒作比较,把拜伦和雪莱作比较,把歌德的《伯利欣根》和拉萨尔的《济金根》作比较。马克思、恩格斯还曾就文艺复兴时代的三位著名艺术家作过精辟的比较:"拉斐尔的艺术作品在很大程度上同当时在佛罗伦萨影响下形成的罗马繁荣有关,而列奥纳多的作品则受到佛罗伦萨的环境的影响很深,铁相的作品则受到全然不同的威尼斯的发展情况的影响很深。"①各国的文学艺术,既有共性,也有个性,有相同的方面,也有相异的方面,毛泽东在《同音乐工作者的谈话》中说得好:"艺术的基本原理有其共同性,但表现形式要多样化,要有民族形式和民族风格。"只有比较才有鉴别。没有比较,怎么知道不同国家文学艺术的异同和优劣呢!既不知己,又不知彼,所谓取长补短只能成为空谈。

在中国建立和发展比较文艺学的必要性,曾受到怀疑。有人以为,中国只要马克思主义文艺学,不必再有比较文艺学——那是资产阶级伪科学。其实,这完全是形而上学的武断。为什么比较文艺学注定要和马克思主义文艺学对立呢?诚然,比较文艺学可能是资产阶级的,但也可以是马克思主义的,关键在于是不是以马克思主义作为根本方法。我们需要比较文艺学,用马克思主义作指导,正是为了发展和丰富马克思主义文艺学,两者应该而且可以统一起来。比较文艺学应该而且可以成为马克思主义文艺学的组成部分。

当前,需要我们探索的是:我们的比较文艺学应该或可以进行一些什么样的研究?研究如何切合中国的实际?

比较文艺学的研究范围十分宽广。当前的比较文学研究,并不限于国别比较。可以作历史比较,把当代文学和古代文学作比较研究;也可以作艺类比较,把文学和其他艺术样式作比较研究;还可以有其他种种比较,如主题比较、形态比较、渊源比较等等。就是国别比较,

---

① [德]马克思、恩格斯:《马克思恩格斯全集》第三卷,人民出版社,北京,1955年,第495页。

也有多种途径，可以重在国别文学之间的影响研究（这是法国学派所注重的），也可以不顾国别文学的相互影响而作平行研究（这是美国学派的特点）。

显然，我们的比较文艺学首先要把注意力放在国别比较，特别是中国和外国的比较。西方的比较文艺学，注重西方国家之间、西方与东方国家之间的比较研究，这是理所当然的。但是，"西方中心"说，以至"欧洲中心"说，却夸大了西方、欧洲文学艺术的作用和地位，不符合马克思主义，不符合实际，为我们所不取。我国的比较文艺学，要以中国为一方，同其他国家作比较研究，这也是势在必然。当然，我们也不是要立足于"东方中心"说乃至"中国中心"说，我们是要运用马克思主义对具体实际作实事求是的比较研究，得出符合实际的结论。

中西文艺的比较，在以往受到了较多的注意。关于中西文艺的影响研究，曾有许多著述。例如，德国利奇温《18世纪中国与欧洲的文化》一书，详尽地阐述了欧洲在18世纪出现的"中国热"，研究了当时中国的戏剧、绘画、歌舞、建筑、实用艺术等如何影响了欧洲文化。美籍华人学者叶维廉在《中国古典文学的比较研究》一书中，研究了20世纪初美、英的意象派诗人如何从中国古典诗歌中汲取"意象经营"的艺术技巧。在我国，阿英的《易卜生的作品在中国》，茅盾、赵景深分别在最近发表的《外国戏剧在中国》等文，探讨了话剧这种艺术样式如何影响中国的戏剧。王瑶的《论鲁迅作品与外国文学的关系》、乐黛云的《尼采与中国现代文学》等，都是研究西方文学对中国文学的影响的。至于研究俄国、苏联文学对中国文学的影响，著述就更多了，例如冯雪峰的《鲁迅与果戈里》。这种中西文艺的影响研究，无疑应该扩大和深入。中西文艺的平行研究，更是大有可为，天地广阔。朱光潜《诗论》、钱锺书《谈艺录》、朱自清《新诗杂话》、李健吾的戏剧论文等，都曾对中西文艺作过一些对比研究。去年，冯至在瑞典科学院宣读的《杜甫与歌德》，对这两位大诗人在诗与政治、诗与自然关系问题上的异和同，作了平行的对比研究。最近出现的徐朔方、张隆溪等的《汤显祖和莎士比亚》等文，也都是平行比较。郭麟阁早年曾尝试把《红楼梦》和西方小说作对比研究。显然，中国小说和西方小说的比较，应受到重视，这种研究将是饶有兴味的。

中国和其他东方国家的比较，应该受到我们比较文艺学的特别注意。中国的文学艺术和其他东方国家的文学艺术，相互影响更多、更大，历史传统也更为接近。例如，古印度的文学艺术，特别注重"韵"、"味"、"情"，这同中国古典文艺很相近，甚至在文艺理论上也表现出来。这就从创作到理论上很能作一番比较研究。印度画论中有"六支"说，中国画论中有"六法"论。英人勃朗在《印度绘画》中介绍说，中国"六法"论受印度"六支"说影响。金克木用历史事实否定了此说，同时阐明了"六法"论和"六支"说的异同。这种研究很有价值。中日文学的比较也很有意思，例如，紫式部的《源氏物语》，就可以同《红楼梦》《金瓶梅》等作比较研究。

比较文艺研究，当然要从作家、作品等具体现象着手，从具体、个别开始。但这并不妨碍我们及早就注意中西文艺的系统比较，作出系统概括，反过来指导个别比较。国别文艺的比较研究，是要找出不同国家文艺共有的一般规律，又要抓住每一国家文艺的特殊规律。因此，比较文艺研究必然要导致中外文学艺术理论的比较以及美学理论的比较。朱光潜的《西方美学史》，钱锺书的《管锥编》及一些其他论著，伍蠡甫的《试论画中有诗》，宗白华的《美学散步》，李泽厚在《美学论集》中谈意境、创作方法的论文等等，都在这方面作过一些尝试。理论的比较虽然更为困难，但十分重要，需要更加努力。

不管进行什么样的比较，都需要马克思主义的指导。马克思主义的精髓是实践唯物主义、历史唯物主义和辩证唯物主义。在最近（1981年年初）成立的北京大学比较文学研究会上，吴组缃教授曾以中外古典小说的比较为例，说明：比较文学研究一定要运用历史唯物主义辩证方法，才能抓住本质的特征和内在的联系；不然，研究就会流于鸡毛蒜皮、表面现象，不得要领，走向歧途。如何运用历史唯物主义来进行比较文学研究，这是需要我们在实践中不断探索的重大问题。普列汉诺夫对于法国戏剧文学、绘画的研究，梅林对莱辛的研究，卢那卡尔斯基对世界文学的研究，都值得我们借鉴。

建立和发展具有中国特色的马克思主义文艺学,这是文艺研究的共同的宏伟目标。为了达到这个目标,需要集思广益,通过多种途径和方法,共同努力。为此,我们既需要研究中国古典美学和文艺学,又需要研究西方现代的文艺思潮,并且从中外文艺的比较中进而作中外诗学和中外美学的比较。但是,无论是中国传统的美学和文艺学,还是西方现代的文艺思潮,对于我们来说,都不过是一些理论资料或思想资料,可供建立和发展具有中国特色的马克思主义文艺学作参考,需要用马克思主义予以分析和综合。正确的原则仍然是古为今用、洋为中用。毛泽东在《同音乐工作者的谈话》中说得好:"要向外国学习科学的原理。学了这些原理,要用来研究中国的东西。……自然科学、社会科学的一般道理都要学。"艺术又怎么样呢?"中国的音乐、舞蹈、绘画是有道理的,问题是讲不大出来,因为没有多研究。应该学外国的近代的东西,学了以后来研究中国的东西。"中国的和外国的,两边都要学好,"中国的和外国的要有机结合"。向古人学习是为了现在的活人,向外国人学习是为了今天的中国人。学习古代的东西是要把它变成现代的;吸收外国的东西是要把它变成中国的。"鲁迅的小说,既不同于外国的,也不同于中国古代的,它是中国现代的。"文学艺术如此,那么,我们的文艺学是不是也应该这样呢?"应该学习外国的长处,来整理中国的,创造出中国自己的、有独特的民族风格的东西。"这是马克思主义的回答。

1981年春,燕园
(原载《光明日报》)

比较诗学和比较美学

一

科学部类的区分，不仅决定于研究对象的不同，而且也受制于研究方法的差异。马克思说得好："不仅探讨的结果应当是合乎真理的，而且引向结果的途径也应当是合乎真理的。真理探讨本身应当是合乎真理的。合乎真理的探讨就是扩展了真理。"①由于研究对象和研究方法不同，科学区分为不同的部类。

比较文学把不同文化系统的文学进行比较研究，探索不同文化系统文学的共同规律和各自的特殊规律，其基本方法是比较。比较诗学和比较美学的基本方法也是比较，不过，比较研究的对象却是不同文化系统的诗学和美学。

问题在于：诗学和美学的区别和联系何在？

诗学有广义和狭义之分。顾名思义，诗学当是研究诗歌的学问，相对于小说学、戏剧学等而言，研究对象只是诗歌这一体裁。然而，这只是狭义的诗学。广义的诗学，不只是研究诗歌，而且也是研究小说、剧本等的学问。诗意，乃一切文学艺术都有的特征，所以，整个艺术和文学，都是研究对象。因此，广义的诗学，就是文艺学。亚里士多德的《诗学》，研究了史诗，也研究了悲剧、喜剧，甚至涉及音乐，名称虽为诗学（poeties），实质是文艺学。在欧洲，长期以来一直把文艺学称作诗学，贺拉斯的《诗艺》，布瓦洛的《诗的艺术》，研究的都不仅是诗歌，而且还有戏剧。欧洲传统观念里的诗学和文艺学的区

---

① [德]马克思、恩格斯：《马克思恩格斯全集》第一卷，人民出版社，北京，1955年，第8页。

别并不是很清晰,诗学中包含着文艺学,甚至也蕴含着美学。直到18世纪德国的鲍姆加登首先用"美学"这个名称来命名哲学中的一个独立学科,把美学和逻辑学分开,于是诗学和美学的界限才逐渐清晰。但是,传统的诗学观念,就是在20世纪也仍保留着,并未完全消失。

诗学既有广义、狭义之别,那么,比较诗学所研究比较的对象,也就不仅局限于狭义诗学的范围了。叶维廉的《比较诗学》(1982),重点虽在比较中西诗歌理论,但比较研究的范围远超于此,而涉及了中西的美学和哲学。诗人和自然的审美关系,就是叶维廉《比较诗学》的比较研究极为重要的内容。在进行中西诗论的比较研究时,也进行着中西美学的比较研究。因此,广义的比较诗学,比较研究范围并不限于诗论,而是涉及文艺理论以至美学。

比较美学理应对不同文化系统的美学作比较研究。但是,比较美学的建立较晚,这门学科本身尚在探索。20世纪20年代中期,法国学者在伦敦出版《比较哲学》,尚无"比较美学"专章,但在"比较逻辑"和"比较心理学"中,已经接触到美学比较。后来,许多著名学者,如韦勒克、奥斯本、费舍尔等都对东西方美学的比较发生兴趣,作过探讨。美国和印度的学者还合作创办了《比较文学和美学》杂志,在注意文学比较的同时,十分重视美学的比较。印度美学家潘地,在20世纪五六十年代出版了《比较美学》三大卷,第一卷印度美学,第二卷西方美学,第三卷印度—西方美学,对西方和印度的美学作了比较研究。中国、印度、西方三大文化体系的美学各具特色,能对印度和西方的美学作比较研究,本身就是一种令人鼓舞的尝试,对于我们建立自己的比较美学极有启发。

美学的对象并不仅限于文学艺术,生活本身也蕴含着许多美学问题。美学应该研究人类所有审美活动的共同本质和普遍规律。但是,文学艺术是人类审美活动的一种集中和凝练的形式,因而,美学必然要研究文学艺术的审美本质和审美规律,文学艺术仍然在美学的视野之内。美国《东西方哲学》主编多伊奇就十分重视从文学艺术问题着手来研究哲学和美学,如人与自然、必然和自由、科学和艺术。多伊奇在1975年出版的《比较美学研究》中就集中探讨了中国、印度、西方、日本的文艺理论中的美学问题。《比较美学研究》的第三部分，对中国美学和西方美学作了比较研究，着重对比了16世纪意大利尼德兰画派的勃鲁盖采和中国宋代画家马远的美学思想。这种比较研究把美学思想和艺术实践密切结合起来，并不只是美学理论的对比。因此，比较美学的研究范围尽管较之比较诗学更宽广，但它和比较诗学的联系十分紧密，比较美学和比较诗学相互补充和相互渗透。

二

比较诗学和比较美学的出现，是比较文学深入发展和不断拓展的结果，有其内在必然性。

较早的比较文学，只是致力于不同国家的文学作品本身的比较。法国起初使用比较文学（Litterature Compare）这一术语，就是指的文学作品的对照比较。1825年，弗朗索·诺埃尔和别人编选了一部文学作品的选集，收入法、意、英和拉丁语系的作品，让读者直接去阅读和欣赏不同语种的文学，取名为《比较文学教程》。

所谓"文学"，也是一个随着历史发展而变化的概念。在中国，先秦时代的"文学"包括一切用文字记载的东西，所有文体都是文学。到魏晋时代，才有"文""笔"之分，但到唐宋时代，"文"仍然笼括了艺术和非艺术的文体。直到清末，章太炎仍然对艺术的和非艺术的文学不加区分。要到"五四"前后，文学之区分为艺术的和非艺术的界限才逐渐清晰，艺术的文学被称为"美文学"，以区别于一般的文章。在欧洲，"文学"长期以来也是个宽泛的概念，一直到18世纪，如韦勒克在《比较文学的名称与性质》中所说，"文学"一词，"仍然指的是'博学'，或一切诉诸文字的知识，还没有具备'创作的文体'这一现代的含义（也未曾具备其特有的美学价值）"。在19世纪，"文学"一词才逐渐专指艺术的文学。文学的含义既然不同，那么，比较文学的内容随之也会有差异。

法国学派重视文学的"影响比较"，探索不同国家、民族之间文学的相互影响、相互作用的事实，着眼于文学的事实联系。美国学派重视文学的"平行比较",不同国家、民族之间的文学,即使未发生过相互影响和相互作用,并无事实上的联系,但也可以作为比较文学的研究对象,探索不同文化系统中的文学的异同(类比研究着重于求同,对比研究着重于寻异)。比较文学的发展,进而又扩及文学和其他艺术(电影、戏剧、音乐、绘画等等)的比较研究,甚至把文学和宗教、哲学等作比较研究。比较文学的范围越来越扩大了,比较文学不只是比较文学作品,而且也对不同文化系统的文学思潮、文学批评、文学理论作比较研究。

随着比较文学的深入发展,比较诗学和比较美学日益受到重视。1982年,在美国纽约大学举行的第十届国际比较文学会议上,比较诗学被列为重要议题,特别是对东西方诗学体系作了专题讨论。1983年,在北京举行的中美两国比较文学讨论会上,美国厄尔·迈纳的《比较诗学:比较文学理论和方法论上的几个课题》一文,明确指出:关于比较文学的对象、方法的争论虽然陆续不断,但均未切中西方比较文学发展的主要趋势,其实,"近十五年间最引人注目的进展是把文学理论作为专题纳入比较文学的范畴"[①]。比较文学的这种发展趋势,不仅在西方,而且在东方也引人注目。自1982年始,台湾学者陆续出版"比较文学丛书"一套十种,而其中有关诗学和美学的竟占大半。除了叶维廉的《比较诗学》对中西诗论和美学进行比较研究,还有专门就东西方的美学观念进行比较研究的论著,如王建元的《雄浑观念:东西美学立场的比较》。更多的是研究西方诗学、美学同中国文学和文学批评的关系,例如符号诗学、现象学美学、结构主义诗学、接受美学等对中国文学批评和创作的影响。叶维廉在为"比较文学丛书"所写的"总序"中说道,收集在丛书中的系列专著,表明着两个明显的趋向:

其一,企图在跨文化、跨国度的文学作品及理论之间,寻求共同的文学规律、共同的美学观点的可能性。……从不同文化、不同美学的系统里,分辨出不同的美学观点和假定,从而找出其间的歧异和可

---

① 《中国比较文学》1984年第1期。

能汇通的线路。

其二，这些专著中亦有对近年来最新的文学理论的介绍和引论，包括结构主义、现象学哲学、符号学、读者反应美学、诠释学等，并试探将它们应用到中国文学研究上的可行性及其可能引起的危机。

越来越多的比较文学家日益认识到：比较文学不能停留在只作事实的确定，而要进而作出价值的判断，最终要通过比较研究探索不同文化系统文学的本质特征和规律。而要达到这个目的，不仅比较文学本身需要借助美学、诗学，作为研究方法论，而且其研究的结果，也应提高到美学、诗学的高度。韦勒克在《比较文学的危机》中说道：

> 文学研究如果不决心把文学作为不同于人类其他活动和产物的一个学科来研究，从方法论的角度来说，就不会取得任何进步。因此，我们必须正视"文学性"这个问题，即文学艺术的本质这个美学中心问题。

这就是说，比较文学要取得进步，就必须去研究文学这种不同于其他人类活动和产物的审美本质，得出一些美学上的结论。

文学这种人类独特的活动和产物，可以从不同层次上去研究。民族文学—比较文学—总体文学，就是文学研究的三个不同层次。民族是历史上形成的相对稳定的共同体，同一民族使用着共同的语言，居住在共同区域，过着相近的经济生活，具有共同的文化。民族文学是具有同一文化系统和历史传统的文学，它是民族文艺学所研究的对象，探讨的是民族文学特点和规律。比较文学则研究不同民族、国别的文学，通过比较，探索异同，揭示不同民族、国别文学的特殊规律和共同规律，总体文学则把世界各国文学作为一个总体来研究，探讨世界文学的共同本质和普遍规律。法国的梵第根在《比较文学论》一书中对总体文学或一般文学所下的定义，就是对于许多国家所共有的那些事实的探讨，或者是关于文学本身的美学上的或心理上的研究。美国雷马克虽然不同意把文学研究分为民族文学—比较文学—总体文学这些层次，但是对总体文学的看法还是同意，说"它是指总的文学潮流、问题和理论，或者是美学"。

美国学派扩大了比较文学的范围,把文学和其他艺术的比较研究也归入比较文学。法国学派不同意把文学和其他艺术的比较归列入比较范围,但承认文学和艺术的比较具有巨大的科学价值,不过,这种文学和其他艺术的比较研究应该归入总体文学之列。法国蒙迪亚诺在1956年法国首届比较文学会议上就提出了这种见解。1968年,热纳在《一般文学与比较文学——兼论方向探索》一书中进而阐发了比较文学和一般文学的关系,指出文学和其他艺术的比较应是一般文学(总体文学)的研究对象。所谓一般文学,还应是一座架设在特定含义上的文学同各种艺术门类之间的桥梁。

尽管法国学派把比较文学限定在文学的相互影响、事实联系的范围内,但对总体文学却十分重视。法国百科全书关于"比较文学"和"总体文学"是这样写的:

> 比较文学是20世纪的一门新兴学科,它与世界文学和总体文学有密切的关系,但不是一回事。一般认为:各国文学的总和就是世界文学。总体文学的目标则是从世界文学史中提取永恒的、不变的因素,总结出文学创作的普遍规律,并制订文学类型的一般理论。世界文学的研究方法和国别文学一样,用的是分析法;而总体文学则必须将文学看作是一个不可分割的整体,用综合的方法对文学作全面的研究。然而,这种综合的研究只能建立在比较的基础上。如果不对各国文学进行比较研究,找出其中哪些是共同的因素,不了解各国文学如何互施影响,如何用不同的手法处理相同的题材,那么,"综合"从何谈起呢?

比较文学通过对不同国家、民族的文学的比较研究,揭示出共同规律和特殊规律。但是文学研究的最终目的应该是寻找世界文学的普遍规律,因而,必须从比较文学提升到总体文学的研究。我国许多著名学者都有这样的见解:比较文学不能为比较而比较,应该提高到掌握世界各国文学的普遍规律。例如,钱锺书说道:

> 比较文学的最终目的在于帮助我们认识总体文学乃至人类文

化的基本规律。①

李赋宁也说：

> 比较文学可以被看成是连接国别文学和总体文学的桥梁。总体文学研究是文学研究的最高目标，因为它研究的问题是文学作品的一些最普遍、最根本的问题。②

杨周翰在谈及中国学派的设想时，指出中国学派应努力把比较文学和总体文学紧密联系、沟通。比较文学不管是影响比较还是平行比较，如果"仅仅指出异同而不提到理论的高度，价值就不大"，应该进而"探讨它在文学史上、美学上或理论上有什么意义"。

> 不管是影响研究也好，平行研究也好，比较的结果应纳入或充实所谓"总体文学"。"总体文学"的概念，有人认为很含糊。我觉得美国雷马克的界说是可以接受的，即总体是指"总"的潮流、问题和理论，或者是指美学。③

看来，比较文学要提高到总体文学，总体文学是文学研究的更高目标，许多人的看法比较一致。总体文学要揭示世界各国的共同特点、普遍规律，实际上就是诗学或美学。总体文学并不就是比较诗学或比较美学。但是，诗学或美学要成为真正的科学，就必须对世界各国已有的诗学或美学进行比较研究，探索不同诗学或美学的异同短长，从而取长补短。为了建设和发展马克思主义文艺学或美学，既要对世界各国的文学艺术作比较研究，又要对世界各国的诗学或美学作比较研究，两者同步开展，甚至交互进行。这是文学研究发展的必然趋势。正如杨周翰所说：

> 当前国际比较文学研究有以理论的比较为主导的趋势。例如，在抒情诗、叙事文学和戏剧范围内有许多理论问题可以通过比

---

① 张隆溪：《钱锺书谈比较文学与"文学比较"》，《读书》1981年第10期。
② 李赋宁：《什么是比较文学》，《国外文学》1981年第1期。
③ 杨周翰：《不妨先有成立中国学派的设想》，《中国比较文学》1984年第1期。

较研究来探索。……有许多理论问题需要重新探讨,例如悲剧是什么、西方抒情诗和中国古典诗歌的比较。扩而广之,类型的比较、文学史的分期问题,都需要通过比较研究,来丰富、修改、加深这里面的理论内涵。①

把文学比较和美学比较、诗学比较结合起来,这就使比较文艺学的研究水平得到了提高。

有意思的是,有些学者,如美国比较文学学会主席奥尔德里奇根本不相信有"共同诗学"的存在。台湾学者提出的"共同诗学",实际上就是"试图把西方的批评标准和中国的批评标准结合起来形成一种一致的美学观",依他看来,这是不可能的。"即使在西方也不存在共同的诗学……光在西方就不可能统一,怎么期待把东方西方统一起来呢?"世界上不可能建立统一的、共同的诗学和美学。但是,奥尔德里奇却肯定比较诗学或比较美学,因为比较诗学或比较美学是把不同的诗学或美学作比较研究,"这意味着并不要求统一"。比较诗学或比较美学的特点是"兼收并蓄,包罗万象"。所谓共同诗学或共同美学,就是世界各国文学艺术共同的原理,这是总体文学的另一种说法,否定共同诗学、共同美学,也就是否定总体文学。这种否定本身是否合理,尚可斟酌,但比较诗学或比较美学应该发展,却是得到了一致的肯定。这从另一侧面反映了比较文艺学发展的必然趋势。

三

不同文化系统的文学艺术有不同的特色,不同国家、民族的理论思维方式也各不相同,这就形成了不同文化系统的诗学、美学各有自己的民族特色。

纵观古今历史,横看中外概貌,我们可以把全世界的文化归纳为几个明显的系统,全世界的诗学、美学也就分属于这些文化系统。季

---

① 杨周翰:《不妨先有成立中国学派的设想》,《中国比较文学》1984年第1期。

羡林说得好：

> 从全世界文学艺术的历史来看，文艺理论真能持之有故言之成理，确有创见而又能自成体系的，只有三个地方：一个是中国，一个是印度，一个是从古代希腊、罗马一直到今天欧洲国家的所在广大地区。①

不同文化系统的诗学、美学都自成体系，各有特色。比较诗学或比较美学，就需要对不同文化系统的诗学、美学作比较研究，"特别是前三个方面的能自成体系的文艺理论，更是我们分析研究的主要对象"。

正如比较文学不能只停留在英欧文化系统范围内一样，比较诗学或比较美学应该把视野扩及整个世界范围内的不同诗学、美学。中国的诗学、美学源远流长，历史悠久，自当成为比较诗学、比较美学的重要研究对象。美国哈佛大学比较文学系主任劳迪欧·纪廉说得好："只有当世界把中国和欧美这两种伟大的文学结合起来理解和思考的时候，我们才能充分面对文学的重大的理论性问题。"如果我们的比较诗学或比较美学能对中国和西方的诗学、美学作一番比较研究，就不但能了解西方诗学和美学的特点，而且可以加深对中国诗学和美学的认识。这就是鲁迅所说的既能"知人"，又能"审己"，通过比较，知己知彼。在这个基础上，才能建立和发展马克思主义文艺学、美学。

但是，要对不同文化系统的诗学、美学进行比较研究，难度极高。这不仅是语言的隔阂，而且是整个文化系统的悬殊，从而造成了诗学、美学的差异。就中国古典文艺理论而言，正如季羡林所说：

> 使用一些生动的形容词，绘形绘色，给人以暗示，资人以联想，供人以全貌，甚至给人以艺术享受，还能表现出深度；但有时流于迷离模糊，好像是神龙，见首不见尾，让人不得要领。古代文艺批评家使用的一些术语，比如"神韵"、"情美"、"境界"、"隔

---

① 季羡林：《比较文学随谈》，《文汇报》1982年7月27日。

与不隔"、"本色天成"、"羚羊挂角,无迹可求",等等,我们一看就懂,一深思就糊涂,一想译成外文就不知所措。①

这为中西诗学、美学的比较造成很大困难。如何解决这个矛盾,克服这个困难?除了必须克服语言障碍以外,需要从多方面努力。

一是文化修养的提高和扩充。

应该熟悉中国和西方的整个文化体系,特别是文学与艺术。多阅读中外古今的文学作品,广泛接触中外古今的艺术创作,以及了解产生这种文学艺术的文化背景,这是对中西诗学、美学进行比较研究的前提。不了解《荷马史诗》、希腊悲剧,就很难理解亚里士多德的诗学。不懂得诗经、楚辞、唐诗、宋词、元曲等等,就很难理解诗话、词话、曲话这类中国古典文艺理论。不读巴尔扎克、托尔斯泰的作品,也很难理解现实主义理论。要理解20世纪的文艺学、美学,就需要广泛涉猎20世纪的形形色色的艺术流派。

无论是中国还是西方的诗学、美学都同哲学有紧密联系,不同的哲学体系影响到诗学、美学的差异。因此,要对不同诗学、美学进行比较研究,必须对不同的哲学体系有所了解。马克思主义的历史辩证法,是人类哲学的最高成就,理应成为比较诗学和比较美学的根本方法。但这并非意味着就不需要了解其他的哲学体系。理论修养越高,比较研究就越能获得自由,就越能得心应手。

二是掌握事实的丰富和充分。

要进行比较研究,就要充分掌握事实。就中西比较诗学、美学而言,就要对比较的对象——中国和西方的诗学、美学有充分的了解。中国和西方的诗学、美学,乃是中西比较诗学、美学所必须掌握的基本事实。

中西诗学、美学的材料浩如烟海,大海里如何捞针,从何着手?

前人已作过不少努力,想把中国诗学、美学和西方诗学、美学作些归纳,理出一些基本线索。我们不妨先从前人已作的归纳着手来了解中西诗学、美学的轮廓、概貌,然后再登堂入室,去直接掌握历史

---

① 季羡林:《比较文学随谈》,《文汇报》1982年7月27日。

上产生过的各种诗学、美学材料。广泛阅读前人的研究著作以及已整理出来的诗学、美学资料,十分必要,但还不够,必须进而掌握更多的资料,作出自己独立的研究。

三是分析综合,比较异同,探求规律。

在掌握大量诗学、美学资料的基础上,要对那些基本事实进行分析综合,比较异同,从而探求规律。

马克思主义历史辩证法是比较诗学和比较美学的根本方法,但不是唯一的方法。我们既要重视马克思主义这一根本方法,又不能忽视具体方法的多样。

19世纪上半叶,在科学的许多领域都发展了比较学,如比较解剖学、比较植物学、比较语言学等等,这是因为在这些学科领域已经积累了大量丰富的材料。

但是,当事实材料积累到一定程度之后,用什么方法来比较研究就成了当务之急,比较研究的目的是要探求规律性的东西。马克思、恩格斯不仅非常重视比较方法,而且善于通过比较寻找事物的本质和规律。把莎士比亚的《亨利四世》和歌德的《伯利欣根》以及拉萨尔的《济金根》作比较研究,揭示出了悲剧的本质,探求了艺术真实这样的重大问题。通过对18世纪德、英、法三国文学的比较,阐明了文学发展的不平衡发展规律,经济上落后,而在哲学、文学领域却可能当第一提琴手。

比较中西诗学、美学的异同,要善于抓住本质的、规律性的东西。黑格尔说得好:

> 假如一个人能看出当前即显而易见的差别,比如,能区别一支笔与一头骆驼,我们不会说这人有了不起的聪明。同样,另一方面,一个人能比较两个近似的东西,如橡树与槐树,或者寺院与教堂,而知其相似,我们也不能说有很高的比较能力。我们所要求的,是要看出异中之同和同中之异。[①]

[①][德]黑格尔:《小逻辑》,商务印书馆,北京,1980年,第253页。

季羡林在谈及中外文艺理论的比较时，更加具体地提出了一些设想：

> 我们要看一看其间同在何处，异在何处，表达的内容如何，表达方式如何，深思熟虑，简练揣摩，逐渐摸出一些线索，逐渐找到一些规律，逐渐能使用明确的、科学的语言把这些线索和规律表达出来。经过这样反反复复的、十分艰苦的探索，我们古代文论中那些术语，在我们口中，在我们笔下，也就会逐渐明确，不再那么扑朔迷离了。①

比较诗学和美学不仅是术语的比较，但就是术语的比较也离不开整个思想体系的比较。在进行中西诗学和美学的比较研究时，我尝试从三方面作些努力：

第一，中西诗学和美学的发展道路；
第二，中西诗学和美学的思想体系；
第三，中西诗学和美学的基本范畴。

为中国文化书院所作的讲授提纲
并为广东省比较文学研究会成立而作
1986年冬，深大海涛楼

---

① 季羡林：《比较文学随谈》，《文汇报》1982年7月27日。

为创新声觅异音

1984年夏,我从北大跑到深圳来,由中心走向边缘,这是我人生中又一次重大的转折。

就在到深圳的前几年,中国社会科学出版社、中华书局、北京大学出版社分别出版了我参与编著的多种学术书籍,其中有关西方文艺理论的编著,因问世较早,影响也就较为广泛。

受国家教育委员会的委托,我在这期间主持编著了三部供高等学校使用的西方文艺理论教材和参考书。一部是我主编的《西方文艺理论名著教程》(北京大学出版社),被国家教育委员会授予全国高校优秀教材奖。一部是我和张首映博士合作的《西方二十世纪文论史》(中国社会科学出版社),获国家新闻出版署颁发的全国首届优秀外国文学著作奖。还有一部是我和王岳川教授主编的《文艺学美学方法论》(北京大学出版社),被列入我国人文社会科学博士点的首批科研项目。

关心我的学术发展的朋友很奇怪,一向注目中国文艺理论的我怎么会关注起西方文艺理论来?

其实,对我自己来说,我这是在学术上自我补课,扩展学术视野,完善知识结构,开拓新的思路来研究文学艺术,为文艺美学的学科建设提供一个新的维度。

本来,在20世纪50年代中期我还在北大中文系攻读文艺学副博士研究生时,导师杨晦教授希望我随他研究中国文艺思想史。我曾有近三年时光,两耳不闻窗外事,一心只读圣贤书,沉湎于古籍,研究起铸鼎象物、歌诗咏言、兴观群怨、孔孟老庄来,积累了一些资料。由此,我和南京大学罗根泽教授也熟识起来,曾协助他为"中国古典文艺理论与批评丛书"做过一些编审工作。

但是,到了50年代后期,我受"厚今薄古"思潮的影响,开始关注起现实问题来。周扬亲自带了邵荃麟、何其芳、张光年、林默涵等到北京大学来开设文艺理论讲座，倡导建设中国自己的马克思主义文艺学、美学。作为这个讲座的助教，我和周扬有过多次直接的交往，和何其芳、张光年等几位前辈的交往就更多。受到这些前辈的熏陶，我的学术兴趣逐渐转向关注现实问题，想从美学上来回答文学艺术中令人困惑的难题，例如：为何古典作品至今还对我们具有艺术魅力，现实主义和浪漫主义在艺术创造中能否结合，理想和现实在艺术实践中如何融为一体等。除了学术探索，我还写文艺评论，被《文艺报》聘为特约评论员，后来又参加了中国作家协会。

看到我对美学感兴趣，杨晦鼓励我多向朱光潜、宗白华讨教，又推荐我在蔡仪门下编书。和王朝闻熟识以后，我更为他对文学艺术的精辟的美学分析所深深吸引。于是，我更渴望把文艺学和美学熔为一炉，致力于文艺美学的开拓。1980年春，中华全国美学学会在昆明成立，一致选举朱光潜为会长。我和朱先生、杨辛一起赴会。在全国高校美学研究会上，我提出，在艺术院校、文学系科应开拓文艺美学。回北大后，我就为高年级开了文艺美学课程。

可是，我在讲授文艺美学的过程中，深切感到，由于闭关自守、闭目塞听，我们对国外的新的学术资料掌握太少，这束缚了我们的学术发展。我感到必须补课，于是如饥似渴地阅读起国外的最新学术资料来。

我一直关注着苏联的文艺学、美学的发展。1956年，正是我准备攻读文艺学副博士研究生的时候，苏联的文艺学发生重大变化，开始重视从美学的观点来研究文学艺术。由布罗夫开始，接着，卡冈、斯托洛维奇、齐斯、万斯洛夫、鲍列夫等美学家，都在探索艺术活动的审美特性和审美规律。此时，我为马克思的价值学说所吸引。马克思的价值学说，严格区分了使用价值和交换价值，不能把使用价值和交换价值相混淆。使用价值是"对人的需要的关系的物的属性"。马克思通俗地举了珍珠、金刚石、葡萄等物品为例，说明这些物品都是"由于它们的属性，由于对人有使用价值"，能满足人的需要。马克思告诉我们："使用价值虽然是社会需要的对象，因而处在社会联系之中，但是并不反映任何社会生产关系。"使用价值只表示物和人的自然关系，不反映人与人的社会关系。使用价值有多种多样，马克思把审美价值看作是使用价值的一种。受马克思的启发，我后来把使用价值分为两大类：一种使用价值是为满足人的物质需求的，这是实用价值；一种使用价值是满足人的精神需求的，我把这看作是虚用价值。苏联的审美学派中，已有学者开始以马克思的价值论来谈美。我对斯托维奇从价值论出发来论说审美价值、艺术价值的尝试特别感兴趣。所以，当凌继尧考取朱光潜的西方文艺理论批评史研究生，问我如何决定研究方向时，我当即劝他，快从价值论美学入手，全面研究苏联当代美学，必能卓有成效。

当时，最感欠缺的还是当代西方的文艺学、美学的学术资料。从20世纪50年代开始一直到80年代初，我国大学讲堂上不讲当代西方文艺学。到60年代周扬主掌文科教材建设，才委托朱光潜编写《西方美学史》，伍蠡甫负责编选西方文论。我在参与《文学概论》(蔡仪主编)的编写时，曾去上海向伍蠡甫先生求教。但他和蒋孔阳等编选的西方文论，只到19世纪末，缺少20世纪的文论。直到20世纪80年代初，我国有些高等学校才开始开设西方文论课程，感到有必要编写西方文论的教科书。我和李衍柱等在1982年开始着手编写《西方文艺理论名著教程》、编选《西方文艺理论名著选编》。因为缺少当代西方文论的资料(伍蠡甫先生也说他掌握不多)，所以，在初版中，20世纪的只编写了论杜威、萨特、弗洛伊德、伍尔夫四章，极感单薄。

然而，这也激发我要尽快多掌握些当代西方的学术资料。国家教育委员会希望我能及早再编一本《西方二十世纪文论史》，以应教学的急需。张首映一到北京大学来，就随我全力投入这一编写工作。在香港学者袁鹤翔的帮助下，我曾在1986年春到香港中文大学作学术访问，在香港大学和香港中文大学搜集到不少当代西方的崭新资料。在北京大学，当时也有不少对西方文论、美学感兴趣的青年学子，分散在中文、哲学、英语、俄语、西语、东语等系。经盛天启的奔走，北京大学文艺美学研究会成立，办起了"文艺美学论丛"，由我主持，把这些爱好文艺美学的青年学子团结在一起，一方面研究文艺美学，一方面又选译了一些当代西方的学术资料。这样,我们对当代西方文艺学、美学的了解才逐渐多了起来。

正是在大家急切想多了解一些当代西方文艺学、美学的气氛下,我和张首映完成《西方二十世纪文论史》,又和王岳川共同主编完成《西方文艺理论名著教程》下卷,专论西方20世纪的文艺理论。

20世纪80年代中期,西方文艺理论大量译介进来,引发了我国关于文艺学、美学的方法论的争论。如何科学地、全面地评价文艺学、美学的不同方法,我曾撰文作过探索。国家教育委员会要我为全国高校人文社会科学博士点承担一个科研项目,于是由我和王岳川主编,邀请一川(北师大教授)、首映(《人民日报》编审)、尹鸿(清华大学教授)、张法(中国人民大学教授)、方珊(北师大教授)完成《文艺学美学方法论》一书。此书在北京大学出版社出版时,已是90年代,译介西方文艺学、美学的高潮已落。但没有想到,此书还是受到了90年代青年学子的关注,至今还在不断重印。

在深圳的第一次创业期间,我来到深圳大学参与创办中文系,后又扩展为国际文化系,想在这里倡导国际文化的交流。数年间,我曾参与举办一些国际文化交流的学术活动,如国际比较文学研讨会、世界华文文学国际研讨会、国际美学学术研讨会等等,与国际一些著名学者、作家有了学术交往,如布洛克、刘若愚、叶维廉、陈若曦、陈映真、赵浩生等。我想尽量多了解西方,也曾去过欧、美数十个城市,亲身体验一下西方的文化。但我真正的学术兴趣并不因此而走向了西方。我关注西方,只是把西方的文艺学、美学看作一种思想资料,取其新视界,借用新方法,目的还在解释我们自己的文化艺术现象,以促进我国自己的文艺学、美学的发展。

因此,我在关注西方文艺学、美学的同时,还主持编选出版了《中国古典美学丛编》三卷、《中国古典文艺学丛编》二卷、《中国现代美学丛编》一卷。这些,也都是建设文艺美学这一学科的思想资料。文艺美学要发展,不仅需要掌握西方的思想资料,也需要掌握中国自己的思想资料,更需要掌握当下现实中不断涌现出来的艺术实践的活生生的实践资料。为此,在深圳的第二次创业中,我在修订再版了专著《文艺美学》和新出《文艺美学论》之外,还把目光更多转向了深圳近10多年来的文学艺术,写过数十篇文艺和文化评论,以求理论联系实际,希望深圳的文学艺术日益优化,更上层楼。这些,都是在为有志于发展中国文艺学的有识之士,提供些许理论资料。

希望后来者居上,能很快取得丰硕的成果。

答《光明日报》之问:为何关注起西方文艺理论?

2001年夏,深大新村

博采众长道路宽

20世纪,百年沧桑,我历经60余载,却有幸和文艺学、美学结缘半个世纪,深感到理论形态多样,随时代而不断变化。新的世纪即将来临,结合我的直接感受,稍作反思。

少年时代,我最早接触到的理论书籍,乃是朱光潜和青年谈美、丰子恺说艺术趣味、艾芜所编文学手册这一类,由此而引起了我浓烈的兴趣。如今反思起来,这些书籍,规模并不宏伟,理论也不见得高深,但却紧密围绕着艺术活动本身,从实践中引出和阐发理论。或从实际现象的分析入手,或结合艺术家自己的实践经验。因而,我们从理论可以捉摸到事实现象,不会虚无飘渺,如堕五里雾中。有些见解,虽源自西方,但已经作者融会贯通,化为自己的语言,已有中国气息,深入浅出,平易近人。读这类书籍,感到亲切,本身就能获得乐趣,给我少年心灵留下美好印象。

正是这样,我在80年代初期首次招收研究生时,就让陈伟、王一川去旧书堆寻找出来读一读,并且摘编成《中国现代美学丛编》,由北京大学出版社在1987年出版,目的就是想让后人对前人的这一类学术风格有所了解。在后来数十年中,我虽然也饶有兴致地阅读文艺学、美学的鸿篇巨制,但我对朱光潜、宗白华、王朝闻等的美学短文情有独钟,不时尝试学写,而且越近晚年,就越倾向于愿在这条路上徘徊。

但在50年代初,许多旧书已被束之高阁,无人问津。我在此时读到的是周扬编的《马克思主义与文艺》、苏联季莫菲耶夫的《文学原理》。我到北大不久,就去听苏联毕达可夫为文艺理论研究生和进修教师讲授的文艺学引论课程。这位季氏的门生,一方面高谈文学的上层建筑、意识形态的一般性,另一方面又细论小说、诗歌技法,扎到文学的个别性中去，却不大深入文学艺术的特殊性这一关键问题。当时，在大学殿堂上活跃的基本上是苏联的学院派文艺学。但在文艺界却是毛泽东文艺思想占主导，政治被置于首位，突出英雄人物塑造，高扬革命理想精神。其实，苏联的文艺学、美学在50年代以后有很大变化，已在探讨文学艺术的审美特性和审美规律，却反而不被我们重视，我觉得是一种损失。在80年代初期，凌继尧师从朱光潜攻读研究生，我就劝他，快从斯托洛维奇、卡冈等美学着手，研究苏联80年代以后的文艺学、美学。直到现在，我仍然觉得，我们对90年代以来的苏联文艺学、美学重视不够，而对欧美的热情太过。

中国古典文艺理论在50年代中叶逐渐受到重视，我有两年多时间曾专注于此。我的导师杨晦，要我从研究孔子、庄子的文艺思想切入，顺着历史次序，一步步研究下去。对郭绍虞、罗根泽、陈中凡的文学批评史，我认真钻研过，甚至还为罗根泽编选的"中国古典文艺理论批评丛书"做过一些审校工作。到80年代初，得王一川、陈伟、丁涛之助，还曾辑编了《中国古典美学丛编》三卷，在1986年由中华书局出版。但我还是没有走上专治文学批评史的道路，而是把目光转向美学，想沿着朱光潜、宗白华、王朝闻的行程，接着走，想把文艺学和美学熔为一炉。在我看来，中国古典文艺理论潜在地存在着不同于西方的思想体系，应花功夫把它归纳出来。但它无论怎样深刻和精到，都只是建构当代中国文艺学、美学的思想资料。

主管文艺的周扬曾积极倡导建设中国自己的马克思主义文艺学。50年代末，他亲自带领何其芳、邵荃麟、林默涵、张光年、袁水拍到北京大学来开设"马克思主义文艺理论"讲座。60年代前期，周扬负责全国高等学校人文社会科学的教材建设，特别关注文艺学和美学的两部教材，不时参与讨论、座谈。我参加了蔡仪主编的《文学概论》的编写，也曾参与王朝闻主编的《美学概论》的讨论，大家确实想为建设中国自己的马克思主义文艺学、美学而尽心尽力。但如今反思，我们当时对马克思主义究竟有没有全面而深入的掌握？难说。对中国古典文艺理论的研究也很不够，而对西方的当代文艺理论就更知之甚少了。可以说，我们的理论资料准备不足。而更重要的是，我们的理论脱离生动活泼的艺术实践,仍然停留在抽象议论,很难解释错综复杂的艺术审美现象。所以,这些60年代编成的教材要放到80年代再用,自然越发显得陈旧,远远落后于时代。

改革开放打破了30年的闭关自守,西方当代文艺理论陆续被介绍过来。出于补课、完善知识结构的需要,我也曾集中精力浏览过形形色色的理论资料,主编过高校的第一本西方文论教科书《西方文艺理论名著教程》;和张首映合著了《西方二十世纪文论史》,并编选出版了数百万字的教学参考资料;又和王岳川合作主编了《文艺学美学方法论》。本来,这些文艺理论资料,经过分析研究,应可成为建构中国当代文艺学、美学的积极因素,但没有料到的是,我们还没有来得及审辨精华、糟粕,良莠未分,泥沙俱下,西方文艺理论热潮就已滚滚而来,四处弥漫。如今热潮已退,冷静反思,恐怕还是需要下功夫以马克思主义指导作系统研究,深入解剖,作一番清理,以便取其精华,去其糟粕。

对马克思、恩格斯的文艺思想的研究已经深入到掌握其思想体系,远超出对那几封信的注释范围。马、恩的美学思想,其实被包裹在整个宏伟的哲学思想体系之中,要掌握其美学思想体系,必然要深入研究资本论、剩余价值学说、经济学哲学手稿等原著。我很希望能把艺术生产放在人类的整个生产格局(物质生产、精神生产和人自身生产)中来研究。我国对中国古典文艺理论的研究也已推进到更高水平,努力想探索思想体系、基本范畴,以便作整体把握。中西文论各不相干的格局也渐渐改变,比较文艺学、比较美学等日益受到重视,令人高兴。

思想解放激发了学界的热情,不少有识之士想对文艺学、美学作新的建构的尝试。文艺心理学、文艺社会学、文艺美学、艺术文化学、艺术符号学、接受美学、艺术本体论、艺术生产论等都有所发展,理论形态渐向多元推进。我自己的兴趣仍在文艺美学,致力于文艺学和美学的融合。60年代初,我曾痴迷于马克思曾思索过的一个命题:为何古典作品至今还有艺术魅力?并为此写过数万字的副博士研究生毕业论文。到80年代,我则投入写《文艺美学》,主编文艺美学丛刊，并和叶朗、江溶合作，编辑北京大学"文艺美学丛书"。我并不奢望探索文艺学的全部问题，而只想关注文学艺术的特殊性。文学艺术，确可以成为政治斗争的工具，也可以成为交换的商品，但它之所以成为文学艺术，其质的规定性究竟在哪里？文学艺术的独特功能、特殊魅力究竟何在？

经历了半个世纪的周折，我深切感到，若要对文艺学、美学作新的建构，不仅需要对过去的理论资料作全面概括，而且必须掌握实践材料，对实践中出现的错综复杂的艺术现象，分析归纳，从而作出新的综合。马克思为研究资本的运动规律，当然研究了前人无数理论资料，但他牢牢抓住资本在社会中的实际运动，从具体到抽象，又返回具体，从而揭示出整体。对此，我极为折服。抛开了生动活泼的实际，从抽象到抽象再到抽象，只能使文艺学、美学如天马行空，不着边际，虚无飘渺，不知所云，也就失却了生命力。目前，我们的文艺学、美学的最大缺憾，不是缺乏理论资料，而是不面对实际，忽视实践材料。[1]在新的世纪即将到来之际，我深切期望，我们的文艺学、美学应关注当下现实，紧密结合实际，研究实践材料，博采中西之长，探索新的特色。

大家问起，我们应该怎样才能把握住文学艺术的奥秘？按我的经验，首先就是要直接接触文学艺术的实践，读文学艺术作品本身，有真切的体验，方可进行研究。对文学艺术的研究，既要入乎其内，又能出乎其外，既作内部研究，又有外部研究，把探索的自律和他律结合起来，才能弄明白文学艺术的生产是如何按美的规律来进行创造的。我刚上北大时，听"五四"老人杨晦讲文学概论，他把文学艺术和社会的关系，比作地球和太阳的关系，地球既在自转，又绕太阳公转，最后的合力，就形成不同的文艺形态，例如京派文艺和海派文艺就不一样。后来读马、恩经典，知道马克思也曾说过，在宇宙世界中，每一颗行星也都在自转和公转，这是普遍规律。世上错综复杂的现象，都

---

[1] 马克思在谈论理论思维的特点时说得好："就是在理论方法上，主体，即社会，也一定要经常作为前提浮现在表象面前。"

有"内因"和"外因"的相互作用,文学艺术的奥秘也来自于自律和他律的相互作用的合律之中。西方一位马克思主义理论家在《晚期资本主义文化逻辑》中说得好:"要把社会、历史领域同审美——意识形态领域熔为一炉,应该是更令人兴趣盎然的事情。"确实如此,能把这两者结合起来作研究,那是饶有兴味的事。艺术生产,作为精神生产的一种,自有不同于其他生产的独特性,但它不是孤立的存在,需要把它放在人类的整个生产中,探讨它和物质生产、人自身的生产以及精神生产的其他领域的联系和区别,如何相互依赖和促进。

我个人的学术志趣是对文学艺术作美学的探索。不错,文学艺术并不都美,假的、恶的、丑的艺术历来都有。但并不能因此而否定文学艺术,文学艺术应该而且能够追寻真、善、美。真、善、美应是文学艺术的永恒追求,更应是我们这个伟大时代的价值目标。我之所以倡建文艺美学,就是想探索文学艺术怎样按美的规律来创造。当然,文学艺术的审美价值只是一个维度,还可能具有多种多样的价值,认识价值、道德价值、政治价值等都可能在其中,甚至也不排除其中的交换价值。但是,审美价值是文学艺术的必要因素,不能缺少,而且它是把其他因素组织成艺术有机整体的胶合剂,起调控作用。作家、艺术家在把从生活中获得的人生经验组织起来构成意象世界之时,只有遵循美的规律,才能使其成为具有艺术魅力的优秀之作。当然,由于创作的意图各不相同,有的是为了突出道德价值、政治价值,甚至宗教价值,有的是为了追求认识价值,美在这里只具工具价值,具有的是依存美。但也有的文学艺术追求的是自由美,审美价值上升为主导价值。对具体作品要作具体分析,不能强求一律。但无论是自由美还是依存美,都必须按照美的规律来创造。

文学艺术之美,不仅存在于已完成的作品这一静态存在之中,而且作家、艺术家在现实生活中已生成审美活动,感受到了生活之美。作家、艺术家想把从生活中获得的审美体验存留在作品中,而且在意象经营的动态过程中,会不时重新唤起审美的体验,获得美感,这是艺术创作过程中的动态之美,然后才物化在作品中。作品的静态之美,引发了读者、听众、观众的审美反应,美又生成于动态的接受过程之中。所以，文艺美学既要探究艺术文本的结构、要素、性能等静态因素，美就存在于这有机整体之中；又要进而捕捉创作过程和接受过程中呈现出来的动态之美。

我的文艺美学研究聚焦于艺术美的创造。文学艺术之所以要创造美，其直接目的当然是为了让人得以审美，满足人类的审美需要。但我觉得，艺术审美还有更多的间接效应，比如，培养和提高人的审美鉴赏能力，在实际生活中善于审辨美丑。进而，还可以培育人的审美创造能力，不仅懂得欣赏美，还能自己参与实践，从事美的创造。最后，艺术审美还应在培养和提升人的精神境界、塑造人格中发挥积极作用。

但艺术美的创造只是人类整个创造活动中的一种，不能和人类的其他实践活动领域隔绝。物质生产、人自身的生产以及精神生产的其他领域也都不能创造美。美既可在物，也可在人，亦可在心，因而有物之美、人之美、心灵美之分。美既可在对象，也可在关系，亦可在系统，因而有对象之美、关系之美和系统之美的分别。关系之美，既可有人与物的和谐之美，也可有人与人的和谐之美，亦可有人与内心的和谐之美。系统之美，则更把发生主客体审美关系的环境或境遇也包容在内，构成整体的审美场，美就在这个审美场的系统中。古人所说的天地境界，其实就是天、地、人浑然一体的审美场，构成系统之美。审美的领域是如此广阔，所以，我们在艺术审美之外，还可以进行人文审美和自然审美。当我们的文学艺术越来越离美而去，我不能从中获得乐趣之时，我宁愿走向大自然，去领略天地之大美。

美学就不能只研究艺术之美，还要追寻和探索我们这个感性世界之美。如今美学界正在追问美学是一门研究什么的学问。说美学就是研究感性的感性学，但感性不能只归结为感性认识，而应是整个感性世界。感性世界是我们人类能感受到的整个生活世界，其最重要的构成乃是感性活动和活动的结果，人类的实践活动和所形成的社会关系才是我们这个感性世界的基础。但美学并不仅停留在确定的感性事实，指明我们这个世界发生了什么事，而是要进而揭示其价值，什么是美的,什么是丑的,什么是崇高的,什么是卑鄙的,等等。所以,美学应是感性价值学,重心在探索感性世界中各种现象的审美价值。但美学也不仅仅是审美学,研究审美活动当然为题中应有之义,但美学不应仅停留于研究审美,还应进而研究人类如何创造美,以及如何对人进行美的教育,所以,美学又是创美之学和育美之学。美学应把审美、创美、育美作为整体来研究。

不能再展开了,就说到这里。

在暨南大学同文艺学研究生的交谈

1999年冬,广州

西方文艺理论发展历程

西方文艺理论历史悠久,有两千多年的发展历程。

文艺理论是在文艺实践的基础上产生的,它虽然有相对独立的历史,却不能离开文学艺术这种社会现象而孤立发展。

文学艺术是一种复杂的社会现象。它既是人类活动的一种独特形式,又是这种活动的特殊产物。单以文学而论,如美国文艺学家艾布拉姆斯在20世纪50年代所说,就涉及四个要素:世界、作者、作品、读者(《镜与灯:浪漫主义理论与批评传统》)。刘若愚在《中国的文学理论》(1975)中也肯定了文学涉及这四要素,只是对它们的相互关系有不同的理解。叶维廉在《比较诗学》(1983)中虽又增加了一些要素(文化、历史、语言等),但仍然承认前述四者为最基本要素。这些要素相互制约,形成多种多样的关系,诸如作品与作者的关系、作品与读者的关系、作者与世界的关系、作品与作品的关系、个体作品自身的关系等等。艾布拉姆斯考察了古希腊以来欧洲的文艺理论发展史,得出这样的结论:历史上各种文艺理论的区别,就在于如何分析这四种要素的相互关系。不同的文艺理论,时而突出某些要素、侧重某种关系,时而突出另一些要素、侧重某种关系。这就形成了西方文艺理论的错综复杂和丰富多彩。

历史的发展像螺旋一样,并非都是直线上升,常有停滞甚至倒退。然而,就历史的整个发展过程而言,人类还是在不断进步,人类掌握的真理也在不断扩大和加深。西方文艺理论的发展,恐怕也是这样,它有许多谬误,也提供了不少真理。应该怎样评价历史上各种各样的文艺理论?列宁说得好:"判断历史的功绩,不是根据历史活动家没有提供现代所要求的东西,而是根据他们比他们的前辈提供了新的东西。"①评价西方历史上的文艺理论也应该如此,要看那一时代的文艺理论是否比前一时代的文艺理论提供了什么新的真理。

"每个理论都有其出现的世纪。"②文艺理论的发展,既离不开整个社会土壤,因而同每个时代的物质文明和精神文明的发展相照应;又接受前代理论材料的影响,因而自有相对独立的运行轨道。正如人类居住的地球既围绕太阳公转而受"他律"制约,又在自身旋转而受"自律"支配,西方文艺理论的发展也是按照"他律"和"自律"所形成的"合力"来运行的。很难把西方文艺理论的发展轨迹清晰地呈现出来,我们只能标示出发展过程中的一些重要的"点",由这些"点"连接起来,也许有助于掌握它的"线"。纵观西方文艺理论发展的历史过程,可以标示出这样一些"点"来:古希腊文艺理论的创立,罗马的古典主义理论,中世纪神学理论的统治,文艺复兴的理论振兴,法国的新古典主义理论,启蒙运动的理论开拓,浪漫主义文艺运动,现实主义文艺思潮,马克思主义文艺理论的兴起和资本主义社会形形色色文艺思想的多元发展。

一

自有文学出现,就有对文学的见解和看法产生。古希腊咏吟诗人在诵诗的同时,就常对文学发表自己的见解。例如,荷马在其史诗的开端,就向诗神呼求灵感。一些戏剧家、修辞学家也常抒发对文学的看法,例如,阿里斯托芬就在自己的剧作中展开对戏剧评判标准的辩论。这些有关文学的见解和看法,影响着古希腊文艺理论的创立,但本身还未有理论概括。

古希腊文学艺术极为繁荣,史诗、戏剧、雕塑、音乐、建筑等都蓬勃发展,到了公元前5世纪伯利克里时代,臻于顶峰。随后又出现了哲学高峰,其中萌生了精彩而丰富的美学思想,试图对生活和艺术中的

---

① [苏]列宁:《列宁全集》第二卷,人民出版社,北京,1984年,第154页。
② [德]马克思、恩格斯:《马克思恩格斯全集》第一卷,人民出版社,北京,1955年,第113页。

美学问题进行哲学思考。毕达哥拉斯、赫拉克利特、德谟克里特等从自然科学观点去解释美学现象，苏格拉底更从社会科学的角度去解释美学现象。古希腊的美学思想，还没有从哲学中分离出来，主要是对社会、自然的哲学思考，其中当然也包括文学艺术。只对文学艺术的哲学思考而言，古希腊的美学探索集中在这样两个问题上：一是文学艺术的社会基础，二是文学艺术的社会功用。这，也正是随后发展起来的古希腊文艺理论所关注的问题。因此，古希腊的美学思想、文艺理论在一开始就接触到文艺与社会的关系这个根本问题。

西方文艺理论的开始，是在柏拉图和亚里士多德的时代。

柏拉图出自苏格拉底门下，主要活动在公元前4世纪。柏拉图并无系统的文艺理论专著，在《理想国》里只是附带提及文艺；《对话录》也不是专门探讨文艺问题的，采取的又是漫谈、辩论的方式。但是，柏拉图对文艺的见解和看法触及文艺和社会关系问题，在西方文艺理论史上影响深远，不容忽视。柏拉图接受先辈哲人的模仿说，承认文学艺术模仿现实世界。但是，他所理解的现实世界，又是理式世界的模仿。理式世界第一性，现实世界第二性，艺术世界第三性。艺术世界只是"摹本的摹本"，"影子的影子"，同真理隔着三层，永远低于现实世界，更低于理式世界。这样的文艺理论，既缺乏辩证法，又陷入唯心论。中世纪的神学就把柏拉图的客观唯心主义予以发挥，用理式世界来论证"彼岸世界"的存在。但是，文艺复兴、启蒙运动、浪漫主义文艺运动中都出现了对"理式"的新的解释，把它理解为"理想"，从而发展为文艺要表现理想的理论。柏拉图还把文艺作品的创作归结为神赐迷狂，文艺的社会作用只能激起人的情欲，使人卑劣，因而要把诗人逐出"理想国"，显然表露出奴隶主贵族的阶级偏见。实际上，柏拉图心目中的文艺有不同等级，高尚的文艺是神赐的，低劣的文艺是模仿的。但柏拉图期望文艺能使人的精神境界提升，于人有益，这对后世的文艺理论影响极大。

在古希腊创立文艺理论的独立体系的，是亚里士多德。

亚里士多德是柏拉图的门生，与他有18年师生情谊。然而，亚里士多德同柏拉图的基本观点是对立的。亚里士多德的文艺理论，主要在《诗学》和《修辞学》中予以阐发,本来就是为了同柏拉图论辩而作。但他并不仅限于论辩,而是着手创建一个关于史诗和戏剧(主要是悲剧)的理论体系。在这个理论体系中,文学和社会的关系问题被置于首位,但不是停留在泛泛而论,而是以作品本身这个环节为中心,着重解剖文学作品的构成,分析作品各种因素和成分,探索情节、人物、场景的统一,区分悲剧、喜剧、史诗不同文学类型的特点。亚里士多德肯定文学模仿现实世界,但并不承认现实世界之上还有理式世界。诗人按照或然律和必然律来模仿世界,描述可能发生或应该发生的事,因而能在特殊中见普遍,偶然中见必然,合情而又合理。文学的社会功用,并非如柏拉图所说只能激起情欲,使人卑劣。不,文学能使人的内心"净化",即使是悲剧,虽然能激起哀怜和恐惧,但经过"净化"而导致心境的平静,使人产生快感,获得精神享受。尽管对文学的"净化"作用尚需作科学的说明,后人的解释众说纷纭,但它发人深思,启发后世的文艺理论去探索这种特殊的社会功能。亚里士多德关于作品是个有机整体的思想,至今仍有价值。作品作为整体,不是构成因素的简单总和,而是有机联系,因而它大于部分相加之和。在亚里士多德看来,一个有开头、中腰、结尾的事物,若其中的三个构成部分的位置可以互换,则称"总体";若三个构成部分的位置不可互换,则为"整体"(参阅《形而上学》)。文学作品就是这样的有机整体。亚里士多德的文艺理论体系,是古希腊时代的杰出成就。车尔尼雪夫斯基称赞:"亚里士多德是第一个以独立体系阐明美学概念的人,他的概念竟雄霸了二千余年。"

亚里士多德以后的古希腊文明已走向衰颓,文学艺术的中心也由雅典转向罗马,史诗、戏剧已经产生不了鸿篇巨著,牧歌、田园诗、哀歌等倒出现不少,文艺理论无多大建树。亚里士多德诗学原稿长期散失,在洞穴中埋没了将近两个世纪,到公元前1世纪才被发现,运回雅典,不久又从雅典运回罗马。于是,罗马时代的文艺理论基本上停留在整理、阐述亚里士多德思想体系的水平,缺乏创造性。罗马帝国时代的文化尊奉希腊古典,因而称为罗马古典主义。

罗马古典主义时代的文艺理论,可以贺拉斯的《诗艺》和郎加纳斯的《论崇高》为代表。

贺拉斯的《诗艺》是用韵文写的诗体书信,它注意于作品本身,致力于探讨文学体裁,制定格式规则,奠定了后来蔚为大观的古典主义理论。贺拉斯接受了传统的艺术模仿自然之说,但同时又提倡模仿古典,创作必须"合式",人物塑造重类型共性。至于文学的社会功能,贺拉斯发挥了亚里士多德的见解,提出既要给人教训,又要给人乐趣,二者结合,寓教于乐。

郎加纳斯的《论崇高》虽然也是书信,但可称是谈论雄伟文体的专论,原稿长期散失,直到16世纪才在巴黎被发现,但已丢失6页,到1554年才得以出版。《论崇高》在西方首次把崇高作为审美范畴来考察,接触到了亚里士多德所未涉及的问题。郎加纳斯把雄伟文体和作者的崇高心灵、激动读者人心这三个环节联系起来,说明雄伟文体来自作者的崇高心灵,崇高风格是"伟大心灵的回声",它去影响读者,激动人心,使人"狂喜"和"惊叹"。郎加纳斯对崇高的推崇,冲破了贺拉斯只求平正之论,在文艺理论上有所前进,对于后世,特别是启蒙运动、浪漫主义的文艺理论产生巨大影响。

郎加纳斯之后,罗马帝国已走向衰落。柏拉图的学说在此时日益受到重视,产生了新柏拉图主义。这一学派的创始人普罗提诺,是古希腊罗马哲学的殿军,中世纪神学的始祖。他的美学思想,虽然在艺术美和自然美的关系问题上同柏拉图稍异,并且肯定真、善、美的统一,但最后都把世界本原归结为"太一"——它类似柏拉图所说的"理式"。

历史进入了中世纪黑暗年代。从公元4世纪到13世纪约1000年的欧洲中世纪时期,神学统治一切。古希腊哲学受泛神论影响,尽管相信万物有灵,但目光还注视着现实。中世纪的哲学变成了神学,现世的一切都归于上帝的恩赐。中世纪神学仇视和排斥世俗的文学艺术,文学艺术只在民间发展。这个时代虽有美学,但只是神学的附庸,不以文学艺术为主要对象,不向探索文学艺术的规律这个方向深入,美学被引向抽象思辨,最终走向崇拜上帝。中世纪两位美学家奥古斯丁和托马斯,在美学上有所前进,例如关于美和丑的对立统一,真、善、美的联系和区别,给后人以启发,但这些见解全融化在神学体系中。在文艺理论领域,却并无创见和建树。

只有到了文艺复兴时代,西方文化达到了第二个高峰,文艺理论才又一次振兴起来。

二

文艺复兴是欧洲在14世纪到17世纪发生的文化运动。

所谓文艺复兴,是古典学术文化的复活和再生。但文艺复兴运动的实质并不只是要回到古希腊、罗马,而是在复兴古典文化的基础上创造新文化。

文艺复兴最先在意大利萌生、发源,逐渐发展到欧洲其他地方。

意大利本来就是罗马文化的直接继承地,古希腊、罗马的文化传统绵延未绝。意大利又处于东西文化交流中心,资本主义萌芽最早产生。中国的造纸印刷技术传到西方后,过去靠手抄的古典文献终于可以印成书籍广为流传,这也促成了文艺复兴的到来。1453年,保存古希腊文化较多的罗马帝国灭亡,流传在拜占庭的古典文献流入意大利,逐渐在意大利流传。例如,亚里士多德的《诗学》在中世纪湮没无闻,到了1498年在威尼斯才出现了完整的拉丁文本,1508年出版了希腊文本,在16世纪,《诗学》的版本竟多达10余种。贺拉斯的《诗艺》也被译成意大利文出版。古希腊、罗马著作的出版,促成了文艺复兴,也带来了文艺理论的兴盛。

文艺复兴的先驱是但丁。他是中世纪最后一位诗人,又是新时代最初一位诗人,对推动意大利民族文学的发展起过很大作用。但丁的文艺思想带有中世纪痕迹,又具有新时代特征。他为自己的《神曲》作解释的著名书信,阐明了作品本身所具的多层意义(字面的意义和寓言的意义),曾对后世产生影响。

意大利文艺复兴时代的文艺理论是围绕着古典文艺理论的评价、解释而振兴的。16世纪的意大利已产生了"今古之争",为17世纪法国更为宏大的"今古之争"开了先河。

文艺复兴时代的文艺理论丰富多彩，约有三种类型。

一、仿效亚里士多德用笔记方式写出来的较为严谨的文艺论著。如明屠尔诺在1564年出版的《诗的艺术》，画家达·芬奇的《画论》《笔记》。

二、模仿贺拉斯用韵文形式写出来的各种艺术论。最著名的是维达在1527年出版的《论诗艺》三卷，影响甚大，有代替贺拉斯《诗艺》之势，直到法国布瓦洛在1674年出版了《诗的艺术》，才又取而代之。

三、为维护自己的文艺见解而作的文艺论辩。意大利诗人塔索在1559年出版的《言论》和1594年出版的《论英雄传》，就是为自己的《耶路撒冷解放记》作辩护而发表的文艺见解。马佐尼曾在1572年和1587年两度著文为但丁《神曲》辩护，驳斥了古典主义的责难，表现出了浪漫主义倾向。英国的锡德尼在1595年发表的著名论文《为诗一辩》，也是针对否定戏剧的高森而作的论辩，肯定了戏剧的社会价值，特别是道德价值。

文艺复兴时代的文艺理论，探索比较广泛，涉及多方面的问题，主要有：

一、文艺模仿现实，能给人以真理。中世纪教会否定文艺能显示真理，文艺复兴时代则肯定文艺同哲学一样，能给人以真理。例如达·芬奇就把诗和画都看作哲学，把文学艺术叫作镜子，它反映现实，创造第二自然。文艺复兴时代的文艺理论发展了亚里士多德的模仿说，文学艺术不只是模仿人的行动，而且也模仿心理活动以至自然中的一切事物，把文学艺术的对象扩大到人的生活的各个方面。

二、文学艺术对社会有益。中世纪教会把文学艺术看作魔鬼，只会伤风败俗。文艺复兴时代的文艺理论肯定文学艺术能净化心灵，寓教于乐。锡德尼在《为诗一辩》中特别重视文学的社会作用，把诗看作是历史和哲学的结晶，地位之崇高仅次于《圣经》。诗具有特殊的魅力，可以使孩子不顾游戏，老人不会打盹。诗特别具有道德教育作用，它创造了引人入胜的意象来表征道德，于娱乐中教导人心。锡德尼用了这样一个比喻：自然界只是一个铜的世界，诗却为人类铸造了一个黄金的世界，使世界变得更美好。

三、对文学艺术的特点有了较深入的了解。中世纪的美学紧紧束缚于神学，把美和艺术分割开来。文艺复兴时代的文艺理论打破了神学束缚，把美和艺术统一起来，探索艺术中真和美、善和美的关系。对于文艺如何模仿现实，有较为深入的探讨。马佐尼在《为喜剧申辩》中，把艺术区分为二：模仿艺术和非模仿艺术。模仿艺术也有两种类型：真实模仿，模仿现实中现存的实际事物；幻觉模仿，是艺术家心灵中自己创造出事物来。越来越多的人看到了想象、虚构在文艺创作中的作用，能辨别出美和真的联系和区别。美和善的关系问题，在文艺复兴时代也被提了出来，但大多还分不清美善之别，常把美善混为一谈；个别人片面理解美，把美归结为艺术形式，而把艺术内容归结为善。

文艺复兴经历了300多年，是欧洲由封建主义到资本主义过渡的伟大历史转折时期，也是一个伟大的精神解放和思想酝酿的时代，但还不成熟，它只是走向成熟时期的一个桥梁。

意大利的文艺复兴在16、17世纪之后已告消退，西方的文化中心已由意大利转向法国。但是，文艺复兴在法国却走了样，在17世纪的法国形成了一个古典主义时代。为了与罗马的古典主义相区别，后称它为新古典主义。

法国的中央集权君主制，调和封建贵族和上层资产阶级的利益。这个中央集权国家以罗马帝国为光辉榜样，梦想恢复过去的光荣。它穿着罗马帝国的服装，演出世界历史的新场面，在文化上也借用罗马的古典主义建立法国的文化。

法国古典主义文艺主要是戏剧，高乃依、拉辛、莫里哀都以戏剧著称。古典主义的文艺理论集中表现在布瓦洛的《诗的艺术》中。

这是模仿罗马贺拉斯的《诗艺》用韵文写成的新古典主义理论。布瓦洛尊崇罗马古典主义的创作原则，进而发挥，把文学体裁分成等级，并为每种体裁制定了格式规则。例如把古希腊、罗马时代就产生的史诗、悲剧、喜剧定为大体裁，而其他都是小体裁；悲剧必须严格按照"三一律"写作，"舞台表演自始至终只能有一个情节，要在一个地点和一天内完成"。布瓦洛还规劝剧作家要"研究宫廷，认识城市"。

布瓦洛的文艺理论在当时的法国占统治地位。但也有一些人如帕罗对古典主义表示不满,要求冲破它的束缚。法国古典主义时期始终都有"今古之争"。"古"派以布瓦洛为首,维护古典主义法则;"今"派以帕罗为首,要求变通,"把脚移到一个新的制度上去站着"。在这里,就已隐约可以听到启蒙运动的响声了。

新古典主义消退之后,欧洲在18世纪就出现了启蒙运动。

法国新古典主义是文艺复兴在法国中央集权统治下的变态发展。随着"第三等级"的发展壮大,在18世纪初的法国产生了启蒙运动,这是文艺复兴的继续和发展。

启蒙,就是要用知识去"照亮"人类,打开眼界,冲破愚昧黑暗,建立"理性的王国"。

启蒙运动表现在文艺领域,就是要冲破古典主义,开创新的道路。但这是一个逐渐发展的过程。

启蒙运动的最早代表伏尔泰对古典主义传统尚很留恋,把高乃依、拉辛视作珍宝,而把莎士比亚比作粪土。但伏尔泰反对以古非今,在《论史诗》中承认史诗要有发展,不能囿于旧有传统。启蒙运动的另一代表卢梭则把当时的文艺一概否定,把文学艺术看作是罪恶之源,高呼"回到自然"。但是卢梭自己的创作、书信体小说《新爱洛伊丝》,却是感情自由奔放,充溢着感伤主义精神,成为浪漫主义文学的前驱。启蒙运动在文艺理论领域中的最大代表是狄德罗。他的文艺理论有多方面的建树:一是戏剧理论,二是造型艺术理论,三是美学理论。狄德罗既不像伏尔泰那样留恋古典主义,又不像卢梭那样否定一切文艺,而是多方面地研究了戏剧、绘画等多种艺术,并且进行了创作实践,把美学理论和文艺实践结合起来,对文艺理论作出了巨大贡献,对后世的浪漫主义和现实主义文艺运动都起过积极作用。

在法国启蒙运动中还出现过一位布丰,1753年他在法兰西学院发表了著名的演说《论风格》,曾轰动文坛。布丰从作家和作品的关系、作品本身的内容和形式的关系方面,阐述了风格的成因和表现,对后人颇有启发。

启蒙运动在较为落后的德国也有反响。

德国的启蒙运动是由一个古典主义运动开始的。在德国也曾发生过"今古之争",不过,此时争论的已不是今古优劣,而是德国应向英国还是法国借鉴。莱比锡派崇尚法国古典主义,而屈黎西派则推崇英国的浪漫主义倾向。

德国启蒙时代的文艺理论侧重于对古典文艺的探讨,并且富于哲学思考。

鲍姆加登在西方首次用"美学"来命名自己的著作,美学成了一门独立的科学。文克尔曼致力于研究古典艺术的特点,1764年发表的《古代艺术史》,探讨艺术的起源、发展和衰颓,找寻各个时代、民族艺术的不同风格,这在西方亦属开创。德国启蒙运动的文艺理论,到了莱辛臻于高峰。莱辛的《拉奥孔》集中研究了诗画的异同,在文艺理论史上是不朽之作,他所开拓的领域,至今还吸引着人们去作新的探索。莱辛的《汉堡剧评》和《文学书简》,同法国的狄德罗相呼应,建立了新兴市民的戏剧理论和现实主义文学理论,它的影响范围远远超出了德国。

18世纪70年代,德国发生了一场声势浩大的文学运动,史称狂飙运动,它推进和发展了启蒙运动。狂飙运动的美学纲领体现于赫德尔和歌德合编的《德国的风格和艺术》(1773年),它要求自由和个性解放,标志着德国资产阶级的民族意识觉醒。青年歌德、席勒都积极参加了这个运动。"这个时代的每一部杰作都渗透了反抗当时整个德国社会的叛逆精神。"①狂飙运动的文学艺术富有感伤主义和浪漫主义情调,它影响了18世纪末、19世纪初期在欧洲出现的浪漫主义运动。

三

浪漫主义和现实主义是欧洲19世纪最重要的文艺思潮,各有自己的创作和理论。

浪漫主义文艺运动是法国大革命和由此而来的欧洲民主民族解

---

① [德]恩格斯:《德国状况》,《马克思恩格斯全集》第二卷,人民出版社,北京,1955年,第634页。

放运动高涨的必然产物,这个文艺运动波及整个欧洲。

1789年法国资产阶级大革命以后,欧洲各国纷纷掀起民主革命和民族解放运动,激起人的意志、情感等精神的高涨。德国古典哲学竭力夸大人的精神的主观能动作用,法国空想社会主义幻想"立即解放全人类",英国经验主义美学特别重视想象、幻想、情感的作用,这些都对浪漫主义文艺运动产生过重大影响。

浪漫主义文艺运动继承和发扬了狂飙运动、感伤主义和前浪漫主义文艺的传统,反对17世纪以来统治文坛的古典主义,希望冲破束缚,争取个性解放、创作自由。

但是,浪漫主义文艺运动不是一个统一的运动。由于人生态度和思想倾向不同,浪漫主义有积极和消极之分。积极浪漫主义面向社会,向往未来,对人生持积极态度。消极浪漫主义则面向个人,缅怀过去,对人生消极逃避。

由于德国的特殊社会条件(经济落后、政治分裂、资产阶级软弱等等),德国的浪漫主义主流趋向消极,其理论代表为施莱格尔。积极浪漫主义并未得到正常发展,却和古典的优秀艺术传统相结合,形成了一种独特的文艺:德国的"古典"文艺。德国的"古典"文艺不同于法国新古典主义的文艺,而是既有现实主义特点又有浪漫主义特点的文艺,它以古希腊的"高贵的单纯和宁静的伟大"作为典范,创造出一种完美的文艺,幻想通过它来培养完美个性、和谐的人。这就是以歌德和席勒为代表的文艺,不过,席勒更倾向于浪漫主义,而歌德更倾向于现实主义。这样的文艺思想集中表现在包括康德、黑格尔、歌德、席勒在内的德国古典美学之中。以康德、歌德、席勒、黑格尔为代表的德国古典美学和文艺理论,是对欧洲文艺的理论总结,它的意义远远超出德国,是世界美学宝库中的重要财富。

英国的浪漫主义文艺运动,最先是具有消极倾向的湖畔派诗人掀起的。湖畔派诗人华兹华斯和柯勒律治受德国施莱格尔兄弟的影响,除了创作浪漫主义诗歌,还曾系统地阐发过浪漫主义文艺主张。两人合编的《抒情歌谣集》,华兹华斯曾两度作序,鼓吹诗歌要以自然美为土壤,写出宇宙的永恒,突出诗歌创作中想象、感情、沉思的作用。柯勒律治的《文学生涯》,对文学创作作了较深入的分析,把文学作品作为一个有机整体来考察,对20世纪的文艺理论颇有影响。稍后,英国出现了积极浪漫主义诗人拜伦、雪莱,他们在19世纪初期与湖畔派诗人进行了论争。雪莱在《伊斯兰的起义》序言中,在未完成的论文《诗辩》中,都提出诗歌应该"激发人们追求美好卓越的强烈愿望"。

浪漫主义在法国同时出现了积极的和消极的两种倾向。消极浪漫主义以夏多勃里昂为代表,积极浪漫主义以斯塔尔夫人为代表。两者都否定古典主义传统,但消极浪漫主义缅怀封建正统王朝,而积极浪漫主义倾向于自由资产阶级。夏多勃里昂创作的诗歌、小说、游记,正如马克思给恩格斯的信中所说:"用最反常的方式把18世纪贵族阶级的怀疑主义和伏尔泰主义同19世纪贵族阶级的感伤主义和浪漫主义结合在一起。"[1]斯塔尔夫人的《论文学》和《论德国》,用历史比较方法来代替古典主义的法则,阐发自然环境决定文艺面貌:同一个欧洲,南北的自然环境不同,形成了南方文学(古典主义)和北方文学(浪漫主义);浪漫主义文学比过去的文学更有力,它"用我们自己的感情来感动我们自己"。

1824年之后,法国浪漫主义文艺运动以伟大作家雨果为中心,达到了世界高峰。雨果在1827年发表的《〈克伦威尔〉序言》,是积极浪漫主义的美学纲领,提出了崭新的浪漫主义美学原则。由于雨果的积极活动,法国浪漫主义历久不衰,一直延续到19世纪后期。但自19世纪30年代后,法国、英国、俄国等都先后发展了批判现实主义。法国的司汤达、巴尔扎克,英国的狄更斯,俄国的普希金、果戈里最先表现了批判现实主义的创作趋向,逐渐在欧洲形成一种文艺思潮,产生了现实主义文艺理论。

浪漫主义文艺理论重视作家同作品之间的关系,对文艺创作中的心理因素特别重视。现实主义文艺理论则重视社会同文艺的关系,

---

[1] [德]马克思、恩格斯:《马克思恩格斯全集》第二十八卷,人民出版社,北京,1955年,第401页。

着重探讨社会对创作的影响和作品对社会所起的作用。

创作了法国第一部成熟的批判现实主义小说《红与黑》的司汤达，在1822年发表了《拉辛和莎士比亚》，可称是法国批判现实主义的第一部理论著作。在这里，司汤达否定古典主义而提倡"浪漫主义"，不过，在他心目中的浪漫主义，实际上主要是现实主义。这个时候还未出现"现实主义"一词，席勒在论著中曾用过类似于它的词句，但要到1892年法国画家库尔贝在评福楼拜的《包法利夫人》时才启用"现实主义"一词。创作了宏伟的《人间喜剧》的巴尔扎克，虽然也未用"现实主义"一词，但在《〈人间喜剧〉前言》中却总结了他丰富的创作经验，肯定和论证了现实主义创作原则。

在英国，以狄更斯、萨克雷为代表的批判现实主义，重视揭露现实的社会矛盾，反映了"政治和社会的真理"（马克思语）。

英、法等国的批判现实主义都是资产阶级取得胜利以后社会矛盾日益暴露时的产物。俄国的批判现实主义则是封建制度走向灭亡、资本主义刚刚兴起时的社会矛盾的反映。

俄国的现实主义由普希金所奠基。果戈里的创作，确立了俄国批判现实主义的原则，屠格涅夫、冈察洛夫、奥斯特洛夫斯基、涅克拉索夫等创作的批判现实主义作品，汇成一股洪流，发展到契诃夫、托尔斯泰成为高潮。俄国批判现实主义是欧洲19世纪文艺的高峰。

俄国许多著名批判现实主义作家时常发表文艺见解，或者总结自己的创作经验，托尔斯泰的《艺术论》，就是他对文学艺术的系统看法，不乏真知灼见，值得重视。同时，俄国在文艺理论领域里也涌现出一批代表人物，别林斯基、车尔尼雪夫斯基、杜勃罗留波夫就是杰出的代表，为世界文艺理论宝库增添了新的财富。

马克思主义文艺理论的产生，把文艺理论史推向崭新的阶段。与此同时，随着资本主义由盛转衰，社会矛盾激化，产生了各种各样的文艺思潮，文艺理论向多元发展。在19世纪后半期到20世纪初期，已经产生了形形色色的文艺理论：法国泰纳的社会学文艺理论、左拉的自然主义、波德莱尔的颓废主义，英国王尔德的唯美主义，德国叔本华、尼采的悲观主义等等。越往后发展，就越加使人眼花缭乱了。

四

马克思主义文艺理论在20世纪的西方不断发展壮大,不仅在苏联、东欧占据了主导地位,而且在欧美许多国家日益为人重视。

但是,整个西方的文艺理论显得五花八门、错综复杂。随着现代科学的兴起和发展,各门学科相互渗透,文艺学也发生很大变化。一些传统理论仍在继续发展,许多现代理论应运而生,相互排斥而又彼此补充,难以把它们作简明的概括。综观西方20世纪文艺理论,较为引人注目的约有三种类型。一是注重于"表现"的理论,包括克罗齐的直觉主义,弗洛伊德的精神分析学和荣格的神话原型理论。二是突出"本体",特别是"形式"的理论,包括俄国的形式主义、英美新批评派的文学本体论、法国的结构主义。三是探索"接受"的理论,包括现象美学、阐释美学和接受美学(审美反应理论)。在西方,最早对传统理论作出反拨而自成体系的,是意大利克罗齐的美学和文艺理论。克罗齐博学多才,建树甚多。在他的《美学原理》和《美学纲要》里贯穿了这样的思想:艺术(文学乃其中之一种)就是"直觉"。"直觉"是艺术的本质,是一种纯粹的精神现象。艺术由"直觉"创造,"直觉"就是"表现",用"意象"来"表现"感情。艺术就是这种称之为"直觉"的内心状态,并不一定非得形之于外、言之于表。"作为一个艺术家,他既不采取什么活动,也不说明理由,而是写诗、作画、歌唱;简而言之,是在表现自己",艺术就是通过"直觉"表现艺术家的心灵状态。

显然,克罗齐的美学并非形式主义理论,而是属于表现主义范围:物质形式可有可无,"直觉"不必借物质手段表现。这是以"直觉"为中心的表现主义,作者、作品、读者的界限消失在"直觉—表现"中了。在克罗齐看来,文艺学只需要研究"直觉—表现",不需要社会学的、传记学的、心理学的研究,连文体学也在其视野之外。运用"直觉—表现"说来进行文艺研究和文艺批评,实际上又走向了印象主义。不过,克罗齐对传统理论的反拨,却促进了现代理论的兴起,他的表现主义美学在意大利盛行了半个世纪,对德国浪漫主义理论和英美新批评派都产生过影响。

克罗齐的直觉主义理论同欧洲的象征主义理论相通。象征主义诗学最先在法国兴起,从波德莱尔到马拉美,再到瓦莱里,后来又在德国发展。象征主义的主旨也是看重内在心灵、自我表现。文学艺术为了要表现内心真实,就要运用"象征",进行"暗示",就像马拉美所说:"与直接表现对象相反,我认为必须去暗示。对于对象的观照,以及由对象引起梦幻而产生的形象,这种观照和形象——就是诗。"象征,这本是文学上常用的一种间接表现的手法,并非象征主义所独有。但是,象征主义理论把象征奉为文学艺术的灵魂并把它引向神秘。瓦莱里说道:"诗人传达他所接受而未必了解的东西,因为这东西乃神秘的声音所赐予。"不过,克罗齐的直觉主义和瓦莱里的象征主义还有不同之处:克罗齐所说的直觉,是渗透着感情的,即抒情的直觉。瓦莱里却否定艺术必须表现感情,而去追求沉思:"沉思的状态是审美知觉的状态。在这种审美知觉中,全部意念和情感都同时被消除。"克罗齐轻视文学艺术的物质形式。瓦莱里却十分重视物质手段和文学形式,声称"诗人是词语的组合者和排列者",赞赏马拉美的名言"诗不是用念头写成的,它用字写成"。克罗齐用"直觉—表现"来把作者、作品、读者三者统一起来。瓦莱里却以为三者无法统一,诗的好坏同诗人的意图无关,读者的理解和作者的解释各异。在瓦莱里那里,已有这样的趋势:一方面走向形式主义,一方面走向接受美学,但还都没有展开。

心理学开始被引进文艺学,用心理学来解释文学艺术的创造,也是20世纪引人注目的现象。

奥地利精神分析学家弗洛伊德并不专门研究文学艺术,他也不止一次地声明,虽然他用精神分析原理去解释,但是,"我并不过分估计这些结果的可能性"。弗洛伊德的后继者以《意象》(1912~1938)为中心,不断运用精神分析方法去研究文学艺术,形成学派,在西方产生了广泛的影响。

精神分析学把文学艺术归结为"原欲"的升华。所谓"原欲"(Libido,音译"里比多"),就是人的基原欲望"爱的本能"。按弗洛伊德的看法,人格结构有三个层次:本我、自我、超我;心理结构也有三个意识层次：无意识、前意识、显意识。"本我"是人格结构的最底层，处于无意识状态，"原欲"就蕴藏在"本我"中，是人类活动最原始的内驱动力。"本我"要避苦求乐，获得快乐是人类一切行动的基本动机。但是，这享乐原则常与现实环境发生矛盾，就要由"自我"加以调节。前意识就是用以控制"自我"的本能，它处于意识和无意识之间。"超我"则是体现社会利益的心理机制，运用社会原则来压抑"本我"冲动。但是，"本我"的"原欲"是人的终极动力，在现实中得不到满足，长期压抑，就要使人毁灭。于是，"自我"和"超我"就力求让"原欲"在梦幻想象和文学艺术中得到发泄。在弗洛伊德看来，文学艺术的创作，就是用一种社会可以接受的文化现象来补偿"原欲"之不能在现实中得到满足，而要在想象中得到满足。这样，文学艺术的发生被导源于"本我"的"原欲"，归结为无意识的本能。古希腊悲剧《俄狄浦斯王》、莎士比亚的《哈姆雷特》、陀思妥耶夫斯基的《卡拉玛佐夫兄弟》、尼采的诗、歌德的小说、达·芬奇的画，全成了这种"原欲"的升华。

尽管浪漫主义者在19世纪已经看重作家的"内在心灵"，渴望了解创作的"内在意识"，甚至已有人意识到"无意识印象必然会影响和反作用于意识现象"；但是，只有到了弗洛伊德才跨进无意识领域作了一些探索。然而，弗洛伊德对作家、艺术家的深层意识的探索，仍然主要是一种猜测和假说，并未得到科学的说明。文学艺术的创造，是前意识和显意识相互作用的过程和产物，弗洛伊德把它仅仅归结为无意识，难以令人相信。文学艺术的产生乃是为了满足人类的审美需要，弗洛伊德仅仅把它归因于"原欲"的满足，这就把人类的高尚的需要降低为原始的本能，不符合事实，恐非科学真理。但精神分析原理可以启发人们去进一步探索艺术创造活动的深层意识，深入研究文学艺术的心理因素。

在瑞士，分析心理学家荣格在弗洛伊德精神分析学的基础上，发展了自己独特的理论。荣格的分析心理学把"原欲"作了较为宽泛的解释，不像弗洛伊德那样狭隘，它包含了一切动机在内的个人全部生活力。但是，这个"生活力"仍然是一个含混模糊的概念。荣格的分析心理学肯定人的心理有意识和无意识，两者相互补充、配合，从而取得心理平衡，全面的人应把这两方面结合起来。无意识又有两个层次：上一层是个人无意识，下一层是集体无意识（种属无意识）。荣格用集体无意识来解释文学艺术，从而形成一种新的研究方法，就是原始类型研究或神话原型研究。集体无意识是个人意识（无意识和意识）的基础，它保存在个人意识中。集体无意识包含着种属的"原始类型"或"原始意象"，神话就是古代种属无意识的原始类型或原始意象。在神话以后发展起来的文学，都保存了这种神话原型，因而可以从中找到原始类型或原始意象，如天父和圣母、再生与原罪、升天堂和下地狱等等。文学，就是集体无意识的表现。

西方许多国家的文艺学接受了荣格的分析心理学，以此来研究文学艺术的深层心理。"蕴藏最深的思想——超过了某种作品乃至许多作品的思想，必须在原型象征物中去寻觅"，这成为原型研究的基本看法。英美的一些文艺学家，研究了古代神话、民间传说，并进而研究现代诗歌和小说，寻找它们的原始类型，取得一定成果。越到后来，这种原始类型的研究日益有向结构主义发展的趋势。

荣格的分析心理学把无意识分为个人与集体两类，承认文学创作是个人经验与集体经验的融合，比弗洛伊德的精神分析学要略高一筹。但是，荣格夸大了集体无意识的作用，忽视了现实经验在文学创作中的地位，因而很难科学地解释文学这种融合了历史经验和现实经验的特殊活动和产物。仅以集体无意识来解释，也无从区分文学和神话、艺术和宗教的异同和特点。把文学艺术的复杂现象只归结为简单的几个原始类型模式，未免使人感到单调、乏味。无疑，文学艺术的创造确实残留着过去"原始意象"的痕迹，但这种"原始意象"在创作中究竟起什么作用、占什么地位，尚待继续探讨。荣格的分析心理学、弗洛伊德的精神分析学都给文艺心理学以启发，但还有更多的心理学可供文艺心理学借鉴。美国阿恩海姆的完形心理学、苏联巴甫洛夫的条件反射学说、瑞士皮亚杰的建构心理学等等，都在逐渐为文艺心理学所吸收，文艺心理学将会有宽广的前途。

五

如果说,直觉主义、象征主义、精神分析学等的注意中心在作家的"心灵",那么,俄国形式主义、英美新批评派和法国结构主义等的注意中心则在"本体"。

俄国的形式主义诗学早在20世纪初期已经出现,在20世纪20年代的苏联曾有发展。

俄国形式主义诗学既受德国古典哲学,特别是康德美学的影响,又受到瑞士日内瓦语言学派的启发。它最初致力于诗歌语言的研究,后来,莫斯科学派向语言学方面发展,而彼得堡学派则向文艺理论方面深入。俄国形式主义诗学把文学作品看作是一个独立自足体,它同作品以外的因素无关。作家、读者、社会都是同作品无关的外在因素,不能用社会学、心理学等来研究文学。文学作品就是运用语言技巧制作出来的语言体,因而只能用语言学,特别是语音学来研究文学。俄国形式主义诗学,基本上是语言工艺学,注意的是语言的声音层次,最著名的形式主义代表雅克布逊把它称作是"功能音位学"。20世纪20年代的苏联,对俄国形式主义诗学曾经有所争论,托洛茨基的《文学与革命》(1924)曾予以否定,把它归结为新康德主义。30年代以后,俄国形式主义诗学渐趋消沉,但在捷克斯洛伐克却有很大影响,形成布拉格学派,后来发展成结构主义诗学。

德国的文体学是另一种类型的形式主义。它在20世纪三四十年代的德国兴起,以分析作品文句的语法结构为主,透过文体的研究以发现作家的中心动机和观察世界的基本方法。

20世纪最重要的形式主义文艺理论还是英美的新批评派的理论。

新批评派受法国唯美主义和德国古典美学的影响,最初在英国兴起,然后在美国繁荣,持续40多年(1915~1957)。新批评派的前驱可追溯到英国美学家休姆和美国诗人庞德的意象派。休姆在《古典主义与浪漫主义》(1915)中宣告:浪漫主义时代已经结束,文学的新时代已经到来。但是,新批评派的直接开拓者是一同在1927年由英国加入美国的艾略特和瑞恰兹,语义学被引进文艺学,产生了新的文学研究方法。随之,在二三十年代的美国,出现了一批"新出的批评家",形成了以南方集团为主的第二代新批评派,活跃于三四十年代的文坛。50年代,新批评派又进而统治了学院讲坛,出现了以耶鲁集团为主的第三代新批评派。60年代,由于法国结构主义的传入,英美的新批评派发生了变化,渐趋沉寂,但新批评派的基本原理已被后来的文艺理论所吸收。

新批评派致力于文学作品本体的研究,所以被称为"本体论"文学理论。新批评派的兴趣在于探索文学的"特异性",即区别于其他文体的特点,而"特异性"就存在于作品本身:"诗作为一种文体,其特异性是本体的。"(兰色姆)新批评派并不绝对否定文学的功能可以引起读者的感情反应,但是作品本身却并不表现感情。艾略特说道:"诗不是放纵感情,而是逃避感情;不是表现个性,而是逃避个性。"新批评派否定克罗齐的表现主义美学,把它看作是浪漫主义理论的最后总结。诗歌本身不表现感情却为何又能激起读者的感情反应呢?瑞恰兹的看法是:这是因为文学作品所用的语言本身的特点造成的。诗歌语言不同于科学语言,它所用的是感情性语言,而科学语言则是指称性语言(瑞恰兹后来又改成"非指称性伪陈述")。新批评派的其他人对文学特性的看法并不一样,说法各有不同。兰色姆认为,诗歌和科学都表达真理,但科学是抽象表达,只有构架,而无肌质,诗歌则是具体表达,把肌质还给构架。退特的看法是:科学只要外延,不要内涵;而文学既有内涵又有外延。燕卜荪的见解是:科学语言的语义单纯,而文学语言的语义复杂。布鲁克斯的观点是:科学语言的语境单一,文学语言的语境则包容多种甚至冲突的经验。具体说法不同,但基本方法一致,都是在文学的语言本身探索文学的特异性。在新批评派看来,文学是语言的一种特殊形式,"独立于外部世界的有机体",由上下文的互相渗透而产生出自己的意义。因此,新批评派的文学本体论,又称作有机形式主义。

文学怎样才能构成一个有机体?新批评派的说法也各有不同。瑞恰兹从中国哲学家朱熹的"中庸"说得到启发,用"包容"说来解释文学有机体:诗歌通过"包容",使对立的动机得以综合,取得平衡。

"对立动机的平衡是最有价值的审美反应的基础,它比起一些明确的感性经验来更能使我们的人格起作用。"布鲁克斯则用"反讽"说来解说诗歌结构:通过"反讽性观照",使得"互相干扰、冲突、排斥,互相抵消的方面在诗人手中结合成一个稳定的平衡状态"。这就是所谓的"反讽诗学"。退特则用"张力"说来解释诗歌有机体:诗歌语言中有两种因素相互结合和补充,一是字面意义或指称意义,一是暗示意义或联想意义,诗就产生在这两种意义的"张力"之中,是这种张力结构造成了有机体。这就是所谓的"张力诗学"。

有机形式主义诗学的兴趣集中在文学作品本身,不顾作家传记、读者反应和社会背景。作品本身的意义和价值不应同作家的意图和读者的反应相混淆。将作品本身同其产生过程相混淆,就会产生"意图谬误",而其后果,"其始是从写诗的心理原因中推导出批评标准,其终是传记式批评与相对主义"。把作品本身与其效果相混淆,就会产生"动情谬误",而其后果,"其始是从诗的心理效果推导批评标准,其终则是印象式批评和相对主义"。对文学的研究,只应注目于"本体",作品本体的意义,不依作者意图和读者反应为转移。实证主义看重作家传记,现实主义注重对社会、历史的研究,浪漫主义重视作家心理分析,但在新批评派看来,这些都只是对文学的外在研究,只有对作品本体的研究才是内在研究。

新批评派对文学本体的研究,只着眼于对单个作品的分析,并不注目于作品与作品的关系,因此文学类型、文学体裁的研究也在视野之外。直到50年代后期,加拿大人弗莱的《批评的分析》问世,跳出了新批评派局限在作品个体的圈子,转向作品与作品的关系,作文学类型的研究。他把数百部文学作品置于宏大的文体类型模式之中,分成悲剧、喜剧、抒情、讽刺四大体裁,同自然界的春夏秋冬四季相对应。这种超出作品个体的文学类型研究,虽然显得幼稚,但注意了众多作品的结构研究,成为结构主义诗学在美国的前驱。60年代,新批评派逐渐为结构主义所替代,在西方文艺理论史上,成为形式主义向结构主义过渡的中间环节。

在英美新批评派兴起的同时,法国发展了结构主义诗学,并在60

年代形成高峰。法国结构主义影响甚广,扩及欧美各地,甚至在捷、波、苏也有反响。

结构主义诗学把结构主义语言学引入文学研究。20世纪的形式主义诗学都借助于语言学,不过俄国形式主义重在语音学,英美新批评派重在语义学,而结构主义则重在语法学。结构主义诗学借助于结构主义语法分析来解剖叙事作品,创造了一门新的文学科学:叙述学。

在法国,影响最大的结构主义文学理论家是巴特。巴特最初接近萨特的存在主义。在1953年发表的《写作的零度》一文中,他论证了文学语言的政治和历史作用,写作中表现了作家的社会态度。他把采取"不介入"态度的写作称作"零度的写作"。不久,巴特摆脱了存在主义,致力于探索作品的产生过程,不再去阐释作者的意图和作品的价值,而且越来越重视对文学语言的研究。巴特的代表作《叙事作品结构分析导论》(1966),运用语言学的理论来解释作品结构,研究了叙事作品的三个层次:功能层(研究基本的叙述单位及其相互关系)、行动层(研究人物分类问题)、叙述层(研究叙述人物、作者和读者关系)。巴特研究叙事作品的层次,不是从众多的文学作品中归纳出来,而是从假设的模式进行演绎,因而显得抽象难懂。后期的巴特,逐渐转向阅读现象学,区分出了"可写文本"和"可读文本":"可写文本"是读者读不懂的作品,而"可读文本"则是读者能读懂的作品。要使"可读文本"为读者读懂,也需要读者发挥主观能动作用,因为,"文本的意义并不在它本身,而在读者接触文本时的体会中"。

结构主义诗学的兴趣并不在于分析个别作品,而是想寻找叙事作品普遍具有的结构,或如托多洛夫所说:"这一科学所关心的不是现实的文学,而是可能的文学,换种说法,它关心的是文学现象所特有的这种抽象性质:文学性。"所谓"文学性",对于结构主义诗学来说,就是文学语言的特殊性,所以,"结构主义活动的对象不是文学作品本身:它探询的是文学语言这种特殊语言的性质"。托多洛夫致力于分析文学语言的语法结构,把句子分成两种基本成分,即施动者和谓语(动词、形容词),从谓语的不同组合,引出许多叙事类型。进而,托多洛夫还把话语的手段分成三部分:叙事时间(表达故事时间和话语时间之间的关系)、叙事体态(叙述者观察故事的方式)、叙事语式(叙述者使读者了解故事所运用的话语类型)。话语手段的组合变化,形成了叙事的多种类型。另一个结构主义者热奈特运用语法分析建立了"故事语法"。依照叙述者和叙述故事之间的关系不同,他归纳出了四种叙述类型。第一种类型:叙述者不在场,亦非故事主人公,如荷马。第二种类型:叙述者不在场,却是故事主人公,如吉尔·布拉斯。第三种类型:叙述者在场,但说的却是别人的而非自己的故事,例如《一千零一夜》中的山鲁佐德王后。第四种类型:叙述者在场,而且说的也是自己的故事,例如《奥德赛》第九、第十二章中的奥德修斯。结构主义诗学认为,施动者和被动者的叙述作用的不同,必然会产生观点的不同,从而引起功能意义的变化,因而区别叙述类型,十分重要。

结构主义文学理论把文学和语言等同,视文学作品为封闭的语言结构自足体,是另一种形式主义。结构主义希冀找出不同类型文学作品的结构特征,对文学的结构要素作了探索,可以启发后来的文艺学进一步研究文学的形式结构,如果把形式结构和内容结构结合起来研究,可能会取得有效的结果。

结构主义文学理论正在和符号学结合。苏联塔图学派曾尝试运用符号学来分析文学作品,著名文艺学家洛特曼在《艺术文本的结构》(1970)和《诗的文本分析》(1972)等著作中,就把作品文本作为一个多层次的系统来研究,揭示了结构与功能、内容与形式、本体与根源的统一。诗的语言被语义所渗透,它具有独特的结构,以浓缩的符号传达了丰富的信息。艺术文本的意义不只是内在的,而且同更广泛的意义系统相联系,因而不同社会分离。随着对艺术结构的研究日益深入,文艺符号学也逐渐受到重视了。

六

西方文艺理论发展到20世纪后半期,在德国兴起了视读者为中心的接受美学。

接受美学同现象美学、阐释美学密切相关。

由德国哲学家胡塞尔创始的现象学,是一门纯粹现象的哲学。所谓纯粹现象,就是"显象",显现于意识中的现象,其实也就是精神现象。按照现象学的看法,外界事物的存在,人无法确知,但人却能确定它们如何显现于我们的意识。意识活动和意识对象相互依存、紧密联系,只有了解我们的意识活动才能掌握外在世界,因而必须把外在世界还原为意识内容:一切实在事物都必须按照它们在我们心中的面貌作为纯粹现象对待。这就是所谓的"现象学还原"。

曾受业于胡塞尔的波兰哲学家英伽登把现象学运用于文学研究,写出《文学的艺术品》(1931)、《艺术本体论研究》(1962)、《经验、艺术作品与价值》(1969)等一系列著作。

英伽登的研究集中于文学作品这个客体本身。文学作品是一个特殊的客体,它不是"真实客体",也不是"理念客体",而是"意向客体"。按现象学的看法,所谓"意向客体"就是人为了具体目的而有意识创造出来的客体,它不是纯粹的实物,也不是纯粹的意识。只有这个客体才是文学研究的本体。"作家和他的全部浮沉身世、生活经历和精神状态,都完全处于文学作品之外",读者的反应、心理活动,也不在文学作品之列,因而都无关紧要,重要的只在作品本体。

那么,文学作品这个"意向客体"是由什么构成的呢?英伽登对作品本体作了结构分析,认为文学作品是由互为条件的四个层次构成的:词语—声音、意群、系统方向和客体所体现的世界。这四个层次相互制约,后一层次都以前一层次作基础,每一层次都在作品整体中起作用,构成一个统一体。文学作品创造了一个独立的世界。作品的世界不是现实的世界,而是虚构的世界。这个虚构的世界同现实的世界有联系,但不是同一个世界。巴尔扎克笔下的巴黎,同现实中的巴黎可能类似,但究竟又不同。狄更斯笔下的伦敦,又有别于现实中的伦敦。卡夫卡笔下的布拉格,也不能等同于现实。作品中的时间、空间不是现实的时间、空间。

从对作品本体的研究出发,英伽登进而论及文本和阅读的关系。虚构的世界和现实的世界不同,它包含了许多"不确定点",留下许多"空白",这就需要在读者阅读它的时候,用自己在现实世界中获得的经验来加以"具体化"。罗曼·罗兰在小说中用声音和场景来描绘巴黎的各式各样的街道,不可能把现实中的巴黎街道完全再现。只有到过巴黎的人,读小说时才能想象出整个情景;而没有到过巴黎的人,只好利用他在别的城市中获得的经验使这些"不确定点"和"空白"具体化。阅读可能是多种多样的:被动的、积极的、理智的、审美的。文学作品提供了一个骨架,它在读者的阅读中才成为审美对象,在阅读中才显示出作品的审美价值。因此,英伽登也很重视阅读中的审美体验的研究,这就使现象美学同接受美学沟通起来了。

在法国,现象美学的代表是杜夫海纳。他致力于审美经验的现象学研究。不过,他的兴趣不在于创作心理学,而专注于从欣赏心理学的角度探讨审美经验,《审美经验现象学》(1953)就是其代表作。"一方面有艺术作品,另一方面有对这些作品的态度",杜夫海纳认为审美经验从欣赏过程中产生,是审美对象和审美态度相互作用的结果。杜夫海纳分析了艺术的各种样式,绘画、雕塑、戏剧、音乐、舞蹈、电影等均有所涉及,比英伽登所探索的范围更广泛。

阐释美学对接受美学也有所启发。

传统的阐释学最初源于解释《圣经》,后来发展为对文学作品文本的诠释,力图在文本中探究作者的原意。从德国哲学家海德格尔始,许多学者(如德国的加达默尔、美国的赫希)受现象学的影响,对阐释学有了新的看法和理解,于是出现了"阐释现象学"。对文学作品的阐释,不再被仅仅局限于探究作者原意,而且也要把读者的理解考虑在内。例如,加达默尔在《真理与方法》(1960)中认为:作者的意旨不能穷尽作品的意义。当作品从一个文化环境传到另一文化环境的时候,这些新的意义就可能从作品中抽取出来。对作品的解释,离不开解释者的历史条件,"总是由解释者的历史环境乃至全部客观的历史进程共同决定的"。作品的意义,存在于过去和现在的对话之中。赫希在《有效性与解释》(1967)中,区分了文学作品的"意义"和"衍生义"。作品的"意义"同作者的"意谓"相一致,但作品的"衍生义"则不一定,同一作品可以有不同的"衍生义"。作者创造出作品的"意义",而"衍生义"则由读者确定。"意义"固定不变,"衍生义"却随历史变化,不同时代的不同读者对文学作品会产生不同的解释。于是,阅读活动和读者反应越来越受重视,也成了文学研究的对象。

接受美学在现象美学、阐释美学的基础上发展起来。它最初兴起于20世纪60年代中期的西德和法国,随后,在70年代的东德和苏联也得到重视。

波兰的英伽登已经提出"阅读现象学",但还未曾展开。德国哲学家伊塞尔在60年代中期加以发展,专门研究阅读过程的现象学,把阅读活动看作是一个审美反应过程。后继者不乏其人,形成康斯坦斯学派。依伊塞尔之见,文学作品存在两极:一极是作者写出来的文本;另一极是审美的反应,即读者对文本的具体化或实现。"作品本身显然既不能等同于文本,也不能等同于具体化,而必定处于两者之间的某个地方。"当然,读者的反应是由文本激发出来的,文本的结构中已经暗含着读者可能作出多种解释的潜在因素。"暗含的读者牢牢地植根于文本结构之中,他只是一种构想,绝不能和任何真的读者等同起来。"文本的不确定性和空白,正是联系作品和读者的桥梁。这个文本就是一个"召唤的结构",它唤起读者的想象、反思。

研究法国文学的西德学者尧斯,在《文学史作为文学理论的挑战》(1967)中提出了"七点论纲",系统地阐明了接受美学的基本原则。文学的价值只有通过阅读活动才表现出来,而迄今的文学史只研究了作家、作品,却缺少第三个要素——读者,因而不能科学地揭示文学的价值。文学的价值是"创作意识"和"接受意识"共同作用的结果。文学在创作时,已受到读者的制约,在构思中已把读者的"期待"包含进去,作家心目中存在着"期待视野"。读者的反应,对作家的创作起着反馈作用,影响作家的"期待视野"。读者在阅读中不仅直接获得审美享受，而且引起审美趣味和审美标准的变化，改造读者的审美能力，从而对作家有了新的期待。读者接受作品，无论是垂直接受（阅读前代作品）还是水平接受（阅读同时代的作品），都应从被动接受提高到主动接受。

总的说，康斯坦斯学派的阅读现象学还较为重视文学的文本这个环节，读者的反应仍然必须以理解文本为目的，不能脱离文本作不着边际的想象。但发展到美国费希的读者反应理论，提出了"感受派文体学"，越来越突出读者这个环节，把文学看成是读者在阅读过程中的"体验"，而不是白纸黑字的文本了。作品的意义，也不在作品本体中，而是读者的认识，只存在于读者的心目中，因此，"文本的客观性只是一个幻想"。阅读，也被一些人归结为脱离文本的毫无依据、任意为之的纯粹幻想活动了。

在70年代的东德，接受美学也发展起来。接受美学，同创作美学、作品美学一道，成为同一系列的美学科学而被重视。依据马克思主义关于生产和消费、艺术生产和艺术享受的辩证原理，以瑙乌曼为首的东德学者撰写了《社会—文学—阅读》（1974），阐述了接受美学的基本观点。文学活动包括了创作到接受的全过程。创作是第一位的，接受是第二位的，但都不可缺少。作者创作出来的客体即文本，是联结创作和欣赏的本体。文本一旦被创作出来，它就是客观存在，它本身就包含了可供读者阅读的潜能，是一个常数。但欣赏主体却是变动的，读者的解释、理解是个变数。文学效果就是这变数和常数的统一。文学创造和读者反应相互促进，文学创造培养了文学读者，反过来，读者反应又成为促进新的文学创造的起点。文学活动就是这种创作和接受的相互作用的辩证过程。

在苏联，从60年代起，对于文学艺术的社会功能的研究逐渐深入，认识到作者与读者之间是"对话关系"。这种"对话关系"在70年代得到了深刻的认识：通过作品，作者不仅和同辈人对话，而且和前辈人和晚辈人对话。文学作品的意义和价值，不仅为同时代所决定，而且也为时代的未来所决定。六七十年代以来，苏联的美学、文艺学越来越重视对文学艺术作综合的研究，把文学艺术作为一个完整的系统来掌握。例如美学家卡冈，把艺术活动看作一个信息系统，由三个环节构成：制造艺术信息、艺术信息符号化、传送艺术信息。美学、文艺学必须把这些环节作系统的研究。鲍列夫把文学放在更大的系统中考察，现实、作家、作品、读者只是这个复杂系统的一种成分。因此，对文学艺术的研究，不仅必须掌握个别环节，而且要掌握整体和过程。这就需要运用多种方法，传统方法、现代方法，相互补充、相互配合。看来，文艺学的发展趋势是越来越走向系统的综合研究，方法也越来越多样，而作为根本方法的马克思主义——辩证唯物主义和历史唯物主义也就显得更加重要。

西方文艺理论对于我们能有什么意义？为什么我们要去了解和研究西方文艺理论的发展史？

无疑，我们所要建设和发展的，乃是具有中国特色的马克思主义美学和文艺学。我们的文艺理论，既要是马克思主义的，又要有中国特色，这当然不是靠移植西方文艺理论所能做到，也不是靠照搬中国古典文艺理论所能奏效的。我们遵循"洋为中用"和"古为今用"的原则，为的就是建设和发展中国特色的马克思主义美学、文艺学。

但是，这丝毫也不意味着我们可以闭目塞听，不去了解和研究西方的文艺理论。恰恰相反，了解和研究西方文艺理论，正是建设和发展具有中国特色马克思主义美学和文艺学的重要条件。

马克思主义是我们的美学和文艺学的根本方法，是灵魂。然而，马克思主义本身就是在吸取人类有价值的知识基础上产生的，正如列宁所说："马克思的全部天才正在于他回答了人类先进思想已经提出的种种问题。"[1]凡是人类社会所创造的一切，他都重新探讨过，经过审查批判和检验，把有价值的吸取到马克思主义思想体系中。

我们要掌握马克思主义，若自以为只要知道简单结论就行，这完全是天真和无知。"只有用人类创造的全部知识财富来丰富自己的头

---

[1] [苏]列宁：《列宁选集》第三卷，人民出版社，北京，1972年，第441页。

脑,才能成为共产主义者。"①

马克思主义文艺理论同以往的文艺理论相比较,具有质的区别。但是,如果割断了马克思主义文艺理论同以往文艺理论的联系,也很难对马克思主义文艺理论本身有深切了解。

了解和研究西方文艺理论发展的历史,并不仅仅在于弄清马克思主义文艺理论与过去文艺理论的联系和区别,而要加深对马克思主义文艺理论的理解。

为了建设和发展具有中国特色的马克思主义美学和文艺学,不仅必须了解和研究西方古代的文艺理论,而且必须了解和研究西方现代的文艺理论。

这不免使人产生疑虑:有这种必要吗?既然马克思主义已经有了,缺少的就只是中国特色,当务之急就是要整理和研究中国古典文艺理论,从中找出有价值的东西就行了,何必要去了解和研究西方文艺理论?

不错,中国古典文艺理论的整理和研究十分重要,这是建设和发展具有中国特色的马克思主义美学和文艺学的必要条件。中国古典文艺理论自成体系,如果能用马克思主义把它总结出来,当是功德无量。但是,中国古典文艺理论并不能取代具有中国特色的马克思主义文艺理论,正如德国古典美学并不能代替马克思主义美学一样。中国古典文艺理论对我们说来,也只是一个思想资料,是建设和发展具有中国特色的马克思主义美学和文艺学的理论材料。整理和研究中国古典文艺理论,是建设和发展具有中国特色的马克思主义美学和文艺学的必要而非充分的条件,还需要有另一些前提。了解和研究西方文艺理论就是必要条件之一。

"只有确切地了解人类全部发展过程所创造的文化,只有对这种文化加以改造,才能建设无产阶级的文化。"只有既了解中国的,又了解西方的文艺理论发展过程,并对中国的和西方的文艺理论加以改造,才能建设和发展具有中国特色的马克思主义美学和文艺学。

---

① [苏]列宁:《列宁选集》第四卷,人民出版社,北京,1972年,第348页。

故步自封使人愚蠢，放眼世界启人聪明。马克思主义的高明在于它善于吸取人类一切有价值的东西。对于西方的自然科学，人们敢于吸取，那么对于社会科学，特别是文艺理论呢？是不是一无可取？

还在50年代中期，毛泽东就鲜明地提出："要向外国学习科学的原理。学了这些原理，要用来研究中国的东西。"这里所说的"科学的原理"不只是指自然科学，也包括社会科学："自然科学、社会科学的一般道理都要学。"也许文学艺术特殊，创作和理论都不值得我们注意？事实不然。"艺术又怎样呢？中国的音乐、舞蹈、绘画是有道理的，问题是讲不大出来，因为没有多研究。应该学外国的近代的东西，学了出来以后来研究中国的东西。"这也就是我们常说的"他山之石，可以攻玉"，借用别人的工具来制作自己的东西。其实，马克思主义就是从西方来的，今天我们用它来作为根本方法，解决中国的实践问题。"近代文化，外国比我们高……艺术是不是这样呢？中国某一点上有独特之处，在另一点上外国比我们高明。小说，外国是后起之秀，我们落后了。"如果承认这是事实，那就迫使我们不得不去探索西方文学艺术的发展规律，了解西方的文艺理论。

当然，了解和研究西方文艺理论，并非照搬、移植。"应该学习外国的长处，来整理中国的，创造出中国自己的、有独特的民族风格的东西。"我们吸取西方文艺理论的长处，来整理中国的理论资料和经验材料，其中当然包括中国古典文艺理论这样的材料，但更重要的是社会主义文艺实践的经验材料。吸取西方文艺理论，整理中国的东西，目的在于创造出中国自己的、有独特的民族风格的东西，这既不是西方的，又不是中国古典的。这正如文学艺术一样，"鲁迅的小说，既不同于外国的，也不同于中国古代的，它是中国现代的"。具有中国特色的马克思主义美学和文艺学，既不是西方文艺理论，又不是中国古典文艺理论，而是中国现代的。

世界各国的文学艺术既有共性，又有个性，是两者的统一。世界各国的文艺理论既揭示了文学艺术的普遍规律，又探索了各自的特殊规律。文学艺术的基本原理，"这是中外一致的，不应该分中西"。所谓"中学为体，西学为用"的传统说法，虽然至今还有人坚持，却并不正确。在文艺理论方面也是如此。各国的文学艺术又有各自的特殊规律,这就应该加以区分。中国和西方的文艺理论既有共性,又各有个性,互有优劣,各有短长。困难在于:我们怎样才能知道西方文艺理论的长短和优劣?

这只有以马克思主义作为根本方法,把西方文艺理论和中国传统的文艺理论进行比较研究。有比较才能鉴别,不作比较,就无法知道彼此的长短、优劣。只停留在西方文艺理论本身的领域,正如只局限在中国传统文艺理论的范围内一样,都不可能真正掌握自己的特点,更无法了解彼此的异同。彼此的特征是在相互关系中见出的。把彼此中的任何一方孤立起来,都不能揭示出各自的特征。因此,运用马克思主义的方法对中西文艺理论作比较研究,这是建设和发展具有中国特色的马克思主义美学和文艺学的必由途径。

然而,要作这样的比较研究,首先还需要创造更为基本的前提,那就是,无论是对于西方文艺理论,还是对于中国传统的文艺理论,都要各别地弄清事实,摸清情况。事实不清,情况不明,说不上进行比较研究,更何谈取长补短、扬优弃劣!

为了帮助学生掌握西方文艺理论发展的基本轮廓,我们从西方文艺理论著述中选出了一些著名的篇章,新译了当代一些有影响的文论,按照历史顺序编辑成书,我和伍蠡甫主编了三卷《西方文艺理论名著选编》,为初学者提供一些基本资料。同时,我们又编写这本《西方文艺理论名著教程》,尝试运用马克思主义方法对一些重要的理论资料作些评介,阐明它的基本内容、历史背景、社会影响,以冀初学者在掌握基本事实的同时,提高分辨良莠的实际能力。我们的主观意图如此,但实际效果如何,尚待实践的检验。

为全国高等学校文科教材《西方文艺理论名著教程》
所作的"导论",北京大学出版社
1985年,北大中关园

洋为中用先入门

不同的文化体系产生不同的文艺理论。西方文艺理论,正如产生于不同土壤的中国文论和印度文论一样,有其自己的发展过程和历史传统。如果我们不甘于闭目塞听和故步自封而要面向世界,那就必须在接触西方文化的时候,对其组成部分的文艺理论也有所了解。

进入20世纪80年代以来,我国一些高等学校陆续开始选讲西方文艺理论,并感到有编写教科书的必要。1982年5月,上海师范大学、杭州大学、杭州师范学院、山东师范大学、黑龙江大学、湖北大学、湘潭大学等较早开设西方文艺理论课程的学校的一些教师在长沙倡议,应及早编写教科书和教学参考书,以应教学急需。北京大学、复旦大学、山东大学、厦门大学、广西师范大学、深圳大学等校也先后表示支持。经过磋商,于1982年下半年开始着手编写《西方文艺理论名著教程》和编选《西方文艺理论名著选编》的工作,由我担任主编。这个工作得到了国家教育委员会文科教材办公室的支持和鼓励。

1983年8月,《西方文艺理论名著选编》在青岛经过初审后,即就《西方文艺理论名著教程》的总体轮廓进行过讨论,随后由执笔者各人分章撰写。1984年8月,全体编撰人又在舟山集中,逐章审阅和讨论。以后,经各人修改后,在1984年10月,又分别集中到李衍桂、邹贤敏、李寿福手里审阅和修改,最后由我定稿。这个集体合作的成果,其过程大致如此。在这过程中,伍蠡甫、宗白华教授曾给予很多指点,乔征胜、黄子平和张首映付出了不少劳动,我们衷心致谢。

为了使读者更好地了解《西方文艺理论名著教程》的编撰意图,这里要稍花些笔墨略作说明。

20世纪以来,西方国家已出现了不少文学批评史著作,较著名的如圣兹伯雷的《文学批评史》、卫姆塞特和布鲁克斯合著的《文学批评简史》、韦勒克的《近代文学批评史》等等。但是，这些著作在我国大多尚未有翻译，而且其内容也过于浩繁，仅以台湾已由颜元叔译成汉语的《文学批评简史》而言，虽称"简史"，却已有六十万言。至于韦勒克的《近代文学批评史》，只涉及近代，却已写了四大卷，尚未见煞住。我国自编的教科书，能不能做到既有历史全貌的简明概括，又有理论名著的重点解析？这正是大家应该为之努力的方向，此时，伍蠡甫教授刚好完成了《欧洲文论简史》，对古希腊至19世纪末的西方文艺理论历史作了简要的叙述。于是，我们这本教科书的重心就决定放在名著的讲解上，从西方文艺理论史上选择一些著名的专论或篇章试作剖析。至于西方文艺理论发展的历程，我只在导论中作极简略的说明。因此，这本教科书称为西方文艺理论"名著教程"。我们之所以要了解西方文艺理论，乃是为了洋为中用。但洋为中用之前，先要了解这个"洋"，而这本教材仅只是一本初步入门之书。这种以讲解文艺理论名著为主的教科书是否切合教学的需要，还有待实践的验证。我们欢迎来自各方面的批评，以便不断改进。

为《西方文艺理论名著教程》所作的"后记"
1985年春于北京大学

中西交流与时进

奉献在大家面前的这部《西方文艺理论名著教程》上下两卷,已经是作了全面修订的第二版。这次修订,以论及20世纪文艺理论的下卷增补最多,新写和重写的篇章超过大半,从而使这部教科书能更好地适应21世纪高等教育发展的需要。

《西方文艺理论名著教程》的初版编写始于1982年,完成于1984年,只出一卷。从20世纪50年代初到改革开放的30年间,高等学校没有阐释介绍西方文艺理论的教科书。60年代才有幸能见到朱光潜的《西方美学史》,但这不是专论文艺理论的教科书。后又有伍蠡甫主编的《西方文论选》,也只是西方文艺理论的选编,而且也只编选到19世纪末为止,20世纪的就没有编出。其实,当时我们这些在20世纪五六十年代登上大学讲堂的青年教师,很想知道西方20世纪文艺理论的发展状况,但缺乏资料。60年代初,我参加蔡仪主编的《文学概论》的编写,在苏联文艺理论之外,也想把西方文艺理论作为一个参照系,所以就尽力搜集资料,还特地去了一趟苏州(以群主编《文学基本原理》编写组在此)和上海。在上海,我除了在国际饭店向郭绍虞了解他所主持的《中国古代文论选》的情况之外,还到伍蠡甫家里拜访,想更多地了解西方20世纪文艺理论的资料。但伍老坦率告我,这些资料在内地很难看到,除非能到香港的大学去,也许会见到一些。但这不可能,所以,他主编的《西方文论选》也只能收到19世纪末。

新时期以来,文艺理论也打破了闭目塞听、故步自封的封闭状态,高等学校开始陆续开设西方文艺理论课程,感到有编写教科书的需要。1982年春,较早开设西方文艺理论课程的山东师范大学、上海师范大学、杭州大学、湖北大学、湘潭大学、杭州师院等院校教师在长沙聚会倡议,要发起编写西方文艺理论的教科书和教学参考书,以适应教学急需。当时李衍柱找我商量,我觉得很有必要,表示北京大学愿意参加。以后山东大学、广西师大、厦门大学、深圳大学等院校也陆续参加,并得到了国家教育委员会文科教材办公室的鼓励,大家推我牵头主持此事。我意,此事还得请前辈学者伍蠡甫主掌。为此,我再访伍蠡甫。近20年不见,他已是八旬老人,精力已不如我60年代初之所见。伍老告我,他刚完成了《西方现代文论选》,正在撰写《欧洲文论简史》,他所掌握的20世纪理论资料,也就这么多,已无精力再主持《西方文艺理论名著教程》教科书。他鼓励我,还是由我张罗此事,主编此书。但他又感盛情难却,答允和我一起主编《西方文艺理论名著选编》三卷,并为此写一长序,把自己对西方文艺理论的评价作稍为系统的叙述。

为做好这部教科书的编写工作,我们成立了编委会,由我、李衍柱(山东师大)、邹贤敏(湖北大学)、李寿福(杭州大学)组成,聘请了伍蠡甫、宗白华两位前辈学者做顾问,我任主编。在编写过程中,国家教育委员会文科教材办公室田敬诚曾多次关切编写工作,给予具体指导和帮助。

我们先完成《西方文艺理论名著选编》三卷。当时,我在北京大学开始招收文艺美学硕士研究生,开设了文艺美学课程,引起了西语、英语、俄语、东语等系文学研究生的兴趣。这些年青学人,积极参与西方20世纪文艺理论的翻译、介绍,所以选编很快完成。但编写教科书时,还是感到20世纪的理论资料不足。1984年夏,《西方文艺理论名著教程》的初稿写出,在舟山岛上逐章讨论、审阅,但论及20世纪文艺理论的只有弗洛伊德、杜威、伍尔夫、萨特四章,其他未能作更多介绍。我只好在《导论:西方文艺理论发展历程》中对20世纪西方文艺理论作较多的叙述,以弥补不足。为此,在香港学者袁鹤翔的帮助下,我还曾在1986年春去香港作过学术访问,在中文大学和香港大学查阅过一些理论资料,首次拜读了袁鹤翔等译编的关于20世纪西方文论的著述。

这部一卷本《西方文艺理论名著教程》在1985年完成,1986年由北京大学出版社出版,并一再重印。但在1988年第三次重印时,我深感必须对20世纪西方文艺理论作更多介绍，应及早扩充篇幅，增补内容。于是，请王岳川、刘小枫一起参与组织编写工作，约请李幼蒸、薛华、张旭东、方珊等一批中青年学者撰写论述狄尔泰、尼采、英伽登、杜夫海纳、海德格尔、加达默尔、尧斯、卢卡契、布洛赫、阿多尔诺、马尔库塞、本雅明等人的文艺理论十六章，加上一卷本中原有的论及杜威、弗洛伊德、伍尔夫、萨特的四章，共二十章，由王岳川任副主编，编成《西方文艺理论名著教程》下卷。

如今，这两卷本出版已经超过了10年，重印了近20次。在这10多年中，我国对西方20世纪文艺理论的翻译、介绍空前繁荣，真正是五彩缤纷。想起20年前，我去拜访伍蠡甫的情景，和眼前的状况一对照，禁不住感叹这世界实在变得太快，如果伍蠡甫、宗白华和朱光潜几位老人还在，恐也会发出感叹。当前，尽管我们还是需要继续不断关注西方文论的新动向，但我们的主要问题已经不是理论资料不足，而是如何从繁杂众多的理论资料中精选并加以阐释和评价。为此，王岳川、李衍柱和我磋商，在20世纪即将过去的时候，是否对这两卷本的教科书作一次全面修订。

我们清楚地意识到，高等教育的教材也需要与时俱进，不断完善，才能适应新世纪发展的需要。中西文化交流，仍需继续前行，我们这西方文艺理论的教材也需不时更新。于是，在新世纪初，2000年夏天，我和钱中文（社会科学院文研所）、李衍柱（山东师范大学）、曾繁仁（山东大学）、王岳川（北京大学）、邹贤敏（湖北大学）、李寿福（浙江大学）等在青岛附近的田横岛聚会，商讨《西方文艺理论名著教程》（两卷本）的修订事宜。大家都认为，这部教科书在20世纪八九十年代曾发挥过积极作用，扩展了我们的理论视野，适应了高等教学改革开放的需要。为表彰这部教科书，1992年，国家教育委员会还授予了全国高校优秀教材二等奖。如今，需要进一步提高、完善，就更要注重精选，并多在阐释和评价上下功夫。为此，我们调整了编辑委员会，由我、王岳川、李衍柱、曾繁仁、邹贤敏、李寿福组成新的编委会。仍由我任主编，王岳川、李衍柱任副主编，特聘钱中文为顾问。当时确定王岳川负责下卷修订工作，李衍柱负责上卷修订工作，最后由我定稿。

20世纪的西方文论错综复杂,变化多端,新说迭出,需要学术前沿的研究。这次修订,把重点放在了下卷。增加了论英美新批评、巴赫金、梅洛·庞蒂、伊塞尔、雅克·拉康、罗兰·巴特、德里达、女权主义、新历史主义、后现代主义、后殖民主义、文化研究等章,削减了伍尔夫、杜威、英伽登等章。在此次增加的一半多篇章中,特别多邀了一些既懂得外语而又熟悉理论的中青年优秀学者参与编写。

按照当初编写的设想,这部《西方文艺理论名著教程》教科书的关注重点在名家的名著,所以叫"名著教程"。通过对西方文艺理论的名家名著的分析导引,使高等学校的文科学生对西方文艺理论的发展历程有一个重点的了解。经过近20年的教学实践,大家觉得这种尝试值得肯定。面对初次接触西方文艺理论的高校学生,教师没有必要作面面俱到而又浮光掠影的介绍,而应突出重点,分析导引,不仅给人以一些西方文艺理论的知识,而且也要教人一些分析辨别能力。因此,这部教科书突出的是对文艺理论名著的讲解。对于西方文艺理论发展的轮廓,我在上卷《绪论》、王岳川在下卷《导言》中分别作了叙述,不再全面展开。原来我为全书写的《绪论》,有三节(四、五、六)专论西方20世纪文艺理论的发展历程,因岳川在下卷之首已另写长篇《导言》,此次就把这三节删去,以免重复。这部修订后的新版教科书是否能适应新时代需要,还望各方多加指点,在今后继续不断完善。

感谢社会各方对我们的鼓励和帮助。钱中文不仅担任了此次修订版的顾问,还为此书撰写了新增的论巴赫金的一章。北京大学出版社编审乔征胜一直担任此书的责任编辑,此次他仍抱病为此书的编辑出版付出辛勤劳动,深为感谢。

为《西方文艺理论名著教程》第二版(2003)所作"后记"

2003年初于深圳

文艺学方法的多样和统一

一

文艺学的方法论问题终于被我们重视了,灰姑娘一下子变成了金皇后,这不能不令人欢欣鼓舞。但随之而来的,则是需要我们作冷静的思考,比较各种方法的特性,弄清各种方法之间的关系,以便酌而用之。

文艺学的方法,决定于研究对象的本性以及研究主体的目的,影响着研究的结果。马克思说得好:"不仅探讨的结果应当是合乎真理的,而且引向结果的途径也应当是合乎真理的。真理探讨本身应当是合乎真理的,合乎真理的探讨就是扩展了真理。"① 为了寻找文学艺术的真理,就必须有合乎真理的文艺学方法。

文艺学的研究对象——文学艺术,本身就是一种复杂的社会现象。一方面,它是由多元素、多层次、多环节构成的相对独立的自我系统;另一方面,这个相对独立的系统又同世界上其他现象发生错综复杂的关系,因而可归入更大的系统之中。

如恩格斯所说,方法是对象的"类似物"。研究这样复杂的社会现象,就需要运用不同的方法,从不同的角度去揭示它的不同方面。

文艺学的不同部门的区分,既决定于研究对象的不同,又决定于研究方法的相异,因而呈现出五彩缤纷的景象。

文学艺术在历史发展中形成了各类形态,分成不同部类,文学、

---

① [德]马克思、恩格斯:《马克思恩格斯全集》第一卷,人民出版社,北京,1955年,第8页。

戏剧、电影、音乐、舞蹈、绘画、雕塑等等,它们相互影响而又相对独立,构成艺术系列。通过比较研究,弄清它们的相互关系,从系统上掌握它们,就产生了文艺形态学。缩小到文学这个小系统,研究叙事、戏剧、抒情三种类型文学的联系和区别,这就产生了文学体裁学。

如果把艺术活动作为一个过程来考察,那么,可以看到"创作者—作品—欣赏者"就是这个系统的三个主要环节。文艺学可以研究每一个环节,可以把三个环节作为整体来研究,又可以把它同整个社会联系起来研究,从而产生了文艺社会学、文艺心理学、文艺符号学等等。

历史上产生过许多文艺学方法,相对地可以分为传统方法和现代方法。

文艺学的传统方法,哲学思辨和现象实证交错更替,但在19世纪后半期,更多是从艺术哲学转向对文艺学、社会学、文化学、传记学等实证方法的运用,其研究对象则重视作者、社会这些环节。作品出现的时代、文化传统,作者的生平、经历,文献版本的考证,等等,成为文艺学研究的中心。文艺学的这些传统方法至今仍未失去价值,它将与现代方法相结合,继续保持其生命力。不能否定和抛弃在长期历史发展过程中逐渐形成的有价值的传统方法。特别是对于我国在长期历史中形成的各种文艺研究和评论的方法,应予科学的总结。

随着现代科学的发展,文学观念的日益变化,文艺学的研究重心不断转移,研究方法也在不断更新,出现了不少新的方法。

就20世纪西方而论,这是一个文艺理论和文艺批评十分活跃的时代,出现了各种各样的理论,用于研究和评论文学现象,就有各种各样的文艺学方法。

马克思主义文艺理论在20世纪的西方不断发展壮大,不仅在苏联、东欧占据了主导地位,而且在欧美许多国家也日益为人所重视。

但是,整个西方的文艺理论显得五花八门、错综复杂。随着现代科学的兴起和发展,各门学科相互渗透,文艺学也发生了很大变化。一些传统理论仍在继续发展,许多现代理论应运而生,相互排斥而又彼此补充。综观西方20世纪文艺理论,较为引人注目的约有三种类型。一是注重于"表现"的理论,包括克罗齐的直觉主义,弗洛伊德的精神分析学和荣格的神话原型理论。二是突出"本体"的理论,包括俄国的形式主义,英美新批评派的文学本体论,法国的结构主义。三是探索"接受"的理论,包括现象美学、阐释美学和接受美学(审美反应理论)。运用这些理论于文学研究和批评,其方法大致也有类似的三种类型。

二

在西方,最早对传统理论作出反拨而自成体系的,是意大利克罗齐的美学和文艺理论。克罗齐博学多才,建树甚多。在他的《美学原理》和《美学纲要》里贯穿了这样的思想:艺术(文学乃其中之一种)就是"直觉"。"直觉"是艺术的本质,是一种纯粹的精神现象。艺术由"直觉"创造,"直觉"就是"表现",用"意象"来"表现"感情。艺术就是这种称之为"直觉"的内心状态,并不一定非得形之于外、言之于表。"作为一个艺术家,他既不采取什么活动,也不说明理由,而是写诗、作画、歌唱;简而言之,是在表现自己",艺术就是通过"直觉"在表现艺术家的心灵状态。

显然,克罗齐的美学并非形式主义理论,而仍属于表现主义范围;物质形式可有可无,"直觉"不必借物质手段表现。这是以"直觉"为中心的表现主义,作者、作品、读者的界限消失在"直觉—表现"中了。在克罗齐看来,文艺学只需要研究"直觉—表现",不需要社会学的、传记学的、心理学的研究,连文体学也在其视野之外。运用"直觉—表现"说来进行文艺研究和文艺批评,实际上又走向了印象主义。不过,克罗齐对传统理论的反拨,却促进了现代理论的兴起,他的表现主义美学在意大利盛行了半个世纪,对德国浪漫主义理论和英美新批评派都产生过影响。

克罗齐的直觉主义理论同欧洲的象征主义理论相通。象征主义诗学最先在法国兴起,从波德莱尔到马拉美,再到瓦莱里,后来又在德国发展。象征主义的主旨也是看重内在心灵、自我表现。文学艺术为了要表现内心真实,就要运用"象征",进行"暗示",就像马拉美所说:"与直接表现对象相反,我认为必须去暗示。对于对象的观照,以及由对象引起梦幻而产生的形象,这种观照和形象——就是诗。"象征,这本是文学上常用的一种间接表现的手法,并非象征主义所独有。但是,象征主义理论把象征奉为文学艺术的灵魂并把它引向神秘。瓦莱里说道:"诗人传达他所接受而未必了解的东西,因为这东西乃神秘的声音所赐予。"不过,克罗齐的直觉主义和瓦莱里的象征主义终究不一样:克罗齐所说的直觉,是渗透着感情的,即抒情的直觉。瓦莱里却否定艺术必须表现感情,而去追求沉思:"沉思的状态是审美知觉的状态。在这种审美知觉中,全部意念和情感都同时被消除。"克罗齐轻视文学艺术的物质形式。瓦莱里却十分重视物质手段和文学形式,声称"诗人是词语的组合者和排列者",赞赏马拉美的名言"诗不是用念头写成的,它用字写成"。克罗齐用"直觉—表现"来把作者、作品、读者三者统一起来。瓦莱里却以为三者无法统一,诗的好坏同诗人的意图无关,读者的理解和作者的解释各异。在瓦莱里那里,已有这样的趋势:一方面走向形式主义,一方面走向接受美学,但还都没有展开。

心理学开始被引进文艺学,用心理学来解释文学艺术的创造,也是20世纪引人注目的现象。

奥地利精神分析学家弗洛伊德并不专门研究文学艺术,他也不止一次声明,虽然他用精神分析原理去解释,但是,"我并不过分估计这些结果的可能性"。弗洛伊德的后继者们都努力以心理意象问题为中心,不断运用精神分析方法去研究文学艺术,形成学派,在西方产生了广泛的影响。

精神分析学把文学艺术归结为"原欲"的升华。所谓"原欲",就是人的基原欲望"爱的本能"。按弗洛伊德的看法,人格结构有三个层次:本我、自我、超我;心理结构也有三个意识层次:无意识、前意识、显意识。"本我"是人格结构的最底层,处于无意识状态,"原欲"就蕴藏在"本我"中,是人类活动最原始的内驱动力。"本我"要避苦求乐,获得快乐是人类一切行动的基本动机。但是,这享乐原则常与现实环境发生矛盾,就要由"自我"加以调节。前意识就是用以控制"自我"的本能,它处于意识和无意识之间。"超我"则是体现社会利益的心理机制,运用社会原则来压抑"本我"冲动。但是,"本我"的"原欲"是人的终极动力,在现实中得不到满足,长期压抑,就要使人毁灭。于是,"自我"和"超我"就力求让"原欲"在梦幻想象和文学艺术中得到发泄。在弗洛伊德看来,文学艺术的创作,就是用一种社会可以接受的文化现象来补偿"原欲"之不能在现实中得到满足,而要在想象中得到满足。这样,文学艺术的发生被导源于"本我"的"原欲",归结为无意识的本能。古希腊悲剧《俄狄浦斯王》、莎士比亚的《哈姆雷特》、陀思妥耶夫斯基的《卡拉玛佐夫兄弟》、尼采的诗、歌德的小说、达·芬奇的画,全成了这种"原欲"的升华。

尽管浪漫主义者在19世纪已经看重作家的"内在心灵",渴望了解创作的"内在意识",甚至已有人意识到"无意识印象必然会影响和反作用于意识现象";但是,只有到了弗洛伊德才跨进无意识领域作了一些探索。然而,弗洛伊德对作家、艺术家的深层意识的探索,仍然主要是一种猜测和假说,并未得到科学的证明。文学艺术的创造,是前意识和显意识相互作用的过程和产物,弗洛伊德把它仅仅归结为无意识,难以令人相信。文学艺术的产生乃是为了满足人类的审美需要,弗洛伊德仅仅把它归因于"原欲"的满足,也就是把人类的高尚的需要降低为原始的本能,不符合事实,恐非科学真理。但精神分析原理可以启发人们去进一步探索艺术创造活动的深层意识,深入研究文学艺术的心理因素。

在瑞士,分析心理学家荣格在弗洛伊德精神分析学的基础上,发展了自己独特的理论。荣格的分析心理学把"原欲"作了较为宽泛的解释,不像弗洛伊德那样狭隘,它包含了一切动机在内的个人全部生活力。但是,这个"生活力"仍然是一个含混模糊的概念。荣格的分析心理学肯定人的心理有意识和无意识,两者相互补充、配合,从而取得心理平衡,全面的人应把这两方面结合起来。无意识又有两个层次:上一层是个人无意识,下一层是集体无意识(种属无意识)。荣格用集体无意识来解释文学艺术,从而形成一种新的研究方法,就是原始类型研究或神话原型研究。集体无意识是个人意识(无意识和意识）的基础,它保存在个人意识中。集体无意识包含着种属的"原始类型"或"原始意象",神话就是古代种属无意识的原始类型或原始意象。在神话以后发展起来的文学,都保存了这种神话原型,因而可以从中找到原始类型或原始意象,如天父和圣母,再生与原罪,升天堂和下地狱,等等。文学,就是集体无意识的表现。

西方许多国家的文艺学接受了荣格的分析心理学,以此来研究文学艺术的深层心理。"蕴藏最深的思想——超过了某种作品乃至许多作品的思想,必须在原型象征物中去寻觅",这成为原型研究的基本看法。英美的一些文艺学家,研究了古代神话、民间传说,并进而研究现代诗歌和小说,寻找它们的原始类型,取得了一定成果。越到后来,这种原始类型的研究日益有向结构主义发展的趋势。

荣格的分析心理学把无意识分为个人与集体两类,承认文学创作是个人经验与集体经验的融合,比弗洛伊德的精神分析学要略高一筹。但是,荣格夸大了集体无意识的作用,忽视了现实经验在文学创作中的地位,因而很难科学地解释文学这种融合了历史经验和现实经验的特殊活动和产物。仅以集体无意识来解释,也无从区分文学和神话、艺术和宗教的异同和特点。把文学艺术的复杂现象只归结为简单的几个原始类型模式,未免使人感到单调、乏味。无疑,文学艺术的创造确实残留着过去"原始意象"的痕迹,但这种"原始意象"在创作中究竟起什么作用,占什么地位,尚待继续探讨。荣格的分析心理学、弗洛伊德的精神分析学都给文艺心理学以启发,但还有更多的心理学可供文艺心理学借鉴。美国阿恩海姆的完形心理学、苏联巴甫洛夫的条件反射学说、瑞士皮亚杰的建构心理学等等,都在逐渐为文艺心理学所吸收,文艺心理学将会有宽广的前途。

三

如果说,直觉主义、象征主义、精神分析学等的注意中心在作家的"心灵",那么,俄国形式主义、英美新批评派和法国结构主义等的注意中心则在"形式"。

俄国的形式主义诗学早在20世纪初期已经出现,在20世纪20年代的苏联曾有发展。

俄国形式主义诗学既受德国古典哲学,特别是康德美学的影响,又受到瑞士日内瓦语言学派的启发。它最初致力于诗歌语言的研究,后来,莫斯科学派向语言学方面发展,而彼得堡学派则向文艺理论方面深入。俄国形式主义诗学把文学作品看作是一个独立自足体,它同作品以外的因素无关。作家、读者、社会都是同作品无关的外在因素,不能用社会学、心理学等来研究文学。文学作品就是运用语言技巧制作出来的语言体,因而只能用语言学,特别是语音学来研究文学。俄国形式主义诗学,基本上是语言工艺学,注意的是语言的声音层次,最著名的形式主义代表雅克布逊把它称作是"功能音位学"。在20世纪20年代的苏联,对俄国形式主义诗学曾经有所争论,托洛茨基的《文学与革命》(1924)曾予以否定,把它归结为新康德主义。30年代以后,俄国形式主义诗学渐趋消沉,但在捷克斯洛伐克却有很大影响,形成布拉格学派,后来发展成结构主义诗学。

德国的文体学是另一种类型的形式主义。它在德国的20世纪三四十年代兴起,以分析作品文句的语法结构为主,透过文体的研究以发现作家的中心动机和观察世界的基本方法。

20世纪最重要的形式主义文艺理论还是英美的新批评派的理论。

新批评派受法国唯美主义和德国古典美学的影响,最初在英国兴起,然后在美国繁荣,持续40多年(1915~1957)。

新批评派的前驱可追溯到英国美学家休姆和美国诗人庞德的意象派。休姆在《古典主义与浪漫主义》(1915)中宣告:浪漫主义时代已经结束,文学的新时代已经到来。但是,新批评派的直接开拓者是一同在1927年由英国加入美国的艾略特和瑞恰兹,语义学被引进文艺学,产生了新的文学研究方法。随之,在二三十年代的美国,出现了一批"新出的批评家",形成了以南方集团为主的第二代新批评派,活跃于三四十年代的文坛。50年代,新批评派又进而统治了学院讲坛,出现了以耶鲁集团为主的第三代新批评派。60年代,由于法国结构主义的传入,英美的新批评派发生了变化,渐趋沉寂,但新批评派的基本原理已被后来的文艺理论所吸收。

新批评派致力于文学作品本体的研究,所以被称为"本体论"文学理论。新批评派的兴趣在探索文学的"特异性",即区别于其他文体的特点,而"特异性"就存在于作品本身:"诗作为一种文体,其特异性是本体的。"(兰色姆)新批评派并不绝对否定文学的功能可以引起读者的感情反应,但是作品本身却并不表现感情,艾略特说道:"诗不是放纵感情,而是逃避感情,不是表现个性,而是逃避个性。"新批评派否定克罗齐的表现主义美学,把它看作是浪漫主义理论的最后总结。诗歌本身不表现感情却为何又能激起读者的感情反应呢?瑞恰兹的看法是:这是因为文学作品所用的语言本身的特点造成的。诗歌语言不同于科学语言,它所用的是感情性语言,而科学语言则是指称性语言(瑞恰兹后来又改称"非指称性伪陈述")。新批评派其他人对文学特性的看法并不一样,说法各有不同。兰色姆认为,诗歌和科学都表达真理,但科学是抽象表达,只有构架,而无肌质;诗歌则是具体表达,把肌质还给构架。退特的看法是:科学只要外延,不要内涵,而文学既有内涵又有外延。燕卜荪的见解是:科学语言的语义单纯,而文学语言的语义复杂。布鲁克斯的观点是:科学语言的语境单一,文学语言的语境则包容多种甚至冲突的经验。具体说法不同,但基本方法一致,都是在文学的语言本身探索文学的特异性。在新批评派看来,文学是语言的一种特殊形式,"独立于外部世界的有机体",由上下文的互相渗透而产生出自己的意义。因此,新批评派的文学本体论,又称作有机形式主义。

文学怎样才能构成一个有机体?新批评派的说法也各有不同。瑞恰兹从中国哲学家朱熹的"中庸"说得到启发,用"包容"说解释文学有机体:诗歌通过"包容",使对立的动机得以综合,取得平衡。"对立动机的平衡是最有价值的审美反应的基础,它比起一些明确的感性经验来更能使我们的人格起作用。"布鲁克斯则用"反讽"说来解说诗歌结构:通过"反讽性观照"使得"互相干扰、冲突、排斥,互相抵消的方面在诗人手中结合成一个稳定的平衡状态"。这就是所谓的"反讽诗学"。退特则用"张力"说来解释诗歌有机体:诗歌语言中有两种因素相互结合和补充，一是字面意义或指称意义，一是暗示意义或联想意义，诗就产生在这两种意义的"张力"之中，是这种张力结构造成了有机体。这就是所谓的"张力诗学"。

有机形式主义诗学的兴趣集中在文学作品本身，不顾作家传记、读者反应和社会背景。作品本身的意义和价值不应同作家的意图和读者的反应相混淆。将作品本身同其产生过程相混淆，就会产生"意图谬误"，而其后果，"其始是从写诗的心理原因中推导出批评标准，其终是传记式批评与相对主义"。把作品本身与其效果相混淆，就会产生"动情谬误"，而其后果，"其始是从诗的心理效果推导出批评标准，其终则是印象式批评和相对主义"。对文学的研究，只应注目于"本体"，作品本体的意义，不依作者意图和读者反应为转移。实证主义看重作家传记，现实主义注重社会、历史的研究，浪漫主义重视作家心理分析。在新批评派看来，却只是对文学的外在研究，只有对作品本体的研究才是内在研究。

新批评派对文学本体的研究，只着眼于单个作品的分析，并不注目于作品与作品的关系，因此文学类型、文学体裁的研究也在视野之外。直到50年代后期，加拿大人弗莱的《批评的剖析》问世，跳出了新批评派局限在作品个体的圈子，转向作品与作品的关系，作文学类型的研究。他把数百部文学作品置于宏大的文体类型模式之中，分成悲剧、喜剧、抒情、讽刺四大体裁，同自然界的春、夏、秋、冬四季相对应。这种超出作品个体的文学类型研究，虽然显得幼稚，但注意了众多作品的结构研究，成为结构主义诗学在美国的前驱。60年代，新批评派逐渐为结构主义所替代，在西方文艺理论史上，成为形式主义向结构主义过渡的中间环节。

在英美新批评派兴起的同时，法国发展了结构主义诗学，并在60年代形成高峰。法国结构主义影响甚广，扩及欧美各地，甚至在捷、波、苏也有反响。

结构主义诗学把结构主义语言学引入文学研究。20世纪的形式主义诗学都借助于语言学，不过俄国形式主义重在语音学，英美新批评派重在语义学，而结构主义则重在语法学。结构主义诗学借助结构主义语法分析来解剖叙事作品,创造了一门新的文学学科:叙述学。

在法国,影响最大的结构主义文学理论家是巴特。巴特最初接近萨特的存在主义。在1953年发表的《写作的零度》一文中,他论证了文学语言的政治和历史作用,写作中表现了作家的社会态度。他把采取"不介入"态度的写作称作"零度的写作"。不久,巴特摆脱了存在主义,致力于探索作品的产生过程,不再去阐释作者的意图和作品的价值,而且越来越重视对文学语言的研究。巴特的代表作《叙事作品结构分析导论》(1966)运用语言学的理论来解释作品结构,研究了叙事作品的三个层次:功能层(研究基本的叙述单位及其相互关系)、行动层(研究人物分类问题)、叙述层(研究叙述人物、作者和读者关系)。巴特研究叙事作品的层次,不是从众多的文学作品中归纳出来,而是从假设的模式进行演绎,因而显得抽象难懂。后期的巴特,逐渐转向阅读现象学,区分出了"可写文本"和"可读文本":"可写文本"是读者读不懂的作品,而"可读文本"则是读者能读懂的作品。要使"可读文本"为读者读懂,就要使读者发挥主观能动作用,因为,"文本的意义并不在它本身,而在读者接触文本时的体会中"。

结构主义诗学的兴趣并不在分析个别作品,而是想寻找叙事作品普遍具有的结构,或如托多洛夫所说:"这一科学所关心的不是现实的文学,而是可能的文学,换种说法,它关心的是文学现象所特有的这种抽象性质:文学性。"所谓"文学性",对于结构主义诗学来说,就是文学语言的特殊性。所以,"结构主义活动的对象不是文学作品本身,它探询的是文学语言这种特殊语言的性质"。托多洛夫致力于分析文学语言的语法结构,把句子分成两种基本成分,即施动者和谓语(动词、形容词),从谓语的不同组合,引出许多叙事类型。进而,托多洛夫还把话语的手段分成三部分:叙事时间(表达故事时间和话语时间之间的关系)、叙事体态(叙述者观察故事的方式)、叙事语式(叙述者使读者了解故事所运用的话语类型)。话语手段的组合变化,形成了叙事的多种类型。另一个结构主义者热奈特运用语法分析建立了"故事语法"。依照叙述者和叙述故事之间的关系不同,他归纳出了四种叙述类型。第一种类型:叙述者不在场,亦非故事主人公,如荷马。第二种类型:叙述者不在场,却是故事主人公,如吉尔-布拉斯。第三种类型:叙述者在场,但说的却是别人的而非自己的故事,例如《一千零一夜》中的山鲁佐德王后。第四种类型:叙述者在场,而且说的也是自己的故事,例如《奥德赛》第九、第十二章中的奥德修斯。结构主义诗学认为,施动者和被动者的叙述作用的不同,必然会产生观点的不同,从而引起功能意义的变化,因而区别叙述类型,十分重要。

结构主义文学理论把文学和语言等同,视文学作品为封闭的语言结构自足体,是另一种形式主义。结构主义希冀找出不同类型文学作品的结构特征,对文学的结构要素作了探索,可以启发后来的文艺学进一步研究文学的形式结构,如果把形式结构和内容结构结合起来研究,可能会取得有效的结果。结构主义文学理论正在和符号学结合,苏联塔图学派曾尝试运用符号学来分析文学作品,著名文艺学家洛特曼在《艺术文本的结构》(1970)和《诗的文本分析》(1972)等著作中,就把文学文本作为一个多层次的系统来研究,揭示了结构与功能、内容与形式、本体与根源的统一。诗的语言被语义所渗透,它具有独特的结构,以浓缩的符号传达了丰富的信息。艺术文本的意义不只是内在的,而且同更广泛的意义系统相联系,因而不能同社会分离。随着对艺术结构的研究日益深入,文艺符号学也逐渐受到重视。

四

西方文艺理论发展到20世纪后半期,在德国兴起了以读者为中心的接受美学。

接受美学同现象美学、阐释美学密切相关。

由德国哲学家胡塞尔创始的现象学,是一门纯粹现象的哲学。所谓纯粹现象,其实也就是精神现象。按照现象学的看法,外界事物的存在,人无法确知,但人却能确定它们如何显现于我们的意识。意识活动和意识对象相互依存,紧密联系,只有了解我们的意识活动才能掌握外在世界，因而必须把外在世界还原为意识内容：一切实在事物都必须按照它们在我们心中的面貌作为纯粹现象对待。这就是所谓的"现象学还原"。

曾受业于胡塞尔的波兰哲学家英伽登把现象学运用于文学研究，写出《文学的艺术品》(1931)、《艺术本体论研究》(1962)、《经验、艺术作品与价值》(1969)等一系列著作。

英伽登的研究集中于文学作品这个客体本身。文学作品是一个特殊的客体，它不是"真实客体"，也不是"理念客体"，而是"意向客体"。按现象学的看法，所谓"意向客体"就是人为了具体目的而有意识创造出来的客体，它不是纯粹的实物，也不是纯粹的意识。只有这个客体才是文学研究的本体。"作家和他的全部浮沉身世、生活经历和精神状态，都完全处于文学作品之外"，读者的反应、心理活动，也不在文学作品之列，因而都无关紧要，重要的只在作品本体。

那么，文学作品这个"意向客体"是由什么构成的呢？英伽登对作品本体作了结构分析，认为文学作品是由互为条件的四个层次构成的：词语—声音、意群、系统方向和客体所体现的世界。这四个层次相互制约，后一层次都以前一层次作基础，每一层次都在作品整体中起作用，构成一个统一体。文学作品创造了一个独立的世界。作品的世界不是现实的世界，而是虚构的世界，这个虚构的世界同现实的世界有联系，但不是同一个世界。巴尔扎克笔下的巴黎，同现实中的巴黎可能类似，但究竟又不同。狄更斯笔下的伦敦，又有别于现实中的伦敦。卡夫卡笔下的布拉格，也不能等同于现实。作品中的时间、空间不是现实的时间、空间。

从对作品本体的研究出发，英伽登进而论及文本和阅读的关系。虚构的世界和现实的世界不同，它包含了许多"不确定点"，留下许多"空白"，这就需要读者在阅读它的时候，用自己在现实世界中获得的经验来加以"具体化"。罗曼·罗兰在小说中用声音和场景来描绘巴黎的各式各样的街道，不可能把现实中的巴黎街道完全再现。只有到过巴黎的人，读小说时才能想象出整个情景；而没有到过巴黎的人，只好利用他在别的城市中获得的经验使这些"不确定点"和"空白"

具体化。阅读可能是多种多样的：被动的、积极的、理智的、审美的。文学作品提供了一个骨架，它在读者的阅读中才成为审美对象，在阅读中才显示出作品的审美价值。因此，英伽登也很重视阅读中的审美体验的研究，这就使现象美学同接受美学沟通起来了。

在法国，现象美学的代表是杜夫海纳。他致力于审美经验的现象学研究。不过，他的兴趣不在创作心理学，而专注于从欣赏心理学的角度探讨审美经验，《审美经验现象学》(1953)就是代表作，"一方面有艺术作品，另一方面有对这些作品的态度"。杜夫海纳认为审美经验从欣赏过程中产生，是审美对象和审美态度相互作用的结果。杜夫海纳分析了艺术的各种样式，绘画、雕塑、戏剧、音乐、舞蹈、电影等均有所涉及，比英伽登所探索的范围更广泛。

阐释美学对接受美学也有所启发。

传统的阐释学最初源于解释《圣经》，后来发展为对文学作品文本的诠释，力图在文本中探究作者的原意。从德国哲学家海德格尔始，许多学者（如德国的加达默尔、美国的赫希）受现象学的影响，对阐释学有了新的看法和理解，于是出现了"阐释现象学"。对文学作品的阐释，不再仅仅局限于探究作者原意，而且也要把读者的理解考虑在内。例如，加达默尔在《真理与方法》(1960)中认为：作者的意旨不能穷尽作品的意义。当作品从一个文化环境传到另一文化环境的时候，这些新的意义就可能从作品中抽取出来。对作品的解释，离不开解释者的历史条件，"总是由解释者的历史环境乃至全部客观的历史进程共同决定的"。作品的意义，存在于过去和现在的对话之中。赫希在《有效性与解释》(1967)中，区分了文学作品的"意义"和"衍生义"。作品的"意义"同作者的"意谓"相一致，但作品的"衍生义"则不一定，同一作品可以有不同的"衍生义"。作者创造出作品的"意义"，而"衍生义"则由读者确定。"意义"固定不变，"衍生义"却随历史变化，不同时代的不同读者对文学作品会产生不同的解释。于是，阅读活动和读者反应越来越受重视，也成了文学研究的对象。

接受美学在现象美学、阐释美学的基础上发展起来。它最初兴起于20世纪60年代中期的西德和法国，随后在70年代的东德和苏联也得到重视。

波兰的英伽登已经提出"阅读现象学",但还未曾展开。德国哲学家伊塞尔在60年代中期加以发展,专门研究阅读过程的现象学,把阅读活动看作是一个审美反应过程。后继者不乏其人,形成康斯坦斯学派。依伊塞尔之见,文学作品存在两极:一极是作者写出来的文本;另一极是审美的反应,即读者对文本的具体化或实现。"作品本身显然既不能等同于文本,也不能等同于具体化,而必定处于两者之间的某个地方。"当然,读者的反应是由文本激发出来的,文本的结构中已经暗含着读者可能作出多种解释的潜在因素。"暗含的读者牢牢地植根于文本结构之中,他只是一种构想,绝不能和任何真的读者等同起来。"文本的不确定性和空白,正是联系作品和读者的桥梁。这个文本就是一个"召唤的结构",它唤起读者的想象、反思。

研究法国文学的西德学者尧斯,在《文学史作为文学理论的挑战》(1967)中提出了"七点论纲",系统地阐明了接受美学的基本原则。文学的价值只有通过阅读活动才表现出来,而迄今的文学史只研究了作家、作品,却缺少第三个要素——读者,因而不能科学地揭示文学的价值。文学的价值是"创作意识"和"接受意识"共同作用的结果。文学在创作时,已受到读者的制约,在构思中已把读者的"期待"包含进去,作家心目中存在着"期待视野"。读者的反应,对作家的创作起着反馈作用,影响作家的"期待视野"。读者在阅读中不仅直接获得审美享受,而且引起审美趣味和审美标准的变化,改造读者的审美能力,从而对作家有了新的期待。读者接受作品,无论是垂直接受(阅读前代作品)还是水平接受(阅读同时代的作品),都应从被动接受提高到主动接受。

总的说,康斯坦斯学派的阅读现象学还较为重视文学的文本这个环节,读者的反应仍然必须以理解文本为基础,不能脱离文本作不着边际的想象。但发展到美国费希的读者反应理论,提出了"感受派文体学",越来越突出读者这个环节,把文学看成是读者在阅读过程中的"体验",而不是白纸黑字的文本了。作品的意义,也不在作品的本体中,而是读者的认识,只存在于读者的心目中,因此,"文本的客观性只是一个幻想";阅读,也被一些人归结为脱离文本的毫无依据任意为之的纯粹幻想活动了。

在70年代的东德,接受美学也发展起来。接受美学,同创作美学、作品美学一道,成为同一系列的美学科学而被重视。依据马克思主义关于生产和消费、艺术生产和艺术享受的辩证原理,以瑙乌曼为首的东德学者撰写了《社会—文学—阅读》(1974),阐述了接受美学的基本观点。文学活动包括了创作到接受的全过程。创作是第一位的,接受是第二位的,但都不可缺少。作者创作出来的客体即文本,是联结创作和欣赏的本体。文本一旦被创作出来,它就是客观存在,它本身就包含了可供读者阅读的潜能,是一个常数。但欣赏主体却是变动的,读者的解释、理解是个变数,文学效果就是这变数和常数的统一。文学创作和读者反应相互促进,文学创造培养了文学读者,反过来,读者反应又成为促进新的文学创造的起点。文学活动就是这种创作和接受的相互作用的辩证过程。

在苏联,从60年代起,对于文学艺术的社会功能的研究逐渐深入,认识到作者与读者之间是"对话关系"。这种"对话关系"在70年代得到了深刻的认识。通过作品,作者不仅和同辈人对话,而且和前辈人和晚辈人对话。文学作品的意义和价值,不仅为同时代所决定,而且也为未来的时代所决定。六七十年代以来,苏联的美学、文艺学越来越重视对文学艺术作综合的研究,把文学艺术作为一个完整的系统来掌握。例如美学家卡冈,把艺术活动看作一个信息系统,由三个环节构成:制造艺术信息、艺术信息符号化、传送艺术信息;美学、文艺学必须把这些环节作系统的研究。鲍列夫把文学放在更大的系统中考察,现实作家、作品、读者,只是这个复杂系统的一种成分。因此,对文学艺术的研究,不仅必须掌握个别环节,而且要掌握整体和过程。这就需要运用多种方法,传统方法、现代方法,相互补充、相互配合。看来,文艺学的发展趋势是越来越走向系统的综合研究,方法也越来越多样,而作为根本方法的马克思主义——辩证唯物主义和历史唯物主义也就显得更加重要。

五

综观近代西方文艺学方法的概貌，我们确实会感到多种多样、眼花缭乱。每一种文艺学方法，都从一个角度、一个方面对文艺作了探讨，揭示了文艺的某一个方面或某一环节的质，有的探讨还相当深入。

问题在于：文学艺术作为有机整体自有其系统质，文学艺术的系统质究竟是什么？运用什么方法才能揭示出它的系统质？

如果不是把文学艺术归入其他系统之中，而把文学艺术自身作为一个相对独立的系统来考察，那么，美学的方法正是揭示文学艺术的系统质的重要方法。

从其他科学中引进研究方法，如果只是从一般原理"移植"到文艺学，那么，这种研究方法只能揭示文学艺术与其他社会现象共有的一般规律。用社会发展的一般规律来研究文学艺术，自属必要，不能忽视。但停留在这一步，仅仅还只是囿于一般社会学的水平，它不过是以文学艺术作为例证，说明社会发展的一般规律。文艺社会学不仅需要揭示文学艺术同其他社会现象的共有的一般规律，而且需要揭示一般规律的特殊表现，更要寻找出文学艺术所独有的特殊规律。文艺心理学也不只是用普通心理学的原理来解释文学艺术，更重要的是要找出文学艺术的特殊规律，不然，就仍然只是普通心理学。文艺符号学的重心应在揭示文艺符号这种特殊符号的特殊规律，而不应停留在一般符号学的水平。运用其他科学的研究方法，要成为文艺学的有机组成部分，就一定要揭示出对象的"一般—特殊—个别"的相互联结。

系统论、信息论、控制论以及自然科学的一些方法向文艺学的渗透，这是势所必然。但是，这些方法只有同美学方法相结合，才能揭示出文学艺术自身的系统质。

系统，这本来就是相对的。世界是一个系统，社会也是一个系统，心理、符号、信息等也各自构成系统。从这些不同系统的各自角度看，文学艺术只是那个系统中的一个次要因素。但是，文学艺术自身也是一个系统，以审美为基本特性。文学艺术，以特殊的审美符号

（艺术活动或艺术作品）传达特殊的审美信息（对于人生的审美体验），从而去影响人们和周围世界的审美关系的确立。这是人类自己创造出来的一个审美调节系统，它的系统质应是它的审美价值。因此，美学的方法在文艺学中就显得特别重要。

显然，文艺学要借助于社会学的、心理学的、信息论的、符号学的各种方法，以便揭示文学艺术的多样质，更需要运用美学方法来揭示出文学艺术的系统质。作为有机体，正如美国学者韦勒克所说："文学作品并不是整体的聚合或次序，也不是一系列的数量，而是质的整体，充满价值的整体。"文学艺术的多样质，都被吸收并融合到它的系统质——审美价值中了。艺术美就存在于这个艺术整体之中。因此，在文艺学中移植其他科学方法，必须和美学方法相结合。美学在吸取其他方法的时候，也将改变自己的形态，不是封闭体系，而是开放体系了。无怪苏联一些美学家在把系统方法引进美学的同时，特别重视对文学艺术作美学的系统研究，这对我们不无启发。

文艺学的方法，既需要多样，又需要统一。具体方法需要多样，根本方法又应该统一，两者的结合，构成了文艺学方法论的体系。

马克思主义仍然是我们文艺学的根本方法。

马克思主义的辩证法，特别是历史辩证法，是我们研究一切社会现象的根本方法。马克思主义把世界作为有机体考察，把社会、自然、思维看作相互联系的整体，揭示了社会发展的普遍规律，成为人类历史上最科学的世界观。世界观并不能代替各门具体的科学（社会科学和人文科学的具体部门），但是，马克思主义世界观可以而且应该成为认识世界和改造世界的方法论、各门具体科学的根本方法。

文学艺术，作为特殊的上层建筑、意识形态，既按照"自律"在运动，又制约于"他律"的运动，特殊规律和普遍规律错综复杂，相互制约。这只有借助于马克思主义的历史辩证法，才能把握住它的"自律"和"他律"的辩证关系，从"他律"和"自律"的合力中去理解文学艺术的存在和发展。要从科学上去理解艺术辩证法，必须懂得马克思主义的历史辩证法。

根本方法不能代替具体方法，具体方法也不能代替根本方法。

根本方法的统一,具体方法的多样,两者的结合,乃是建设和发展具有中国特色的马克思主义文艺学的必然要求。

既然文艺学的各种方法都有其各自的适用性和局限性,我们在运用时就需要取其所长,避其所短。具体方法也需要和根本方法一致起来,使之符合马克思主义。比如,文艺学当然需要重视心理学方法,深入文艺创作的心理分析。但心理学方法各种各样,有尼采的悲剧心理学,弗洛伊德的精神分析学,荣格的集体原型说,格式塔心理学,皮亚杰建构学说……它们都有其可取之处,马克思主义文艺学应该吸取其中有价值的东西,但这需要运用马克思主义根本方法去分析、研究,并使它和马克思主义一致起来。我们不能否定潜意识在创作中的作用,但把潜意识仅仅归结为本能的欲望,却很难说符合事实,合乎真理。文艺创作心理复杂多变,难以捕捉,需要运用各种方法去探求奥秘,但最终仍然可以用马克思主义的能动反映论来作出科学解释。同理,对文学艺术作社会学的研究,也仍然需要以历史唯物主义作为根本方法。

吸收一切有价值的文艺学方法,予以马克思主义的改造,这是丰富和发展马克思主义文艺学的重要途径。马克思主义的建立,本来就以吸收先进科学成果为前提。自然科学的三大发现,社会科学的三大学说,都是当时的先进科学成果,均为马克思主义所吸收。抚往思今,很难设想我们今日要发展马克思主义,竟可漠视新的有价值的成果!

具体方法的多样和根本方法的统一,统一于马克思主义,这正是我们的文艺学方法论的基本特征。

为中国人民大学"文艺学方法论"研修班而作的演讲稿

1987年初夏,北大畅春园

文艺学美学方法论透视

20世纪的文艺学和美学,处在一个方法变革的文化语境中,一个本体反思的时代氛围中,一个重新解读人与世界关系的历史节点上。

在这个感性与理性、有限与无限、现实与理想、经验与超验普遍对立的时代,西方的哲人们面对世界的和人类自身的分裂,企求以文艺这一中介形式去弥合这种惨痛的裂痕。因为,艺术以其对人的生命本体的颂扬和持存,使人类拥有一片"诗意的栖居"之地,而成为人们渴望追求和超越的家园。然而,当人们希冀艺术担当人自身超越的使命时,却发现艺术的意义在日常感性的遮蔽下,逐渐消解,甚至艺术与人生的关系、艺术的本体结构、艺术真理的根基这些重要的本体问题也变得模糊不清了。人类空前地寻求艺术呈现和朗照自身存在的意义,然而人类却又空前地发现艺术价值已经从生命的根基中抽身而去。于是这种艺术价值的空前的寻找和空前的退隐成了20世纪文艺学美学方法论变革的前景。

一、现代文艺学美学方法论变革

人类总是把艺术看作自身生存意义的揭示。当这种意义处于遮蔽之中时,人们开始重新询问艺术本体和艺术存在意义,而要抵达艺术本体意义的深层,则必须具有全新的方法。于是当代西方文论家从各自不同的角度、不同的领域对艺术进行了多层次、多维度的研究,其哲学方法、心理学方法、原型方法、语言学方法、人类学方法、符号学方法,层出不穷,不断翻新,使人颇有"朝如青丝暮成雪"之感。透过方法翻新的表层,其深层正表露出这样的意向性:人们渴望通过新方法,去对不确定的生命过程加以意义确定,从而展示出人的本然处境和无限可能性。

艺术本体被遮蔽,但人们通过全新的方法而抵达本体反思之源头,通过新的语言的解释与已经退隐的东西照面。正是文艺学美学的新方法,使得那一度消隐不彰的艺术本体呈现出来。在这个意义上,可以说方法是揭示、敞露本体的中介形式,方法论和本体论并非互相对立,而是相生相契、密不可分。

方法论与本体论具有价值同一性。本体是方法的本源,方法是通达本体的中介。一定的本体论或世界观原则在认识实践过程中的运用表现为方法。方法论是有关这些方法的理论。没有和本体论相脱离、相分裂的孤立的方法论,也没有不具备方法论意义的纯粹的世界观或本体论。

方法同本体一样,是一个渊源久远的古老的观念,有着漫长的发展历史。西文中"方法"一词,来源于希腊文 $\mu\varepsilon\tau\alpha\delta o s$,这个词由"沿着"($\mu\varepsilon\tau\alpha$)和"道路"($o\delta o s$)两个词组合而成,其意为沿着某条道路前行。这是古代哲人对方法的素朴直观把握。而在现代意义上理解的"方法",则是指从实践上、理论上把握现实,从而达到某种目的的途径、手段和方式的总和。方法的本质在于,它一方面是联结主客体的中介,同时,它不仅是一个中介物,而且可以作为独立存在的研究对象,即超越这一中介,达到对本体的把握。

文学科学的现代发展,使得其他诸如系统论、信息论、控制论以及心理学、人类学、符号学方法渗入文艺研究方法,在文艺研究领域出现了像系统、要素、层次、结构、功能、范式等新概念和新范畴。艺术方法论也从模仿论、功用论、表现论,向形式论转化。文学研究方法告别了作为实现目的方式和途径的狭窄领域,在新世纪唤醒了新的方法论意识,开始以一种更清醒、更自觉的姿态,寻找方法系统的创立。理论家、批评家大胆创造新概念,使用新方法,勇敢开拓文学研究的思维空间,从而诞生了一个又一个的新的批评流派,跨入了文艺研究方法变革的时代。

20世纪的文艺理论研究出现的流派纷呈、新说迭出的格局,宣告了以一部亚里士多德的《诗学》雄踞文坛近两千年的时代一去不复返了。这种研究方法的不断创新,昭示出意识话语的空前活跃。可以说，艺术研究的创新求变不仅具有鲜明的时代特征，而且直接成为时代艺术精神和审美文化价值取向的重要标志。

文艺研究方法的沿革和创新，有其重要的诗学背景。当代诗学流派众多，但大致可分为两大思潮。一是标举"体验"性的人文主义诗学，其特点是注重将人的体验、感性、直觉放在首位加以考察，通过对人的精神内涵的揭示去探寻艺术的本质和世界的审美本性。另一种是注重实证的科学主义诗学思潮，其特点是偏重于归纳法，更重视其科学性、实证性。在其具体研究方法中，注重语言的逻辑功能，要求概念的确定性、表达的明晰性、意义的可证实性。诗学研究上的人文主义向度和科学理性向度到了20世纪80年代，出现了互相融合的趋势。因此，当代诗学就将人的存在及其意义作为自己的重心，而将艺术本体论重新推向文艺和美学研究的前台，使文艺理论研究也出现了偏重主体（作者和读者）审美体验研究和偏重作品文本研究两个方面。同时，当代文艺理论也与当代艺术本身的发展关系紧密。当代艺术使理论家们感到艺术与非艺术的界限发生了变化。文艺理论已经从纯诗学的封闭圈子里走出来，不再局限于对美和艺术的内在特征和形态的研究，而扩展为对艺术和社会以及人类存在中的意义和功能的探索。人们越来越注重将人与艺术的本体关系、艺术品的本源、艺术的超越性价值和艺术品的存在方式、基本结构等问题的研究，放到文艺理论研究的中心，同时也注意到艺术与语言符号的本体关系。这使得当代文艺理论研究更为注重从艺术语言入手，去把握艺术的本质。

对现代艺术语言的重视，形成当代文艺学美学研究方法的重要维度。现代诗学美学认为，艺术将不可见之物呈现在语言中，并唤出人的诗意的生命感；艺术家通过语言使自己与他人换一种方式去思考事物；艺术语言使人与现实疏离而以更高的眼光来直观世界。人与世界的普遍关系从根本上说是一种语言性关系，对异化世界的反抗通过语言控诉而得以进行。只能以诗意语言对抗僵化的语言，因为人是语言的动物。当代文艺美学研究表明，艺术语言能打破日常语言的牢笼，一方面，它将人的深层体验和生命激情化为具体的场景人物而固定下来；另一方面，它又不断求新、求异、求变，使语言本身处于不断否定自我的过程中。艺术语言的本性在于力避陈言、标新立异、化腐朽为神奇。

现代文艺学美学研究方法的变异,除了受其诗学背景和语言学转向影响之外,还与其批评的思维方式变革有关。

传统批评方法,往往信赖批评者的直觉,其思维方法往往是凭瞬间感受,灵机一动而得出批评结论,这往往导致主观主义的浮光掠影式的评价,而难以揭示作品的本质特征。现代批评方法,在批评的方法意识上加以更新,超越了把方法理解为单纯的"手段"的阶段,而把批评看作是文艺研究体系中一个整体存在。

现代批评方法本质上是对文学生产、作品结构、读者接受这一总体过程各环节的精细的思维活动。其思维方式构成了批评方法的内在结构,而四种连续的思维程序构成完整的辩证分析方法模式。[①]第一个思维程序是准备,选择一个基本出发点,确定分析的原则,并在客观背景上考察对象的总体图景。这种基本出发点的选择取决于文化与思维的传统,并受这一领域先前的思维材料和研究的社会目标的制约。第二个思维程序是近观和环视,即中距离和近距离观察对象,细细剖析,以揭示其外部联系、含义和意义。第三个思维程序是潜沉到作品之中,分解其内部结构要素,把握各部分、各结构、各要素组合的意义。第四个思维程序是领会本质,会通过前三个程序而达到对作品的完整认识。这种新的综合,在螺旋式认识过程的更高一圈上使研究者返回到作品的总体特征上,从而对作品作出具体而概括的判断。

如果说,古希腊阶段文学方法论是一种朴素直观法,仅仅把握对象的概观,而近代形而上学将个别的方法绝对化,孤立地考察作品各要素,割裂了作品各部分之间的有机联系,那么,现代批评则注重辩证思维,注重宏观与微观、整体与具体的统一。当然,这只是现代文艺研究和文艺批评方法论的总体要求,在每一个具体批评方法流派的批评思维方式上,仍然具有不同的侧重点,以显出各自不同的理论风貌和价值取向。

---

① [苏]鲍列夫:《美学》,乔修业等译,中国文联出版公司,北京,1986年,第520~530页。

二、文艺学美学方法论的价值取向

　　文艺研究的方法与文艺研究的对象有着紧密的关系,特定的研究对象要求特定的研究方法。文学研究的历史和现状表明,每种研究方法的成就或局限、不同学派的理论体系和观念的论争和建树,乃至使用概念的歧义和不同理解,都与确定不同的研究对象相关。因此,研究方法重心的确立与研究对象的确定之间具有一致性。

　　文艺理论家往往从审美主体和客体的关系着眼确立文学研究对象。艾布拉姆斯在《镜与灯》中提出文学的四要素说,认为在整个艺术过程中与艺术作品相关的因素有四个,即作品、艺术家、宇宙、观众,他用一个三角形来排列(如左图)。艾布拉姆斯认为,所有西方艺术理论都展示出可以辨别出来的一个定向,亦即趋向这四个要素的其中之一。他将作品对宇宙(世界)的反映称为"模仿"论,将观众对作品的解读称为"实用"论,艺术家对作品的心灵外现称为"表现"论,而孤立地考察作品则称作"客观"论。①而美国学者刘若愚则将这四要素的关系重新安排成一种完整的圆圈:②

以突出主客体互相影响,互相制约,形成一个不断循环的艺术过程。美国学者叶维廉进一步将这四要素的关系安排为一个庞大的理论构架。③因原图过繁,现以简图示之如次:

---

① [美]艾布拉姆斯:《镜与灯》(重印本),牛津大学出版社,英国,1981年,第3~29页。
② [美]刘若愚:《中国文学理论》,芝加哥大学出版社,美国,1975年,第10页。
③ [美]叶维廉:《比较文学丛书总序》,见郑树森:《现象学与文学批评》,东大图书公司,台北,1984年,第11页。

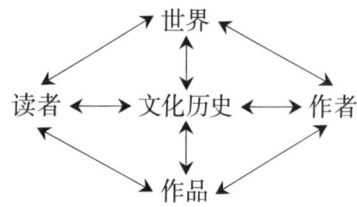

叶维廉认为,一部作品诞生的前后,有五个必不可少的基础,即作者、世界、作品、读者、语言(包括文化历史因素),并据此提出西方文艺理论有六个不同导向:观感运思程式理论、由心象到艺术呈现的理论、传达与接受系统的理论、读者对象的理论、作品自主的理论以及文化历史环境决定的理论。

可以认为,艾布拉姆斯、刘若愚、叶维廉都从研究对象的主客体关系方面,考察文艺研究方法的重心所在,并将文学整体过程确定为四个主要因素。这四个互相联系的要素研究的不同侧重,形成当代文艺理论和文艺批评的不同流派。这些林林总总的流派,以其各种不同的研究方法在作家、作品、读者、社会文化四个维度上展开,并取得令人瞩目的成就。

与研究对象的不同维度相应,文学研究方法也形成四个方面,即:一、作家心理和创作过程研究,如文艺社会学研究法、传记研究法、象征研究法、精神分析研究法、原型研究法;二、作品本体研究,如符号学研究法、形式研究法、新批评研究法、结构与解构研究法;三、注重读者接受研究,如现象学研究法、解释学研究法、接受美学研究法以及读者反应批评法;四、注重社会文化研究,如西方马克思美学文化批判法、后现代文艺美学研究法、女权主义文学研究法、解构主义文学研究法、新历史主义研究法等。下面,我们就这四个研究方法论维度作一些概述,以期勾画出20世纪文艺研究方法的基本走向。

1. 作家心理和创作过程研究法

文学的社会历史研究源远流长。自19世纪丹纳《艺术哲学》问世,为文艺社会学研究提供了新的基点,到了现代,文艺社会学出现了学派林立、新说迭出的局面。如:①格罗塞的"经济唯物主义"派,注重从原始艺术入手,研究艺术产生和发展的原因,并将艺术起源归结为社会生产力的发展。②普列汉诺夫的"中间环节"说,认为人类的生产活动通过宗教和巫术这一中间环节影响原始艺术的内容和形式,而在现代社会,这一中介则表征为政治、道德、哲学等因素。③卢卡契、本雅明、阿多尔诺等人的"理论批判的文艺社会学"思想,他们着重考察社会阶级结构在文学作品中的反映,注重理论思辨和批评,强调文艺不仅要反映和批评作为社会历史现象的社会生活,而且,文学作为一种社会现象也要接受批评。④弗里契在《艺术社会学》研究中,明确提出了建立艺术社会学学科的问题,他力求在艺术研究中寻绎艺术与人类社会之间的某种必然联系。⑤阿诺德·豪塞的"艺术社会学"观,主张从哲学、社会学、心理学、民俗学、历史学等多角度去研究艺术现象,认为艺术是对生活的一种解释,因此必须把握住艺术中表现出来的意识形态观念。豪塞的艺术社会学研究,不仅讨论了艺术消费、艺术市场、传播媒介、大众艺术、艺术预测,而且还进一步从社会发展的角度探讨了"艺术的消亡"问题,引起了理论界广泛的注意。⑥罗贝尔·埃斯卡皮的"文学社会学"思想,注意吸收经济学、传播学、信息论等学科的一些理论和方法来研究文艺社会过程,提倡将作家当作某种职业的人来研究,将文学作品当作交流方式来研究,将读者当作文化商品的消费者来研究。⑦吕西安·戈德曼的"发生学结构主义的文学社会学"观点,将研究重点放在作品同社会结构以及特定社会集团的思想体系结构之间的对应关系上。他认为产生于社会生活中的人文科学是社会精神生活的一部分,并可以改变社会生活。总体上看,文艺社会学研究方法,在当代西方文艺研究中被广泛采用,同精神分析方法、原型批评方法、形式主义方法、结构主义方法、现象学方法、解释学方法、接受美学方法相比,它有深厚的社会基础和强大的生命力,在文学研究中占有重要的地位。

兴起于法国的具有神秘主义倾向的象征主义诗学方法认为,客观世界是主观世界的象征,因此可以用有声有色的物象来象征内心世界这一"最高的真实"。只有心灵世界才是真实的美,这个"世界"是超现实的,不能被理性所把握,只有通过隐晦曲折的"意象"、"形象"加以暗示,只有通过意识和潜意识的共同作用,才能传达出心灵世界的奥秘,因而,象征是沟通主客观两个世界的媒介。

弗洛伊德的心理分析学方法认为,艺术是"原欲"的升华。所谓"原欲",就是人的基本欲望"爱的本能"。按弗洛伊德的看法,人格结构有三个层次:本我、自我、超我;心理结构也有三个意识层次:无意识、前意识、显意识。"本我"是人格结构的最底层,处于无意识状态,"原欲"就蕴藏在"本我"中,是人类活动最原始的内驱动力。"本我"要避苦求乐,获得快乐是人类一切行动的基本动机。但是,这享乐原则常与现实环境发生矛盾,就要由"自我"加以调节。前意识就是用以控制"自我"的本能,它处于意识与无意识之间。"超我"则是体现社会利益的心理机制,运用社会原则来压抑"本我"冲动。但是,"本我"的"原欲"是人的终极动力,在现实中得不到满足,长期压抑,就会使人毁灭。于是,"自我"和"超我"就力求让"原欲"在梦幻想象和文学艺术中得到发泄。

荣格在弗洛伊德精神分析学基础上,建立了分析心理学文艺研究方法论。荣格反对弗洛伊德片面夸大人的个体本能并将本能统统归结于性的作用。荣格认为,不同时代和社会的艺术作品中反复出现的问题乃是各民族的某种集体无意识原型观念,人们因被唤醒这种沉睡在心中的集体无意识原型而获得审美愉悦。无意识有两个层次:上一层是个人无意识,下一层是集体无意识。荣格用集体无意识来解释文学艺术,从而形成了一种新的研究方法,即原始类型研究或神话原型研究法。荣格认为,艺术家具有双重身份,一方面,他是具有个人生活的人,有自己的个性和人格;另一方面,他又必须忠实地做这种"集体无意识"的传达工具,必须代表整个人类共同的意愿来说话。荣格建立在分析心理学理论基础上的文艺观和研究方法论,在当代西方有较大的影响。他对艺术的象征功能,对作家、作品与读者关系的揭示,对艺术意义的阐释,对现代艺术对人的精神的"补偿调节"和拯救人的灵魂,使人重返精神家园的作用进行了令人信服的说明。

2. 作品本体研究法

对作品存在本体进行研究,主要有符号学方法、俄国形式主义方法、新批评方法、结构主义方法等。

符号学的研究方法对文艺研究有重大的意义。卡西尔认为,艺术是一种特殊形式的创造,即符号化了的人类情感形式的创造。艺术就是运用符号来表现人类各种不同的经验,而人就是进行符号活动的动物。在卡西尔看来,语言和神话这两种人类最古老的符号表现形式,它们的创造都经历了概念化和符号化的活动过程。因此,语言处于人类精神活动焦点的地位,甚至可以说它本身就是一种精神实体,通过语言可以走向人类心灵所有的领域。苏珊·朗格在《哲学新解》中,论证了音乐并非是自我表现,而是对人类情感的符号性表现,它象征着人类情感的形态或结构的问题,从而清晰地展示了人的内在情感生活的真实面貌。在《艺术问题》《情感和形式》两书中,她进一步把符号学具体运用到对各类艺术的解释中去,并认为,艺术的本质作用就在于它能把情感形式用符号表现出来。

20世纪初期出现的俄国形式主义方法论,把文学作品看作是一个独立自足体,它同作品以外的因素无关,作家、读者、社会都是同作品无关的外在因素,不能用社会学、心理学等来研究文学。文学作品就是运用语言技巧制作出来的语言体,因而只能用语言学,特别是语音学来研究文学。俄国形式主义诗学,基本上是语言工艺学,注重的是语言的声音层次,最著名的形式主义代表雅克布逊把它称作是"功能音位学"。30年代以后,俄国形式主义诗学渐趋消沉,但在捷克斯洛伐克却有很大影响,形成布拉格学派,后来发展成为结构主义诗学。

新批评派致力于文学作品本体的研究,其方法论特点在于探索文学的"特异性",即区别于其他文体的特点,而"特异性"就存在于作品本身。新批评研究方法注重在文学的语言本身探索文学的特异性。新批评只注意文学作品本身,不顾作家传记、读者反应和社会背景。作品本身的意义和价值不应同作家的意图和读者的反应相混淆。将作品本身与其产生过程相混淆,就会产生"意图谬误";而把作品本身与其效果相混淆,就会产生"动情谬误"。对文学的研究,只应注目于"本体",作品本体的意义,不依作者意图和读者反应为转移。也就是说,新批评的作品研究方法立足在作品的抽象与具体的关系上,强调通过语言分析、细读法去寻绎作品的本意(象征之网)。

结构主义诗学把语言学引入文学研究领域。它借助于结构主义语法分析来解剖叙事作品,创造了一门新的文学科学:叙述学。结构主义诗学方法的兴趣并不在分析个别作品,而是想寻找叙事作品普遍具有的结构。所谓"文学性",对于结构主义诗学来说,就是文学语言的特殊性,所以,托多洛夫致力于分析文学语言的语法结构,把句子分成两种基本成分,即施动者和谓语(动词、形容词),从谓语的不同组合引出许多叙事类型。进而,托多洛夫还把话语的手段分成三部分:叙事时间(表达故事时间和话语时间之间的关系)、叙事体态(叙述者观察故事的方式)、叙事语式(叙述者使读者了解故事所运用的话语类型)、话语手段的组合变化,形成了叙事的多种类型。结构主义文学理论把文学和语言等同,视文学作品为封闭的语言结构自足体,是另一种形式主义。

现象学美学家罗曼·英伽登的文学研究方法论认为,艺术作品并不是独立的存在,它是意识的一部分,只有当作品呈现在我们的意识中它才存在,而且,客体只有作为意向性意识的相关物才可以被认识。因此,文学本体论应着重探讨在个人经验中得以具体化的审美客体。在英伽登看来,一首诗是一种"意向性客体",它既不同于"理念的实体"(如抽象的数),也非"现存的实体"(如纸笔油墨),这种"意向性客体"只有在读者的直接阅读经验中方能得以"具体化"。也就是说,艺术把个人对于经验世界所抱的自然态度转变为他对世界感受的审美沉思态度,因此,每一次审美经验就是完成一次现象学还原,每个诗人的创作都可以说是在完成一种"悬搁",亦即通过暂时"中断"他对现实时空世界所抱的信念,而进入纯粹意识领域中,并以全新的方式直观事物本身。正是基于这种艺术作品存在方式的看法,英伽登提出他的作品层次论。在他看来,一部文学作品是一个"多层次的结构",即语言层次、意义单位、图式化观相、被表现的客体。作品诸层次构成多种类型的审美价值,多层次之间的多样性产生复调和谐。英伽登声称,文学作品不仅是一个客观存在的客体,而且也是一个意向性对象。从本体论观点看文学作品只是一种图式化结构,其构成要素大部分都处于潜在状态。只有在阅读中被读者"具体化"之后,文学作品才能成为丰满具体的审美对象。

3. 注重读者接受反应的文学研究法

当代西方文艺研究方法注重对读者审美经验、读者对文本的理解和阐释、读者的接受效果研究的,主要有文艺现象学、文艺阐释学和接受美学等方法。

英伽登的现象学文艺方法论认为,必须将文学作品同作品的具体化区分开来。他在其作品本体论上建立了自己的文学认识论。在他看来,文学作品只是一种图式化的构造,只有通过读者阅读才能转化为现实的存在。"具体化"是"作品被理解的具体形式",具体化是阅读中构成的直接关联物,构成作品的显现形式。英伽登认为,不仅具体化能赋予文学作品以生命,而且文学作品的生命会在具体化进程的影响下产生变化。因此,具体化是与原作保持同一性与读者创新的变异性的统一。作品与作者的意向、读者与作品的意向之间的相符与相悖的实现,都会在再现客体层造成明显的变化。但作品在变化中仍保持其自身的同一性(不会真正变成一部"新作品"),因此,同一的文学作品会发生变异,而变异的历史则构成艺术作品的生命。

文学解释学方法,是当代文艺研究的重要方面。以加达默尔为代表的文学解释学方法,是在对施莱尔马赫、狄尔泰为代表的传统解释学和海德格尔"理解论"、意义论基础上发展起来。加达默尔注重读者理解文本的历史性,他认为,任何一个人都存在着历史性,因此,在文本的理解活动中,不可能揭示某个文本的原意,而只能带有理解者自身的印痕,强调对象意义的历史性和相对性,以及理解活动的历史性和相对性。在他看来,理解历史性的同时也就构成了理解者的主观偏见,而主观偏见又构成了解释者的特殊的视界。因而理解者的视界与对象内容所包孕的过去视界在理解中达到"视界融合",使得理解者和理解对象都超越了原来的视界,到达一个崭新的视界。加达默尔认为,艺术解释活动就是主体参加的理解和体验活动,必然带有一定的主观性,这种主观性是对艺术作品文本加以理解不可缺少的"前结构",正因为有这个"前结构"所蕴涵的主观性,作为解释活动的结果的"意义"就不可能是纯然客观的,而一定会有主体的"偏见",也就是说,在主体理解活动中,作品产生了新的意义。

以尧斯和伊塞尔为代表的接受美学在20世纪60年代末、70年代初迅速崛起。向作品内部研究的作品本体论美学思潮提出挑战,对文本中心论进行反拨,确立了以读者为中心的美学理论,实现了文学研究方向的根本变化。接受美学具有全新的文学研究方法,形成从文学总体活动过程研究的新思路。首先,接受美学注重艺术交往活动研究。尧斯认为,人总是通过文本与潜在地存在于文本中的作者进行"对话",将人与文本的关系变成一种心灵对话、灵魂问答的关系。因此,文本的意义存在于解释它的人的理解意识之中,文本是人的理解的文学效果史中永无止境的显现。其次,确定了读者中心地位。在接受美学看来,作品总是为读者而创作的,文学的唯一对象是读者,未被阅读的作品仅仅是一种"可能的存在",只有读者能赋予作品以现实的意义。读者对作品意义的填充是能动的、决定性的。因此,作品的意义等同于作者赋予的意义和接受所赋予的意义的总和。再次,突出了艺术接受中的审美经验的重要性。尧斯认为,通过艺术接受所产生的艺术经验,使日常感性得以净化,同时人们凭借艺术经验才得以拒绝意识形态对世界的歪曲或解释,而坚持自己在本质直观中所形成的本真解释,并达到对自我和世界重新审视和感悟的高度。

4. 文艺的社会批判研究法

这方面主要有西方马克思主义文艺理论、新历史主义诗学以及解构主义的文化美学消解法。

西方马克思主义的代表人物主要是卢卡契、阿多尔诺、本雅明、马尔库塞等。总体上说,西方马克思主义文艺研究,以社会批判理论作为自己的旗帜,对现实抱一种批判的否定态度。因此,在文学研究方法上具有不同于传统文艺社会学研究方法的新的走向。

阿多尔诺认为,艺术就是要追求那种现实社会中所没有的东西,艺术不是对现实的模仿,而是对未来的启示性呈现。因此,艺术具有超越性、精神性、无概念性特征。阿多尔诺在《美学理论》中突出地强调了艺术的批判职能,他认为,艺术成为社会的东西毋宁说是因其同社会对抗的立场,它不逢迎现存社会的规范,它通过自己成为非艺术和反艺术这一事实去批判和抗议这个社会,在这一极端的造反形式上也宣告了艺术的危机。然而只有危机才能重新自我审视,正如"只是因为绝望的缘故我们才被施予希望"一样。

本雅明认为,工业文明对人的精神性各方面加以剥离,使得语言也被社会实用的、认识的方面所淹没,因而哲学的任务就是恢复那种被疏离的、丧失本真意味的语言的符号性维度,只有这样,才能在一个四散的物的世界里聚合起一个精神的整体,在一个意义匮乏、表达方式僵化的社会中说出不顾物质世界消长本真意识的话语,保持思想的鲜活的生命力。本雅明在《作者作为生产者》中提出自己的艺术生产观念:"艺术是一种社会生产形式。"他认为,马克思主义中经济基础与上层建筑关系的理论在今天具体表现在技术与文学的关系上。艺术决定于它的时代的生产的社会关系——技术,文学作品在当代已深深地被内在嵌入生存的社会情境中去,它的功能直接关联着它的时代的生产的文学关系。在对现代艺术的看法上,本雅明认为,技术复制在大工业生产中的广泛运用,使众多摹本代替了独一无二的艺术精品,技术复制终于使"真品"和"摹本"的区分丧失了意义,本真性的判别标准就开始坍塌。现代艺术与传统艺术有着完全不同的新质,艺术技巧的革新,直接影响着艺术创作本身,甚至使艺术观念产生了新的逆转。本雅明借此而将艺术作品与意识形态的关系、意识形态与生产方式的关系、意识与潜意识的关系在一种全新的意义上联系起来,并以寓言和隐喻的奇特方式,把现代主义的主题与马克思主义的主题融合起来,从而阐明了现代艺术的特性。

马尔库塞对艺术与社会、艺术与人的关系作过深刻的阐释。他理论的突出特征是,首先确立感性及现实社会的本体论的优先地位,进而予以社会历史的批判,从而以艺术去达到人的感性及其现实社会的审美解放。马尔库塞认为,艺术是独立于既定现实原则的,它所召唤的是人们对解放形象的向往。也就是说,真正的文学艺术具有双重的使命,一方面,它是对现存社会的批判;另一方面,它又是对解放的期望。现代工业社会中极权主义和消费主义的融合、"单面社会"和"单面思维"的融合造成了现代人全面异化而产生出单面人。但是,艺术可以拯救人僵化了的感性，因为文艺本质上是与现实疏离的，艺术就是对异化世界的拒斥、控诉和反抗。同时，艺术在反抗现实非人境遇的同时，又永恒地祝福人的激情、回忆、渴盼、爱恋，创造出一个属人的世界，使人的感性得到审美"解放"。在马尔库塞看来，真正的革命是人自身的审美革命，只有通过审美，人才能臻达自由境界。只有经过心理结构革命，重塑人的新感性，现实社会的革命才有可能完成。马尔库塞呼唤新的感性，这种新感性使人在现存社会中超出现存社会关系和社会技术的系统，而进入一个灵性和鲜活生命的境域。

除了西方马克思主义美学研究方法和解构研究法以外，80年代中期，西方还出现了新历史主义研究方法。

新历史主义（New Historicism）是作为解构主义的新的挑战者应运而生的。新历史主义将解构主义颠倒的传统再颠倒过来，重新注重艺术与人生、文本与历史现实的关系。人们不满"新批评"仅仅将目光停留在文本内在结构和语言技巧上，也不满结构主义诗学"从一粒蚕豆里见出世界、以单一结构概括天下作品"的做法，甚至也不满后结构主义以形式分析去瓦解传统的作家与文本的权威，把文学批评变成揭示符号的差异本质和语言的含混歧义的无休止的逆向消解的循环运动游戏。80年代，当解构主义在"语言学转向"的旗帜下，斩断了文本与社会历史的联系，强调文本间关系比文本自身更重要，进而热衷于寻找文本中的裂缝和踪迹，以寻绎出一套压抑语型和差异解释，并借此推导出激进的"洞见"时，新历史主义突然进行"历史—文化换轨"，强调对文本实施政治、经济、社会综合治理。

新历史主义者感到尽管社会历史批评有过分强调美学的社会功利和人为价值判断，以及将作品看作对现实的直接模仿和反映而无视作品自身审美价值的严重局限，但其仍触及了文艺的根本特性和本质规律。因此，近年来，西方文艺理论论著又每每回到诸如"何谓文学"、"文学史何用"这样根本性的问题上来，有关艺术价值（恒常性）与批评标准（现时性）、方法论上的共时态与历时态、文学特性与史学意义等问题变得日益尖锐醒目，批评家们开始告别解构的独标异说的消解游戏，而向历史意识迈进。

新历史主义者呼唤历史意识,他们从阐释学和接受美学那里获得启发,从西方马克思主义那里承借术语范畴,从历史主义那里借经纬线,铸成一种新的历史主义体系和思路,并将理解和阐释构成作品的意义和价值这一命题作为自己理论的基石。这使它有可能跳出狭窄的文本视界,获得新的更为客观的视野,去洞悉后现代文艺的意识形态特性、现代文化工业的生产和消费规律,并通过时代意识的调节以及文本分析与历史透视的方法,制衡后现代文化灵肉分裂的畸形发展,以期有可能在解构思潮"为了文本而放逐历史"的喧嚣中,造成新一轮波及整个人文科学的范式革命,使之在"文本与历史"的透镜中,把握后现代社会中物化隐秘和罗网意识形态控制技术的真相,增进否定意识和批判性文化实践。

三、文艺学美学方法论的基本层次

现代文艺研究方法受各种哲学方法(现象学、解释学等)、心理学方法、符号学方法的影响,因此,现代文艺研究方法不同于传统研究方法的一个重要的特点在于,批评方法不再是单一的、零碎的,而成为吸收、融合各门人文科学(乃至自然科学的信息论、系统论、控制论)方法的一个有机方法论体系。这个体系,大体上可以分为三个方面,即哲学—逻辑方法、一般批评模式、特殊研究方法。下面分而述之。

居于文艺学方法论体系最高层的是"哲学—逻辑方法",它构成文艺研究的理论基础和方法论原则。这一方法论原则集中体现在研究中具体贯彻"历史的与美学的相统一"的观点。同时,它注意吸收当代哲学的一些合理因素和辩证的观点,从而拓宽了文艺研究的领域和思路。将哲学—逻辑方法运用于文学研究的历史源远流长。古希腊哲人面对种种文艺现象,一般都从逻辑层面进行加工处理,使之上升为理论和哲学认识,从而建立自己的诗学(文艺理论)体系。如亚里士多德《诗学》就主要运用了严谨的逻辑方法。现代文学方法论虽然更重视批评模式和具体批评方法,但也在文学研究中广泛采用归纳、演绎和分析综合等逻辑方法。

第二个方面是一般批评模式,即在作者、作品、读者和社会这四维关系中对其中某一维度进行研究,从而形成一种具体的批评方法。侧重研究某一种,就会形成某种批评模式,如侧重作家心理和创作经验的研究,则产生文学社会研究、传记研究、精神分析法、原型理论等;强调作品本体研究,则产生符号学方法、形式研究法、新批评方法、结构主义方法等;侧重读者接受研究,则有文艺现象学研究方法、文艺解释学方法、接受美学方法;而注重社会文化研究,则有文学解构主义方法、西方马克思主义文艺批评方法、新历史主义方法,乃至后殖民主义文学批评法等。对不同的对象的侧重,是由文艺研究者的文学观念决定的,因此,在方法论的主体—客体两极上的不同侧重、不同结合,便产生了各个不同而又互相关涉的丰富的批评模式或批评理论。当面对文艺现象而运用一定的理论进行研究,就形成一定的批评方法,而这种运用相同或相近的批评方法的人进行共同的研究,便形成一种批评流派。可以认为,文艺研究方法是对一定的文艺理论的创造性运用;文艺理论是批评方法的理论基础;批评方法是其理论的具体运用。它们互相补充,互相修正,不断发展,从而形成具有一定的术语、范畴体系和操作方法的批评模式。值得注意的是,现代文艺批评方法多种多样,我们在进行文艺现象的研究时,切不可生搬硬套;相反,一方面应贯穿"历史的与美学的相统一"这一根本方法论精神,另一方面要努力做到"具体问题具体分析",这样才能使文艺研究收到事半功倍之效。

第三个方面是特殊研究方法。这是居于文艺研究方法更基础层面的方法。这类方法与批评模式有着紧密的联系。文学的特殊研究方法,一方面包括传统文学研究方法中一些仍有生命力,仍对文学研究有重要影响的方法,如通过作家的日记、书信加以研究,从而发现作家的创作心态、创作规律、构思过程以及作家身世与主人公的"投射"关系等,这些方法对当前文艺研究仍有重要意义。另外如中国古代文学研究的"细读法"(即通过细读发现作品字句背后的"微言大义")、"评点法"(以只言片语对文中的关键点加以印象式的批评,或随点随评,使文中之意醒豁)、"比较法"(通过作品与同代作品比较,作品与不同时代、不同国家的作品比较看出作品的独特价值所在)等,皆可以广泛运用于文艺研究。特殊方法的第二个方面指从自然科学方面借用过来的一些方法,如统计法(国内外有人通过计算机精密计算,得出《红楼梦》前八十回和后四十回在用字、用词的频率、关键字出现的次数和文字风格是一致的,因而得出前八十回和后四十回出自同一人之手的结论)、熵定律研究法(如热力学的第二定律、熵、场等),对文学进行考察也能揭示其某方面的规律,或者通过测量、定量分析、比较值计算等精确方法,来规定、解释或描述某些文学现象。

我们认为,如果说,哲学—逻辑方法是整个方法的灵魂,而体现出文艺研究的共性的话,那么,一般批评模式则是文艺研究方法的当代运用,体现出文学研究不同侧重点、不同维度的批评个性,而具体批评方法则是介于当代文学新方法(批评模式)与古代文学研究法或自然科学研究法之间。它一方面可以在吸收中扬弃其过时的陈旧之处,另一方面可以借用自然科学的一些新方法补充文学研究的方法论武库。总之,"批评模式"是当代文学研究方法主体部分,它一方面受哲学—逻辑方法的指导和制约,另一方面又不断从其他学科吸收新的方法因素,并且在具体的文学现象研究中不断完善自身。因此,我们这部书的重点就在于对不同的文学研究模式进行探讨,不仅要弄清这一批评方法的源起及其历史背景,而且要集中阐述其主要代表人物的主要思想,指出其理论方法论特征,并通过其理论的具体批评实践运用,看其当代意义和局限所在。

文学研究方法是一个有机的整体,它在不断发展,不断演变,不断成熟。但方法毕竟只是研究的手段,而不是研究的目的,文学研究方法只是我们探索文学艺术奥秘的中介形式。

四、文艺学美学方法论的现代意义

作为"路径"的方法,可以使研究活动变得明晰起来,同时,也使研究对象成为一种多维透视的活生生的对象。文学艺术研究通过方法论的"三棱镜",一方面可以还原出生命的原生意义,另一方面可以通过独特的视点,生发或创造出新的意义。事实上,没有凝定不变的文学研究方法,也没有终极真理的方法论体系,真正具有生命力的文学批评方法是随着实践和思维的不断前进而发展的。因此，研究现代西方文艺学方法论，尤需正确把握以下几个关键问题。

第一，必须具有广阔的文化视野和学术批判眼光。在文化开放和寻找对话的时代，文艺研究要上一个新台阶，必须具有广阔的视野和学术批判眼光。在整个文化艺术话语转型时期，运用新方法去分析作品结构、人物心态、语码符号、意义增殖等问题，具有研究"范式转换"的重要意义。我们认为，话语转型时期的文艺研究，对门类繁多的"新方法"加以具体分析和学术批判，在推动文艺研究方法的不断更新和向前发展的前提下，充分发挥各种批评的长处，避免其短处，根据具体情况进行多角度的综合性研究，可以使我们的文艺研究获得一种宏观的视野。在后现代话语运作中，任何狭窄单一的方法都难以碰触到当代艺术文本中的"意义链"，任何拒斥新方法的狭窄文化视野，都难以穿透历史的迷雾而重新阐释作品的新意义，同样，任何缺乏批判眼光的唯"新"之举，也只能随新潮而涨落，对当代文艺研究难以提供真正有价值的方法模式。

第二，运用一般批评模式分析文学现象时，必须注意其适用性和可行性。研究文学批评方法，其目的并非盲目套用或将其"移植"到我们的文学研究中，而是力求打破我们原有的思维格局，给我们以新的启示，拓展我们研究的领域和视界（Horizont）。尤其是当我们运用符号学、现象学、结构主义、解释学、解构法等方法对文学进行研究时，必须注意"文学性"问题。也就是说，必须将文学作为审美对象进行研究，把握其文学研究与非文学研究的区别。如果仅仅满足于运用一些新名词、新术语、新范畴，或单纯对文学作品进行字、义、句的数量化精确分析，而背离其文学审美特性这一整体价值，那么，这样的研究不仅无助于发现文学独特的审美价值，而且，将会忽略文学的特性而只重视它同一般社会科学或自然科学的共同性，使文学仅仅作为哲学、心理学、社会学、自然科学的一个例证而已，这将使我们难以从新的角度更深入、全面地理解文学，反而丧失文学研究的独特性。

实践表明，在文学研究中必须注意文学对象的独特性和层次性，从而采用相对应的研究方法。如研究作家心理则可采用心理研究方法，研究文学的发生起源可以运用一些行之有效的文化人类学（或艺术人类学）方法，研究文学作品构成可以引进语言学方法、结构主义方法、现象学方法，研究文学阐释可以运用解释学和接受美学方法。当研究对象与某一具体方法模式相统一，就会获得其他方法所不能取代的效果，从而从新的视界揭示出某一文学对象所蕴涵的特殊规律。如果研究中不注意对象的独特性和层次性，越出某一方法的有效范围则会导致不科学、充满矛盾的结论出现，甚至丧失批评的有效性和科学性。这是应该尽量避免的现象。

第三，应注意研究方法的互补性。我们研究的对象是文学，面对这一个整体，我们运用不同方法进行研究时，一方面要从某一具体方法模式出发对其某一方面进行研究，另一方面我们也应看到，文学作为一个有机整体，需要各种方法互相补充、互相协调，从而从作家、作品、读者、社会文化四维上进行全面把握。毫无疑问，任何一种单一的方法要想揭示整个文学过程之谜是不可能的，只有运用多种方法对文学进行总体研究，方才有可能窥到文学的审美特征和审美价值之所在。因为，究极而言，文学研究不仅要揭示文学对象各个侧面或各个层次的特殊规律，更重要的是要揭示各层次的相互关系，揭示文学这个总系统的普遍规律，从而使我们对文学获得本真的认识。单一的方法是薄弱的、有限的，只有扬长避短、互相补充，文学的总体研究才会展现新的可能性。

第四，文学研究方法的目的是向读者揭示文学的奥秘。现代文学批评的一个重要职能是充当读者与批评对象之间的中介，通过全新角度的探索，见人之所未见，言人之所未能言，引导读者对作品进行更深入、更细腻的赏析。然而，现代文学批评的术语繁多，概念艰涩，理论幽奥难懂，使读者感到在自己与作品之间设置了一种新的理解障碍，于是在"方法论热潮"中，出现了这样的两难境况：文学研究者越是采用新的研究方法，运用新的理论从新的角度进行研究，读者就越感到坠入五彩云中，不得要领，于是，"新方法"的运用，使得深奥的理论研究和论证的艰深探索的学术著作，成为理论圈内批评界同行或者少数读者的读物,却使许多咬不开理论硬壳的读者望而生畏。于是文学研究终于从"中介"变成了"障碍",将读者与作品挡在了两边。

这种情况已经引起了文艺理论研究者和批评工作者的注意。批评著作在运用新方法时如何既敞开新的内蕴,展示新的视野而又不成为沟通读者与作品的障碍,不使批评著作失去应有的活性、失去广大读者,已成为理论工作者亟待解决的重要课题。那种只为少数同行而写的批评著作是缺乏生命力的,那种没有读者的文学研究或批评是短视的。我们应在文学研究中尽量减少生涩枯燥的论证过程,而代之以自然清新的语言和生动清晰的思维,以获得一种既深刻而又不繁琐的理论穿透力,在不断提高读者理论素质的同时,使其将"新方法"看作是把握文学对象的有力工具。

最高的文学研究方法和文学批评是"至法无法",或将已经消化了的新方法变成自己的语言,去准确传达出对文学现象的灵思和解悟。我们可以使用文学研究方法,然而却不可拘泥于方法。我们将通过方法,达到对文学的真正理解;通过方法论这一中介,达到对文学本体的真正的审美把握。

这不仅是研究现代文艺学美学方法论的意义所在,也是我们编写这部著作的初衷。

此文系由胡经之和王岳川为《文艺学美学方法论》所写的"绪论",北京大学出版社
1990年,北京大学

方法可贵在应用

《文艺学美学方法论》是国家教委"七五"期间高等院校哲学社会科学博士点专项科研基金资助的成果。这部由北京几所高校教师集体编著的学术著作,从讨论提纲、查阅资料、分头撰写、讨论初稿,到修改定稿、统稿审定,前后历时3年。

20世纪被称为"批评的世纪"和"方法更迭的世纪"。如何在文艺学美学研究中对80年代的"方法论热"加以理论反思,如何在新的文化语境中对文艺学美学新方法加以总结和具体运用,如何运用历史的和美学的观点对西方文艺学美学方法论加以清理、分析和吸收,是摆在当代学者面前的重要课题。在本书中,我们广泛吸收和总结了学术界的新成果,从文艺学美学的特殊规律和内在特性出发,集中评介和研究了20世纪最有影响的13种重要的批评方法,并对每一种方法按历史发展的脉络加以准确的展示、分析和评价,进而通过对具体作品的分析揭示每一种方法的独到之处及其局限性所在。

文艺学美学方法论是通达文艺和美学深层结构的路途。文艺方法论与文艺本体论、文艺价值论共同构成当代文艺理论的完整体系。对文艺学美学方法论的研究,将有助于对文艺本体和艺术审美价值的把握,有助于发现艺术话语转型和美学价值定位的潜在规律,从而使我们能从新的视角揭示文艺的审美奥秘,并形成一种不断发展和不断完善的现代文艺美学观。

本书由胡经之、王岳川主编。王一川在初期做过一些组织工作,方珊在后期做过一些具体工作。全书由王岳川修改统稿,最后由胡经之审定。

本书各章撰稿分工如下:

胡经之(深圳大学中文系)、王岳川(北京大学中文系):绪论;

王一川（北京师范大学中文系）：第一章、第二章；

张首映（《人民日报》文艺部）：第三章、第八章；

尹　鸿（北京师范大学中文系）：第四章；

王岳川（北大中文系）：第五章、第十一章、第十二章、第十三章；

张　法（中国人民大学哲学系）：第六章、第十章；

方　珊（北京师范大学哲学系）：第七章、第九章。

北京大学出版社在学术书籍出版困难的情况下，热情支持这部学术著作的出版。在此，我们谨对北京大学出版社编审乔征胜先生、本书责任编辑张凤珠女士表示真诚的谢意。

为《文艺学美学方法论》所作的"后记"

胡经之　王岳川
1990年春于北京大学

附文一

文艺学方法自成系统
——访著名文艺学家胡经之

关 仪

在广东省1990年比较文学研讨会上,笔者有幸同著名文艺学家胡经之教授作过长谈。先生长期在北京大学执教,熔美学与文艺学于一炉,开拓文艺美学学科,甚有贡献。近年又来深圳大学创办国际文化系,拓展新兴学科,多有建树。在这三四年间,陆续出版了《文艺美学》《西方二十世纪文论史》《中国古典美学丛编》《中国现代美学丛编》,为国家教育委员会主编了《西方文艺理论名著教程》及多种教学参考资料。先生对文艺学方法论尤多注意,受国家教育委员会委托,前不久完成了一个文科博士点科研项目,和王岳川合作主编了《文艺学美学方法论》一书,30万言,即将出版。承先生回答了笔者有关文艺学方法论的若干问题,特录于后,以飨读者。

问:文艺学方法论日益受到文艺批评、理论界的重视,您如何看这种现象?

答:文艺学方法论日益受到重视,这是一种令人欢欣鼓舞的现象。文学艺术本身就是一种十分复杂的社会现象,研究它,不能只用一种方法,而需要涉及美学、社会学、心理学、文化学等多种方法。近几年文艺研究、文艺批评的方法开始多样化起来,这是好现象。但多样化不应是无序化,我们需要对各种方法作系统的研究,比较各种方法的特长与局限,弄清各种方法之间的关系,以便酌而用之。

问:这几年文论界新的,或者说引入的方法论层出不穷,传统的方法论似乎受到挑战。您如何看待传统方法与现代方法之间的关系?

答：我认为，传统方法与现代方法的划分，只是相对而言的。文艺学的传统方法，哲学思辨与现象实证交错更替。但在19世纪后半期，更多是从艺术哲学转向文艺学、社会学、文化学、传记学等实证方法的运用，作品出现的时代、文化传统，作者的生平、经历、文献版本与考证等等，成为文艺学研究的中心。文艺学的这些传统研究方法至今仍未失去价值，它们将与现代方法相结合，继续保持其生命力。不能否定和抛弃在长期历史发展过程中逐渐形成的有价值的传统方法。特别是，对于我国在长期历史中形成的各种文艺研究和评论方法（如考证作家生平，探索成书过程），应予以科学的总结。

所谓文艺学的现代方法则是泛指20世纪出现的多种多样的方法。20世纪是西方文艺理论与文艺批评十分活跃的时代，出现了各种各样的理论，用于研究和评论文艺现象，就有各种各样的文艺学方法。马克思主义文艺理论在20世纪亦不断发展，不仅在苏联、东欧占据了主导地位，而且在许多西方国家也日益为人所重视。随着现代科学的兴起和发展，各门学科相互渗透，文艺学的确发生了很大变化，一些传统理论仍在继续发展，许多现代理论应运而生，相互排斥而又彼此补充。对于文艺学方法的这些变化，视而不见或粗暴否定都是愚蠢的。我们必须弄清楚这些方法的长处和短处，以及各种方法能够运用的范围。

问：怎样对现代文艺学五花八门的方法作一个简要的概括？

答：综观西方20世纪文艺理论，较为引人注目的约有四种类型。一是注重于"表现"的理论，包括克罗齐的直觉主义，弗洛伊德的精神分析学和荣格的神话原型理论。它们的注意中心在作家的"心灵"。尽管浪漫主义者在19世纪已经看重作家的"内在心灵"，渴望了解创作的"内在意识"，甚至已有人意识到"无意识印象必然会影响和反作用于意识现象"，但是，只有到了弗洛伊德才跨进无意识领域作了一些探索。二是突出"本体"的理论，包括俄国的形式主义，英美新批评派的文学本体论，法国的结构主义。它们的注意中心在"形式"，如新批评派认为，诗歌并不表现感情，它之所以能激起读者的感情反应，是由文学作品所用的语言本身的特点造成的。三是探索"接受"

理论,包括现象美学、阐释美学和接受美学(审美反应理论),这类理论重视阅读活动和读者的反应,成为文艺学的主要研究对象。四是研究社会历史条件的理论,注重文学艺术与社会、历史的关系。运用上述四种类型的理论于文学研究和批评,其方法也大致有类似的四种类型。

问:事物总是处于普遍的联系之中的,你认为这多种文艺方法是如何互相联系的呢?

答:文艺学的方法,决定于研究对象的本性以及研究主体的目的,影响着研究的结果。马克思说得好:"不仅探讨的结果应当是合乎真理的,而且引向结果的途径也应当是合乎真理的。"文艺学的不同部门的区分,既决定于研究对象的不同,又决定于研究方法的相异。如果把艺术活动作为一个过程来考察,那么,可以看到"社会—创作者—作品—接受者—社会"这个系统的主要环节。文艺学可以研究每一个环节,也可以把几个环节作为整体来研究,又可以把它同整个社会联系起来研究,这么一来,就产生了文艺社会学、文艺心理学、文艺符号学、文艺接受学等等。现代文艺的发展趋势,一方面是分工的日益细密,深入专门领域的分析更为精致;另一方面则要求在深入分析基础上作更高的综合。如何把各种具体方法综合为有机整体,正是现代文艺学应予以关注的问题。

问:前几年,系统论、信息论、控制论以及其他自然科学的方法被引入到文艺学中。对此褒贬不一,您如何看这个问题?

答:文艺学的具体方法是多种多样的,应视具体的研究目的酌而用之。作为复杂的社会现象,文学文艺具有不同的质:社会的、心理的、符号的等等。文艺学应该运用不同的方法来探索它的多样性,以助于揭示文学艺术不同方面的质。系统论、信息论、控制论以及自然科学的一些方法向文艺学渗透,这亦无可非议。但是这些方法只有同文艺学、美学方法相结合,才能揭示出文学艺术自身的系统质,把文学艺术的不同方面、层次、环节作为一个整体从美学上给予综合研究,把文学艺术的多样质,都综合到它的系统质——艺术价值中来,这正是文艺美学的历史使命。美学在吸取其他方法的时候,也将改变自己的形态,不是封闭体系,而是开放体系。苏联的一些美学家(如卡冈)把系统方法引入美学的同时,特别重视对文艺作美学的系统研究。这对我们不无启发。

问:这么说来,其他学科的研究方法是不能"移植"到文艺学的,对吗?

答:从其他学科中引进研究方法,如果只是将一般原理"移植"到文艺学,那么,这种研究方法只能揭示文学艺术与其他社会现象共有的一般规律。比如,按社会发展的一般规律来研究文学艺术,如果仅仅是囿于一般社会学的水平,它不过是以文学艺术作为例证,说明社会现象的一般规律。文艺社会学不仅需要揭示文学艺术同其他社会现象的共同规律,更要找出文学艺术所独有的特殊规律。总之,其他学科的研究方法要转化成为文艺学的有机组成部分,一定要揭示出对象的"一般—特殊—个别"的相互联系。

问:怎样看待马克思主义在现代文艺学方法中的地位?

答:马克思主义仍然是我们文艺学的根本方法。文学艺术,既要按照"自律"在运动,又制约于"他律"的运动。只有借助马克思主义,才能把握住它的"自律"与"他律"的辩证关系,从"他律"和"自律"的相互作用的合力中去理解文学艺术的存在和发展。要把握艺术辩证法,首先必须懂得马克思主义历史辩证法。当然,根本方法不能代替具体方法,正如运用具体方法时不能无视根本方法一样。我认为,两者的结合乃是建设和发展具有中国特色的马克思主义文艺学的必然要求。

(原载《学术研究》,1990年第4期)

附文二

比较文艺学：90年代的期待

关 仪

前不久，在肇庆七星岩举行的1992年粤港比较文学研讨会上，高等学校西方文论教学研究会会长、广东比较文学研究会会长胡经之教授提出90年代应该发展"比较文艺学"，引起了与会国内外学者的关注。为此，笔者访问了胡经之先生。

问： 您在最近几次学术会议上都提出要发展比较文艺学，这是一门什么样的学科呢？

答： 比较文艺学应该属于文艺学，是文艺学的一个学科。

比较文艺学不是最近才提出来的。在80年代初，我在《光明日报》写过一篇文章，题名《比较文艺学漫说》。文中提出，为了推进国际文化交流，必须对不同文化系统的文艺进行比较研究。比较文艺学的使命就是对不同文化系统，特别是中国的、西方的文艺进行比较研究，探索不同文化系统中文艺共有的普遍规律和各自的特殊规律。

10年来，我主要在研究文艺美学，对不同艺术门类进行比较研究，想把文艺学和美学熔为一炉。与此同时，我搜集和整理了一些中西文艺学的理论资料，为研究比较文艺学作了准备。

我研究西方文艺学理论，是为了想把西方文论作为参照系，用来和我国的文艺理论作比较研究，在文艺学中建立起一门新学科：比较文艺学。

比较文艺学，顾名思义，可以有两层意思：一是文艺的比较学，亦即对不同文化系统的文艺进行比较研究；二是比较的文艺学，对中外不同的文艺学进行比较研究。前者是对不同的文艺创作进行比较研究,后者是对不同的文艺理论进行比较研究。我所说的比较文艺学,应把文艺创作的比较和文艺理论的比较这两方面统一起来,成为文艺学中的一门学科。

问:那么,比较文艺学和比较文学是什么关系?

答:比较文艺学把文学和艺术作为一个整体来研究,文学,只是这个整体中的一个方面。它的研究范围比比较文学更广。但更重要的是,比较文艺学之所以要把文学艺术作为一个整体来进行比较研究,目的在于探求不同文化系统中文艺共有的普遍规律和各自的特殊规律,因此,比较文艺学不能也不必包括一切的比较文学。

80年代,比较文学在国内有很大发展,成绩显著。但从已见到的比较文学成果来说,大多是注意对一些具体文学现象的比较。这种具体作品、作家的研究当然是必要的,但却是不够的。比较文艺学应通过对不同文艺现象的比较研究来探索规律性的东西,既有共同的普遍规律,又有各自的特殊规律,从而成为一门文艺科学。

为了探索文艺规律,就不能停留在文艺现象,就事论事,不仅要把文学与艺术联系起来,作为一个整体来研究,而且要把文艺和文化联系起来作为整个文化系统中的一个方面来研究。更进一步,还要把文艺创作和文艺理论结合起来比较研究。因此,比较文艺学不是一般的比较文学。

问:这么一来,比较文艺学是否又接近比较诗学和比较美学?

答:比较文艺学不是比较文学,也不是比较诗学和比较美学。

诗—文学—文艺—审美,这是不同层次的社会现象;诗学—文学学—文艺学—美学,也是不同层次的学科。比较文艺学不能等同于比较诗学,我所说的比较文艺学,不只是比较诗学,而且还包括文艺的比较学(不同文艺创作的比较)。比较文艺学探索不同文化系统的文艺现象有共同的普遍规律和各自的特殊规律,而文艺规律既活生生地表现在文艺创作中,又被文艺理论所抽象概括。所以,只有既在生动的文艺创作中,又在抽象的文艺理论中探索文艺规律,把不同文化系统中的文艺创作和文艺理论联系起来进行比较研究,比较文艺学才能成为真正的科学。

(原载《开放时代》,1993年第1期)

附文三

纵论比较文艺学
——访著名文艺学家胡经之

廖子馨

去年仲夏在羊城认识了文艺学家胡经之教授,并听了他一堂即兴式的"课"。他向我们几个读文艺学的研究生谈自己30多年来做学问的经历,其间有重重艰苦,尤其在文学与政治混为一谈的时期,要做好学问更是难上难。在一个半小时中,他简述了中国美学发展路程,并且不断勉励我们一定要有坚毅、正直的做学问精神。他的言语风趣,而且坦诚,给我留下十分亲切和值得信任的印象。我十分欣赏他的幽默感。

今年11月初在肇庆举办的粤港澳比较文学研讨会上,再遇胡教授。他竟能记起我这个澳门学生,实在令我有一丝意外的惊喜。在会上,他作了关于比较文艺学的报告。比较文艺学这个命题,他早在80年代初为《光明日报》写的《比较文艺学漫说》中就提出,此次展开发挥。恰巧我的硕士论文亦以地域文学研究作为论述基础,而胡教授又受邀为年底进行研究生论文答辩的委员会主席;于是,我顺理成章向他先谈谈自己的论文思路,以求赐教。胡教授是研讨会主持人,事务繁忙,我们虽只谈了半小时,但我获益良多。

胡经之教授在50年代初入读北大中文系文学专业,后又攻读文艺学首届副博士研究生,跟随著名学者杨晦、朱光潜、宗白华等研究文艺学、美学。70年代曾专心研究《红楼梦》。到了80年代中,任教于北大、深大之间,在深大逐步将中文系改造为国际文化系,任系主任。接着,筹备成立特区文化研究所,任所长。这期间完成不少学术著作,如为国家教育委员会主编的文科教材《西方文艺理论名著教程》、博士点科研项目《文艺学美学方法论》《西方二十世纪文论史》,以及专著《文艺美学》等。胡教授在年前被英、美的传记中心列为"世界学者名人",于《世界学者名人录》中立传。这足见他的学识丰厚、学问专深。

在文学研讨会中,我看到了胡教授做学问的谦虚态度。他提出"比较文艺学"的概念,受到与会者的询议:是否即文艺比较学,或者比较文学呢?大家在会上展开了热烈的讨论。而胡教授坦认,提出论题便为了思考答案,愿意与同行共同探讨。尽管这个概念在讨论后仍未得出明确的界定,然而,这并不妨碍我们了解论题的内涵。事实上,这个论题的提出是具有深刻的文学意义的。

胡教授主张文学要与其他艺术和文化联系起来研究,希望能打破单纯的就文学问题进行研究的方法,可以冲开文学探讨的"封闭性",开拓文学研究的广阔天空,从而使文学研究更为深入。同时,他提出可以从三个方面进行具体的深入研究:一是对中西文艺的特质与规律的比较研究。在研究过程中,要把文论与创作实践结合探讨,做到宏观与微观相结合。二是文学与其他文化现象的比较研究。譬如中国文学离不开儒、道、佛家文化。三是与建筑、雕塑、雕刻等艺术门类的相联系。但一定要与中西文化比较结合起来探讨,避免偏离主题。

无疑,胡教授的论题内涵,与数年前学术界所热烈提倡过的跨学科研究、边缘学科研究的课题是"异曲同工";而他通过对文艺学、美学的精湛研究,从方法论上给文学的跨学科研究提出几个具体的、不脱离文学本质的研究方向,这便是他的"比较文艺学"论题的深刻意义所在。

另外,胡教授关注到文论研究要与创作实践结合的问题。这在学术界也是备受关注的问题。胡教授能在提出新论题时就强调这一点,对于学术研究当是一记警钟。过往的文艺美学研究、比较诗学研究,都出现不少停留在抽象层面的中西理论对比的情况,不但学术界有了偏离,在文化界也产生误导作用,使部分人认为充满抽象概念名词和理论模式的文章,才是有深度的学术文章。结果,空洞、空泛的理论研究,对搞创作的人于事无助,不仅失却了文学研究的意义,更使理论研究完全走入死胡同中。

胡经之教授谦虚的治学态度,对后进的亲切扶助,正如他为人的温和、敦厚。

(原载《澳门日报》,1992年12月19日)

第二辑

中华文化向世界

中华文化如何走向世界

世界的经济正在走向全球化,势所必然。世界的文化是否也在全球化?对此尚有不同说法。但不管如何,世界各地之间的文化交往正在迅速拓展和扩大,因此,中华文化如何走向世界,如何为世界所了解,这种文化自觉就日益显得紧迫起来。

由近及远

中华文化,源远流长,连绵不绝,自强不息,博大精深。

人类历史上,曾出现过26个文明形态,但在历史发展过程中,很多有过中断,或被融化,有的甚至被历史消解。至今犹存的几种古老文化中,埃及文化就曾因被亚历山大帝国占领而希腊化,继而又被恺撒帝国占领而罗马化,后又因阿拉伯人移入而伊斯兰化。印度文化曾因雅利安人入侵被雅利安化。希腊文化、罗马文化曾因日耳曼人入侵而中断,沉睡了千年,至文艺复兴才又发扬光大。古老文明中,只有中国文化历经数千年,一直持续至今而未曾中辍。

中华文化富有凝聚力、融合力和延续力，它不仅融合了各地域的文化，如湘楚文化、吴越文化、巴蜀文化等，同化了多民族的文化，如匈奴文化、鲜卑文化、契丹文化等，而且，还吸收了外域文化，如佛教文化的中国化，使外来佛教变为中国式的佛教——禅宗，进而又把禅宗融入宋明理学之中，成为中华文化的有机组成部分。中华文化正是在和不同文化的互动交流、相互吸收的历史过程中向先进文化的方向发展，因而具有强大的生命力。英国历史学家汤因比曾和日本社会活动家池田大作对话，谈及中华文化的巨大生命力时说道："就中国人来说，几千年来，比世界任何民族都成功地把几亿民众从政治、文化上团结起来。他们显示出这种在政治、文化上统一的本领，具有无与伦比的成功经验。"①

在历史上，中华文化曾长期是一种强势文化。梁启超把中国的历史区分为三大阶段："中国之中国"，"亚洲之中国"，"世界之中国"。在秦统一中国之前的漫长历史阶段，乃是中华文化在本土形成并确立的时代，而从秦立国到清代的约两千年间，中国走向亚洲，中华文化在亚洲呈强盛文化之势，并且传播到欧洲，逐渐走向世界。

中外文化的交流，因时渐进，由近及远。从汉代开始，中外文化有了第一次交汇，先是西域文化（中亚和西亚），然后是晋、唐时代的佛教文化（来自南亚）。吸收了外来文化的中华文化，在唐代发展为强势文化，开始向亚洲其他地域辐射、扩散，对日本、朝鲜、越南、泰国等亚洲国家都产生过重大影响。不少亚洲国家都是主动到中国来"取经"，吸取中华文化。唐代的日本高僧在赴唐留学归国后，向日本朝廷上奏："大唐国者，法式备定，珍国也，常须达。"日本当局极为重视，在此后200年间派出遣唐使的次数就达18次，到奈良王朝达于全盛，使团多达五六百人。日本著名的"大化革新"，基本上是"中华化"，中华文化在此时乃是亚洲的强势文化。后来，欧洲文化在亚洲发展为强势文化，日本经"明治维新"转而"西洋化"，迅速走上了西方现代化的道路，但日本文化中仍然沉淀着唐代文化的遗韵。

中华文化不仅走向了亚洲，而且在16世纪还开始走向欧洲，对17、

---

①[英]汤因比：《历史研究》，曹未风等译，上海人民出版社，上海，1986年。

18世纪的欧洲文化产生了重大影响。但此时的中华文化不是中国主动"送去"的,而是由西方传教士顺便"带走"的。早在13世纪的元代,意大利已有儒商雅谷、马可·波罗到过中国,写下了中国游记。明万历年间,罗马教廷派遣耶稣会士到中国传教。罗马教廷的目的,是要教士说服中国朝廷认识基督教的价值,允许在中国传教。但当时中国乃"远东的伟大帝国",西方不敢轻率行事,因而采取"学术传教"的方式,带来了西方的自然科学和哲学、逻辑学、美术、音乐等,要使中国的有识之士"坦然接受"。这使得中国早期的启蒙学者如徐光启、李之藻、方以智等大开眼界,耳目一新,从而致力于中西文化的"会通"。到了清代康熙时期,也还注意"西学东渐",通过南怀仁向西方耶稣会士致意:"凡擅长天文学、光学、静力学、动力学等物质科学之耶稣会士,中国无不欢迎。"甚至,还派白晋为钦差,赴法招聘自然科学家携科技书籍来华任教,在宫廷内传播几何、代数、天文、地理、物理、乐理等科学知识。

西方教士来中国的目的是传教,但在"送来"西方文化的同时,无意中却发现了中华文化的辉煌,回国时就把中华文化也"带走"到西方,从而导致17、18世纪在欧洲掀起了一股"中国热潮"。中华文化在西方的传播,先是在意大利,继而在法国、西班牙、葡萄牙,然后扩及德、英,都引发了对"中国风尚"的追逐。法王路易十四对中国的艺术文化情有独钟,在建造宏大的凡尔赛宫时,特辟了一个瓷器馆,专门收藏从中国收罗来的瓷器精品。宫内常举办具有东方情调的化装舞会,王公贵妇身着中国丝绸刺绣服饰,皇家乐队用中国乐器(笙、笛、锣等)参奏,伴着大家翩翩起舞。1685年,这位法国皇帝还特派6名教士到中国"去考察那些完美的艺术和科学",一次就带回50幅中国画。中国艺术传入法国,引发了艺术风格的重大转变:从巴洛克风格向洛可可风格的演化。

自盛而衰

中华文化在18世纪发展到辉煌的高峰,强势文化"中学西渐",对欧洲启蒙运动、狂飙运动起了推波助澜的作用。

西方的启蒙运动、狂飙运动，促使西方物质生产力和精神生产力向当时世界最先进的方向和水平跃进。西方的启蒙学者就在这时高度关注着中华文化。德国古典哲学的先驱者莱布尼茨在为《中国近事》所写的导言中说道："我们从前谁也不信世界上还有比我们伦理更美满，立身处世之道更进步的民族存在，现在从东方的中国，给我们以一大觉醒。"在他看来，中国和欧洲是当时世界文明程度最高的两个地方，"有时我们超过他们，有时他们超过我们"。"欧洲文化之特长乃是数学的、思辨的科学……但在实践哲学方面，欧洲人实不如中国人。"法国启蒙大师伏尔泰、狄德罗都曾盛赞中华文化的伟大。伏尔泰把中国说成是"举世最优美、最古老、最广大、人口最多而治理最好的国家"。狄德罗称道："中国民族，其历史之悠久，文化、艺术、智慧、政治、哲学的趣味，无不在所有民族之上。"为了推动启蒙运动，伏尔泰还把元杂剧《赵氏孤儿》改编成《中国孤儿》，在法国上演，轰动欧洲。德国狂飙运动作家、美学家歌德和席勒都倾心于中华文化，对清代小说《好逑传》甚感兴趣。席勒还曾想把它改编为剧本，虽未成功，但在1802年，依据意大利作家戈齐所写的剧本，创作出了诗剧《图兰朵——中国的公主》，呼唤人的尊严和自由。

中华文化和欧洲文化，在18世纪都是世界上的强势文化。中国封建王朝经历了两千年的发展，到康、雍、乾时代达到了顶峰，无论物质文化还是精神文化，都居于世界前列，和欧洲文化一道，堪称先进。中国当时的物质生产力，总量占世界第一，人口占世界三分之一，对外贸易也长期出超。综合国力的强盛，中华文化的博大，促使中华文化成为当时的强势文化，对世界产生重大影响。但是，这个庞大的封建帝国日益走向僵化，对内拒绝改革，对外闭关锁国，落后的生产关系、政治上层建筑阻碍了生产力的发展，使国力日趋下落。更加可悲的是，康、雍、乾盛世之后，清廷故步自封、闭目塞听，却又夜郎自大、自我陶醉，对西方已经发生的历史巨变，茫然无知。

此时的西方，正在经历着改天换地的历史变革，英国的产业革命、法国大革命、美国的独立战争等，风起云涌，西方国家正在向当时最先进的生产力和最先进的文化方向推进。中华文化曾经向世界贡献了四大发明，马克思对其中三项作了高度评价：火药、罗盘、印刷术——这是预兆资产阶级及社会到来的三项伟大发明。火药把骑士阶层炸得粉碎，罗盘打开了世界市场并建立了殖民地，而印刷术却变成了新教工具，总的来说变成科学复兴手段，变成创造精神发展的必要前提的最强大推动力。中国的三大发明在西方发展为当时世界最先进的生产力，但在中国本土反而不受重视，正如法国作家雨果所说，却只"停留在胚胎状态，无声无息"。先进生产力使西方突飞猛进，急速发展，反过来要和中国通商。但清廷自雍正以后闭关自守，自恃"天朝物产丰盈，无所不有，原不籍外夷货物以通有无"，拒绝通商。对西方传来的科技产品，如天文仪、地球仪、望远镜和枪炮等等，轻蔑地视之为"奇技淫巧"，只能作为"玩好"。于是，中国和西方的差距越来越大，中国由一个洋洋自得的天朝大国，急剧坠入落后被打的尴尬境地。马克思同情地把这称之为"奇异的悲歌"："一个人口几乎占人类三分之一的大帝国，不顾时势，安于现状，人为地隔绝于世并因此竭力以天朝尽善尽美的幻想自欺。这样一个帝国注定最后要在一场殊死的决斗中被打垮：在这场决斗中，陈腐世界的代表是激于道义，而最现代的社会的代表却是为了获得贱买贵卖的特权——这真是一种任何诗人想也不敢想的奇异的对联式的悲剧。"[①]

西方的洋枪洋炮强行打开了中国封闭的大门。鸦片战争之后，中国的国力一蹶不振，洋货洋物也破门而入。随之而来的是更大的历史嘲讽，过去的中华文化是强势文化，西方的牧师、教士不远万里来这天朝大国传教的同时，"带去"了中华文化。而今是，中国的先知先觉长途跋涉，不辞劳苦地走向西方，如鲁迅所说，"别求新声于异邦"，为了摆脱贫困落后而去西方寻找强国富民之方，中华文化很快降为弱势文化。在以前，中国是"输出文化"占优势，而此后，则是"输入文化"占优势。

---

① [德]马克思、恩格斯：《马克思恩格斯选集》第二卷，人民出版社，北京，1972年，第26页。

振兴中华

　　20世纪80年代以来，经过20年的改革开放，如今，中华文化又重返国际舞台，中外文化交流正在不断拓展和扩大。经济的全球化，必然会推进文化的全球化，但文化的全球化却并不必然消解民族化。就文化而言，全球化和民族化本应相辅相成，相互补足，相互沟通。和而不同，应是一种张力的动态平衡关系。但严酷的事实是，作为强势的西方文化，凭借强大的经济实力和先进的传播媒介，可以畅通无阻地向世界各个角落扩散；而弱势文化若想对外传播，却是寸步难行，困难重重。改革开放以来，走出国门去学习西方文化的人越来越多，拿来主义空前高涨，这当然是好事。不从西方文化中吸取营养，后发国家如何去实现现代化！不了解西方已从现代化走向后现代，我们又如何及早发现西方现代文化中的弊病而避免走弯路，以便作跨越式发展！因此，我们还是要与时俱进，不断关注西方的新发展，还需继续"拿来"对我们有用的东西。但是，相对于从西方"拿来"而言，我们把中华文化"送去"西方的却要少得多。西方对中华文化的了解，要比我们对西方文化的了解少得可怜。这种弱势文化和强势文化的交流，处在"逆差"之中，而且"落差"甚大。

　　面向当下现实，我们既不能妄自菲薄、自暴自弃，也不能妄自尊大、故步自封，而应自强不息、发奋图强，振兴中华文化，在继续"拿来"域外文化的同时，也要主动向域外"送去"中华文化。中华文化和西方文化应有对话和交流。风水轮流转，新世纪是否就会是东方文化的天下？我并不以为然。"三十年河东，三十年河西"之说，可能只是一厢情愿。但我却赞同季羡林先生所说的："既然西方人不肯来拿，我们自己只好送去了。"但这并非是要强加于人，而是如他所言，为了"把中华民族中的精华分送世界各国人民，使全世界共此凉热"。西方已经历了现代化而走向了后现代，正在反思现代化所带来的种种弊病，人和物、人和人、人和自然的种种异化，日益暴露。社会矛盾的解决当然只能靠西方人自己去实践，但中华文化的一些重要精神，如天人合一、以民为本、修身养性、自强不息等，不也可以成为西方文化发展的一个参照系吗!

但是,如何将中华文化向域外"送去",却实在不易,就连季羡林先生这样学贯中西的学术大师也承认:"把中国文化介绍出去,是十分困难的一件事。"这首先因为中国的语言、文字很难为西方人学得。美国著名美学家布洛克曾编选过一本介绍中国当代美学的书在美国出版,要我把我的《论艺术形象》请人翻译成英文给他。我请一位友人英文教授帮忙,他虽然完成了此事,但坦率地告诉我,这是件吃力而不讨好的事,若遇上古典诗词的引语,就更加困难。所以,中国学人很少愿做中翻英的工作。而在语言文字的背后,还有更大的障碍:"在历史上长期的环境影响下,我们中国人的思维模式和思维内容,都与西方迥异。想介绍中国文化让外国人能懂,实在是一个异常艰难的任务。"①

为了中华文化走向世界,中华学人不能知难而退。当务之急是要让西方对中华文化有更多的了解,这就要对中华文化作全面的整理。我们的古籍整理和古迹挖掘还需要不断继续。但中华文化若要为世界所了解,还需要做更多工作。在整理文化的基础上,我们还需要进而作精选,把中华文化的精粹挑选出来,一是向国人普及,一是向域外送出,这就需要有精当的翻译。不仅是古代汉语要转译为现代汉语,更难的是把古代汉语转译为外国文字。我以为,当前应更多出版英汉对照的精粹文本,向域外送去。最近中华书局推出了一个宏大规划,将精选一套中华传统文化名著100种,译成英文,向世界传播,实为值得称道之举。向域外直接展示中华文化的精粹之外,紧跟而上的还要有当代中华学人对中华文化的现代阐释,通过对古籍、古迹的现代阐释,不仅让世界了解中华文化的历史涵义,更要进而认识中华文化的当代价值。当然,我们也不是要把中华学人的现代阐释强加于人,域外学人也会对中华文化做出自己的阐释。但这正好可以通过中外交流,相互切磋,达至视界融合,为世界所了解。

近数年间,特别是跨入新世纪以来,中国向西方送去中华文化的力度正在加大,而且取得了颇佳的效果。中华乐曲已数度走上金色大

---

① 以上所引季羡林语,见《东学西渐丛书·序》。

厅舞台,经过提高、加工了的民间艺术,如王洛宾改编的西北民歌、华彦钧的《二泉映月》,经过现代阐释的《春江花月夜》等古典乐曲,以及从传统京戏、地方戏提炼出来的精粹,正在走向西方。随着中国的综合国力的日益壮大,贸易的不断扩大,世界上将有更多国家要了解中国,因此中华文化走向世界,乃是必然趋势。

只是,中华文化走向世界,并非要在世上自我称雄,主宰别人,而只是要对世界的文化创造做出自己应有的贡献。对此,学贯中西的美学老人宗白华在数十年前就说过一番至今仍能引人深思的话:"将来世界新文化,一定是融合两种文化优点而加以新的创造的。这融合东西方的事业,以中国人做最相宜,因为中国人吸收西方文化,以融合东方,比之欧洲人来采撷东方文化,以融合西方,较为容易,以中国文字语言艰难的缘故。中国人天资本极聪颖,中国学者,心胸思想,本极宏大,若再养成积极创造的精神,不流入消极悲观,一定有伟大的将来,于世界文化上一定有绝大的贡献。"[1]这并不意味着西方学人就不会吸收中华文化而创造出世界新文化,经历了现代化而走向后现代的西方学人已有不少在关注中国前现代的中华文化,将来也许会有更多人进而关注现代中华文化。但是,中华学人更应自力更生,自强不息,大胆拿来,主动送去。中华文化在盛唐时的光辉灿烂,就是"拿来"、"送去"互动而又加以创新的结果,正如鲁迅所说:"那时我们的祖先对于自己的文化抱有极坚强的根据,绝不轻易动摇他们的自信心,同时对于别系文化抱有极恢廓的胸襟与极精严的抉择,绝不轻易地崇拜或轻易唾弃。"[2]所以,我以为,中华文化若要走向世界,为世界做新的贡献,就必须"拿来"、"送去"多互动,融合中外铸新范。

为中华书局90周年而作
2002年初夏,深大新村

---

[1] 宗白华:《宗白华全集》第八卷,安徽人民出版社,合肥,2001年,第102页。
[2] 孙伏园:《鲁迅先生二三事》,作家出版社,北京,1953年,第36、37页。

比较更彰中华美

世上万事万物，之所以有异和同、优与劣、好与坏，这乃是我们人类从这些错综复杂的现象中"比较"出来的。没有比较，就无从鉴别。真、善、美就是和假、恶、丑相比较而存在。

其实，世上的美也是多种多样的，有人文之美，有艺术之美，也有精神之美，更有自然之美。只要我们开阔视野而又细心比较，我们就会不断发现这世上的美的多样性。我从小在江南长大，19岁之前一直在太湖流域一带生活，深切体验到太湖浩荡之美，苏州园林秀丽之美，小桥流水，鱼池竹林，江南水乡，田园风光，自有独特之美。但在少年时代，读到朱光潜的《谈美》，里面说只有艺术才谈得上美，而自然是无所谓美的。这在我心灵中引发了深深的困惑，激发我开始对美的探索。1952年，我从苏州考入北京大学中文系，特去看望朱光潜，多次向他请教美学问题。朱先生一再重申，自然本身是无所谓美不美的，只有自然映在人的头脑中形成意象和人的情趣相结合，这才有美。美在意象，只有意象才有美，自然本身是谈不上美不美的。朱先生的解释，对于艺术很适用。作家、艺术家描写自然，确实不是把自然移植到作品中，而是把自然的映象和作家、艺术家的情趣相融合，建构为审美的意象，这艺术中的美就在这意象。作家、艺术家把这审美的意象予以符号化，就成了艺术作品，这符号化了的意象，又是另一层次的美。美在艺术中也可在多层次上出现。朱先生对意象的阐发，对我启发甚大，我后来在《文艺美学》一书中，就是围绕着意象的运动来展开对文学艺术的论述。但是朱先生所说的自然无美之论，一直没有使我信服。美学为什么只能谈论艺术之美、意象之美，而不能探究自然之美？自然之美与艺术之美不同，有其自身的独特性，这就需要对自然之美和艺术之美作细致的比较研究。1981年，我在北京大学开始招收硕士生,说服研究生部新辟了一个专业方向:文艺美学。我要研究生做的第一个研究课题,就是对自然美和艺术美作比较研究,并且带了陈伟、王一川、丁涛三人一起去黄山作实地考察,亲身体验大自然之美。

比较,乃是我进行美学研究所用的基本方法。越是复杂的审美现象,就越需要进行比较研究,比如中国人的审美和西方人的审美究竟有什么异同,若不作比较的研究,就很难说得清楚。就是我们经常遇到的自然审美和艺术审美这样的现象,若不作比较,就无法彰显出它们之间的异同。经过不断的反复比较,我确信,自然审美和艺术审美,实乃人类审美的两种不同形态,各有自己的特色,不能相互替代。就以绘画为例,董其昌就说过:"以蹊径之奇怪论,则画不如山水;以笔墨之精妙论,则山川不如画。"(《画禅室随笔》)张潮则更进一步说道:"有地上之山水,有画中之山水,有梦中之山水,有胸中之山水。地上者,妙在丘壑深邃;画上者,妙在笔墨淋漓;梦中者,妙在景象变幻;胸中者,妙在位置自如。"(《幽梦影》)这里所说的山水,呈现为不同的形态,"地上之山水",乃是现实生活中的真山真水,这是一种美。"画中的山水",就不是现实生活中的真山真水,而是运用笔墨予以符号化的山水,是胸中山水意象的符号化。而"胸中之山水",乃是现实生活中的真山真水在画家头脑中的映象,这映象经过画家的情趣化而成了意象,但仍只存在于"胸"——内心,还未转化为画。这是三种不同形态的美,各自具有独特的"妙"。其实,郑板桥在《题画》中所谈的"眼中之竹"、"胸中之竹"、"手中之竹",各不相同,也是这个道理。我坚信,具象(可以是物象、事象、人象、景象、声象、形象等,总称为具象)、意象(情趣化了的映象)和艺象(符号化了的意象),都可以成为审美对象,都可由此而获得审美体验。美可以在意象,但美不仅在意象,也可以在现实生活中的多种多样的具象。当然,美亦可以在艺象。

随着美学本身的发展,美学中的比较研究范围也在不断扩大,从不同的审美形态到不同的艺术类型,从不同的民族的审美到更大系统的文化类型之间的审美异同,比较研究的对象不断拓展,形成了具有世界视野的比较美学。如今的美学,不仅有了中国美学、西方美学、东方美学、艺术美学、生态美学,而且有了对世界上不同文化系统的美学作比较研究的比较美学。由陈伟主持的国家社科基金项目"中国文艺美学对西方的影响",就是把世界文化作为一个整体,立足于中国美学而又放眼世界文化,探索中国美学和世界其他文化中的美学的相互关系,从比较研究中寻找中国美学和其他美学的区别性和类同性,最后寻求中外美学的内在汇通和融合。在其一系列成果中,《比较美学原理》对比较美学的对象做了初步的厘定,实际上就是确定了比较的范围。比较美学不是比较文学,也不是比较诗学。比较文学是对不同文化系统中的文学作比较研究,不包括其他艺术。而比较诗学则是对不同文化系统中的文艺理论(广义的诗学)作比较研究,也包括艺术理论。但比较美学也不是比较文化,而只是对不同文化系统中的美学思想作比较研究,并非对整个文化作比较研究。文化的领域远超过美学思想的范围,所以另有比较文化学。这部著作中,还对美学的比较研究的方法作了探索,对影响比较、平行比较以及错位比较的不同方法的特征作了论述,对这些比较方法的综合运用,推进了比较美学研究的日益深入。最后,这部专著依据逻辑与历史相统一的原则,重点考察了不同文化系统的美学思想的类同性、异质性和同源性,由此而进入美学思想的发展规律的探索。

《比较美学原理》为我们展示的是关于美学比较研究的基本理论。但陈伟的比较美学研究并未停止在理论这一层次,而是更进一层,运用这些理论进入艺术实践领域,使美学理论和艺术实践相互结合,彼此印证。在这一课题的系列成果中,除了《比较美学原理》外,还有《中国漆器艺术对西方的影响》《中国音乐艺术对西方的影响》,以及《中国建筑园林艺术对西方的影响》,等等。在这些成果中,比较美学的研究重心放在中国文艺美学对西方的影响上面,在国内外的比较美学中,可说是自成特色。在中西美学的比较研究领域,常见的是平行比较研究。即使在中西影响比较研究中,也多为西方美学对中国的影响研究。而陈伟多年来就一直密切关注中国美学对西方影响的研究。2004年,陈伟就参与主编了一套"东方美学对西方的影响"

丛书,由上海教育出版社出版。这套丛书就重点研究了东方——主要是中国的戏剧、文学、绘画、陶瓷、丝绸对西方的影响,书名为《西方人眼中的东方戏剧艺术》《西方人眼中的东方绘画艺术》《西方人眼中的东方文学艺术》《西方人眼中的东方陶瓷艺术》和《西方人眼中的东方丝绸艺术》5种,甚具开创性,在国内产生了一定的影响。如今,"中国文艺美学对西方的影响"系列成果继续发扬了这样一种可贵精神:珍视中国美学思想对海外的影响研究,通过历史的研究,进一步激励中华文化走向世界。我相信,这些成果将会产生更大的影响,激励更多的人为促进中华文化走向世界而奋斗。

人类文明经历了前现代、现代和后现代三大历史时代,生长出不同的文化系统。在前现代,公元前千年以来约800年,世界上不同地域生成了好几个文化轴心,产生了中华文化、印度文化、地中海文化(希腊、埃及、波斯等),区域文化尚未统一起来,而是依轴心而运转,所以,德国的雅斯贝尔斯称之为"轴心时代"。中国在这轴心时代就形成了自己的文化系统,儒、道、佛各放光彩,自成特色。中华文化,源远流长,数千年来从未中断,并在长期的历史发展中,辐射到周边地区,到18世纪发展到高峰,对欧洲的启蒙运动,都产生过影响。对此,我曾在《中华文化如何走向世界》等文中有所论及。一直到康、雍、乾时代,中国长期以来乃是世界上的第一经济体,不仅物质文明,而且科举制度、文官制度、精神文明都受到西方人的称道。但是,清代封建统治闭关自守、故步自封、不思改革、日益腐败;而西方先进国家在启蒙运动以后,迅速加快了现代化,建立了现代文明。西方现代文化成了全世界的主流文化,迅速在世界上扩张,并冲击到了传统的中华文化。1840年是中华帝国历史上的一个转折点,鸦片战争迫使中西贸易从"顺差"转为"逆差",经济实力一落千丈,随之,四方的文化输出,在中国逐渐成了强势文化,而中国的传统文化日益降为弱势文化。在中国传统文化中,本来就蕴藏着丰富的美学思想,存在着潜美学,但还没有形成现代意义上的美学。

随着中国缓慢地走上现代化的道路,中国学者也就开始尝试建设现代理论形态的中国美学,这是文化发展上的一种进步。朱光潜借助于欧洲的审美心理学来构建中国美学;蔡仪借助于苏俄的唯物主义美学来建构中国美学;宗白华更为重视从中国传统文化中吸取营养,着力研究中国独特的审美精神;李泽厚则致力于用实践哲学来建构中国美学。这些建构中国美学的尝试,都应得到鼓励和肯定。但是,当时代发展到后现代,信息全球化,特别自1999年以后,信息社会的到来,信息全球化的时代的到来,生态文明的建设成为当务之急。这时,当代美学的重构不仅需要从全球整体出发,而且更要突出不同文化系统的美学比较,将生态美学和比较美学的地位凸显出来,理应成为当代美学关注的重点。

我国对于中西艺术的美学比较,早在五四时期就受到关注和重视,并取得了一定的成果。像丰子恺对中西音乐的比较,特别是对中西绘画的比较,极为精辟。宗白华不但对中西的音乐、绘画作了美学比较,而且还扩及中西园林、建筑等艺术的美学比较,最后上升到中西宇宙观的比较。而激起我对比较美学发生兴趣的,最早是王光祈的中外音乐比较学的著作。我进北大时,一心想钻研文艺学和美学。受"五四"老人杨晦和朱光潜的指点,我在1953年集中阅读了蔡元培、王国维以来中国所出的近三十部美学和艺术学著作。当我读到王光祈先后在上海中华书局所出的《欧洲音乐进化论》《东方民族之音乐》和《中国音乐史》这些著作时,我对他倡导的音乐美学和音乐比较学发生了兴趣。这位在1918年起参与筹建"少年中国学会"、"工读互助团"等革命社团,和蔡元培、李大钊、陈独秀等都有交往的思想先驱,1920年春去了德国留学,攻读了几年政治经济学。不料人生遇到了重大挫折,他痛不欲生,坐在莱茵河畔,想跳河自尽,了此一生。此时彼岸传来了贝多芬的音乐,他一下惊醒:世上竟有如此美好的音乐!人生还有值得留恋的赏心乐事。由音乐而受到振奋,从此王光祈就痴心于音乐美学的研究,进而扩大到音乐比较学,对世界上的三大乐系(中国、希腊和波斯-阿拉伯)的音乐系统作了比较研究。经过他的比较研究,中国、希腊和波斯-阿拉伯(印度也在其中)三大文化系统中的音乐特色都彰显出来了。中国的民族音乐(俗称国乐)的独特魅力也更清晰地呈现出来,给我留下了深刻的印象。

中西艺术的比较研究再次得到重视是在改革开放的时代，这是时代的呼唤，历史发展的必然。在闭目塞听了30年之后，一旦国门开放，大家都想知道外面的世界发生了什么变化，进而对中西方作比较研究。改革开放之初，北大由季羡林、杨周翰领衔，筹建北京大学比较文学研究会，我和英语系的张隆溪，西语系的孙凤城，俄语系的岳凤麟等都参与了筹建。受宗白华、王光祈、丰子恺等的思想影响，我竭力支持把中西文学的比较扩展为中西艺术，甚至整个中西文化的比较，连续在《光明日报》发表了《比较文艺学漫说》《艺术的民族特色》等文，呼吁在国内发展比较文艺学。汤一介、梁漱溟在中国文化书院主持创办中外比较文化研究班，文化书院邀我讲"比较诗学与比较美学"这一课题，我欣然接受，在20世纪80年代中期写了一个《比较诗学与比较美学》的论纲。但当时我正忙于出版我的《文艺美学》，张罗把深圳大学的中文系扩建为国际文化系，所以未能把精力放在比较美学的研究上，作进一步的探索，自己一直深以为憾。令我感到欣慰的是，后来我的学生陈伟、王岳川、王列生等都先后不同程度地涉足比较文化学领域。陈伟则更在比较美学领域重点向中国文艺美学对西方的影响作了更深的拓展。

正是在北大倡导文艺美学的过程中，我更感到了中西艺术比较研究的重要性。陈伟来北大攻读文艺美学，也感受到了这一点。他进北大不久，就投入了《中国现代美学丛编》的选编工作，很快熟悉了中国现代美学是如何建构和发展起来的。更进一步，他就走上了中西文艺美学的比较研究之路，近30年来一直在这条路上行走。他深切感到，"中国文艺美学对西方的影响"研究，乃是比较美学中的一个薄弱环节，所以重点研究了这一课题。当西方强势文化迅猛袭来，西方美学、文艺学被全方位地介绍过来，甚至二三流水平的作品也都被翻译过来了。可是，西方对中国的美学、文艺学却知之甚少。王岳川不仅在北大就高呼，中国文化要走出去，走向世界，而且，他自己还不断走出国门，去美国、日本、韩国等讲解中国的文学艺术，向国外推出中国的美学、文艺学。而陈伟则着力于论证中国文艺美学在历史发展中对西方的影响和贡献，其根本精神也在于促进中国文化走向世界，更进一步推动中外文化的对话和交流。

在这个国家社科基金项目的研究成果即将出版之际,我衷心祝贺比较美学在中国能得到进一步发展,影响研究、平行研究、错位研究等都有不断拓展和深入。这些具体的研究,反过来不断充实、丰富内容,可提升比较美学原理的理论水平。全球化时代的世界文化,多样统一,和而不同。比较美学既要探索世上不同文化系统的美学思想的独特价值,又要探索不同美学思想的普适价值,任重而道远,甚为艰辛。希冀陈伟等能在比较美学的道路上,不断创新,继续向前,取得更大的成绩。

为《比较美学原理》所作"序"
2012年夏,于望海书斋

融合中西铸新范

一

我对比较文艺学有过浓烈的兴趣。改革开放之初,我读得较多的书,乃是海外华人学者(叶维廉、叶嘉莹、刘若愚等)所写的比较文学研究的著作。20世纪80年代初,我在报刊上发表的第一篇文章,乃是《光明日报》上的《比较文艺学漫说》,期盼发展中国的比较文艺学。

20年过去,如今中国,比较文学已是遍地开花。文学之外,在绘画、建筑、戏剧等艺术领域,中外比较研究也方兴未艾。中外比较研究还进入理论领域,比较诗学、比较美学、比较哲学也日益受到重视。在比较的方法中,自由灵活的平行比较受到青睐。它便于把发生在不同历史条件下的中外文化现象放在一起,经过比较而显示出同中之异和异中之同,因而硕果累累,成绩斐然。但也弊端常现,或落入琐碎,或陷于空疏。

比较文艺学要继续发展,就要在美学理论和艺术实践的结合上多下功夫,对平行研究和影响研究都要重视。上海师范大学教授陈伟博士,多年来一直从事文艺美学和中国美学的研究,近数年,又注目于中外美学的比较。但他一开始就十分重视从历史事实出发,不作虚妄空论。他把自己的研究重心放在中国美学对西方的影响研究上,著有《东方美学对西方的影响》(与王捷合著)。他不纠缠在美学的抽象理论上,而是结合艺术实践,扩及更广泛的审美文化,具体阐释和分析中国的文化艺术如何影响了西方,审美趣味发生了什么变化。

最近,陈伟又在着手主编一套"东方美学对西方的影响"丛书,全面探讨中国的文化艺术如何影响西方,涉及陶瓷艺术、丝织工艺、雕塑、绘画、戏剧、文学等各个文化审美领域。这是一项值得称道的系列工程。这套丛书,以具体的实例和理论的点评相结合,生动地展示了中国的审美文化对西方发生了什么影响。在影响比较中,也显示了中国审美文化的特色。

研究西方文化艺术如何影响中国的著作,我们已见得不少;但研究中国文化如何影响西方的著作,却寥寥无几。这套丛书的问世,但愿能推动我们的比较文艺学走向一个新的阶段。

二

中国文化中,最早被西方人所接纳的,应是属物质文化之列的丝绸和陶瓷。

中国的丝绸早在古希腊、罗马时代就已传到西方。古希腊人和古罗马人对中国的丝绸赞叹不已,干脆把中国称作"赛里斯"(由"丝"的译音而来)。随着丝绸更多地被西方所接纳,中国在西方人眼中成了"丝绸之国"。唐代诗人张籍曾在《凉州词》中,生动地描绘过中国丝绸通过凉州边关运向西方的情景:"边城暮雨雁飞低,芦笋初生渐欲齐。无数铃声遥过碛,应驮白练到安西。"中国的陶瓷在西方出现较晚,要到宋代,西方才接受了中国陶瓷,但很快引起了西方人的另一番惊奇,又把中国称作"瓷器之国"。

但是,那时的中国,对西方来说还是个神秘古国,无从直接了解。西方还只能从丝绸、陶瓷这些工艺产品来想象中国。直到13世纪中国的元代,才有意大利人用文字向西方人介绍中国。1271年,南宋末,意大利一个犹太商人雅各遨游泉州。这位学者型的商人像发现新大陆一样,回去后就写下了40万字,记下了他在泉州这个"光明之城"的见闻,表达他对这个东方文明古国的惊异。可惜,这个要比马可·波罗还早几年到过中国的意大利人,未能很快出版他的书就去世了。数年之后,1275年,马可·波罗到中国,受聘于元代皇帝17年,足迹遍及大江南北。1298年,他写下的《东方见闻录》,很快被译成数种文字,在欧洲广泛传播。他在这本游记中向西方人展现了一个比威尼斯要富强四倍的东方文明古国的辉煌,这就激发了更多意大利人纷纷来到中国，扩大了国际交往。后来，在中国明代生活了27年的利玛窦所写的《中国文化史》问世，西方对中国的文化也就有了更多的了解。意大利在当时成了中西文化交流的中心。

中国文化的传播，逐渐由意大利扩展到欧洲其他地方。1570年，在中国生活了多年的葡萄牙人克鲁兹写了洋洋大观的《中华博物志》。西班牙人门多萨在1585年写了《大中华帝国史》。随后，法国也出版了《中华帝国志》《中国现状新志》等书。这些著作在西方广为传播，以至欧洲在17、18世纪掀起了一股"中国热潮"。当时，辉煌的中国文化，对欧洲特别是法、英、德诸国产生了重大的影响。

西方传教士对中国文化的描绘，无疑带有理想化的色彩，在西方人面前呈现了一个新天地，也激发了法国帝王的东方猎奇趣味，追求起"中国风尚"来。1670年，法王路易十四建造宏大的凡尔赛宫，专辟了一个瓷器馆，收藏了他千方百计收集来的中国瓷器精品。宫内常举行东方情调的化装舞会，王公贵妇身着中国丝绸刺绣服饰，皇家乐队用中国乐器（笙、笛、锣等）演奏，伴着大家翩翩起舞，洋溢着东方气息。这位法国皇帝对中国情有独钟，1685年还特派6个教士到中国，除了传教之外，还要他们"去考察那些完美的艺术和科学"。中国文化艺术传入法国，促成了艺术风格的一次重大转变：从巴洛克风格向洛可可风格的演化。

较早对西方产生影响的，除了丝绸、陶瓷等工艺美术外，便是中国园林建筑这样的实用艺术。但这和丝绸、陶瓷等是由中国"送出"的不一样，这是西方人到中国后被他们"拿去"的。熟悉西方园林的西方人，一到中国来接触到风格迥异的中国园林艺术，不禁大为惊讶，叹为观止。英国首任驻华使节在1793年游览了承德的避暑山庄，随员巴罗在《中国游记》中盛赞了山庄的园林建筑："错落有致，间隔合宜，恰到好处，互相衬托。"西方为中国的园林艺术所倾倒。在18世纪，西方园林艺术中出现了"中国风格"，风靡欧洲。德国出现了"中国乡村别墅"，英国建起了"盎格鲁—中国式"花园，法国也出现了不少"中国式"私人花园。在这些"中国风格"的园林中，建起了亭台楼阁，安放了假山盆景，有的还有小桥流水、荒村农舍，一派田园风光。

三

文化接受中，最容易见效的当然是物质文化。西方人在中国的工艺美术、实用艺术中，不仅享用了它的实用价值，而且赏识了它的审美价值。随着文化交流的扩大，西方人在对中国的物质文化赞叹不已的时候，逐渐又惊喜地发现，中国的精神文化更是灿烂辉煌、博大精深。于是，那些比起工艺美术、实用艺术更富有精神内涵的艺术形式，又日渐吸引了西方人。

当运用水墨画在宣纸上的中国画出现在西方时，在西方人面前又展现出了一番新天地。这些以擅长画山水、花鸟、动物的中国画，正好和以画人物见长的油画各现特色，形成互补。因此，在17世纪中国画传到西方时，一下子就吸引了西方人。1697年，法国传教士就带了将近50轴中国画给路易十四皇帝。逐渐，中国画风格慢慢对法国画坛产生影响，在法国装饰画领域，出现了不少具有中国风格的风景画。到18世纪，欧洲便有画家到中国来直接学中国画。于是，西方人对中国画的了解就多了起来。

中国的文化艺术，在18世纪对西方影响最大的，还是要数戏剧。呈现了中国普通人生活的元杂剧，曾一度风靡欧洲。借取中国素材来创作戏剧，一度成为时尚。在法国，受元杂剧的影响，还发展了一种中西合璧的喜剧样式——"中国戏"。

发展到启蒙时代，一些启蒙运动的先知先觉者，为了唤起人民的觉醒，竟借用中国的戏剧来高扬启蒙理性精神。18世纪40～80年代，仅元杂剧《赵氏孤儿》被评介和改编的就有四五种。著名启蒙哲学家、戏剧家伏尔泰据此改编的《中国孤儿》在法国上演，轰动欧洲。在伏尔泰看来，当时的中国，道德水平高于西方："欧洲的贵族和商人在东方有所发现，总是只知求得财宝，但哲学家则在那里寻得一个道德世界。"他要高扬中国的道德世界，用文明来挑战野蛮。

此后，越来越多的中国戏剧被评介到西方。《汉宫秋》《连环计》《西厢记》《窦娥冤》《金钱记》《秋胡戏妻》等数十种，陆续被译成法文、英文或德文，愈来愈引起了西方的关注。德国狂飙运动诗人、美学家席勒,曾想把《好逑传》改编成剧本;虽未成功,但在1802年,他终于依据意大利作家戈齐的同名剧作,创作出了诗剧《图兰朵——中国的公主》。在这部诗剧中,席勒寄托了他对中国的向往和追求。为了使剧中的"中国公主"更具魅力,他在剧中设计了14个谜语,其中之一就是用来颂扬中国的长城:"多少个世纪飞逝匆匆,它跟时间和风雨对抗;它在苍穹下屹然不动,它高耸云霞,它远抵海岸;它不是造来夸耀宇内,它为民造福,担任守卫;它在世上无出其右,但却完成于众人之手。"①席勒也像伏尔泰一样,是要通过高扬中国的精神文明来对抗现实中的野蛮。他借女主人公之口,呼唤人的尊严和自由:"我只要求自由生活。这是一种权利,是最微贱的人,也在母胎里就赋有。"

中国的文学,对西方也有着深远的影响。

中国小说对西方发生影响的时间可能要比戏剧还早。西方在17世纪就广为流传《灰姑娘》的童话故事,但中国在《酉阳杂俎》中就有类似的故事,是纯粹巧合,还是间接影响?尚无法证实。但中国的诗歌、小说确已在17、18世纪就译介到西方。早在1733年就有传教士翻译《诗经》,此后,陶渊明、李白、杜甫等也被陆续介绍到英、法、德等国。在18世纪,最先被介绍到西方的小说,是法国传教士从《今古奇观》中选译的庄子休妻等故事。而在西方最早被完整地翻译成英文的小说,乃是《好逑传》,1761年问世,1766年又被转译成法文和德文,以后又陆续出版10多种译本。于是,清初《十才子书》中的这一部,风靡欧洲,产生了广泛的影响。以后,《玉娇梨》《花笺记》《百美新咏》等也都陆续被译介到西方。

德国的著名作家歌德、席勒都看中国的小说。席勒在给歌德的信中谈到,对于德国的作家来说,"埋头于风行一时的中国小说,可以说是一种恰当的消遣了"。歌德更是倾心于中国文学对于《好逑传》中所写的人与人的和谐、人与自然的协调,对此深为赞赏,特别称道:"在他们那里,自然总是在人物形象的周围一同生活着。"他还钦佩中国:"他们在我们祖先生活于树林之中的时候,已经有这类小说

---

① 钱春绮译:《席勒诗选》,人民文学出版社,北京,1984年,第129页。

了。"1829年,歌德还发表了由14首诗组成的《中德四季晨昏杂咏》,寄托自己的中国情怀。

这以后,中国许多著名的古典小说都被陆续译介到西方,《三国演义》《水浒传》《红楼梦》《金瓶梅》《聊斋志异》《镜花缘》《包公案》《平山冷燕》《东周列国志》等,大都在19世纪传到西方。

四

中国的文化艺术对西方产生重大影响的时代,正是欧洲处在启蒙运动、狂飙运动前后这一历史阶段。这是一个中国封建王朝由繁荣走向鼎盛、西方却正在走向现代化的历史变革时期。

中国封建王朝经历了两千年的发展,到康、雍、乾时代达到了顶峰。18世纪的中国,无论在物质文化还是在精神文化方面,都居于世界前列,堪称先进。中国的物质生产,总量世界第一,人口占了世界三分之一,对外贸易也长期出超。然而,这个庞大的封建王朝,日益僵化,对内拒斥改革,对外闭关锁国,导致国力每况愈下。更加可悲的是,清廷故步自封、闭目塞听,却又妄自尊大、自我陶醉,对西方已经发生的历史变革茫然无知。此时的西方,正在经历着改天换地的变革,英国的产业革命、美国的独立战争、法国大革命,西方国家正在向当时最先进的生产力、最先进的文化方向推进,但清廷却不闻不问。先进的生产力使西方的物质生产飞跃发展,要求和中国通商,但清廷却自恃"天朝物产丰盈,无所不有,原不籍外夷货物以通有无",对当时出现的科技产品(如天文仪、地球仪、望远镜、枪炮等),轻蔑地视之为"奇技淫巧",只可供"玩好"而已。于是,中国和西方的距离越来越大,中国由一个洋洋自得的天朝大国,急剧坠入落后挨打的境地。马克思同情地把这称为"奇异的悲歌":"一个人口几乎占人类三分之一的大帝国,不顾时势,安于现状,人为地隔绝于世并因此竭力以天朝尽善尽美的幻想自欺。这样一个帝国注定最后要在一场殊死的决斗中被打垮:在这场决斗中,陈腐世界的代表是激于道义,而最现代的社会的代表却是为了获得贱买贵卖的特权——这真是一种任何诗人想也不敢想的奇异的对联式的悲剧。"

这真正是一个最大的历史悲剧。从康熙朝代闭关自守以来的200年，中国越来越贫穷落后、愚昧无知，鸦片战争以后，一蹶不振。中国的文化艺术还在继续传向西方，但已经不可能像18世纪那样产生如此重大的影响了。中华文化已沦为弱势文化。

随之而来的是历史的嘲讽。过去是西方的神父、牧师不远万里来到天朝大国，带去中国的文化艺术。而今是一些先知先觉者不辞劳苦走向西方，如鲁迅所说"别求新声于异邦"，要为摆脱贫困落后而去西方寻找强国富民之方。

历史告诉了我们一些什么？

一种文化之所以能对别种文化产生重大影响，首先是这种文化自身具有的内在价值对于人类有所贡献。民族的不一定必然是世界的，但世界的却是由民族的发展而来。中国文化源远流长、博大精深，独立于世界文化之林，在18世纪当在世界先进之列。按当时的德国思想家莱布尼茨的说法，中国和欧洲是当时世界文明程度最高的两个地方，"有时我们超过他们，有时他们超过我们"。法国启蒙学者伏尔泰则称赞中国是"举世最优美、最古老、最广大、人口最多而治理最好的国家"。狄德罗的赞誉更盛，称道"中国民族，其历史之悠久，文化、艺术、智慧、政治、哲学的趣味，无不在所有民族之上"。如果中国的文化艺术不具独特的精神魅力，如何会吸引西方的有识之士？

其次，中国文化之所以会被西方接受，又正在于适应了西方历史发展的需要。西方启蒙运动、狂飙运动的那些诗人、作家、思想家、学者之所以赞赏中国文化，正是它适应了西方社会要求变革的历史需要。精通10多种外语的中国早期学者辜鸿铭，对西方文化作过研究后说道："迄今为止，一直没有人知道也估计不了，这些法国哲学家的思想，究竟在多大程度上应归功于他们对耶稣会士带到欧洲去的有关中国的典章制度所作的研究。现在，无论何人，只要他不厌其烦地去阅读伏尔泰、狄德罗的作品，特别是孟德斯鸠《论法的精神》，就会认识到中国典章制度的知识，对他们起了多大的促进作用。"他的结论是："正是中国文明的思想，那些传教士花费毕生精力，在努力教化中国人的过程中,传播过去的思想,曾经成为打碎其中世纪文明的有力武器。"①

其实,不仅法国如此,其他国家也都从自身的需要来接受中国的文化。美国建国之初,也因追求独立自主而关注起中国,起草《独立宣言》的杰弗逊十分崇敬中国人,赞之为"天生的贵族"。富兰克林曾收集了大量关于中国社会组织形式的资料,加以研究,甚至派遣专家到中国学习,为年轻的美国寻找治国方略。美国诗人庞德,因为不满于诗坛的贫乏、单调,所以关注起中国古典诗,为诗的意象所吸引,于是在西方倡导意象诗。德国戏剧家布莱希特之所以对中国戏剧产生兴趣,正是因为和他所提倡的"间离效果"不谋而合,可供借鉴。德国哲学家海德格尔在现实中深切感受到了人与环境的矛盾,渴望人类能诗意地栖居在地上,所以把目光注视于中国古典哲学。当代西方生态学家关注中国古典哲学,也是想从"天人合一"的思想中吸取力量,追求人与自然的动态和谐平衡。

最后,文化要能相互作用,必须经由文化交流。一种文化,不同别的文化交流,也只能"藏在深闺人未知",不为人所了解。物质文化的交流,主要通过通商贸易;但精神文化的交流,就不那样简单了。18世纪,精神文化主要通过西方的传教士"带去"西方。现在,我们主要是通过留学,到西方去学习西方先进文化,却也"送去"了中国文化。中国文化,如季羡林先生所说,在历史上有过的"送去","可能是无意识的",但现在,西方人已不大来"拿",怎么办?"既然西方人不肯来拿,我们只好送去了。"为什么一定要"送去"呢?为的是"把中华民族文化中的精华分送给世界各国人民,使全世界共此凉热"。②

但是,就连季羡林先生这样学贯中西的著名学术大师都承认,"把中国文化介绍出去,是十分困难的一件事"。这是因为,要能把中国文化的精华翻译出去,实在不容易。"在历史上长期的环境影响下,我们中国人的思维模式和思维内容,都与西方迥异。想介绍中国文化让外国人能懂,实在是一个异常艰难的任务。"③

---

① 辜鸿铭:《中国人的精神》,海南出版社,海口,1996年,第175页。
② 以上所引季羡林语,见《西学东渐丛书·序》。
③ 同上。

看来，中西文化交流还是要两条腿走路，一方面是把中国文化"送去"，一方面又把西方文化"拿来"，才会真正走向"交流"。现在的情况是：中国人去西方的越来越多，西方来中国了解中国文化的却相对地少。西方人对中国文化的了解，比中国人对西方文化的了解要少得多。因此，我们在把中国文化主动"送去"的同时，不如我们多些反思，自己动手又动脑，将中西文化有机融合，建构适合于我们自己的新文化。为此，我很赞同宗白华先生的一番话：

> 将来世界新文化，一定是融合两种文化优点而加以新的创造的。这融合东西方文化的事业，以中国人做最相宜，因为中国人吸收西方文化，以融合东方，比之欧洲人来采撷东方文化，以融合西方，较为容易，以中国文字语言艰难的缘故。中国人天资本极聪颖，中国学者，心胸思想，本极宏大，若再养成积极创造的精神，不流入消极悲观，一定有伟大的将来，于世界文化上一定有绝大的贡献。[①]

为了实现中西文化交融，我们不仅需要研究如何"拿来"西方文化，也需要研究如何"送去"中国文化。陈伟主编的这套丛书，是研究西方人在过去是如何"带走"中国文化的，但对我们今天如何"送去"中国文化，甚有启发，从而可引起我们更深一层的思考。

为"东方美学对西方的影响"丛书所作"总序"
2000年秋，深大新村

---

① 宗白华：《宗白华全集》第八卷，安徽人民出版社，合肥，2001年，第102页。

主客互动求平衡

随着我国改革开放的迅猛发展,国际文化交流的日益扩大,越来越多的人关切起中国文学何时走向世界,一度还曾为此表现出焦虑和急躁:我们已经开放,为什么我们的文学还不能走向世界?

其实,一个民族的文学能否走向世界并为世界所接受,还有着多种多样的复杂原因。民族文学能成为世界文学,这不仅涉及那个民族国家的综合实力,而且还与不同民族国家的交往水平有关。在不同民族文学的交往历史过程中,逐渐从民族文学中生长出具有世界普遍性的品格,这里自有一定的客观规律。

这就需要潜下心来,深入研究世界上不同民族文学之间如何交互作用,民族文学和世界文学之间具有什么样的动态结构,从而结合中国的实际,作出有益的结论。王列生博士在攻读文艺学博士学位时,就把目光投向这个问题;在做博士后研究时,又继续作过探讨;现在终于成书出版,这将拓展我们的研究视野,引发我们的深思。

这是一种将历史和逻辑结合起来的探索。

从民族文学的历史发展考察,可以看到,不同民族之间的文学的相互关系,经历了三种历史形态。自然生存时代,不同民族是在各自封闭的、自律的境地中,自在地构筑各自的精神家园,形成各自的文学。但不同民族文学具有潜在的共同基质,因而构成可以相互交流的基础。到了民族交往的时代,不同民族文学的相互作用就显现出来。不同民族的文学交流,采取了不同的方式:强制介入、耐心诱导、主动拿来。通过交流,民族文学不仅在各自的民族国家产生影响,而且辐射到其他民族国家,逐渐从中生长出超越于民族文学的世界文学。但是,当人类历史发展到文化冲突激化的危机时代,文学的多元化和全球一体化的矛盾加剧,不同民族的文学日渐趋向于叠合重构:既要保持民族独特性，又要注意世界普遍性。

而从逻辑上概括，不同民族文学的相互关系，可以归纳为三种模式。一是单向线性的模式。无论是"中心"单向输入"边缘"，还是"边缘"单向模仿"中心"，都是单向线性关系。这种单向线性运动，使"中心"能以强势文化姿态侵入"边缘"，而"边缘"则被抛入别种民族的语境压力之中，因而出现了失败的痛苦、失尊的尴尬、失语的无奈。而"边缘"的民族文学想要进入"中心"，却成了一厢情愿的梦幻。二是双向互动的模式。这是一种既是冲突又是互补的关系。由长期历史发展建构起来的两种文化，东方文化和西方文化，乃是两种不同的"模子"，就像隐性的网，各成系统，都有其各自的"古典"形态和"现代"形态，不能相互代替。因此，在这两种不同文化背景中的文学，应是双向互动的关系，既有冲突，又成互补。对待对方的文学，视点不应"俯视"或"仰视"，而应"平视"，力点应由"排他"或"贬己"变为"自持"，焦点则由"必然"转向"可能"。三是万向自转的模式。民族的文学保持着自己的独立和完整。作为一个独立的整体，吸收世界上其他民族文学的有价值因素，以丰富自己，超越"自律"和"他律"，提升到民族文学和世界文学的"共律"水平。这是一种民族文学和世界文学的动态平衡结构，保持着民族特点，不是世界的一体化，不是民族的消解。

在明白了不同民族文学动态关系的三种历史形态和三种逻辑模式之后，我们就会很容易理解，中国文学要走向世界，确实应如列生所说的那样，必须经过我们自己的努力。中国文学应该高扬中华民族的民族精神。这种民族精神不只是对历史传统的继承，更是对当下现实的创新，是现代形态的活生生的民族精神。中国文学既内涵民族利益的期待，又升华为对世界的关注，因而具有普遍可传达性的品格。中国文学具有独特的民族言说方式。它既不同于中国古典文学的言说方式，又不同于外国文学的言说方式，既是民族的，又是现代的。

在展开论证的过程中，列生不时对中国文化和西方文化作一些比较研究，不乏精辟之见，吸引我的阅读，激发我的思考。

自改革开放以来，中外文学的比较研究应运而生，著述甚多，但多在文学现象的描述层次徘徊,少有在中外互动关系中从理论上探索中国文学如何走向世界文学。列生此书拓展研究视野,在广阔的历史背景下,考察不同民族文学的互动关系,逻辑地引出中国文学和世界文学的动态关系,鲜明地提出:中国文学要现代化,但并非就是西方化;中国文学要走向世界,但并非是要世界一体化。只有高扬中华民族的民族精神,又吸纳世界文学中有价值的东西,中国文学才能走向世界,矗立于世界文学之林。

为《世界文学背景下的民族文学道路》所作"序"

1999年夏,深大新村

艺术文本巧经营

洛特曼的《艺术文本的结构》由王坤译成中文在中国出版,终于同中国读者见面了,这是一件大好事!

我常对王坤说,《艺术文本的结构》中译本如能出版,你就对当代中国文艺学建设做出了贡献。为什么呢?理由很简单:改革开放以前,我国文艺学界只引进苏联的、吻合主流意识形态的理论,对其他欧美各国的东西几乎一律封杀;改革开放以后,又偏向另一方,着重引进除苏联以外的欧美各国的东西。洛特曼的研究,虽不入苏联主流意识形态之列,却具有极高的学术价值,被西方学界誉为"文学研究中的哥白尼革命"[①]。迄今为止,洛特曼在中国的知名度仍远不如巴赫金、普罗普等人,其实他们都属于"第一批闻名海外的苏维埃学者"。1968年1月21日,国际符号学会在巴黎成立,因当时的条件所限,洛特曼未能出席大会,却缺席当选为副主席——另三位副主席中,就有美国的雅克布逊,其地位与影响由此可见一斑。就美学、文艺学研究而言,要想全面地了解西方,绝不能忽略苏联;而要想全面地了解苏联,绝不能漏掉洛特曼和以他为奠基人的塔尔图学派。因此,这次修订《西方文艺理论名著教程》,王岳川就特地让王坤把洛特曼和塔尔图学派一章补了进来。

1985年秋季,我在北大中文系招收第二届文艺美学硕士研究生,王坤是那年考入的学生之一。其时,我正在做国家教委的一个项目,让张首映协助我写一本《西方二十世纪文论史》,同时选编配套的四卷本《西方二十世纪文论选》。有很多研究生也参加了资料的翻译工

[①] [荷]佛克马、易布思:《二十世纪文学理论》,林书武等译,生活·读书·新知三联书店,北京,1988年,第45、50页。

作，王坤翻译的是洛特曼《艺术文本的结构》中的部分章节，事后他又一鼓作气地将全书都翻译出来了。

当时选洛特曼，主要还是着眼于世界范围内的符号学研究本身。入选的除了波兰学派、捷克学派、法国学派和美国学派以外，再就是塔尔图学派了。洛特曼是犹太人，1950年毕业于列宁格勒大学。在卫国战争期间，他参加了苏联红军，并一直随军打到柏林，多次立功受奖；战后复员重返大学完成学业。说来也巧，要不是犹太人身份使得他1950年难以在列宁格勒找到工作，他就不会去位于爱沙尼亚的塔尔图大学，也许他创立的就不是塔尔图学派而是别的什么学派了。

关于洛特曼的资料在中国极少，当时北大图书馆仅有英文版的《艺术文本的结构》，所以王坤在翻译的时候有点困惑于"文学研究中的哥白尼革命"这个评价。好在王坤比较执着，一直记挂着这事。他考到复旦蒋孔阳先生那里攻读博士学位期间，还特地托人打听洛特曼在爱沙尼亚的通讯地址，可惜未果。后来他有机会去美国，在俄亥俄州立大学和田纳西州的南方大学待了一年，有关材料看得比较多，对洛特曼的了解也就全面、系统得多，这个困惑便得以释然。回国后，王坤一连写了几篇这方面的文章，我认为还是很有深度的，刚刚还看到人大复印资料《美学》2003年第1期转载了一篇。[①]

一旦材料比较齐全，就可以看到，仅仅从符号学研究的角度，甚至从俄国形式主义余脉的角度来看待洛特曼，是远远不够的，也是没法理解西方学界给予洛特曼"文学研究中的哥白尼革命"这个评价的。

理解洛特曼，一定不能忽略塔尔图大学本身。该大学的生物学学科历史悠久，举世闻名。浸润于这种气氛之中，洛特曼颇有创意地将"生物链"概念"移植"到人类文化的概念之中。他认为，如同自然界存在着"生物链"一样，在人类社会生活中，也存在着"文化链"，链条中的任何一环，都时时处在与其他环节的各种复杂联系之中。因此，外文本（文本以外）这一类概念在他对艺术文本的研究中几乎俯拾即是，如外系统（系统以外）、外结构（结构以外）、外语法（语法以

[①] 即《西方现代美学与艺术独立理论》一文，原载于《中山大学学报》2002年第6期。

外)等等。在《艺术文本的结构》之后,洛特曼沿着这个思路继续深入研究,并将大脑结构的概念和分子结构左右对称的概念引入文艺研究之中。他试图从艺术研究出发,建立整个人类的文化模式,因此洛特曼也被当作文化符号学的奠基人。

同时,只有着眼于在西方现代美学史上的地位,才能比较全面地认识到洛特曼的贡献。西方现代美学的历史使命,首先就是破除艺术从属论,确立艺术的独立地位。如果说艺术从属论与艺术独立论,是西方古典美学与现代美学各自最主要标记的话,那么,面对艺术与面对文化,则是西方现代美学与后现代美学各自的最鲜明特色。古典美学转向现代美学,以克罗齐对黑格尔的艺术从属论的批驳为主要标志;而后现代美学的文化转向,其内在基点则是洛特曼借鉴生物学理论,以全新的思路,真正解决艺术文本的结构独立问题,并且成功填平外部研究与内部研究之间的鸿沟。这样一来,西方古典美学发展的线,西方现代美学整体的面,与塔尔图学派这个点,三者结合,就能较好地把握洛特曼美学思想的独特价值了。

王坤找到了一个比较合适的角度来看待洛特曼,也就解开了当年的一个心结。

俄罗斯知识分子有一个非常优秀的传统:执着于对灵魂的深刻反省。这种反省的主要结果之一,就是深深地意识到人类灵魂与肉身的二元对立。我觉得,洛特曼用来分析艺术文本的二元对立眼光中,除了自索绪尔结构主义语言学以来的二元对立思想外,更多的就是这种来自俄罗斯知识分子思想传统的二元对立,只不过他将其创造性地用于对艺术文本的分析:"就艺术文本而言,对立各方任何一方的完全胜利,就意味着艺术的灭亡。"何等精辟的艺术见解!稍觉遗憾的是,他虽然提出了"对立美学"和"同一美学"的命题,用以概括和阐述他分析艺术文本的二元对立理论,但尚未具备像阐述其他问题那样的系统性。希望这个问题在中国能够得到积极的回应。

1995年,王坤写作博士论文时,蒋孔阳先生有个评价:慢工出细活。我对王坤说:老实讲,这只是对你1995年的评价;情况是在不断变化的,你要能够把持住自己,真正要做到"板凳宁坐十年冷,文章不写半字空",是一辈子的事;现在你又兼任系副主任,杂事多,"诱惑"更多,切勿忘记你的朋友送你的那句"君子务本"。

　　王坤回国后申请到了教育部留学回国人员科研启动基金资助项目,使《艺术文本的结构》中译本的出版有了着落,多年的执着终于有了圆满的结果,他自己十分高兴,希望我为这本书写个序言。老师在王坤的心目中占有非常重要的地位,尽管他不大多说什么。这一点我是很欣慰的。十分可惜,蒋孔阳先生离开我们了,不然应该由蒋先生来写这个序言。

为《艺术文本的结构》所作序
2003年3月于望海书斋

潜心为学天酬勤

王坤的《转折时代的美学与批评》一书即将出版,我为他高兴,并写下我的一些感受。

说真的,这个序言本应该由蒋孔阳先生写。他是20世纪50年代初期北京大学文艺学研修班的大师兄,大家在一起听毕达可夫的文艺学引论,我还只是个小师弟。80年代,王坤是我的文艺美学硕士研究生,和一川、陈伟、岳川、首映等同窗。后来,他又去了复旦,受教于蒋孔阳先生,攻读美学博士学位。可惜,蒋孔阳先生不幸于去年病故,这个序就由我来写了。

王坤的理论研究,给我最突出的印象是:面向当下现实,理论结合实践。这也正是这本书的最大特色。

改革开放以来,西方的美学、文艺学被大量介绍进来,中国的古典美学、文艺学也有了较为全面的研究。但这些都只是建设中国当代美学、文艺学的理论资料。如何运用马克思主义来研究我国艺术实践中的现实问题,从理论上进行探索,实乃当务之急,这恰恰是我们的薄弱环节。

王坤多年来一直都能关注当下现实,从实际出发来探讨理论问题,实在难能可贵。

我记得,王坤初到北大时,对当代文学有着浓厚的兴趣。我对他说:这正是进行理论研究的有利条件。不了解当代文学,不熟悉艺术实践,如何进行理论研究?你作理论研究,不要丢了你这个长处。

王坤不止一次对我说,这一番话对他鼓励很大,一直留在他的脑海里,所以后来没有走上脱离实际的学术道路。在复旦,蒋孔阳先生的两句话,也使他终生难忘、永记在心:板凳宁坐十年冷,文章不写半字空。

但是，文艺理论与文艺批评究竟又有所区别，对当代文学作理论研究，不同于进行文艺批评。所以，我鼓励王坤在发挥长处的同时，也要加强理论的分析，还要掌握理论武器。王坤当时对理论不大感兴趣，用他的话来说，他是一个经验派，对超验和潜验的东西，兴趣不大。但是，他攻读的又是文艺美学硕士学位，不能没有理论思考。于是，我就劝他：当代文学不要丢，但理论一定要抓。我的劝告，促使他将目光转向了理论。

书中有三篇文章，都是他在北大读书期间所写，从中可以看出他的学术转向的痕迹和在理论思维的训练方面所取得的进步。下编中《单元人生价值观与多元人生价值观——高加林与董康形象性格内核的比较分析》一文，是刚进北大时写的，发表在《北京大学研究生学刊》创刊号上。如果按照那个路子走下去，和文艺美学专业就是两回事了。中编里《感性直观的现实真实与理性具体的历史真实——马克思主义现实主义美学思想真实观之我见》一文，是教学实习的讲稿，也发表在《北京大学研究生学刊》上，尽管显得还有点"隔"，但在思维形态上，已经走了理论的路子。所以，人大复印报刊资料《美学》月刊就在当年的第9期上全文转载。上编中《文学语言中信息构成的对立美学原则》一文，是硕士学位论文，写得中规中矩，当时就被评为优秀，收入《缀玉集》。他自己又投给了《文学评论》，也被看中，很快就刊出了。这三篇文章，标志着王坤从以经验为基础，到进入正规理论层次的三大步。就他本人来说，能在三年之中迈出这三大步，是很可喜的进步，是一次质的变化。

他自己应该也意识到这一点，从集子的上、中、下三编的分类就可看出。上编是纯理论的文章，下编的文章以批评为主，中编则介于两者之间。当然，这并不是说下编的文章是纯经验的，档次就不高。其实，王坤后来写的一些批评文章，与《北京大学研究生学刊》创刊号上的那篇相比，已经大不相同了。他在北大期间的另一篇批评文章《知识分子群体性格的"第三者"——析〈蛇神〉中的邵南孙》，短小精悍，相当老练。《崇高的境变——新时期文学中的"文革"》（发表在《二十一世纪》1995年8月号上）一文，颇为大气，非经过相当程度的思维训练者不能为。但下编中我最欣赏的,还是《古典美学的拓展与突破——〈金瓶梅〉美学风貌论要》一文。在这里,王坤将理论思维训练的结果与文艺美学、西方美学方面的学识融为一体,抓住审美在叙事作品中的体现这个关节点,以《金瓶梅》为对象,尝试着打通美学、文学史与文学批评这三者之间长期以来一直存在的隔阂。这是一次可喜的尝试。

从思维的角度来讲,在治学的道路上,从经验层面上升到理论层面固然重要,但也要注意防止走向空洞无物的另一极端。这一极端的结果,恐怕比拘泥于经验层面更糟。在这方面,王坤是幸运的,他的幸运在于后来考上了蒋孔阳先生的博士生。这句话,一进门,蒋先生就对他讲了,因而他没有机会犯这方面的错误。很多人在治学道路上难免的弯路,他却轻易地避开了。所以,书中的20多万字里,虽有少量文字表现出拘泥于经验层面的滞重,却没有空洞无物、大而无当的空论。

治学,首先就要进行理论思维的训练。同时,一定要坚持"板凳宁坐十年冷,文章不写半字空"。如果说这是两个关口或两个阶段的话,那么可以说王坤在硕士生阶段过了第一关,在博士生阶段过了第二关。

但是,如果本人缺乏坚毅、执着的精神的话,再好的名校也无济于事。王坤在这方面是值得称道的。

他少年时代的经历特别坎坷。"文化大革命"一开始,父亲冤死,全家被遣送到原籍农村,小学毕业即务农,到1979年考上北师大时,已整整当了10年农民。大学毕业后,他并没有止步,始终不懈地在努力治学。读研究生以来,他一直以文艺美学为中心,关注着文艺学、美学的基本问题。在后来的教学与科研过程中,他还逐渐形成了一个思路:借助文艺美学的研究成果,再返回去促使文艺学的整体提升。上编里的前三篇文章,都是这个思路的具体体现。其中有些想法和论述,颇具建设性。比如,《文学语言与审美意识:文艺学学科建设的逻辑起点与理论基石——新时期文艺美学的勃兴和发展与文艺学学科建设的新阶段》这篇文章就提出,文艺学建设要想获得实质性的突破,就应该以文学语言和审美意识作为文艺学新的逻辑起点和理论基石。新时期以来文艺美学的勃兴和发展的巨大成果之一，正在于此。再如，《马克思主义文艺学学科建设问题》一文认为，在文艺学领域里坚持马克思主义，必须同时从两方面入手，即同时坚持马克思主义文艺学的思想品格和思维品格。如果只强调坚持某些思想观点而不强调坚持思维过程的话，难免会有僵化、肢解现象的出现。这篇文章，将理论思维的重要性与文艺学学科建设的根本问题结合在一起，是他长期执着追求、思索的结晶。上编里还有一组书评，书的作者都是王坤的老师和同学，因而难免多有褒奖之辞。但他还是有所分析，不乏见解独到之处。

在抓理论的同时，王坤并没有因此丢掉当代文学，失去对批评的兴趣；相反，他的批评倒是越来越具有理论的深度。在中编里，有两个论题他谈得很好：一个是真实性问题，一个是批评的美学标准问题。对前者，他结合实践，认为在这个问题上恩格斯的有关论述没有得到应有的理解，我认为很有道理。对后者，他将美学、文艺学和文学批评融为一体，也即从美学问题如何体现在文学作品中这一点来入手，给人一种打通三者之间的隔阂、视界大开的感觉。要做到这一点，除理论功底外，还必须有对批评实践的爱好与能力。王坤原有的特长终于在理论的轨道内得到发挥了。这个特色，在下编中体现得最突出。下编的文字，其实有两类：一是评价叙事作品的，一是讨论抒情问题的。我觉得，王坤在选择以后的研究课题时，不妨多考虑一下这两类问题。因为，文艺美学再往前走，势必要深入研究叙事美学和抒情美学。他既有批评方面的爱好与特长，又经过了严格的理论训练，如能一如既往地坚毅、执着，往这方面发展，我想必能取得更好的成绩。

10多年前，我从北大来到深圳，王坤一直和我保持联系。他从复旦毕业后，在武汉大学任教数年，前年又来到中山大学。我们见面的机会更多了。王坤一向敬业乐群，现在又能安居乐业，希望他在学术上能取得更大进步。

为《转折时代的美学与批评》所作序
2000年夏，深大新村

第三辑

海外华文文学及美学

关注海外华文文学

一

蛰居北京大学书斋30多年,从不接触海外华文文学。改革开放之初,我应清华大学副校长张维院士之邀,来深圳大学参与创办中文系,视野开阔起来,在我面前,展现出了一个新的世界。来深圳10多年,得邻近香港之便,港台文友也不断从香港带来一些港台文学资料,所以开始那几年我接触了不少港台文学作品,从琼瑶到亦舒、陈娟,再到梁凤仪等。最近几年,我更多地看港台以外的一些华人作家的作品。20世纪八九十年代,在美洲、欧洲、澳大利亚都出现了不少新的华人作家,出现了很多新的作品。近年来,我有机会到欧洲、美洲去,走了一些地方,认识了不少华人作家,他们有的把作品送给我,我陆续读不少。因此,我近几年对于海外华文文学兴趣多起来了,海外文学在我面前展现了另外一个文学世界,这个世界跟我们大陆的不完全一样,所以有一些新的感受。我们国内的学术界在最近几年,慢慢形成了一种新的观念。

过去一说到中国文学，认为中国文学就是大陆文学，顶多加上台湾的文学，现在还加上香港和澳门的文学。最近几年发现不对了，海外的华人作家作品越来越多，因此也要把海外的华文文学纳入整个华文文学系统中来，这样就形成一个新的观念，即世界华文文学。世界华文文学涵盖了大陆的、港澳台的，还包括海外各国的华文文学，这个面就比较广了，包括东南亚、美洲、欧洲、澳大利亚等的华文文学。

可以这么说，在我们这个世界上，只要有华人的足迹，就会出现华文文学。那么在中国大陆以外还有哪些地方有华文文学呢？在闭关自守的年代，我们约略知道台湾、香港、澳门有，知道美国有从中国移民去的华人作家，但所知不多。改革开放以后，我们才慢慢了解到，海外华文文学的天地其实很宽，而且正在日益扩大。海外华文文学和中国华文文学汇合起来，成为世界华文文学。

在20世纪80年代初，广州、厦门曾经开过两次港台文学研讨会，当时还没有把海外华文文学纳进来。到了1986年，由我和徐葆煜在深圳大学负责筹备第三次会议时，本来的名称叫"第三次港台文学研讨会"，但我和葆煜都觉得港台文学范围太狭窄，应扩大到港台以外，吸引更多海外华人作家来参加。当时的深圳市市长梁湘和副市长邹尔康很支持，答应来参加这个国际会议。于是我们和筹委会商量提出，应该把我们这个会叫作"海外华文文学研讨会"，把海外华文文学列入研讨议题。但当时对海外华文文学的理解并不一致。依我当时的看法，"海外"应是地理概念，不必赋予政治意义，在大陆之外，均算海外。因此，海外华文文学亦可包括台、港、澳的华文文学，是泛指。但有些学者以为不可，台、港、澳及大陆均属海内，不能称为海外；台、港、澳文学乃中国文学的一部分，不能称海外华文文学。于是，这次会议改成一个很长的名字：港澳台暨海外华文文学学术研讨会。但此次正式提出的海外华文文学概念，却是一个突破。而参加研讨会的港、澳、台、东南亚及美国华人作家、学者之多，也堪称空前。当时香港的著名作家差不多都来了，包括当时的香港作联主席曾敏之、《香港文学》主编刘以鬯、《昙花梦》作者陈娟、诗人张诗剑等。东南亚也来了不少华人作家，有新加坡的，有泰国的，有印尼的，有菲律宾的。美国来的华人作家,比较有名的有陈若曦,还有其他几位。市长梁湘和副市长邹尔康真的来了,坐在席下静听大家发表高见。

应该说1986年我们才把海外华文文学纳入我们的视野,那么现在发展到什么程度了?在最近几年,海外华文文学发展得非常快,大陆文学当然也在大发展,大陆文学和海外华文文学现在合起来的话相当可观。中国大陆去年一年就出产了长篇小说800多部,这是少有的,大家知道,五六十年代,长篇小说一年能够出几部或者十几部就很了不起了。现在的问题不是文学作品少了,而是质量怎么样了。依我看,大陆的文学还会兴旺,文学作品数量会提升很快,但关键是提高质量。

海外的华文文学情况怎么样呢?最近几年我接触得比较多,大家都共同意识到应该把中国大陆的文学和海外的文学联系起来,加强交流。去年的第九届世界华文会议,把世界的华文文学作为一个整体来研究,与会的海外来宾一共有100多人。海外的情况发展很快,这跟我们的移民越来越多有关系,我感兴趣的原因也就在这儿。我想看一看特别是20世纪90年代以来移民出去的华人是一种什么心态,他们在国外是怎样一种活法。我陆续看了一些国外带来的作品,也看了一些材料,我感觉到海外华文文学发展得这么快有点超出我的意料。现在华文文学不仅在北美,而且在欧洲、澳大利亚,都有惊人的表现。前几年国内出过一个刊物,叫《四海》,底下有个副标题——港澳台海外华文文学,出了好几年,每年都登了不少港澳台及海外华文作品,欧洲的、美洲的、澳大利亚的、东南亚的都有,这使我们的文学视野更广阔了。这个刊物从今年开始正式改名为《世界华文文学》,专门刊登海外华文文学作品,这跟我们的发展是一致的。它每期都有介绍重点,这一期是介绍加拿大,下一期介绍美国,上一期介绍东南亚。

二

大概在20世纪80年代末,我参加过几次研讨会,常常听到海外朋友们的感叹,说海外华文文学再发展下去很可能后继无人,担心海外的华文文学会自然消亡。因为按照移民的一般趋势,第一代是一辈子在奋斗,为了争取加入当地的国籍。这一代人还是用华文来写作,现在就是这种情况。但是到了第二代就入乡随俗了,慢慢地当地化了,华文已经懂得不太多了,到第三代就更少懂华文的了。这样下去岂不是华文文学就要消亡了? 特别是在东南亚的这些华人作家已经看到这种趋势,他们很担心,有些国家还很排华,所以很多华人作家都很担心,是不是华文作品要消失了。

但是从90年代已经出现的华人的出国潮来看,这种忧虑很快被打消了。越来越多的华人从大陆、台湾、香港、澳门走向海外。华人的适应能力特别强,可以说像蒲公英一样,到哪里就在哪里生根,甚至连被称为月球的冰岛都有华人。海外华人究竟有多少呢? 因为现在没有哪一个机构能够进行很精确的统计,出去的华人,有的是移民,定居下来了,有的是非移民,走走又回来了。无论是移民还是非移民,其中都有人提起笔来用华文写作,所以华文文学在海外仍然会兴旺,不会消亡。新加坡作家协会主席骆明跟我说过:不算泰国、印尼、菲律宾等国家,仅仅新加坡、马来西亚两地,华人作家就各有约300人,都有各自的华文作家协会。起步较晚的澳大利亚,90年代以来,华人作家也很活跃。澳大利亚比较有名气的刘观德的《我的财富在澳洲》,写的是他怎么在澳大利亚奋斗,怎么在澳大利亚扎根。广州去的张奥列写了一本《澳洲风流》,写他在澳大利亚的经历。还有的人写了《留澳日记》《娶个外国女人做太太》等等,这一类的小说很多,所以澳大利亚的华文文学在90年代以来很活跃。前不久澳大利亚的9位华文女作家合著的小说集《她们没有爱情》出版,聚会时竟有近200位华文文友携文相会,以文交流。随着华人越来越多地走向世界,海外华文文学有了新的发展。中国大陆的开放改革正在加快步伐,文学也反映着这种变革。因此,可以说世界华文文学,不要说在中国大陆越来越兴旺,在海外也越来越兴旺,不会消亡的。

大致说,现在的华文文学可以分为几大块,除了大陆以外,台湾、香港、澳门是一大块,我们还是称为港澳台文学,这是我们比较熟悉的。东南亚是一大块。东南亚应该说已经有三代作家了,但还不断涌现新的作家。新加坡有一批比较有名的作家,比如王润华、黄孟文、骆明、尤今、陈剑等。马来西亚华人作家也比较兴旺,大家比较熟悉的作家有马来西亚华文作家协会主席戴小华,还有专门写政论的陈政欣、朵拉。印尼有黄东平、白放晴,菲律宾有林健民、王锦华。泰国的华文文学历史比较悠久,有三代作家,大批的作家现在还活跃在东南亚华文文学舞台,而且他们都有自己的华人文学作家协会。北美是第三大块。北美,包括美国和加拿大。北美的华文文坛应该说是名家云集,新人辈出,比以前更加兴旺,我们先不算过去很有名的张爱玲这一代,北美至少有300位作家。前辈作家有陈香梅、夏志清、聂华苓、陈若曦、於梨华、白先勇、叶维廉、严歌苓、李黎、黄运基等等,稍稍一数就有好几十个。老一代和后一代都先后为美国的华文文学做出自己的贡献。移民到加拿大的比较有名的大多是从香港过去的,也有从台湾过去的,比如台湾很有名的诗人洛夫,现在已经移民加拿大定居了。香港有一个著名的作家梁锡华,他当过岭南学院教务长,主要写散文,也在加拿大定居了。还有其他一些作家,像陈浩泉、冯湘湘等等,在香港的知名度很高,现在也都定居在加拿大,但仍然在从事他们的文学创作。可以这么说,现在北美乃是大陆和港澳台以外,华人作家最集中的地方。还有一大块就是欧洲。欧洲的华文作家也已有三代,前辈作家有韩素音(英)、赵淑侠(瑞士)、王镇国(比利时),这些老一辈作家还在笔耕。除了这些老一辈作家还在活跃以外,新的也越来越多了,有一些是七八十年代就开始写作了。德国有一批华文作家,有一个著名的教授叫关愚谦,前不久还在分析俄罗斯的政局,他也在写文学作品。另外还有郭名凤、谭绿屏、孙步菲、麦胜海,这一批作家都是德国人。荷兰最近几年去的人多了,有一个很有名的女作家叫林湄,是从香港过去的,年纪不大,也是多产作家,除了她以外还有其他几个人。另外英国、法国、瑞士、丹麦、比利时、瑞典、意大利、匈牙利、奥地利都有一批华人作家。另外还有一块是澳大利亚,澳大利亚的华文文学在90年代可以说是异军突起,独树一帜。这些华人作家有香港去的,有台湾去的,也有大陆去的。比如香港去的陈耀南,大陆去的刘真、西沙。比较弱一点的可能是俄罗斯和日本。俄罗斯和日本也有华人作家,但是不多。上海有一个著名的美学家蒋孔阳,他的女儿就在日本写作，出了不少作品。俄罗斯慢慢地也有华人作家出现，但俄罗斯和日本的华文文学还不成气候。

从海外华文文学的发展情况来看，可以形成这么几大块，从欧洲到美洲，从亚洲到澳大利亚，全世界约有四分之一的人在讲华语，到处都有华文作家在笔耕。有些华文作家不仅自己用华文在创作，而且还热心创办华文报刊，组织华人社团，使海外华文文学得到更大的发展。比如美国的华文作家黄运基，老家是广东，50年代到了美国，在旧金山创办了《美华文化人报》，出版"美国华侨文学丛书"。新加坡华文作家协会创办了《新华文学》。这些华人社团和华文报刊，积极推进华文文学在世界各地的发展，为海外华文文学做出了贡献。

三

世界华文文学的格局大致就是如此。过去我们没有注意到海外华文文学的发展，近几年我们的眼光开始注视到了，拓展了我们的文学视野。海外华文文学不仅在海外传播了华文文学、中华文化，而且还在发扬中华精神。我看了不少作品，深深感到海外华文文学中那些优秀的作品，不仅仅为我们生动地展示了华人闯荡世界的心路历程，而且还高扬着中华民族的精神，这种精神是奋发图强、自强不息的精神。许多作家尽管身在海外，但心系中华，内心有中华民族的情结，对华文文学做出了很大的贡献。

下面我介绍一些作品，让大家知道海外华文文学究竟是怎样一个情况。首先我要讲一讲海外华文文学表现出来的一种自强不息、坚强刚毅的中华民族精神。中国早期出国最多的是下南洋，到东南亚当苦力。反映老一代华人闯南洋的文学作品很多，如泰国的《风雨耀华力》，印尼的《七洲洋外》，马来西亚也有写闯南洋的"三部曲"。这些作品都是50年代出的，今天我们看这些作品，仍能感受到当时的艰苦，以及他们的精神。时代发展到今天，我们在走向现代化，这种自强不息的精神，在海外华文文学里还能继续发扬吗？在海外华文文学中还有这种精神吗？读到新一代的海外华文作品，我深切感受到这种精神还在海外华文文学作品中发扬着。比起以往来,改革开放以后涌现的出国潮跟过去不同了:一是人多,现在出去的人比以前多多了;二是面宽,出去的人各种各样,不光是做苦力的了;三是地广,去的地方更多,不光是到东南亚,世界各地都有华人的身影。然而,很多华人一到异国他乡,就会发现愿望和现实并不相符。诚然,有少数华人能很快立足,但对大多数华人来说,如何在新土地生存下去乃是当务之急。发展事业尚无从说起,更遑论享受!在异国他乡,举目无亲,一旦有难,悲痛也好,愤慨也好,都无济于事,如要生存,只有调整心态,发愤图强,自力更生,从头做起。有很多文学作品就反映了这个生存状态。在澳大利亚定居下来的文艺评论家张奥列写了两本书,一本是《澳洲风流》,还有一本叫《悉尼写真》。他在《悉尼写真》这本纪实文学集里说:"我不仅看到许多华人带着自己的文化品格顽强地融入澳洲的主流社会,也看到许多在澳洲求学的中国青年,正在异国他乡艰难地前进。……他们实在活得太累,太无奈了,然而无悔、无惧、锲而不舍的精神却又不得不令人肃然起敬。"他写道:"为了生存,首都医院的外科医生在那儿做烤鸭,名牌大学的讲师,在马路上扫街,画家、音乐家在洗碗……但大家都在顽强地拼搏,表现出中华民族特有的'韧性',真是令人敬佩。"

中国人要闯澳大利亚还比较容易,但要进入欧洲就非常难了,但还是有不少中国人闯进欧洲。我去过好几个欧洲国家,对此深有体会,华人要想插进这个地方是很难的,因为欧洲的社会结构是一个超稳定的结构,你要想在那个地方发展很难,你要想找一个比较好一点的工作也很难,因为他们自己都有失业的问题了。有很多去了欧洲的作家写的作品反映了这种状况,比如有一部写意大利的小说,叫《走入欧洲》,这个作家叫阿航。阿航是浙江人,他写的故事很曲折,表现了华人的拼搏精神。还有一个作家叫章平,也是从浙江过去的,他写了很多小说。我问他现在在欧洲主要靠什么生活。他能够写东西,能够写东西必须有一个条件,就是生活上有保证,没有后顾之忧。他在比利时开了一个饭馆,他说要有别的发展很难。一边写作一边开饭馆,这样子的作家现在越来越多了。

美国的环境应该说是比较宽松的，工作也比较好找，发展的机会比较多，所以去美国的华人更多。但是真正能在美国站住脚的也不多。黄运基20世纪50年代去美国，他创作了"异乡三部曲"，第一部从50年代写起，第二部写到70年代，第三部写到90年代，他写的是自己到那儿去的奋斗过程。90年代以来反映华人奋斗的作品越来越多了。曹桂林的《北京人在纽约》大家都知道，已经改编成电视剧了。陈燕妮写了一本《遭遇美国》，比较真实地反映了她在美国的遭遇。周琼的《纽约梦》写她在纽约的种种经历。莫名写了一本《梦美国，美国梦》。这些作品基本上都是描述年轻一代在美国是怎样奋斗、怎样站住脚跟的。

四

第二方面，我介绍一些写去国乡愁的作品。不少华人出去以后，就有了一种怀念家乡、怀念祖国的中华情结。这在老一辈的作家里比较突出。老一辈作家离我们比较远了，但所写的怀乡思国之情还在深深感动我们。比如白先勇——白崇禧的儿子，从大陆出去，到了台湾，在台湾没待多久，然后又跑到美国。他写了好几部书，都是怀念大陆、怀念台湾的书。有一部叫《纽约客》，实际上是写他自己的心态，虽然他在纽约定居，在那儿教书，但他有一种心态，老觉得自己不是纽约的主人，而是纽约的客人。他后来又写了一部《台北人》，写从台北到美国去的那种心态，今天我们看了以后还是很感动，那种怀念家乡，无论是对大陆或者台湾，都有一种思乡的感觉。到了第二代就不是这样了，这一代是"无根的一代"。比如有一个女作家叫於梨华，她稍微年轻一点，生在上海，在台湾受教育，很早到美国去留学，然后留下来了。她写的《又见棕榈，又见棕榈》，塑造了"无根的一代"的典型，写一个台湾青年到美国十年，得了博士学位，也谋得了工作，然而，他在美国得不到一丝欢乐，郁郁寡欢，于是回到台湾，想在台湾住下来，但是发现台湾已没有他的家，他的父母、恋人都催促他再去美国，使他心里感到无限的迷惘和痛苦，究竟何处是家园？这种心态反映了於梨华这一代的心态。她说："别人都是有家可归的，而我永远是浪迹天涯。回到台湾，亲戚、朋友以客相待，关切地问：这次回来能待多久？回到美国，美国人随意地问：你不会在此长居吧？"所以她就觉得好像没有根，就像水上的浮萍一样，到处飘零。这个时候她实际上是想去中华大地，但是也不能在中华大地待了，这么一个矛盾心情。到了第三代应该说是有根了，但这个根已经不在大陆或台湾，发展为理性的一代。这个理性的一代跟过去不一样，落地生根，四海为家，到哪儿就在哪儿扎根，理智地面对现实，但是心里始终有着中华，感情还是倾注中华。典型的就是陈若曦。陈若曦生于台北，20世纪60年代去美国求学，攻读英美文学硕士，受到西方文化熏陶，但是她抱着"生为中国人，死为中国鬼"的爱国热忱，决心到大陆扎根。"文化大革命"开始的时候她和丈夫从美国回祖国大陆，在大陆定居，结果显然是没法在大陆待了。7年之后，"文化大革命"后期，她只好走了。她到香港，而当时的美国允许她回美国，但是有一个条件，要申请政治避难。她说不申请政治避难，拒绝以政治难民的身份回到美国。然后她跑到加拿大，坚持用华文写作。改革开放以后，她不断来往于欧美和中国，写出了很多作品，如《纸婚》《二胡》，表达着她对祖国的怀念。这是年轻一代，我认为这是比较理智的一代。

五

第三个方面，我想介绍另外一种类型的作家，他们尽管在国外也经历了很多苦难，但是始终追求美好，始终抱着一种人生的理想。我看到一些这方面的海外文学作品，很感人。举几个例子。一个是马来西亚作家戴小华。戴小华出生于大陆，在台湾长大。这位文笔优美的现代女性，丈夫是马来西亚人，与丈夫定居于马来西亚。她与丈夫一道走向世界，天南地北，漫游四方，足迹遍及大半个地球。她的散文，不仅情景交融，文笔优美，才思敏捷，而且充溢着悟性灵气，透露着人生哲理。

还有一个新加坡作家蓉子，也是一位女作家，她的作品也充溢着对美好未来的憧憬。她出了一本散文集叫《谁道风情老无份》，意思就是说老年也应该有风情。蓉子的散文表现出一种对世界的乐观主义，对人生的美好追求。

上面两位作家是东南亚的，下面我介绍三个欧美的作家。一个是瑞士的女作家赵淑侠。赵淑侠是在松花江长大的，后来到了台湾，然后在瑞士定居。她始终用华文写作。1988年，她第三次回祖国大陆，在《当我泛舟黑龙江》中写道："意惬深怡之余间有些像在国耻的伤痕上挖疮疤，心灵深处有一个伤痕。"她这里说的这个"伤痕"，就是我们中华民族没有统一，祖国大陆和台湾没有统一。她写了一部长篇小说《塞纳河畔》。她在这部长篇小说里写她的理想，各式各样的中国人，从中国大陆出来的，从台湾出来的，从香港出来的，各有自己的人生追求，在巴黎、欧洲其他地方拼搏，但是最后都汇聚在巴黎，相逢在塞纳河畔，大家都期盼祖国的统一，共祝中华的繁荣。这是赵淑侠的理想。

下面我介绍一下聂华苓。在大半个世纪里，聂华苓在大陆生活了20多年，去台湾10多载，然后定居美国，亦已20多年。她的丰富人生和深切体验，使她的创作富有人生哲理，寄予她的人生理想。她的第一部长篇小说《失去的金铃子》中，纯真质朴的少女苓子，不由自主地从纯朴的大自然中走出来，从此就失去了大自然。作品充满了对山乡大自然的眷恋，大自然是美好的，失去大自然是一种遗憾。她的第二部长篇小说《桑青和桃红》中，纯真少女桑青走出大自然后，进了城市，去了台北，最后又到了美国，结果人性就变了，畸形的发展使她成为一个纵欲的少妇桃红，完全沉浸在物质享受里头了。聂华苓认为这是人性的畸形发展。第三部长篇小说《千山外，水长流》，热情歌颂人向自然和人性的复归，最后桑青又回归大自然。这种描写反映了她追求的人生理想，是向人生更高阶段的回归，就是人和人、人和自然都能和谐相处。聂华苓的作品中追求着一种理想的境界，从大自然中来，在大城市里变畸形了，最后又回归大自然。

最后我介绍一个荷兰作家林湄，她是从内地出去的，去到香港，然后80年代末又到荷兰定居。她自己也是经历了人生的波折和辛酸，她从内地到香港，在香港结了婚，最后又离婚，跟丈夫分手，自己一人跑到荷兰，写了很多作品，现在还在写。尽管她经历了很多波折和痛苦，但是创作热情始终不减，陆续写出了好几部书，有《春之颂》《天涯路》《异乡人》《漂泊》《迷失》等文学作品，是一个多产作家。她不仅生动展示了漂泊海外的心路历程，而且深入探索人生的意义。她密切关注妇女、老人、移民的命运，直逼全人类共同遇到的人生价值问题。林湄在人生漂泊中经常自勉："自强不息，超越生命的活力，与生活一起燃烧。"这正是她一生所追求的。

人，来到这世界上，第一是要生存，第二是要发展；但这是不够的，第三还要自我完善。我很高兴地看到，90年代出现的许多海外华文文学作品中，文学新一代在描写华人去海外奋斗的同时，越来越注意到把笔力倾注在人的自我完善追求上，探求人生理想的实现。比如有一个90年代出去的、在美国读博士的作家叫严聪，他写了一部小说，小说名叫《服气吧，老美》，他在里面写到了中国人、东方人在美国不甘处于老是被欺负的状态。他写道："中国人除了能吃苦耐劳，更有聪明才智。"在他笔下的美国一所名牌大学，华人获得博士学位的竟占全校研究生的三分之一，而获得某些论文奖的，除了文科有几个白人以外，全部归华人所有。我觉得新一代里头，越来越多的人在追求更加美好的人生，也可以看到海外华人正在逐渐融入国际社会，到处扎根发芽，遍野苍苍翠翠。

为关山月美术馆所做学术讲座
1998年9月22日，深大新村

世界华文文学新格局

来深圳10多年，得邻近香港之便，港台文友，不时从香港带来一些港台文学资料。于是，我阅读了不少港台文学作品，从琼瑶到亦舒、陈娟，再到梁凤仪等，都有所涉猎。在我面前展现了一个新的文学世界，读时颇有感触，但因忙忙碌碌，未及写下。近数年，有缘经由香港去了东南亚，再赴欧美，对世界有了些新的体验；又结识一些新文友，读了不少海外华文文学作品，对世界华文文学有了更多的了解。海外华文文学在我面前展现了另一种新的生活天地、新的心灵世界，使我感受良多。于是，我忍不住写下了几篇随感。

在我们这个世界上，只要有华人的足迹，就会陆续出现华文文学——用华文写作出来的文学作品。那么，在中国大陆以外，还有哪些地方有华文文学？在那闭关自守的年代，我们约略知道台湾、香港、澳门有，美国也有从中国移民去的华人作家，但所知不多。只是改革开放暖风吹开国门之后，放眼世界，我们才逐步了解，海外华文文学的天地甚宽，而且正在日益扩大。海外华文文学和中国华文文学汇合起来，成为世界华文文学。

但在改革开放之初，我们的眼光还只是注视着港台文学。在广州、厦门曾分别开过两次港台文学研讨会，还没有把海外华文文学纳进来。到1986年，我和徐葆煜在深圳大学负责筹备第三次会议时，才首次把海外华文文学列入研讨议题，并开始邀请海外华人作家赴会。但对海外华文文学的理解，在当时也并不一致。依我当时的看法，"海外"应是地理概念，不必赋予政治意义，在大陆之外，均算海外。因此，海外华文文学亦可包括台、港、澳的华文文学，是泛指。所以，我想把此次国际研讨会定名为"海外华文文学国际研讨会"。但有些学者以为不可，台、港、澳及大陆，均属海内，不能称海外；台、港、澳文学乃中国文学一部分,不能称海外华文文学。于是,这次会议改成一个很长的名字:港澳台暨海外华文文学学术研讨会。但此次正式提出海外华文文学这一概念,却是一个突破。而参加研讨会的港、澳、台地区,东南亚及美国华人作家、学者之多,也堪称空前(但非绝后)。港台著名作家曾敏之、刘以鬯、施叔青、非马、黄维梁、张诗剑、陈娟、彦火、梅子、陶然、忠扬、东瑞、璧华、古剑、韩牧等都来了。东南亚也来了不少华文作家,如新加坡的骆明、杨松华、刘笔农,泰国的岭南人、李少儒,印尼的黄东平,菲律宾的蔡仲达等。美国来的华人作家、学者有陈若曦、杜国清、许达然、陈幼石、黄秀玲等。在这以后,我在深圳又陆续接待过美国来访的叶维廉、刘若愚、黄运基等。于是,海外华文文学的观念,在我脑海里日渐扩大,除东南亚外,美国应是海外华文文学的一个重要的组成部分。

当我认识欧洲华文作家协会会长赵淑侠和林湄、章平之后,我对欧洲的华文文学也有了更多的了解。澳大利亚的华文作家、评论家张奥列,美国华文作家黄运基,新加坡华文作家黄孟文等,又陆续给我寄来了海外华文文学资料。没有想到,海外华文文学学会有如此快的发展。不但在北美(美、加),而且在欧洲、澳大利亚,华文文学都有惊人的表现。在《四海——台港澳海外华文文学》大型刊物上,就刊登过不少北美、欧洲、澳大利亚的华文文学作品,为我们展示了更广阔的文学世界。

约在20世纪80年代末,我就不时听得一些海外文友感叹,海外华文文学将后继无人,担心是否会自行消亡。华人外移的一般趋势,第一代虽然入了当地国籍,但还用华文写作;第二代则入乡随俗,逐渐当地化,华文已懂得不多;第三代则很少再有懂华文的了,怎会再有华文文学?

90年代以来出现的华人出国潮,很快打消了这种忧虑。越来越多的华人,从大陆、台湾、香港、澳门拥向海外,东南亚也有不少华人奔向美洲、欧洲、澳大利亚。华人的适应能力特别强,像蒲公英一样,流落到哪里,就在哪里生根。海外华人究竟有多少?估计有5000万人。东南亚华人最多,占一半左右,其他较为集中的就在北美、欧洲、澳大利亚。

当然，拥向海外的华人，有移民，想永久居留；也有非移民，去了又走。但无论移民还是非移民，其中都有人提起笔来用华文写作。因此，华文文学在海外不可能消失。

新加坡作家骆明、陈剑告诉我，不算泰国、印尼、菲律宾等国，仅新加坡、马来西亚两地，华文作家就各有约300人，都有各自的华文作家协会。起步较晚的澳大利亚，自90年代以来，华文作家活跃非凡，出版的华文文学作品估计已有50本集子。刘观德的《我的财富在澳洲》、张奥列的《澳洲风流》、海伦的《留澳日记》、武力的《娶个外国女人做太太》、李承基的《惠园随笔》、江静枝的《随爱而飞》等都引人注目。前不久，旅澳的9位华文女作家合著的小说集《她们没有爱情》出版，聚会时，竟有近200位华文文友携文相会，以文交流。在这里，华文文学正方兴未艾。

随着华人越来越多地走向世界，海外华文文学有了新的发展。中国大陆的改革开放正在加快步伐，文学也在反映着这种变革。这样，世界华文文学正在形成新的格局。

中国大陆的文学发展，真使人眼花缭乱，应接不暇。不说别的，就以长篇小说为例，前几年已年产500部，到1997年，竟达800多部，一年就远远超过过去50年的总数，真是前所未有。如今的问题，不在数量，而在质量。希望今后少些平庸，多出精品。

台、港、澳的华文文学创作正在蓬勃发展，兴旺发达，发挥着自己的特长。

东南亚的华文文学，经久不衰，成绩斐然。新加坡的王润华、黄孟文、骆明、尤今、陈献瑞、陈剑、周颖南、南子等，马来西亚的戴小华、陈政欣、朵拉等，泰国的司马攻、梦莉、饶化桥、年腊梅、曾天等，菲律宾的林健民、林忠民、蔡沧江、王锦华、柯清淡、白雁子等，印尼的黄东平、舒萌、白放晴等，大批作家活跃于东南亚华文文坛。

北美的华文文坛，名家云集，新人辈出，新作迭起，益见兴盛。前辈作家陈香梅、夏志清、聂华苓、陈若曦、於梨华、白先勇、叶维廉、杜国清、纪弦、木令耆、非马、严歌苓、吴崇兰、李黎、黄运基、郑愁予、张系国、夏云、许达然、喻丽清、王性初、刘荒田、老南、宗鹰、阿城、薛海翔、吴倩、殷德厚、霍汉姬等,都先后为美国华文文学做出自己的贡献。移民到加拿大定居的洛夫、梁锡华、陈浩泉、冯湘湘、姚船等,也仍在那里不断笔耕。在北美,拥有除中国(包括港、澳、台)、东南亚以外最大的华文作家群。

欧洲的华文作家,也已有了三代,后继者不乏其人。除前辈作家韩素音(英国)、赵淑侠(瑞士)、王镇国(比利时)等仍在笔耕外,活跃在华文文坛上的作家日见增多。德国的关愚谦、郭名凤、黄凤祝、罗英萁、谭绿屏、孙步菲、麦胜海,荷兰的林湄、池莲子,英国的苏立群、虹影、叶念伦,法国的吕大明、卢岚、郭凝,瑞士的余心乐、杨蔚云,丹麦的池元莲、任欣欣、王依依,比利时的章平、蒋晓明,瑞典的张静河,意大利的阿航,匈牙利的乾宽,挪威的曹文、卞成刚,奥地利的唱燕、张文斌等,都不时有作品问世。

澳大利亚的华文文学,在90年代异军突起,独树一帜。除陈耀南、刘真、西沙等以外,数年间,在悉尼、墨尔本等地就涌现了张奥列、刘观德、李炜、武力、千波、小雨、西贝、林达、莫梦、萧虹、王世彦、沈志敏、安吉拉、施国英、心水、林木、晓慧、刘奥、白涛、金杏、于松滨、吴宣德、欧阳昱、张劲风、唐伟杰、毕熙燕、黄维群、黄维雄等大批作家。

俄、日的华文文学,也已初露头角,逐渐引人注目。

从欧洲到美洲,从亚洲到澳大利亚,全世界约有四分之一的人在讲华语,到处都有华文作家在笔耕。有些华文作家,不仅自己用华文在创作,而且还热心创办华文报刊,组织华人社团,力促海外华文文学的发展。如美国华文作家黄运基在旧金山创办了《美华文化人报》,出版"美国华侨文学丛书"。新加坡华文作家协会创办了《新华文学》。听林湄说,她也准备在荷兰创办一个华文文学刊物。欧洲、美洲、澳大利亚、亚洲的许多国家,都有华文作家自己的协会、笔会,仅美国就有10余家之多。这些华人社团积极推进华文文学在世界各地的发展,为海外华文文学做出了贡献。

站在世纪之交的门槛上,回顾过去,展望未来,我相信,随着中国日益走向世界,海外华人将越来越多,海外华文文学只会更加兴旺,绝不会消亡。世界华文文学的发展,在21世纪将更加辉煌。

为世界华文文学国际研讨会而作

1997年冬,深大新村

坚毅不拔精神

20世纪百年沧桑,多次出现出国浪潮。中国早期出国最多的是下南洋,当苦力。反映老一代华人闯南洋的文学作品已出现不少,如泰国的《风雨耀华力》,印尼的《七洲洋外》,马来西亚甚至已有写闯南洋的"三部曲",为我们展示了先辈华人在南洋的艰苦奋斗过程。椰风蕉雨,荜路蓝缕,含辛茹苦,忍辱负重,历尽千辛万苦,却仍坚毅不拔,奋发图强。这种中华民族的伟大精神,在许多作品中都有反映。我们今天读来,依然感到振奋和鼓舞。

那么,世界日益走向现代化的今天,这种奋发图强的坚毅精神,在海外华人中还能继续发扬吗?在海外华文文学中还会得到表现吗?

读着新一代的海外华文作品,我又一次深切地感受了中华民族的这种宝贵精神。

比起以往来,改革开放以后涌现的出国潮,一是人多,二是面宽,三是地广。久经闭关锁国,一旦开放,八面去风,成千上万,奔向世界各地。从东瀛到西欧,从美加到俄罗斯,从南美到澳大利亚,一下子来了不少中国人。走向世界各地的,虽然也有文化较低的苦力劳工,但更多是要出去求学深造的大学生,甚至不乏受过高等教育、具有专业技能的能人、名人。他们在国内有稳定的收入,有一定的地位,并非如先辈那样生存不下去,只是不满足于现状,想见识一下世界,寻求新的发展。

然而,很多华人一到异国他乡,就会发现愿望和现实并不相符。诚然,有少数华人能很快有立足之地,进而寻求发展,得以及早享受西方现代文明成果。但对大多数华人来说,如何在这块新土地上生存下去,仍是当务之急。发展事业尚无从说起,更遑论享受!如果在国内,一家有难,有亲朋好友齐来相助,可在异国他乡,举目无亲,一旦有难,愤慨也好,悲痛也好,都无济于事。如要生存,只有调整心态,自力更生,奋发图强,从头做起。许多海外华文小说、散文,都鲜明着力地表现了这种可贵精神。

　　澳大利亚,这块开发较晚的绿洲,地广人稀,限制较少,应是华人较易生存立足之地。20世纪90年代,拥入澳大利亚的华人就有数万人。但要在这块新土地上立住脚,却必须有坚强的意志,有奋发的精神。在澳大利亚定居下来的文艺评论家张奥列在《悉尼写真》这本纪实文学集里说得好:"我不仅看到许多华人带着自己的文化品格顽强地融入澳洲主流社会,也看到许多旅澳求学的中国青年正在异域他邦艰难行进……他们实在活得太累太无奈了,然而那无畏无惧、锲而不舍的精神却又不得不令人肃然起敬。"为了生存,首都医院的外科医生在做烤鸡,名牌大学的讲师在扫街,画家乐师在洗碗跑街……大家都在顽强拼搏,表现出中华民族特有的"韧性",真是令人敬佩。求学澳大利亚的刘观德,在1991年发表了小说《我的财富在澳洲》,写了华人在澳大利亚的遭遇,几经挫折,历尽磨难,但坚韧不拔。

　　都知道欧洲文明富饶,环境优美,令人向往,却不晓得那里社会结构定型,防范严密,外人难以插足。华人在此,需要坚韧的毅力,更努力地拼搏,方能挣得立足之地。近几年,国内发表或出版了不少欧美华人作家的文学作品,使我们不仅能进一步了解华人在欧美闯荡的艰难历程,而且能更深一层地感受到这种奋发图强的坚毅精神。

　　意大利阿航的小说《走入欧洲》,在曲折复杂的故事中,表现了华人青年的这种拼搏精神。90年代初,中国知识青年陶泽和恋人苏浣桑,不甘于过宁静清贫的生活,决心到欧洲发展。两人先飞匈牙利,在布达佩斯买了日本假护照,闯过奥地利,到了意大利,投奔苏姑妈。他们在中国餐馆当厨工和侍女。在意大利历经艰难,屡屡受辱。陶泽志高气盛,不堪承受,愤而反抗,险出人命,身陷牢狱。但等他获得自由,报了受辱之仇,却理智地和苏浣桑分手,独闯法国,去巴黎另觅生路。然而,他在巴黎真能找到立足之地吗?尽管是吃苦耐劳,忍气吞声,但人不了籍,只能东躲西藏,朝不保夕。听说西班牙即将大赦,允许偷渡入境,陶泽和一位不愿再在巴黎卖笑偷生的舞女徐蔚双双离开巴黎,奔向西班牙,开始新的拼搏。在闯荡欧洲的过程中,波澜起伏,险象环生,历尽千辛万苦。主人公感叹:"走入欧洲本身就是个过程而已,它并不存在什么目的。"即使入了籍,华人也永远需要拼搏、奋发,才能自强,别人救不了你。

来自浙江、入了比利时籍的章平,写过《寻影游魂》《黑市居民》《顾辉死了》等作品,前不久发表了《狗肉的道歉》,道出华人苦衷:即使入了籍,开了饭馆,也随时会有灭顶之灾,因此要不断拼搏,终生奋斗。

也许美国的环境较为宽松,发展的机遇较多,所以去美国的华人更多。但要在美国立住脚,寻求发展,仍然需要奋发图强的拼搏精神。40年代后期赴美定居的黄运基,创作了长篇小说系列"异乡三部曲",第一部《奔流》从40年代末写起,突出了这种自强不息的精神。旅美华人从踏上美国土地之日始,数十年如一日,奋斗不止。90年代以来,反映华人在美奋斗拼搏的作品越来越多,曹桂林的《北京人在纽约》、陈燕妮的《遭遇美国》、周琼的《纽约梦》、莫名的《梦美国,美国梦》等,渐已为大家熟知,这里不再细说。

1997年冬,深大新村

中华情结长存

世界苍茫,何处家园?海外华人,浪迹天涯,身在异域,心系中华,时常唤起怀乡思国之情,引发心中的中华情结。这在海外华文文学中有着鲜明突出的反映。

在那些反映老一代海外华人生活的作品中,浓重的中华情结表现为:朝思暮想,魂牵梦萦,梦想回归故土,叶落归根。不少作品中出现了梦思归根的一代:身在异域,却心想回归故国,就是死了,也要葬在故乡。那个时代,"金窝银窝,不如家窝"的传统观念浓重,万不得已才去海外闯荡。生活所迫也好,环境驱使也好,大多迫于无奈,只好"被迫放逐",但仍想把根留在故土,到年老体衰,再落叶归根。但这种梦想大多不能实现,在文学作品中多有表现。只有感觉敏锐的少数作家,如成长于大陆、台湾,又较早旅美的白先勇,觉察到这些人期盼回归故里是不能实现的梦想,只能成为一曲悲歌。白先勇虽去了美国,却深深怀念着中华文化,正如他在《蓦然回首》中所说:"去国日久,对自己国家的文化乡愁日深。"今天,再读他的《纽约客》《台北人》,仍然能浓烈地感受到作品中流露出来的那种怀乡思国、心系中华的深情。

难返故里,到处飘零,自我放逐,却未扎新根,于是就出现了"无根的一代"。生于上海,长于浙东、台湾而又很早旅美的女作家於梨华,在《又见棕榈,又见棕榈》中为我们塑造了这种"无根的一代"的典型。台湾青年牟天磊远涉重洋,赴美十载,历尽艰辛,总算得了一个新闻学博士学位,也谋得了职位。然而,他在美国得不到一丝欢乐,郁郁寡欢。他回到台湾,想住下来,却发觉这里已没有他的家,父母、恋人都催促他再去美国,使他感到无限迷惘和苦楚。何处是家园?这种心情,於梨华自己就有深切的体会:"别人都是有家可归,而我永远是浪迹天涯。回到台湾，亲戚、朋友以客相待，关切地问：这次回来能待多久？回到美国，美国人随意地问：你不会在此长居吧？"无根的人，如水上浮萍，到处飘零，但心中仍有一根无形的线，系着中华。

在新一代中，终于有不少人在海外新土上落地生根。从梦想归根到无根的一代，再发展为理性的一代，落地生根，四海为家，却是心中仍然系着中华。理智面对现实，感情倾注中华，那中华情结是永远不会化解的。生长于台北的陈若曦，20世纪60年代去美国求学，攻读英美文学硕士，受西方文化熏陶。抱着"生为中国人，死为中国鬼"的爱国热忱，她决心回祖国大陆扎根，居然在那动荡的年代，和丈夫双双绕道欧洲，奔向祖国，经历了那个年代特有的震荡。7年后又去香港，却拒绝以难民身份去美国而移居加拿大，到80年代初才又定居美国。她虽历经沧桑，但永远魂系中华，坚持不懈用华文写作，为华人而写。虽然在美国落地生根，但她仍然像候鸟一样，在太平洋上空来回飞翔，往来于欧美、中国大陆及台港之间，写出《归》《突围》《远见》《纸婚》《二胡》等作品，寄寓自己的爱国之心。经过冷静的思考，她理智地提醒那些已在海外立足的华人，要改变"旅居"的心态，从"落叶归根"转为"落地生根"，在新土上有新的发展，甚至应该参政、议政，为更多的海外华人争取合法权益。她在1987年写的《迎接太平洋世纪》中直率地说道："我真希望借我的小说，能够唤醒海外华人的注意，正视自己的生活，团结起来，在海外形成一股强大的影响力，甚至从政，就像犹太人一样，建立起他们的威信，则我们中国人方会有希望。"

海外华人，浪迹天涯，叶落归根，回归故里，这固然很好。但若在新土扎根，落地生根，却仍心系中华，这也没什么不好！定居美国的作家丛甦，在小说《自由人》中所写的女主人公，激情呼唤"自由人，回去吧！这里不是我们的土地，不是我们的蓝空，不是我们的太阳"，当然会使我们感动。然而，他在另一部小说《中国人》中所说的一番话也颇能把我们引向沉思。小说的男主人公向一个已在海外立足的华人问："不想家？"那人向左胸一指，回答说："随身带着，想什么！家就在这里！"男主人公茅塞顿开，豁然开朗："家和中国就在每个中国人的心里!……中国,这闪耀着过去荣耀和未来允诺的名词。中国不应该只是一个地理名词,中国不只是一个政治体系,中国是历史,是传统,中国是黄帝子孙、孔孟李杜,中国是一种精神、一种默契,中国就在你我的心里。有中国人的地方就是中国,有说中国话的地方就是中国。中国是亿万中国人对自由民主、人性理性的希望和向往。"这淋漓尽致地倾泻出来的,就是中华情结。在90年代出现的许多海外文学作品中,这种中华情结表现得丰富多彩。许多海外华人在新土上入了籍,扎了根,不久又飞向中国,做新的开拓和发展,来往于海外新土和中华故土之间,促进中外的交流。华人在海外接受高等教育的新人越来越多,能进入中间阶层的华人也日益增多,因此,这样的人物形象,将越来越多地出现在海外华文作品之中。

1997年冬,深大新村

寻求美好人生

人生，虽然有很多波折，经受不少苦难，但人类还是在不断地追求美好，希冀世界变得越来越美好，人的自身也越来越完美。我看一些优秀的海外华文文学作品，时常感受到其中闪烁着理想光辉：对人生完美的执着追求，对人、对社会的关怀，对大自然的关爱，希望世界更美好、和谐。

马来西亚作家戴小华、新加坡作家蓉子的一些作品，常引起我对人生意义的沉思：人生应该怎样才算美好？

戴小华早期写戏剧文学，她的《沙城》曾震动马来西亚剧坛。后又写过三集报告文学《风起云涌》《点石成金》《巨笔如椽》，还有中篇小说《悔不过今生》，关注社会现实，深为文坛注目。尔后，她又写了许多散文、随笔、游记，不断结集出版。《戴小华中国行》(1991)、《天涯行踪》(1993)、《深情看世界》(1993)，都很吸引人。对她的作品，我更喜欢散文。她的散文，不仅情景交融，文笔优美，而且视野广阔，才思敏捷，气韵生动，充溢着悟性灵气，透露着人生哲理，引发我们对人生意义的思索。她在威尔滑雪场，曾和一位银行家有一番对话。她问：你的财富几代都用不完，为什么还要拼命地工作，连花钱的时间都没有，你究竟为了什么？不料，那位银行家反问：你写作，伤神累人，报酬又不高，为何还要坚持不断，你又为什么？话虽不多，却触及了人生意义的真谛。人在世上活着，做这做那，忙里忙外，并不只是为了挣钱，终极还是为了世界更加美好，也为了人自身的自我完善。戴小华的创作，正表现了她的人生追求。她的父母是河北人，自己在台湾长大。这位文笔优美的现代女性，跟着丈夫到马来西亚定居，生活在一个和睦温馨的华人家庭之中，夫君体贴，婆婆和善，中华民族文化浓烈，人与人相处十分融洽。她珍惜这个小家庭，却不满足于这个小天地。她和丈夫一道走向大世界，天南海北，漫游四方，足迹遍及大半个地球。然后，她又去英国学戏剧，再赴美国攻读硕士学位，寻求女性的独立和完善，读万卷书，行万里路，和世界建立了深广且和谐的关系。因此，在戴小华的创作中，展示出一种聪慧乐观、豁达超越的现代人的胸襟。

新加坡作家蓉子的作品，也充溢着对美好未来的憧憬，呼唤美满的人生。最感动我的是《谁道风情老无份》中的一些散文。她不仅通过报刊上以秋芙、莫愁、蓉子署名的三个专栏，向青年送去温馨和友情，阐发人生意义，而且还亲手创办了"阳光爱老院"，让老年人享受美好人生的最后一程。蓉子这时所写的散文，不仅写出老人的凄凉、悲哀，儿辈的烦恼、痛苦，也写出了老人的欢乐和欣慰，抒发了人间宝贵的真情，使人感到世界还是美好的。

瑞士作家赵淑侠、美国作家聂华苓、荷兰作家林湄为我们展示了一个更为广阔的文学世界，探求人生意义的真谛，追求人生的美好。

生于松花江畔的赵淑侠，长于大陆，后去台湾，然后在瑞士定居，笔耕不辍。从《韶华不为少年留》到《我们的歌》，再到《故土与家园》，爱国情思越来越浓，越来越渴望早日实现国家的统一完整。1988年她第三次回大陆，在《当我泛舟黑龙江》中写道："意惬神怡之余间有些像在国耻的伤痕上挖疮疤，心灵深处有憾然痛疼之感。正因此，我反对分裂，台湾也好，西藏也好，都不应该独立。"祖国的完整，民族的和合，华人的融洽，这世界才能完美。于是，她精心创作了巨著《塞纳河畔》。在她的笔下，各式各样的中国人，从大陆出来的，从台湾出来的，各有自己的人生追求，最后都汇聚在巴黎，相逢在塞纳河畔，期盼祖国的统一，共祝中华的繁荣。

在大半个世纪里，聂华苓在大陆生活了20多年，去台湾10多载，然后定居美国，亦已20多年。她的丰富人生和深切体验，使她的创作富有人生哲理。她的第一部长篇小说《失去的金铃子》中，纯真质朴的少女苓子，不由自主地从淳朴的大自然中走出来，从此就失去了大自然。作品充满了对山乡大自然的眷恋。她的第二部长篇小说《桑青与桃红》中，纯真少女桑青走出大自然后，进了城市，去了台北，最后又到了美国，人性裂变，畸形发展为纵欲少妇桃红。她的第三部长篇小说《千山外，水长流》，热情歌颂人向自然和人性的复归。这是向人生美好理想的迈进，是人类在更高阶段的回归：人和人、人和自然都能和谐相处。

成长于内地，70年代去了香港，80年代末又到荷兰定居的林湄，创作热情日益炽烈，笔耕不止。她连续写出《春之颂》、《天涯路》、《异乡人》、《漂泊》、《空茫》（后名《浮生外记》）、《迷失》等文学作品。这些作品不仅生动展示了漂泊海外的心路历程，而且深入探索人生的意义。她密切关注妇女、老人、移民的命运问题，早已超越个人命运，直逼全人类共同遇到的人生价值问题。林湄在人生漂泊中经常自勉："自强不息，超越生命的活力，与生活一起燃烧。"这正是她一生追求并渗透在她创作中的人生目标和意义。

人，来到这世界上，不只是为了生存，还要发展和完善。我很高兴地看到，90年代出现的许多海外华文文学作品中，文学新一代在描写华人去海外奋斗的同时，越来越多注意到把笔力倾注在人的自我完善的追求上。对新一代旅美华人有深入体察的薛海翔，在长篇小说《早安，美利坚》一书中，着力塑造了一个融入美国社会，掌握自己命运的华人形象。主人公伍迪，从中国赴美攻读音乐硕士学位，拼命当苦力打工。但当他拿到学位时，发现美国的一切文明成果与自己无缘；一旦觉醒，愤而弃乐从商，另辟新路，往来于美中之间，飞翔于太平洋上空，充分发挥自己的聪明才智，调动一切可用的力量，终于取得成功。他终于掌握住了自己的命运，"把人生的洪流，奔泻到了另一条大河之中"。读后，给我留下了深刻的印象。在另一位作家、旅美博士严聪的笔下，不时出现怀抱理想的人物。他们靠自己的聪明才智和努力，赢得学界的崇敬，闯入国际主流社会。作者在《服气吧，老美》中说：人们已强烈地感到东方人的实力，他们确实是最优秀的民族，除了能吃苦耐劳，更有聪明才智。他笔下的美国一所名牌大学，华人获得博士学位的竟占全校研究生的三分之一，而获得优秀论文奖的，除文科有几个白人以外，全部归华人所有。海外华人正在逐渐融入国际社会，实现自己的美好人生理想，到处扎根发芽，遍野苍苍翠翠。

1997年冬，深大新村

艺术美的探求

数十年来,台湾、香港及海外许多华人学者,如徐复观、姚一苇、王梦鸥、刘文潭、叶维廉、刘若愚、夏志清、叶嘉莹、袁鹤翔、王建元等人,他们在美学艺术的领域里不断辛勤地耕耘着,为中国文化走向世界作出了各种不同的努力和令人瞩目的成就,实为可钦可佩。然而,由于历史的原因,他们所作的努力却鲜为大陆所知。

近十年来,随着文化交往的扩大,我们陆续看到了台湾、香港和海外华文学者的许多美学、文艺学著作,深受启发,感受颇多,忍不住动起笔来,略加评述。

台港地区及海外华人美学研究课题主要着重于这几个方面:一是对审美与艺术的研究,如刘文潭的《现代美学》、王梦鸥的《文艺美学》、姚一苇的《美的范畴》《艺术的奥秘》等等;二是对中国古代美学与文艺思想的研究,如徐复观的《中国艺术精神》、刘若愚的《中国文学理论》等等;三是诗学与比较诗学的研究,如叶维廉的《比较诗学》《饮之太和》等等。不少论著在注重研究文艺的审美问题时,能贯通中西来探讨美与艺术的规律及特征。试图运用现代美学、哲学理论来分析中国古代美学思想,这也是他们美学研究的特色所在。这里,我们拟作一些综合的考察。

一

美学主要研究什么?美学研究的目的、意义、价值何在?这是美学中至今尚无定论的重大问题。西方古典美学以为,美的目的和内容仅在认识美。对此,姚一苇鲜明地指出:"我以为吾人学习美学的目的,不只是对美的认知,更重要的是如何创造美,或者说如何增益美的创造能力。在此前提之下，我的第一步工作是自艺术品入手。"①台港地区及海外华人的美学论著大多以研究艺术为中心。如刘文潭的《现代美学》就是研究、分析现代西方美学中的多种艺术观和艺术理论，探讨、解决艺术中的审美问题。王梦鸥在《文艺美学》中也说："文学与非文学之辨，甚重要处即在于审美的目的之有无。"美学范围可以是宽广的，它包括现实美与艺术美，美感经验与审美活动，审美关系与审美中介等等。但艺术则是美学研究的中心或主要对象，原因是多方面的：其一，人类社会中的审美现象可以是多种多样的，而艺术无疑是美的集中形态；其二，人在现实生活、劳动实践、交往实践与科学实践中都可能产生审美体验、审美感受、审美活动，但艺术无疑是人类审美体验、审美感受、审美观念及审美理想的集中体现；其三，如果说人与现实的审美关系是一种无目的的合目的性、无概念的合规定性、无意识与有意识的统一这样的关系，那么艺术无疑是集中体现了这种关系。把艺术作为美学研究的主要对象，这大致符合美学史发展的实际。

那么，艺术究竟是什么？这是一个古老而常新的问题，也是一个悬而未决的课题。在对艺术特质的探索中，美学扮演什么样的角色呢？姚一苇认为艺术品系人类的创造品，因此必定表现为人类的精神价值，形成人类精神文明的重要环节；而艺术总是特定的历史、社会和时代的产物，体现特定的社会和时代的意义。因此，从人类学、历史学、文化学、社会学的观点出发去研究艺术是很有必要的。艺术品又总是同艺术家自身的性格、教养及不同的生理条件和心理状态有密切的联系，因此也可以从心理学、生理学的角度对艺术作探索。但是艺术品一旦成立，便成为审美的客体，而对"审美客体所作的论断，正是美学研究的范围"②。美学对艺术的研究不同于人类学、历史学、社会学等对艺术的研究，它首先把艺术作为一种审美对象来研究。艺术之所以为艺术，必定首先体现出一定的审美价值。

那么什么是艺术的审美价值呢？这正是美学要回答的重要问题。

---

① 姚一苇：《美的范畴·绪论》，台湾开明书店，台北，1978年。
② 姚一苇：《艺术的奥秘》，台湾开明书店，台北，1968年，第2页。

刘文潭认为现存的各派美学理论，没有一种能够对这个问题作出单独包揽的解答。他认为要解决这个问题，不应限于一家之言，囿于一察之见，应当集众说之长，去众说之短。而多种理论并不都互相排斥，可以相辅相成。艺术是多元的、多层次的，因而对艺术的分析、批评也应是多角度的、全方位的。对此，刘文潭认为就有必要首先认清各派学说的真面目，掌握各派学说的真精神，从而寻求一条通达艺术王国的答案。他的《现代美学》就是遵循这个原则，通过对现代西方美学的诸种理论、观点的分析、批判，来探讨艺术的审美价值。

刘文潭把艺术分为艺术创造过程、艺术品和艺术欣赏与批评三个环节，然后逐步加以分析。首先，他提出艺术创造因何而来，人为什么要创造艺术。对这个问题的揭示无疑同"艺术是什么"是密切联系的。从美学史上看，对这个问题也有多种看法。

一种看法认为艺术创造在于游戏。刘文潭认为追根溯源，游戏说乃是康德最早提出来的，而席勒可以说是持游戏说的重要代表。他认为艺术乃是趣味加诸游戏之想象活动的形式，而过剩的精力乃是游戏与艺术之共同的根源。刘文潭提到，德国的艺术史家朗格更是主张：游戏是孩提时代的艺术，而艺术是形式成熟的艺术。刘文潭则不以为然：艺术虽带有游戏性，但艺术绝不止于游戏。这是因为尽管游戏与艺术两者之间有极大相似性，即都可以是一定的群体性与社会性活动，但艺术则更多地表现出艺术家个体的人格和理想。而游戏者这种个性与理想，多半淹没在游戏中共同的群体性与社会性之中。因此，艺术必定"具有高度之特殊化的内容，它常是自艺术家个人问题或生动的经验中提炼出来的精华。所以从艺术之中，我们才能够获得洞悉具体之人性与人生价值的慧见。这对游戏而言，则不免是奢求了"①。

还有一种说法认为，艺术是在制造美的事物，艺术创造在于给人以美感。这里，刘文潭特别分析了桑塔耶那的观点。在桑塔耶那看来，"美乃是客观化的快感"。但并非所有的快感都是美，只有当知觉过

---

① 刘文潭：《现代美学》，台湾商务印书馆，台北，1967年，第11页。

程本身带有快感,即在对于外物知觉和外物所引起的快感无从区分、莫辨根由的情况下,于是我们仿佛觉得美与快感即为对象所本有的一种性质了。但刘文潭认为,如果艺术即在于制造这种美的快感,就不免要显得有些不切实际了,因为姑且撇开悲剧不谈,仍有许多艺术作品并不给人带来美的快感,甚或是反美为丑、惨不忍睹,如罗丹的《老妓》、戈耶的《五月三日的屠杀》等等。艺术家为何要一反常情处心积虑地舍美而就丑、弃乐而取悲?这是一个值得探究的问题,但却说明创造在于制造美的快感的说法是不全面的。

接着刘文潭又分析了创造中的情感说、表现说与欲望说,一方面肯定了它们与艺术创造的某种联系,但也指出了它们各自的片面性。比如持欲望说的弗洛伊德认为,艺术创造完全是艺术家的白日做梦,是潜意识中的"里比多"所致,这未免以偏概全。刘文潭认为,许多写实的作品或自然主义的作品,显而易见并非出于艺术家的梦想或"里比多"。对此,同是持欲望说的荣格则认为,自心理学的观点探讨艺术,不外从两个方面入手:一方面是要解释艺术品的形成;另一方面则在于揭发那促使个人从事艺术创作的因素。这两个问题是截然不同的,前者要分析的乃是确定具体艺术活动的成就;后者要分析的则是富有生气与创造力之独特的人格。于是,荣格主张:我们不能以艺术品解释艺术家,也不能以艺术家解释艺术品。荣格把艺术创作的方式分两种,即心理学式艺术创作(the psycological mode of artistic creation)与幻想式①艺术创作(the visionary mode of artistic creation)。后一类创作显出陌生而冷冰,邪恶而怪诞,它超出人类理解范围,乃是潜在于人心深处之奇怪的东西。和弗洛伊德之强调个人的潜意识相反,荣格在此强调创作中的集体潜意识。所谓集体潜意识乃是由遗传的力量所形成之心灵的倾向。他认为举凡伟大的诗人或艺术家无不是经他们自己所受的集体潜意识的指使。他这样说:"那偷偷爬进艺术品中之个人的特性并不是主要的,事实上我们越是讲究这些特征,便越不成其为艺术的问题。艺术品的要素,乃是超

---

① 刘文潭译作《灵见式》。

乎个人生活领域上的东西,与其说它是从诗人或艺术家个人的精神或心灵中所发出的心声,还不如说它是以诗人或艺术家为代表,从人类的精神或心灵中所发出的心声。在艺术的领域之中,属于个人的方面不仅是一种限制,甚至也可以说是罪恶!"①基于这种见解,荣格认为,不是歌德创造出《浮士德》,而是《浮士德》创造出歌德。浮士德不过是一个象征,象征的不过是那埋藏在每一个德国人灵魂深处的东西,歌德不过帮助它产生而已。对于荣格的这些论点,刘文潭指出,一方面,对荣格对弗洛伊德把艺术创作归之于纯属个人之经验或欲望作了批判是值得肯定的;但另一方面,"他却在无意之间借着一个形而上学的假定——集体的潜意识——将艺术家独特的个性完全抹煞,将艺术家特有的创造力彻底勾销,这样一来,艺术不再是个有独特之个性,并富于创造力之艺术家的产品,却像迷信中急欲托体显灵的游魂,谁被它依附上谁就成了它指使的行尸(因为被它依附的人,再也没有属于自己的情感与意志)。若实情果然如此,我们除了同情身为艺术家那种不幸的遭遇之外,再也看不出他还有什么值得我们赞赏之异乎寻常的伟大处了。试问:如果荣格所言属实,是'浮士德'创造出歌德,而不是歌德创造出'浮士德'的话,那我们又何贵乎歌德呢?"②

如果说,刘文潭的《现代美学》重在对西方诸美学流派作综合分析,那么王梦鸥的《文艺美学》则重在运用这些理论来探讨文学艺术的审美特征。他认为文学是表现美的文字,文学成为艺术在于它的审美目的性。文学的审美与自然的审美是不同的,一为人为的符号,一为自然的符号,但他认为两者在本质上是相通的。如他提到竹坡诗云:"余尝独行山谷间,古木夹道交阴,唯闻子规应木间,乃知'两边山林合,终日子规啼'之为佳句也。"我们历览名山大川,遭逢外在事故,所得外在经验,是将现实形象简化、抽象化贮藏为内心的符号。而我们阅读游记或小说则将外在简化、抽象化了的符号转变为想象的形

---

① 刘文潭:《现代美学》,台湾商务印书馆,台北,1967年,第84页。
② 同上书,第87页。

象而已,本质上都是一致的。一般认为,人为符号必待学习,而自然符号则可不学而能之。而克罗齐则认为:"人为符号固须习成,而自然符号也须有训练而能知解它的人们始能生效",因此"自然符号并不存在,一切符号都是习成的,说得精确点,它们都是受历史条件的决定"①。对此,王梦鸥不以为然。他认为我们眼睛之见物,耳之辨音,耳目所获得之符号都是直接的,不假学习的。唯独我们欲知所见者为何物,所辨者为何音,我们欲知那符号的内容,始有待学习而后知之。因而我们必须将符号的形式与内容分开来讨论,亦即符号的形式,只要我们的感官无碍,就可以不学而得之。至于符号的内容,不管是他从别处学来的或是自己反省而来的,对意义的了解都有偏差、不一致。这就是说符号的意义不能全知,所谓"学无止境",其实即指学习这符号的内容的知解而言。这也就形成了主观合目的性的差异,为此文学史上往往因一字之差而争论不休。如康德所说,审美判断是一种趣味判断,而趣味判断就是建立在服从主观合目的性的原理之上。如说此酒味甚美,等于说明酒正合吾意。美者,实即"我意"之构造物,而构成我意皆为习成。由于每个人的历史背景、生活经历、学习程度等不同,就决定了这种"我意"的差异,即主观合目的性从个人来说是千差万别的。那么文学给了我们什么呢?王梦鸥认为首先是符号的印象,接着是符号的表象,再是完整的符号意义。但这符号的意义与其说是在文学作品上,不如说是主观所固有的某种符号与之相应而成立的结果,即是主客观合目的性统一的产物。因此尽管一千个人有一千个哈姆雷特,但合目的性是一致的,即人们往往用主观所固有的最妥当的符号意义来适应客观符号意义。如"两岸猿声啼不住,轻舟已过万重山"这些符号,尽管我们并未实际听见过"猿声",甚至也没有乘舟的经验,但我们能以自己曾经听过某种特异的声音为猿声,或以乘车的经验来适应这些符号,形成主客观的合目的性,同样也能获得美的感受。

为此,王梦鸥特别强调中国古代的意境论,认为意境就是主客观

---

①刘文潭:《文艺美学》,台湾商务印书馆,台北,1967年,第160页。

合目的性的统一,文学创作重要在乎意境,它是文学美的根据。如果文学作品没有创造出意境的符号,至多是个未与主观目的性发生关系的客观物,它只是主观感觉的形式或材料。如朱熹论诗云:"古人诗中有句,今人诗便无句,只是一直说将去。这般诗,一日作百首也得。如陈简斋乱云交翠壁,细雨湿青林,暖日熏杨柳,浓阴醉海棠。他是什么句法。"[1]这里的"句"即指"意境"。"暖日熏杨柳"只是客观的符号记录,并未同主观合目的性相联系而成为一种"表现"的境界。再如刘长卿的"细雨湿衣看不见,闲花落地听无声",用了许多符号,仅只构成一点感觉的材料,也就难以达到美的意境。王梦鸥认为,这种意境即是哈特曼所说的假象。哈特曼认为,"美的支持者即为假象",而这假象的美既非事物生出的,也非观者生出的,而是二者共同作用生出的,也即是主客观的合目的性的产物,是作者从现实中抽象出来的超主观的现实。因而伴随着这假象而生的感情也是假象的,即美的感情不是现实的快与不快之感,它或是愉快的,或是痛苦的,但因为不是现实的,故给人以美感。平常我们所说的诗情画意,实即将现实形象符号化为一种假象与感情,如"鸡声茅店月,人迹板桥霜",其中不但有"画"一样的画意,同时,我们会因这假象世界的感觉而激起感情,即诗情。因此,有假象世界,就有假象感情,亦即有"意"也有"境"。

如果说刘文潭、王梦鸥主要着重于对美与艺术的关系的探讨,那么姚一苇则更多对艺术内部特征和构造作解剖。他的《艺术的奥秘》正是通过一系列具体的艺术范畴,如想象、鉴赏、象征、意境等,来寻求揭示艺术奥秘的途径。如他在《论想象》这一章里认为,艺术创造的关键在于想象力,这种想象并非只是意象(image)的召回或经验的再现,它包含了艺术家个人的远为复杂而深邃的心灵的作用,这种心灵作用也称"创造的想象"(Creative imagination)。这也是一个艺术家必须具备的基本能力,没有想象或缺乏想象力的表现,最多只能是一个工匠,永远与艺术无缘。因此,"当吾人要探讨艺术的奥秘时,对

---

[1] 刘文潭:《文艺美学》,台湾商务印书馆,台北,1967年,第183页。

于一个艺术家的创作时的心灵作用或想象力的阐明,便成为最先与最重要的工作。"①对于想象,西方美学史上对此有过多种说法,早在柏拉图时就提出诗人的"癫狂"(manike)实即为诗人的一种特殊的心灵状态,非人人能获得。后至德国大诗人歌德,更揭示出诗人创作时的心理状态。他说:"在作诗以前,我没有关于那样的诗的什么印象与预感,它们却突然侵袭我,要求我立时写成,因此我就觉得被强迫把它们当即本能地做梦似的写下来,在这样梦游病状态之中往往有这样的事,就是我的面前的一张纸完全歪斜地摆着,到了通通写好了的时候,我才觉察。"这样写诗,人的创作、想象纯然是不自觉的活动,有如做梦。因而,"作为诗人而努力想把什么抽象的东西具体化,这不是我们的癖性。我在心里感受了印象,而且是活泼的想象力所供给我们那样的感官的、生气洋溢的、快乐的、多种多样的印象"②。这样,在歌德看来,创造的想象不只是知性的,更重要的是感性的;不只是自觉的,而且是不自觉的。至浪漫主义时代的柯勒律治,更是强调艺术家的这种特殊的心理状态,他说:"诗人是将儿童期的单纯带入成人的才能中。"因而诗人是一个哲学家,也是一个孩子,是理性的又是感性的,是自觉与不自觉的结合,能结合二者的,柯勒律治称之为天才,唯有天才具有这种创造的想象力。而到近代弗洛伊德,更是强调艺术创造中的无意识作用,艺术家的创造成了白日做梦,对后来艺术创造产生过巨大影响。柏列顿(Breton)在发表《超现实主义宣言》中说:"把你自己尽可能置于最被动的接受的状态。抛开你的天才,你的才能和那些属于每个人的东西……尽快地写,不需要任何预先构想的内容,快到不愿忍住和不顾重读。"③艺术创作已完全除去了理性的成分,而成了一种无意识的流露。对此,姚一苇认为艺术创作确是同人的潜意识中的人的本性、种族、被压抑的欲望、创伤的记忆等具有某种相关性,但不是无限的或全部的,而是有一定范围的,否则完全强调艺术创造的无意识性,那是闭眼不顾史实。古往

---

① 姚一苇:《艺术的奥秘》,台湾开明书店,台北,1968年,第20页。
② 同上书,第23页。
③ 同上书,第29页。

今来多少伟大的艺术作品,都是艺术家穷年累月的创造,如贾岛自谓"两句三年得,一吟双泪流"。歌德的《浮士德》更是积60年之久,其中的辛酸苦辣可以想知。因此,姚一苇强调艺术创造更在于意识的作用,如仅在于无意识,岂非人人都成了艺术家了?他认为,艺术家的创造的想象表现为这样几点:第一,想象的活动是一种意识活动,尽管不排除潜意识。但艺术家不仅在于搜集资料(即素材),潜意识至多提供一些资料。而艺术创造还要通过艺术家的这些资料进行裁剪、组织、整理等,以创造出一个全新的秩序,这就必须是有意识的活动。第二,想象的作用是二重的,一方面是知的作用,另一方面为感的作用。前者即为组织秩序而言;后者是指不脱离我们的感官来把握这些资料。第三,想象的活动因此不能脱离知识与经验。知识与经验不仅可以丰富他的想象力,同时也可以增长他的表现能力。但姚一苇进一步指出,这种知识与经验不同于一般的知识经验,它在这里必须化成艺术家的身体与心灵的一部分,与他的血肉相关。也就是说,他的创作可以不附任何目的,不为名,不为利,在贫困中创作,在富裕时也创作,在忧伤时创作,在欢乐时还创作。创作,创作,永远创作,他的生命与创作相结合。假如他与艺术已结成不解之缘,知识与经验才能对他的想象力发生真正的影响。因此,在姚一苇看来,艺术的想象绝非胡思乱想、任意堆砌,它表现为一种有组织的设计,将一些平凡、肤浅、人人知的现象转变为一种美妙的、神奇的事物,是化腐朽为神奇的工作!

二

那么,什么是文学?建立一个能被普遍接受的文学定义是否可能?法国结构主义者托多洛夫认为,因为令人满意的文学定义尚未发现,因此,结论是"或许文学并不存在"[①]。对此,刘若愚认为,即

---

① [美]刘若愚:《中国文学理论》,杜国清译,联经出版事业公司,台北,1981年,第305页。

使我们永远达不到确定的文学的定义,但如果每个批评家都将他自己所谓的文学说明白,即"我所谓的文学是具有如此如此功用的东西",或者是两者的结合,这会有助于我们进一步加深对文学的认识。正是从此出发,即把功用的定义与结构的定义结合,刘若愚认为,"文学是一种艺术,以及文学是语言写成的"。文学同绘画、雕刻、音乐同属于艺术,它们具有相同的艺术功用;但在结构上与其他艺术不同,它的表现媒介是语言。只是这语言在用途上与一般语言也是不相同的,即它是服务于艺术功用的。因此,文学可以定义为"艺术功用与语言结构的交搭"。这并不是说文学不能达成其他功用,如社会的、政治的、道德的等功用,但这些功用并非一件作品所以为艺术作品的原因。

那么,什么是文学的艺术功用?刘若愚认为:"第一,(在作者方面)通过创造想象的境界而扩大现实,(在读者方面)再由创造想象的境界而扩大现实;第二,作者与读者双方对创造冲动的满足。"[①]为了详细说明这种文学的艺术功用,他提出包括自然界与每个人所生存的人类社会或文化世界(如胡塞尔的Kultur-welt)、外界与自我的交互作用,构成一个人的经验世界或生存世界。作者在创造过程中,探索他的"生存世界",以及他的想象中的其他的、可能的世界,在此基础上创造出一个境界。这一境界一旦被创造出来,就不同于作家的"生存世界",也不存在于现实世界中。它还只是作为一个可能的存在,有待读者的意识再加以创造出来。因而,文学的艺术功用重要的一方面就在于创境(Created world)。对于一个作家的"生存世界"的考察,是传记作家的工作,而批评家所关心的是作品的创境。

关于文艺的创境,这也不是一个新概念,王国维在《人间词话》中曾说:"有造境,有写境;此'理想'与'写实'二派之所由分。"刘若愚认为这不是"理想"与"写实"之分,实为大诗人与次要诗人之分,

---

[①] [美]刘若愚:《中国文学理论》,杜国清译,联经出版事业公司,台北,1981年,第307页。

因为文学必须创境。而西方的艾布拉姆斯提出的诗中别有天地(the poem as hetercosm),在西方已成为批评的常识了,这实际也是文学中的境界问题。英伽登也曾指出,在每一件文学作品中,有一种"多少确定了的背景,它与表现出的对象,构成一个存在界(Ontic sphere)",这个"存在界"即"境界"。英伽登进一步指出,"表现出的对象"所具有的现实特性,不该"与真正存在的真实对象的存在特性视为同一"①。杜夫海纳更进一步说:"作者全力以赴的不是描写或模仿某一预先存在的世界,而是唤起他们再创造的世界。"②并且他在说明这个审美对象的世界时,显出与中国古代批评理论的某些相似。如他论及"境界气氛"(Atmosphere de mond),认为是"文字所不能翻译但在唤起感觉中,将本身传达出来的某种特质"③。这如同中国古代批评的"气象",实为境界的表征。严羽曾提到"气象混沌,难以句摘",还有什么"水中之月,境中之象"、"言有尽意无穷"、"似与不似"等等,都是说明这种"气象"的特征的。

因此,艺术创作过程实际为艺术家创造一个想象境界的过程。而当作家成功地完成了一个境界的创造时,他即感到了一种创造冲动的满足,这也就是艺术功用的第二方面。这种创造冲动不同于任何有目的的动机,如社会的、政治的、道德的或金钱的——这些动机,作家也可能具有,但不能说明他对艺术媒介的选择。作家何以要创作?刘若愚认为,作家或艺术家并非为了自我表现而创作,创作冲动只是一种朦胧的直觉,一种幽微的激动。人类想创造一些什么,并在创造中得到满足,这是极其自然的事。这样,在他看来,艺术家创造完全是无目的的、无意识的、非自觉的活动;因而,他认为一个小孩画画的创造冲动的满足同达·芬奇画《蒙娜丽莎》的满足程度是一样的。但艺术品的艺术价值还在于它是否能使别人也感到同样的满足,这也是艺术功用的重要一面。艺术还必须满足读者的创造冲动,因为艺术品

---

① [美]刘若愚:《中国文学理论》,杜国清译,联经出版事业公司,台北,1981年,第311页。
② 同上。
③ 同上书,第312页。

最后完成即在读者。艺术品本身只是一种可能的存在，还有待于读者加以实现，或如英伽登所说的具体化（concretization）。故刘若愚说："一首诗不是该是诗，而是该变成一首诗。"这里"变成"（become）的过程，就是读者从作品字句结构中再创造境界的过程，也是追随作者创造的境界的一个近似的再演。这里只能是近似，因为读者的经验不可能真正与作者的经验完全一致。因此，读者所创造的境界，不应被误认为是作者的"生存世界"和作者创造的境界，这是由于语言能力、知觉力、想象力、个性气质等多种因素的差异所决定的。一般说来，读者的"生存世界"越是与作家相交，再创造的境界也就越类似原来的创境。同时读者在完成这个创境时，也在阅读过程感到这是一篇成功的作品，体会到这些正是适当的字句。正是适当的程序，就会给读者带来一种满足。这种满足不能看作是"快感"，因为即使给人以恐惧或惊悸，只要合乎作品中的程序，同样也能得到满足。在考察了文学的艺术功用之后，刘若愚最后这样说："以所提议的文学理论的大要暗示着：一件文艺作品是指涉的，也是自我指涉的，是离心的，也是向心的，是命意者（Signifiant），也是被命意的（Signifie）。换句话说，一件文艺作品的字句结构，即超越它本身，同时也将注意力引向它本身。在超越它本身时，它现出创境，那是现实的扩展；而在将注意力引向它本身时，它满足了作者与读者的创造冲动。这个理论当然无意作为'文学是什么'这一问题的最后解答，只不过是一个有助发现的原则……假如别的批评家，不论关心的是中国文学或任何其他文学，发现它是适用的，这自然是莫大的欣慰；假如在另一方面，他们不以为然，因此而再检讨他们自立的假设，形成他们自己的理论，那么我也做了一些有用的贡献。"[①]

[①] [美]刘若愚：《中国文学理论》，杜国清译，联经出版事业公司，台北，1981年，第324页。

三

科学、道德、艺术可以说是人类文化发展中的三大支柱,但在中国传统文化里,相对地说,科学不如道德、艺术发达。科学在这里不能仅仅理解为"四大发明"这样一些技术创造,它更主要是一种大无畏的探索真理的精神,同时又是一种方法——具有严格程序的方法。中国传统文化里突出两大支柱:道德与艺术。而道德精神中,又很重视"君君、臣臣、父父、子子",要人们安分守己、尽伦尽职等。这种道德早已被"五四"以来的先进的知识分子加以猛烈的抨击,声名狼藉。但这种封建道德对中国人心理产生的严重影响,至今仍是不能低估。而中国传统文化里的艺术精神并未遭到厄运,对此,台湾学者徐复观在他的《中国艺术精神》一书中说:中国艺术精神是从人的具体生命的心性中,发掘艺术的根源,把握到精神自由解放的关键,并由此在历史上产生了许多伟大的作家和伟大的艺术作品。因而他认为,"中国文化在这一方面的成就,也不仅有历史的意义,并且也有现代的、将来的意义"[①]。

什么是中国艺术精神呢?徐复观说他写作《中国艺术精神》的动机,就是要通过有组织的现代语言,运用现代美学、哲学理论把中国艺术精神的本来面目显发出来,让世人知道中国文化中的这一擎天大柱,并使其堂堂正正地汇入整个人类的文化大流中去。严格来说,中国古代美学只是一种潜美学,它尽管有许多深邃的思想,但缺乏系统的理论形态,多感悟式的、即兴的,点到即止。美学是一门高度抽象的思辨科学或哲学,如果我们对中国古代美学的探讨与分析停留在这感悟的、即兴的潜在层次上,那么中国古代美学中许多深刻、丰富的思想和精致的趣味判断就会被理论形态的中断性、模糊性所淹没,甚至会堕入神秘主义而让人不知所云,如"只可意会,不可言传"等等。因此,如何使中国古代美学由"潜"的状态过渡到"显"的状态,如何使中国古代美学走向现代、走向世界、走向未来,无疑是一件十分重要

[①] 徐复观:《中国艺术精神》,台湾"中央书局",台北,1966年,第2页。

的工作。徐复观较早地注意到这些问题,并提出许多独到而深刻的见解,值得我们借鉴。

徐复观在他的《中国艺术精神》的十章中就有八章专论中国古代绘画与画论,中国绘画可以说比较集中地体现了中国艺术精神。然而对于中国文化中的艺术精神,穷究到底,却有由孔子与庄子所显出的两种类型。徐复观认为孔子可以说"是中国历史上第一位最显明而又最伟大的艺术精神发现者"。他认为孔子的艺术精神即建立了"为人生的艺术",强调"乐而不淫,哀而不伤",认为艺术形式同一定的礼的规范内容统一于一起,即"文质彬彬"。"文犹质也,质犹文也",因而他推崇的《韶乐》是尽美矣,又尽善矣。这"善"即"仁",孔子要仁中有乐,乐中有仁。徐复观说:"假定我们承认一个人的人格,乃至一个时代的精神,可以融透于艺术之中;则我们不妨推测,孔子说韶的'又尽善'正因为尧舜仁的精神,融透于韶乐中间去,以形成了与乐的形式完全融合统一的内容。"①

"乐"与"仁"如何统一的呢?徐复观认为这是孔子的乐的本质与仁的本质,有其自然相通之处,即它们都可以以一个"和"作总括,如:"礼之敬文也,乐之中和也"②,"乐言是其和也"③,"大乐与天地同和,大礼与天地同节"④,"乐以发和"⑤。而把乐的"和"的意义说得更具体的是班固编的《白虎通德论》卷二《礼乐》所引的孔子的一段话:"子曰,乐在宗庙之中,上下同听之,则莫不和敬。在族长乡里之中,长幼同听之,则莫不和顺。在闺门之内,父子兄弟同听之,则莫不和亲。故乐者所以崇和顺,比物饰节。节奏合以成文,所以和合父子君臣,附亲万民也。是先王立乐之意也。"因而称"乐合同","乐统同","乐者异文合爱者也",等等;而仁者必和,所谓"仁者爱人"极其量是"天下归仁","浑然与物同体",这与"乐合同"的境界有其

---

① 徐复观:《中国艺术精神》,台湾"中央书局",台北,1966年,第15页。
② 《荀子·劝学》。
③ 《荀子·儒效》。
④ 《礼记·乐记》。
⑤ 《史记·滑稽列传》。

自然会通统一之点。孔子对弟子曾点"暮春者,春服既成,冠者五六人,童子六七人,浴乎沂,风乎舞雩,咏而归",赞叹"吾与点也",实际是对"仁"的最高精神境界的赞叹。在这里,道德的最高境界与艺术"大乐与天地同和"的境界何其一致!因而艺术与道德,在最深的根源处,在最高的境界中,得自然而然地融合统一。为此,道德充实了艺术的内容,艺术助长了道德的力量。孔子建立的为人生的艺术精神的意义也在于此。

为此,孔子特别强调艺术的教化作用,即艺术首先是有助于政治上的教化,是为达到仁的人格完成的一种工夫。礼作为一种"制之于外"的制约力,是一种对人的外在规范,实是消极的教化。而乐则从人的生命根源之地,即"穷本极变,乐之情也",对人的性、情加以疏导、转化,使人不期然地得到教化,这是积极的教化。实际上,孔子是要人们以自己的力量去完成自己的人格,从而达到社会的谐和,所谓"其感人深,其移风易俗"。孔子的这个对艺术的社会功利作用的夸张,所谓"非天子,不议礼,不作乐",对中国产生了极深远的影响。孔子更强调的是在生命根源的心性中仁与乐的统一,所谓"乐由中出",既非出于人的情欲,也非是后人弗洛伊德的潜意识、性欲等,而是在生命根源之处,将情欲与道德融合在一起,情欲因此得到了安顿("乐而不淫"),道德因此也得到了支持("情深而文明","致乐以治心")。两者圆融不分,化向无形无迹,称之为"化神"。于是道德便以情绪的形态而流出,"仁"对于一个人而言,不再是作为一种规范去追求它,而是在情绪中享受,成为生命力的自身要求。因此孔子强调"为人生的艺术",绝不曾否定作为艺术本性的美,而是要求美与善在生命的最深处,也是艺术的最高境界中,得到自然的统一。而这种最高境界的达到,还有待于人格自身不断地完成,即如孔子所言的"下学而上达"的无限向上的人生修养,透入到无限的艺术修养中去。此时之"乐",乃是"上下与天地同流"的大自由、大解放的"乐",也是超艺术的真艺术。徐复观认为孔子的这一为人生而艺术的精神,"必须在这种根源之地领取。论中西艺术之异同得失,也必须追溯在这种根源之地来作论断。否则依附名义,装套格架,只是不相干的废话"①。

孔子的艺术精神至战国末期开始走向衰落,这是因为孔子把艺术作为完成人格修养的工夫,这种工夫非一般人能轻易达到。而且,完成个人的人格修养的"乐"并非是唯一的工夫所在,如儒家讲的"忠恕"、"克己复礼"、"知言养气"、"正心诚意"、"主敬"、"致知"等都是人格修养的途径,为此后世复兴儒学,并非一定取途于"乐"。因而孔子的这一"为人生而艺术"的精神,多只合于少数知识分子的人生修养之用,难以合乎大众的要求。但是徐复观认为真正伟大的艺术总是对人生社会提供某一方面的贡献,因而孔子的"为人生而艺术"的境界,"就人类艺术发展的前途而言,它将像天体中的一颗恒星一样,永远保持其光辉于不坠"②。

徐复观认为以仁义为内容的儒家人性论,极其量于治国平天下,从正面担当了中国历史的伦理、政治的责任。而以虚静为内容的道家的人性论,在成己方面,后世受老子影响较深的,多为操阴柔之术的巧宦;而受庄子影响较深的,多为甘于放逸之行的隐士。他认为老庄思想富于思辨的形而上学的性格,其艺术出发点及归宿点,依然是落实于现实人生之上。老子是想在政治、社会剧烈转变之中,能找到一个不变的道,以作为人生的立足点。庄子也是顺着这一愿望发展下去的。老庄是一种"上升的虚无主义",他们在否定人生价值的另一方面时,同时又肯定了人生的价值,即肯定人生必有所"成",然"成"的是虚静的人生,这虚静的人生使人不易把握,似有消极挂空的意味。那么能不能运用现代语言观念,即运用现代美学、哲学理论去探索这一伟大思想,进一步提出老庄归根到底是认为人生只是一种虚无而一无所成,还是实际有所成,而为一般人所不曾了解?徐复观说:"这几年来,因授课的关系,使我除了思想史的问题外,不能不分一部分时间留心文学上的问题;因文学而牵涉一般的艺术理论,因一般的艺术理论而注意到中国的绘画,于是我恍然大悟,老庄思想当下所成就的

---

① 徐复观:《中国艺术精神》,台湾"中央书局",台北,1966年,第33页。
② 同上书,第40页。

人生,实际是艺术的人生,而在中国的纯艺术精神,实际系由此一思想系统所道出。中国历史上伟大的画家及画论家,常常在若有意若无意之中,在不同的程度上,契会到这一点;但在理论上尚缺乏彻底的反省、自觉。"①为此,徐复观意欲补此缺憾,以开中国艺术发展的坦途。他称老庄的思想实为中国艺术精神主体之呈现。

老庄所建立的最高概念是"道"。人生的目的是"体道",形成"道"的人生观。徐复观认为在现时看来,从深一层去了解,老庄的"道"正适应近代的艺术的精神。但是他们的思想起步的地方,根本没有艺术的意欲,更不曾以某种具体艺术作品作为他们追求的对象,可以说"道"之于艺术完全是风马牛不相及的。对此,我们有些研究者脱离老庄的哲学本体去侈谈什么老庄的艺术思想,于是老子的"大音希声"成了"音乐美在它自身",庄子的"天地有大美"是要人们"充分注重自然的规律性"等等,难免胶柱鼓瑟、捉襟见肘了。徐复观说,若我们不从思辨的形而上学的路数去看,如从观念上去加以把握时,这"道"便是思辨的形而上学的性格;而当我们从他们由修养的工夫所达到境界去看,实是一个伟大艺术家的修养工夫。他们由工夫所达到的人生境界,本无心于艺术,却不期然地达到今日所谓之艺术精神上。但这里有两种情况必须加以界定。

一是说概念上只可以用"道"来范围艺术精神,不可以用艺术精神去范围他们的"道"。因为道还是有思辨(哲学)的一面,并且他们是面对人生而言"道",而不是面对艺术作品而言"道",因而从名言上讲,"道"也是较艺术范围为广的。我们有的学者曾认为"庄子的哲学是美学",其实正确的应是"庄子的美学是哲学"。因为在老庄那里,很少是直接论述美与艺术的,甚至有时是极端排斥美与艺术的,尽管老庄的思想有着深刻的美学意义。但我们不得不正视这个事实:老庄的本意并非是论述美与艺术。因而"庄子的哲学是美学"这个命题缺乏客观依据。二是说"道"的本质是艺术精神,乃是就艺术精神的最高的意境上说。人人皆有艺术精神,有多种层次之不同,也可以

---

① 徐复观:《中国艺术精神》,台湾"中央书局",台北,1966年,第47~48页。

只成为人生中的享受,而不一定落实为艺术品的创造,因为"表出"与"表现"属于两个阶段的事。这最高的艺术精神实是艺术得以成立的最后根据。

艺术总不能离开美,离开乐(快感);艺术创造也离不开"巧"。然老庄都几乎否定美、乐、巧,这如何解释?徐复观认为老庄由于不满于当时贵族腐烂、虚伪、奢侈之弊,因而否定世俗的浮薄之美、感官之乐,轻视刻意雕琢之巧。他们是要从世俗之美追溯上去以把握天地的"大美",从世俗的感官快乐超越上去达到人生的"大乐",从刻意雕琢的小巧突破上去更进一步追求"惊若鬼神"与造化同工的"大巧",这实际上也是求得由根源之美而来的人生根源之乐。儒家也重视乐。儒家的乐来自"仁",因为"仁"本身含有对天下不可解除的责任感,因此儒家对己是乐,对天下国家而言则是忧。孟子说:"君子无日不忧,无日不乐。"而庄子之道则是超越于一般忧乐之上,而得至乐、天乐,是"知忘是非,心之适也。不内变,不外从,事会之适也。始乎适而未尝不适者,忘适之适也"①。这是成就人生的大乐,也是最高艺术境界之乐。此之乐实乃是使人的精神得到自由大解放。

西方许多美学家都认为艺术是对自由的表现。李普斯认为"美的感情"是对于"自由的快感"。海德格尔则认为"心境越是自由,越能得到美的享受"。柯亨则认为艺术领域的意识方向,是指向自由活动的。卡西尔也认为艺术"是给我们以用其他方法所不能达到的内面的自由"。②然而庄子不同于现代美学家,他并不把美与艺术作为一个追求的对象加以思索、体认,庄子只是想在大动乱的时候从所受的桎梏中自由地解放出来,为此不可能求于现世,也不能如宗教那样求之于上天,而是求之于自己的内心,即在自己的精神中求得自由解放。此时得到自由解放的精神,即庄子所说的"闻道"、"体道"等,实为最高的艺术精神的体现。徐复观认为这种精神的自由解放,可以用庄子的一个"游"字加以表征。《庄子》一书的第一篇即为《逍遥游》,"游"

---

① 《庄子·达生》。
② 徐复观:《中国艺术精神》,台湾"中央书局",台北,1966年,第60~61页。

在《尔雅》中释为："游,戏也。"庄子《在宥》对鸿蒙的"游"的性格作了描绘,"游"即为当下所得的快感、满足外,没有其他目的。这一点符合艺术本性,因而西方的达尔文、斯宾塞等曾提出艺术起源于游戏,席勒也曾提出:"只有人在完全的意味上算得是人的时候,才有游戏;只有在游戏的时候,才算得是人。"徐复观认为庄子的"游"同席勒的观点相近,即在表现高度自由自觉的精神境界上,"游"与艺术两者是同一的。因此,庄子的"至人"、"真人"、"神人"实即能"游"的人,即艺术化了的人。庄子的"游"并非是具体的游戏,而是取于具体游戏中所呈现出的自由活动,即使人在现实的实用活动中解脱出来,升华上去,以达到精神状态的自由解放,从中得到精神超脱的满足,即为"无关心的满足",也是艺术性的满足。这是一种与宇宙相通、相调和的圆满知足,是精神的大超脱、大自由。所以庄子要用"游于四海之外"来形容。"游",可以作为庄子艺术精神的表征。

而要达到这个精神的自由解放,徐复观认为必须做到庄子的"心斋"、"坐忘"。何谓"心斋"?"虚也者,心斋也。"何谓"坐忘"?即"无己"、"丧我"。这达到"心斋"、"坐忘"的历程,正是美的观照的历程,也是艺术得以成立的最后根据。达到"心斋"、"坐忘"主要有两条路:一是消解由生理而来的欲望,使欲望不给心以奴役,于是心便从欲望中解放出来,精神便当下得到自由;二是与物相接时,不让知识活动给心以烦扰,让心从知识无穷的追逐中得到解放,而增加自由。这实际上即是美的观照历程。徐复观认为庄子的"心斋"可以与现象学的方法比较分析之。胡塞尔的现象学认为由自然的观点(Naturliche Einstellung)而来的有关自然界的一切学问,必须加以排去,即是归入括弧(Elnkl ammerung)或者实际中止判断(Epoche),而排不掉的称为现象学的剩余,这是意识的固有存在,是纯粹意识。现象学就是运用这个"还原"的方法去掉事物的纯粹意识之存在,这不可能是经验的东西,而是超越的东西。现象学是要在这根源之学(Wissensohaft oer Ursprung)的地方为自然的观点而来的学问寻找根据,美的观照也是在此有其根据。在追求美的观照的根据时,胡塞尔指出了有几条路可走:一是把现实"所与"的观照对象,当即使它中止其"所与",超越其对象,而作为原地"能与"去加以直观。此称为原地"能与"的意识,以瞥见事象之本质。二是把美的观照时一切心的作用,皆归之于括弧之中,实行判断中止,以探求观照意识的固有存在。三是在美的观照中必须有"意识领域",把各种心的作用关联起来,赋予力量使其活动。美的观照,实谓是心作用于某一对象,在终极上,乃是显示意识的基本构造自身(固有存在)。在这纯粹意识乃至根源意识中,对象与知觉是相关的,对象与作用是同时的,不是前后或因果关系。在这根源的相关性中,两者都归于"一",这成为美的意识的特质,也是美的观照得以成立的根据。

徐复观认为现象学的归于括弧、中止判断,实近于庄子的"忘知"。但现象学只是为知识求根据而暂时的忘知,庄子则是为人生求安顿而一往忘知。现象学在纯意识中所出现的是Noesis(意识自身的作用)与Noema(被意识到的对象)的非前后、非因果的相关关系,因而两者是根源于"一",或者说即是主客合一。而庄子在"心斋"的虚静中所呈现的也正是"心与物冥"、"物我两忘"的主客合一。徐复观认为在现象学的纯粹意识中,可以找出美的观照的根源,那么庄子"心斋"的"心",为什么不是美的观照的根据呢?但现象学之于美的意识,只是偶然遇之,而庄子则是彻底全盘地呈露。因为庄子是"为了解答世法的缠缚,而以忘知忘欲,得以呈现出虚静的心斋。以心斋接物,不期然而然地便是对物作美的观照,而使物成为美的对象。因此,所以心斋之心,即是艺术精神的主体"[①]。

为此,徐复观在最后这样总结:庄子所体现出的艺术精神,与西方美学家的最大不同之点是,庄子所得的是全,而一般美学所得的是偏;庄子系由人生修养工夫而得,而一般美学家系由对特定艺术对象、作品的体认加以推演、扩大而来,不是像庄子那样从人格根源之地涌现、转化出来。按照中国传统说法是未能"见体",未能把握到艺术精神的主体,于是不能不偏。其次,儒道两家其工夫的进路都是生理作用的消解,即"克己"、"忘我"、"丧我"等等,并且在根源之处

---

① 徐复观:《中国艺术精神》,台湾"中央书局",台北,1966年,第80页。

主客体是同一的。这也是中国文化的基调。儒道两家的基本动机同出于忧患意识。但儒家面对忧患要求加以救济，反映在文学上是"文以载道"；而道家面对忧患则要求得到解脱，但解脱并没有如西方的宗教到上天去，而仍然是面对人间，只是解脱到山水自然中去了。后世山水画的兴起实是老庄精神的体现，然庄子本无意于艺术与美的，但他体现出来的精神却是艺术的。一般认为孔子是"为人生而艺术"，庄子则是"为艺术而艺术"。但徐复观认为，庄子的艺术精神同西方注重艺术形式的美的"为艺术而艺术"是根本不同的。庄子本意只着眼人生，而根本无心于艺术，但他对艺术精神主体的把握乃直接由人格中流出，并藉以陶冶其人生。因此，庄子与孔子一样依然是为人生而艺术，只不过是两种人生，表现为艺术上的两种形态罢了。故徐复观认为中国艺术的正统是"为人生而艺术"，只是相对于儒家的以仁义道德为根源来说，庄子所成就应为纯艺术精神。这样庄子自然应为"中国艺术主体精神之呈现"。

台港地区及海外华人的美学研究自有特色，给我们很多启发，可供我们借鉴。但亦颇感不足：一是对审美与艺术的研究缺乏应有的哲学深度，多是就艺术本身谈艺术，这样往往对审美与艺术的一些根本问题，如美的规律、艺术创造规律等缺乏应有的分析。二是对艺术的社会历史根源往往缺乏应有联系。艺术不仅是一种审美现象，它还是一种重要的社会历史现象，如脱离社会整体而孤立研究，就很难说明；缺乏唯物史观这个"望远镜"，就很难看清。三是对西方理论引进、介绍得多，理论分析得少；有些中西比较显得生硬、勉强，似有食洋不化之弊。

为"港澳台暨海外华人文学国际研讨会"而作，和荣伟合撰
1986年夏，深大海涛楼

第四辑

建设马克思主义文艺学

周扬北大讲美学

一

在那意气风发、斗志昂扬的"大跃进"年代,周扬主动带了邵荃麟、张光年、何其芳、林默涵、袁水拍五人来到北京大学开辟了一个"文艺理论"讲座,主题是"建立马克思主义的美学"。这个讲座自1958年冬开始,到1959年夏结束,不到一年,周扬自己一个人讲了两讲,邵荃麟讲了一讲,何其芳讲了一讲。本来还要由张光年、林默涵分别讲两讲,但从1959年下半年起,全国转向批判修正主义,这个讲座没有结束,就戛然而止,不了了之。

北大的教师在经历了反右斗争之后,心有余悸,对那个"破字当头、立在其中"的批判学术权威的新运动,心存困惑,批倒一切,还剩什么? 正是这个时候,周扬的《文艺战线上的一场大辩论》发表了,似乎是对反右斗争作了个总结。接着周扬又在河北文艺理论会议上作了一个报告,说要"建立中国自己的马克思主义文艺理论和批评",在全国引起了热烈反响。这是不是传达了一点新的信息？是不是要从"破"转向"立"了？如今，周扬又主动提出到北大来开设"文艺理论"讲座，他们会讲些什么呢？这引起了文科几个系的关注。学校和几个系的系主任一商量，中文系主任杨晦、西语系主任冯至、俄语系主任曹靖华、东语系主任季羡林，一致决定由这几个系的高年级学生来讲座听课，指定我担任这个讲座的助教。我这个助教的职责就是负责和周扬联系，具体落实教务，并和各系沟通。为此，我曾有两次机缘去了周扬在沙滩北街的三进式寓所，多次出入于沙滩红楼中宣部，当面接受周扬的指教，从此开始了和周扬的交往。

在周扬逝世八周年之后，王蒙、袁鹰想编纪念周扬的《忆周扬》一书，向周扬生前的一些熟人征稿，张光年向编委会推荐，要我写周扬带着他们到北大讲课的这段历史。1996年冬，《忆周扬》编委会给我寄发了正式的邀稿信，但却把地址写错了，把深大新村错写成深土新村，邮局在市区转递了几次，才送到了深大新村。那时我正在新加坡，不在深圳，等我1997年春节回到深圳，才见到此信。一看，截稿期为1996年11月底，早过去两个月了。再说，周扬来北大的那两次讲课，我曾请北大校长办公室派了记录员整理成打印稿，按周扬之嘱，为他送去10份，我自己留了3份，但在"文化大革命"中被抄家丢失了。幸好，我自己当时所作的笔记藏在另一处，未被抄走。但我在北大时已辗转搬了好几次家，从燕南园到清华园到燕东园再到中关园，最后到畅春园。到深圳大学后也搬了两次家，那时的笔记本虽都保存着，但却淹没在杂多的藏书中，一时还找不出来，只凭记忆也无法提笔，就此过去了，没有再写。一年多后，收到出版社寄来了《忆周扬》一书，周扬的重要历史阶段都有文回忆，就缺了北大讲学这一段，这时我颇感惭愧，心有不安，像欠了一笔债未还。近临北大中文系百年系庆，不少好友又提及此事。北大中文系百年系史把我列入百名知名校友之列，同学中有人开玩笑：周扬到北大开课之事只有你最清楚，赶快提笔写下来，好对历史有个交代，别带进坟墓。于是，我翻箱倒柜，终于把我在北大几年的听课笔记都找了出来，还真找到了周扬的两次演讲和谈话的笔记，还有他后来对《文学概论》等所发表的想法，等等。我就依据这些笔记，写出我对当时的一些回忆,这既是对历史,也是对我自己有个交代。

我是从杨晦那里领受这个助教任务的。那时,我正跟从他攻读文艺学副博士学位。

我在1952年进北大,第一次听课就是杨晦所开的《文学概论》。我是这门课的课代表,所以常出入于他的家门(燕东园)。1956年北大试行副博士学位制,在全国招收副博士研究生,也是杨晦帮的忙,把我从中国人民大学马列主义研究班调回北大,先是当助教,然后又转为他的副博士研究生。前两年,我在他指导下集中研读中国文艺思想史,在1958年暑假,基本修完,告一段落。杨晦在送走苏联专家之后,再也没有请第二位来,而是全力转向中国文艺思想史的研究,正在深入研究中国文艺思想史的一个重要课题:现实主义和浪漫主义。此时,苏联专家毕达可夫在北大1954~1955年所开的文艺学引论,在这一年由高等教育出版社正式出书,其中有一个重要的观点是说:"两个方面的斗争,现实主义和形式主义的斗争,像一根红线一样贯穿着整个文学和文学科学的历史。"这个观点,不仅在当时的苏联流行着,而且也影响着中国。我国著名作家茅盾就十分赞赏,在他的《夜读偶记》系列论文中,就把中国文学归结为现实主义和反现实主义斗争史。茅盾的这个说法又引起了北大中文系55级学生的热烈响应。当时正在参与红色文学史编撰的吴泰昌告诉我,张炯等都赞成茅盾的说法,他们所编写的两卷本《中国文学史》,就以这个现实主义和反现实主义的斗争作为红线,纲举目张,贯穿全书。但是,杨晦却不以为然,以为此说把文学史简单化了,不符合中国文学发展的实际。但杨晦的为人,向来不喜张扬,既不愿发表文章和茅盾论争,更不愿泼青年学生的冷水,而是要我协助他准备开设一个"文艺问题"专题课,在放寒假后开讲,正面阐释中国文学史的丰富多彩,既有现实主义,又有浪漫主义,不能简单归结为现实主义和反现实主义的斗争。第二年春天,1959年的"五四"科学讨论会,中文系也拟以此为主题,展开讨论。他知道我在听毕达可夫文艺学引论后所写的结业论文,正是谈的现实主义和浪漫主义的人民性问题,要我也在"文艺问题"专题课上讲几次。

正当我全心投入这一专题课的准备时,杨晦把我叫到他家里,要我暂时把此事放一放,马上转向周扬的"文艺理论"讲座之事。杨晦告诉我:去年马寅初、江隆基聘了周扬为兼职教授,来北大开讲座是周扬自己提出来的,几个系都想来听。学校决定这个讲座向中文、西语、俄语、东语四个系开放,估计哲学、历史等系的教师也会有人来听,还给外校报刊记者留点座位,听者会有800人。这件事的工作量不小,牵涉好几个系,需要一个懂得文艺理论的人来专门张罗,他和魏建功(此时是北大文科学术委员会的负责人)都推荐我来担当,就算是讲座的助教罢。关键是要做好上情下达,下情上传,既要和周扬他们几个讲课人联系,还要和几个系沟通,最后落实到办公楼上小礼堂这个课堂。他说,他已和冯至、曹靖华、季羡林这几位系主任商定,每一系都由一位负责学术的秘书和我联系,我只要找这几个联系人就可以了。杨晦给了我一个名单:中文系邵岳、俄语系顾稚英、西语系王泰来、东语系张光佩。我一看都是我认识的几位青年教师,就稍觉放心了。

那几年,我虽常出入于中南海增福堂陆定一家里,但因是无锡老乡,只要一说家乡话,就没有多少拘束了。但我只有一次和周扬直接照过面。1956年冬,周扬应江隆基之请到北大讲"双百"方针,我作为校刊记者在临湖轩作过短暂采访,未曾多谈,因此不知道他好不好打交道,不免心存顾虑。杨晦和周扬常打交道,他安慰我道:"我比周扬大不了十岁,我比朱光潜、宗白华小两岁,周扬对我们这些人都像对长辈一样,没有什么官架子,他对学者还是很尊重的,不必过虑。"我心想,我还没有成为学者,哪能和他们这一辈比呢!只好抱着试一试看的心态,谨慎些就是了。

那时电话还是稀罕之物,不可能和周扬通话。我和严家炎等,住在25斋研究生楼,还没有装电话。只有文史楼中文办公室和系主任杨晦办公室才有电话,我什么时间去周扬那里,要听中宣部通知中文系,再由系秘书蔡明晖骑车到我宿舍告诉我。

我第一次跨进周扬家门是在1958年11月6日。那时,他住在离沙滩红楼不远的沙滩北街一座三进式的老住宅里。我去过欧阳予倩(中央戏剧院院长)的家,比周扬的家要豪华些,但样式却差不多,清静而文雅,都透着书香。

在明亮宽敞的客厅里,周扬从书房里走出来。他指着他的秘书介绍说:她叫谭小邢,电影学院出来的。我看她,至多比我大上一两岁,但已经有好几年的工作经验,很干练的样子。好几年后,我的一位同班同学邹士明从高教部调到中宣部给林默涵当秘书,她告诉我,谭小邢还是一位作家,笔名叫露菲,从小就参加革命。

周扬听我说我是杨晦的文艺学研究生,就很高兴地说:"你老师可是我们文艺界的老前辈,'五四'老人啊!"一下子,距离好像缩短了不少。

然后,周扬就开门见山,说了他之所以要开设这个讲座,是想在北大提倡一下建设马克思主义美学,希望有更多青年学生来投身这个事业。新中国成立前他在上海大夏大学读书时接触过几个大学,那时的文艺理论,是欧美占主导地位,当然也有介绍马克思主义的,像瞿秋白、鲁迅、陈望道都着力于此,但在大学讲堂上,还是欧美的文艺理论占优势。"新中国成立后,我们提倡学苏联,北大、师大、人大都请了苏联专家来讲文艺理论、美学、文学史,现在看来,并不都适合中国国情。我们既要批判修正主义,也要否定教条主义,但我们不能只破不立,要有破有立,以立带破,我们要以马克思主义观点来总结我们的文艺实践经验,建立马克思主义的文艺理论和批评。前不久我在河北有个发言,大家反应比较热烈,这次我和其他几位到北大开个'文艺理论'讲座,想从建立中国自己的马克思主义美学这个角度来谈文艺理论,考虑更长远些;建立中国自己的马克思主义美学是更长远的任务,但必须做,希望有更多的年轻人早些投入,作点长期打算,探讨一些较为稳定的规律性问题。"

按周扬的初步设想,这个讲座准备有六讲:

第一讲,由周扬自己讲,作为整个讲座的绪论,题目叫"我们的任务——建立马克思主义的美学",讲一讲过去的马克思主义美学已达到什么高度,我们今天要在伟人的肩上更上层楼,就要知道伟人已有什么样的美学思想。

第二讲,还是由周扬来谈,题目定为"文艺和政治"。

第三讲,由邵荃麟来讲,题目叫"文艺和现实"。

第四讲,由林默涵来讲,题目叫"文艺和人民"。

第五讲,由何其芳来讲,题目叫"文艺和传统"。

第六讲,由张光年来讲,题目叫"文艺和批评"。

周扬说,他已和这几位主讲人打了招呼,但具体讲课时间还要我去安排。这几位都是文艺界的大忙人,什么时间能抽身出来,还要和他们具体落实。周扬要我和这几位保持联系,他估计这个讲座会持续半年时间,有的一次讲不完,还可以再讲。

这个讲座要怎样进行?

周扬有些新的想法,说不能像给文艺界作报告,必须调动学生的积极性,参与进来。他提出两点:一是每次讲过之后,最好要在学生中引起争论,深入讨论些问题。比如,可不可以找一本过去流行的文艺理论书籍,像季米菲耶夫的《文学原理》这一类,抓住些问题剖析一下,解剖麻雀。对修正主义的东西,要进行批判。听到这里,我心中稍觉有震动之感,在我的心目中,苏联文艺理论的主要弊端是教条主义。杨晦在当时刚出版的毕达可夫《文艺学引论》一书中写了个"出版后记",他说此书"所讲的只能是从苏联方面出发,所能运用的也是苏联的文艺理论成就",我们中国只能作为借鉴,"必须避免教条主义搬用"。我倾向于杨晦的说法,在当时中国,文艺理论的主要问题还是教条主义地搬用苏联的教条主义,不从中国的实际出发。而这次第一次听到,要找苏联的书来批判修正主义,这是我没有想过的,当时也无法理解,所以,我也没有进一步追问,应该怎样来批判。

当时我心里着急的是周扬谈及的第二点:配合这个讲座,要让学生自己动手来编选一些文艺理论资料,培养学生对理论的钻研精神。那么,马上就有紧迫的问题:怎么编选?编选成什么样的资料?

我立即向周扬提出这个问题,并告诉他,中文系有些学生正想把他在延安所编的《马克思主义与文艺》作进一步扩充,增补新的资料,不知他的意见如何。

对于扩充《马克思主义与文艺》一书，周扬表示首肯：增编可以进行。要建设马克思主义文艺理论和美学，不了解自马克思主义创始人以来有了什么样的发展，我们今天就无法前进。但是，周扬接着又说道：建立马克思主义文艺理论和美学，不能仅仅知道这些，还必须博古通今，学贯中西，要吸收人类过去文化中有价值的东西。所以，编选的资料不能只收集马克思主义的。《马克思主义与文艺》的扩编是一个方面，还要做另一方面的工作，那就是要编选一套古今中外一些作家谈创作经验的资料。

周扬还对这套资料的编选作了具体建议，内容可以包括三大方面：一是文艺理论和美学方面的世界经典言论摘编；二是古典作家谈创作经验；三是现代作家谈创作经验。

周扬对后两项作了一点发挥。他说，我们要建设中国自己的马克思主义文艺理论和美学，就一定要和中国自己的文艺实践相结合；回首中国自己的文艺进程中的问题，就必须研究我们中国自己的文艺传统，批判地继承，推陈出新。中国历史上已有了两个层次的传统，一是"五四"以前的古代传统。五四运动对我国古代传统作了一次批判继承，只是批判有余，继承不足。如今，我们要作第二次批判继承，不但要对古代传统批判继承，而且也要对"五四"以来的现代传统作批判继承。这是双重的批判继承，任务比五四时期更加艰巨。五四时期的批判继承，对古代否定过多，批判也不足。五四运动，古典散文被反掉，批判了它的形式主义。其实六朝散文也有其长处——华丽，不能一笔抹杀。二是唐宋古文也被反掉，批判其枯燥呆板。其实，唐宋古文也有其长处——说理的逻辑性强。其实，对古代传统也要批判继承，丰富的文化艺术遗产不能在我们手中丢弃，编选资料要能包容中外古今。这当然不大容易，但必须有人来做。

周扬的善谈是有名的，说起来口若悬河，滔滔不绝，而且头头是道，流利顺畅，容不得我插上半句话，只是低头记在笔记本上。谭小邢不时从书斋中走出来听一听，最后一次走出来时她向周扬指指她手上的表，示意时间已到。我赶紧抓紧时机，向周扬略说了北大等他去作演讲的安排，征求他的意见。

我告诉他，北大安排中文、俄语、西语、东语四个系的高年级学生将近800人来听课。周扬说："规模这么大啊！那我更得认真准备。"我又告诉他，哲学系、历史系也会有青年教师来听。冯至、曹靖华、杨晦、季羡林这几位系主任都会来，朱光潜、宗白华、马采等几位研究美学的老教授也都说要来听课。周扬说："哪敢当啊？好些都是我的老前辈。"最后我告诉他，好些报刊，如《人民日报》《光明日报》《文艺报》《文艺研究》《文汇报》《大公报》已闻讯而来，让不让听课？报道怎么写？

这时，周扬稍停顿了一下，想了想，就说道："报刊可以派人来听，怎么报道，他们自己定。但不要发表我的讲课全文。我讲课，不会写出全文，会准备一个大纲，还会写一些讲堂要用的引文。讲课的全文，要麻烦你了，你去请两个记录员，把我当时说的全记下来，然后请人打印出来。这打印稿放在你那里，不要交报刊，直接送给我10份，千万不要给报刊拿出去发表。这件事辛苦你了。"

从周扬家里出来，一路上就在想下一步该怎么办。我感到，讲座这件事还真不大好做，一种无形的压力袭上心头。我回去后，实际上必须落实三件事：一是周扬所说，要让学生有争论，争论什么问题？二是周扬要学生动手编选资料，怎么做？三是周扬要我去找记录员，把周扬的演讲记下来，印出来，去找谁做？向来习惯于书斋生活的我，真要犯愁了。

我一回学校，就先找了中文系的邵岳，然后我们两人一同去杨晦家里。我把去周扬家的情况告诉了杨晦，并向他讨教下一步该怎么办。

姜还是老的辣，在紧要关头，显示出了杨晦的智慧。杨晦听过我的介绍后，镇静若定，娓娓道来，反叫我不要着急。周扬说要以季米菲耶夫的《文学原理》当靶子批判苏联文艺理论中的修正主义，他觉得此事不大好办，还没有弄清楚问题所在，就要去批，弄不好就要弄巧成拙，效果反而不好。咱们中文系，还不如抓一抓"现实主义和反现实主义"这个问题展开争论，把这个搞清楚，这也是对马克思主义美学建设做贡献。所谓"现实主义与反现实主义是文学历史主线"这个理论是从苏联来的。他说，他已向张炯说过他的看法，红色文学史要做修改，可以让大家讨论一下"现实主义和反现实主义"这个问题，既可推动红色文学史的修改，又配合了周扬的这个讲话；明年（1959年）的"五四"科学讨论会，中文系就可以把"现实主义和反现实主义"问题作为主题，把这个争论从理论上作个总结，这不正是对马克思主义美学建设做点贡献！

我一听杨晦的这个意见，马上欣然接受，真可谓茅塞顿开，觉得这是个极为高妙的主见，十分可取。当时，文艺界正大张旗鼓地展开"革命现实主义与革命浪漫主义相结合"的创作方法的讨论，这也是周扬亲自领导的，中文系如能抓住"现实主义与反现实主义"问题的争论，这也就是对周扬的支持，何况，那个理论又是来自苏联，批评那个理论也可说是符合批判苏联的总要求罢！有了杨晦的这个主见，我心里的石头也就落了地，将来面对周扬也就可以有个说法，尽管这个说法不一定符合周扬的原意。杨晦举重若轻，把这难题解了。

至于其他两个问题就更好解决了。当时杨晦就和邵岳一起拍板，决定由中文系的学生来编选资料。针对《马克思主义与文艺》一书的扩编，组织一个组，由刘烜等负责。其他资料的编选，交给一个班级负责，由班主任孔辰光来组织编选。这一安排，我心里又一块石头落地。最后，为周扬演讲作记录怎么解决？杨晦说，由他打电话给校长办公室，请负责文秘的高望之派两个记录员来记录，最后打印。但此事要我负责到底，从整理到校对，都要我负责。从杨晦家里出来，我立即奔到校长办公室找到高望之，他一口答应，但要在周扬演讲前两天，提前告诉他，他好作安排。他还告诉我，周扬若来，就安排到临湖轩接待。

就这样，我心里最后一块石头落了地，回到宿舍美美地睡了一觉，就等周扬来北大开讲了。

二

周扬的文艺理论讲座在1958年11月22日正式开讲。周扬带着邵荃麟、张光年、何其芳、林默涵、袁水拍一起来到北大，我在临湖轩贵宾厅等着他们的到来。北大接待他们的是当时即将上任的党委副书记冯定,著名的马克思主义哲学家,和周扬是老熟人。曹靖华、冯至、杨晦、季羡林等几位系主任也来了,我还把朱光潜、宗白华、闻家驷(闻一多的胞弟)等几位老教授也请来了,一同见了面。然后,我陪大家一起去办公楼小礼堂,请周扬开讲。

那时没有什么烦琐客套,周扬由冯定陪同上讲台介绍后,所有听讲的人都坐在台下静听。我只在讲台左侧安排了两位速记员在记录,台上只有主讲人一个。周扬谈笑风生,说自己是北大聘请的兼职教授,来北大开这个讲座,是要履行自己的职责,和北大文科师生进行学术交流,共同为建设中国自己的马克思主义美学、文艺理论而奋斗。今天是第一讲,先从这个讲座的绪论开始,这绪论叫:建设马克思主义的美学。

为什么这个文艺理论讲座一上来的"绪论"是"建设马克思主义美学"?对此,周扬一开始就开宗明义地说道:"文艺理论并不就是美学,美学也不就是文艺理论。俄国革命民主主义美学家车尔尼雪夫斯基美学著作《艺术与现实的审美关系》一书,虽然主要在论艺术的美,但他以为,美不仅在艺术,而且还在生活,美是生活。生活之美,高于艺术之美,把生活之美抬得很高。所以,我30年代在延安时,把他的这本美学著作从英文翻译过来,书名就叫《生活与美学》。

"但是,美学和文艺理论两者有着密切的联系,人类不仅希望生活要美,而且艺术也要美,作家、艺术家也要求自己的作品能美。

"毛主席在延安文艺座谈会上说得好:'人类的社会生活虽是文学艺术的唯一源泉,虽是较之后者有不可比拟的生动丰富的内容,但是人民还是不满足于前者,要求后者。这是为什么呢?因为虽然两者都是美,但是文艺作品中反映出来的生活却可以而且应该比普通的实际生活更高,更强烈,更有集中性,更典型,更理想,因此就更带普遍性。'"

在这里,周扬对此作了进一步阐发:"毛主席在这里说到了生活和艺术两者存在着美,但他比车尔尼雪夫斯基高明多了,道出了艺术美和生活美两者的辩证关系,艺术美可以而且应该高于生活美。他没有说一定和必然,而是说可以而且应该。可能,并不就是必定,这里的关键是要看作家、艺术家能不能做到,有没有这个才能,这是马克思主义的美学观点,比革命民主主义的美学更科学、更高明。我提出要建设我们中国自己的马克思主义美学,就是要沿着这个方向道路发展。那么,我们为什么要建设马克思主义美学呢?"

周扬这样说道:"无产阶级登上历史舞台,肩负着伟大历史使命,既要破坏一个旧世界,又要建设一个新世界。不破不立,但不能只破不立,而是要又破又立,在立中有破。无产阶级要建设,既要经济建设,又要政治建设,还要文化建设。我们建设马克思主义美学就是要进一步推进文化建设,使无产阶级的文艺运动进一步提升。无产阶级的文化建设既需要道德的武器,又需要科学的武器,还需要美学的武器。美学,就是无产阶级争取自由解放的武器,建设马克思主义美学的根本目的,就是为了无产阶级的自由解放,直接目的就是推动无产阶级文艺运动的前进。"

接着,周扬又特别提出,当前,我国社会主义建设正是蓬勃发展的时刻,时代特别需要马克思主义美学的加快建设。

周扬这样谈道:"马克思、恩格斯就开始了马克思主义的美学建设,曾想写美学著作,但还没有来得及做。毛主席在延安的文艺讲话,使当代马克思主义美学达到了最高水平。但是,马克思主义美学要随时代的发展而发展,总结无产阶级文艺运动的新经验,不断充实和提升,不仅要有科学性,还要有系统性和完整性。直到现在,马克思主义美学还没有达到这个时代要求。美学,在无产阶级的意识形态领域,在思想和文艺的整个领域中,还是一个薄弱的环节,所以,建设马克思主义美学,乃是我国当前思想建设中一个迫切的重大任务。

"明确了我们的任务之后,接下来的问题就是:我们怎样来建设我们的马克思主义美学?"

对此,周扬又作了进一步阐发。他认为,既然我们要建设的是马克思主义美学,那么,我们首先要做的,就是要知道在我们以前的马克思主义美学已经做了些什么,达到了什么样的水平,才能站在巨人的肩上,向前推进。

他先从马克思主义创始人说起:"马克思主义创始人虽然没有来得及写出专门的美学著作,但马克思、恩格斯在一系列著作中,表达了自己的美学观点,从而奠定了马克思主义美学的基础。例如《〈政治经济学批判〉导言》《德意志意识形态》《神圣家族》《诗歌和散文中的德国社会主义》等著作以及在给拉萨尔、考茨基、哈克纳斯的一些信件中,都精彩地表达了丰富而宝贵的美学思想。《马克思恩格斯全集》还正在陆续翻译过来,是真正的宝藏,需要我们去进一步挖掘和研究。"

在这里,周扬只是列举了马克思、恩格斯的少量著作,正如他所说,马克思、恩格斯的大量著作还没有翻译过来,这个丰富的宝藏有待我们去深入挖掘。像马克思的《1844年经济学哲学手稿》这样的重要著作,在1956年下半年才由宗白华审校后(何思敬翻译)出版发行,只有极少的人注意到了,要到60年代才受到更多的关注。人类应该按美的规律来创造这一思想就是这部著作中提出来的。

马克思、恩格斯给我们留下了极为珍贵的精神遗产,对于我们建设马克思主义美学有什么启发?对此,周扬谈了几点启示。

"我们究竟应该怎样来看待文学艺术?当然可以从不同的观点来看待。我特别注意到恩格斯一再说到,要用美学的观点和历史的观点来看待。比如,如何评价歌德这样的作家,可以从道德的、政治的甚至人性的观点来看待。但恩格斯却特别说,他不是从道德的、政治的、人性的观点来评说歌德,而只是从美学的和历史的观点来衡量歌德的作品,评价其得失。12年后,恩格斯致信拉萨尔评价他的作品,再一次说道:'我是从美学观点和史学观点,以非常高的,即最高的标准来衡量您的作品的。'恩格斯和马克思一道,都是把美学观点和历史观点结合起来看待作家、艺术家的作品。他们评论莎士比亚、巴尔扎克、席勒、欧仁·苏等人的作品,都体现了美学观点和史学观点的结合,这给我们留下了珍贵的启示。

"那么,一个进步的作家、艺术家要不要在自己的作品中表达自己的思想倾向?当然要。马克思、恩格斯都肯定了进步作家、艺术家要在自己作品中表达社会主义思想倾向。"

周扬说道:"恩格斯在给女作家考茨基的信中说过:'我决不反对倾向诗本身。……现代的那些写出优秀小说的俄国人和挪威人全是有倾向的作家。'但是,作家自己的社会主义思想在自己的作品中应该如何表达才好?恩格斯接着在信里说:'倾向应当从场面和情节中自然而然地流露出来,而无需特别把它指点出来。'文学艺术是要创造艺术形象,思想倾向要通过艺术形象自然流露出来。恩格斯在信里还进一步指出:'如果一部具有社会主义倾向的小说,通过对现实关系的真实描写,来打破关于这些关系的流行传统幻想,动摇资产阶级世界的乐观主义,不可避免地引起对于现实存在事物的永恒性的怀疑,那么,即使作者没有直接提出任何解决办法,甚至有时并没有明确地表明自己的立场,但我认为这部小说也完全完成了自己的使命。但作家的社会主义倾向,应该通过艺术的真实性自然表露出来,倾向性和真实性应结合在一起。'这一美学思想对我们也是极珍贵的启示。"

最后,周扬特别指出一点,那就是马克思、恩格斯第一次提出了无产阶级在文学中的地位问题。他们批评了当时自称为"真正的社会主义"诗人,不是去"歌颂倔强的、叱咤风云的和革命的无产者",而是一味地去歌颂各种各样的可怜的小人物。恩格斯在给哈克纳斯的信中,则进一步提出了:工人阶级对他们周围环境所进行的叛逆的反抗,他们为恢复自己做人的地位所作的极度努力,从半自觉的到自觉的,都属于历史,因而也应当有权在现实主义领域内要求占有一席之地。

谈了马克思主义创始人对我们的美学启示以后,周扬说道:"随着马恩全集的陆续翻译出版,马克思、恩格斯的美学思想光辉将进一步照耀我们前进。"

然后,周扬的话题转向了列宁。

列宁历史上第一次提出文化艺术应成为"无产阶级总的事业的一部分"。而在这个事业中,"绝对必须保证有个人创造性和个人爱好的广阔天地,有思想和幻想、形式和内容的广阔天地"。列宁还提出了两种文化学说,论证了每一个民族都存在着剥削阶级和被剥削阶级的文化。更为精辟的是,列宁提出了要建设无产阶级的文化,而这,"只有确切地了解人类全部过程所创造的文化,没有这样的认识,我们就不能完成这项任务"。

周扬以为,列宁的这些思想,对于我们说来,具有巨大的现实意义。我们目前正处在社会主义建设高潮之中,我们要建设社会主义文化,离不开过去人类文化的发展,我们不是要抛弃、置之不理,而是要批判地继承。列宁要我们学习马克思,以马克思为典范:凡是人类社会所创造的一切,他都要批判地重新加以探讨,任何一点也没有忽略过去。列宁还向广大青年号召,必须取得过去遗留下来的全部文化,"取得科学、技术、知识和艺术",用来建设社会主义文化。他告诉大家:只有用人类创造的全部知识财富丰富自己的头脑,才能成为共产主义者。

周扬说,即使是在那革命高涨的时代,要破坏旧世界,但也要保护好"旧美",要懂得捍卫"艺术中真正的美"。革命胜利之后,在制定文化艺术政策时,"应该把美作为构成社会主义社会中的艺术的标准"。列宁本人就是一个艺术修养极高的人,对音乐情有独钟,他听贝多芬的《热情奏鸣曲》《悲怆奏鸣曲》等后不禁发出赞叹之声:"这是绝妙的、人间所没有的音乐。我总带着也许是幼稚的夸耀想:人们能够创造怎样的奇迹啊!"

说过列宁后,周扬再也没有提及斯大林。在他过去所编的《马克思主义与文艺》一书中,收有斯大林的专辑,但在此次"建设马克思主义美学"的演讲中,未再提及斯大林。我们这些听众心里也都明白,自苏联出现了批判"斯大林主义"思潮之后,谈论斯大林就成为敏感的话题,不能轻易涉及。所以周扬不再提斯大林,大家都能理解。

那么,在列宁之后,马克思主义美学还有没有继续发展?有。周扬在此提出了三个人:普列汉诺夫、卢那察尔斯基和高尔基。在他主编的《马克思主义与文艺》中,收有普列汉诺夫和高尔基的专辑,但没有卢那察尔斯基。此次讲演,周扬不提斯大林,却提及卢那察尔斯基。周扬说,卢那察尔斯基是苏联最早的教育人民委员(即后来的教育部长)、科学院士,又是文艺评论家。他坚定地站在列宁主义立场上,在《列宁与文艺学》一书中,全面地阐发了列宁的文艺思想和美学思想,批判了庸俗社会学。他积极参与了当时热烈展开的"创作方法"的讨论,并肯定了社会主义现实主义,又倡导可以有一种社会主义浪漫主义。社会主义文学的创作方法应该宽广,对整个辽阔的世界都应感到有兴趣,应该试着登高远眺,展望未来。看来卢那察尔斯基的美学视野比较广阔。鲁迅曾把卢那察尔斯基的《艺术论》翻译过来,赞赏其为"真善美合一"之说。

谈及普列汉诺夫,周扬说,我国30年代左联对他的美学著作就有译介,鲁迅、瞿秋白对他都有很好的评价。周扬对普列汉诺夫的美学见解也极为赞赏,说他对自己影响最大的有三点。

一是他的艺术起源新说:艺术起源于人类的功利活动。艺术的起源何在?历史上有多种多样的说法,当时最流行的是说艺术起源于游戏。但普列汉诺夫却进一步追问:人类为什么要游戏?他以为,游戏是为了把过去生活中所经历的事再体验一下,从中得到快乐,所以功利活动早于游戏活动。人类先有功利活动,后有游戏活动,再从游戏活动中萌生艺术活动。

这一点,鲁迅也甚为激赏,他在《〈艺术论〉译本序》中这样发挥道:"社会人之看事物和现象,最初是从功利底观点的,到后来才移到审美底观点去。在一切人类以为美的东西,就是于他有用——为了生存而和自然以及别的社会人生的斗争上有着意义的东西。功利由理性而被认识,但美则凭直感底能力而被认识。享受着美的时候,虽然几乎并不想到功用,但可由科学底分析而被发见。所以美底享受的特殊性,即在那直接性,然而美底愉乐的根柢里,倘不伏着功用,那事物也就不见得美了。"

周扬在说到"功利活动"时,曾提及一点可以让后人进一步深思,那就是:"这功利活动"当然包括物质生产活动,即我们常说的生产劳动。但普列汉诺夫还以战争活动、父母抚养子女活动为例,那么,这里的"功利活动"是否以物质生产活动更广,后人可以进一步去研究。

周扬接着说:二是他对艺术特性的阐发。大作家托尔斯泰在他的《艺术论》一书中,再三说艺术是感情的表现,是把作者自己的感情用一种外在的标示表达出来,把自己体验过的感情传达给别人,让人能在艺术中体验到这种感情。普列汉诺夫则进了一层,论证了"艺术既表现人们的感情,也表现人们的思想,但是并非抽象地表现,而是用生动的形象来表现。艺术最主要的特点就在于此"。

关于这一点,鲁迅也给予了充分肯定。他说普列汉诺夫在这里提出了"艺术是什么的问题,补正了托尔斯泰的完义,将艺术的特质,断定为感情和思想的具体的形象表现,于是进而申明艺术也是社会现象"。鲁迅以为,这是"从唯物史观的观点来观察的",符合历史事实。

从周扬自己的深切体会出发,他特别关注普列汉诺夫的社会心理"中介"说。周扬这样说道:三是他突出了社会心理在社会结构中的中介作用,可以称之为社会心理"中介"说。一个社会,经济是基础,政治是经济的集中表现,属上层建筑,文化、意识形态也是上层建筑,文学艺术是更加飘浮在上的上层建筑。普列汉诺夫把意识形式细分为社会心理和思想体系,整个社会结构有五项因素:生产力、生产关系、政治制度、社会心理和思想体系。社会心理是政治制度和思想体系的中间环节。文学艺术和思想体系的关系更密切,和政治、经济发生关系,要以社会心理为"中介"。依他的看法,对于社会心理若没有精细的研究和了解,就无法了解艺术史。"在文学、艺术、哲学等学科的历史中,如若没有它,就一步也动不得。"他对法国18世纪的文学、戏剧和绘画作了深入的分析,指出文学艺术直接地反映了当时社会的社会心理。他的研究值得我们借鉴。

周扬最后说,我们对普列汉诺夫还研究得不够,应该有进一步的研究。对高尔基的研究就比较多,因时间不够,这里就暂时不说了。

接下来,周扬就把话题转向中国。他在这次演讲中列举了三位对马克思主义美学在中国的传播与发展作出贡献的人物:瞿秋白、鲁迅、毛泽东。周扬说,毛泽东文艺思想代表了中国马克思主义的最高水平,在"绪论"的开头就已说了,因时间不够,不能再展开细说。鲁迅,在《马克思主义与文艺》中有专辑介绍,此次也不能展开。但瞿秋白,在此书中没有收进他的资料,大家了解不多,所以要稍微说一下。

瞿秋白出身江苏常州的书香门第,1917年,18岁的他就考到北京的俄文专修馆,怀着"文化救国"之心,钻研俄国文化。1919年,他投身五四运动,在北京大学参加了李大钊领导的"马克思学说研究会",向往社会主义。1920年,他主动应《晨报》之聘当国际记者,到革命成功的俄罗斯去采访,写出了震惊文坛的《俄乡纪程》和《赤都心史》。在莫斯科两年,他经张太雷介绍加入中国共产党,在共产国际工作,见过列宁,被共产国际赞誉为"优秀的马克思主义者"。中国共产党领导人陈独秀到共产国际开会,和瞿秋白相处一个多月,甚为相契,最后把他说动,随陈独秀回北京,参与筹创中央理论刊物《新青年》。1923年,党中央秘密从北京转移到上海,瞿秋白也从此到了上海,任《新青年》主编,后被派到由于右任校长的上海大学任学务长、社会学系主任,以此为基地在上海展开了革命的文化运动。他自己写出了《社会哲学概论》《社会科学概论》《现代社会学》等。

但是,随着国共合作时期的结束,严酷的政治斗争,把瞿秋白推上了政治舞台的中心。1927年白色恐怖时期,年仅28岁的瞿秋白被推上了中共最高领导岗位,既要把共产党从白色恐怖下拯救出来继续革命,又要避免在复杂的党内斗争中倒下,不得不来往于莫斯科和上海之间,最后还是在王明和共产国际的联合下,被排挤出领导岗位。1931年,瞿秋白卸去了千钧重担,主动重返文化战线,有三年时间,参加了左联的领导工作,和鲁迅、茅盾在一起,在上海推进文化运动的进一步发展。

作为左联革命文学的领导者之一的周扬对瞿秋白极为尊敬,他在这"绪论"中这样说道:瞿秋白自从1931年重返文坛,3年间所写的和翻译的著述超过了五四时期。他和鲁迅一道,大量翻译了马克思主义文艺理论。他编译了一本《"现实"——马克思主义文艺论文集》,对马克思、恩格斯、普列汉诺夫、拉法格等的文艺理论都作了较全面的介绍。他不仅编译了高尔基创作选集,而且还出版了《高尔基论文选集》。他对鲁迅的杂文作了高度评价,在为《鲁迅杂感选集》所写的序言中,把鲁迅作品称作"最清醒的现实主义"。可惜,1934年他被国民党抓获,次年就牺牲了,年仅36岁。

周扬感慨地说:如果瞿秋白还活着,他还能为党和人民作出多大的贡献啊!

在谈完马克思主义美学的发展历程之后,周扬作了这样的归纳:马克思主义的美学是在无产阶级走上历史舞台的斗争过程中产生的,既和修正主义作斗争,又和教条主义作斗争,在斗争中总结无产阶级文化事业的经验。今天,无产阶级的革命事业正在蓬勃发展,斗志昂扬,意气风发。我们要在马克思主义创始人一直到毛主席所奠定的马克思主义美学基础上,总结无产阶级革命的新的历史经验,建设和发展马克思主义美学,从而再来指导今后的无产阶级革命事业。

那么,在当前,从马克思主义美学出发,应该着重在哪些方面进行深入探索呢?周扬提出了五个方面,这也就是周扬要设立这个"文艺理论"讲座所要探讨的问题。周扬说,10多年前,毛主席在延安的文艺讲话中提出了艺术美可以而且应该比生活美更高,我们现在就是要进一步探索,无产阶级的文学艺术怎样才能创造出比普通生活更高的艺术之美,需要从马克思主义美学观点来处理好五个方面的关系。

一是文艺和政治的关系。文艺是无产阶级革命总的事业有机整体中的组成部分,文艺从属于政治,就是要为无产阶级革命事业服务。如何服务?这就有很多美学问题,需要好好研究。我们经历了民主主义革命,又发展为社会主义革命,现在正在从事社会主义建设,革命深入到经济、政治、文化各个领域。我们的文艺既要为经济建设、政治建设服务,又要为文化建设作贡献。文艺怎样才能完成自己的使命,就要处理好各种关系,特别是文艺与政治的关系,因为政治是阶级利益的集中表现。周扬说,这个问题将由他在下次到北大来展开说一说。

二是文艺和现实的关系。文艺是现实的反映,文艺如何反映现实?这里也有许多美学问题。为什么我们提倡革命现实主义和革命浪漫主义相结合,说它不是唯一的却是最好的创作方法?为什么齐白石说他的画在"似"与"不似"之间?这都是马克思主义美学需要回答的问题。这个问题要请邵荃麟来讲。

三是文艺和人民的关系。文艺要为谁服务?要为人民服务。文艺应该服务于最广大的人民。要为人民服务,就要在文艺中表现人民的生活,作家、艺术家就应深入人民生活,不仅仅要熟悉,而且还要有真切而深刻的体验。文艺和人民的关系,一是要为人民喜闻乐见,二是要表现人民,再进一步发展,人民要自己动手创作文学艺术,从人民群众中涌现出作家、艺术家。作家、艺术家要深入人民生活,和人民融成一片;又要在普通人民中培养出更多作家、艺术家。两者结合起来,使文艺和人民的关系更加密切,融为一体。这个问题,想请林默涵来讲。

四是文艺和传统的关系。社会主义的文艺不是从零开始,而是在吸收人类历史所创造的文化基础上创新发展。无产阶级要善于吸收人类创造出来的文化精华。中华民族有悠久的文化传统,首先是数千年的古典文化传统,然后是"五四"以来的新文化传统,这两种传统都要吸收、发展。我们不仅要继承中华文化传统,还要关注全世界的其他文化传统,古为今用,洋为中用。这个问题,要请何其芳来演讲。

五是文艺与批评的关系。文艺作品好还是不好,不能只凭作家、艺术家的自我感觉。作家、艺术家总觉得自己的作品美。这就需要有文艺批评,文艺批评和文艺创作相互促进。那么文艺批评怎样进行?鲁迅说,文艺批评逃不脱真的圈子、善的圈子、美的圈子。这也需作进一步研究。这个问题,要请张光年来说。

周扬在讲完这个讲座准备要展开的五个问题之后,本可在此结束这第一讲。但他觉意犹未尽,又回过头来对文艺与政治、文艺与现实这两个问题作了一些说明,稍一发挥,又讲了将近半个小时,才停下来说,来不得细说了,下次再来讲罢。

首先,周扬谈到文艺与政治的关系问题,说这是文艺中的根本问题。我国古代就有文艺是"言志"还是"载道"之争,实质也就是文艺要不要为政治服务的问题。"五四"以来,我国经历了民主主义革命和社会主义革命两个历史阶段,文艺也就从为民主主义革命服务发展为为社会主义革命服务。如何理解文艺为政治服务?文艺如何为政治服务?我们必须总结文艺实践经验,作进一步探讨。下一讲,专门来谈这个问题。

其次,文艺和现实的关系问题,这是文艺所以产生的基础。文艺反映现实,又反作用于现实,这里的关键是文艺要怎样反映现实,才能推动现实。我们提倡革命现实主义与革命浪漫主义相结合的创作方法,并不是只准用这一创作方法,革命现实主义、革命浪漫主义也可以单独运用,但如果能把这两者结合起来,应该说是最好的创作方法。

接下来,周扬专门就革命现实主义和革命浪漫主义相结合为什么是最好的创作方法,展开作了论述。仅就这一问题的论述,整理出来的打印稿就有四千多字。人民文学出版社在编《周扬文集》第三卷时(1990)根据我送去中宣部的打印稿,选了这专谈革命现实主义与革命浪漫主义相结合问题的四千多字成为一篇文章,收入文集。这次,我查阅了我当时的笔记,发现打印稿中有三处遗漏,可能当时记录员不熟悉周扬所引用的古人用语,未能记下来。这里,我根据我的笔记,补上这三处。

第一处是谈及现实主义时,高尔基说"现实主义"这个名词最早发展于英国,可信。马克思也曾高度评价过英国的现实主义成就:"现代英国的一批杰出的小说家,他们在自己的卓越的、描写生动的书籍中向世界揭示的政治和社会真理,比一切职业政客、政治家和道德家加在一起所揭示的还要多。"从菲尔丁到狄更斯、萨克雷等等,在英国形成现实主义传统。现实主义在法国得到了发展,恩格斯对巴尔扎克作了高度的评价。

第二处是谈及浪漫主义具有理想时,周扬举了德国作家席勒,说席勒的理想色彩很浓,恩格斯称赞"席勒的《阴谋与爱情》的主要价值就在于它是德国第一部有政治倾向的戏剧"。但席勒的许多作品,浪漫主义有余,现实主义不够,喜欢通过剧中人之口大发议论,把个人变成时代精神的传声筒。所以恩格斯不大赞成席勒化,而鼓励莎士比亚化。

第三处是在谈到齐白石所说画在"似"与"不似"之间时,周扬说中国艺术讲究形神兼备。他在此时举出了东晋大画家顾恺之为例:"顾长康画人,或数年不点目精。人问其故,顾曰:四体妍蚩,本无关于妙处,传神写照正在阿堵中。"人爱传神,关键在眼睛,所以不能轻易点睛。这"阿堵"就是指的眼睛。

这三处都是举例或引语,以便更有力地论证周扬所要阐发的观点:革命现实主义和革命浪漫主义相结合是最好的创作方法。

周扬讲究这两个问题(文艺与政治、文艺与现实)后,没有再展开对后三个问题的阐发,时间已来不及,第一讲就到此结束了。

为了方便大家,我在这里把《周扬文集》第三卷中所收的《谈革命现实主义和革命浪漫主义的结合问题》一文,作了补足,把增补后的全文附录在后。

三

周扬演讲,说的是一口带湖南口音的普通话,流利顺畅,大家都听得懂,不像陆定一说话,一口无锡话,陈伯达更是一口浓重的闽南话,需要别人来翻译。周扬一个人在讲台上,风度翩翩,神采飞扬,讲起来滔滔不绝,不念讲稿。他的讲稿,只写一个提纲,还记下一些必须引用的经典作家的原文,其他都是临场发挥,真可说是才思敏捷,口若悬河。我想,他如果做专职的大学教授,一定会成为学生崇拜的名师。

周扬的这个演讲,在北大引起了热烈反应。俄语系主任曹靖华说,"建设马克思主义美学",这个题目出得好。过去我们完全跟着苏联跑,照搬苏联的理论,今后确实应总结我们中国自己的实践经验,建设中国自己的马克思主义美学。西语系主任冯至说,周扬的演讲,说得好,好久没有听到这样的演讲了。他的视野广阔,放眼世界,从无产阶级的整个事业出发来谈文艺,要解决的是中国自己的问题。哲学系来听课的杨辛、甘霖就更高兴了,他们正在准备美学课程,但心里没底。过去批判,说美学是资产阶级玩意,现在周扬要建设马克思主义美学,心里就有方向和目标了。正是在周扬这次演讲以后,他们受到激励,加快了哲学系的美学建设,在1960年正式成立了全国第一个美学教研室,朱光潜开设西方美学史,宗白华开设中国美学史,杨辛、甘霖开设美学概论。于民、阎国忠、李醒尘、叶朗等也陆续留校,加入美学建设的行列。

周扬这次演讲,不仅促进了北大加快建立美学教研室,推动美学这一学科的发展，而且对北大的整个人文学科建设都起着鼓舞促进的作用。对此，杨晦甚有感触。面对北大校园内正在展开的"教学改革"大辩论，作为中文系主任的他感到十分困惑，无所适从：教师还要不要做学问？北大还要不要有学科建设？周扬这个时候来大讲"建设马克思主义的美学"，就正像是下了场"及时雨"。这是不是中央的精神？在杨晦看来，这是中央的精神，所以把周扬的演讲赞之为"及时雨"，从这里可以看到人文学科发展的一线希望。

这是杨晦有感而发的真实想法。杨晦是五四运动的亲历者，和许德珩等一道参与火烧赵家楼，后来又和冯至等一起创办《沉钟》杂志，和鲁迅多有交往。在旧社会，颠沛流离，天南海北，到处奔波，曾在10多个地方教过书。直到新中国成立，开过第一次文代会，才在北大安顿下来，他当中文系主任，冯至当西语系主任。从1950年到1957年，虽然已是运动不断，但大学教授的生活还比较安定，教学之外，还能做做学问。林庚就和我说过几次，他的好几部专著都是这几年写出来的。王瑶也说，那几年是知识分子的黄金时代。但从反右以后，知识分子日子就不好过了，林庚说他1957年就不做学问了。1952年院系调整，马寅初当校长，请江隆基来当副校长、党委书记，还是教育家办教育，比较尊重教育规律。每年纪念"五四"，都会举办为期一周的全校科学讨论会，都是马寅初致开幕辞，江隆基致闭幕辞、作总结。学科是靠科学研究推动的。可是，一到反右，1957年北大首当其冲，开始时，作为党委书记的江隆基以为，在北大划几个右派也就可以了。不料，别人狠批他太右倾。接下来，一下子北大就划了500多个右派，其中教师有90个。上面还嫌江隆基右倾，1957年10月又派了陆平来当北大第一把手。陆平是从铁道兵团中冲杀出来的，确是雷厉风行，在北大又补划了近200个右派，其中教师增补了20人，中文系的乐黛云、金开诚、傅璇琮、沈玉成、褚斌杰、裴家麟、谭令仰就是这次被补划上的，使中文系大伤元气。使他更不能理解的是，好不容易反右结束，该休养生息，好好进行科研和教学了罢，大出他的意料，更多的"兵团"作战纷至沓来，学校动辄停课，一会儿去十三陵修水库，一会儿掀起围剿麻雀大战，一会儿又去大炼钢铁、抢时麦收，哪还有时间坐下来读书！正指望放暑假好休息一下，不料全校又发动了"拔白旗"的群众运动，要把"资产阶级学术权威"批倒。中文系就批判了游国恩、林庚、吴组缃、王瑶，出版了四本《文学研究批判专刊》，只用一个暑假，就写出了四卷本的红色《中国文学史》，以现实主义和反现实主义为纲，对中国古典文学作了重新评价。历史被颠倒过来了，老教授、老专家成了批判对象，或者为学生提供批判资料，按照冯友兰后来的说法，他也成了"侍读"。杨晦是共产党员，又是系主任，虽然没有被列入"资产阶级反动权威"之列，但他深感困惑和惶恐：这还算是正常的教学秩序吗？中国几千年的丰富多彩的古典文学史，怎么能归结成现实主义和反现实主义这个简单化的结论呢？但他知道，这不能怪罪青年学生，也不愿泼大家的冷水，而想写文章正面论述中国文学史不是简单现实主义和反现实主义的斗争。这想法曾和我说过，也和他的好友冯至表露过。但在那风起云涌的批判热潮中，他也犹豫不定，不知如何是好。周扬的这次演讲，使他从心底涌起一丝希望，心想，这种横扫一切之风，可能只是暂时的，不久还将走向常轨。

周扬为什么在此时提出建设马克思主义的美学？这不是他一时的心血来潮，而是内心的一种长期追求，在这"意气风发、斗志昂扬"的"大跃进"年代，又被激发了出来。

周扬早年，在日本东京和上海，受苏联无阶级文化派的影响，参与并领导了上海左翼文化运动。1932年苏联解散了"拉普"，清理了"左"倾思潮，敏锐的他在国内第一个否定了"唯物辩证法"的创作方法，写文章介绍了"社会主义现实主义"的创作方法。他在1933年就开始注重艺术的特殊性——借"形象的思维"来创造出艺术形象，指出"若没有形象，艺术就不能存在。单是政治的成熟的程度、理论的成熟的程度是不能创造出艺术来的"。他突出了艺术创作和现实生活的紧密关系："艺术家是从现实中、从生活中汲取自己的形象的。"深入生活，"艺术家在创作的实践中观察现实，研究现实的结果，即他的艺术的创造的结果，甚至可以达到和他的世界观相反的方向"。1936年，周扬又发表了《现实主义试论》，对艺术反映现实的形象特征作了进一步探索。

由对艺术特性的探索，周扬进而关注起美学来。他不仅研究了俄国革命民主主义美学（别林斯基、车尔尼雪夫斯基、杜勃罗留波夫），而且关注普列汉诺夫、卢那察尔斯基的美学，努力从马克思主义的美学观点来考察当下实践。1937年年初，同在北大任教的朱光潜和梁实秋发生了一场美学争论。先是梁实秋发表了一篇《文学的美》，对朱光潜在《文艺心理学》《谈美》中表现出来的"直觉说"、"表现论"持有异议。朱光潜则发表了《与梁实秋先生论文学的美》一文，重申了自己的美学观点。梁实秋接着又发表了《再论"文学的美"答朱光潜先生》。依梁实秋之见，朱光潜所信奉的克罗齐美学，把美归结为直觉，美既不能在物质的媒介物（颜色、声音、文字等）里去寻找，更不能与实际生活发生关系，只能存在于心中。梁实秋以为文学与人生密不可分，应该更多关注文学中表现了什么。周扬在1937年也写了一篇《我们需要新的美学》，既指出了朱光潜美学的偏颇（把美学完全心理学化，不承认生活中也有美），又对梁实秋的偏颇（把艺术和美截然分开）作了修正。在周扬看来，生活中也有美，但艺术之美有自己的特点，它乃是"通过感情的情绪的形象"来反映生活。所以，对于艺术的评价，不仅要看作者反映了怎样的现实，而且要看那现实的描写是否被表现在形象中。"对于作品之社会的分析和美学的分析是应当统一的"。最后，周扬突出了这样的美学思想："无论是客观的艺术品，或是主观的审美能力，都不是本来有的，而是从人类的实践过程中所产生。"也就在这时，周扬开始注意到了马克思的《1844年经济学哲学手稿》，可惜那时还没能翻译过来。

就在这一年，周扬去了延安，紧张地投入了解放区的文化教育事业，他的人生进入了一个新的历史时代。但在那严酷的岁月里，周扬仍没有忘情于美学。他在延安曾为文艺青年开讲过王国维美学思想，在鲁艺开设过艺术论课程，还想写出《文学简论》一书。1940年，他支持鲁迅艺术学院编出《马克思恩格斯列宁论艺术》作为教材，还写了一个评述马克思、恩格斯和列宁的文艺思想的"后记"。同时，他还忙里抽闲，动手翻译了车尔尼雪夫斯基的《生活与美学》，高度评价他的美学，"坚持艺术必须和现实密切地结合，艺术必须为人民的利益服务"。此书出版后，周扬还亲自送书到毛泽东那里，说车尔尼雪夫斯基特别重视生活对创作的意义："生活是第一义，没有生活的深切实践，不会有伟大的艺术产生。"在延安时期，周扬甚至想邀请正在四川大学任教的朱光潜去讲美学。1938年12月，周扬给朱光潜写了一封信，请作家沙汀、周文面交朱光潜。可惜，就在年底朱光潜已应武汉大学之聘，去当教务长和外文系主任去了。沙汀把周扬的信交给朱光潜时，已是1939年1月，晚了一步。朱光潜只好给周扬写了一封道谢信，深表歉意。

　　周扬在上海时期的文艺思想，主要受俄苏的美学思想影响，到了延安时期，就更多接受了毛泽东文艺思想。他在上海后期，处境困难，才华很难舒展，受到鲁迅、茅盾的批评之后，更难开展工作。到了延安，周扬心情很快舒展开来。作家周立波乃周扬之侄，1939年也到了延安，他就谈过，他在延安就明显感到，周扬那几年，工作热情特别高，心情舒畅。周扬曾和周立波推心置腹地说过："立波，我们找到了自己的领袖。"周扬对毛泽东一直崇敬，在中国最危难的关头，是他挽救了革命。特别是在1942年毛泽东在延安文艺座谈会上讲话之后，他忠实地执行了毛泽东文艺路线。1944年，周扬在《马克思恩格斯列宁论艺术》一书的基础上，增编了斯大林、普列汉诺夫、高尔基、鲁迅、毛泽东的文艺言论，成为《马克思主义与文艺》一书出版，周扬为此写了一篇长序，重点阐发了毛泽东文艺思想从根本上解决了文艺为群众与如何为群众的问题，发展了马克思主义，"是马克思主义文艺科学与文艺政策的最好课本"。

　　从此，周扬全心全意地投身于文艺政策的制定和执行，领导革命的文艺运动，已无多少时间和精力再来研究文艺科学和美学。10多年过去，反右斗争这场政治运动结束，历史跨入"大跃进"年代，已届50岁的周扬又重新燃起"建设马克思主义的美学"的热情来，呼唤有更多的人来参与这一建设工程，以实现他青年时代曾为之奋斗过的理想。

　　这一年，我到了25岁，正在寻找自己的学术方向。1956年，北京大学开始试行副博士学位制，杨晦已意识到苏联的文艺理论不能解决中国的文艺实践问题，想从研究中国的文艺思想史着手来探讨中国文艺的发展道路。我从中国人民大学马列主义研究班回到北大,跟随他攻读文艺学副博士课程,两年多时间,两耳不闻窗外事,一心只读圣贤书,刚告一段落,接下去就要准备投入副博士学位论文的思考了。今后我将向哪个学术方向发展?正是在这个时候,我聆听了周扬这个"建设马克思主义的美学"讲座,尽可能详尽地作了笔记。他的学术热忱深深地感染了我,并在今后的接触中,鼓舞我走向了关注当下现实,汲取文化遗产,走向了投身于建设中国自己的马克思主义美学这个大方向。

我在北大读文艺学副博士的4年多研究生活中,前两年多沉醉于研习古典,后两年则转向关注当下,这转折点就是周扬这个"建设马克思主义的美学"的呼唤。我由此而迈出书斋走向了文坛,被《文艺报》张光年、侯金镜聘为特约评论员,和李希凡、李泽厚等相识,参与"革命现实主义与革命浪漫主义相结合"的讨论,为全国读书运动辅导丛书写了评论《野火春风斗古城》的小册子。在周扬和杨晦的鼓励下,最后我把副博士毕业论文定为《为何古典作品至今还有艺术魅力》,想继续马克思之问来解析中国古典文学之谜。

附:谈革命现实主义和革命浪漫主义的结合问题

我们不能否定社会主义现实主义,但对于社会主义这一体系,我们也可以研究一下。这就是现实主义和浪漫主义这两个对立的东西,能不能把它们统一和结合起来。对于这个问题,我们不要抽象地去讨论,有人提出是社会主义现实主义好,还是革命的现实主义和革命的浪漫主义相结合好?两者的关系到底如何?据我知道,毛泽东同志在延安时,就说过与革命的现实主义和革命的浪漫主义相结合的意思差不多的话,但他在延安文艺座谈会上没有提这个东西,他只讲了"无产阶级的现实主义",后来《毛泽东选集》出版时,又把这改成社会主义现实主义。在"八大"二次会议上,毛泽东同志提到这个问题,但没有作解释,他只说革命精神和求实精神相结合,在文学上是革命的现实主义和革命的浪漫主义相结合。

我个人认为,革命的现实主义和革命的浪漫主义相结合这个说法是比较完全的。高尔基在提出社会主义现实主义的口号时,指出包含革命的浪漫主义在内。高尔基自己写过一些浪漫主义的作品,他把现实主义和浪漫主义连在一起,而且把浪漫主义分为积极的浪漫主义和消极的浪漫主义,把积极的浪漫主义也就是革命的浪漫主义跟社会主义现实结合起来,这在苏联第一次作家代表会上是讲了的。可是后来讲的人少了,浪漫主义不大提了,更多的是讲现实主义。对于革命的现实主义和革命的浪漫主义相结合的认识,我认为不要拘泥于西方对现实主义和浪漫主义的解释,虽然这些名词是西方来的,犹如辩证唯物主义这个名词来自西方一样,现实主义这个名词过去不一定叫现实主义。在别林斯基时管现实主义叫自然派。英国工业革命早,比较先进,马克思说,近代的唯物主义首先在英国产生,估计近代的现实主义——多方面的客观的描写社会生活——也可能产生自英国,大概狄更斯等人都是。马克思曾这样说道:"现代英国的一批杰出的小说家,他们在自己的卓越的、描写生动的书籍中向世界揭示的政治和社会真理,比一切职业政客、政论家和道德家加在一起所揭示的还要多。"从菲尔丁到狄更斯、萨克雷等等,在英国形成现实主义传统。现实主义在法国得到了发展,恩格斯对巴尔扎克作了高度评价。"浪漫"这两个字,在中国不大好听,所以郭老写文章说,多少年来浪漫主义不大吃香,经过毛主席这么一提,浪漫主义的身价才不同了。我觉得浪漫主义实际上就是理想主义。作为一种创作倾向,在历来的伟大作家身上,现实主义和浪漫主义都是很难分离的。在好多年前我读了一些外国文学书,直到现在还有这样的印象,就是19世纪的俄国文学很吸引人,虽然其中也有不健康的如陀思妥耶夫斯基之类的病态的东西,但一般说来,俄国文学特别感动人,有人说它富有人道主义,这是一个原因;我还觉得俄国文学中有一种理想,虽然别的国家的文学中也有理想,但在感觉上不像俄国文学那么突出。读了莫泊桑的作品,再来读契诃夫或托尔斯泰的,感受就不同,他们总是要求改变现状。虽然莫泊桑也要改变现状,但没有那么强烈。作家要改变现状,所以描写的人物就有理想。易卜生也是有些理想的。为什么易卜生在五四时期那么风行,出了什么"易卜生主义"?易卜生的东西当然是小资产阶级的东西,什么个性解放等等,但正如恩格斯所说,易卜生笔下的小资产阶级比德国的小资产阶级好些,因为那个小资产阶级没有那样被歪曲,还较高尚和有独立性,不像德国的小资产阶级带有市侩气,所以作品总要有一点理想。拿《金瓶梅》来说,就描写社会生活的广阔来说,能够赶上它的作品不多,这本书有过多的色情的东西,现在不公开发行,但如果把这一部分去掉,拿它跟《红楼梦》相比,它的吸引力还是不及《红楼梦》,因为人民需要有些理想的精神的东西。所以,伟大的现实主义总是包含了浪漫主义的。逃避现实的浪漫主义,绝不能成为伟大的浪漫主义;现实主义而竟没有一点理想,又怎么能称得上伟大的现实主义。这是属于文学史上的问题,大家可以研究。

人们一讲现实主义,常常贬低浪漫主义。其实,浪漫主义也有其长处,那就是标举理想。恩格斯对德国浪漫主义作家席勒就曾给予肯定,称赞"席勒的《阴谋与爱情》的主要价值就在于它是德国第一部有政治倾向的戏剧"。但席勒的许多作品,浪漫主义有余,现实主义不足,喜欢通过剧中人之口大发议论,把这个变成时代精神的单纯的传声筒。所以恩格斯不大赞成席勒化,而鼓励莎士比亚化。是的,理想和现实是对立面,理想和现实的问题,在过去的文学中确是没有很好地解决的。过去的作家的社会理想得不到解决,所以在作品中也常常表现为一种不可实现的理想,而这些有理想的人,又常常是没有行动的,高尔基把在俄罗斯文学中出现的这种人叫做"多余的人"。这些人都是地主贵族阶级出身,比较聪明,受了西方的影响,有知识,也有理想,像罗亭、奥涅金、奥勃洛摩夫……这样的人就是。但他们的那种理想,不可能实现,他们的理想都以破灭而告终。要宝玉也有理想,但也是不可能实现的理想。所有有理想的人或者不能实现,或者努力去追求理想,最后演成悲剧,为理想而牺牲。

要实现理想,必须经过劳动和斗争,你要改变不合理的制度,就要流血,就要革命,就要受痛苦。你要有大的发明创造,就要劳动,就要准备试验、失败。总之要有行动。否则就成了冈察洛夫笔下的奥勃洛摩夫。所以罗亭这样的人是没有办法的,贾宝玉也是没有办法的,除了自杀外,做和尚是贾宝玉唯一的作为正面人物的革命出路。浮士德是有理想的,浮士德还不是空想,而是认真追求了的,所以《浮士德》成了伟大的著作,他和奥勃洛摩夫是相对的,但他的追求还是受限制的。

只有无产阶级的文学才能解决理想和现实的矛盾。无产阶级就是依靠自己的劳动和斗争来达到自己的理想。为什么我们的民歌中有那么多的浪漫主义,而读来并不生厌呢?那种浪漫主义所以可爱,在于它都是可以实现的。所以,革命的现实主义和革命的浪漫主义相结合乃是我们的理想和现实相结合的反映。因此,用革命的现实主义和革命的浪漫主义相结合的方法和倾向,来表现我们的时代和人民的精神状态,更为合适。

作为倾向来看,现实主义和浪漫主义在过去的伟大作家中就是结合的。但在生活中却经常作为一种矛盾不能解决。因为过去的社会根本就不理想,是人剥削人的社会,是盲目的找不到出路的社会。只有共产主义者能把理想和现实统一起来,它们本身还是矛盾的,但我们找到了解决的办法,这就是自觉的不断革命。

作为一种表现手法来看,人们常把表现手法上的夸张看作浪漫主义,这有些道理,大概搞浪漫主义的人,他夸张的手法可能多一些,但现实主义作家有时候也是用夸张的手法,就不成其为艺术了。对于艺术和生活的关系,毛泽东同志指出,人类的社会生活是文学艺术唯一的源泉,毛泽东同志说了"自然形态的东西,是粗糙的东西,但也是最生动、最丰富、最基本的东西"这段话,有同志没看懂,以为自然形态的东西就是群众创造的民间文艺,其实毛泽东同志在这里是一个比喻的说法,他说的自然形态的艺术矿藏指的是生活。不能把民间文学当作文学的源泉。毛泽东同志说:生活比艺术有不可比拟的生动丰富的内容,但是人民还是不能满足于前者要求后者。关于这个问题,车尔尼雪夫斯基谈得非常好,他的意见和毛泽东说的差不多,他认为生活的美比艺术高,但人类还是需要艺术。车尔尼雪夫斯基列举了很多理由,这里就不说了。毛泽东同志是这样说的:"虽然两者(生活和艺术)都是美,但是文艺作品中反映出来的生活却可以而且应该比普通的实际生活更高,更强烈,更有集中性,更典型,更理想,因此就更带普遍性。"这说明毛泽东同志对艺术的估价是很高的。生活比艺术高，但并不能取消艺术；艺术要服从政治，但也不能不要艺术。教条主义者是看不到这个东西的，就势必要走到取消艺术的路上去。所谓"更集中，更典型，更理想"，可见生活中原来就有很多典型和理想，而艺术则比它更典型、更理想。过去把典型问题搞得那么神秘，其实生活中就有典型，只是艺术中的典型更典型而已。把许多共同的特征概括在一个人身上，这就是典型。别林斯基是这样说的，高尔基和鲁迅也是这样说，这样说我看差不多，不要把它搞得太神秘，它又是个性，又是典型，又是共同的，又是特殊的。典型还是有个性的，车尔尼雪夫斯基说：典型不是把很多特征加起来。现在的一些公式化、概念化的东西，毛病就出在把许许多多特征加起来，而且还是加在一个死人身上，所以看起来感到不舒服。车尔尼雪夫斯基打了一个比喻，他说把许多酒加起来不等于酒精，酒可以喝，酒精不可喝，但不等于酒中最厉害的东西提炼出来就是酒精。某些公式化概念作品中的英雄人物，就好像酒中提炼出来的酒精，干巴巴的，很难使人欣赏。作为艺术表现的手法，不能说有一点幻想和夸张就是浪漫主义，因为现实主义也有幻想和夸张，只是浪漫主义用多一点，但不能决定有了幻想和夸张就带有浪漫主义的倾向，因为夸张和幻想是艺术中必须有东西。我们的艺术家是懂得这个道理的。齐白石说：艺术作品在于"似"与"不似"之间。这个话很有意思。要画得完全像，不如拍照片，画家画一定是有些地方不像，但又是更像的，这就是把你的特点画出来了。完全相像，那就是照相，那就是自然主义。再如中国艺术有"形神兼备"的说法，一个是外部形象，还有一个是精神形象。中国艺术非常注意神似。东晋朝代无锡大画家顾恺之画人物，就特别注重眼睛。《世说新语》里有这样一个记载："顾长康画人，或数年不点目精。人问其故。顾曰：四体妍蚩，本无关于妙处，传神写照正在阿堵中。"人要能传神，关键在于眼睛，所以不能轻易点睛。这"阿堵"说的就是眼睛。画像的时候就要把你的精神画出来，这比画出外貌要好。如果仅仅画出外貌，用显微镜放大一看，恐怕任何美人都像丑人，因为美要联系很多东西，包括他的人格、性情、灵魂，你不注意那些东西，只注意他脸上每一个汗毛孔,甚至把它扩大,你的艺术还有什么价值?你说不真实,它是真实的,但这种真实太煞风景了,所以浪漫主义,一般作为倾向和理想去解释,至于作为描写的手法,恐怕所有艺术品中都有它一定的浓淡之分。哪个地方浓一点,哪个地方淡一点,艺术家有他的主观见解在那里,有他的立场在那里。因此,我们提出革命的现实主义和革命的浪漫主义相结合是有益处的。对人的理想和现实的矛盾,我们要正确地反映和加以解决,而不是去掩盖矛盾。教条主义有点掩盖矛盾,它想把矛盾掩盖起来,或者掩盖矛盾的一面;又像又不像他想不通。而实际上,艺术就是要求又像又不像,是又像又不像的统一,比较起来这是最像的。现实与理想的结合是最现实的,也是最理想的,缺乏理想的现实不是最现实的,缺乏现实的理想是不可靠的理想。所以,有些作品看起来不怎么好,是否跟我们对现实主义的解释有关系?我们有些有才能的作家写出来的作品不怎样吸引人,是否和他对现实主义的理解有关系?怎样才能避免追求外表的真实?这是一个值得我们很好考虑的问题。

2012年春节初稿
2013年元旦改定
望海书斋

燕园谈艺再论道

一

周扬在讲完"建设马克思主义的美学"之后,原本要在年内完成第二讲,但这个计划没有实现。周扬在这年冬天特别忙,天南海北到处去了解文化艺术的发展情况,还和茅盾、邵荃麟筹备召开全国的文学创作会议。

我按他先前说的要求,把他的演讲整理出来成为打印稿。我只为《北京大学学报》写了一个学术动态报道,未给任何报刊送打印稿。眼看年终将临,我去了一趟中宣部,把打印稿交给谭小邢,并询问一下,周扬什么时间再来北大讲第二讲。她说她也说不好,恐怕要到开春再说了,一有消息,她会及时告诉我。

过了1958年,次年开春,全国文学创作工作会议就召开了。1959年2月18日,会议在中国文联会堂(王府井大街北侧)开幕。由邵荃麟主持致开幕词,然后由茅盾作了长篇报告。我从北大特地赶到文联听茅盾的发言,知道两天后要由周扬来作总结,于是我在2月20日又到文联,以便能见到周扬,询问能否确定下他来北大作第二讲的时间。

周扬兴致勃勃、神采飞扬,一口气讲了半天,畅谈了作家的使命和他的希望。散会后,我赶快抓紧时间,见了他一面,问他何时再来北大。不料他干脆利落地告诉我,明天去他家里,一起商定。

1959年2月21日,我第二次去了沙滩北街周扬家里。这一次,我们去了三个人,我和邵岳、孔辰光。这是因为周扬上次在家谈到,要学生参加讨论及编选参考资料,必须在这次见面时征求他的意见,以便最后落实。他们两人是具体抓这事的,所以我一定要把他们请来,请周扬当面指点。

周扬半开玩笑地说,上次他去北大"献丑"了,不知道反应怎么样。

我首先把哲学系几位教师的反应告诉他:反应热烈,哲学系已在准备向北大领导打报告,要把朱光潜从西语系调到哲学系,和南京大学来的宗白华、中山大学来的马采集中在一起,准备成立美学教研室,以推进北京大学的美学建设。中共中央高级党校的何家槐,在听了周扬的报告之后,也在那里准备成立一个美学小组。

周扬一听,就接着我的话说,这可是具有开创性的喔!中国还从来没有过美学教研室。要是北大成立美学教研室,那得好好发扬北大的美学传统。北大自1917年蔡元培当校长开始,就开启了美学传统,他不但自己开设美学课程,还在北大推广美育实践活动,成立音乐研究会、美术研究会、书法研究会等,力倡以美育代宗教。蔡元培在1912年当民国政府首届教育总长时就把美育列入国家的教育方针之中,在当时真了不起。鲁迅当时就在教育部当文员,管文化艺术,极力支持蔡元培的美育方针。李大钊在北大当图书馆馆长,虽然没有开过美学课程,但他赞成蔡元培在北大倡导美学,发表过《美与高》等美学文章,支持蔡元培的美育建设。蔡元培病倒之后,立即请了从法国回来的张竞生来接他讲美学,一直把美学放在心上。将近70岁时,蔡元培还说,若让他回到20岁,他一定要专治他所心爱的美学和世界美术史。由他开启的北大美学传统没有断,后来,邓以蜇、朱光潜都讲过美学。周扬叮嘱北大要继承和发扬这个由蔡元培开启的美学传统。

接下来,邵岳向周扬报告了中文系学生的反应。周扬的演讲,激起了不少学生的理论兴趣,"建设马克思主义的美学"吸引了不少青年学生。1955级学生还在修改红色文学史,贯穿全书的理论线索,就是"现实主义和反现实主义的斗争"。现在要修改全书,听了周扬的演讲,就想围绕这个理论问题进行深入的讨论,既学习马克思主义来解说理论问题,又学以致用,推进红色文学史的修改。

周扬听完后,稍微沉吟一下,说道:"既然文学史修改回避不了这个问题,那就不妨作些深入的讨论,从理论上弄清楚。"他说,他对这个问题也没有作过研究,听何其芳说过,文研所讨论红色文学史,也对这个问题提出质疑，不能把中国文学史归结为现实主义和反现实主义的斗争。这个理论是从苏联传过来的，中国不能硬套，深入讨论也好。"现在大家正在争论'论从史出'，还是'史从论出'，我同意'论从史出'，写文学史不要先预设一个理论框框，然后把历史事实往这个理论框架里去填，以证实那个理论。写中国文学史，也不能先预设一个现'实主义与反现实主义斗争'的理论套子，而要从实际的历史事实出发，得出理论结论。所以，你们若讨论'现实主义与反现实主义'这个理论问题，就要从中国文学发展的实际出发，理论要和实践相结合。"

在谈及红色文学史的修改问题时，邵岳说道，学生们对另一个理论问题感兴趣，那就是古典文学时代已过去了千百年，但许多优秀作品出自剥削阶级出身的作家之手，却在今天还具有艺术魅力，吸引着今人去欣赏，这是为什么？在修改红色文学史时，感到不大容易说清楚。

这个问题，引起了周扬的浓厚兴趣，从而引发了他以下的一番议论。

周扬说道："这是一个可以令人深思的好问题，值得深入去探讨。大家可以去读一读马克思在《〈政治经济学批判〉导言》中所说的古代希腊的艺术和史诗为什么至今还给予我们艺术享受、还对我们具有艺术魅力的那一番话，从中可以得到启示。

"马克思在谈论古希腊艺术和史诗时，既阐明了它的历史价值，又揭示了它的现代价值。古希腊艺术和史诗生长在那个历史时代的土壤上，反映了那个历史时代，那是人类的童年时代。世上不同民族的童年是不一样的，有粗野的童年，有早熟的童年，而希腊的童年发育得很正常，是正常的童年。古希腊艺术和史诗，正是反映出了这个正常童年的完美之处。马克思说，为什么历史上人类童年的时代在它发展得最完美之处，不该作为一去不复返的历史而显示出它的永久魅力呢？

"这就是说，古希腊艺术和史诗反映了人类正常童年时代的完美，具有历史价值，但这只是第一层意思。马克思还进而阐发了第二层意思：古希腊艺术和史诗还对我们今天这个时代提供着艺术享受，因而具有现代价值。马克思说，困难不在于它如何反映了那个时代，困难在于它们何以仍然能够给我们以艺术享受，千百年过去了，为什么还对我们具有艺术魅力？马克思又以成人和童年为喻作进一步阐发:人类的童年时代早已过去,进入了成年时代。但那童年时代的天真,对于成人来说仍有不可磨灭的价值,难道人类不该在更高阶梯上把童年的天真再现出来吗?"周扬说,依他的理解,马克思的意思是说,成人时代人类应该在更高层次上把天真的童年时代的完美之处再现出来。

周扬兴致勃勃,意犹未尽,继续发表他的见解。他的看法,这里的关键还在于文学艺术作品能否反映出那个时代,能否把握住那个时代的精神。我国古典文学的优秀之作,就把握住了那个时代的精神。不错,古典作家大多出身于剥削阶级,所谓"书香门第",不可能是劳动人民家庭。劳动人民在旧社会,整天忙于劳动,为生活而奔走,连最低的生活水平也达不到,哪有精力和时间来从事文学创作!那个时代,人类的智慧只集中在少数人身上,能掌握琴棋书画的还是剥削阶级出身的文人雅士。所以,古典文学有阶级性,打上了阶级烙印。但是,优秀的作家能跳出狭隘的阶级局限,反映了他所生活的那个时代的某些本质方面。中国古代文化比欧洲发展得早,唐代已出现文化高潮,那时欧洲还很落后,欧洲出现文艺复兴时,中国已到了明代。李白、杜甫的诗歌就反映了盛唐气象,富有时代气息,杜甫更多地触及社会矛盾,歌舞升平底下蕴藏着的社会危机,"安史之乱"爆发后,杜甫的诗歌就更深一步反映了那个时代。

古典文学反映了当时的时代,那个时代的面貌在今天已不可重复,一去不复返了。"杨柳岸,晓风残月",是那个时代的产物,反映的是那个时代的风貌,但至今还是可以引起人的美感。"西出阳关无故人",也是反映了那个时代的真实,那时的边关,交通不便,人烟稀少,见不到什么熟人了。今天我们读《阳关三叠》,会引起思故之幽情,还能产生美感,归根究底还是因为优秀的古典文学艺术反映了那个时代的真实。

那么,古代的作家、艺术家大多不是出生在劳动人民家庭,怎么会创造出优秀的文学作品来呢?这就要对作家、艺术家的人生实践作历史的、具体的分析。一个人若要创作文学艺术作品,必须要有自由的时间、充沛的精力、较高的文化素养、丰富的生活经历,"行万里路,读万卷书",才能下笔如有神。在社会生产力还不高的条件下,劳动人民没日没夜地在从事体力劳动,为最低生活条件而奔走,哪来时间和精力从事文学艺术的创作?在劳动过程或间歇中,在实际生活的深切体验中,也会产生本源性的文学艺术,像民歌民谣、民间艺术,但要创作出反映时代精神、集中时代精华的杰作,还得靠集中时代智慧的文化精英。在体力劳动和脑力劳动相分离的时代,文化的创造主要还得靠脑力劳动者。古代的文人雅士主要在中小地主阶级中产生,而上层人士则忙于政治事务,统治国家。出身于"书香门第"的文人雅士,不用为生活奔忙,有时间和精力从事文学艺术的创作,行万里路,读万卷书,又使文人雅士能走出狭隘的阶级关系而走向更广阔的天地。优秀的文学艺术就能反映出那个时代的精神、那个时代的精华,时代智慧就集中在这些文化精英身上。中国如此,在世界范围内也是这样。莎士比亚、歌德、莱辛、席勒、巴尔扎克、托尔斯泰、契诃夫、罗曼·罗兰、惠特曼,都是他们那个时代的文化精英,集中了时代智慧,反映了时代精神。

周扬在列举了这些作家之后,接着说道,他最崇敬的作家,一是德国的歌德,二是俄国的托尔斯泰。然后,周扬还对美国19世纪诗人惠特曼作了一番评价。他说,惠特曼和歌德、托尔斯泰不一样,不是封建贵族,不是农奴主、庄园主,属于两个不同的时代。惠特曼出现在资产阶级上升时代,高扬个性自由,反映了美国处于上升时代那种蓬勃向上的精神。周扬说,他读《草叶集》从诗篇中就像看到了一种新型的人,一种惠特曼式的形象,身体健康,心胸开阔,有远大理想,乐观奋发。在这里,反映出来的是一种新的时代精神。

周扬兴之所至,津津乐道,我听得也是津津有味,忘了时间,这是在公开报告中周扬不会这样说的。这时坐在我旁边的孔辰光有些着急了,暗暗向我指了指表,我明白他还要当面向周扬请教如何处理两件实事。我趁周扬讲完惠特曼的间歇,赶紧向周扬介绍孔辰光,这是中文系的青年教师,做学生班主任,还在抓《毛泽东文艺思想概论》的编写和《马克思主义与文艺》的增编,要请周扬指导应该怎样进行才好。

对于学生编写《毛泽东文艺思想概论》，周扬明确表示支持，这是"建设马克思主义的美学"题中应有之事。周扬答允，等全书初稿出来后，可以送他看看，再提意见。

关于《马克思主义与文艺》一书的增编，周扬的想法，还是限定在马克思、恩格斯、列宁、斯大林、普列汉诺夫、毛泽东、高尔基、鲁迅这八位的经典论说，暂不要增加其他人的论说。要增补一些新材料，也要少而精，尽可能完整些。所增选的材料，还是按照文艺理论本身的逻辑，分不同的问题入编，然后才照顾到时间的先后编排。

谈完《马克思主义与文艺》的增补，周扬接着又提出，要建设马克思主义的美学，不能只读马克思主义的思想资料，还要读中国古代和外国的文艺理论资料。他希望北大中文系的学生在增编完《马克思主义与文艺》一书后，还要继续编中国古代和外国的文艺理论资料。

周扬说道，外国的文艺理论不可能都是唯物主义的。但列宁说得好：聪明的唯心主义比愚蠢的唯物主义更接近聪明的唯物主义。我们编收的材料，当然最好是聪明的唯物主义的，但退而求其次，也可以编收一些聪明的唯心主义的，这总比那愚蠢的唯物主义好些。这就要靠我们编选者的智慧了。

最后，周扬说，他争取在2月底再去北大讲第二讲：文艺与政治。

二

周扬是文坛忙人，原定在2月底再次到北大，却未能脱身前来，又延后了一周。等到1959年3月6日，周扬就直接到达北大办公楼礼堂，为"文艺理论讲座"作了第二讲：文艺与政治。

一上来，周扬就开宗明义，道明他为什么要讲文艺与政治的关系。他说，以往，他总是从无产阶级的历史使命说起，无产阶级要登上历史舞台，必须进行阶级斗争，斗争贯穿在经济、政治、文化的各个领域，文艺是阶级斗争的工具，文艺事业是无产阶级总的事业中的有机组成部分。无产阶级要求文艺服从于政治斗争，这是从阶级斗争出发的自觉要求，但这自觉要求乃是对文艺发展规律的自觉掌握的结果，不是凭空而来。他这次来北大讲课，就想换一个角度，从文艺发展的客观规律说起，文艺和政治在历史发展中有着密切的关系，文艺受政治制约，反过来又作用于政治，这里存在着客观规律。无产阶级掌握了历史发展中的客观规律，自觉运用客观规律，为革命事业服务。

周扬先从文艺的社会作用谈起。

每一个时代的文学艺术都是在社会中产生和发展的。为什么每个社会需要自己的文学艺术？这正是因为文学艺术对社会有用，若对社会没有用，也就不会有文学艺术了。文学艺术反映社会生活，反过来对社会生活起作用。文学艺术对社会生活起什么作用呢？那就要把文学艺术放在整个社会生活中来考察，才能有所了解。

马克思主义创始人从整体上分析了社会结构。整个社会就像一座大厦，既有基础，又有上层建筑。经济是基础，政治、法律、艺术、宗教、哲学等都是上层建筑。上层建筑建立在经济基础之上，没有经济基础，上层建筑也就建立不起来。但上层建筑不是单一的存在，而有多种多样。后来，马克思、恩格斯之后的马克思主义理论又把上层建筑一分为二：政治是第一上层建筑，而意识形态乃第二上层建筑，艺术、宗教、哲学等意识形态并不直接和经济基础相联系，而是直接和政治这第一上层建筑相联系。政治是意识形态和经济基础相联系的中介，艺术、宗教、哲学等意识形态和经济基础的相互作用，乃是通过政治这一中介来实现的。这样看来，文艺和政治可说有着密切的关系。

被鲁迅赞誉为"用马克思主义的锄锹，掘通文艺领域第一人"的普列汉诺夫，对文艺和社会的关系作了深入的研究，他并不满足于人们常说的文学反映了社会生活，这虽然也讲出了正确的意见，可是毕竟还不十分明确。为了理解文学是怎样地反映社会生活的，就必须了解社会生活的机制。普列汉诺夫更加深入地揭示了经济基础和意识形态之间的"中介环节"，提出了社会结构的五要素：生产力、生产关系、政治制度、社会心理、思想体系。他突出了"社会心理"这一中介环节对意识形态的重要作用。依他之见，社会心理不仅对政治制度、法律规定等起着作用，而且对文学、艺术、哲学等起着更加巨大的作用。反过来，文学艺术对政治发生反作用，也是先影响社会心理，通过社会心理的改变影响政治。这就是说，文学艺术对政治发生的影响，常常是间接的，而不是直接的。但这并不意味着文学艺术就和政治没有什么关系，从整个历史发展看，文艺和政治存在着直接和间接的关系。普列汉诺夫在《艺术与社会生活》一书里说得很清楚：任何一个政权只要注意艺术，自然总是偏重于采取功利主义的艺术观。这也是可以理解的，因为它为了自己的利益就要使一切意识形态都为它自己所从事的事业服务。

对于政治的理解，向来存在广义和狭义之分。和列宁并肩前行，主管了全俄文化、教育事业的卢那察尔斯基就曾说过，纯粹的政治领域是狭窄的，所以，一个作家为社会服务的事当然不能归结为政治，但这并不意味着文学艺术就和政治没有关系。文学艺术和政治可能有间接关系，也可能有直接关系。他曾写过一篇《作家和政治家》，称赞高尔基既写散文、小说，又写政论，既是作家，又是政治家。他还号召作家要理直气壮地关心政治，应当为其艺术作品富有政治意味而感到自豪。普列汉诺夫在谈论政权、政治制度时，指的是狭义上的政治，但在谈论文学艺术、哲学、道德时，又常在广义上理解政治。他对18世纪的法国文学、戏剧、绘画作过深入分析，精辟地指出，在政治上开辟了一个新纪元之后，也在艺术上开辟了一个新时代，这个时代表现的是一个新的上层阶级，即资产阶级的愿望和兴趣。这个时代的艺术，是渗透了政治的艺术。他甚至认为，那古希腊的艺术，很大程度上也是政治的艺术。普列汉诺夫在把当时的法国艺术和古希腊艺术称作政治的艺术时，还特地作了一个说明：我们是在广义下使用"政治"这个字眼，其意思是说，任何阶级斗争都是政治斗争。

在阶级社会中，阶级斗争表现在社会生活的不同层面，经济、政治、思想的不同领域都存在着阶级斗争。恩格斯在《反杜林论》一书中，就已说到无产阶级的历史使命，就要在经济、政治、思想各个领域展开阶级斗争。那么，这里所说的政治就应是狭义的，政治领域的阶级斗争，应不同于思想领域的阶级斗争。但是，思想领域的阶级斗争是和政治领域的阶级斗争相互配合、相互渗透的。政治是阶级利益的集中表现，政治斗争更为激烈，发展到极致，就成了军事斗争。而思想领域的阶级斗争，就直接或间接地服务于政治斗争。文学艺术是更为复杂的社会现象，按普列汉诺夫的看法，文学艺术直接表现了那个社会的社会心理。审美需要、审美趣味、审美理想等都属社会心理，文学艺术的变化直接反映了社会心理的变化，但社会心理变化的推动力，却是阶级斗争。他对18世纪的法国戏剧作了重点剖析，深刻说明了，那时的戏剧，从所谓的"闹剧"，发展为"悲剧"，然后再到"流泪喜剧"，直接表现的是审美趣味的变化，但那深层的原因，还是政治斗争的演变。在他看来，在中世纪舞台上占重要地位的是"闹剧"。"闹剧"是为人民演出的，表现的是人民的愿望和趣味，直接表达了人民对上层等级的不满之情。但从路易十三的王朝开始，"闹剧"趋于衰落。此时的封建王朝，看重的是"悲剧"，它是封建贵族的创作，表现的是上层等级的观点、趣味和愿望。"悲剧"是宫廷贵族的产物，"悲剧"中的主人公是帝王、贵族，被奉为"伟大"、"崇高"的人物。法国当时的"悲剧"，体现了因封建王朝君主政体的巩固而成长起来的贵族趣味的精巧细致。但是，当法国出现了第三等级并日益壮大之时，对封建贵族的仇恨和对正义的渴望也同时在心中生长起来，于是，在法国舞台上出现了"流泪喜剧"，歌颂第三等级，嘲笑王公贵族。"流泪喜剧"成为18世纪法国资产阶级的肖像，反映了新社会制度同封建制度的斗争，是这种政治斗争在思想上的反映。反过来，这资产阶级的戏剧的产生，又是为巩固新的社会制度服务的。

说到这里，周扬接着说道，我想从另一个方面来说明文艺和政治的关系，那就是，在一个社会的阶级斗争相对缓和的时代，文学艺术常被用来调节阶级内部和阶级之间的关系。中华民族的传统文化一向重视的礼乐精神，就着力于调节人与人之间的关系。早在先秦时代，我们的孔老夫子就特别重视礼、乐在社会中的作用，礼、乐、射、御、书、数这六艺之中，礼、乐被置于首位。一个人要成为仁人君子，必须"兴于诗，立于礼，成于乐"。人的修身养性，首先要从学"诗三百"做起。诗的作用，可以兴，可以观，可以群，可以怨。学"诗三百"，可以激发志意（兴），可以观风俗之盛衰（观），更可以调节人群关系（群），怨刺上政（怨），礼、乐则更进一层，促进政通人和，社会有序，而乐的最高境界，还能达到天人之和。礼和乐的社会作用并不完全相同，"乐统同，礼辨异"。所谓"礼辨异"，就是要把人群的不同等级的差异区分开来，亲疏、贵贱、长幼、男女，在礼法上均要有所区别，这样就可以各安其位，天地君亲师还是要有个次序。乐则"统同"，要把不同等级的人统一为一个整体，达到精神上的和谐。尽管礼和乐的功能并不相同，但最后的目的却是一致的。《乐记》里说"乐者为同，礼者为异。同则相亲，异则相敬"，就是要使社会安定团结，人与人之间相亲而相敬。这样看来，早在古代，孔老夫子就已意识到了诗、乐和政治的作用：安定人心，政通人和。

周扬说到这里，就稍作了一下归纳。周扬说，作为一种社会现象，文学艺术属于第二上层建筑，和作为第一上层建筑的政治，必须发生这样或那样的联系，相互制约而又相互作用。问题在于：一、对于这种相互作用是自觉意识到了，还是尚未曾意识到；二、这种相互作用是直接的还是间接的；三、这种相互作用是正面的还是反面的。文学艺术本身有不同性质的差别，有的文学艺术为反动政治服务，而有的文学艺术则为进步政治服务，必须具体分析。

这样，如果我们要对文艺与政治的关系作更进一层的了解，就必须考察具体的作家和作品。还是来重点考察一下世界第一流的文学家巴尔扎克和托尔斯泰，通过作家的社会生活和文学创作来看文艺和政治的关系。这两位世界第一流的作家，主要创作文学作品，但也都写了不少政论，巴尔扎克写有两三百万字的政论，托尔斯泰就更多。两位作家的文集都出到二三十卷。他们的政治观点主要表现在政论中，但也间接或直接地表现在艺术性文学中。

法国作家巴尔扎克，出生于19世纪即将来临的前一年，死于1850年，只活了50岁。但他生活的那个时代，还是法国社会经历了伟大变革的历史时代，阶级斗争异常激烈。1789～1794年的法国大革命，资产阶级登上政治舞台，击败了封建贵族，取得了初步胜利。巴尔扎克出身于第三等级的平民阶层，在法国大革命胜利后的好几年才出生。受到新兴政制的鼓舞，已经跨入中产阶级门槛的父母，培养他进入大学,希望他将来能当上律师、法官或公证人,成为资产阶级。可是,正当他即将步入社会、年少气盛之时,法国社会又有了巨大变化,封建王朝复辟,阶级分化激烈,巴尔扎克一家的生活在19世纪20年代日益下降。后来他向别人说道:"忧患催人老,你真想象不到我在22岁以前过的是什么日子。"他曾尝试办过印刷所、铅字厂,但很快失败了,负债累累,终于在20多岁时下定决心,致力于写作,从此一辈子投身文学,靠卖文为生。巴尔扎克崇拜拿破仑,在租来供写作的书房里,他供着一座拿破仑石膏像,底座处他写了一条自己的座右铭:"彼以剑锋未竟之事业,吾将以笔锋成之。"

巴尔扎克的文学创作,笔锋主要指向当时法国社会生活中的丑恶的、荒谬的、可笑的社会现象,所以他把自己的文学创作称为"人间喜剧"。他是站在哪个阶级立场上来揭露社会的黑暗的呢?历来研究巴尔扎克的人有不同说法,有的说是他所持的是资产阶级立场。巴尔扎克的世界观确实比较复杂,但从总体上看,巴尔扎克是从中小资产阶级的立场出发来反映法国19世纪上半叶的社会生活的。巴尔扎克也曾想办厂经商,发财致富,成为资本家,但初战即败,一辈子只好出卖自己的脑力劳动,拼命写作。成名之后,巴尔扎克也曾几次尝试竞选当议员,入法兰西科学院,但也都未成功。为了走向上流社会,巴尔扎克也曾出入于这个公爵夫人、那个侯爵夫人等的文艺客厅,故弄风雅。甚至,他还在保皇派的刊物上发表政论,要求国家政权还要保留贵族的一定位置,贵族院还要继续存在,只是贵族院要进行改革,不应只重视出身,应该把"才华卓著"的社会优秀人才"吸收为成员"。但是巴尔扎克的正统派政治见解并未得到坚定的保皇派的赏识,终其一生,巴尔扎克始终无缘与贵族院接近。

巴尔扎克之所以关爱着贵族,自有其个人偏信的因素。他出入于贵族门庭,为一些表面现象所迷惑,心目里以为豪门贵族读诗知礼、温文尔雅,是些有教养的人物。但他之所以推崇贵族,还有更深一层的原因,那就是当大资产阶级(大地主资本家、金融资本家)登上政治舞台之后,很快就暴露出了贪婪、残酷、虚伪的阶级本性,比起贵族阶级来,有过之而无不及。所以,巴尔扎克在自己的文学创作中,不断地抨击大资产阶级,对高利盘剥的金融资本家揭露尤深(他本人就吃了高利贷之苦)。对于贵族的推崇,这正是巴尔扎克的政治偏见,在他的系列政论中有明显的表现。但巴尔扎克却并不属于贵族阶级。正如恩格斯所说,巴尔扎克看到了他心爱的贵族们灭亡的必然性,从而在自己的作品中,把贵族们描写成不配有更好命运的人。在他的笔下,他对贵族男女的嘲笑空前尖刻,对他们的讽刺空前辛辣。在巴尔扎克的文学创作中,他深切同情和衷心赞扬的是什么人呢?他经常毫不掩饰地赞扬的人物,却正是他政治上的死对头,就是那些既反对贵族也反对资产阶级的共和党的英雄们,也就是巴尔扎克所处那个时代中的真正的人民代表。巴尔扎克在当时唯一能找到未来的真正的人民的地方找到了这样的人,从而在自己的作品中作了反映。随着时间的推移,1848年大革命即将来临,在巴尔扎克的心目中,劳动人民的地位越来越显得重要,他的关注和同情越来越向劳动人民这边倾斜。

巴尔扎克的世界观是复杂的。巴尔扎克的政治观点也随着时代的发展而在变化,他憎恶大资产阶级,却又推崇贵族,后来又越来越关注和同情劳动人民的命运。巴尔扎克作为小资产阶级的脑力劳动的出卖者,他和现实政治的关系也在发展着。这一切,都反映在他的"人间喜剧"中。

现在再来看看俄国作家托尔斯泰,他和他的文学创作和政治有着什么样的关系。

托尔斯泰生于1828年,死于1910年,活了82岁,比巴尔扎克长多了。他的一生,经历了俄国历史发展中的一个重要时代,那就是1861年在俄国进行的农奴改革运动,一直到1905年的俄国资产阶级革命,俄国社会发生了急剧变化。托尔斯泰本人也从贵族上层阶级转向了农民阶级的立场,反映宗法制社会的农民的思想和感情,表现在他的文学创作中。

托尔斯泰出身于大庄园主家庭,生活在贵族上层,养尊处优。他早年所写的《童年》《少年》《青年》三部曲,就直接反映了他所过的贵族生活。他读的是喀山大学法学系,青年时代开始关注农奴制的政治变革。在酝酿农奴改革的19世纪50年代后期,托尔斯泰在彼得堡和莫斯科积极投入了各个政治派别的改革争论。他虽支持农奴改革,但还是站在贵族温和派立场,和那些平民知识分子,如车尔尼雪夫斯基所持的革命民主主义立场,明显不同。托尔斯泰还出国去德国、英国、法国、瑞士、意大利等已走上资本主义道路的国家,实地考察,亲自体验资本主义好在哪里。结果,托尔斯泰在这里体验到的却是资本主义的残酷和肮脏,人民没有得到幸福。托尔斯泰公开说,他不觉得工厂主对工人的态度,比地主对农奴的态度要显得人道一些。托尔斯泰不愿意俄国的农奴解放导致走上资本主义。甚至,托尔斯泰在1863年动笔写《战争与和平》时还这样宣称:"我不是个小市民,正像普希金大胆说过的那样,而且我还要大胆地说,我是个贵族,不论在出身上、习惯上、地位上、境遇上,都是这样。"他在这部反映俄国1812年卫国战争的伟大史诗中,歌颂了贵族和人民共同抗击法国拿破仑的侵略。为巴尔扎克所崇拜的拿破仑,在托尔斯泰的笔下,却是一个侵略暴君、历史小丑。

自1861年俄国农奴制改革开始以后,在托尔斯泰看来,俄国社会就一切都混乱了。俄国向何处去?托尔斯泰心头始终在思索着,思想上不时产生矛盾。在即将跨入50岁之时,托尔斯泰创作了《安娜·卡列尼娜》。他通过安娜为追求自己的幸福而最后酿成悲剧的命运,抨击了沙皇的农奴制改革并没有为人民带来幸福,深刻揭露了上层社会,特别是国家政权的腐败、官僚的冷酷无情。但他看不到有什么出路,还是把希望寄托在列文这样的仁慈贵族身上,要用"博爱"来感化地主、贵族。此时,托尔斯泰的阶级立场、世界观还是受贵族所主导,但目光已更多地投向农民,密切关心农民的命运。

经过20多年的探索,托尔斯泰通过访贫问苦、实地调查、捐赠办学、义务赈灾等实践活动,深切体验到了劳苦农民的苦难和不幸,痛感地主贵族生活的可耻,决心和过去告别。在19世纪70年代末到80年代初,托尔斯泰写下了闻名世界的《忏悔录》,自称在1881年这个时期,乃是他从内心上改变整个人生观的一段最为紧张热烈的时期。托尔斯泰辞去了县城里贵族长的职位,拒绝再担任法院的陪审员,在庄园里多做体力工作,不吃肉、不喝酒、少抽烟,要和"寄生虫"的生活告别,追求道德的自我完善。列宁曾对托尔斯泰的立场、思想激变这样评价道：俄国社会的破裂，使他的整个世界观发生了一个转变。就出身和教养讲来，托尔斯泰是属于俄国高等地主贵族，但是，他与这个阶层的一切传统的观点决裂了，而且在他的后期作品里，他以剧烈的批判攻击了现代的各种国家的、教会的、社会的、经济的制度，这些制度都是建立在对群众的奴役上，在群众的贫穷上，在农民和一般小农的破产上，在从头到尾把整个现代生活渗透的暴力和虚伪上。

托尔斯泰的阶级立场、世界观转变之后，继续用10年时光写出的《复活》，达到了他文学的最高峰。这部小说的主人公已经转向被污辱、被损害的底层人民，通过玛丝络娃的被冤屈的受苦受难的命运，托尔斯泰全面地揭露和打击了沙皇的国家机器贪赃枉法、草菅人命，骑在人民头上作威作福。托尔斯泰又通过贵族地主聂赫留朵夫这个人物对贵族阶级作了自我忏悔，否定了贵族的腐朽生活，要重新做人，过一种自然朴素的生活。但就是在这部作品中，也仍然表现出了托尔斯泰思想的局限性，那就是面向贵族地主们劝善，要追求道德的自我完善，用"博爱"来拯救自己和农民，不要用暴力来抗恶。这正如列宁所指出的，托尔斯泰一方面无情地批判资本主义剥削，揭露政府的暴虐、法庭和国家管理机关的滑稽可笑，另一方面托尔斯泰又痴呆地鼓吹"不用暴力去抵抗恶"。正是从他的托尔斯泰主义出发，他推崇文学艺术要在社会生活中发挥调节人际关系之团结友爱的作用，有点像中国儒家推崇的礼乐精神。

最后，周扬说："像田园诗、爱情诗、山水歌、花鸟画等这样的文学艺术作品，究竟和政治有什么关系？这样的诗画作品，向来被看成只关风花雪月，无关政治教化。确实，在这些作品中并不直接表现政治内容，和政治没有直接的关系。但是在什么时代这类诗画兴盛，有些作家、艺术家为何对此类作品情有独钟，这深层原因却和政治有关。政治的因素，此时是作为原因对这类作品的兴衰起着间接的作用。历史上被称为田园诗人的陶渊明为什么对田园诗情有独钟？这正是因为他对那时的偏安江南的东晋政权不满。陶渊明原也是名门之后，年少时也曾'猛志逸四海'，三次出去做官，都很快辞官归家，'有志不获骋'，不愿再为五斗米折腰。他写的《感士不遇赋》，所发的其实就是政治上不满而引起的牢骚。生不逢时、怀才不遇就走向田园,做个自由人。因此,他寄情田园的深层动因,正是对政治的不满。而且陶渊明对政治的不满,也反映在他的饮酒诗中。鲁迅在1927年写的《魏晋风度及文章与药及酒之关系》中就早已说过,陶渊明即使在退隐之后,'总不能超于尘世,而且,对朝政还是留心',他所作的《述酒》,就是'说当时政治的'。今天朱光潜先生也在座,我想起了鲁迅和您朱先生争论陶诗的往事。我记得1935年您在《中学生》杂志上发表过一篇答夏丏尊先生的文章,说到陶渊明,您说他浑身是静穆,所以他伟大。鲁迅就不同意您的说法,提出了他的看法,历来伟大的作者,没有一个是浑身静穆的,陶渊明也并非浑身都是静穆。确实,陶渊明也有'金刚怒目'的一面,又有隐逸静穆的一面。后来,朱先生写了一篇长文《陶渊明》,对陶渊明的评价就比较全面了,对陶渊明的研究推进了一步。学术正是要有争论,才能有所推进。

"以上,我们从时代、个人和作品的不同层次上考察了文学艺术和政治的关系。我们可以这样说,文学艺术作为一种社会现象,在历史发展中,历来都是同政治有着这样或那样、直接或间接的关系,只是有的是自觉意识到了,有的则没有意识到。马克思主义自觉意识到了这一客观规律,就自觉地把文学艺术事业纳为无产阶级革命事业的一部分。过去,我们倡导文艺要为民主革命事业服务,现在,无产阶级的政治就是社会主义革命和社会主义建设,所以,我们倡导文艺要为社会主义革命和建设服务。意气风发,斗志昂扬,鼓足干劲,力争上游,当前,文艺就要鼓舞全体人民为社会主义而奋斗。若问为社会主义而奋斗又是为了什么,那就是要为人民服务,满足广大人民的物质需要、政治需要、精神需要。所以,最终,文艺是为广大人民服务的,但这已是下一个话题,等下两讲再来展开了,这次就说到这里。"

三

周扬来北大作第二讲"文艺与政治",仍然是神采奕奕,兴致勃勃,旁征博引,滔滔不绝,对巴尔扎克、托尔斯泰、陶渊明还有较具体的阐发。但北大师生的反应,却没有像听第一讲"建设马克思主义的美学"时那样热烈。

"建设马克思主义的美学"这个话题本身就吸引人的关注。10年来,美学常被人说成是资产阶级的伪科学,而主管文学艺术的周扬却敢于在北大的讲坛上倡导要建设马克思主义美学。但"文艺与政治"这个话题,自新中国成立后就一直在说,可说是老生常谈了。尽管周扬也想讲出一些新意,竭力从时代、作家、作品的不同层次上探索文艺与政治的关系,而不像他在历次报告中所一再突出的文艺"应该"如何如何。周扬在此次演讲中,主题还是放在文艺如何为政治服务这个问题上。他着重从两方面来论证:一方面,他把政治的含义尽力扩大,超出狭义上的政治;另一方面,他又突出了文艺为政治服务的途径十分宽广,既可直接地又可间接地为政治服务。但最后还是归结到:文艺要为政治服务。文艺为什么以及如何去为政治服务,这当然很重要,需要大家弄清楚,但这不能解答当时北大师生心目中的最大困惑。

什么是当时北大师生心目中最大的困惑?这恰恰就是如何来区别政治问题和艺术、学术、思想等问题。本来,大家原以为是艺术、学术或思想的问题,怎么一掀起运动来,就变成了政治问题?百花齐放、百家争鸣的方针提出来后,大家兴高采烈,积极响应,各抒己见,纷纷为治国兴邦献计献策,但反右运动一来,就成为政治问题,大批人被打成反党反社会主义的右派。那么,什么是政治问题,什么又是艺术、学术、思想问题,怎样才能区别开来?好不容易,反右斗争告一段落,北大师生以为这下可以松口气了,坐下来休养生息、专心钻研学术了罢!可是,还没有喘息过来,马上又是"大跃进"和"大批判"左右开弓。北大师生,一下子被拉去忙秋收、修水库,一下子又马不停蹄地批判起资产阶级学术权威来了,中文系的游国恩、林庚、吴组缃、王瑶都挨了学生的批,上不了课。最使人困惑不解的是,我们那受人尊敬的校长马寅初的《新人口论》也被批判为反党反社会主义的帝国主义理论。马寅初自1951年担任校长后,在国内坚持人口调查,1957年在最高国务会议上出谋献策,提出要控制中国人口。不料,反右运动一来,北大就有人发难,在《人民日报》发文批判马寅初利用人口问题反党反社会主义。当时就有人想把马寅初打成右派,幸亏周恩来坚决制止,马寅初在反右斗争中幸免一劫。可是过了一年,北大在60年校庆之后,在"大跃进"声中,批判马寅初却掀起了高潮。就在1958年秋天,也就是周扬来作第一讲"建设马克思主义的美学"前的3个月,马寅初在北大实际已被"靠边站"了。按惯例,北京的5所著名大学校长都要被邀参加最高国务会议。这一次,中国人民大学校长吴玉章、清华大学校长蒋南翔、北京师范大学校长陈垣、北京农业大学校长孙晓村这四位都出席,唯独北京大学校长马寅初再也无缘出席,新闻公布的是由副校长陆平来出席。这引发了北大师生的极大困惑,大家不明白:学术问题怎么一再被归结成了政治问题?这次周扬来讲"文艺与政治",大家希望能从中受到启发,明白如何区别文艺与政治、学术与政治、思想与政治。但实际上,周扬的这一讲,解不了大家的"惑"。也许,从现实中涌现出来的问题本身太复杂,一时难以说得清楚。

不过,周扬这一次谈文艺与政治,对于如何发展马克思主义文艺理论仍然给予我们一定的启发,并非毫无意义。

文艺与政治的关系,在周扬的文艺思想发展中一直占据着重要地位,他一生都在思考着、探索着。周扬出生于小康之家,年轻时就从湖南离家到上海上大学。过了20岁他又跑到日本,受到苏联无产阶级文化派的影响。周扬在当时接受的文艺观点是:一切的艺术是宣传,普遍地、不可避免地是宣传;有时是无意的,而大抵是故意的宣传。1930年他22岁时从日本回到上海,次年加入左联,23岁时就被推上左联的领导岗位。周扬在加入左联后所写的《文学的真实性》(1933),就批判了"第三种人"苏汶把文学的真实和政治的正确两者对立起来,而是力主"文学自身就是政治的一定的形式"。那时,周扬以为,文学的真理和政治的真理是一个,其差别只在于文学是通过形象去反映真理的。所以,政治的正确就是文学的正确。周扬在此时就已引用了恩格斯所说的无产阶级的阶级斗争的三种形态,经济的、政治的、理论的形态。但周扬作了他自己的发挥。他以为,成为这三种形态之中心、之枢轴的,是政治斗争。所以,文学斗争,从属于政治斗争之目的,服务于政治斗争之任务。

可见，周扬从参加文艺运动之初，就把文学艺术看作是从属于政治、服务于政治的阶级斗争的武器。但是，周扬不仅具有政治敏感，而且还具有理论敏感，从而能迅速调整自己的思想观点。就在半年之后，周扬发表了一篇重要的论文《关于"社会主义的现实主义与革命的浪漫主义"》(1933)，这篇论文还加上了一个副标题《唯物辩证法的创作方法之否定》。周扬在文中一开始就介绍了1932年苏联文学界发生的一件大事，那就是清算了"拉普"的错误，否定了过去提倡的"唯物辩证法的创作方法"，进而倡导一种新的创作方法：社会主义现实主义。周扬这篇论文的重要性在于：这是第一篇在中国较为全面评价社会主义现实主义的论文，其中，社会主义现实主义就包括了革命浪漫主义在内。在此，周扬比以前更为重视艺术的特殊性（"借形象的思维"），反思了过去所倡导的"唯物辩证法的创作方法"，其根本错误就在于"把艺术对于政治、对于意识形态的复杂而曲折的依存关系看成直线的、单纯的"。由此周扬明白了，文艺和政治的关系，乃是复杂而曲折的，需要作细致的分析。也就是从此时，周扬对俄国革命民主主义的美学进行了研究，开始接触马克思美学，提出"我们需要新的美学"(1937)。

虽然看到了文艺乃是因形象来思维的特性，但周扬一直没有放弃文艺从属于政治、服务于政治的思想观点。所以，当他在1937年冬从上海转移到延安后，就受到毛泽东的赏识。周扬和毛泽东的思想观点高度一致，自延安文艺座谈会以来，就一直坚持着文艺从属于政治、服务于政治的这一方针，从政治标准第一、艺术标准第二来衡量和指导文艺的发展。他在1958年发表的《文艺战线上的一场大辩论》更在理论上发展到极端，把文艺思想上的争论上升为严酷的政治斗争，文艺问题变成了政治问题。

读一读《文艺战线上的一场大辩论》，再来听一听这一讲"文艺与政治"，比较之下，就能领会到周扬此讲的一些新意：一、文艺与政治的关系不一定是直接的，也可以是间接的，就如他在20世纪30年代就已领悟到的，这关系是复杂而曲折的，不是直线的、单纯的。因此，文艺为政治服务的途径是多样的、广阔的，方式既有直接的，又有间接的。二、并不是所有的文学艺术作品都具有政治内容,不少田园诗、山水画、花鸟画、爱情诗等作品,并不表现政治内容,看不出政治倾向。政治因素在这些作品中只是作为原因而深藏在创作背景中。三、文艺为政治服务,归结到最终,就是为人民服务。人民的需要是多种多样的,精神需要丰富多彩,所以,文艺为政治服务这个方针,不能狭隘地理解。

周扬在对文艺界的反右斗争作过总结之后,他的文艺思想开始有些变化。周扬在北大的讲课,正处在这个转折点上。尽管他在这一讲中,主题还是要阐释文艺需为政治服务,探讨文艺如何为政治服务,但已开始拓展自己的思路,关注起文艺如何满足人民的精神需要。在以后好几年的文艺发展中,周扬的这个思路越来越清晰了。

就在次年,周扬在1960年召开的全国第三次文代会上,作了《我国社会主义文学艺术的道路》这一报告。周扬坚持了文艺要为政治服务的方针,但他又指出:"政治是十分广阔的领域",文艺"为政治服务途径和方式应当是多种多样的"。甚至,周扬还在此时提出了文艺应起审美教育作用,"我们的文艺应当使人变得更崇高、更聪明和更优美。审美教育是共产主义教育的一个重要方面"。周扬在阐发文学艺术必须百花齐放、不能一花独放时,举出了牡丹虽好,为花中之王,但是若只许牡丹一花独放,那生活不是太单调了吗?这样的思想观点在过去的第一、第二次文代会上是从来没有说过的,但却在一年前的北大讲课中出现了。

差不多同时,周扬开始酝酿制定一个"文艺十条",以鼓励文艺界实现"百花齐放"。由周扬主持制定的"文艺十条",第一条就是要文艺界正确认识文艺和政治的关系:文艺为政治服务,是一条最广阔的道路,不应当只是狭隘地理解为就是配合当前的某一政治斗争。我们不但需要表现强烈的政治内容的作品,也需要虽然没有什么政治内容,但能给人以生活智慧和美感享受的作品。

由周扬主持制定的"文艺十条",经过反复修改,成为"文艺八条",作为中央文件下发(1962)。就在同时,为纪念延安文艺座谈会20年,周扬受命为《人民日报》起草了社论《为最广大的人民群众服务》。在这篇由周扬授意写定的社论中,明确提出:今天的文艺,是为最广大的人民群众服务的,"以工农兵为主体的全体人民都应当是我们的文艺服务的对象和工作的对象"。而广大人民对于文学艺术的需要是多种多样的,"群众需要的多样性,生活本身的多样性,决定了文学艺术的多样性"。至此,周扬的文艺要为人民服务的思想得到了较为集中的表现。在"文化大革命"中,周扬的这一思想被批判为"全民文艺"论。

文艺要为广大人民服务,这应成为今后文艺发展的根本方针。"文化大革命"后,这一思想观点渐为国人所接受。邓小平一锤定音,明确表示:以后,"不继续提文艺从属于政治的口号"。但又补充了一句:"这当然不是说文艺可以脱离政治。"1979年,第四次全国文代会召开,复职后的周扬在大会上作了《继往开来,繁荣社会主义新时期的文艺》的报告,再也不提文艺要为政治服务或文艺从属于政治,指出"把文艺说成只是阶级斗争的工具,把文艺和政治的关系简单化,是不对的"。周扬对新中国成立以来30年的文艺经验和教育作了反思和总结,归结为如何正确处理三个关系:一是文艺与政治的关系;二是文艺与人民生活的关系;三是文艺的传统和革新的关系。周扬明确指出,这三个关系中,"文艺和人民生活是最根本的,起决定作用的",文艺和政治的关系,"从根本上说,也就是文艺和人民的关系"。文艺和政治的关系并未取消,但在周扬心目中,这已不是最根本的第一位的问题。文艺与人民的关系,成为最根本的第一位的问题。正是沿着这个思路,周扬比以往任何时期更加重视对人民、人性、人道的思考,进而去探索马克思主义的人道主义问题了。

文艺与政治的关系,确是一个十分复杂的问题,马克思、恩格斯、列宁、普列汉诺夫等都有所涉及,特别是在苏联主管了12年文化、教育的卢那察尔斯基,由于亲身参与了当时的文化实践,对文艺与政治的关系问题,探索尤多。周扬在我国主管文艺的时间比卢那察尔斯基的时间要长得多,他对文艺与政治关系问题的思考与探索,也许可以给我们以启发,进而更全面、深入地作出马克思主义的阐释。但这已是远超出文本范围的另一个话题,这里就不再展开了。

周扬讲完了这一讲,他在北大的讲课任务已完成了。但还有三件事尚需不时得到他的指导,我仍要和他保持联系。《毛泽东文艺思想概论》初稿已经写出,正在修改;《马克思主义与文艺》正在加紧增补,也快完成了;中国古代和西方的文艺理论资料的选编,难度较大,进展不快,还需继续奋斗。下一步怎么办,等着周扬指点。

这个讲座还需继续进行。我敦请林默涵来作第三讲,谈文艺与人民群众的关系,但他说一时抽不出时间,暂不能讲,还是请邵荃麟先讲。邵荃麟痛快答应,来北大讲了第三讲:文艺与现实。在这一讲中,他对当时正在热烈讨论的革命现实主义与革命浪漫主义相结合的创作方法作了深入的分析,他也认为革命现实主义与革命浪漫主义相结合,是文艺创作的最好的创作方法。邵荃麟讲完第三讲后,就由何其芳来讲第四讲:文艺与传统。何其芳原先就住在燕东园,但在1958年年底搬出了北大,迁入东单的西裱褙胡同,和蔡仪住同一个院落。那天,我特地赶早到东城,把何其芳接来北大办公楼。何其芳的四川口音较重,但谈兴甚浓,对如何继承中国古典文学传统,如何从继承中发展、创新,有较深切的体会。邵荃麟和何其芳在北大的讲课,我都写成了摘要,交《北京大学学报》发表了。

林默涵一直没有来讲他的那一讲,也没有说为什么不来讲,只回答没有时间,安排不开。那年国庆前,我只好去找张光年,请他来作最后一讲:文艺与批评。他在一年多前聘我为《文艺报》的特约评论员,我好几次参加了他组织的活动,比较熟悉了。他为人较为坦诚,就老实对我说:他这一讲也不讲了,已没有精力和时间来顾这一堆事。中央已下令要批判苏联修正主义了,周扬带着林默涵、何其芳和他们这些人已转移阵地,紧张地准备进入战斗。周扬已叫何其芳去中国人民大学找了吴玉章校长,决定由何其芳、何洛负责准备开办一个马克思主义文艺理论研究班,在全国招收研究生,赶快培养能批判国际修正主义的急需人才。北大的那个讲座就到此为止了,周扬已经顾不上。

经张光年这么一说,我心里立即明白了。反对苏联修正主义已经成为当时更加紧迫和重要的任务,周扬、林默涵、张光年、何其芳等意识形态领域的重要人物,已要转移阵地,投入批判国际修正主义的战斗，确实顾不上北大这个"文艺理论"讲座了。北大那些批判资产阶级权威的青年学生们还太年轻，一时还难以投入批判国际修正主义这场更为复杂的战斗，必须另外组织力量，还得依靠从延安出来的这批老革命，开办文研班，迅速培养人才，以应急需。文研班从全国选拔人才，成材迅速，立竿见影。开办后，就很快成立了一个批判修正主义的写作班子，叫"马文兵"（马克思主义文艺理论尖兵的简称），后来在《文艺报》和各大报刊发表了不少批判苏联修正主义的长文。这个文研班培养出来的研究生，也和北大文艺理论研究班培养出来的不同，不是只能在高等学府讲课，而是面向社会，后来很多人在许多省市的文化厅、文联、作家协会、宣传部等担任文化的领导。文艺理论进入了一个新的时代：高举毛泽东文艺思想大旗，批判国际修正主义。

  北大"文艺理论"讲座的收尾是在1959年10月。我在沙滩红楼周扬的办公室听他作了这样的交代：这个讲座结束了，林默涵、张光年不再去讲了。《毛泽东文艺思想概论》就不看了，《马克思主义与文艺》等的增编工作，他也不再过问了。他让我转告北大的有关领导，感谢近一年来对这一讲座的支持。最后，快要离开他办公室的时候，我向周扬作了最后一次请教：我已着手写我的副博士研究生论文了，选的题目是《为何古典作品至今还有艺术魅力》，这题目可不可以做？周扬一听，就说：这是沿着马克思的思路向前走啊，怎么不能做！

  这个讲座一结束，我就集中精力写我的副博士毕业论文。1960年冬，游国恩、林庚、吴组缃、钱学熙和导师杨晦通过了我的论文，我结束了4年多的副博士研究生生活，留北大任教，重新回归书斋。

2012年春节初稿
2012年秋改定
望海书斋

走向当代文艺学

文学艺术的创造、传播和接受，是人类一种特殊形式的实践活动。研究人类这种独特活动的本性和规律的文艺学，应是一门独立的科学。可是，当文艺学还只是处于政治的附庸、哲学的演绎水平之时，自身就难有长足的发展。

改革开放也促进了精神生产力的解放。文艺学获得了飞跃发展，成绩卓著。一是学科向多方位拓展。文艺心理学、文艺美学、文艺社会学、文艺价值学、艺术文化学、比较文艺学、文艺批评学等都有不同程度的发展。二是探索向多层次深入。文艺学不仅研究艺术作品本身，而且探索艺术家的创造、文艺的传播、社会的接受，触及文艺活动的多个环节。仅就艺术本体而言，艺术意象、艺术结构、符号等层次，也有了较多的研究。三是研究方法的愈趋多样。传统方法之外，运用现代方法渐多，成功的虽不多，但开阔了学术视野，拓展了学术视角，并且日渐懂得，文艺学的发展，也需要多种方法的互补和整合，历史辩证法仍然是根本方法。当代文艺学的建构，日益立体化了。

发展并不都能一帆风顺。介绍、评析西方当代文艺理论，一破长期的封闭，本应有益发展。他山之石，本可攻玉。不料，西学涌来，只成点缀，新词滥用，反而成灾。深究起来，还要看到我国文艺学的发展尚不够坚实有力，大多重在面上拓展，就像基本建设一样，在铺摊子，尚缺实在的建构。我们的文艺学，在一些最基本的理论问题上，深入的研究尚少；文艺理论如何面对现实，探索更少。现实生活，日新月异；文学艺术，瞬息万变；我们的文艺学岂能岿然不动，以不变应万变？

看来，为了现实急需发展的需要，文艺学也要调整自身，改善自己的研究，实行三个转变：一是从粗放向精密提高；二是从滞后向超前发展；三是要融别人（洋人、古人）的话语说自己的话语。

当商潮还带着浓厚的资本原始积累色彩粗俗地袭来时，一些文艺为迎合粗俗的趣味完全沦为金钱的奴婢。这不能不引起我们的深思；难道，文艺从仅是政治斗争的工具、道德说教的手段这狭窄的山谷中走出来之后，就必定沦落到更为可怜的境地？我们的文艺应向何处去？

无疑，随着社会主义发展的日益现代化，商品生产将越来越繁荣，文学艺术作品会越来越多地走向市场，作为商品来交换，因而具有交换价值。那么，文学艺术的本性和使命是否因此而变了？文学艺术是不是不再成为使精神升华的审美教育的手段，而仅成为满足感官刺激的娱乐工具？现代科技的发展，商品生产越趋标准化，并在市场上服从交换价值法则。那么，艺术创造还需要按照美的规律来进行吗？创作文学艺术，和其他生产相比，究竟还有没有自己的特殊规律？

活生生的现实向我们提出了不少研究课题。当代文艺学如果不能回答现实中提出的许多重大问题，恐怕很难成为真正的科学。

人和世界的关系越来越复杂和丰富，作为人去把握世界的一种特殊方式，文学艺术本身也日益丰富多彩，形式多样。但文学艺术无论是物化为一种产品（书画等作品），还是外化为一种活动（表演等活动），其实质都是以一种美的物质形式表现人类的一种特殊的精神内容。这特殊的精神内容就是文学艺术的创造者从审美上对于人生的体验和感悟。而在对人生的体验和感悟中，正蕴含着创作者的审美判断或审美评价。这是对人生的一种特殊的价值评价：肯定还是否定真、善、美，鞭挞还是赞赏假、丑、恶？而艺术的真正使命正是弘扬真、善、美，鞭挞假、丑、恶。文学艺术的价值，也正在于美的内容和美的形式的完美结合。可惜，有一些文学艺术，仅仅为了追逐交换价值，不顾审美价值；或者只求在形式上玩弄花样，以娱乐吸引人。更有甚者，在内容上对假、丑、恶津津乐道，予以美化，对真、善、美冷落、嘲笑，予以丑化。审美判断的颠倒反映了主体（创作者）和客体（现实生活）的审美关系的扭曲。

正因为文学艺术不只徒具物质躯壳，而且还有精神意蕴，所以亦应归入意识形态之列。但得立即说明，这是一种特殊的意识形态，是上层建筑中高飘于上空的那种。艺术的意蕴,虽然和哲理、科学、政治道德相通,但和而不同,相通却不相同。这是创作者对于人生的审美体验、审美感悟的结晶,其中蕴含审美判断。在文学艺术中,政治倾向、哲学思想、科学判断、道德评价等等,都要以审美为中介,渗透其中,转化为审美判断;真和善,都要转化为美。艺术之美,不仅是形式美,更重要的是意蕴美,是两者完美的结合。文学艺术给人的是审美教育,我们欣赏文学艺术是为了满足审美需要。正如马克思所说:"一个歌唱家为我提供的服务,满足了我的审美需要。"[①]哲理、政教、道德、科学,都寓于审美教育中了。

文学艺术一旦作为商品在社会流通、交换,就有了交换价值。交换自有价值法则,不依创作者的意志为转移。但交换价值的变幻,并不改变文学艺术的审美价值的实质。真正的文学艺术家不必跟着交换价值的变幻而疲于奔命,而是需要潜下心来,按照美的规律来创造,创作出更多更美的作品来,以满足人民的审美需要。就是在古代,像郑板桥为人画画,明码标价,却也绝不降低所卖画的审美价值,难道我们今天反而要牺牲艺术的审美价值以迎合粗俗的商业趣味吗?

于是,问题就转向这里:艺术的创造,怎样按照美的规律进行?艺术生产和其他生产(物质生产以及其他精神生产)相比,究竟有什么特殊规律?这些,我们的研究就更需深入了。

任何生产,目的都在产生使用价值,以满足人类各种需要。物质生产主要产生实用价值,而精神生产主要产生精神价值。艺术生产的目的,则主要产生审美价值——一种特殊的精神价值,不同于科学价值、道德价值、宗教价值。不同生产,目的不同,手段和方法自然也就不会完全一样。

文学艺术,作为人类掌握世界的一种特殊方式,通过审美的体验、感悟去把握世界。而对世界的这种精神掌握,又要用一定的物质手段表现出来。这样,作家、艺术家又必须掌握一定的物质手段和实

[①] [德]马克思、恩格斯:《马克思恩格斯全集》第六卷,人民出版社,北京,1961年,第436页。

践操作方法。这是物质掌握,却又离不开对世界的精神掌握。人对世界的精神掌握,广阔无限,自由驰骋;但对艺术手段的物质掌握却十分有限。怎样以物质手段的有限,来体现精神掌握的无限,这是艺术创造者无法逃避的难题。艺术创造的心理分析,已使我们懂得艺术创作心理的多种复杂因素。但各种心理因素(理智、想象、感情等)如何形成合力,按照什么心理规律进行创作,我们知道得还不多。在艺术创造中,究竟有没有一种不同于概念思维的意象思维的逻辑运动?如果有,那么,意象思维运动有没有自己的逻辑?如果能找出意象思维的逻辑,那就把握了艺术创作的重大规律。为了掌握艺术的物质手段,并把它转化为真正的艺术形式,其间有没有一种和意象思维很接近,却又并不雷同的形象思维?如果有,又有什么特点和规律?这都有待深入探索。

新的世纪即将到来,中外文化交流必将日益发展,国外的研究,我们不忘借鉴。但我们的当代文艺学是否应把更多注意转向对现实问题的思索?

在"中外文艺理论学会"成立大会上的发言
1994年,济南

建构当代文艺学

改革开放20年的文艺学，真可说得上是日新月异、瞬息万变，使人眼花缭乱，目不暇接。文艺思想的活跃，理论视野的广阔，实乃百年少见。西方要历时一个世纪才陆续出现的各色文艺理论，竟在中国的20年间几乎是同时性地呈现，真是五彩缤纷，大开眼界。中国自己的传统文艺理论，其历史发展路程，基本已经理清，被作出了新的阐释，我们正逐渐在向掌握其思想体系这一方向前进，想使它向现代转化。

无疑，对西方文艺理论的研究仍需进行，以便有更全面、深入的了解。对中国古典文艺理论的研究，但愿也能长盛不衰，不时创新。但是，这些恐怕都不能替代中国自己的当代文艺学。依我看来，西方当代文艺理论，中国古典文艺理论，都只是建设中国当代文艺学的思想资料。20年辛苦不寻常，我们已比封闭自守的年代掌握了丰富得多的思想资料，可是实践资料呢？我们的文艺学却不大关注，不能不使人感到缺憾。其实，实践资料并非没有，这20年的文学艺术可称得上空前活跃，光长篇小说，近几年来每年都出好几百部，诗集近千部。而每年的电视剧，更是以万集计。可哪些是优秀之作？什么样的才堪称艺术精品？艺术创造究竟有什么规律可循？哪些是艺术创新的可靠经验？我们的文艺学很少去考虑。建设当代文艺学，不仅需要掌握思想资料，而且需要掌握实践资料，更重要的是要以历史辩证法为根本方法，吸收其他方法，对这些实践资料和思想资料进行分析综合，得出新的结论。马克思主义在这里是根本方法（不是唯一，而是根本），但不是现成结论。

正是基于这种认识，近几年我也较多注意起文艺批评来，想多掌握些文学艺术的实践资料。写评论之外，也写些散文、随笔。但这些究竟不是文艺理论,理论研究还是要探究文学艺术活动(创作、欣赏、作品等)的特征和规律。当代文艺学要运用新方法,研究新材料,作出新结论,才能有所发展。但这些都必须符合文学艺术的实际,因而必须面向当下现实,回答实践中提出的新问题。

不同时代的文学艺术确有其共同性和普遍规律,但这共同性、普遍规律都寓于各个时代文学艺术的特殊性中。各个时代的文学艺术,在实践中都会出现新的问题,需要回答。马克思主义文艺学要发展,也只有面向新的现实,回答新的问题。西方马克思主义美学,对社会的普遍物化而吞没了审美诗意的现实,提出了要以"新感性"来改变人的心灵,想用"审美"来改造社会。无疑,中国当下现实也碰到了这个问题,因而我们看西方马克思主义美学会感到亲切。但是,中国的现代化不同于西方的现代化,我们会碰到更多的问题。依我看,在我国东南沿海发达地区,20年来迅速完成了资本原始积累。在这个过程中,也暴露出了西方在资本原始积累时期曾出现过的文化现象。在这些地方,也迅速出现了西方发达国家具有的文化现象。前现代、后现代和现代化的一些文化现象,在这些地方几乎是同时呈现,而不是历时发展。马克思在1857~1858年写的《经济学手稿》中,曾把人的发展分为三个相对独立的时代:一是"人的依赖关系"时代,因生产力低下,个人不可能独立,而只能依附某些共同体来生存,被束缚在奴隶制或封建制的统治下。整个前现代,基本处在这种状态。二是"以物的依赖性为基础的人的独立性"时代。现代化的结果,是物质的丰富和普遍的物化,个人从某些共同体中分离出来,独立了,却不能不依赖于"物",受"物欲"支配而不能自拔。三是"建立在个人全面发展和他们共同的社会生产能力成为他们的社会财富这一基础上的自由个性"时代。①中国正在走向现代化,但目标又是走向社会主义(即第三时代),因而中国的现代化,是要实现社会主义现代化。这样,如何能尽量避免西方先进国家在现代化过程中出现的弊病,就不能不既

---

① [德]马克思、恩格斯:《马克思恩格斯全集》第四十六卷上册,人民出版社,北京,1979年,第104页。

研究西方先进国家的经验、教训,更要研究中国在现代化过程中出现的新问题,在前现代、后现代各种文化现象相互交错在一起的复杂状态中,解决我们自己的问题。

当代文艺学的建设,经历了"观念热"、"方法热"、"文化热",越来越走向关注当下现实,研究的路径也越来越宽广了。为了文艺学这一学科的更好发展,我觉得在以下三个方面还要多加关切。

一、"自律"与"他律"如何统一

文艺学,顾名思义,应是研究文艺之学,研究对象是文艺。但所谓文艺有广义、狭义之分。广义的文艺,包括文学和艺术;而狭义的文艺,只指文学,不包括其他艺术(如音乐、绘画等等)。我所写的《文艺美学》,是想探讨文学与其他艺术共有的特性和规律,是广义的文艺。文艺美学是否就是艺术哲学,这里不说。还有学者认为文艺学只能专指艺术的文学,不仅不能包括其他艺术,而且不能包括非艺术的文学,因此,应改名为文学学。但也有学者认为,文学应该是广泛的,既有艺术的,又有非艺术的,所有杂文学,都应研究。

我以为,如何确定文艺学的对象,广义、狭义都可以,问题在于要研究对象的共性和个性、自律和他律,不能把不同的对象混同。中国古代,最早是把一切用文字记下的文本都总称为文学,实际上包括了所有文章。刘勰的《文心雕龙》有专章研究我们今天所说的艺术的文学(美文学),但整部书的研究对象包括所有文体,因而是文章之学。魏晋才开始自觉关注艺术的文学,文学逐渐被看作艺术,或把文学和艺术放在同一系列。但直到五四时期,仍有人如章太炎把文学等同于文章。发展到最近,更出现了把文学研究扩展为文化研究。而对文化的理解又宽窄不一,狭义的文化是指精神文化,而广义的文化还包括物质文化,自然经过人化,都成文化。我国的传统国学,文史哲不分家,把文学放在整个文化体系中来研究,拓展了文学研究的思路,甚至,我都盼望文化研究发展成为一门新学:文化学。但我还是希望不同学科有确定的研究对象,研究的问题也就不同。因此,如果确定文学理论的对象是研究作为艺术之一的文学,那就必须重点研究文学这一特殊门类的特性,文学活动的"自律",而其他文化活动则为"他律"。如果确定文艺学的研究对象为文学与艺术,那就必须重点研究文学艺术区别于其他意识形态的特性,即文学艺术活动的"自律",而其他意识形态的活动规律则为"他律"。就是作文化研究,精神文化和物质文化也有不同特性,亦需把"自律"和"他律"如何统一起来研究。把文学放在整个文化体系中来研究,不要抹杀了文学活动的特性和"自律",其他文化活动的"他律"又如何通过"自律"而起作用,这样的研究就能推动文艺学的发展。

当然,文化批判、文化评论、文化批评是另一回事,不一定涉及文学艺术。对文学艺术作文化研究,很有必要,但不能离开文学艺术本身。

二、"具体"和"抽象"如何结合

没有"抽象"就不会有理论。文艺学的研究对象虽是文学艺术这种生动具体的社会现象,但还是必须经过科学抽象、理论概括。问题是,对文学艺术的研究不能只停留在"抽象",在抽象之后还要在更高阶级上回到"具体"。科学研究的整个历程是从"感性具体"上升到"知性抽象",然后再走向"理性具体"。比如,以人为研究对象的人学,当然要从活生生的、有血有肉的生命活动出发(感性具体),进而从感性具体中抽象出各种不同的特性,单独加以考察。可以单抽出一个器官,手、脚、眼、鼻、耳等分门别类分析,也可以单抽出不同系统,骨骼、呼吸、血液、神经等分别解剖。但这已不是完整的活生生的人了,只是人的不同维度的抽象。科学研究还需要在抽象分析之后,回到具体,予以综合成整体,回复到完整的人。但这只是经过知性抽象后,经理性综合而呈现的具体——理性具体。

作为一种特殊的精神生产、复杂的精神实践活动及其产物,文学艺术这个活生生的存在,可以从各个不同方面作知性抽象,可以单独研究它的形式、符号的性质,也可抽出它的意识形态性,还可以更深入地分析它的再现性、表现性、真实性、倾向性、创造活动中的感知、表象、想象、感情等各种心理因素相互作用的过程等等。但从感性具体中抽象出来的任何一种性质，都不构成文学艺术这一特殊存在的整体。对文学艺术作知性抽象，分析其不同维度的性质，还需上升为理性具体，综合成整体，揭示其系统性。文学艺术的创造这一特殊精神实践，必然包含着艺术家对人生的反映，但又不仅仅是反映，它还是一种必须运用物质媒介生产出来的形式。而对人生的反映，又并不只是一种认识，而且还是一种评价，更表现了艺术家的人生态度。艺术创造中表现的人生体验、审美感悟，融合了感知、表象、感情、想象，直到虚无缥缈的幻想。归根到底都是现实的反映。艺术作品是艺术家的精神实践创造出来的一个由各种因素综合而成的审美整体，既是艺术家（主体）与审美对象（客体）的审美关系的反映（精神创造），又是一种形式的实践创造。艺术家的创造把这些融为一个整体。文艺学在知性抽象之后，必须回到这个审美整体上来，艺术之美就在这整体之中，必须从整体上去把握。

中国古典文艺学善于从整体上去感受文学艺术作品。这不是一般的"思"，而是其理性思索也紧紧和审美体验联系着，如司空图所说的"随象运思"，不愿也不善作抽象思辨。而西方文艺学却喜爱从中抓其一点，抽象分析，离开感性具体，作推理演绎，却又不善回到理性具体，而只停留在知性抽象，深刻却又片面，见树不见森林。中国要建设和发展当代文艺学，应该以其两者之长，予以综合创新。

三、"对话"和"独白"如何互动

我们的文艺学，惯于自说自话，沉思独白，只管自己构筑体系，不和别人对话。20年来，各种各样的文艺理论书出版不少，照着别人讲的甚多，接着前人讲的不多，对着别人讲的更少，缺少相互"对话"。不要说研究现当代文学和研究文艺理论的不大对话，同是研究文艺理论的也甚少对话，各说各的，各不相干。近几年，文艺学界开始倡导"对话"了，这是文艺学学科自身发展的需要。我们要建设中国特色的马克思主义文艺学，倡导了已近半个世纪，却连一些最基本的观念至今尚无共识。前人已取得的不少成果，后来者也不管不问，只顾自己从头说起，不问这一学科已经发展到什么水平。我们的文艺学，所患的并非失语病。即使失语,那根由却是缺少真正的研究,对研究对象无认识,说不出什么道理。我以为目前更大的问题是空话症,废话多,玩弄新词,却不接触真正的问题。没有共同关切的问题,如何"对话"?我赞成"对话",但必须有创新"独白",沉思一些共同关切的真正的问题,而不是虚假的问题,才真有话可说,方能相互对话。

这个新世纪的第一年,被联合国定为"不同文明间对话年"。倡议国伊朗总统哈塔米在今年的"文明对话会议"上发出警世之言:"一个彻头彻尾为政治、军事、经济条件所控制的世界最终不可避免地要破坏环境,摧毁一切精神和艺术的家园……使人的心灵无所依归。"伊朗倡导不同文明对话,是要让世界了解伊斯兰文化。中国自然也要以自己的文明和世界对话,使我们了解世界文化,也让世界了解中国文化。但当前最急需的,我以为是要对我们自己在现代化过程中出现的问题有个清醒的认识,带着问题和别人对话,才能对我们有所裨益。不然,不着边际,仍是空谈。

2000年秋,深大新村

我看文艺学教材

教育，是人类传授实践经验的崇高活动。正是通过教育，人类的经验得以世代相传，人类的实践可以不必都从零开始，而可以在前人的经验的基础上前进，不断创新。

教材是教育之文本，它是人类实践经验的逻辑的和历史的概括，因而成为教育的基本依据。当然，教育是靠人来进行的，教师的实践经验要和书本知识相结合，教书育人才能做得好。但是，教材好不好，能不能对人类的实践经验作出科学的概括，直接制约着教育的质量。

然而，学科浩繁，内容各异。每门教材，都要有长期的研究作为基础。大千世界，气象万千，若要分析，可以分为物的世界和人的世界两大领域。自然科学、技术科学，研究物的世界；人文和社会科学，研究人的世界。物的世界，是人赖以生存的环境，人类实践的对象。自然科学、技术科学所研究的物的世界，包括各种物的特性、物与物的关系。物的特性和关系，相对于人而言较为稳定。

人的世界，包括人自身、人与物、人与人的关系，则变化多端，不易捉摸。而且，从事人文、社会科学的人，直接参与到各种社会关系之中，带有主观性。所以，人文和社会科学的教材建设有更大的难度。

就说人文社会科学中一门重要的学科文艺学罢，这教材该如何写，大家长期都在摸索。20世纪50年代初，我进北大中文系读书，文艺学概论一课是系主任杨晦亲自开的，没有教材，也没有大纲，只听老先生在讲堂上讲，大家听课记笔记。杨晦先生博古通今，学贯中西，既搞创作，在五四时期写过不少剧本、小说，又搞评论，最早的曹禺剧评就是他写的。他上起课来，旁征博引，涉猎甚广，但对于初学者来说，就有点感到天马行空，难以捉摸。这就难为了我这课代表，常要为大家如何复习而去请教杨晦先生。后来，教育部请了苏联专家毕达可夫来北大讲学，从西语、俄语、中文等系抽调一批高年级学生当文艺学研究生，全国许多高校的文艺学教师都跑到北大来听课。毕达可夫不懂中文，只是用俄语讲课，中文系专配了翻译，所以进度很慢。我听了两个学期，觉得基本上是季米菲耶夫的《文学原理》的体系，哲学基础是认识论，只是增加了不少技法理论，再加了不少俄罗斯古典作品的例证。条理是很清晰，但我感到有些烦琐。这次苏联专家讲课的积极成果是有了一个文艺学概论的体系，《文艺学引论》一书在高等教育出版社出版。中国不少有经验的教师，一边听课，一边构思，结合中国的创作实践写出了一批中国自己的文艺学教材。例如蒋孔阳写出了《文学基本知识》，霍松林写出了《文艺学概论》。东北师大李树谦听课时，以最快速度把讲课笔记寄回学校，那里立即有人整理，加上中国作品的实例，再向学生讲授，后来编成《文学概论》这一教材。

对毕达可夫的教材，主持此项讲座的杨晦先生并不满意，以为那些理论不能说明中国的传统文学。因此，杨晦虽然主持了那个研究进修班，但不主张照搬，而希望建设中国自己的文学理论。1956年开始招收文艺学副博士研究生时，他就要我先从研究中国文艺思想史着手，对中国的理论传统有所了解。然而，经历了"大跃进"，批判厚古薄今，提倡理论研究要为现实服务；接着，又是反修批修，那"副博士"学衔制也属修正主义之列，亦反掉了。这个时期，新出现的教材，就是毛泽东文艺思想概论了。

突出文艺学要为政治服务，这是当时的主导理论。但是如何理解和解释，却是各有不同的。当时主管文艺的周扬，希望文艺为政治服务的道路应宽广些。1959年，周扬带邵荃麟、林默涵、何其芳、张光年等亲自到北大来开设文艺理论讲座，提倡要建设中国自己的马克思主义文艺学、美学。他自己就连续讲了两次，解释文艺为政治服务，根本上就是要在文艺创作中表现时代精神，而不一定就是写政治、唱政治。当时，我作为这一讲座的助教，曾数次去过沙滩后街周扬家里，听他作过发挥。我的感觉，周扬最敬佩的是普列汉诺夫。他一再说，普列汉诺夫的社会心理学说，能够解释文艺与政治的关系是间接的，必须以社会心理做中介,这就避免了庸俗社会学。文学艺术究竟还是要讲究美,不然谁看?文学艺术究竟怎样才算美,怎样才能美,这应该研究。他对朱光潜先生颇表敬意,鼓励我向朱先生好好学美学,解决文学艺术问题。

批判厚古薄今、反修防修之风稍稍平静一些后,周扬就着手抓人文社会科学的教材建设。除了全面建设之外,周扬自己重点抓了两部,那就是蔡仪主编的《文学概论》和王朝闻主编的《美学概论》。我作为《文学概论》的一个撰稿人和《美学概论》几次讨论会的参加者,感到周扬曾为这两本教材花过不少心血,从讨论提纲、草拟初稿,一直到修改定稿,周扬都曾继续过问,并不时发表自己的意见。

这是新中国成立以来,我国真正把教材建设作为教书育人的重大工程全面抓起来的一次创举,功不可没。

经过冷静反思,教材不再突出文艺为政治的主导理论了,而是突出文艺是社会生活的反映,不那么政治化了。但是,囿于当时的理论局限,把文学艺术这种人类的特殊实践活动只归结为反映活动,又把反映只归结为认识,把美感简单归结为对美的反映,这又陷入了另一种片面。考察文学艺术、审美活动只局限在认识论范围内,而没有放在更广阔的实践论、价值论视野之中,于是,就很难对文学艺术这种把握世界的特殊方式作出科学的解释,也很难对这种生动活泼、丰富多彩的创造活动作全面的掌握。

改革开放初期,我为自己补课,浏览了苏联、西方以及台湾地区的一些文艺学书籍。我感到,我们的教材,还只是在讲苏联50年代的一些理论,其实苏联在六七十年代已经发生了很大变化。至于西方的理论更是五花八门,常常是抓其一点,不及其余,不时有片面的深刻,应作为参考。而台湾的文艺学书籍,对中国传统理论倒常有深入的阐发,可引起我们的深思。因此,80年代我在北大讲课时,公开承认,《文学概论》已经陈旧,不适合新时代的需要。因为我是其中的一个撰稿人,所以我这样说,有点自我否定的意味。没有想到,这却招来了有些人的不满,因为别人不一定这么看。那也只能悉听尊便,顺其自然了。

那么，在我心目中，什么样的教材算好呢？

我自己不一定能做得到，但我希望大家共同努力向这个目标前进。

一、要能对"我"以外的别人的文学研究成果有全面的了解和掌握，然后通过"我"自己的思索和研究，吸取别人有价值的成果，取长补短，予以综合。这"别人"，既包括当代人，也包括古人；既包括洋人，也包括国人。在文艺学领域，应该博古通今，融汇中外，确有价值的，应不拘一格，取其一点予以吸收。改革开放以来，从国外介绍过来的各种文艺理论已经不少，是否应作全面深入的分析，确有价值的，融入教材。我国的古典文艺学，也有极为丰富的资料，是否亦应作些梳理，研究哪些可进入当代文艺学。马克思主义文艺理论的研究，也已深入到过去所忽视的更为根本、更为深层的问题，如何用来指导当代文艺学，成为当务之急。我们的文艺学研究，向来分工甚细，课程繁多，各自为学，文艺学学科之间，也甚少交流。随着文、史、哲各学科日益走向综合，所培养的人才也日益走向多面的综合，我们的文艺学是否亦应走向学科的综合？研究要越来越深，但教学是否更应走向综合？我以为，趋势应是如此，因而文艺学教材的编写，难度更大。

二、要能结合实际，对改革开放以来出现的新的文艺现象作出理论概括，要从理论上总结新的文艺实践经验。这新的文艺实践，既包括文艺产品的创作，又包括接受，也包括传播（沟通）。作为精神生产的特殊领域，文艺实践中碰到不少新问题，例如，艺术的审美价值和实用价值以至交换价值的矛盾，艺术文化和其他审美文化的关系，艺术文学的现代精神和民族特色如何统一，等等，都需要在理论上给予说明。西方马克思主义文艺理论在商品泛滥、物欲横流的社会里，深切感受到了这些矛盾，却未能在理论上给予正确回答。因为这里的核心触及对人生的价值判断。那么，我们的文艺学应该怎样回答呢？新的教材应该概括新的文艺实践经验，解释新的文艺现象，从而促进文学艺术的健康发展。

三、要深入浅出，就是讲深奥的理论，也要通俗易懂。现在有些文艺论著，把很浅显的问题，讲得苦涩难懂，故作高深，故弄玄虚。教材不能这样，高深的问题，也应深入而浅出。这不仅是写法，而且首先是学风问题。关键当然还是要理论联系实际,讲高深理论,也要密切联系文艺的实践(创作的、欣赏的、古今的、中外的),这就容易理解了。写法上,不妨也可以先从古今中外常见的文艺现象出发,从实际中抽出问题来予以分析,然后再回到实际的文艺实践中去。不要越来越抽象,从抽象到抽象,而应从具体—抽象—具体,从整体—个别—整体,这样,高深的问题也易于理解了。"甲、乙、丙、丁"开中药铺,罗列了许多现象,或者"一、二、三、四"地讲许多抽象结论,是不可取的,效果也不会好,只是应付考试好答而已。我年轻时,只懂书本知识,不了解社会实际,写起文章来,旁征博引,动辄洋洋洒洒,却是不着边际。现在想来,都是些废话、空话,自己也感到脸红。我想,理论研究还是不能脱离实际,要从实际现象中抽出问题来分析,再回到实践中去,就深入了问题。这在今天高等教育要从应试教育向素质教育转变的实践中,教育学生学习分析方法,就显得更为重要。

这是我心目中的文艺学教材,在此表达一种期望。但实践中能否达到这样,就要看我们如何努力了,首先是否有心,其次就要用心。寄希望于年青一代文艺学的博士做有心人,有心而又用心,事必能成!

1995年冬,深大新村

发展马克思主义文艺学

为了发展马克思主义文艺学,既需重视中国传统文艺学,又需借鉴国外文艺学。博采众长,中外互补,为我所用,方能前进。

西方文艺学,不论是古典的还是现代的,本来早就应该纳入我们的视野之内。可惜,约有30年时光,我们对此不闻不问,闭目塞听,因此,我们甚至对苏联文艺学的变化也所知甚少,遑论其他!一旦开放,西方文艺理论纷至沓来,使人眼花缭乱,目不暇接,还没有来得及弄清究竟,却已是群莺乱飞,鸦声四起,是鸦是莺,一时难明。现在的问题,不是我们对西方文艺理论的研究太多了,而是还不够深入。一是不全面系统,缺乏综合研究;二是不深不透,浮光掠影,浅尝辄止。我们急需以马克思主义作为根本方法,对西方文艺理论作系统的、综合的、深入的研究。但是,这种研究不是以它来替代我们的文艺学,而是为了发展马克思主义文艺学。

中国传统文艺理论,源远流长,博大精深,独树于世界文化之林,不容也不会为别国文艺学所替代。我们对中国传统文艺理论的研究成绩卓著,有目共睹。可以预料,依据我国国情需要,对传统文艺理论的研究必将更受重视。但是,我们还是需要保持如此清醒的头脑:如同西方文艺理论一样,中国传统文艺理论也只是发展马克思主义文艺学的一种理论资料,而不是目的本身。在这里,仍然需要借助于马克思主义。如果能从古籍堆中去挖掘,发现出更多的理论资料,这固然好;但若能整理出已有的理论资料,作出新概括,恐怕也是开创性的研究。如果既能发现新材料,又能作出新概括,那就更入佳境了。

中国传统文艺理论和国外文艺理论(包括苏联的、东方的)各有特色,自成体系,若能实事求是作些比较研究,从而取长补短,中外互补,对于发展马克思主义文艺学必将有所促进。

《文艺理论研究》不忽视国外文艺理论而又特别珍视中国文艺理论的建树，融合古今中外，鼓励学术创新，此种精神，值得发扬。值此创刊十周年之际，遥祝它在融会中外、博采众长、发展马克思主义文艺学的工作中发挥更大作用。

《文艺理论研究》10周年笔谈
1990年初春，深大新村

我们相识于乱世

我和贤敏相识已30多载。为共同编写《西方文艺理论教程》,我们曾先后在青岛、舟山、田横岛等地共享过许多美好的时光。年老时,他又定时长住深圳,得以敞开胸怀,自由交谈,不亦乐乎!

我们相识时,正是乱世。在我整个人生中,曾经历了一次最大的劫难,差点永远倒在鄱阳湖畔、鲤鱼洲堤,不再有我的存在。幸而林彪集团覆灭,我才获得新生,从江西重返北大,再上讲堂,心中有一种重获解放之感。我就在这人生的转折关头,和直爽的贤敏相识,一见如故,开怀畅谈,从此建立了真挚的友谊,发展为莫逆之交。追忆当年情景,历历在目。

那是1972年夏,我在北大攻读文艺理论研究生时的师兄赖应棠(辽宁大学)、王家骏(内蒙古大学)等发起,在哈尔滨召开了马克思主义文艺理论研讨会,探讨高等学校如何恢复文艺理论教学。这是"文化大革命"以来第一次召开这样的会议,我应邀赴会。当时,高校中恢复文艺理论课程的还不多,今后如何讲授,尚在尝试。贤敏就是较早参与尝试的有心人,也来哈尔滨参加会议。他瘦长个子,快言快语,给我的印象是精明能干、真诚坦率。

在哈尔滨开会虽只有3天,但我们一起游了太阳岛。而且,在从哈尔滨回北京的途中,我和贤敏等结伴,还去了长春、沈阳、大连,然后从大连乘海轮到天津,一路上相互照顾,开怀交谈,好几天下来,有了真正的神交,留下了深刻印象。

在交谈中,我得知,我比贤敏虚长5岁。他是湖北人,但青年时代却在北京多年,只是那时我们无缘相识。贤敏早年在北京师范大学就读,1959年就开始在《文艺报》发表评论。20世纪60年代初毕业后,贤敏进入中国人民大学文艺理论研究班钻研,1964年毕业后回湖北。他在北师大就读时，正是周扬带领邵荃麟、林默涵、何其芳等到北大来开设马克思主义文艺理论的讲座之际，我正从杨晦攻读副博士学位，被安排做这个讲座的助教，被聘为《文艺报》特约评论员，从事文艺评论，写了评论《野火春风斗古城》的小册子，所以贤敏早就知道我的姓名，却未曾有机缘相识。到了1959年要反对国际修正主义了，周扬要组织新的理论力量，已不再对北大感兴趣，转而把目光转向中国人民大学，依靠何其芳、吴玉章、何洛等延安老革命来办文艺理论研究班，其目的，按周扬的说法，乃是为了"建理论队伍之军，练文艺骨干之兵"。这个研究理论班先后办了三届，第一届的研究生中，我还认识几个，如王春元、缪俊杰，第二届的我就不认识了，因为从1960年春始，我已进了中央高级党校，参加蔡仪的《文学概论》编写去了，闭门谢客，一心编书。贤敏和李衍柱等几位，都是第三届的研究生，当时都未曾相识。

在那太平顺世，我们各行其道，却在这劫难乱世，我们有缘相识了，不禁感慨系之。知识分子在乱世所遭的劫难大同而小异，但各人的命运如何，在朋友间还是受到莫大的关注。师兄赖应棠、王家骏都是1954年苏联专家毕达可夫在北大的文艺理论研修班的研究生，老熟人了，此次在哈尔滨相会，相互倾诉，交流了分离10多年后的人生经历。西北大学的毛黎春，原是中国人民大学的青年学者，也早已相识，此次相逢，在旅途中多次交谈，深感欣慰。贤敏虽是新朋友，但他和毛黎春也是熟人，所以我们也很快熟悉起来，大家都可以在一起畅所欲言。说起知识分子的命运，相互慰藉而又相互激励。

因为我在北大已20年，"文化大革命"中处在旋涡中心，贤敏、黎春最关切的是北大在"文革"中的第一张大字报是如何出来的，我这一介文弱书生又如何被卷进了"文革"旋涡。一说起这个话题，我不禁感慨万千。我被卷入浪潮，却是一波三折，有些可说是啼笑皆非。在全国广播燃起"文化大革命"之火的那张七人大字报，乃是康生、曹轶欧夫妇暗中操纵才得以出笼的，但在北大师生中迅速形成了两派，这却各有各的缘由。有些人确对陆平的治校方针有所不满，但并不是像聂元梓等所说陆平"右"了，而是不满他在北大"左"了。北大自1952年院系调整之后，马寅初任校长，江隆基任书记，一直到反右的那几年，校园较为平静，创造了一个较好的学术环境。我的几位老师如林庚、王瑶告诉我，那几年他们都能潜心做学问，主要著作都是在那几年出版的。我自身也切实体会到，那几年我们当学生的也真能坐下来安心读书。但自反右开始，北大就不得安宁了。不久，陆平被派到北大来当书记，江隆基因反右不力而被遣往兰州大学。从此，北大就一直处在"左"倾的阴影笼罩下不得安宁。反右之后是"大跃进"，"拔白旗"，批封、资、修，运动不断，还常停课下乡。三年困难时期来临，本应深刻反思，整顿教学秩序，真正按照教育规律来办学。我的导师杨晦乃"五四"老人，德高望重，长期担任北大中文系主任，对此深有体会。北大动辄停课搞运动，鼓励学生批判教师，有违教育规律。杨晦以为，此风不可长，应该拨乱反正。不料，1965年，北大把各层领导集中到十三陵，进行社会主义教育运动，不整顿教学秩序，反而高举反右倾大棒，要继续向"左"。杨晦忍无可忍，拍案而起，严正指出当务之急是整顿教学秩序，尊重教育规律，让教师安心教学、学生好好学习，不能再搞运动了。杨晦老人真正说出了知识分子的心声，这却引起了轩然大波。大家说他是自找上门，自己跳了出来，成为陆平反右倾的靶子。杨晦始终不服，任你如何批判，仍然坚持己见，但心中却一直闷闷不乐、郁郁寡欢。1965年冬，陆平还派了一个整风小组进驻中文系，在燕南园63号马寅初的原住宅里，关门批判，要中文系的教员帮助杨晦转变立场，认识错误。整风长达数周，但杨晦还是不服，坚持说北大办学不是"右"了，而是"左"了，并列举大量事实。我和严家炎、邵岳等都为杨晦抱不平，明明说得对，指出了北大的问题症结，学校领导却反而要批判他，为自己文过饰非，实难理解。所以，七人大字报一出来，揭露陆平蒙骗群众、掩盖问题，我当然赞同。但我对陆平的不满是因为他"左"了，并不是"右"了。再说，对他不满，并不是要打倒他啊！至于那大字报出笼的更深的政治背景，我们这些局外人并不知道。更始料不及的是，这场"文化大革命"的结果是革了"文化"的命，把学者、教授打得落花流水，这是我们这个时代的大悲剧。

历史真是作弄人，你想走进南房，却被引入了北房，你想反"左"，却被导向了更"左"。1958年，当学生批判了老教授，自己要编撰红色文学史时,抓住了茅盾的"中国文学史是现实主义与反现实主义的斗争史"这一理论,以此为纲。杨晦就和我说,这是故作惊人之说,不顾历史真相,混淆众人视听。为此,杨晦在1959年年初专门找我和王世德,写了一篇《关于现实主义与反现实主义问题论纲》在《北大学报》发表,批评当时流行的这一理论。杨晦对北大的"左"倾深恶痛绝,满心希望通过社会主义教育运动来改正,但遭遇到的却是反右倾,最后走向"大革文化之命",令他痛心疾首而又百思不得其解,只好闭门读书,甚至重学德文,钻研马恩原著,最终也未能理解这场浩劫的由来。一直到1978年听邓小平说了,我们才明白,原来自反右斗争以来,我们党就犯了"左"的错误,"对外封闭,对内以阶级斗争为纲",到了"文化大革命"更发展到了最"左"。

听说我曾一度进入刘少奇、邓小平派到北大的工作组,贤敏、黎春都感到好奇,要我细说其详。

真有那么回事。北大那张大字报出来后,校园一片混乱。那时彭真已被免除北京市委书记的职务,经刘少奇、邓小平同意,决定调派河北省省委书记张承先到北京,担任北大工作组的领导。张承先到北大的第二天,就要中文系派一个人来专写简报,以便把北大的情况上报中央。当时,中文系负责人华秀珠和工作组就派了我去。我正在讲授文艺理论,运动一来,课也上不下去了,于是,我听从张承先安排,和他一起住进了招待所,一座灰色的三层小楼。我的任务是根据分散到各系的工作组所报的材料,综合起来,写成简报,最后由张承先亲自审改,上报中央、市委。张承先工作组在北大不到两个月就被撤销了。张承先被北大师生批斗,我亦离开灰楼,回到了中文系。从此,全国各地学校的工作组都纷纷撤离,任由学生自己运动,真个是要天下大乱了。

工作组被赶走以后,北大就由聂元梓的"文化革命委员会"来主宰了。对于这个"文化革命委员会"的兴起,贤敏、黎春亦甚感兴趣,因为它也向全国推广了。这个委员会,虽然说是"民主"推选,各系都有人参加,实际上被聂元梓等少数人控制,并且听命于中央"文革",成为那疯狂年代"打倒一切"的罪恶工具,最后把学生引向打、砸、抢。幸而在那最混乱的两年中,我接受了时任副校长周培源的一项特别任务,得以逃离那喧嚣的校园,继续教书,躲过了武斗的劫难。

那是在1966年9月,副校长周培源受周总理之命,要校长助理郭罗基负责成立一个专门教学小组,为西哈努克王子那拉·迪波一个人上课。这位王子爱好文艺,暑假刚在北大附中毕业,想要升入北大中文系深造。但北大已经停课闹革命,也不再招生,西哈努克亲自向周总理面呈此事,求总理帮助。于是,总理作了特批,要周培源特事特办。这样,就由郭罗基组成了一个专为王子上课的教学小组,要我专为王子开设文艺课程,以满足他的文艺爱好。这课究竟讲些什么,全由我定,可以不拘一格。因为北大校园已经混乱,不能上课了,国务院对外文委特指定在友谊宾馆开辟一套房间,专供教学之用。教师授课期间,可以在此住宿、用餐,享受宾馆的待遇。对我说来,友谊宾馆成了我的世外桃源,这里住的是在华工作的外国友人,不受运动冲击。我每周有三天时间可以躲进小楼,从事文艺教学,和王子面对面交谈。在这近两年的时间里,我还尽可能在北京陪他去观摩,访问许广平、周海婴、浩然等,去看芭蕾舞、交响乐、新京剧。我还带王子去参观鲁迅博物馆、历史博物馆、民族文化博物馆、美术馆等,让他尽可能多接触一些中华文化。此时,我已迁入燕东园37号杨晦楼下的客厅里居住,不去友谊宾馆时,可以常见到他,有时秉烛夜谈,直到深夜。在大家都在忙着全国"大串连"搞武斗的那段时光,我却骑着自行车来往于燕东园和友谊宾馆之间,享受到了当时难得的安宁。

听到这里,贤敏和黎春都说我是乱世中的幸运儿,在北大真是一种运气,要是在地方院校,早就要把我当作周扬文艺黑线的宠儿打翻在地。但我接着告诉他们:好景不长,没过多久,厄运就来临。在那时,知识分子乃有命无运之人,命运都受摆布,躲过了初一,躲不过十五,再下去,我也没有摆脱挨打的命运。

眼看学生的武斗升级,天下大乱,已难控制,最高领导决策,决定派出工宣队,要工人阶级占领一切上层建筑,同时派进解放军,要打破知识分子独霸校园的一统天下局面,占领大大小小的"独立王国"。清华、北大首当其冲。到1968年9月,全国各地都派出了工宣队、军宣队进入文化教育阵地,实际上进入了军事管制,而且明确教育的对象就是知识分子。这一下,我也在劫难逃。

西哈努克王子的教学已在当年暑假中止。西哈努克带着王子回柬埔寨去了,我不能再去友谊宾馆,只能天天到学校,在军宣队的指挥下,和学生一起读"红色宝书"。刚开始时,中文系负责人华秀珠自己也是工人,工宣队仍依靠她处理专案的一些未了事宜,她让我和另一年轻教师帮助整理专案材料,并且要为王瑶结案。她知道我和王瑶交往较多,就要我专做王瑶的结案,准备"解放"。这样,我就常出入王瑶家中。王瑶教我中国现代文学史,又是我爱人的指导老师,比较熟悉。他1934年考入清华大学中文系,积极参加进步学生运动,第二年加入中国共产党。我们中学时的一位师姐严慰冰,当时在中央大学读书,也参与学生运动,曾和王瑶有过书信来往。她后来去了延安,成了陆定一夫人,解放后入住中南海增福堂,我也得以经常出入中南海,一起谈天说地,聊故乡往事,其中就说起过王瑶的清华往事,但从未说王瑶是叛徒。不料,"文革"中的红卫兵查到报刊上王瑶脱党回山西老家的消息,就把他打成叛徒,赶出中关村262号,挤入蒋家胡同的破旧平房中。那时我已迁入燕东园27号朱光潜楼下,离王瑶家很近,回家之前就可先到他家商量结案事宜。那年秋天,终于为王瑶作出了无罪结论,为他恢复名誉,落实政策。我和他商量了几次,最后他决定从蒋家胡同搬出,迁入校内未名湖北侧的镜春园76号居住,和吴组缃离得很近,又较安宁。

但对我来说,这样的日子也没有多久。1969年,林彪迅速上升为"副统帅",就在秋天,全国发出了"林副主席第一号令",宣布全军进入紧急战备状态,一声令下,就把知识分子都赶到穷乡僻壤,劳改去罢。我们这些清华、北大的"臭老九"都被下放到江西鲤鱼洲去开荒种地,自食其力。我亦不能幸免,和大家来到了鄱阳湖,一起落难。我则更惨,在这近两年的悲剧岁月中,我度过了一生中最痛苦的时光。

这鲤鱼洲本是罪犯劳改农场,由围湖筑堤开垦而成,因鄱阳湖高出堤内很多而太危险,弃之不用,却要由"臭老九"来继承此事。我们来这里,自己动手盖茅棚,上百人都挤在漏雨的茅草棚中,每人只睡一个竹榻,再无立锥之地。白天下地劳动,种菜养猪,晚上还要斗私批修,不让"臭老九"有丝毫空隙。

就在1970年初冬,一场意想不到的灾难降临到我头上。军宣队在草棚召开全连大会(中文系、图书馆学生教师百余人按军人编制,组成一个连),声称要抓"五一六"分子。什么是"五一六"?谁是"五一六"?我正在困惑之际,工宣队一声吆喝,就把我当众擒上台,口口声声说我就是隐藏得很深的"五一六"分子,要我老实交代,招出同党。这真是晴天霹雳,我自己都不知道"五一六"是什么,更不要说谁是同党了。从此以后,工宣队组织了一个攻心组,好几个月,要我白天劳动,晚上就接受盘查,交代"五一六"问题。追查来追查去,一是查我和周扬文艺黑线有什么牵连。确实在1958年周扬到北大来开设马克思主义文艺理论讲座时,我去过他家里几次,后来在三年困难时讨论蔡仪的《文学概论》的座谈会上亦见过,以后再也没有见过,这很容易说清。二是查我和陆定一、严慰冰夫妇的交往,重点是"你们是怎么攻击林副主席"的。这就不大容易说清了。在1964年以前,我去中南海增福堂陆家的机会较多,那时严慰冰的母亲过瑛尚健在,盼望有无锡老乡去聊天。严慰冰写出叙事长诗《于立鹤》后,送我提修改意见。三年困难时她家粮票不够,我还接济过我用不掉的粮票。在平常聊天中我确实听她表达过对叶群的反感,但我未曾听她评说过林彪。倒是我对林彪向无好感。有次,中文系有好几位教师在一起聊天,看见报上刊登毛泽东在天安门城楼接见红卫兵的大幅照片,林彪手捧语录,紧随其后,我禁不住对林彪的形象说了句:又矮又秃,缺少风度。这次要清算我"攻击林副主席"的罪行,而且和陆定一、严慰冰事件联系在一起,我又不愿也不能把我内心深处对林彪的反感真实地说出来,那说不定会招来杀身之祸,所以实在难以说清楚,清查的时间也就因此而拖得很长。三是查我在《文化批判》的"五一六"活动。在北大停课闹"革命"初期,工作组被赶走之后,北大许多教师无事可做,于是,由我和中文系的一些教师(刘烜、张少康等)以及俄语系的李明滨、历史系的何顺果、东语系的段立生等,在燕南园找了一栋空楼,自行办了一个刊物,开始称《文艺批判》,后来扩大为《文化批判》。我当初发起时的原意是想为我们知识分子保留一块小小的场地,好在风浪冲击中留有一小块地盘。我寻求过许广平的支持,她把《鲁迅全集》中没有收入的鲁迅写在《芥子园画谱》扉页的一首赠诗给了我,在《文化批判》上发表。当时我只有30多岁,在北大10多年从未受过什么挫折,天真幼稚,不知天高地厚,还有些知识分子的历史使命感,还想自己安排自己的命运。但当军宣队开进北大,占领上层建筑的一切,我们这《文化批判》也就成了一个"独立王国"而被摧毁。但当时还只是停刊,这次清算"五一六",却把《文化批判》当作"五一六"的据点来无情斗争了,连严家炎和刘烜也未能免,一并被清查。我这个主持人就成了"五一六"的骨干分子,必欲打倒在地,肃清影响,只有这样才能让工人阶级(实际上是军队在指挥)占领知识分子的"独立王国"。

在那时,林彪是写进宪法草案的接班人,谁要是被套上反对林副主席的罪名,那就太惨了。1970年8月,就在清查"五一六"之前,因劳累过度,我已不堪重压,竟倒在了鲤鱼洲上。那是在酷暑下连经了抢收、抢种的超重劳累之后的半夜,我从噩梦中突然惊醒,起身走出草棚去厕所,刚出棚外,一阵晕眩,就失去知觉,轰然倒在地上。幸而,我旁榻上的同事符淮青听到响声,出棚一看,见我昏倒在地,急忙叫醒住在同棚的校医孙宗鲁大夫,连夜叫了一辆旧卡货护送我去南昌医院抢救,总算救了我一命。但急救过来后,留下了一个后遗症——脑震荡,时常会晕眩。可是,这一劫过去还不到半年,更大的劫难就来临,把我打成"五一六"骨干,使我身心俱裂。不到40岁的我,因不堪重压,加上在鲤鱼洲营养不良,一年中连续掉了两颗牙齿,我的口齿早就残缺不全了,一叹!

真是老天有眼,物极必反。1971年,林彪终因政变未遂出逃,摔死在蒙古的温都尔汗。"9·13"事件之后,我得到了"解放",所谓的"五一六",纯属子虚乌有,也就不了了之。我随着"臭老九"们一起回到了北大,重新执教。

听完我讲的这一段经历,贤敏、黎春都感到吃惊,没有想到我还有这样的遭遇。北大、清华两校"臭老九"去了江西,这大家都知晓,但我却经历了特殊的灾难,他们都感到有些意外。黎春曾多年在北京,知道我以前的经历,是个一门心思做学问的文人,想不到我也在劫难逃。她说:"你是新中国成立后培养出来的第一代知识分子,北大重点培养的拔尖人才,极少数的副博士研究生,最后也没躲过劫难,可以想见整个知识分子会是怎样的命运了,你这经历真可以写小说。"黎春、贤敏也各自说了在"文化大革命"中所遭受的命运。贤敏意味深长地说道:"知识分子就像《红楼梦》里所写的那些丫环,有命无运,这运不掌握在自己手里,而是不停地被'运',有的连'命'也没有了。"

其实在中国,知识分子是最安分守己的,手无缚鸡之力,即使受点委屈,稍再宽慰一下,就又好了伤疤忘了痛。我从小受的是"温、良、恭、俭、让"的教育,军代表对我道了歉,我心中也就释然了。我天真地认为,林彪垮了台,中国从此又可走向文治之路,"文化大革命"也可以结束了,从天下大乱再走向天下大治。所以,当军宣队安排我为中、西、东、俄系学生开设文艺理论讲座时,我的灵魂又被激活起来,跃跃欲试,想再有所作为。我开始作新的尝试,不再只讲抽象理论,而是在讲些文艺基本问题,如文艺与政治、文艺和人生、文艺的门类等后,就分别从音乐学院、美术学院、戏剧学院、电影学院、舞蹈学院请来些教师,也讲课,也表演。当时,北京许多艺术院校都不知道复课以后怎么教书,都看着北大怎么教,所以我去一请,大家都乐于到北大来一试。我去音乐学院,当时负责教学的副院长喻宜萱(女高音歌唱家)亲自接待,派了汪毓和来讲音乐史,再配上黎信昌带一个器乐演奏队来北大,一边讲解交响乐、室内乐、轻音乐为何物,一边就地演奏,理论和实践结合起来,生动活泼,通俗易懂,引起了广大学生的兴趣。这也促使我在改革开放以后,走上了倡导文艺美学之路。

也正因为我在1972年开始了这种教学探索,军宣队才放我到哈尔滨交流经验,从而在那里认识了贤敏,开始了我们的友谊。贤敏当时也在开始尝试文艺理论的教学改革,思考今后应怎么办,所以很快能进入深谈。他问我今后怎么打算。我坦率相告,知识分子只能做自己的本分专业工作,教教书,做做学问。知识分子改变不了大环境,若有可能,只能稍微改善一下自己的小环境。如果小环境也无法改善,就只好完善自我了,这也许就是知识分子的底线:世事难料不由己,自我完善是根本。贤敏觉得有理。

在天津临别之前，我告诉贤敏，为了完善自我，今后我想花功夫钻研马克思、恩格斯经典，虽不能像杨晦那样80岁还学德语看原著，但要真正弄清经典的原意，不然，将会贻害子孙后代。1971年林彪垮台之前，内部消息不断，听说毛泽东在批判陈伯达时曾说过这样的话：我党多年来不读马列，不突出马列，所以让陈伯达这类骗子骗了多年，使人不知道什么才是真正的马列，所以今后要特别重视马列。这对我特别触动，因为自"大跃进"以来，我接触到不少领导人物，确实不懂马列，但又要决策指挥，就找我们这些秀才要笔杆，把这说成如何如何符合马列，这真是秀才的可悲。反思今后，我辈真的要踏踏实实钻研马列经典，弄清马列说的究竟是什么意思。贤敏很同意我的看法，他身体力行，写了不少钻研马列经典的文章，如《马克思论"掌握世界的方式"》《对资本主义的深刻批判——物质生产的发展同艺术生产的不平衡关系的精神实质》等。林彪垮台之后的那几年，我真的钻研了一番马列经典。我仔细阅读了马克思的《资本论》。不久，《剩余价值理论》也从俄文翻译过来了，我赶紧找来细读，对剩余价值和使用价值作了一番钻研，对马克思的价值学说有了初步了解。我此后也写了《艺术掌握世界的方式》《具体—抽象—具体》等文，收入王家骏等主编的《马列文论百题》一书。

我和贤敏相识30多年了。当初相识时以为"文化大革命"即将结束，天下要太平了。不料，别后第二年国内又掀起了"批林批孔"运动，混乱又延续了四年。改革开放后我们才又在一起编教科书，那已是即将走入"知天命"之年了。那年在哈尔滨见到的老朋友中，赖应棠、毛黎春都英年早逝，再也没有见面。王家骏、弓惠英夫妇已退休回到上海老家，很难再见到。只有新朋友贤敏经常联系。新世纪之初，贤敏在深圳四季花城买了房子，见面的机会更多了。我们相识于乱世，终老于治世，可算是一种幸运了，愿他身心俱佳，我们的友谊长存。

为《邹贤敏文集》而作
2008年早春，望海书斋

会通中西创新路

有朋自远方来，不亦乐乎！前不久，严家炎、张炯、谭霈生、刘登翰、王一川、王岳川、王列生、陈伟、丁涛、张首映等，都陆续来了深圳，当然很开心。但毕竟年岁大了，走动少了，一些同辈好友已难得一见，只能通过电话再作畅叙。当收到友人寄赠的著作，更是喜出望外，倍感亲切。钱中文、郭豫适在不久前分别寄来了他们的文集，我衷心为他们高兴，重读之下，敬佩增生。

最新收到的是李衍柱的五卷文集，洋洋洒洒200多万言。衍柱兄的著作，大部分在过去都读过，此次重读，敬佩之余，又多了一些感想，更引发了许多回忆。

我们相识于改革开放之初，相互交往已超过30年，成了可以畅所欲言、无所不谈的同龄老友。

那是在1982年春，我陪朱光潜先生一起去参加由周扬主持的纪念毛泽东在延安文艺讲话40周年的座谈会。来自毛泽东家乡的潘泽宏，在此次会上盛情邀我和朱光潜先生一同去长沙，参加湖南省纪念延安文艺讲话的盛大活动，并要我宣读我的论文《艺术创造为人民》。朱光潜先生因要去承德参加《中国大百科全书》的编委会，就没有去长沙，北大就由我一个人去了。那是我第一次到湖南，就在这一次，我和衍柱兄相识了。

在会议第一天晚上，来自湖北的邹贤敏带着来自山东的李衍柱和来自上海的张玉骧来看我。我和邹贤敏是老相识，李、张两位则是初次见面。邹贤敏介绍我们相识后，李衍柱就开门见山地说有事相商。这件相商的事就成了我和衍柱交往相知的纽带。

衍柱找我商量的就是邀我一起参与发起编撰国内高校第一本西方文艺理论教科书《西方文艺理论名著教程》。衍柱他们几位都是20

世纪60年代初在中国人民大学文艺理论研究班的同班同学,听过朱光潜的《西方美学史》,又跟缪朗山钻研过西方文艺理论。得改革开放风气之先,他们已在高校开始讲授西方文艺理论,但国内还没有一本西方文艺理论的教材,于是就想发起,邀一些志同道合者动手编写这样一本教材。那时,正在担任北京大学副校长的季羡林先生为打破学术封闭的局面,和杨周翰先生发起,准备筹建北京大学比较文学研究会,东语系、西语系、英语系、俄语系、中文系均参与了筹建。我代表中文系参加了筹备会,并有一个发言,意思是说,不仅是文学,而且其他艺术(音乐、美术、电影等等),都应展开中外的比较研究,尽快打破学术文化的闭关自守。《光明日报》把我的发言发表了,题名《比较文艺学漫说》。也许是同声相应、同气相求,衍柱他们看过此文,颇有同感,所以希望我能参与发起西方文艺理论教材的编写。

我的学术志趣倒并不想去专攻西方文艺理论,而在于文艺美学。当时我在北大已开辟了文艺美学这一专业方向,招收了硕士研究生,讲了两年文艺美学。但我在准备文艺美学的过程中已深感要对中外的文艺学、美学进行比较研究的重要性,下一步我就要进入比较文艺学和比较美学的领域。这就不仅需要熟悉中国的文艺学、美学,而且必须更多地掌握西方文艺学、美学,作为比较研究的思想资料。衍柱他们邀我参与发起编撰西方文艺理论教材,这不仅可以促使我更为全面地掌握西方文艺理论资料,而且还为封闭了数十年的文艺理论教学另辟了一条新路。所以,对于衍柱他们的邀请,我欣然接受了,愿为此做一番努力。从此,我和衍柱成了赤诚相待的朋友,真正是以文会友,开始了频繁的学术交往。

在编写过程中,衍柱对学术那种严肃认真的精神深深感染着我,令我敬佩。

那时,响应并参与《西方文艺理论名著教程》编写的有12所高等学校,北京大学、复旦大学、山东大学、山东师大、上海师大、杭州大学、厦门大学、湖北大学、湘潭大学、广西师大、深圳大学、杭州师大等都有人来。我们成立了一个编委会,由李衍柱(山东师大)、邹贤敏(湖北大学)、李寿福(杭州大学)和我这几个人组成。衍柱力推我为主编,我开始不敢当此重任,提出要请前辈学者伍蠡甫来担当。这是因为第一本西方文艺理论的教科书,责任重大,还是要由师辈来担当为好。为此,我还特地去了复旦大学专访伍蠡甫先生。20世纪60年代初,我在蔡仪门下参与《文学概论》编写时,曾去上海向他求教,想吸收西方文艺理论的一些营养,当时,他正受命负责编译《西方文论选》。这次我去专访,请他担任《西方文艺理论名著教程》主编,已时隔20年之久,此时他已年过80。当我在他家里见面后,伍老就直率告我:岁月不饶人,他刚完成了《现代西方文论选》,交给译文出版社了,接着在编写《欧洲文论简史》,已感精力不济,不可能再来当这本西方文艺理论的教科书的主编了,就当个学术顾问罢。他鼓励我和其他几个中年学者敢于担当,把这本教科书编出来。我又说道,和这本教科书相配套,还要编译一套《西方文艺理论名著选编》,作为教学参考书,还是得请他和我共同主编。伍老觉得盛情难却,不好再辞,答允下来了。他说,等译文出版社把他的《现代西方文论选》出版出来后,就立即给我寄去,任我从中选编。他坦诚相告,他掌握现代西方的资料也就这么多了,我们就从这里挑选需要的材料罢!最后,他答允当这套选编出版时,给我一篇综论西方当代文坛的文章,作为代序。果然,这套150万字分三册编辑的《西方文艺理论名著选编》在北大出版时,伍老真的寄来了他的"代序"。我永远记着伍蠡甫先生对我的支持和鼓励。

于是,这本教科书的编写就靠我们这些中年学人自己摸索了。我们这几位编委都很努力,衍柱着力尤甚,一些"硬骨头",没有他就很难啃下来。参加编写的10多个人,天南海北,分散在全国各地,如何定期联系沟通,又如何择机叙会研讨,这都是当时的难题,必须下硬功夫,对此,我却一筹莫展。衍柱则迎难而上,敢于担当,不时在紧要关口,解决难题,使得这套《西方文艺理论名著教程》经历数次大修,得以与时俱进,历时30年,印了20多次,发行数十万套,至今仍能作为"面向21世纪高等学校文科教材"继续发挥作用。

那时,要编写出一本得到国家教育委员会首肯的文科教材,所遇到的困难要比现在大得多。我们为编写此书,曾先后在青岛、舟山、深圳、三亚、田横岛等地开过审稿会、编委会、研讨会,却没有花过国家教委一分钱,都是我们自己筹钱安排。除了深圳那一次是我张罗的,以外几次都是衍柱在安排,实在是不容易。我们开始着手启动时,北京已掀起了"反精神污染"的风暴。北京大学出版社刚开张,当然怕沾上"精神污染"。幸而当时的社长麻子英对我比较了解,他曾动员我去出版社当总编辑,我说我还是适合当个自由自在的教书匠,但我答允帮出版社张罗的那套北京大学"文艺美学丛书",当时正在进行中。接着,我就把这套西方文艺理论的教材推荐给他。他有些不放心,此时还出西方文艺理论的书籍,怕被人说"精神污染"。我向他细说了我的想法,这是想尝试用马克思主义来对西方文艺理论作些评价,突出了批判地吸收,洋为中用,所以不是"精神污染",让他放心。麻子英放下了心,答允把这套教材纳入北大的出版计划之内,并叫文史编辑室主任乔征胜当责任编辑。但当时刚开张的北大出版社还很穷,拿不出多少钱来。我通过北大的社会科学处,向国家教育委员会申请,争取让这套教材成为教委向全国推荐的文科教材。国家教委倒是答允,教材编出来经专家评审后,可以成为教委推荐教材,这已经是当时最大的支持。可是,当时还无"课题申报"之说,没有一分钱的"课题经费"。即使后来,国家教委文科教材办公室田敬诚动员我和张首映编写的《西方二十世纪文论史》,我和王岳川主编的博士点科研项目《文艺学美学方法论》,都没有所谓的科研经费。我们这些穷书生,却还是心满意足,干劲十足,积极投身于学术事业之中。

我们全体编写人之所以能齐集在一起,全赖衍柱的热心安排。我们的第一次叙会是在1983年,大家利用那年的暑假,到青岛集中,举办《西方文艺理论名著选编》的初审会,然后再部署《西方文艺理论名著教程》的初稿编撰。我们这些穷书生住不起酒家饭店,住哪里去啊?全靠衍柱找到了在青岛的一位老同学,在基层当领导,底下管有一招待所,可供食宿。衍柱说动那位老同学,以最低的价格,让我们在海边开了几天会。凡事开头难,有了这第一次会,教材编写就得以顺利进行。一年后,才有了在舟山召开的统稿会,然后又在1985年有了深圳的定稿会。1986年,国家教育委员会通过了专家评审,这套西方文艺理论名著教程和选编，就以教委推荐的"高等学校文科教材"在北大出版社出版了。1992年，国家教委还授予《西方文艺理论名著教程》一个奖——"国家教委优秀教材二等奖"。

衍柱执着于学术而又密切关注现实。我们的这本教材在国内高校用了三年之后，他就觉察到国内的学术生态在发生急速的变化，西方当代各种文艺理论就在这几年大量涌入国内。我们在1983年着手编写教材时，对当代西方文论还所知甚少，除了向伍蠡甫、宗白华两位学术顾问讨教外，我们还向关注德国文论的孙凤城和关注法国文论的王泰来多次求教，然后迅速请西语、英语等系的研究生立即翻译过来。奋斗了两年，我们那套三卷本的《西方文艺理论名著选编》，才收进了20多万字的新译文论。因为资料欠缺，那本60万字的《西方文艺理论名著教程》，当代部分仅只立了四章，分别评介杜威、弗洛伊德、萨特、伍尔夫，十分单薄。衍柱已敏锐地感到学术上必须与时俱进，这本教材应该修改、充实了，和我一起商量怎么办。1988年北大出版社要再次重印时，我和衍柱一起商量，当机立断，立即对教材进行大修，由衍柱担任副主编，负责修改原有的书稿，作了增补，成为教材的上卷。我又邀王岳川加盟，担任副主编，由他和刘小枫组织青年学者大幅增加20世纪的文论，加上原书中的四章，单独成为下卷。这样，在1989年新印的《西方文艺理论名著教程》，从原先的60万字增加到近百万字，分成了上、下两卷。

衍柱做事，不仅认真负责，而且周密细致，受到大家的爱戴。当新世纪到来之时，衍柱安排了一次最精彩的叙会，真正是永远难忘的世纪之会。那是在1999年夏天，衍柱在青岛北边的一个海岛——田横岛上找了一所海边别墅，把我们全体编委接去，在那里成立了新的编委会。1989年的增补本出来后，这教材又用了10年。在这10年里，西方各种各样的新文论铺天盖地而来，使人眼花缭乱，无所适从。此时的文艺理论生态已和10多年前大不一样，急需运用马克思主义观点、方法来作清理、鉴别，再作增补，更需增强分析、评价，以适应21世纪的教学需要。衍柱和我都感到需要成立新的编委会，讨论教材下一步该如何增补、修改。新的编委会由他、我、曾繁仁（山东大学）、王岳川

(北京大学)、邹贤敏(湖北大学)、李寿福(浙江大学)六人组成。老一辈学者宗白华、伍蠡甫已先后过世,没有老一辈学者来当顾问了,我们商定,新请同辈学者钱中文做顾问,这次他也来了。这次编委会在海岛上开了好几天,天天呼吸新鲜空气,心情舒畅,高谈阔论,各抒己见,最后落实,定下了新的修订方案。这一次叙会,也像1983年青岛叙会一样,没有花教育部一分钱。北京大学出版社乔征胜来了,出版社给了一笔编辑费,支援这次编委会开会。但编辑费有限,当然不够用。又是衍柱找的山东师大的一位毕业生,办公司发达了,承包了田横岛的旅游开发,愿意免费接待我们这帮书生。同时,这老总也邀我们这些书生在海岛上作了一番考察,也好让我们出点主意,看这海岛应如何开发才好。这一次叙会,我和钱中文等的感受都特别好,不仅得到了休闲,放开了胸怀,而且办好了正事。中文兄不仅担任顾问,而且一口答允为新教材写上一章《巴赫金的交往、对话主义文学理论》。志同而道合,不亦快哉!

岁月匆匆,如今,《西方文艺理论名著教程》从发起编写到一再重印,已经历了30年。我和衍柱结下了深厚的友谊,成了人生难得的挚友。这是时代给予我们的机缘。改革开放之初,我们正是中年,都想打破闭目塞听、闭关自守的局面,想要面向全世界,了解西方,迎来了一次新的启蒙运动。我们这一辈学人,年青时一心一意想掌握马克思主义,心无旁骛,但不了解世界,不懂得西方,如何能掌握马克思主义?逢上改革开放这个好时机,就急切地想去了解西方,看看西方究竟有些什么东西。我和衍柱在当时都急迫地想了解西方,所以共同发起了编撰《西方文艺理论名著教程》,走到一起来。衍柱对西方的美学和诗学经典下了真功夫,钻研甚深。他在北京大学出版社出的《西方美学经典文本导读》,厚厚一大本,这是接着朱光潜先生《西方美学史》在说,重点深入,力求突破。衍柱在学术上一贯喜欢啃硬骨头,令我敬佩。

但是,衍柱的学术眼光并未停留在西方文艺理论上,而是从掌握西方美学、诗学着手,进而去探索马克思主义文艺理论的重大问题,为建设中国特色的马克思主义文艺学美学而做出自己的贡献。在编撰西方文艺理论教材的交往过程中，我们常有一些有关学术志趣的交谈。我很想多了解一些西方当代美学、文艺学的发展趋势，我也不放弃对苏联美学、文艺学最新成果的密切关注。但我并不想把我的主要精力放在对苏联和欧美的钻研上。我密切关注苏联和西方美学、文艺学的发展动向：一是为了开阔视野，从多视角、多维度来看待文化艺术的复杂现象；二是为了借鉴苏联和西方研究文化艺术的多样方法；三是为了建设中国特色的马克思主义美学、文艺学而可供吸收的思想资料。我想把我的这个想法写在《西方文艺理论名著教程》的"绪论"中，衍柱就甚为赞同。在海南的一次叙会中，我和衍柱站在海滩，面向汪洋大海，我们甚至谈到了这个话题："三十年河东，三十年河西"，风水轮流转，此话不假。但是究竟怎么转才好？前30年，我们的文艺理论是向苏式马克思主义一边倒，后来又批苏联修正主义，闭关自守。这后30年，千万可别再来个向西方自由主义一边倒。我们对西方的美学、文艺学，还是要有所鉴别，有所取舍，批判地吸收有价值的东西，洋为中用。这，可说是我和衍柱的共同意愿。

衍柱的学术路径，正是在向建设和发展中国特色的马克思主义文艺学这个方向走，踏踏实实，一步一个脚印，硕果累累，给我留下深刻印象的至少有三。

一是文学典型论。衍柱早在中国人民大学文艺理论研究班当研究生时，就开始钻研"文学典型"问题，1964年所作的毕业论文，就是锁定在《学习马克思恩格斯论文学中的典型问题》，指导老师就是鼎鼎大名的以研究"美是典型"说著称的美学家蔡仪先生。衍柱和他有过多次深入的研讨，此后，衍柱紧紧抓住这个马克思主义文艺理论中的重大课题不放，坚持不懈地啃这块硬骨头，写出了《马克思主义典型学说史纲》。这部著作，不仅全面梳理了马克思主义以前历史上出现的各种典型学说，更对马克思主义的典型学说作了深入的分析，接着蔡仪的典型论继续说下去，作了更进一步的阐发。这是我见到的阐发"文学典型"学说的最系统、最深入的一部学术专著，我在教学中，就要我所培养的文艺美学研究生，都要读一读。

二是文学理想论。要说清楚文学中的典型问题，就要进入对文学中理想问题的研究。衍柱知难而进,由对典型的阐发,进而对文学理想作了深入的钻研,在1992年完成了专著《文学理想论》。在这里,衍柱旗帜鲜明地阐发了理想在人类文学活动中的价值和意义:理想是普照的光,是照耀作家、艺术家去从事文学活动的总光源;推动作家、艺术家从事文艺创作的根本动力。不仅如此,理想还是引导人们从事鉴赏、评论活动的最高标准和尺度。衍柱在大家正忙着奔向现代化的路上,发出了振聋发聩的声音:一个没有理想的民族,是一个没有希望的民族;一个没有理想的艺术家,是一个鼠目寸光只知爬行的"艺术家"。10多年之后,当有越来越多的人自觉意识到我们要共同构筑"中国梦",为中华民族的伟大复兴而努力奋斗,我情不自禁地再次为衍柱的这种理想精神所感动。

三是理论范式论。衍柱从青年时代始,和当时不少同辈学人一道,都想致力于建设中国特色的马克思主义文艺理论。但怎样才能做到,绝非易事,这不仅需要钻研马克思主义经典,也需要吸取西方文艺理论,还需要熟悉中国文化的古典传统。最难的更在于如何以马克思主义观点、方法来整合、概括中外古今的文学艺术经验,才能建立起具有中国特色的马克思主义文艺理论。照搬西方的文艺理论当然不行,回归中国古典文艺理论也不行,就是只停留在当初的马列经典上,也还是不行。在新的世纪即将到来之际,文艺学界学人开始反思百年来,特别是半个世纪以来的文艺学发展路径,探讨新世纪文艺学该如何发展。衍柱又敢于啃骨头,围绕时代变革和范式转换,发表系列论文,论述了"走向新世纪的文艺学"、"信息时代的文艺学"。衍柱所探索的,也正是我极感兴趣的问题。衍柱从历史事实出发,结合他大半生从事文艺学的切身体会,深入分析了随着时代的变化而有过的文艺理论模式的转换,然后对中国文艺学在新世纪的发展提出了他的期盼:中国的文艺学,不应是"多元混杂,自说自话",而应是"主导多元,综合创新",马克思主义的主导,绝不能丢弃。

衍柱所见,甚有道理。他的《时代的回声》出版之后,我曾在评价此书的"四人谈"(钱中文、童庆炳、朱立元和我)中,极表赞同:"这是一种经过深思熟虑、较为切合中国实际的见解。"今日重谈,仍深受启发。新世纪的文艺学，既要立足现代，又要沟通古今，吸纳中外，更要以马克思主义为主导，怎样才能到达？衍柱提出要借鉴历史经验，重点分析了朱光潜、宗白华、钱锺书三类探索的范式。朱光潜的"移花接木"范式，是移西方文化之"花"，来接中国传统文化之"木"，做得最好的是他的《诗论》。朱先生自己说："我在这里试用西方诗论来解释中国古典诗歌，用中国诗论来印证西方诗论。"他用当时西方的文艺心理学来解释中国的文艺实践，移植来的是西方美学，但用来阐释中国古典诗歌，颇有新意。西方的理论如能把中国文艺的实际阐释得好，这种范式以后还可以运用，还需要继续做。宗白华也是学贯中西，在德国精心钻研过西方艺术学，但他和朱光潜的学术重心有所不同，是借助西方的学理，清理中国传统文化中的精粹，掌握中国传统艺术的命脉。正如他自己所说，他是要"借外人的镜子照自己的面孔"。衍柱很敬佩宗白华的治学之道，称之为"融会贯通"的范式。后人想接着宗白华说的仍有不少，都说中国古典美学、文艺学自有潜在的体系，还需要沿着宗白华的为学之道，继续探索。衍柱以为，钱锺书的"循环阐释"是第三种范式，阐释文化艺术，必须中外古今"打通"。用钱锺书自己的话说，即"人文科学的各个对象彼此系连，交互映发"，不但跨越国家，衔接时代，而且贯串着"不同的学科"。研究人文现象，需从各个不同的角度作循环之阐释，中外古今，互相打通，"以打通拈出新意"。

沿着衍柱的这个思路，我也觉得，我们当今的文艺学不妨多关注一些"五四"新文化运动以来中国文艺学的发展道路的反思，进而探索文艺学在今后发展的道路。中国文艺学的发展，似应分三步走。第一步是可以对中外古今的文艺学分别加以研究，弄清楚中国古典文艺学是怎么发展过来的，有何精粹之处，也要搞明白西方文艺学的发展道路，精华何在。老一辈朱光潜、宗白华等都做出了巨大贡献，我们要接着继续探索下去。第二步是应将中外文艺学放在一起，作比较研究，有比较才有鉴别，博采众长。钱锺书称他的研究，只是把中外古今打通，还不是比较文学。我倒觉得，我们应该吸纳他的"打通"的做法，更进一步，对中外文艺学作比较研究，既要了解异中之同，更要知道同中之异，然后方能走向"和而不同"。第三步是走向融合创新。但为了融合创新，当务之急还是要面向当下现实，深入解剖当下的文艺生态，抓住文艺实践和文艺理论中的重大问题，从理论上来解决现实问题。正是要从理论上来回答实践中的重大问题，文艺学才会有创新；正是在回答实践问题的理论探索中，我们也要吸取中外古今既有的文艺学的营养，成为我们构筑马克思主义文艺学的思想资料。

重读衍柱著作，思绪万千；回首多年交往，感慨系之。相距千里，难再细说，言不尽意，聊寄数语，遥祝康健：

> 潜心学术善追问，
> 执着理想勤笔耕；
> 人生难得此相知，
> 锲而不舍好精神。

为《林涛海韵丛话》而作
2013年3月25日，望海书斋

文艺学向何处去

中国文艺学在20世纪走过了什么样的道路？在新世纪将走向何方？在新旧之交，这不时引起大家的反思。李衍柱写出了《时代的回声》一书，提出了当代文艺学发展中的系列重大问题，给予我们新的启发，为我们提供了进一步思考的契机。

书中最引起我的兴趣的问题有三：中国文艺学的当代走向；文艺学如何走近人学；文艺学研究方法的变革。

一

文艺学的发展，因随时代的变化而有不同的存在形态。中国在20世纪经历了三次伟大的历史变革，从旧民主主义革命到新民主主义革命，再到改革开放后的社会主义现代化建设，伟大的历史变革促进了社会转型，也改变了中国文艺学的模式。在衍柱看来，20世纪中国文艺学经历了五种形态：一是中体西用，用了西方的阐释和话语，但中国古代文化中的儒、道、佛观念仍原封不动，依然故我；二是全盘西化，将中国传统文化全盘推倒，抄袭西方文化模式；三是照搬苏联，以斯大林时代的模式为圭臬；四是形"左"实"右"，"文化大革命"发展到极致，横扫一切，毁灭文明；五是综合创新，古今中外，取其精华，去其糟粕，博采众长。

改革开放以来的中国文艺学已在逐步走上综合创新的道路，文艺学正在向多元发展。今后如何发展？衍柱以为，文艺学应在多元中有主导，在马克思主义的主导下，走综合创新之路。对此，我甚表赞同。

那么，我们的文艺学怎样才能"综合"各家之长而又能开拓"创新"、"多元"发展而又有"主导"？

要"综合",就要博采众长。可是,古往今来,国中域外,给我们留下的文艺学思想资料,不计其数,浩如烟海。怎么办?饭只能一口一口吃,西方文艺学、中国文艺学、东方文艺学、古典文艺学、现代文艺学等等,都需要去研究;从马克思、恩格斯以来的西方马克思主义、东方马克思主义、中国马克思主义的文艺学说、文艺思想,更需要去研究。20年来,我们掌握的古今中外的文艺学思想资料越来越多,但仍然需要继续深入。不知此中虚实,怎谈得上综合?

但是,我们能不能更多关注不同文艺学研究之间的沟通,及早推动不同文艺学研究之间的互补和相促?而且,我们应该鼓励在掌握了一定的思想资料的基础上,尝试以马克思主义的观点、方法来整合这些思想资料,为建设和发展马克思主义文艺学作出重大贡献。

对中外古今既有文艺学的思想资料的"整合",作出新的理论阐释,也会导致理论的创新。然而,当前,我们的文艺学要有新的发展,更迫切的是要面向当下现实,掌握当下文艺实践中出现的实际"现象",对这些新的文艺实践资料,以马克思主义的观点、方法作新的分析研究,作出新的理论概括。这也许是一种更有价值的理论创新。不过,我得立即指出,这种对新的实践资料的分析研究,绝不是不要理会既有的思想资料,而是要以掌握一定的既有思想资料为前提,不然,那种对新的实践资料的分析研究很难进行或很难提高。而更进一步的发展,应是将新的实践资料和既有的思想资料作新的综合,以马克思主义观点、方法作出新的理论概括。

当我们急于从前现代向现代化跨进,资本原始积累还未完成之时,西方的后现代文化也悄然而至。在这错综复杂的文化态势中,我们文学艺术,从生产、传播到接受的活动方式都发生了巨大变化,反映并影响到人的艺术观念、审美趣味。于是,研究对象的变化,向我们的文艺学提出了许多新问题,急需从理论上给予回答。我感受到的最突出的文学艺术变化有三。

一是商品化。文学艺术的商品化不自当今始,一些艺术在历史上早已成了商品。郑板桥卖画,明码标价,齐白石则以卖画为生,就是鲁迅也靠卖文的稿费生活,而且生活得并不差。但他们并不以牺牲艺术的审美价值而去追求剩余价值为目的。他们的艺术创造，出自他们的创造本性，具有极高的审美价值（这是艺术价值的核心），人格品性就寓于其中。但既然艺术品成了商品，可以把自己的劳动结晶和其他人的劳动产品相交换，具有交换价值，是自我价值得以在社会实现，又获取了自己所需的生活资料。所以，文学艺术之成为商品，这是历史发展的必然。现在出现的问题是：以赢利为目的的商人主宰了作家、艺术家的艺术生产，又以现代的传播手段控制了社会的消费，把对剩余价值的追求置于审美价值之上，甚至牺牲了审美价值，粗制滥造，胡编乱演。于是文化垃圾、低劣艺术铺天盖地而来，便桶、废物、污秽都被装扮成"艺术"，招摇过市。刺刀见红、吞食死婴、裸入牛肚等骇人听闻的动作，也被封为"行为艺术"。而为了追求更大的剩余价值，艺术的批量生产造成了标准化、类型化、模式化的制作，降低了艺术价值。极端的私人化写作又走向了暴露私密、满足猎奇的畸形心态。这种变化，哪些是属于合理的审美趣味、审美观念的变化，哪些则是完全违反人类发展应有的美的规律，因而是违反人类本性的？这向我们的文艺学提出了新的问题。

二是世俗化。文学艺术本是人民的创造，应为人民所享受。但不同人群的审美需要千差万别，不能强求一律。改革开放以来，文学艺术越来越走向多元发展，主流文化之外，大众文化、古雅文化、新潮文化都在蓬勃兴起，主流文化也在努力向雅俗共赏的方向前进，而方兴未艾的大众文化则更致力于把文学艺术推向世俗化，使文学艺术迅速渗入市民的日常生活，让更广大的人群能喜闻乐见。文学艺术的世俗化，使文学艺术的受众迅速扩大，更贴近普通百姓的日常生活，促进了生活的艺术化和艺术的生活化，审美距离大大缩小。无疑，在这文学艺术的世俗化中，蕴藏着、生发着一种新的审美意向、新的审美趣味，从中会产生出新的审美观念、艺术观念。但是，在一些大众文化、新潮艺术中也存在着另类趋向，那就是只满足于感性浅层，缺乏人文意蕴，甚至只以寻求感官刺激为目的，以丑为美，津津乐道，审美趣味低下。这就向我们的文艺学提出了新问题：如何以"新理性"调控这"感性"，提升为"新感性"；如何把感官享受提升为精神享受,多些人文关怀;等等。

三是功利化。文学艺术离不开功利,既离不开政治功利,也离不开实用功利,就是为人们提供精神享受这一点来说,这也是一种功利,是不同于其他功利的精神功利。审美是从功利中产生,当人类从功利实践中获得自由而感到愉悦,就有了审美。但是,审美虽在功利基础上产生,却又是对功利的超越。当下,在上下都在鼓励发展商品生产、快来物质消费的气氛下,实用功利的地位空前提高,实用价值在艺术生产和艺术消费中的作用比过去任何时代更得到了重视,以创造审美价值为目的的文学艺术,已被贬成"纯艺术"、"纯审美",逐渐被人冷淡。这就又为我们的文艺学提出了新问题:审美价值还是不是文学艺术的根本特性;实用功利、政治功利、道德功利在文学艺术中是否还要以审美为中介;艺术创造还有没有自律,是否还需要按"美的规律"来进行;等等。这些都需要我们的文艺学作新的探索。

对于文学艺术,恩格斯倡导要从美学的历史的观点来加以评论,这是很高的要求。莎士比亚剧中丹麦王子哈姆雷特的人性呼喊,巴尔扎克笔下对法国社会的诗意裁判,都有着真实而丰富的历史内涵和美学意义,所以研究文学艺术,也要既有美学的观点,又有历史的观点。我们的文艺学应该用美学的历史的观点来分析研究当下的文学艺术,作出新的理论概括。

二

自从文豪高尔基把文学和人学联系起来之后,不时有人对"文学是人学"这一命题进行阐释。

高尔基称自己毕生所做的工作,"不是地方志学,而是人学",或者说是"人种志学"(参见《谈手艺》)。后人的阐释,也极简明地归结为:文学是写人的,也是文学的根本特点,所以,文学是人学。李衍柱则作了进一层追问:把人作为谈说的对象,有科学,也有文学。人文科学,以人的活动为对象,就是人体学、心理学、医学也都以人为对象。那么,文学作为人学的特殊性在哪里呢?他以为:一、文学不是一般地写人,而是刻画出人的灵魂,展示了人的心灵世界,用列夫·托尔斯泰的话说,是写出了"心灵的辩证法";二、文学是人写的,是人的创造,而且是一种美的创造,乃泰戈尔所说,"艺术的目的在于美的生产"(《什么是艺术》)。

这种对文学是人学的理解,拓展了文艺学的思路,使我们可以更深一层地思考文学艺术的特性。

确实,以刻画人物形象见长的一些文学艺术作品,深入揭示了人物的心灵活动、内心世界,但在对人物形象的塑造中,已灌注了作家、艺术家的思想感情,表现了他对人生的审美体验和感悟,展示了作家、艺术家自己的心灵世界。果戈里《钦差大臣》中的政治骗子的丑恶灵魂得到了展示,而作者对这个人物形象的辛辣讽刺,则间接地展示了作家自己的高尚心灵。鲁迅笔下的阿Q形象,展示了"精神胜利法"的滑稽可笑,而作者对此人物形象的"哀其不幸,怒其不争",则又表现出了作者的崇高灵魂。而在那些创造了众多人物形象的文学作品中,揭示了更多人物的心灵世界,和作者的心灵世界一起,融成一个如巴赫金所说的"复调"的艺术世界。这个为作家、艺术家所创造的艺术世界,是一个意象世界,并不就是实际存在的现实世界,它本身就是作家、艺术家这个主体和他所掌握的材料这个客体相互融合、建构的结果。凡·高以椅子为题材画了一幅画,但是,他所画的椅子并不是向我们叙述椅子的故事,而是把凡·高的世界交付于我们:"在这个世界中,激情即是色彩,色彩即是激情。"对画家说来,这椅子并非认识论中的认知对象,而是价值论中的审美对象。审美对象使审美主体和审美客体联结起来,融为一体,物我两忘,这正如现象学美学家杜夫海纳所说:"审美对象意味着——只有在有意味的条件下它才是美的——世界对主体性的某种关系、世界的一个维度;它不是向我提出有关世界的一种真理,而是对我打开作为真理泉源的世界。因为这个世界对我来说首先不完全是一个知识的对象,而是一个令人赞叹和感激的对象。审美对象是有意义的,它就是一种意义……审美对象以一种不可述的情感性质概括和表达了世界的综合整体:它把世界包含在自身之中时,使我理解了世界。"①这样,凡·高笔下的椅子,已不只是现实中这个客体的再现,也不是画家这个主体的意向的表现,而是融主体和客体为一体的主体和客体之间的关系的反映,凡·高所创造出来的属于他自己的独特的艺术世界。

由此看来,文学艺术可以写人,也可以写物。大千世界,无奇不有,或对人具有肯定价值,或对人具有否定价值,都可能成为人的审美对象。人和人、人和物、物和物等关系,也都可能进入作家、艺术家的视野,成为他的审美对象,建立起他和现实对象的审美关系。文学艺术的创造并不仅在再现出他对现实对象的认知,而且是反映他这个特定的审美主体和他的审美对象(人或物都可能)之间的审美关系,这种对审美关系的反映,是以体验、领悟的方式存在,而不是认知、再现,尽管在体验、领悟中也蕴含着这些因素。文学之所以成为人学,并不是因为写了人,也不是因为由人所写,而是因为展示了作家、艺术家的审美心灵、审美人格。

对于文学是人学,如果我们不只是在创作的动态过程和既成的静态作品这两个层面来论证,而是把视野扩及文学艺术对社会可能发挥的作用这一层面来考察,就会更深一层理解文学是人学的丰富内涵。

文学艺术对社会个体发挥着精神影响。在欣赏艺术作品时,接受者在精神享受的愉悦中,不知不觉地接受了一种教育。这是一种特殊的教育:审美教育。文学艺术的教育作用会多种多样,政治教育、道德教育、思想教育等等,时常借助于文学艺术来进行。但是,在文学艺术中,这些因素都被整合进审美教育之中,审美教育是一种自由而丰富的教育,在使人得到精神享受的愉悦中,走向审美人格(一种独特的审美心理结构)的建构,推动人的自由而全面的发展。

人来到这世界上,先要求生存。但人并不仅仅只是为活着,而要活得好,于是,就要求发展,进而更要完善,以求得个体的自由而全面的发展,成为完整的人。但是,人又生活在现实中,理想又不可能

---

① [法]杜夫海纳:《美学与哲学》,孙非译,中国社会科学出版社,北京,1985年,第26页。

脱离现实,人只能在理想和现实的矛盾中求发展和完善。自从人经由劳动而从自然中独立出来之后,人和物的矛盾就一直存在,在此基础上,又产生和发展了人和人的矛盾,人和自我的矛盾。马克思曾精辟地指出,在漫长的历史发展进程中,人的发展经历了两个重要阶段。一是人不得不依赖于人的时代。大多数人的命运掌握在少数人手中,人依附于人,受制于人,命运受人支配。二是人从对别人的依赖中解脱出来获得了独立,但又进入被物所束缚的时代。个体被物所困,受物所役,物欲的膨胀,对物的追逐使人变成了物的奴隶。马克思的理想,是要走向第三个时代,那就是自由个性得以发展和完善的时代,要建立这样的一个社会:使人人都能得到自由和全面的发展。①无疑,只有亲身参与伟大的历史变革,在伟大实践中才能实现这一理想。但是,审美教育对促进人的自由而全面的发展、培育人的自由个性具有独特作用。这,也许是文学是人学的更深层的涵义。

针对文艺学、美学中的科学主义思潮的泛起,我们的文艺学、美学在20世纪90年代以来又重提人文主义,并且再次突出:文艺学、美学也是人学,应从人学观点来研究文学艺术;文学艺术应更多倡导人文关怀,这是我们的文艺学、美学在新的历史时期的一次提升。随着现代化进程的加速发展,我们密切注视着对象世界的巨大变化,但对人自身却很少作自我反思,对象意识和自我意识发展极不平衡。因此,提出更多关注人自身,重视人的自我反思,乃是文艺学、美学的进步。

我则希望我们的文艺学、美学更进一步,把人放在活生生的现实中来考察,在人和世界的现实关系中探索人的审美人格、创作个性。人生活在世界上,不是孤立的个人,离不开周围环境(人文环境、自然环境)。"一个人,他的生活包括了一个广阔范围的多样性活动和对世界的实际关系,因此是过着一个多方面的生活,这样一个人的思维也像他的生活的任何其他表现一样,具有全面的性质。"②人在实际

---

① [德]马克思、恩格斯:《马克思恩格斯全集》第四十六卷上册,人民出版社,北京,1979年,第104页。
② [德]马克思、恩格斯:《马克思恩格斯全集》第三卷,人民出版社,北京,1956年,第296页。

生活中从事着多种多样的活动,生产活动、交往活动、政治活动、艺术活动、审美活动等等。动态的活动,转化为相对稳定的关系,形成各种物质实践的关系、精神实践的关系、认识关系、评价关系、审美关系等等。人就在多种多样的活动和关系中形成和发展自己的个性。但是,无论在多种多样的人的活动中,还是在对世界的多种多样关系中,都存在着主体和客体,意识到也好,意识不到也好,这都是客观存在。人类的活动,就是不断从主体和客体的不平衡以至矛盾冲突中走向动态平衡,超越人和世界的不和谐的关系,走向和谐的关系。只是,审美活动不是在实践上,而是在精神上去追求人和世界的动态平衡关系。艺术实践虽在实践上要创造出一种符号,但它所表达的仍是人和世界的精神关系。在艺术创造中,审美主体和审美客体融为一体了,但它仍然是审美主体和审美客体相互作用的结果。因此,我们的文艺学、美学不能只关注人自身,也要研究我们人的对象世界,更要追问人和世界之间应建立一种什么样的关系,寻求人和世界之间的动态平衡。

我们的文艺学、美学仍然要以人为本。但这并不意味着要坚持人类中心论,人类中心论只顾人自身,只管去征服自然,奴役自然,而不去关注自然,和自然建立动态平衡。英国一位著名学者把这称为"人道主义的僭妄":"我们的时代太先进了,缺少足够的宁静。我悲哀,因为它让我想起了大海,一个孕育了人类的大海,一个渗入我们每一个细胞的大海。我悲哀,因为它还让我想起了我们时代的任何东西都多多少少感染了僭妄的态度。我们玷污了一切事物(有许多是永远地被玷污了)。"①但我们要跳出人类中心论,却并不要因此而堕入自然中心论。人和世界的关系,应是以人为本、动态平衡。美在和谐,这也正是审美活动、艺术创造所追求的根本目的。

---

① [美]埃伦弗尔德:《人道主义的僭妄》,李云龙译,国际文化出版公司,北京,1988年,第299页。

三

　　文学艺术，直接呈示在我们面前的这种"现象"，乃是社会的一种特殊存在。文学艺术作为一种独特的社会现象，有自己区别于其他社会现象的特殊性。就以已完成的作品来说，"艺术品似乎是一种独特的可以认识的对象，它有特别的本体论的地位。它既不是实在的（物理的，像一尊雕像那样），也不是精神的（心理上的，像愉快或痛苦的经验那样），也不是理想的（像一个三角形那样）。它是一套存在于各种主观之间的理想观念的标准的体系。"①

　　文艺学要研究这种独特的社会现象，应有自己的特殊的研究方法。任何探讨真理的科学，如马克思所说："不仅探讨的结果应当是合乎真理的，而且引向结果的途径也应当是合乎真理的……难道探讨的方式不应当随着对象改变吗？"②

　　李衍柱在中西文艺学的不同思维方式的比较中得出结论：西方文艺学的研究方法重抽象思维，而中国文艺学的研究方法主圆照思维。

　　尽管可以举出例证，说明西方文艺学不都是抽象思维，中国文艺学中也不都是圆照思维，但我还是要说，西方文艺学的研究方法中不是没有综合、立体、具象的思维方式，但确是擅长于分析、平面、抽象的思维，以此见长，而中国文艺学的研究方法也不是没有分析、平面、抽象的思维，但确是擅长综合、立体、具象的思维。正是中西文艺学的思维方式、研究方法各有所长、各有所短，所以可以建立起一种互补相促的关系，可以作一种新的综合。西方一些有识之士也已觉察到："我们正朝着一种新的综合前进……也许我们最终能够把西方的传统（带着它对实验和定量表述的强调）与中国的传统（带着它那自发

---

① [美]韦勒克、沃伦：《文学理论》，刘象愚等译，生活·读书·新知三联书店，北京，1984年，第164页。
② [德]马克思、恩格斯：《马克思恩格斯论文学与艺术》第一卷，陆梅林辑注，人民文学出版社，北京，1982年，第198页。

的、自组织的世界观)结合起来。"①

这里,我想从科学思维的一般路数来考察一下中国传统文艺学的思维特色。

科学要从理论上去把握所认识的对象,应从呈现在我们面前的"现象"的感性具体出发,但又不能停留在感性具体,而要上升到知性抽象。这知性抽象是科学思维的必不可少的环节,概念、判断、推理等等,都是抽象思辨的重要工具。当然,就是在知性抽象这一阶段,如马克思所说,也常要不时唤起"表象",让感性具体的材料在头脑中出现,不要完全丢弃感性具体,但知性抽象的使命就在于超越感性具体,进行抽象思辨,更深入地去把握自己的认识对象。可是,知性抽象却并非科学认识的目的,科学认识还需要更进一步,从知识抽象回到具体对象,但又不是回到感性具体,而是超越了知性抽象的理性具体,把握了这个认识对象的有机整体,而不只是整体的某个片面、维度。

科学研究在西方也是遵循着这一路数而展开的。但是,西方的科学研究,却特别发展了知性抽象这一环节,把抽象思辨推向了极致。爱因斯坦说得好:"西方科学的发展是以两个伟大的成就为基础,那就是希腊哲学家发明形式逻辑体系(在欧几里得几何学中),以及通过系统的实验发现有可能找出因果关系(在文艺复兴时期)。"②在他看来,中国的先哲们没有走上这两步,但令人惊奇的是,中国虽然在理论上没有这些发现,却在实践中做出来了。

中国文艺学不能说竟然完全跳过了知性抽象这一环节。像《文心雕龙》的"体大思精",叶燮的《原诗》,刘熙载的《艺概》对诗、词、曲、赋等的精辟分析,都超越了现象的感性具体。但是,中国传统文艺学特别擅长于如司空图所说的"随象远思",不仅从文学艺术的具体"现象"出发,而且,在知性抽象阶段,仍然围绕着那具体"现象"作具体分析,因而特别发展了"随象远思"的多种方式,诸如假象见

---

① [比]普里戈金、[法]斯唐热:《从混沌到有序》,曾庆宏、沈小峰译,上海译文出版社,上海,1987年,第57页。
② [美]爱因斯坦:《爱因斯坦文集》第一卷,许良英、范岱年译,商务印书馆,北京,1976年,第574页。

义、类比暗示、象征意会、整体感悟。结果,那些艺术经验丰富、审美体验深切、感悟能力高超的古典文论家,就能经由"随象远思",实现从感性具体到理性具体的跨越性飞跃,不留抽象思辨的痕迹,以致令人以为中国传统文艺学只停留在感性具体这一阶段,没有理性分析,更不成体系。

中国古典美学十分重视审美活动中的"顿悟"、"妙悟"。其实,在这"悟"中已经包含了"思"。那瞬间的感悟,乃是长期"思"的结果,在"悟"中,也已渗入了"思"。就是参禅时,那禅悟中也有了"思"。我时常想起李贽说的一桩参禅公案:"老僧三十年前来参禅时,见山是山,水是水;及至后来亲见知识,有个入处,见山不是山,见水不是水;而今得个休歇处,依然见山是山,见水是水。"(《青源惟信禅师语录》)这位老僧在未曾参禅之前,见山是山,见水是水,那山水"现象"于他面前,就是活生生的感性具体,还未加思辨分析。但到后来亲见知识,怎么他又会见山不是山,见水不是水了呢?这里有另一桩参禅公案,这样说道:"当药山坐禅时,有一僧问道:'兀兀地思量甚么?'师曰:'思量个不思量底。'曰:'不思量底如何思量?'师曰:'非思量。'"这位药山禅师在参禅时,是在"兀兀地思量",这"思量"就已有了理性分析,这一分析就使他"见山不是山,见水不是水"。但通过"思量"而超越了思辨,走向"顿悟"成了"非思量",又回到"仍然见山是山,见水是水"。但这"非思量"不是又回到"不思量",而是既超越了"不思量",又超越了"思量"。对此,日本一位学者说得好:参禅乃是"建立在非思量的基础上,这超越了思量与不思量。当不思量当作禅的基础时,反理性主义社会变得猖獗。当思量被当作禅的基础时,禅就会丧失其真正的基础,蜕化成单纯的概念和抽象的冗词赘语。然而,真正的禅把非思量当作它的最终基础,从而可以根据情况的需要,通过思量或不思量而任运自在地表现禅的自身"。[①]禅宗的目的在于把握人生活泼泼的存在,这不是只用理性分

[①][日]阿部正雄:《禅与西方思想》,王雷泉、张汝伦译,上海译文出版社,上海,1989年,第30页。

析所能达到的。但这"非思量"又不是"不思量",更不是反理性,而是超越了理性而又蕴含着理性。

中国古代的诗话、词话、赋论、曲论、乐论、剧说等等,不乏由领悟文学艺术而引发的精辟之论,对具体的文学艺术"现象",由"不思量"而"思量",再到"非思量",顿悟到文学艺术的奥妙。但在"思量"这一环节,甚少充分展开,使人感到从感性具体直接跳到了理性具体,从"不思量"跨到了"非思量"。这样,对文学艺术的论说,不至脱离那具体对象,活泼泼地,具体可感。但中国传统文艺学的弱点也就在这里,总觉思辨力量不够,缺乏有力的逻辑论证,大多是一种"印象式"、"感悟式"的文艺评论。

我们要建设和发展中国特色的马克思主义当代文艺学,当务之急当然是要面向当下现实,分析文艺实践资料,解决文艺实践中的重大问题,但在研究方法上,在继承和发扬中国传统文艺学的长处的同时,也要吸取西方文艺学善于抽象思辨之长,才能综合创新。只有创新的当代文艺学,才能推动我们的文艺艺术使"新感性"和"新理性"相互促进和融合,与时俱进,走向符合新时代要求的"新审美"。

读《时代的回声》有感而作
2001年秋,深大新村

纽结连牵方成网

李衍柱主编的《文艺学范畴论》出版了,这表征着我们的文艺学研究正在逐步深入。文艺学若能构筑体系,引人启迪,这当然好。但也要有文艺学范畴的研究,共同配合,相互促进,使研究引向深入。

任何科学学说,都需要有自己的范畴,经由逻辑论证,构成体系,才能真实揭示现实对象的特性和规律。如果说,科学体系就像一张已结成的网,那么,范畴则是这网上的结。这些结,依照一定的络(逻辑)连结为网。没有这纽结,也就无法织成网;没有范畴,也就构不成体系。

马克思主义美学、文艺学是否形成体系,这个问题曾经有过热烈的争论。马克思主义是伟大的学说,构成宏伟的思想体系。辩证唯物主义与历史唯物主义、科学社会主义、政治经济学是这个体系的三大支柱。文学艺术,作为一种社会现象,作为一种意识形态,作为一种精神生产,作为一种创美活动,都被这三种学说从不同的角度考察过。马克思对文学艺术有系列精辟的论说,分别包含在辩证唯物主义和历史唯物主义、科学社会主义、政治经济等学说中。马克思曾想写美学专著,但这个愿望没有实现。尽管马克思没有为我们留下美学或文艺学专著,但从他的《资本论》《1844年经济学哲学手稿》,以及论述剩余价值理论等一系列著作中,我们却可以窥视到马克思的美学思想、文艺思想自成体系,是马克思主义这一伟大学说的内在的有机部分。朱光潜说得好:"写过或没有写过美学专著,有没有完整的美学体系并不是一回事。马克思主义创始人没有写过美学专著,这是事实;说因此就没有一个完整的美学体系,这却不是事实。"[1]

马克思主义创始人把艺术活动、审美活动放在整个人类活动中,特

---

[1] 朱光潜:《朱光潜全集》第五卷,安徽教育出版社,合肥,1989年,第253页。

别是放在实践活动中来考察人类的三大生产,物质生产、精神生产和人自身的生产,都应该而且能够按美的规律来进行。马克思主义美学为我们开拓了新的美学思路,对文学艺术有了新的看法,自成体系,不同于历史上出现过的其他体系。对西方美学史作过全面研究以后,朱光潜老人这样说道:"要说体系,马克思主义美学体系比起过去任何美学大师(从柏拉图、亚里士多德,到康德、黑格尔和克罗齐)所构成的任何体系更宏大、更完整,而且有更结实的物质基础和历史的线索。"①

马克思主义美学、文艺学既然有体系,当然亦会有范畴。那么,马克思主义文艺学究竟有些什么范畴?这要从那众多浩大的经典著作中梳理出来,本身已非易事;何况,在历史的发展中,又增殖出不少新的范畴,如何归纳、概括得好,就更为艰难。这需要有心人的执着探求,既要耐心,又要细心。

衍柱是难得的有心人,多年以来一直关注着马克思主义文艺学范畴的研究。经过多年的挖掘、梳理,他为我们归纳出了几个不同层次的范畴,加以阐发、论证。这里,有艺术本体论的范畴,如审美与人化、内容与形式、真实性与倾向性等;有艺术生产论的范畴,如艺术生产和精神生产、艺术掌握和美的规律、思想与感情、观察与体验等;有鉴赏批评论的范畴,如鉴赏与判断、净化与魅力、接受与享受等;有艺术发展论的范畴,如继承与创造、源与流、雅与俗等;还有审美理想论的范畴,如理想与典型、崇高与滑稽、悲剧与喜剧等等。

正是这不同层次的范畴,相互区别而又相互联结,构成了马克思主义文艺学的体系。在衍柱教授主编的《文艺学范畴论》这一专著中,具体展开了这些不同层次范畴的阐发论证,使我们不仅对马克思主义文艺学的众多范畴有个全面的掌握,而且对马克思主义文艺学的宏大体系有了更为具体的理解。这,对于建设和发展中国特色的当代马克思主义文艺学,必将是一种推进。

为《文艺学范畴论》所作序
1996年春,深大新村

---

① 朱光潜:《朱光潜全集》第五卷,安徽教育出版社,合肥,1989年,第255页。

精心构思重意蕴

当商潮粗俗地袭来之时,熙熙攘攘,特别喧闹,打破了文人学士的宁静,令人烦躁不安,难以使人再对文学艺术作哲理的思考和美学的论辩。但是,青年学者黄颇却写出了洋洋数十万言的文艺学专著《文艺对象学》。书稿送到我的手里,读着读着,我不由得沉浸在美学思辨的天地,重新感受到一种思辨的愉悦。

文学艺术的创作对象是什么?一般都说是社会生活,这倒不能说错,因为归根到底,一切文学艺术都是社会生活的反映,创作的最后根源是社会生活。但这种说法不断受到质疑:文学艺术的创作,明明是创作人的内心世界的自然表露,那么,创作对象为什么不是精神世界?为了折中这两种见解,于是又出现了另一种说法:文学艺术既反映社会生活,又表现思想感情。这说法貌似全面,好像都说到了,但犹如画蛇添足,把两个不同层次的问题混杂在一起,反而把问题弄乱。

文学艺术确实应是创作人的内心世界的自然流露,表现了思想感情,因而是意识形态的一种。但思想感情、内心世界又是社会生活的反映,这又是一个层次。两个层次,相互联系,却不能混同。我看,文艺学上的许多谬误,根源都在两个层次的混淆,夹缠不清。

更为重要的是,文学艺术所表现的并非一般的思想感情,而是创作者对社会、人生的一种特殊的感悟和体验,不同于科学、宗教、道德等对世界的反映。创作者对社会、人生的特殊感悟和体验,本身就是对世界的特殊反映。这种感悟和体验在文学艺术中转化为独特的艺术世界,所以才能以独特的魅力吸引人。文艺学、美学恰恰应该着力弄清文学艺术这种特殊反映的特点,从而才能阐明文学艺术的特征。

《文艺对象学》的可贵,正在于不是回避矛盾,而是面对这个难题,作了比较符合实际的探索。它答出这样的结论:外在世界,是文学艺术的间接对象;内心世界,才是文学艺术的直接对象。

大千世界,万事万物,都可能成为文学艺术的创作对象。但这还只是潜在的对象。只有当这可能的对象进入创作者和现实的审美关系之中,作为审美客体,同审美主体(创作者)在现实中发生了审美关系,引起了创作者的审美兴趣,成了审美对象,才可能进入文学艺术创作之中。审美客体,这是现实的实际存在,不能直接进入文学艺术,而必须经由审美主体的反映。因而,作为审美客体的大千世界,也只是文学艺术创作的间接对象。当审美主体(创作者)和审美客体(现实世界)处在审美关系中,相互作用,触发主体作出审美的反映,从而在创作者头脑中建构一个心造的世界(人心营构之象),这才是文学艺术创作的直接对象。比如,著名画家凡·高的一幅画,画了椅子,但不是现实世界中的椅子的简单再现、复制,而是表达了他对这个世界的体验、领悟。所以,现象学美学家杜夫海纳说:"凡·高画的椅子并不是向我叙述椅子的故事,而是把凡·高的世界交付给我。"[1]这个艺术世界,既不只是他对椅子的认识,又不仅是他自己的意向,而是他的意向和认识相互作用而营构出来的虚拟世界,人心营构之象。

正是这样,《文艺对象学》的哲学基础还是奠基在反映论之上。但这不是停留在普通反映论,而是深入揭示了文学艺术对世界的反映,乃是一种特殊的反映:审美反映。这种反映不同于科学、宗教、道德等对世界的反映,而是渗透着感情的意象创造,调动了创作者内心世界的多种心理活动。文学艺术的这种创造过程,不能停留在普通心理学的层面上,而是必须深入到文艺心理学、审美心理学、个性心理学、创造心理学的层面来研究。但文学艺术创造中的情感、意志、想象等最复杂、最微妙的心理,最终又都是对现实的反映。而表现于文学艺术作品中的那个创作者心造的世界,依我的看法,正是审美主体(创作者)和审美客体(现实世界)的审美关系的反映。

---

[1] [法]杜夫海纳:《美学与哲学》,孙非译,中国社会科学出版社,北京,1985年,第26页。

当然,人对世界的审美反映,不一定都是艺术的创造。对于人生的感悟、体验,如果只存在于内心世界,就还未形成为文学艺术。只有将自己审美上的感悟、体验用一定的符号表现出来,才有文学艺术的产生。但那艺术符号不过是传达那特殊信息的物质手段,这特殊信息正是人对世界的审美体验和感悟。这种体验和感悟,又是审美主体和审美客体之间的审美关系的反映。

如此突出文学艺术的审美特性,是不是会引导文学艺术走向唯美主义或形式主义?不,恰恰相反。正是只有充分认识到文艺的这种审美特性,才能既排除庸俗社会学、公式教条,又避免唯美主义、形式主义。确实有人曲解文学艺术的审美特性,把艺术美仅仅归结为形式美,把文艺创造只看作是形式的构筑、符号的游戏,但这并不是对文艺的审美特性的科学阐明。文学艺术,不仅是要创造出美的形式,而且更重要的是,通过美的形式表现具有审美意义的内容。文学艺术通过美的符号,传达一种审美的信息:人对世界的审美体验、感悟。其中,包含着审美评价、审美判断。审美判断、审美评价当然同道德判断、政治判断有着千丝万缕的联系,但道德判断、政治判断要进入文学艺术,必须以审美判断为中介,对社会、政治、道德等现象作出诗意的裁判,才成为文学艺术的内容。文学艺术应该描写社会生活中的重大政治、经济、道德现象,但必须经过创作者的审美反映,给予审美评价,作出审美判断。文学艺术也不只是关注生活中的真、善、美,也可以描写假、丑、恶。但是,创作者必须对此给予审美评价,作出审美判断,真正在灵魂深处对假、丑、恶充满审美反感,从审美上予以否定,这才使文学艺术的内容也具有了美。我看,这才是文学艺术的审美特性之关键所在。

唯美主义、形式主义把文学艺术只归结为形式,难道我们也要追随这种理论吗?或者,为了反对唯美主义、形式主义,难道必然要走向抛弃文艺的审美特性之路吗?唯美主义、形式主义的错误是只追求美的形式,否定文艺还有审美内容。我们不赞同唯美主义、形式主义,因为文学艺术通过美的形式,还表达了美的意蕴。内容美和形式美的统一、结合,才是艺术美的根本。

面对商潮滚滚袭来,文艺的商品价值不时吞噬着审美价值,我们不是更应重视和高扬文艺的审美特性吗?正是这样,《文艺对象学》对于文艺审美反映论的阐发,不只具有重要的理论价值,而且更有迫切的现实意义。

我在《文艺美学》一书中说过,文学艺术是一种微妙和复杂的社会现象,应该由不同学科相互配合,从各个方面进行探索,才能给予科学的解释。文学艺术一些最微妙、最复杂的方面,美学、文艺学至今尚未深入下去探究奥秘。人对世界、人生的审美上的体验、感悟,如何升华、转化为艺术的意象?意象如何组合建构成意境,如何创造一个独立的艺术世界?这心中营构之象又如何体现为物质形式,如何构筑符号体系?艺术创造究竟有没有自己的特殊的逻辑,不同于概念思维的意象思维的逻辑?文学艺术比起其他创造活动来,更需按照美的规律来创造,但艺术创造究竟有些什么美的规律呢?这些,都还没有深入的探索。因此,美学、文艺学可探讨的问题仍多,就看是否有人愿意静下心来,深入丛林。黄颇的《文艺对象学》从文艺对象的探讨切入,从审美角度探讨文学艺术,触及的却是文艺的审美本质问题,使文艺学、美学向更深、更广的领域拓展,实为难得,令人高兴。

我和黄颇相识多年,学术上常有交往,应是忘年交。他在南昌一直潜心于美学、文艺学的研究,不时有论著发表,甚得学界好评。他近几年集中精力撰写《文艺对象学》,就是到了深圳,也仍然继续他的研究。这种潜心学术的精神,已很少见,实在令人敬佩。现在,他的《文艺对象学》出版了,怎能不为他感到欢欣鼓舞!愿这种献身学术的精神在深圳这块土地上日益得到发扬。

为《文艺对象学》所作序
1995年春节,深大新村

第五辑

附 文

附文一

北大始攻文艺学
——胡经之先生访谈

李世涛[①]

李世涛（以下简称"李"）：胡先生好！非常感谢您抽时间接受我的采访。自2004年我们在北京蓟门饭店见面后，这些年交往不断，在您的支持、帮助下，我得以完成了一个关于中国当代学术史的课题，而且，您的不少学生都是我的老师，我从"胡门弟子"那里学到了很多知识，得到了许多帮助，所以，我对您是非常感激的。在我们的交往中，我比较了解您的学术研究，但对您的人生经历并不太清楚，只是凭直觉感到您的经历比您那些一辈子都在北大任教的同事们更丰富些。同时，您

---

① 李世涛，中国艺术研究院马克思主义文艺理论研究所研究员。

的一生是与国家、时代的发展紧密相连的,您的经历也是我多年来一直好奇的问题。

《传记文学》主编郝庆军先生委托我就此对您做一个专访。"深圳学派"建设研讨会使我们再次相见,也促成了这次采访。

据我所知,尽管您的人生经历颇为丰富,但您主要还是生活在大学校园中的读书人、教师,教书、研究是贯穿您一生的主业,北京大学、深圳大学是您人生的两个重要驿站。因此,我建议还是围绕这个中心,谈一些您的人生经历,不但可以了解时代变迁中的知识分子的命运,也有助于认识当代中国,以及当代中国的学术史。

首先,希望谈一下您的求学经历,我们也可以由此了解您是如何走上学术研究道路的。

胡经之(以下简称"胡"):我这80年的人生,大致可以分三个阶段:江南稚子—北大学子—岭南游子。我19岁以前在无锡、苏州两个地方读书,参加学生运动。为什么参加学生运动?当时国民党太腐败了,特别是抗战胜利之后,大家都希望能够安定下来搞国家建设。日本侵略了8年,抗战结束,百废待举,理应奋发图强、民族振兴。可是,日本刚投降,国民党接收大员就满天飞,急着抢占地盘。上海、江苏一带都是富裕地方,当然是首选,官僚买办蜂拥而至。我年少时看电影《一江春水向东流》,主人公张忠良,抛弃了原配夫人,在重庆娶了抗战夫人,抗战胜利,到上海接收,又有了接收夫人。我当时一下就联想到了国民党的腐败,苛捐杂税,民不聊生。我在现实生活里也深切感受到了广大老百姓的不满。所以,我心里对国家的前途很是失望。同时,我也开始接触解放区的文艺作品以及进步书刊,受到熏陶。我清楚记得,听到《山那边好地方》《沂蒙山歌》,心里就向往这些地方。出于对当局的不满,我参加了学生运动。我参加了新民主主义青年团,那是跟国民党的三民主义青年团对抗的,他们对进步学生盯梢、监视。在解放军跨长江之前,我们组织了学生的护校运动。一解放,我被大家推为无锡师范第一届学生会主席,后来当了无锡县学联主席,然后是无锡县第一、二、三、四届人大代表。当时还没成立江苏省,还只有苏南公署,但已召开了苏南人民代表会议。当时负责召开苏南首届人民代表会议的就是苏南党委书记陈丕显。我参加了苏南首届人民代表会议，参政议政。在会上，见到了还穿着长袍马褂的荣德生先生（荣毅仁的父亲），爱国的民族资本家。那次政协会上，他最年长，76岁，我和王忍之是最年轻的，刚18岁。王忍之是无锡市学联副主席，我是无锡县学联主席。那时，瞎子阿炳（华彦钧）还在，我在崇安寺见到他拉着二胡沿街乞讨。除了对国民党不满，另一个原因是我们那里是新四军的根据地，新四军在那里活动，我受他们很多影响。很多进步老师都在中学教书，等到一解放，一看这些人都是地下党员，解放后都在苏南或上海当上了领导，都掌握政权了。我第一阶段基本就是求学读书，参加学生运动。

李：从当时的情况看，您做了不少具体的革命工作，如果这样一直干下去，您的仕途应该是不错的。但是，为什么您放弃了别人羡慕的前途，"转行"求学呢？

胡：我读的是无锡师范，到了1951年春我毕业前，许多同学都被送到军校或参军去了，我和当时的校领导代表学校去南京慰问。这是我第一次到南京，以前都是在苏州、无锡一带活动，也去过上海、杭州，但没去过国民党政府的所在地南京。一看，确实气派，就发现世界确实很大，我不知道的世界大得很。我就想，应该走出家乡，见识更大的世界。这时候，我有一个思想，国民党腐败，你要把它打败，必须靠武装夺取政权。"枪杆子里面出政权"，这从中国的国情出发，不得不如此。但是，夺取政权之后，就必须建设国家，而这仅靠枪杆子是不够的，应该靠教育，赶快培育教育人才。这时，我相信蔡元培的主张：教育兴国。如果在日寇统治下，简单提倡教育救国，是不可行的。但是，夺取政权以后，若不重视教育，怎么兴国？我们需要文化，更需要教育，培养各种各样的专门人才。这时候，我就开始考虑自己的发展前途了。回顾我这辈子，我采取的行动常常要早半拍，对时代发展的动向还只是靠直觉，没有深思。

我本来可以留在县里当官的，17岁时我已是学联主席了，县长张卓如还是我父亲胡定一的朋友，他要我留在那里做青年团工作。但是，我不想，因为3年的学生运动，我已经知道青年工作是做什么的了，就是开会，领着学生去土改，斗地主，下乡宣传政策，动员参干参军，忙得不亦乐乎,坐不下来认真读书。3年下来我心里感到有些失落:社会活动太多了!我反思自我:我这人好静,不适应太多社会活动。这个时候,我的思想开始转变,我想,我将来要考大学,特别是到了南京,看到世界那么大,应该走出家乡考大学。教育兴国怎么兴?我首先应该受教育,学习怎样使祖国现代化,我自己应该成为专门人才去建设祖国。此外还有一个原因,我们那个地方出了一个人物,国学大师钱穆,他没有读过大学,是自学成才的,但早已经在北京大学当教授了。我的老师一辈都崇拜他,把他看作家乡的光荣。他一生就在书斋,当教师,做学问。他是从小学教师、中学教师一路上来的。我也当了半年小学教师、半年中学教师,受他的影响,我也想当个学者。这是老师一辈给我树的榜样:应该学钱穆,搞学问,受人尊敬。受师辈的熏陶,我们从小就受到尊师重教的教育,觉得当老师好,我父亲一辈子也是在当老师。

李:现在,江苏仍然是文化大省,这与江南历史上重视文化、教育应该有很大的关系。俗话说"一方水土养一方人",看来,您的选择也明显地受到了地域文化的影响。那么,您是如何到北大读书的呢?

胡:按照当时的规矩,师范毕业从事两年教学工作后,不用考试,可以保送你去上高等学校;但像我这样师范毕业的,必须考高等师范院校,如杭州师院、南京师院或华东师大。我想,既然下决心念书,还是上北大。所以,我第一志愿填的是北大,剩下志愿填的是师范,最后保底的是江苏师范学院。我是1952年考的,从教没有满两年,怎么办?幸而当时有个规定,同等学力也可以报考,不一定都是应届毕业。我是以同等学力考的北大,并没有请学校保送。我是那所学校有史以来第一个考上北京大学的人,所以成为母校的佳话。后来,母校改名为梅村中学,成为江苏省的重点中学。明年是母校百年校庆,我应邀为荣誉校友,要回母校庆贺。

李:当时,您考取了北京大学,给您的家庭、家乡赢得了名誉。您的父母肯定高兴得不得了!

胡:肯定高兴,但也没有你想的那样。录取以后,我的父亲嫌太远了,就劝我别去。北大离家太远了,交通又不便,到北京去举目无亲,若有病痛也无人照顾,还是进江苏师院,就在苏州。

李：您父亲的想法与现在的父母的想法可真是大相径庭呀！

胡：我想，已经录取了，我当然应该去。另外，我的老师陈友梅也支持我。他对我讲："北京我有熟人，我给你推荐。"第一个是钱俊瑞，当时的教育部常务副部长、党组书记，是他的同学，也是无锡人。钱俊瑞家是无锡的一个大家族，有什么困难可以去找他。第二个是严慰冰——他的学生、陆定一的夫人，他在松江女中教过的学生，后来考进中央大学，1937年去了延安，嫁给了陆定一。

李：看来您是逆着父亲的意愿来北大求学的！

胡：我到北京确实是举目无亲，最初也没想找什么人。但我初到北京就水土不服，到冬天就不舒服，患了胃病，因盲肠炎动手术住了院。出院后就在胃病食堂用餐。那时和我一桌吃饭的一位瘦高个子像大哥一样关切我，他就是鲁迅的儿子周海婴，我们同桌了两年。他是我在北京结识的第一个朋友。他1929年在上海出生，比我大4岁，又高又瘦，身体不算好。他一见我就说："你是中文系的？我可不搞文学。"父亲要他不要当空头文学家。他是物理系的学生，比我高两届。他在上海长大，我在苏州长大，都不适应北京生活，都有胃病，所以同病相怜。我们在一起时，就用吴语方言交谈，感到亲切，心情也就轻松起来。我在北大校门口照的第一张相片，就是他给我照的。他来北京比较早，1948年上海还未解放他就跟着许广平从上海到香港、大连，再到北平。他对无线电、摄影感兴趣，后来，院系调整，他就调到了北大的物理系。我在北大没有熟人，他是我在北大的第一个熟人，所以，我就请他帮我打听打听严慰冰住什么地方。许广平是当时政务院副秘书长，熟悉上层。果然，他很快告诉我，严慰冰住在中南海。过了不久，他又给我打听出来，说严慰冰就在北大教书，在公共政治教研室教中共党史，住在什么地方他也告诉我了。在海婴的帮助下，我就跟严慰冰接上头了。这样，我在北京认识了第二个熟人。

我当时是20岁，严慰冰有三十七八岁，应是我的长辈，但她为人爽朗，平等待人，以一种老大姐的关怀待我。她在北大体斋有一间房休息，我在那里就能找到她。平时上课时她就在那里。她对我说，"五一"、"十一"、元旦、春节放假，可以到中南海找她。她还讲，她妈妈过瑛只会说无锡话，没人和她说话，希望同乡和她聊聊天。这样，十一国庆，我就按她的嘱托到中南海西门，一打电话她就到西门接我，经过怀仁堂和中海，就到她家增福堂。此后，在北大读书几年中，每年都要去中南海三四次。我看到她家的生活和普通老百姓差不多，清茶淡饭，衣着朴素。三年困难的时候，严慰冰给我诉苦，当时她三个孩子都上学，长身体，粮食不够吃。他们也凭粮票吃饭，没有特殊照顾。我有胃病，吃得少，自己的粮票用不完，就送给他们用。她高兴得不得了，连声感谢。

李：您读大学时就接触到了陆定一这样的高级干部家庭，你们以后还有来往吗？

胡：我和严慰冰的交往一直到"文化大革命"前夕，有10多年时光。我去中南海，都是严慰冰接待，她妈妈过瑛做无锡家乡菜。陆定一当时是中宣部部长，1958年又当了管文教的副总理，忙得很，不常见到，前后只见过他七八次。他中午不在家吃饭，在政治局吃完饭回家，有时候随便聊聊北大的事，家乡的事，说的都是一口无锡话。我在北大读书时，记有许多听课笔记，偶写日记，碰上重要事件，会写下遇事随记。前不久，我清理了一下，还真有数次去中南海的随记，有几次值得说说。

1956年国庆期间，我去中南海看望严慰冰和过瑛。午饭后，严慰冰和我到客厅里坐下来聊天。她问我，副博士研究生的生活怎么样？我告诉她，我现在还算杨晦的助教，但已开始跟他研习中国文艺思想史了。北大这次试招副博士研究生，反应热烈，一下就招进了100多人，来不及调整宿舍，没地方住，就只好延后半年入学，要等到1957年春节才让报到。我也只能见缝插针，暂时住在19斋，和毕达可夫（苏联专家）的研究生住在一起。严慰冰鼓励我在这4年研究生期间，好好研究学问，这是人生中难得的一个机遇。她告诉我，这是钱俊瑞当教育部副部长时学习苏联的最后一个举措，在北大、复旦等几所名校推行学士—副博士—博士学位制，为的是要加速提高大学的学术水平，培养我国自己的专家学者。为加快高校的发展，中央还决定从教育部里分出成立高等教育部，钱俊瑞也在此时离开了教育部，去文化部工作了。

说着说着，陆定一从外边回家，我正想告退，他叫我，小胡，先别走，再坐下聊聊，他下午正好没事。在闲聊中，陆定一关心地问起"百家争鸣，百花齐放"的方针提出后，北大的教授有什么反应。我告诉他，反应热烈，感觉良好，说到教授们的心坎里了。"双百方针"提出之后，杨晦马上开了中国文艺思想史的专题课，王瑶开了鲁迅研究。何其芳和吴组缃还打了擂台，各自开设了研究《红楼梦》的专题课，各抒己见，把自己最精彩的见解讲出来，大受学生欢迎，一致称好。新中国成立后，北大一直没有开设美学课程，这次，蔡仪在北大开始讲美学，朱光潜、宗白华也正在准备开美学课。这就真正体现了百家争鸣的精神。

听到这里，陆定一就问起朱光潜的近况。我告诉他，朱光潜最近参加了中国民主同盟，还写了一篇近两万字的自我批判的长文《我的文艺思想的反动性》。年初我去朱先生家看望，他还住在校医院后面佟府旧平房里，但心情平和，在埋头做学问。前不久，我导师杨晦和我说起，学校领导正在安排，让朱先生准备搬到燕东园27号，原燕京大学校长陆志韦住所的楼上居住。听到这里，陆定一就说开了："这就对了！像朱光潜这样的旧知识分子、国民党中央监察委员，北平解放时，蒋介石派飞机来要把一些文化名人接到台湾去，名单里就有他，但他没有走，这精神就可嘉。在新中国，他能自我批判，真心愿学马克思主义，我们应该欢迎才对。去年（1955年）中国科学院要搞学部委员制，你们北大党委书记、副校长江隆基想把朱光潜推举为哲学社会学部的学部委员，不少人提出异议，说蔡仪、黄药眠都不是，摆不平。我就说，那就搁一搁以后再说。但我和周扬、胡乔木都说了，对他的生活待遇还应有所照顾，在学术上还要发挥他的作用。党的'双百'方针，就是要把政治问题和学术问题、文艺问题分别开来。从政治上说，无论学术和文艺，我们要倡导、鼓励政治上有益的东西，反对、批判政治上有害的东西，但还存在大量政治上无害的东西，我们不要一概反对，应该容许自由争鸣，百花齐放。学术问题、文艺问题，我们不要去妄加干涉。前几年，科学院要编中国史，光历史分期就有不同的说法，范文澜、郭沫若、翦伯赞都不同，要中宣部来裁决。我向毛主席报告，这是学术问题，不能由我中宣部来敲定。主席风趣地说，这类学术问题，就是请马克思、恩格斯、列宁来当部长，也还是解决不了，还得有学术争鸣。我看，美学问题，可以朱光潜的自我批判为契机，展开自由讨论。这事，我已和周扬打了招呼，要让美学界自己争鸣，要开展学术讨论，不要去干涉，真理越争越明啊！"

这是我在陆定一家里听到的他发表的最长的一次谈话。我本来就对美学感兴趣，听他这一说，我就更加关注起美学来。美学无禁区，我可以在这里自由飞翔。在以后数年美学争论中所发表的文章约200篇，我绝大部分都拜读了，始终密切关注着美学发展的轨迹。

一年多以后，1959年元旦期间，我又一次来到中南海。午饭后，过瑛要我到客厅，听我讲暑假中回无锡老家见到的家乡变化。说完后，我正要走。这时，陆定一从书房里走出来问我："小胡，北大有什么新闻？"我又坐下来告诉他，新闻可多了。第一件新闻是周扬带了邵荃麟、何其芳、张光年来北大开"文艺理论"讲座，周扬已讲了第一讲"建设马克思主义的美学"，正等着他来作第二讲。陆定一说，这事他知道，周扬有这个雄心壮志，这是我党的大好事。还有什么新闻？我说第二件新闻是，北大听过周扬第一讲后，准备发展美学，在哲学系成立美学教研室，要把朱光潜从英语系调到这里来研究美学。朱光潜已经在前年搬到原陆志韦住的楼上，在江隆基副校长的支持下，他已恢复了一级教授的待遇（以前是拿七级教授的工资），成了全国政协委员。如今，他正在全力投入西方美学史的研究，把西方美学史系统地介绍到国内来。陆定一说，这也是好事。我接着说了第三件新闻，那就是学生在"拔白旗、插红旗"，中文系学生批判了游国恩、林庚和王瑶三位名教授，还在编写红色文学史。陆定一说："这也听说了，批判权威，编写新史，这也是好事。我向来主张，有破有立，破是为了立，不能只破不立，就是破，也要能言之成理，持之有故，要说理，而且要有交流。我总觉得，这几年的美学争论，做得还可以，比批判俞平伯的《红楼梦》研究，要心平气和一些。李希凡批俞平伯，少年气盛，说理还不够，缺乏足够的说服力，语调也过分激烈。学术问题是要通过互相讨论、互相启发，才能到达真理。即使你真理在手，也用不着气势凌人，还是要平心静气地说理。你们还年轻，要善于学习，虚怀若谷。那年，有人还想批判周汝昌、吴世昌、吴恩裕。何其芳向我反映，不要扩大打击面。我同意他的意见。"

那时，我集中精力在思考革命现实主义和革命浪漫主义相结合的问题，在《文艺报》的讨论会上发了言，《文学评论》要我写一篇《理想与现实在文学中的辩证结合》，我就趁此机会想向陆定一请教，他怎么理解。不料，陆定一坦率告诉我，他对此没有研究。这是毛主席直接和周扬的谈话中说的，他不在场。他说："不少文艺问题都是毛主席亲自过问，直接向周扬交代，我只知道一下，也不过问。"他要我还是直接向周扬请教。

我再一次见到陆定一是在1961年的春节期间。那时我的4年多副博士研究生生涯结束，留校在中文系教文学概论。我的导师、系主任杨晦告诉我，中宣部、教育部正在调配人力去中共中央高级党校参加文科教材建设，争取在三年里编出两三百种教材；已定下来，由蔡仪负责编写《文学概论》，要杨晦推荐人去。他推荐了两个人，一个是吕德申，但不能全职参加，他是文艺理论教研室副主任，还要他管这一堆事。一个是我，可以全职脱产，去党校住两三年，全力投入编写。这是一个提升自己学术水平的好机会，问我愿不愿意去。我当然高兴。春节期间，我去中南海看望严慰冰、过瑛，就说到了这事，我有可能去中央党校两三年。严慰冰说，这是大好事啊，她好像听说过编教材这件事，是陆定一在闲聊中说起的。她叫我在客厅里坐一下，就进了陆定一书房。一会儿，陆定一从书房来到客厅就说："小胡啊，这是好事！三年困难，国家也要休养生息，总书记小平同志在前不久拍板决定，要周扬来抓这个文科教材建设。新中国成立10多年了，文科还有好多学科没有教材，要利用这个休养生息的时机，集中全国学术力量冲刺一下。休养生息，有积极的方式，也有消极的方式。这编教材就是积极的休养生息。小平同志说了，要把咱们的冷藏库清理一下，把冷藏多年的鱼、肉、鸡、鸭分出些来，供应这些编书的专家学者，补充一些营养，既保护了这些专家学者，又发挥大家的学术积极性。编书要老、中、青结合，既有继承，又有创新，是培养年青一代学者的好办法。小胡啊，你可要抓紧这个机遇，深入钻研一下学问，给咱们的学术建设做贡献啊！"

这一走，不久就去了中央高级党校，足有4年没有再去中南海。我最后一次见到陆定一，那要到1965年的春节了。严慰冰约了我、赵宝煦、钟哲民三个人到中南海做客。严慰冰在北大教中国革命史，她和赵宝煦、钟哲民在同一教研室，是三个负责人，都是熟人。后来，赵宝煦任国际政治系主任，钟哲民当了北大党委宣传部副部长。但赵、钟二人没有去过严慰冰家里，所以她一定要我在北大陪他俩一同到中南海。那天，我们在饭后就到客厅聊天，正好陆定一也在书房，就走出来和大家见面。他和赵宝煦、钟哲民聊起北大的社教运动，陆定一主要是听他俩讲，不发表意见。我没有参加社教运动，被北京市副市长范瑾借调在《北京日报》写文艺评论文章，所以我没有插嘴，就和严慰冰在一旁谈她写的叙事长诗《于立鹤》。这部长诗是严慰冰以她父亲严朴为原型而创作出来的作品，反映了无锡在解放前夕的地下党的革命斗争。发表出来后，唐弢曾为此书写过文艺评论。唐弢的夫人，是严慰冰的中学同窗。唐弢1959年从上海刚来北京时住铁狮子胡同，我去过他家几次，就常谈起严慰冰的文才。唐弢曾对我讲过这样一件事：有次陆定一在中南海毛主席家开会，主席偶尔问起在座的各位，唐代诗人王勃写《滕王阁序》时是多大年纪。陆定一、陈伯达、康生、胡乔木等都答不出来。中午回家休息，陆定一和严慰冰说起此事。严慰冰说，这有何难？那年王勃是14岁啊！接着，严慰冰从卧室书橱中找出了一本《唐摭言》给陆定一看，陆定一当即叫严慰冰骑自行车去毛主席住所面呈这个出处。毛主席对那些大秀才说，严慰冰若是在古代，就可以中个女状元。此事是真是假，我也不好意思当面问严慰冰核实。但严慰冰写的诗文，确是文情并茂、流畅动人。

这是我最后一次见到陆定一、严慰冰、过瑛。一年多以后，"文化大革命"开始，彭、罗、陆、杨首先被打倒。严慰冰因多次写匿名信揭发叶群丑行，被林彪一伙打成"反革命"，关在秦城监狱10多年，身患绝症，出狱后没几年就在北京逝世了。过瑛则在"文化大革命"开始不久就于南京狱中过世了。我在林彪一伙最猖狂之时，被作为"五一六"分子遭打击，要我揭发陆定一、严慰冰如何反林彪，我实在无话可说,但从此失去了和严慰冰的联系。

李:您在北大读本科,怎么又到人民大学马列主义研究班去了?又怎么回到北大?这段历史是怎么回事?

胡:在我人生的道路上,严慰冰确实帮过我大忙。这还得从北大说起。我应该是1956年暑假毕业,但在1955年年底的时候,人事处找我说,周总理批准了,要调一批优秀学生到人民大学学习马列主义,以加强全国的政治思想教育。北大把我挑了进去,把我调到中国人民大学马列主义研究班。严慰冰就是从那儿毕业的。李希凡也是,他比我高两级,我去时,他已经在1955年年初去了《人民日报》。我却是在1956年年初去了马列主义研究班当了研究生,主攻两门课:哲学和中国革命史。但半年之后我就发现,学的东西我并不感兴趣,讲的哲学基本原理,如经济基础、上层建筑、意识形态等等,我在1954年听苏联文艺学专家毕达可夫讲文艺学引论时,这些道理,苏联专家都讲过了,大同小异。我觉得,这些道理太抽象,不大结合实际,特别是对我喜欢的文学艺术,涉及很少,解决不了我的问题。何干之、胡华讲的中国革命史比较具体,对五四运动我做了较深入的钻研,但我并不想一辈子都来研究。我1953年在北大开始钻研了一下中国现代美学;到了1954年夏,又听苏联专家讲文艺学,想继续走这条路。

1956年,北大学习苏联,开始试招副博士研究生。我回北大找了杨晦,讲了我想回到北大跟他当文艺学副博士研究生。他同意,但高教部不放。当时钱俊瑞已不在高教部,我不知道找谁。在这种情况下,我没办法了,就找到严慰冰。结果,她给当时的高教部部长杨秀峰打了个电话,我就真的回到了北大。她帮了我的大忙,我很感谢她。在我这人生的转折关头,杨晦、严慰冰帮了我的忙,我一辈子都不会忘掉。

李:原来您是这样读的研究生,我还以为您是毕业以后直接考试的!

胡:当时,导师的权力很大,在应届毕业生中,可由导师直接选他中意的人,不需考试。杨晦同意招我,我就直接从马列主义研究班回到了北大。严家炎、王世德则是通过全国考试进来的。1959年,周扬到北大来开设文艺理论的讲座,我还在读研究生。杨晦派我当这个讲座的助教,这样就与周扬有了联系,去过中宣部和他在沙滩后街的家里,个人交往过几次。但我从来没有想过毕业后要去中宣部。我在北大基本上就是这个方向,想搞学术,不想搞别的。我刚回北大时,人事处又找过我,要我去当高教部部长杨秀峰的秘书。我说我想读书,刚从人民大学回来,就是要跟杨晦学文艺学,我还是做杨晦的研究生,不想到高教部去。后来,北大另选了一位同学去了高教部。

李:那时的研究生很少,您研究生毕业后就顺理成章地留校了?

胡:1956年北大招副博士研究生是从苏联学的,但在当时中国是新鲜事。文艺学副博士研究生那年招了三个,严家炎、王世德和我。导师是杨晦和钱学熙。杨晦主中国文艺思想史,钱学熙主外国文论。杨晦要我把主要精力放在中国文艺思想史。前两年,我确实照杨晦的思路做了,全力投入,一心只读圣贤书,两耳不闻窗外事。但在1959年周扬来北大号召"建设马克思主义的美学"后,我这个讲座助教也跟着转向了美学。从我的知识结构出发,我尽可能把美学和我的文艺学知识结合起来,我的副博士论文写的是《为何古典作品至今还有艺术魅力》。副博士研究生的学制是4年。我和王世德都读到了1960年年底,但1959年大张旗鼓批判苏联修正主义时,副博士制被取消了,我留在北大,王世德就去了四川大学。严家炎在1958年就由研究生转为教师。学生批了王瑶,他不能上课,因为没人上现代文学课,中文系总支再三动员严家炎来上课,要他马上接替王瑶上现代文学史课程,直接转为讲师。严家炎1957年年初入学,1958年下半年就只好遵命转向。当时,严家炎、我、王世德都是张光年(光未然)特聘的《文艺报》特约评论员,李泽厚、李希凡也是。严家炎还真想在理论上有所作为,但还是服从急需,转向了。其实,这是一件好事,他在中国现代文学史研究上的成就至今有目共睹,就是由此开端的。

李:您留校之后,终于可以如愿以偿地教书、研究了。可是好景不长,随着"文革"的爆发,北大同样难免厄运,估计也不可避免地冲击了您正常的生活、工作。

胡:"文革"期间,历史的笑剧、悲剧都让我经历过了。"文化大革命"一开始,北京大学校园聂元梓的一张大字报拉开了北大"文革"的序幕,红卫兵停课闹革命,校长、系主任、学术权威靠边站被打倒在地。后来,刘少奇、邓小平派的工作组就来到了北大,当时的北京市市委书记(原河北省省委书记)张承先是工作组组长。他一进来,就住在北招待所,马上要中文系出一个写简报的人,就把我调去了"灰楼",任务是把工作组在北大运动的情况向上报给中央。后来,聂元梓他们把工作组赶跑了,到毛泽东那里告状,声称那是刘邓司令部的工作组。在毛泽东的支持下,成立了"文化革命委员会"。我想,该我倒霉了,我在工作组写简报,是不是成了刘邓司令部的爪牙。不料北京大学"文化革命委员会"的政策研究室主任却对我说,你不要回去,你参加"文化革命委员会"政策研究室,继续向中央写简报,那是向毛主席送简报。当时我们也分不清楚,这究竟是怎么回事,但我实在不想再做这事了,就说让我干点别的吧! 于是,就让我参与接待来北大观摩的外国人和港澳同胞。那一年,我和留学生办公室主任麻子英等一起在临湖轩接待过香港文化界的访问团,领头的是费彝民和夏梦。喻宜萱领了中央音乐学院的师生,浩然领了北京文艺界的一些人都来过北大,我都曾先后接待过。过了一段时间,两派斗争了,我一看不对头,也更加弄不清了,正在捉摸不定时,恰好来了一个暂可脱身的好机会。

1966年暑假,西哈努克的一位王子在北大附中毕业,当时十七八岁,叫那拉迪波,爱好文学艺术。西哈努克点名要他进北大。可当时北大已经停了课,周总理特批专门成立一个教学小组来教西哈努克王子,承办人是北大副校长周培源。当时校长办公室副主任郭罗基协助周培源成立这个教学小组,他当组长。郭罗基是我们在解放初一起搞学生运动的无锡老乡,他找到我说:"这个王子爱好文学、艺术,他要搞文艺,你得来教他文学、艺术,中文系挑来挑去,不光懂文学,还懂艺术的就是你。"这样,就把我调到那里。这一教就是两年,结果,教王子反倒成了一个避风港。我不在学校而在友谊宾馆上课,当时专门批了几套客房给教师用,王子也到那里上课。因此,我躲过了武斗劫难。但在1968年北大实施军宣队管制后,我就一切听命于军宣队的了。1967年春,海婴还帮了我一个大忙,带我和王子去景山东街拜访了他母亲许广平,为王子讲鲁迅。许广平特地送王子一套用檀香木匣装的《鲁迅全集》,极为珍贵。北大的军宣队可不是一般的军宣队,乃是由中央直接指挥的中南海警卫部队。北大、清华两校都由中南海警卫部队来管制,师生都被编制在连、排、班的严密组织中,一切行动听指挥,叫你干啥就干啥。我差一点死在鲤鱼洲,真是一言难尽。

李:"文革"结束后,包括文化在内的各项事业百废待兴,您也精神抖擞,迎来了人生的春天、事业的高峰。无论如何,北京大学的条件都是首屈一指的,但您为什么放弃了这么优越的平台到当时尚待开发的深圳呢?

胡:我基本上就在大半个中国转了一圈。青少年时代在太湖流域,在燕园30多年,改革开放以后,我就到深圳来了,想多呼吸些新鲜空气,见识见识更大的世面。当时,国家教委交给我一项任务,要我编20世纪西方文论的教材。国家教委管教材建设的田敬诚告诉我:"现在的教材太陈旧了,还缺许多教材,西方文艺理论就没有任何教材,只有朱光潜的《西方美学史》。好多学校提出要开西方文论课,但没有教材,是不是由你来主编西方文论教材?"那时,伍蠡甫的《欧洲文论史》还没有出来,他主编的《西方文论选》也只是资料选编,没有一本全面介绍的教材。早在20世纪60年代初我在中共中央高级党校参加蔡仪主编的《文学概论》编写时,就开始关注西方文艺理论。1962年暑假我回苏州老家,蔡仪要我到上海了解一下那几本教材编写的情况。那时郭绍虞在主编《中国古代文学批评史》、以群在主编《文学的基本原理》、伍蠡甫在负责西方文论。我找到伍蠡甫了解到西方文论的编写情况,只有19世纪以前的上卷,下卷还没有搞出来,资料缺乏是最大困难。我对田敬诚讲,伍蠡甫研究西方文论最权威,编写西方文论还得找伍蠡甫。当时,他年纪大了,已经80岁了。我到上海开会专门去找了伍蠡甫,希望由他出来当主编。他讲,20世纪的,他了解的也不多,50年代以后的就基本没有了、断了,也买不到,教材主编他就不当了。我们商定,《西方文艺理论名著教程》由我主编,但《西方文艺理论名著选编》这套资料还是由伍蠡甫和我两人共同主编。我到深圳,与编这套教材有很大的关系。我到上海请教蒋孔阳先生,他告诉我,要查西方文艺理论资料,要到香港大学和香港中文大学去,那里多。

正好,这时负责筹建深圳大学的首任校长张维找到汤一介和我,邀请我们到深圳大学创办中文系。张维是清华大学副校长、两院院士，他是听钱穆之子钱逊的推荐才邀我俩的。我和汤一介在清华园他的寓所见到了他，他说，深圳大学要办中文系，想请汤一介、乐黛云和我一起去参与创办，还请当时北大的教务长李赋宁去创办外文系。当时，乐黛云在美国研究比较文学，还没有回来。汤一介和我一商量，决定在1984年初春一起去深圳考察一下。可快到5月了，汤一介正忙着别的事，去不了，就叫我一个人去。我在4月到厦门参加了一个美学会议，就从厦门飞汕头。负责建汕头大学的罗列动员我去汕头大学，正好一起考察。5月1日，我由汕头飞广州，然后乘火车到深圳，那时深圳还没有机场。在深圳还碰到了也来考察的李泽厚、蒋孔阳、刘纲纪三人。我们在铁皮棚房饭堂里见了面，他们一致认为，深圳有发展前途。这里离香港近，只一河之隔。那时，北京跟国外交往都要经过香港，然后再经过深圳，叶维廉、刘若愚、李达三等从国外来访北大，都是这么走的。当时的深圳虽只是一个3万来人的小镇，但这里有地缘优势，发展前途甚好。我亦颇有同感，所以，回到北京和汤一介一商量，就回答张维校长，决定我们三个人一起去深圳大学参与创办中文系。张维校长见多识广，还和我们商定了一种新模式，我们3个人都不需要离开北大，一年中，半年由乐黛云、汤一介来主持中文系，还有半年，他夫妇俩回北大，由我来深圳主持中文系工作。这样，我们都有半年在北大上课、带研究生，还有半年到深圳上课，有时把北大的研究生也带来。我们3个人这样来回了3年多，后来，北大要我们3个人都回北大，汤一介、乐黛云都回去了，我则提出申请，我不回去了，就留在深圳大学。汤一介在深大办了个国学研究所，乐黛云则办了个比较文学研究所。后来，我在深圳大学办了个特区文化研究所，还把中文系扩建成国际文化系。当时，中文系主任、我师兄严家炎劝我回去，说文艺美学是我搞起来的，我走了没人。我说这好办，给你留一个研究生。王岳川就是由他和张少康坚持留下的。我对家炎兄半开玩笑说，我是"活命哲学"，生命第一，我在那里身体好，就不再想回北京了。家炎兄一听，就痛快放我走了。后来，我每次回北京，家炎总要我给他打招呼，他做东在一起吃饭叙旧。他坦率说："你去深圳，对了。"

李： 当时，深圳的人文环境应该不是很好，至少与北京比较起来如此。刚到深圳，您有没有感到不适应？

胡： 刚才我已经讲过我为什么要到深圳来。我感到最大的好处是自由。这里有一个非常宽松的环境。就文化学术来说，这里就像一张白纸，你想画什么样的画，可以由你设计。1984年我决定来之前向季羡林讨教过，他就很支持我来，希望能把深大建成一个国际文化交流的基地。1981年，季羡林、杨周翰发起在北京大学筹建比较文学研究中心，想把英文系、东语系、西语系、俄语系和中文系内从事国际文化交流的力量集中起来。这个中心由季羡林、杨周翰领头，成员有岳凤麟（俄语系）、孙凤城（西语系）、张隆溪（英语系），中文系就派了我参加。季羡林、杨周翰在北大以此为基地从事国际文化交流，他们希望深圳大学中文系也能成为这样的基地，和北大的连在一起。所以，乐黛云回国后和我在去深圳大学的第二年，就在深圳大学召开了中国首届比较文学学术研讨会，成立了中国比较文学学会，季羡林和杨周翰都来了。

李： 看来也是天要留您呀！是不是还有别的因素吸引您留在深圳？

胡： 深圳对我也不错。当时，深圳的领导层很尊重知识分子。市长开会公开说，市长的工资不能最高，应该要让有突出成就的教授、专家领最高工资。我赶上了这个好时光，一下子就和我老师杨晦领一样的工资（北大一级教授）。更重要的是，他们平等待人。当时的市委书记、市长待我很好，把我当朋友看待，随时可以给他们打电话，有重大的事报告他们也很方便。我们在深圳开海外华人文学研讨会，他们有空，市长、副市长就马上过来，这是我感觉到的知识分子受尊敬的最好的时代。我的师辈如杨晦、林庚、王瑶、魏建功谈起往昔，常说现代知识分子在"五四"以后，二三十年代是好时光，学术自由，心情舒展。新中国成立后，50年代前期也是知识分子的好时光，社会稳定，可以安心做学问，林庚说他的研究成果大多是在反右之前做出来的。但1957年后就很难再做学问了。我这一辈人在上大学时，正好赶上了师辈的好时光，他们在讲堂上讲他们研究的硕果，使我们受益匪浅。我们这一辈的好时光，是在改革开放的80年代。北大鼓励我们这一辈在讲堂上各显神通，炒名牌菜。到深圳后，更感受到领导层对知识分子的尊重，以平等的朋友相待。其实,在新中国成立初期,我在北京也有类似的感受,我接触过的陆定一、周扬、范瑾(北京市副市长),都很平易近人。

李:深圳大学中文系从无到有,不但培养了大量的人才,确实凝聚了你们开拓者的心血、智慧。看来,您对深圳很有感情,为深圳大学、深圳市做了不少实事,也为深圳的文化发展做出了重要的贡献!

胡:我注重融入深圳的社会文化生活,所以,在把中文系扩建为国际文化系的同时,我专门成立了一个特区文化研究所,自己当所长。我还办了一个特区文化研究生班,为深圳市培养文化干部,共招两届,培养了数十位文化干部,当时的文化局局长、宣传部副部长都是这个班的研究生。之后,深圳曾先后动员我当文联主席、社科联主席,我都婉言谢绝了。我就想自由地搞我的学问,这个思想是一贯的,从未动摇过。我觉得我这个人好静,不适合当官。若当官,总得应酬,就静不下心来搞自己爱好的学问。后来让我做深圳作协主席、评论家协会主席,我给许多深圳艺术家、作家写过评论,但这都是兼职,绝不做专职。有次我在北大风入松书店购书,遇见钱理群。他说:"你不是到深圳当官去了吗?"我哭笑不得,只好说:那是传闻。人家都说我融入了深圳的文化建设,我为深圳做了一些事,对深圳也可说是问心无愧。现在,深大聘我当学校咨询,我仍做我喜欢的学问,天天读书,钻研美学上的一些难题,写一些回忆北大时光的经历。每天坚持游泳、弹弹钢琴,在书斋里还可以远眺香港的山和海,甚至国际机场的飞机起落。有时还参加一些学术会议,如2010年的第18届世界美学大会,2011年的太湖论坛首届国际年会,2012年的蔡元培、梁启超美学的全国学术研讨会。岁月匆匆,我到深圳也快30年了。

李:今天时间非常紧张,您既要开会,又要接受我的采访,累了您这么久,除了对您表示感谢、歉意之外,我还衷心祝福您健康长寿,也希望读到您更多的研究成果。

2012年冬,深圳,五洲宾馆
(原载《传记文学》,2013年第4期)

附文二

文艺理论波折多
——胡经之先生访谈录

李世涛

李世涛（以下简称"李"）：据我所知，自1952年您到北大中文系学习以后，参与了不少文艺界、美学界的活动，有时是亲自参加，有时是见证人。今天，许多当事人或已作古，或已改做他事。为此，我想就新中国成立后文艺理论、文艺批评等问题求教于您，希望能为以后的研究提供些材料。我知道，您曾经在新中国成立后的第一届文艺学研究班学习过，而杨晦先生又是文艺学研究班的班主任。首先希望您谈一些文艺学研究班的情况。

胡经之（以下简称"胡"）：1952年我考入北京大学中文系，一心想攻文艺学和美学。当时的文艺理论课，除了杨晦的文学概论，就没有别的了。北大虽有朱光潜在，后又来了宗白华、蔡仪，但都不开美学课。高校中文系的最大的难题就是没有人来上文艺理论课。而且，当时的文艺理论课没有教材，连大纲都没有。新中国的文艺理论课要讲些什么，怎样讲，大家都没数。当时教育部还在请杨晦、蔡仪等拟教学大纲，争论不下，教育部就决定请苏联专家来。1954年年初，从苏联请来了一位副教授毕达可夫到北京大学开讲文艺学引论，从全国高校调来一批中青年教师来研修，又从北大中文、西语、俄语等系中抽调一批高年级学生当研究生，决心为全国高校专门培养文艺理论教师。文艺理论研究班是从1954年春天正式开始的。当时，教育部直辖的院校复旦大学、南京大学、中山大学、陕西师大都来人了，这就是新中国的第一批文艺理论教师。全国各地来进修的有30人左右，大多是青年教师,但也有些已入中年。年岁稍大的有胡国瑞(武汉大学)、郝御风(西北大学)等;邱世友(中山大学)、张文勋(云南大学)、王文生(武汉大学)、蔡厚示(厦门大学)等年轻一些。其中,不少人都教过中国古典文学或现代文学。他们参加研究班的主要任务就是为了听毕达可夫的课,好回去开文艺理论课。他们边听边研究,写自己的讲稿。蒋孔阳当时30岁刚出头,我们这些20岁左右的年轻人都呼他为"大师兄"。他的《文学基本知识》(1957)就是那时写的,后来,他在文艺学、美学方面取得的成就也最大。还有些年轻教师,如从东北师大来的李树谦在这里听课,自己记笔记,听一堂就赶快用快信把听课记录速寄给东北师大的同事李景隆,李景隆根据苏联专家的讲课内容加以改编,融合中国文学材料,举些中国的实例,再到课堂上去讲。不少教师也边学边写,上完课,他们编写的《文学概论》就出版了,而且比毕达可夫的讲稿出版得还要早。霍松林的国学基础很好,熟悉中国古代文论,所以,他很快把苏联理论与中国传统文论结合起来,出了《文艺学概论》(1957)。李树谦、李景隆合编了《文学概论》,冉欲达、康倪出了《文艺学概论》(1957),刘衍文出了《文学概论》(1957)。当时就出了好几本这样的教材。而毕达可夫的讲稿要等到1956年研究班结束,才从俄语翻译过来,并等到1958年年末方由高等教育出版社正式出版。不久,中国已进入反国际修正主义时代了。新中国成立初期,大家都不清楚马克思主义文艺理论是什么样,该讲些什么,就只有听苏联专家的。其实,那毕达可夫只是基辅大学的一位副教授,学术水平并不高,但他党性强,苏联卫国战争时,他失掉了一只手臂。他也是在卫国战争胜利后才从事文艺理论教学,在苏联并非一流,在苏联学术界也没有学术地位,基本还是师承季米菲耶夫的《文学原理》的路数。他讲的东西基本上是季米菲耶夫的,季米菲耶夫更早,是他老师一辈,当时毕达可夫才40岁左右。他身材魁梧,用俄语讲,由于不懂中文,系里给他配备了翻译霍汉姬。苏联专家大谈意识形态、经济基础、上层建筑的理论,突出文学的党性、阶级性、思想性、人民性、社会主义现实主义,再加上一些文学写作的技法。举的例子都是俄国作品,中国文学他不懂。他讲的那些,当时中国没有,就觉得很新鲜,以为这就是正宗的马克思主义啦!苏联专家不懂中国的文艺实际,不了解中国文学,所以,且不说这些理论究竟如何,最大的问题就是脱离中国的文学实践。

杨晦先生当时是中文系主任,受高教部之命,任当时文艺理论研究班的班主任。我当时是三年级学生,并不是研究生(到1956年我才是杨先生的副博士研究生),因我爱好文艺理论,所以得到他的特殊批准,也去听苏联专家的文艺学引论,并得以认识蒋孔阳等学长。我们一些年轻人,如赖应棠、王家骏等都称那些年近中年的学长为大师兄。赖应棠、王家骏、谭令仰、石汝祥等是从中文系抽调出来的研究生,从俄语系、西语系也调来了不少研究生,如乔福山、弓惠英、陈贤英等。

苏联专家的文艺学引论上了一年多,新中国成立后的第一批文艺理论教师以此为蓝本,回到各地高校,加以中国化,纷纷开设了文学概论课程。北大的课程结束于1955年,但研究班要到1956年才结束,让大家做论文,编讲稿。我从头到尾听了课,并且按苏联专家的规定,写了结业论文《论文学的人民性》,这是我第一次学写论文。研究班结束的次年,即1957年就出版了好几本文艺理论教材,除了上述几种,以后又有钟子翱的《文艺学概论》等教材出版。当时文艺理论的基本模式是苏联文艺学的框架,但举的是中国文学的例证。但在1957年反右之后,特别是1958年的"大跃进"及随后的反修,高校的文艺理论教材也发生了变化,转为突出毛泽东文艺思想。

李:您研究生毕业后,就参加了蔡仪先生主编的《文学概论》的编写。《文学概论》是新中国成立后我国文艺理论界集体编写的第一本高校教材,既提高了对文学理论的学术研究,也对我国的文学理论教学产生了深远的影响。当然,其历史局限性也是很明显的。请介绍些您参加教材编写的情况。

胡:我1960年年底研究生毕业后就留北大任教。1961年春,我在北大开设文学概论课程,刚开始不久,我就被调到中央党校,参加蔡仪主编的《文学概论》的编写。蔡仪的文艺思想基本上是现实主义,哲学基础是认识论,认为文学是反映生活的形象手段,他当然要贯穿这个思想。我受命写第一章,正是要阐明这个基本思想。他与杨晦先生的关系很好,我们早就相识。我的研究生毕业论文是《为何古典作品至今还有艺术魅力》,强调了真、善、美的统一,实际上已经转到美学了,文章有两万字,发表在1961年的《北大学报》上,蔡仪参加了论文评审,看到了。《文学概论》的第一章是"文学是形象地反映生活的意识形态",强调文学的作用是认识、审美和教育。

  周扬是看重这个教材的。为什么呢?因为他提出要建设具有中国特色的马克思主义美学,要把毛泽东的《在延安文艺座谈会上的讲话》贯彻到《文学概论》中去。经过反右、反修后,苏联的文艺理论已淡出,毛泽东文艺思想突出起来,高校教材必须适应这一发展。但教材又要讲究科学性、系统性、逻辑性,还是要讲出文学的特征,如何结合得好,寄希望于这本教材。但蔡仪有自己的文艺思想,他是研究美学的,一向把文学艺术放在美学中来研究。他一向把文学艺术看作是以形象来反映生活的特殊方式,反映生活会有倾向性,但艺术还是要反映真实。而毛泽东文艺思想的核心是文艺要为政治服务,文艺是阶级斗争的工具,《文学概论》不是突出这个思想。讨论来讨论去,蔡仪主张还不如另编一本《毛泽东文艺思想》的教材,不要和《文学概论》合在一起。当时,蔡仪已要张炯、王燎荧负责编出了提纲,和《文学概论》的提纲一起送给周扬,但被周扬否定了,他只让搞一本《文学概论》。这样,《文学概论》第一章写的是文学反映生活,由我执笔起草,集中阐明蔡仪的基本思想,题目最后定为"文学是反映社会生活的特殊意识形态"。这一章的草稿、修改稿和定稿,我都直接交蔡仪审定,由他亲自修改几次。蔡仪把真实性置于文学的第一位。第二章写的是文学在社会生活中的地位和作用,在这里则集中突出文艺为工农兵服务,为社会主义服务。这一章实际上已经打破了蔡仪自己构想的体系。所以,在编写教材的过程中,蔡仪是不愉快的。当时我也慢慢地体会到,周扬关注文艺为政治服务,这是第一位的;关于文艺要与认识结合起来,要认识生活,反映生活,那是如何为的问题,属第二位。所以要突出文艺的政治性,但也注重形象性。这是周扬和蔡仪的不同,但周扬已明确规定主编责任制,所以周扬也作了让步。

  《文学概论》的编写,除了请来所外的一些人,如楼栖(中山大学)、李树谦(吉林师大)、胡国瑞(武汉大学)、吕惠娟(山东大学),我和吕德申是北大的,文研所整个理论组都参加了。编教材时,钱中文当时刚从苏联攻读副博士研究生回来不久,到文研所后还未进文艺理论研究室。我们是后来才认识的。当时只认识了涂武生、杨汉池、王善忠等。

李:那么,您是如何看待和评价这部教材的呢?

胡:我认为,一是《文学概论》突出认识论和政治倾向性,把政治和认识尽可能统一起来。通过编教材,我深深体会到,《文学概论》的政治性还是较突出,谈文学艺术本身的规律太少,主要谈论文艺与政治、文艺与社会的关系。二是蔡仪把反映论理解得太狭窄,把反映论等同于认识论。其实,反映论是很宽广的概念,应包含体验论,体验论不同于认识论,体验和认识不同,各有特点。艺术主要是审美体验,实际上应该通过审美来谈认识。读了斯大林之后的苏联审美学派、文化学派等的美学,我就感到,作为艺术的文学应该强调审美,其主要作用也是审美的,其他的作用只能通过审美才能达到。但这是就艺术的文学来说的,如今,文学概念又在扩大,文学不仅是艺术的,还可以是非艺术的,那么,可以说文学的认识作用、政治作用又在受到重视,更有许多实用价值也在发挥作用。

《文学概论》是在20世纪60年代前期编成的,但是却在"文革"后才使用,显然已落后于时代。无疑,它努力吸取了当时的学术成果,《文学概论》把理论奠基在认识论上。但是,《文艺概论》还是太政治化,只强调文学与政治、社会、阶级的联系,不大从审美活动本身的实际出发来研究文学,这是一个缺憾。但在当时的背景下,也很难有别的选择。文学有艺术的、非艺术的,应予区分。文学可以重在认识生活,也可以有为政治服务的,应有区分,不能混淆。

李:您到北大时,就做了杨晦主讲的文学概论的课代表,在他的照顾下参加了苏联专家文艺学研究班的学习,后来又做了他的研究生。请您介绍些杨先生的情况,特别是他当时的教学情况。

胡:我上大一时,文学概论由杨晦开设,入学后的第一堂课就是他上的。杨晦讲文学概论,当时还没有任何教科书,连教学大纲也没有。他授课的特点是重在对中国古代文艺思想的概括和阐释。记得当时他讲文学是什么,讲中国的文学概念是变化的,由广义的文学讲到狭义的文学,讲到魏晋南北朝的纯文学。他分析中国古代的文学观念,最早的"文",范围很广,天文、地文、人文都在内,就是后来缩小到语言符号,那也笼统地包括了所有用语言文字写成的文本。刘勰《文心雕龙》里说的"文",虽然有专门篇章说以抒情为主的文学,但所论的包括了所有文体,并非后来所说的纯文学。魏晋以后,才产生了纯文学,但杂文学仍在发展。纯文学当然有"自律",但仍有"他律"起作用,就像地球在"自转",又环绕太阳"公转"。杨晦是"五四"老人,火烧赵家楼的参与者。他既有文学创作经验,又长期从事文艺评论,所以能结合中国文学的实践来谈理论。但给我印象深刻的是,他把地球自转和环绕太阳公转的道理运用于文艺理论,说明文艺和社会的关系,以地球的自转与公转来解释文字的"自律"与"他律"。我一直记着这个道理,这成为我以后研究文艺美学的基本方法论,也可以用来解决今天的许多问题。杨晦的这一观点是他长期研究文艺现象得出的结论,他在1949年出版的《文艺与社会》一书中已经明确表述。杨晦早年在北大是哲学系学生,哲学底子厚。早在古希腊时候,哲学家就有了类似说法,任何事物都有自律和他律。马克思也说过,宇宙世界里的行星,也是又自转又公转,是普遍规律。但杨晦用这种说法来解析艺术与非艺术、审美与非审美,这是他的创新。任何事物都有自己的运动,也都有受他律影响进行的运动,问题是它的他律是什么,它的自律是什么?文学艺术有自己的他律、自律。我在写《文艺美学》时,就接受了这个观点,受益匪浅。

当时,他讲文学概论时,很少讲苏联的文学艺术,而是着眼于中国古代的传统文化。1958年,他写了几篇文章谈现实主义、浪漫主义,但有他自己的见解,并且对茅盾的观点表达了不同意见。当时茅盾的《夜读偶记》认为,中国文艺发展的历史就是现实主义与反现实主义之间相互斗争的历史。杨晦认为,这是茅盾搬用苏联教条来套中国历史,不符合中国实际。杨晦对曹禺很有研究,他最著名的评论文章是《曹禺论》,连曹禺自己也认为批评得很中肯。他还写了好几篇关于关汉卿的文章,从各个角度来阐明关汉卿的戏剧是浪漫主义的。依杨晦的研究,中国文艺的主潮是现实主义和浪漫主义的,而不是现实主义和反现实的斗争,也不能把中国的文艺归结为形式主义和反形式主义。杨晦一直倡导,具体问题要具体分析,讲到具体问题,他可以连续讲好几节课。讲艺术起源时,关于九鼎由实用到象征的演变,他就讲了几堂课,充分展开。他当时就提出,劳动可以创造美,但也可能创造丑,这就要看这劳动是不是按照美的规律来创造。自1959年起,杨晦开设了中国古代文艺思想史,他的讲稿后来由杨铸整理,导论部分《关于中国早期文艺思想的几个问题》收入《杨晦文学论集》(北京大学出版社出版)。苏联专家来后,我去听课了。杨晦对我说,你们也就只能听听他的观点,中国的问题他们不懂。中国文艺理论经过了苏式化、"大跃进",他已认识到只有总结中国自己的文艺实践,才有出路。可惜,对他来说有些晚了,他搞中国文艺批评史时已经60多岁,离"文革"已很近了,使他壮志难酬。

1956年,正赶上高等学校要试行学位制,北大等几所名校准备向苏联学习,先试招副博士研究生(四年制)。当时各大报纸都登列了拟招专业和导师名单,面向全国招生。北大目录中有杨晦、钱学熙招收文艺学副博士研究生。我当时正在中国人民大学马列主义研究班攻读马克思主义哲学,我看到招生目录,就向杨晦提出申请,半年后就回到北大跟随他攻读文艺学副博士学位课程。当时被录取的首届文艺学副博士研究生的还有严家炎、王世德。此时杨晦的研究已转向中国文艺思想史。他说,如要建设中国的文艺学,不研究中国古代的文艺思想是绝对不行的。他要我从研究老庄、孔孟的文艺思想开始,一本一本地读古籍原著,写读书笔记,及时送他审阅,一心埋头读书,不要随便写文章。我有两年多时间确实按导师所说,关在书斋,"两耳不闻窗外事,一心只读圣贤书",连轰轰烈烈的"鸣放"、"反右"也都擦肩而过,并幸免于难。这要深深感激杨晦的帮助。

我这个人喜好哲学思辨,又受到朱光潜、宗白华、周扬等人影响,想向美学发展。1958年,那次革命现实主义和革命浪漫主义相结合的讨论,把我推向了文坛。杨晦见我有志于美学,鼓励我向这方向发展。

1960年他把张少康留作助教，协助他专攻中国文艺思想史。年底，我研究生毕业，曾想回江南老家，到南京大学当教师。但杨晦劝我还是留在北大任教，并推荐给蔡仪，让我去中央党校参编《文学概论》。

"文化大革命"开始不久，系领导层特地安排我和杨晦先生同住一幢楼——燕东园37号，杨先生住楼上，我住楼下，原因是系里要我保护他。我当时年轻，估计不会受冲击，担心红卫兵冲击他家，让我保护。后来两派斗争，我亦未能幸免终于被抄家，杨晦也被抄家了。杨晦是"五四"老人，每到"五四"，《人民日报》《红旗》都争相邀请他写纪念文章，他和许德珩一块火烧赵家楼，这一切周扬都知道，周扬对他也很尊敬。杨先生是1983年去世的。1984年，我就去了深圳大学。我在北大30多年，对我帮助最大的就是杨晦先生。

李：您在做校刊记者的时候就采访过周扬，1958年他到北大开讲座，您是他的助教。以后，还有些什么交往吗？

胡：做校刊记者时，我就采访过周扬，但无交往。1958年，周扬到北大开讲座，我做他的助教。他讲了两次，他在讲座中提出要建立中国特色的马克思主义美学，他还讲了文艺与政治的关系，这是我和周扬接触最多的一段日子。我到过他沙滩北街的住宅，交谈过两次。邵荃麟讲了现实主义与浪漫主义，何其芳也讲了一次。讲座结束后就到了1959年的反右倾，接着就是反修。

"大跃进"提出了"破字当头，破中有立"，也就有了1955级的红色文学史。其间，周扬希望北大在文艺理论建设上有所作为，但由于种种原因，没有深入下去。以后，周扬把注意力转向中国人民大学，让何洛他们搞文研班。文研班是1959年搞起来的，主攻文艺评论，结果以"马文兵"的署名写出了一批文章，也出了一批人，他们也想搞教材，但没弄出来。中国的文艺理论人才，第一批是北大请苏联专家培养的，是北大苏联派，近乎学院派。第二批是人大文研班自己培养出来的。周扬曾寄希望于北大1955级，他们搞出了"红色文学史"，但学界并不认同。后来的"马文兵"影响大的也是批判，写了些有影响的批判文章，主要是在60年代，这些人后来大都搞马列文论和毛泽东文艺思想。在60年代的"批修"运动中，"马文兵"的力量最强，主要是何其芳、何洛领导的人大延安派。1958~1959年大批判时我也参加了，但我主要是写革命现实主义与革命浪漫主义相结合的文章，先在《文艺报》有一发言，后在《文学评论》上发表《理想与现实在文学中的辩证结合》一文。"文化大革命"中写了一些《红楼梦》的评论文章。1979年以后我就接着做学问了，专注于文艺美学的学科建设。

反思20世纪六七十年代，有10年时光虚度了，浪费了大好学术生命。

李： 您说周扬在1958~1959年把文艺理论建设寄托于北大，他在北大究竟做了些什么？

胡： 就我接触和参与的，周扬曾支持了三件事。一是他亲自带头开设了马克思主义文艺理论讲座，他讲了两讲，邵荃麟讲了一讲，何其芳讲了一讲，本来还有林默涵、张光年等都要讲（他们都跟着来听周扬的课），但没有接下去。二是他支持中文系学生编写《毛泽东文艺思想概论》。三是他支持中文系学生增编《马克思主义与文艺》一书。他还曾想继续编中国古典作家论文艺、外国作家论文艺的资料。周扬在延安时代曾经选编过马克思、恩格斯、列宁、斯大林、普列汉诺夫、高尔基、毛泽东、鲁迅等人的文艺言论，我见过1950年解放社的版本，但在全国解放后，很少见到。在"大跃进"声中，中文系学生想作增补，得到了周扬的首肯。但周扬一直未能抽出时间来予以关注，此事就拖延了下来，等学生毕业了，还没下文。1959年以后，大家都忙着反修去了。所以，《马克思主义与文艺》的增订版一直没有出版，在我心里，觉得这是一个损失。自反右派以来，"大跃进"、反右倾、反修等等，文化学术界的运动不断，文艺理论建设缺乏学术积累。1958年以前是苏联斯大林式的教材，1958年开始转向毛泽东文艺思想，如何全面掌握和了解马克思主义的文艺思想，我觉得周扬的《马克思主义与文艺》还有一定帮助。如真能做些增补，多选些论述文学艺术本身的论述，向大学生普及，还是会有积极作用的。可惜此事没有做成。1960年，林默涵发表了《更高地举起毛泽东文艺思想的旗帜》，把毛泽东文艺思想推上独尊的地位，其他的自然都被推向边缘了。

李： 依您看，应如何评价周扬的文艺理论？

胡： 当时，大家都把周扬看作是党内的马克思主义文艺理论家。

50年代,我曾有机会出入于中南海增福堂,和陆定一夫人严慰冰多次交谈,她就说周扬是党内马克思主义文艺理论家。有一次,我当面向陆定一请教文艺问题:如何理解革命现实主义和革命浪漫主义相结合?他就坦率说:"你这要去问周扬,他是专门主管文艺的,我是理工出身,不大过问文艺界的事。这个问题乃是主席提出来的,中央也没讨论过,你还是要去问周扬,主席是怎么和他说的,他怎么理解这个问题。我可没有深入考虑过这个问题。你是文艺方面的副博士研究生,也可以自己研究,作自己的解释。"

我对周扬这个人的整体印象,感觉很好。也许我是从审美直觉上来看他,觉得他风度翩翩,外表文雅,穿戴得体,口才也好。我这印象和他所理解的理想人物相符。我在与他的交谈中,听他说过,马克思、恩格斯对文艺复兴时代对人性的完美追求是持肯定态度的,人应该逐步走向全面发展,充分发挥自己的潜能。共产主义就是要让人得到全面发展。周扬对美国诗人惠特曼情有独钟,赞赏有加。他说惠特曼的个性成长,不但表现了他个人向自由个性的发展,而且反映了美国初期那种蓬勃向上的精神。他的《草叶集》显得生气勃勃。我就没有想到,周扬的个性中还有向往自由的这一面。当时我就想,如果周扬不是去当政治家,而是当一个学者,他的文艺理论可能会是另一种样子,他懂得马克思主义,又了解中外许多文艺现象,沿着《马克思主义与文艺》这个路子走,也许会走出一条新路,在学术上有所建树,而不会是像多次文代会上的报告那样。不过,话又得说回来,那些报告如果不是由周扬来做,还是要有人来做,茅盾、何其芳也可以来做,那又如何?我只是在现在作姑妄一说,一笑。

周扬很佩服普列汉诺夫,普列汉诺夫重视社会心理对文艺的作用,美学问题、审美问题都与社会心理有关系,所以他对普列汉诺夫评价很高,这给我的印象很深,我也因此读了普列汉诺夫的书。他强调中介论、社会心理,而审美便是社会心理的一种形态,不能把审美直接等同于事物本身。但周扬在文章中是不讲这些的,只讲文学要为政治服务,这是他的一个矛盾。文艺为政治服务,周扬想在他主编的教材中突出这点。蔡仪也要在《文学概论》中贯彻他的认识论,这就和周扬有了矛盾。

但蔡仪的理论也有不足,他把反映论作了狭隘的理解,反映等同于认识。其实人对世界的反映,方式多种多样,认识只是其一,人还体验世界,体验中就包含了理想、想象、感情等多种因素。

李: 周扬到北大开讲座以后,和北大有更多联系吗?

胡: 自1959年后期始,周扬对北大的讲座已不再过问,而把注意力转向中国人民大学的文艺理论研究班,北大送去的《毛泽东文艺思想概论》和《马克思主义与文艺》的增修稿也无下文。这当然有多种多样的原因。当时的反修和反右的任务已渐突出起来,只靠学生的力量,难以承担,需要有一定文艺实践和较高理论学养的人来承当。所以,何其芳、何洛等从延安来的文艺老兵要在中国人民大学办文艺理论研究班,很合周扬心意。北大办过苏联专家的文艺理论研究班。但杨晦对周扬等人来设马克思主义文艺理论讲座,也不曾积极参与,他此时已把注意力转向中国文艺思想史。当时周扬来北大,主要由北大负责文科学术工作的魏建功张罗,魏建功是研究古文字学的专家,对文艺的兴趣也不大。周扬对魏建功、杨晦、朱光潜等北大教授都很尊敬,但这些人都是长辈,而且都是从国统区出来的,不像何其芳、何洛等是在延安时的老部下,就是校长吴玉章也是延安的革命老前辈,真正要建立起毛泽东文艺思想的体系,还是要靠从延安来的这些老革命。所以,在中国人民大学办起马克思主义文艺理论研究班,真正是水到渠成,得心应手,比在北大好办多了。1960年全国第三届人代会召开,"马文兵"正式登上文坛,发表了一系列批修反修的文章,引人注目。作为一个整体力量,北大也渐渐和文坛疏远起来。

我这个人,在大学时代听过毕达可夫的课,对党性、阶级性、人民性这些问题没有去进一步思考,但对社会主义现实主义问题有些兴趣,对历史上的现实主义、浪漫主义有过思考,所以1958年讨论革命现实主义和革命浪漫主义相结合时,我开始写文章,进入文坛。但我真正感兴趣的还是苏联斯大林之后兴起的文艺审美学派对文艺审美特性的研究,我在研究生毕业时写的长篇论文,就是探讨为何古典作品至今还有魅力,想转向文艺美学研究。所以,我和周扬也就再没有个人联系,只在参编蔡仪的《文学概论》时再见到过。"文化大革命"中,学生贴我大字报,说我是周扬修正主义文艺黑线在北大的代理人,我只交代得出1958、1959年的那些事,60年代就说不出来了,当时他的注意力已转到中国人民大学的"马文兵"。

不过,周扬的文艺理论也有变化,实际生活给了他教育,他不能不作反思。"大跃进"之后是三年困难,大自然给予了惩罚,于是引起了反思。根据高等学校以前出现的"破字当头,破中有立",邓小平提出应该改为"先立后破,有破有立",要建设适用的教材。周扬受命抓文科教材,同时负责起草"文艺工作十条",纠正"大跃进"时代的浮躁之风,由此,周扬对"大跃进"以来的文艺进行了反思。在这个过程中,他还到北大访问过冯友兰、朱光潜,听取他们对教材、文艺工作的意见。周扬在1959年春到北京大学作了第二讲,在专论文艺与政治的关系问题时已说到,对政治要作广泛些理解,文艺服务政治也有直接间接之分。在"文艺十条"中,周扬虽然仍把文艺为政治服务作为方针,但已认识到,"创作更多更好的作品,通过生动的艺术形象,优美的艺术形式,反映人民的生活和斗争……满足人民多方面的需要"。什么是多方面的需要?"不但需要强烈的政治内容的作品,也需要没有什么政治内容,但能给人以生活智慧和美感享受的作品。"这样的表述,我觉得比较接近周扬的实际思想,比较重视文学艺术的审美水平了。但在他看来,为政治服务是前提,提高艺术审美水平是如何更好为政治服务的手段。

李:您做校刊记者时,采访过何其芳。您和他还有别的交往吗?

胡:我是通过何其芳的夫人牟决鸣认识何其芳的。当时我是杨晦课的课代表,也是班里的学习委员,那时我19岁左右。牟决鸣当时不到30岁,年纪比我大,她主要听杨晦的文学概论、吴组缃的文学史,别的课她不听。开始我不知道她是何其芳夫人,后来她请我去她家做客,见到了何其芳,方知他们是一家。何其芳也住在燕东园,是杨晦的邻居。我去看杨晦,就顺便也到他家去看望一下。那时他的儿子何凯歌正念小学,也见过几次。杨晦东边住的是蔡仪、冯至,东南为何其芳。何其芳脾气好,对人很客气。我当报刊记者,采访过何其芳。1957年上半年,北大请他和吴组缃开设《红楼梦》讲座,我也去听课。1958年,周扬到北大开讲座时,何其芳也讲了一次。不久他们就搬走了,他与蔡仪搬到了东单的裱褙胡同,我去看过蔡仪夫妇和何其芳夫妇,跟他们有这一点个人交往。到市里后,见面就少了。社科院文学所建所50周年时,我在会场想找到牟决鸣,但她没有来,听说她还健在,祝她健康长寿。

李:您为我提供了不少有价值的材料。最后,让我再次表示对您的感谢!

(原载《云梦学刊》,2006年第3期)

附文三

关注更多是美学
——胡经之先生访谈录

李世涛

李世涛（以下简称"李"）：胡先生，非常感谢您提供这次机会，使我能够当面向您请教新中国成立后我国美学发展和您本人的美学研究的相关问题。根据我的印象，你们这个年龄段的美学家，大都是从哲学系毕业的，注重思辨。您毕业于北大中文系，却选择了美学研究，但走的并不是哲学美学的路子，而且很重视审美体验、意象建构。我想，这应该与您的经历、所受的教育和您的个性、秉性有很大的关系。所以，我建议，这次访谈以您的文艺美学研究为线索，通过您的学术经历为我们理解中国当代美学的发展提供些材料。首先请您谈谈，您是如何喜欢上文艺美学的？

胡经之（以下简称"胡"）：我对文艺美学的爱好，初始是由对自然山水的陶醉引发的，江南风光早就吸引了我，从而爱好起文学艺术来，进而对美学思考感兴趣。我对美学的思考，也是从自然之美到艺术之美，再发展到其他文化之美。

我出生于江南，并在那里长大。小时候，我就常陶醉于自然风光，阳澄湖、太湖、西湖、惠山、鸿山等等。我也喜欢看家乡戏，更喜欢听江南民歌、乡谣和当时的流行音乐；也跟我父亲学习过二胡、箫笛；在无锡读书时还学过风琴、钢琴。这些经历使我对音乐产生了浓厚的兴趣，由此逐渐扩大到对别的艺术种类的喜爱。现在所有艺术门类中我最喜欢的还是音乐，我现在每天要弹一个多小时的钢琴，能背下100首左右的乐曲，我自己也感到有些奇怪。我之所以走上了文艺美学的研究道路,原因是多方面的。仔细想起来,大概是陶醉于文学艺术之余,常引起困惑:为什么有的文艺作品索然无味,而有的作品则乐趣无穷,使人爱不释手?这促使我自己找些书来读。从我个人的实际感受说,如果对文学艺术没有自己的体验,也就不会去思索文学艺术的问题;可是,若是只有对文学艺术的一些个人体验,对美学的理论没有兴趣,我也就不会走向文艺美学之路。

我最早接触美学是由读朱光潜的书开始的,然而我能够读到朱光潜的书,却难以忘记3个人。第一个人就是我的父亲胡定一。小时候,他经常带我到苏州、无锡城里,在那里我接触了音乐,看到了苏州园林、民族焰火,并对古典艺术产生了兴趣。父亲觉察到我的兴趣后,就给我买了几本书,其中就有朱光潜的《给青年的十二封信》,是开明书店出版的,薄薄的一本。从此,我开始知道,对艺术的赏析也是一门学问。还有我的中学语文老师何阡陌,他从武汉大学毕业后就教我们语文课,他是帮助我进入艺术审美的引路人,他曾给我讲解过维纳斯美在何处,看到我对艺术鉴赏感兴趣时,他就推荐我读朱光潜的《谈美》,这是朱光潜给青年的第十三封信,但这书比那以前的十二封信写得都好,读起来更饶有趣味。第三个人就是我在无锡师范读书时的语文老师陈友梅,他是钱穆的好友,国学功底甚深,有民族气节,日军入侵无锡时,他敢在课堂上讲文天祥的诗《过零丁洋》。他鼓励我走文学之路,那时,正好朱光潜的《诗论》由三联书店增订出版,书店给他寄来新书,他看过后就叫我读。《诗论》讲的理论更深奥,是朱光潜在北京大学中文系的讲稿,但他结合古诗的实际讲解,我还能够理解几分。使我受到鼓舞的是,文学研究还会有这么多的学问。这样,我从对文学艺术的爱好进而对美学产生了兴趣,对美学的兴趣又从读朱光潜的书开始,以后又读了《文艺心理学》。我觉得朱光潜谈艺术美很能说服人,但他说自然美并不存在,自然无所谓美丑,我一直不能理解,这困惑到认识朱光潜先生后也未解除。

需要提及的是,我曾经参加过3年的学生运动。这个经历不仅丰富了我的社会经验,而且扩大了我的阅读视野。从朱光潜的美学,扩及毛泽东《在延安文艺座谈会上的讲话》、周扬编的《马克思主义与文艺》和他翻译的车尔尼雪夫斯基的《生活与美学》（原来译名为《艺术与现实之美学的关系》）。不久，我又读到了苏联维诺格拉多夫的《新文学教程》，由此，我知道，马克思主义也需要研究文学艺术，新中国需要文艺学。于是，我在中小学教了一年语文和音乐之后，下决心考大学，目的很明确，就是一心想去研究文艺学或美学。

李：看来您大学前的经历就为您以后的研究打下了一定的基础，而且您还有明确的目的，这样说来，您研究文艺学和美学也就是必然的了。我想知道的是，您的大学学习经历对您的学术研究有什么作用？

胡：1952年我进北京大学，正好全国高校院系调整结束，中文系处于全盛时代。清华、北大、燕京大学的中文系都合并到北大，许多名教授都集中于斯，实际上是把有名的学者聚到一起，一边教学一边研究。1952年，还成立了北大文研所，郑振铎、何其芳都在那儿当所长。他们在哲学楼办公，后来才迁入市内。我听的第一节课便是系主任杨晦讲的文学概论，我还当了此课的课代表，从此就常到他家里（燕东园37号）。当时，中国古代文学史的课程最重，游国恩、林庚、浦江清、吴组缃、季镇淮分段给我们上课，王瑶给我们上新文学史，曹靖华、闻家驷、李赋宁、季羡林则分别为我们讲苏俄文学、英美文学、东方文学。最吸引我的，是来自清华的吴组缃为我们开设的当代文学选析。他自己是著名作家，有自己的创作体验，所以分析起作品来头头是道、娓娓动听。更令人难忘的是，吴组缃分析作品的时候，先要我们学生写出读此作品的感受，他看了我们的分析，再针对我们的问题，从理论上予以剖析。这样，他的理论分析不仅结合了创作实践，而且针对我们的实际体验，所以能深入人心，留下深刻印象。还有就是来自燕京大学的林庚讲唐诗时，常诗兴勃发，神采飞扬。他生动地分析一些名篇名句，讲到"大漠孤烟直，长河落日圆"时，能作一两个小时的审美分析，把他读诗的审美体验，淋漓尽致地表达出来。听这样的课，本身就是一种审美享受，又从审美分析中提高了审美水平。北大百年校庆时，我去燕南园看望他，回忆起当年在一起的情景，他仍然谈笑风生。明年他就要95岁了，我看他能活过百岁。回想起来，我注重审美体验、感悟，应该与我在北大中文系所受的这种教育和训练有很大的关系。

但我最大的兴趣还是在文艺理论。我大一时，听了杨晦讲的文学概论，后来又听了他的专题课。当时还没有任何教科书，连教学大纲也没有。他是沉钟社的成员，有文学创作经验，又长期从事文艺评论，所以能结合中国文学的实践来谈理论。他把古希腊哲人说过的地球自转，又环太阳公转的道理运用于文艺理论，说明文艺和社会的关系，就像地球围着太阳公转，而又在自转，既有自律，又有他律。这给我印象最深，我也一直记着这个道理，成为我以后研究文艺美学的基本方法论。当时的文艺理论课，主要就是杨晦的文学概论，蔡仪来作过专题报告。当时，国内最大的难题就是缺少教文艺理论的教师。在1954年年初，高等教育部从苏联请了一位副教授毕达可夫到北京大学来讲文艺学引论，从全国高校调来一批中青年教师进修，又从北大中文系、西语系、俄语系等抽调一批高年级学生当研究生，就是要为高校培养文艺理论教师。毕达可夫基本还是师承季米菲耶夫的《文学原理》的路数，只是更加突出经济基础、上层建筑的理论，突出党性、思想性、人民性，最大的问题是脱离中国的文学实践。我当时是三年级学生，因爱好文艺理论，所以得到系主任的特殊批准，也去听苏联专家的文艺学引论，并得以认识蒋孔阳等学长。蒋孔阳的《文学的基本常识》也是边听课边写成的，他是这批人中研究美学最有成绩的一位。

当时，我还是在校学生，只是听课，然后看我自己的书。大学四年，我认认真真地读了不少美学书籍，大多是从苏联、法国、意大利等国翻译过来的，音乐美学、绘画美学、摄影美学、戏剧美学和电影美学，这段时间的阅读使我受益很大。

李：您真是幸运！大学时就受惠于这么多名师的教育，还结识了杨晦先生，并得以听苏联专家的文艺理论课。

胡：还有更幸运的，就是我有幸做了北大校刊的记者，这为我提供了更多的机会，使我结识了更多的学者，他们引发了我对美学的更大兴趣。

在20世纪50年代，国内大学讲堂上已没有美学课程，只能自己找书看。但国内的几个主要美学家都在北大,朱光潜在西语系,宗白华在哲学系,蔡仪则在北大文学研究所。我到北大读书,课余的社会活动被安排当北大校刊的记者。于是有机缘接触校内的学者、教授,有时写些特写、专访。

我登门看望的第一位,就是朱光潜先生。1952年年底,我在校医院北侧佟府的一所旧房里见到了朱先生。他身材瘦小,文质彬彬,话语不多,带着安徽口音。那年他55岁,正是处在生活最低沉的日子里。他在老北大是西语系主任,但他没有跟胡适去台湾,而是留了下来。院系调整之后,他也从中老胡同迁入燕园,但因是思想改造的重点对象,只给他七级教授的工资,不再讲美学,只从事翻译工作。他这住所也较偏僻,年久失修,简陋破败,很少有人知道。我告诉他,我这个新生看过他的《谈美》《诗论》等书,很敬仰,特来看望他,预祝新年。对我这个陌生人的造访,他颇感意外,但听说我是杨晦的学生,他的面庞就舒展开来。杨晦在老北大是副教务长,后又兼任中文系主任,他们很熟悉。从此,我和朱先生相识。这次,他送我一册由他翻译的犹太学者哈拉普所著的《艺术的社会根源》,1951年刚由新文艺出版社出版。第一次看朱先生的时候,他住的是破破烂烂的老屋。1957年,他的生活发生转折,他被推为全国政协常委、全国文联委员,北大马寅初、江隆基为他恢复了一级教授的资格,换了住房,搬到了燕东园27号原燕京大学校长陆志韦的住宅,焕然一新。他那原来住的旧房也拆了,被改建成校医院的中医诊室。《文艺报》的吴泰昌,是杨晦的研究生,也是我的学弟,他写过回忆朱先生的文章,我俩常去看望朱先生。1966年,我也搬到燕东园,先是住在37号杨晦先生楼下,后来又住在27号楼下,正好朱先生住此楼上,我住楼下。另一户是著名历史学家杨人楩。朱先生每天都在楼下草地上打拳。我们在那儿做了10年邻居。1972年,我搬到中关园,他也搬到燕南园66号,我经常去看他。1983年我的老师杨晦去世,1984年我就到深圳大学去了。1986年朱光潜先生、宗白华先生去世,我已不在北京,都没见着。

也是在学生时代,我认识了蔡仪、宗白华。

我认识蔡仪是在1954年初春。一次,我去燕东园37号杨晦家里,出来时他要我把应高教部要求所拟的《文学概论教学大纲》送到旁边的31号，蔡仪就住在那里，请他提意见。那时，蔡仪在北大文学研究所文艺理论研究室，所长是郑振铎，副所长是何其芳（也住燕东园）。蔡仪在40年代就著有《新艺术论》《新美学》，鼎鼎大名，如雷贯耳，却从未见过。这次见到，他还不到50岁，修长的身躯，精神奕奕。可能因我是杨晦的学生，他很客气。他和杨晦、冯至都是沉钟社的同道，彼此之间有很深的交情，蔡仪夫人乔象钟就是杨晦的学生，也正是杨晦介绍她和蔡仪相识的。认识蔡仪以后，我开始读他的《新艺术论》和《新美学》。在他住燕东园期间，我去过几次，他送过我一本《现实主义艺术论》。从1959年起，他随文学研究所一起迁入城中，和何其芳都住在西裱褙胡同，就见得少了。但从1961年春天开始，我到中央党校参加他主编的《文学概论》的编写，有好几年几乎都是天天见面了。蔡仪和王朝闻，是我接触得最多的两位美学家。

  宗白华本来是南京中央大学的，新中国成立前我没看过他的东西，但我知道这个人的名字。他的东西不太好理解，富有哲理性。刚到北大时，我只知道他是南京大学教授，但在1953年春天却在未名湖畔遇见他了。1953年寒假，我没有回苏州老家，因阑尾炎去北京人民医院动了手术；出院后，被学校照顾，住在未名湖畔的备斋。那是燕京大学留下的贵族学生宿舍，出门就是岛亭，在岛上可以环视未名湖、水塔。我常遇见一位穿着灰色中式棉袄、脚着蚌壳棉鞋的50多岁老人，不久就交谈起来。他一口南京官话，我则一口苏锡腔的普通话，相互一听就明白，都不是北京人。原来他就是宗白华，院系调整后，把他从南京大学调到了北大哲学系，才来半年多，住在健斋，就在备斋旁边。这一来，我们就成了邻居，就时常在未名湖畔边散步边聊起天来。他知道我是苏州人，在无锡出生，就告诉我说，他祖上居常熟，宗泽是他祖先。我知道宗泽是和岳飞齐名的抗金将领，我们也都知道"无锡锡山山无锡，常熟熟稻稻常熟"的俗谚，乡情一下把我们拉近起来。他到北大最初几年，因无美学课程，于是就研究近代思想史。他的课务不多，比较自由，在未名湖畔散步就成为经常的活动。后来我从备斋搬走，住到新生宿舍，就不大和他散步了。他后来移居朗润园新居，以后我就去那里造访了。

他当时在北大被定为三级教授，不怎么引人注意，是个普通的老人。他不怎么上课，没事的时候，他喜欢散散步，冬天戴罗宋帽，帽子耷拉着。三年困难时期，他自己在阳台上养鸡，引起了周围人的议论。他不修边幅，爱拿着馒头、咸菜，背着黄书包去西山，好多人都说他是个怪人。只是在以后陆续听了他开设的中国美学史课程，大家才慢慢悟出他的学问大，特别是在他的学生林同华把他的著作整理出来后，更觉得，这是中国自己的美学。"文革"后期，我与他接触较多，深感他擅长把真实的感悟提升到哲理的高度，这是他的特点。解放后，搞美学的人都还没有注意到这些，当时人们受苏联影响喜欢谈美的本质，那时还没能看到宗先生的美学的价值。只是后来搞美学的人才逐渐认识到，宗先生有自己的一套，有自己的见解，也有独到体会的境界。现在强调美学中国化，才觉得宗先生是中国化的。20世纪70年代，我常在13公寓那一带活动，他就住在旁边的公寓，我从北招待所骑车出来时，常能碰到他。见我他常说："聊聊，到我家里聊聊。"他很寂寞，很少有人跟他说话，因为我们本来就认识，加上又是老乡，就接触多起来了。这大概是1975年前后吧！我常到他家里去聊天，那时候还常到王瑶家聊天，他给我泡好茶喝！也没什么事，常是海阔天空，随便聊。宗先生的居所很简单，就两间房，生活很简朴，一杯清茶随便讲。有一次，他讲道，他老家的同辈大都死了，刚回过常熟老家一次，还把他藏的佛像拿出来让我看。

80年代初，我们的接触就更多了。平时，只要我提出来请他写什么，他都一口应允。我们编《美学向导》，要他写几句，他就一口应允。有一次，他给我拿出他刚翻译的赫尔德的文章，给我编入《文艺美学丛刊》，我就立即为他发表了。很有意思，他与朱先生这两位美学大师，同年（1897）生，也是同年（1986）去世的，都享年89岁。我的老师杨晦是1983年去世的，活到86岁。蔡仪在1992年逝世，也是86岁。美学家中活得最长的应是王朝闻了，今年已95岁了。

李：1956年，以批判朱光潜的唯心主义美学思想为导火索，中国美学界展开了一场美学大讨论。您当时还在北大读书，能否介绍些您所知道的情况?

胡：在我当研究生之初，时世正在发生着变化。1956年夏，中共中央宣传部长陆定一在怀仁堂作了"百花齐放，百家争鸣"的讲话。为了体现这一精神，周扬、邓拓、胡乔木等都向朱光潜打了招呼，要他作个自我批判，澄清思想。朱光潜就写了那篇《我的文艺思想的反动性》一文，还由时任《文艺报》主编的冯雪峰发表在1956年6月30日的《文艺报》上。其后，就陆续发表了在朱光潜一文之前已写好了的好几篇批评文章：贺麟的《朱光潜文艺思想的哲学根源》、黄药眠的《食利者的美学》、蔡仪的《朱光潜美学思想的本来面目》、敏泽的《朱光潜反动思想的源与流》等。由此，国内就展开了一场持续8年的美学大讨论。一年之后，朱光潜在西语系恢复了一级教授的资格，北大让他和蔡仪分别开设美学讲座，让高年级学生自己选课，这样，北大就又恢复了美学课程。当时，何其芳、吴组缃也分别开设了《红楼梦》课程，让学生自由选课，反右前夕，北大的学术气氛颇为活跃。陆定一当时确实想贯彻"双百方针"。

这次后来发展为美学讨论的热潮，是以朱光潜自我批判和其他美学家批判朱光潜作序幕的。当时，我刚跟从杨晦攻读副博士研究生，潜心于中国古代文艺思想，没有加入批判行列。但我很关心这场争论，发表的每篇文章我都看了。当时，杨先生告诉我，不要写文章，让我好好读书。朱先生的美学观点，我较熟悉，觉得他把美感解释为主客观统一，用以解说艺术很有说服力。但他说自然不存在美，只有艺术才有美，我一直感到困惑。蔡仪把自然美说成物种的典型，也不能说服人。我对宗白华的看法比较感兴趣。1957年春，当《新建设》编辑部发表了高尔泰的《论美》以后，宗白华就对所谓美是主观的观点提出疑问。他的看法是"当我们欣赏一个美的对象的时候，比如，我们说'这朵花是美的'，这话的涵义，是肯定了这朵花具有美的特性、价值，和它具有红的颜色一样。这是对于一个客观事物的判断，并不是对于我的主观感觉或主观感性的判断。这判断，表白了一个客观存在的事实"。后来，他专写了一篇《美从何处寻?》，发挥了这一观点，提出："美有艺术的美，自然的美。从美的客观存在来说，是不以意志为转移的。美的对象（人生的、社会的、自然的），这美，对于你是客观存在。专在心内搜寻是达不到美的踪迹的。美的踪迹要到自然、人生、社会的具体形象里去找。"可惜没有在理论上作进一步展开。但我一直以为宗白华的观点对。

在此观点的启示下，我就去寻找苏联在斯大林时代以后出现的不少美学论著，看看苏联美学在斯大林以后如何解决美学上的许多重要问题。此时，我开始读到斯托洛维奇、卡冈等人的美学著作。其实，在斯大林之后，苏联学术文化有很大变化，研究文学艺术的就出现了文化学派、审美学派，我当时很关注。我在讲《文学概论》时，朱光潜的关门弟子凌继尧俄语很好，我劝他译介苏联当代美学，不要再搞"别、车、杜"。

50年代美学大讨论后，我读了所有的文章，我有些想法，感觉到美学大讨论有个问题，就是只讨论美的主观性、客观性，比较抽象，不能解决具体的文学、艺术问题。也就在此时，时世又发生了重大变化。

李：根据您的了解，在20世纪五六十年代，我国的美学研究和美学教育的情况如何？

胡：50年代，国内当时无人写美学著作，到了1957年，才翻译出版了两本美学书：一本是法国列斐伏尔的《美学概论》；一本是苏联的瓦·斯卡尔仁斯卡娅在中国人民大学哲学系讲了三个月的讲稿《马克思列宁主义美学》。朱先生在解放前就写过美学方面的著作，但50年代的大学课堂上一直没有美学课。哲学系是从60年代开始讲美学课的，朱先生讲西方美学史，宗先生讲中国美学史。听了他们的课后，我产生了一个想法，觉得美学应深入到文学艺术领域，更多研究文学艺术的实践。文学艺术比较复杂，不是仅靠主观、客观就能解决问题的。

李：您是杨晦先生的研究生，但没有遵照他的意愿研究中国古代文艺思想，而是转而研究美学。您是怎样转到美学研究的？

胡：我开始攻读副博士研究生时，杨晦让我搞古代文论研究，但在1958年，周扬到北大开设马克思主义文艺理论课程，我被安排做助教。周扬鼓励我搞马克思主义美学，我就对杨晦讲了我的兴趣和爱好,表示了想搞美学的意向,杨先生也同意了。当时他不搞美学,正在从事中国文艺思想史研究,后来就让张少康做了他的助教。他还对我说:"你要多向朱先生请教!"这时,我就开始考虑中文系的美学该如何教的问题。

1961年春,我被借调到中央高级党校,参加由周扬主持的人文社会科学教材的编写工作。虽然我参加了蔡仪主编的《文学概论》的编写,但我更感兴趣的是美学,我和《美学概论》的主编王朝闻常有美学交谈。我与王朝闻认识后,就感到他的艺术感受力很强,他不太讲抽象理论,但讲起艺术来头头是道,我很佩服他。我们在党校住了两年多,不时从中央党校散步到颐和园里,边走边谈,畅谈艺术的美学问题。和蔡仪散步,他就不怎么讲话,只有问他什么时,他才讲几句,没多少话讲,他只谈他的观点。王朝闻看到什么,就会讲出许多审美的感受。有时,在夕阳中散步,在露天剧场看完戏后,他能够讲出别人讲不出来的感受,我很佩服他的艺术感受,也向他谈了些我的看法。当时,李泽厚的美学和苏联美学家斯托洛维奇的美学观点颇为接近。斯托洛维奇的美学,当时我也都看过,他强调美是客观的,也是社会的,后来进一步发展,就成了"美是价值"。价值是对人而言的,但本身有客观属性,当时国内还没多少人知道这个观点,所以很新。而蔡仪讲,美是客观的,自然的;朱光潜讲,美是主客观统一的;高尔泰讲,美是主观的。基本上就这四种观点。我当时同意宗白华的观点,受斯托洛维奇的启发,我认为美是一种对人的肯定价值。王朝闻就对我讲,你到我这里来吧!要把我调入《美学概论》组。但我对蔡仪很敬重,我说,不好,还是在《文学概论》。蔡先生与杨晦先生是好朋友,30年代都在沉钟社编文艺刊物,他们的关系很好!我可以参加《美学概论》的讨论,但不能去参加编写组,还是参加《文学概论》的编写。在和王朝闻的交往中,我学到了生动活泼的艺术分析方法,得益匪浅。周扬不怎么管《美学概论》,放手让王朝闻自己搞。谈到这里,也就回答了我为什么要搞美学。我接触过一些美学家,在这些美学家中,我最佩服的还是王朝闻。所以,我到深圳大学后,请的第一个美学家就是王朝闻,他给我写过几次信,这些信也都是谈笑风生,妙趣横生。

李：谈到这几位先辈美学学者，我想您对他们所给予您的帮助是心存感激的。如今，已是事过境迁，他们中的几位已经仙逝，王朝闻老已高寿。请谈谈您对他们的总体印象。

胡：这三个人各有特点，很不一样。朱先生是典型的学者，很亲和，是慈善的长者。宗白华是感悟型的学者，他能把体验提高到哲学高度。蔡先生对人很好，但没什么话。你问他，他没几句话，也很严肃，不怎么谈具体的艺术现象，我感觉这是个缺陷。我想，美学一定要对人生、山水、艺术有很生动的感受，他的理论比较抽象。但他讲究理论的逻辑性，逻辑推理一步接一步，非常严谨。我与宗先生的关系很随便，可以经常开开玩笑，但我与朱先生就不开玩笑。王朝闻，既是一个艺术家，擅长雕塑，又是一个评论家，长于分析。他为人亲切和善，平易近人，富有幽默感，谐趣横生，妙语连珠，和他在一起，听他作艺术分析，真是一种审美享受。一个美学家，若没有艺术感受，会把美学弄得很枯燥。

李：您与李泽厚基本是同辈，你们是不是在编写《美学概论》时就认识的？

胡：不是，1959年我们就认识了。我与李泽厚都是1958年《文艺报》的特约评论员，他是哲学系的，比我高两届，我们是在一块儿开会认识的。当时《文艺报》的主编是张光年，他设立了特约评论员制度，由侯金镜具体抓。当时的特约评论员还有李希凡、严家炎、王世德等，上海有姚文元，但从未见过。谢永旺、阎纲都是当时《文艺报》的编辑，都是在那时相识的。

我认为，我们这一代里面，李泽厚的美学功底深厚，不仅了解西方美学，而且对中国古典美学比较熟悉。李泽厚才思敏捷，也很勤奋。在这一代中，他的美学成就最大。

在1980年到1983年期间，我与李泽厚接触得多些。80年代参加全国第一届美学会议，开完会后，我和李泽厚等几个人借这次机会在西南转了一圈，一起去看乐山大佛，上了峨眉山，然后乘轮船穿三峡而下。80年代，河北成立美学会，李泽厚和我、朱立人一块去参加，还在北戴河住了几天。1984年初春，我应张维院士之约，到深圳作实地考察，以决定是否应聘到深圳大学。我一到那里，就见李泽厚和蒋孔阳、刘纲纪等也在那里考察，他们都劝我到深圳来，多做些国际文化交流工作。后来，在广州珠岛召开《文心雕龙》国际研讨会，我和张磊约李泽厚在一起深谈了一番，照了不少相。

李： 虽然您没有亲自参加《美学概论》的编写，但您还是参与了一些讨论，您是如何看待这部教材的？

胡： 周扬虽抓所有的文科教材，但他说只直接抓《文学概论》和《美学概论》。周扬对《文学概论》过问得多。《美学概论》他也过问，他要王朝闻作《美学概论》主编，主要也是由王朝闻领大家讨论和修改的。《美学概论》不怎么谈政治，主要谈美，学术味就比较重些。但他要《文学概论》贯穿毛主席的文艺思想，结果大大地突出了政治性。

《美学概论》是在60年代前期编成，但是在"文革"后修改、出版和使用，它吸收了当时的学术成果，特别是苏联的美学研究成果，《美学概论》对推动我国美学的发展起了很大的作用。但《美学概论》是哲学美学，太抽象化了，不大重视从艺术活动、审美活动本身的实际出发。

李： 谈到《美学概论》，就不能不想到周扬。应该说，在当时的背景下，他认真地抓高等院校的文科教材建设是难能可贵的，也体现了他的一贯的敏感和远见。实际上，编写教材，对于学术研究和高等院校的文科教育也都产生了深远的影响。在20世纪50年代末期，您接触过周扬，能否从你们的接触谈谈对他的印象？

胡： 周扬脑子里是有自己的想法的，他对美学很尊重。当时，周扬内心很复杂，处于矛盾中：他觉得应该讲美学，文学艺术更应该讲美学，他的北大讲座的第一讲就开门见山，鲜明地提出要将"建设具有中国特色的马克思主义美学"作为绪论。当时，他私下曾跟我说过："朱先生美学很有成绩。"他还说，我们美学还要编教材，还是要开课的。美学讨论之初，朱先生不但没被打倒，反而被评为一级教授，这除了北大校长江隆基敢作敢为，周扬也起了作用。新中国成立之初，朱先生只拿很低的工资，经过自我批判和反右后，反而被北大恢复为一级教授，当时宗先生才是三级教授。在我的接触中，周扬对朱先生很好,他不止一次说过:"美学还是需要的嘛!"在他拟定的文科教材计划中就有朱先生的《西方美学史》。

在反右斗争批判高潮之后,1958年就出现了"大跃进",而在精神领域也掀起了"厚古薄今"热潮,接着又提出"破中有立",精神生产也要"大跃进"。就在这年秋天,高层主管文艺的周扬主动提出要到北京大学来开设一个讲座。1958年冬,周扬到北大开讲座,我被安排做助教。他讲了两次,为讲课事,我去过他沙滩北街的住所,作过学术交谈。他提出要建设中国特色的马克思主义美学,第一次讲建设中国特色的马克思主义美学;第二次讲文艺与政治的关系。邵荃麟讲现实主义与浪漫主义;何其芳也讲了一次;本来还计划请林默涵、张光年来讲,到了1960年反修正主义高潮,就停了。魏建功、朱光潜、宗白华、季羡林等都来听课,学校也把这当作一件大事,讲座是在原燕京大学的礼堂(能坐近千人)进行的,学生来自中文、西语、东语、俄语、哲学、历史等系,中央文化部门也有不少人闻风而来。

1982年,中宣部举行毛泽东在延安文艺座谈会上讲话40周年的座谈会,周扬一定要让朱先生到会,中宣部要我陪朱先生去,由社科院哲学所的副所长齐一具体安排。齐一是个老革命,也研究美学,为人忠厚老实。当他和我交代此事时,我感到很为难。我坦率告诉他,朱先生年岁大了(时年85岁),没有车怎么来?他很惊讶:"朱先生这么有名的教授,怎么学校不给他派车呀!"他太脱离实际了,不了解学校,哪个教授有车子呢!5月6日,由齐一派了车接我们去了中宣部,周扬还让朱先生坐在主席台上,待如上宾。这样的例子在过去是没有的,因为朱先生一直是统战对象、批判对象。朱先生带了一个发言稿,在会上宣读了。我手头留有他的一个打印稿,可以交给你看看,供后人研究。

周扬当时虽已恢复中宣部副部长的职位,但经过10年反思,已在呼唤人道主义。如果作为一个学者,周扬当然可以自由发表自己的见解,但他是个主管文艺的官员,必须贯彻毛泽东文艺路线,这就有了矛盾。形势松动些,他就主张文艺与政治的关系是间接的,强调文艺自身的规律,"文艺八条"、"文艺十条"就是这样出来的;但政治风暴来后,他就高举旗帜,反右时就是具体体现。如果让他做学问,可能就是另外一种做法了。

李: 应该说,在"文革"之前,您已经对当时的美学研究感到不太满意了,但还只是感受,比较抽象,并没有从学科的意义上来寻找这种缺陷。那么,您是怎么考虑到以文艺美学的学科形态来克服美学研究(特别是哲学美学研究)忽视艺术自身规律的局限呢?

胡: 我真正搞文艺美学是在"文革"后,以前谈不上学科建设。王朝闻的艺术感受很强,很懂艺术的辩证法,但美学又要上升到哲学高度,《美学概论》还是要探讨美的本质等抽象问题,对艺术问题则仍停留在抽象层面,难以深入,但文学艺术本身很复杂,艺术家把对人生、社会、大自然的审美感受和体验表现于艺术中,对艺术来说,更重要的是对人生的感受、体验,而不是美学的一般问题。我慢慢觉察,美学要深入到三大层面:一是自然美学;二是文化美学;三是文艺美学。文艺虽属文化,但与其他文化现象有不同的美学问题。

我觉得文学系科,艺术院校应该发展文艺美学,不要像哲学系那样讲太抽象的美学问题。"文化大革命"中,我集中精力钻研了一下《红楼梦》,有机缘读了一些台湾学者研究《红楼梦》的著作。我发现,有些学者从美学观点来评说《红楼梦》,就较能说服人。这些学者大都是从大陆过去的,受过朱光潜、宗白华的美学著作的影响,朱先生、宗先生做学问的方法、路子,被跑到台湾去的那批学者继承了下来。接着,我又找了不少台湾的美学、文艺理论著作来读。我发现,台湾在20世纪60年代以来出现了很多美学、文艺理论方面的成果,其中就有文艺美学。但当时无所谓学科,只是你开你的课,我开我的课。我在1976年读到了王梦鸥在1971年写的一本小册子,书名就叫《文艺美学》,实际是本论文集,分上、下编。上编主要介绍西方美学思潮,占了三分之二篇幅。下编收"文学美"、"适性论"、"意境论"、"神游论"四篇。我发现这些学者在大陆是搞中国文学的,开始接触些西方的东西,到了台湾后,"新批评"、"形式主义"都来了,他们就用西方美学观点来解释中国的文艺现象,而且主要是中国古典的文艺现象,这正是朱先生《诗论》中的传统。这些人可能听过朱先生的课,或者受朱先生论著的影响。他们尽管不了解马克思主义,但讲课又要讲出道理来,也不能像老一辈那样作些注解、评论,只好借助于西方的文学批评方法。我看这比我们的老一辈更能讲出些道理,而这个传统是由朱先生、宗先生开拓出来的,他们可能没有直接听过他们的课,但看过他们的书。像叶嘉莹、叶维廉这些学者,即使去了美、加,仍然继承了这个传统。我觉得,我们大陆缺这块东西。我们把苏联的东西搬过来了,但解决不了中国的实际问题。这些台湾学者在20世纪60年代安定下来后,开始了这种研究,他们走的就是这样的路子,但大陆反而缺乏。我们即使接受西方的东西再多,也应该解决中国文学艺术的实际问题。王梦鸥比我年纪大些,比朱先生小些,他还写过《文学概论》《文艺技巧论》《古典文学论探索》等。叶朗倡导我们的美学,要接着朱先生、宗先生讲,有意思的是,我们没接着朱先生、宗先生往下讲,反而是一些台湾学者接着他们讲了。

听说,《文艺美学》在台湾不只王梦鸥一个人作,而是在他之前就已有学者开过这门课。杜书瀛前年去台湾访问,一路关注台湾的文艺美学的状况,有台湾学者告诉他,在60年代就有人开文艺美学课程,比王梦鸥还要早。我当时心中就产生了一个疑问:这些从大陆去的台湾学者究竟在大陆有没有受过老一辈学者的影响?我未和他们作过直接交谈,无从知悉。前不久,我偶然见到文学史家李长之的《梦雨集》(1945年,商务印书馆),方知他在40年代就以为,研究文学的科学,应该归属在"文艺体系学"之中,而在他看来,这门"文艺体系学"就应是"文艺美学",文学原理(诗学)就是"文艺美学"的组成部分。此书对文艺批评多有展开,而对文艺美学还没有进一步展开论证,但他是主张把文学放在整个艺术系统中来研究的,突出艺术的文学。那些台湾学者,是否受过李长之的影响,不得而知,不敢妄加猜测。

李:据我所知,在1980年召开全国第一届美学会议上,您就倡议文艺美学的研究和教学。这应该是您的文艺美学的学科意识自觉的开始吧!您能否介绍些会议的情况,以及文艺美学作为学科发展起来的情况?

胡:1980年在昆明召开全国第一届美学会议,当时大学中文系和艺术院校老师们谈到美学怎么搞。当时我就觉得哲学美学太抽象，不能解决文学艺术问题，美学必须与文学艺术结合起来，而中文系的《文学概论》又太政治化，主要讲文学为政治服务。我认为，哲学系讲哲学美学，艺术院校应该联系文学艺术、艺术实践来研究文学艺术本身的特殊规律，许多人都觉得好。我在1976年看过王梦鸥的《文艺美学》，但不知道李长之在40年代就说过文艺美学。第一届全国美学会议一开，我受到鼓舞，觉得美学大有发展前途，文艺美学也有可为。我说，开完会后我回去就开文艺美学课程。最早开文艺美学课程的是北大，当时来听课的外校人很多，后来，许多艺术院校陆续开设了音乐美学、绘画美学、电影美学、戏剧美学等。1980年，北大提倡"百花齐放"，鼓励教师讲自己的拿手课，"炒名牌菜"，把你有独到的研究拿出来讲。这很有点像50年代那样，当时，我们的老师这一辈都得到了充分表演的机会。像杨晦讲中国文艺理论，魏建功讲古音韵学，王力讲古汉语，游国恩、林庚、浦江清讲古典文学，吴组缃讲文学评论、《红楼梦》，王瑶讲现代文学，等等。反右以后，就没有这样的局面了。林庚先生就对我讲："我的东西都是1957年前搞出来的，1957年后就不怎么想搞东西了。"20年后，我们40多岁时，也开始各讲各的了：我的文艺美学课给高年级和选修课的学生讲，金开诚开了文艺心理学，叶朗开了小说美学，袁行霈开了诗歌艺术欣赏。我们都把自己的想法讲出来了，我的《文艺美学》就是由讲稿整理而成的。当时我也没有计划要把《文艺美学》出版，上完课后见大家反应还不错，出版社就鼓励我整理出版。20世纪80年代初，百废待兴。留学生办公室主任麻子英受命组建北京大学出版社，他动员我去当总编辑，我没有去，但愿帮出版社搞一套"文艺美学丛书"。那时正掀起美学热，北大出版社抓紧时机，发挥北大的优势，出版了一套"文艺美学丛书"，先后出了数十种。"文艺美学丛书"原计划请杨晦、朱光潜、宗白华三人当顾问，但还没等出书，杨晦就去世了。所以，最后只有朱先生、宗先生两人是顾问。此后，北京大学文艺美学研究会在盛天启的奔走下，由我任主编，陆续出了几辑"文艺美学论丛"，王朝闻、宗白华为顾问。1988年，王朝闻主编了一套"艺术美学丛书"，请我参与，当编委。

我主编"文艺美学论丛"时，朱光潜先生心情已不大好。1980年春昆明开美学会，在那里我陪朱先生玩了一趟，陪他去了好多地方。这是朱先生在新中国成立后唯一次去昆明，所以情绪很高。当时我与杨辛负责照顾他，住在外面的一个房间，朱先生住里面。当时我年轻，白天陪朱先生参观了石林、龙门，晚上还要接待热情的来访者，精神还很好。他从北京带来了一瓶白酒，每晚睡前喝一杯。他劝我，不妨学学他，睡前喝一杯。但在批判资产阶级自由化的风放出之后，朱先生发表了肯定沈从文的文章被批，因此他的情绪不是太高。1982年年底，我去他燕南园家看他，他沉重地对我说："我以后再也不写文章了，写篇短文就要惹麻烦，挨各方的批，我就翻译我的《新科学》，我想把《新科学》完成。"

李：请您谈谈20世纪80年代至今您的文艺美学研究，以及您今后的打算。

胡：我搞文艺美学，主要是要解决文学艺术的美学问题。慢慢地，大家都觉得文艺美学确应作为一个学科来发展。我那本《文艺美学》出了两版，先后印了好几万册，作为不少院校文艺学研究生的教材。我并不否定哲学美学存在的必要性，哲学美学必须回答审美本质，难度很大，值得敬重。我的研究则着重解决文学艺术的美究竟在什么地方，这不只是个形式问题，形式要表现内容，内容怎样体现和转化为形式呢？它与自然美、社会美当然不一样。为什么说它是意识形态，而自然美不是意识形态？我们对自然只是审美，不是创美，而艺术则是创美，这又是审美的结果。

我围绕文艺美学的建设做了一些事，搞了几套资料：《中国古典美学丛编》《中国现代美学丛编》《中国古典文艺学丛编》《西方二十世纪文论史》《西方文艺理论名著教程》等。

20世纪80年代初，我还做了一件事，就是组织年轻学者作了西方文论的翻译与介绍。那时搞西方文论的人很少。教委让我搞本教材，我说这只有请伍蠡甫才行。"文革"前，他在复旦大学外语系，负责搞了套《西方文论选》。我和他，在1962年编写《文学概论》教材时，就相识了，那时我特地去上海复旦大学拜访过他。我希望由伍蠡甫来当主编,国家教委就让我去找他,他给我讲,他只熟悉古典的、近代的,当代的所知不多,而且年事已高,已无精力来主编西方文艺理论教材。但他说:"选材料时我们可以一块做主编(三卷本),但教材你当主编吧。"于是,我就和李衍柱、邹贤敏等几位中年学者组成编委会,编写出了《西方文艺理论名著教程》,由北京大学出版社出版。书出版时,20世纪的只选了4篇。后来,我就让王岳川主持,出了个下卷。当时,关于西方20世纪文艺理论的材料很少,就只能找年轻人翻译,从东语系、西语系请了批研究生来做。这次,重新修订后又出版了新的《西方文艺理论名著教程》,参编下卷的大多已是青年学者。我总觉得搞理论的人应该贯通古今、融合中西,老一辈学者就是这样的。我们的知识结构,中西都不如他们了。改革开放之初,国内很难找到西方的材料,找研究生翻译了不少。我刚到深圳时,当时蒋孔阳先生说"香港中文大学的东西多",我就从那儿带回了不少东西。后来教委让我搞西方文论史,我请研究生张首映组织了西语、俄语、哲学等系的研究生参与翻译,才出版了四卷本《西方二十世纪文论选》,没有想到,过了几年,西方文艺理论就在中国到处泛滥,不胜感慨。

受前辈学者的影响,我走上了研究文艺美学的道路。从20世纪80年代到现在,我还培养了不少研究文艺美学的学生。他们大都学有所成了,他们中有的搞戏剧美学,有的搞现代美学、音乐美学、绘画美学,其中有王一川、陈伟、王岳川、王坤、王列生、丁涛、邵宏、李健、谢欣、钱永利、黄汉华、田春等,都已成长为中年学者。

我希望能继续为文艺美学的研究做些事。在20世纪末,我觉察到大众文化兴起后,只研究文艺是不行的,需要扩展文艺美学,重视文化美学。在深圳大学,我提议编了一套"文化美学丛书",希望以后能陆续编下去。我提出些想法,让下一代学者接着做。

李: 最后再次感谢您的帮助,希望早日读到您的新著。

(原载《东南大学学报·哲社版》,2006年第2期)

附文四

中国文艺学的主体性
——胡经之教授访谈·三代学者的对话

访谈嘉宾：胡经之（深圳大学文学院教授，博士生导师）
访谈主持：王晓华（深圳大学文学院教授，深圳大学文艺
　　　　　　　　　　学研究中心副主任）
访谈参与：周扬剑（深圳大学文学院2005级硕士研究生）
　　　　　　朱鹏杰（深圳大学文学院2005级硕士研究生）
　　　　　　刘　晨（深圳大学文学院2005级硕士研究生）

王晓华： 随着中国经济的发展，汉语文化的主体性问题日益凸显出来，包括文艺学学科在内的中国学术正在寻找新的生长点，但是建构学术主体性需要现实的操作方案。在学科建设方面，您对文艺美学的建构提供了一个成功的范例。我想请您谈谈您当初筹划文艺美学学科时的动机和大致思路。

胡经之： 我亦只是一种尝试，是否成功还难说。这个问题跟我自己的经历和中国文艺理论的发展脉络有关系。在倡导文艺美学学科时，我个人想寻找一个突破点，发展我们自己的学术体系。20世纪50年代初我在北京大学读书时，发现当时的中国文艺学和美学不但没有自己的体系，而且首先根本没有教材。文艺学当时是杨晦讲。杨晦是"五四"老人，解放以后当了中文系主任。他讲课没有提纲，当然也谈不上提出自己的体系。当时教育部也没有提纲，正在请杨晦、蔡仪等草拟《文学概论》的讲授提纲。提纲还没有出来，教育部后来就把苏联专家请来，讲授苏联的文艺学体系。苏联专家突出讲文艺的阶级性、党性、意识形态性，基本上把文学艺术当作一种阶级斗争的工

具。后来中国讲文艺为阶级斗争服务，就和当时的这套体系有密切关系。这次讲课对中国的文艺学影响非常大，新中国第一批文艺理论家都是当时的研究生和进修班的学员。在此后一段时间里，中国文艺学基本上完全照搬苏联那一套。因为我是杨晦的课代表，允许我去听，我还按苏联专家的规定，写了篇结业论文《论文学的人民性》，所以这个过程我大体上参与了。当时我的感觉是这套东西不解决文学艺术本身的问题，没有真正吸引我的东西。苏联专家的讲法基本上是哲学的演绎，把当时苏联模式的哲学延伸到文学艺术而已，实际上那些东西哲学里都讲了，现在不过是用文学的例子来阐释一下。其他方面，要么就是技术的东西，要么是政治的意识形态的东西，文学真正吸引人的魅力何在却不去讲。我认为这套东西不行，后来就开始探索自己的东西，觉得谈论艺术的文学，就要既从文学艺术出发，又要有哲学的思辨，既不能纯粹的"形而上"，又不能只停留在"形而下"，而要关注"形而中"。这就是我构思文艺美学这个学科的初衷。说到这里，还要强调的是，我的兴趣不光在文学，电影、音乐、雕刻、绘画我都接触，因此，我的理论探讨要冲破只讲文学的做法。我讲的文艺美学不是文学美学，而是文学艺术的美学。把文学艺术和美学结合起来，既可以克服当时中国美学的抽象性，又能够把文学艺术从只服务于政治的轨道上拉回来。从1958年开始，北大哲学系开始允许开设美学，朱光潜讲西方美学，宗白华讲中国美学，我也都听了。这两个人我都熟，受到启发，想接着他们讲，要寻找一条能把文艺学和美学结合起来的道路。当时我也关注苏联专家在中国人民大学讲的美学，觉得那个美学太抽象，完全是哲学概念的演绎，基本不接触实际，而文艺学又太政治化。我就想，能不能把两者结合起来，从美学的观点来谈文学艺术（当时的文学概论大多是从政治角度来谈文学艺术），因此，我想把美学和文艺学融为一体，这是我读副博士研究生时的想法。同时，我还想强调的是，文艺学不能只谈文学，要涉及其他学科。我当时讲的这个文艺是大文艺，就是文学艺术，中文系你重点讲文学，但其他艺术要连贯起来讲；电影学院你重点讲电影理论，但其他艺术你也要连贯起来讲；美术学院你可以重点讲绘画理论，但也要和其他艺术联系起来讲。当时的美学讨论，大多在探讨美是主观的还是客观的。我认为即使你说出美是主观的还是客观的，又能解决什么问题呢？是不是？晓华，你认为是不是呢？你认为美是主观的还是客观的，或是主客观统一的，就是回答了，你又解决了什么文学艺术问题呢？

王晓华：这些问题也要思考。不过，哲学与美学、文艺学、文艺批评的具体关系确实要重新定位。在1976年以前的学术语境中，人们习惯于把哲学当成具体学科的指导。这实际上是意识形态中心主义的一个变种。我现在提倡创建中国文艺学、美学、文艺批评的主体性，除了想找到超越后殖民语境之外，还有个重要的意图：强调学科相对于意识形态而言的自主性，走向学术的自治。您当时提出文艺美学，似乎也有这层意思。

胡经之：我当时的想法就是这样子，不要像哲学那么抽象，也不要一谈文学就是要为政治服务，我的想法就是从美学观点来谈文学艺术，基本上就是这么一个路子。从文艺学、美学、文艺批评自身的建构来看，哲学问题是要讲，但你不能一下子就把它捅上来。你还不如从实际生活里面提出问题，再用哲学思辨来分析。所以，我想从具体的文艺学问题出发，再上升到思辨的层面。后来我就和叶朗、江溶组编了一套"文艺美学丛书"。我当时是个副教授，可以招研究生了。我当时就对北大校方明确地说，我招的研究生就是文艺美学研究生。他们研究的不是原来的文艺理论，也不是哲学的美学，而是要探讨文学和艺术的规律。我当时计划收两个研究生，有98个人报考，最后向校方争取，多招了一个。这说明这个专业还是受欢迎的。我提出了文艺美学这一专业方向后，朱光潜先生、宗白华先生和王朝闻先生等都很支持。当时有很多人感兴趣。我上课的时候很多艺术院校的年轻教师都来听，连童庆炳也来听我的课，一探究竟，看我这文艺美学讲些什么。最后教育部也承认，说这是一个新的学科。现在，学术界已经正式把文艺美学当成一个学科方向了。

王晓华：记得你曾经说过，你构思文艺美学这个学科除了强调学术的自主性外，还想超越当时的苏联模式。从这个角度看，你也是想在来自苏联的后殖民语境中解脱出来，另辟一条新路。由此来看，中国学术的主体性可以在两个向度上展开：其一，相对于意识形态、政治、资本权力的自主性；其二，汉语学术在不同文化的关系中的主体性。汉语学术界在20世纪80年代强调前者，现在又倾向于突出后者的意义。我觉得必须把两者结合起来，同时建构两个向度上的学术主体性。

胡经之：学术的主体性有内外两个向度。对外而言，我就是要反思当时苏联的那一套文艺理论。对于苏联文艺学的套路，我当时是不满意的，想另找出路。当时苏联强调文艺为政治斗争服务，突出阶级性、党性，中国学术界也照搬了这个思路。1958年"大跃进"批判苏修，但没有改变文艺为政治服务的说法。我当时感觉到中国的理论，美学理论也好，文艺理论也好，太政治化，其中心思想就是要文艺为政治服务。在这方面，我们甚至比苏联更极端。苏联当时的理论尽管也强调文艺为政治服务，但还要讲哲学基本原理、认识论、本体论，仍然将文艺当作一种认识来看。中国当时却是不讲这些的，就是直接要求文艺为政治服务。中国强化了苏联对党性、阶级性、意识形态性的强调，却削弱了其认识论维度。这样，学术的自主性问题就无从谈起了。我提出文艺美学这个范畴，就是要重建学术的主体性。

王晓华：从学术的内部主体性角度看，您提出文艺美学概念就是为了让学术研究回到具体学科，回到生活实践，不要将学术等同于政治意识形态。同时，在这样做的时候也矫正了对中国文艺学、美学、文艺批评有巨大影响的苏联学术模式。现在有个时髦词叫后殖民语境。从某种意义上讲，您当时的做法也是反抗后殖民语境的一种尝试。进入新世纪以后，中国学术界对来自西方的后殖民语境有很大的抗拒情绪。我知道您在20世纪80年代以后编了许多介绍西方文艺理论的书，能不能谈谈您在这方面的思路？

胡经之：说老实话，我搞文艺美学时对西方理论的了解主要集中在古典的东西。对西方的古典美学和文艺理论我还是比较熟悉的，但是20世纪以来的西方文论，坦率地讲，我并不熟悉。到了20世纪80年代，我自己也感觉到这是个不足，我要补课。当时还没有想到后殖民语境这些问题，就是想丰富我们的文艺理论思想。在那个时候，国家教育委员会还没有一套关于西方文论的教材。教委负责教材建设的田敬诚就跟我说要搞一套20世纪的文艺理论,坦率地说,我当时没有这个能力,20世纪的西方文论我也不熟,搞20世纪的西方文论要找伍蠡甫。我专门到上海复旦大学拜访伍蠡甫先生请他当主编,但他说对20世纪的西方文论也不很熟悉。1949年以后,我们走上了一条封闭的路,伍先生当时知道的也就是1949年以前的,20世纪后半叶的他也不怎么知道。于是,我们就收集资料。后来问世的那3本《西方文艺理论名著选编》是我和伍先生两人合作主编的。我们当时搞了3本,20世纪单独一本。当时我正在讲文艺美学这门课,听的人越来越多。北大中文系、西语系、俄语系都有人来听,我的研究生张首映此时专攻西方文艺理论,他就组织这些研究生来翻译20世纪的东西。我实事求是地讲,当时这些翻译很粗糙,因为他们也是初次接触,匆匆忙忙就弄出来了。这些书现在还挺畅销的,每年都印,好像还是大学考研的指定参考书。到了20世纪90年代,我开始反思那些东西,发现收录的20世纪的西方文论都是现代性理论,缺乏后现代理论,于是又补充了些后现代方面的材料,主要是靠张首映、刘小枫、王岳川做这方面的工作。我对后现代没研究,但我也看了一些东西,我觉得后现代很多理论有它的道理,更有意义的是建设性的后现代主义。当然,在介绍了这些东西以后,我又觉得光靠西学也不行。中国的问题太复杂了,前现代现象还大量存在,现代化还是我们的目标,后现代文化又出来了。中国是前现代、现代、后现代混杂在一块。解决中国的问题要从中国的实际出发,而不能够完全靠西方的理论。西方的东西只能作为参考,他们的历史阶段比较清晰,与中国的情况不一样。我们要从实际出发,以西方理论为参照系,然后研究中国问题。归纳起来,就是既要有世界视野,又要面对中国问题。没有世界视野,就研究不清中国问题,但光有世界视野而不解决中国问题,也不行。现在的问题是要面向中国问题,从分析中国问题着手。

王晓华: 现在我在想,中国的启蒙还没完成,个人的学术主体性还没建立,在这个时候开始反抗西方话语霸权,弄不好会耽搁中国的现代性计划。比如,我现在有一个担心,单纯抗拒西方话语会给很多人以拒斥个体思想的借口,反倒会妨碍中国内部学术主体性的建立。

胡经之： 我同意你的理解，实际上我已经感觉到这个问题，就是说我们的启蒙还没完成，我们的学术规范也还没建立起来。在20世纪80年代那个时候，中国的学者曾经致力于启蒙。不管你怎么批评李泽厚这些人，但他们的工作仍然意义重大。现在，我们反抗后殖民语境时不能排斥西方理论中有用的东西，如西方的启蒙思想在中国还没过时。在这方面，我想起了李泽厚他们做过的工作。李泽厚是我们那一辈的代表人物，他的思维方式和他想解决的问题都属于启蒙范畴。当时中国需要的是现代化，反封建，克服"文化大革命"遗留下来的问题。现在，这个线索似乎有些中断了。年青一代根本就不理那一套。晓华你是60年代这一辈的，我不知道下一代是不是对80年代的东西就不熟悉了？

王晓华： 这几个研究生都是"80后"的人。可以问问他们。

周扬剑： 80年代的东西我主要看甘阳他们编的这些书。

王晓华： 所以这个线索至少部分地断了，这种中断对中国影响十分巨大。在中国的现代化计划还没有完成的时候，后现代思潮进入中国会产生意想不到的后果。后现代多元主义讲究什么都行，甚至把个体性也消解掉了，这对中国学术的主体性可能会有消极影响。启蒙中断的后果已经非常明显。我现在强调中国文艺学、美学、文艺批评的主体性，实际上是想把启蒙思想涵括在我们的学术计划中。对此，您有什么看法？

胡经之： 对这个问题，我想从两个方面谈。第一方面，我觉得启蒙的线索要继续。中国的现实是前现代、现代、后现代混杂在一起。在这种情况下，单讲后现代是不行的。现在有些学者什么都要搞最新的，什么新就弄什么，结果丧失了学者真正的使命感。80年代那些学问还没传承下来，这对我们是个损失。所以，我同意你关于学术主体性的看法。第二方面，我觉得谈学术主体性要分清文化问题和政治问题。文学有文学的问题，政治有政治的问题。任何学科都有自律和他律两个方面，自律和他律应统一起来。文学乃至文化都有它们的自律和他律。研究清楚这些问题对建构学术的主体性有好处。

王晓华： 提到建构中国学术的主体性，你能不能给在座的几个80

年代出生的学人一些建议?

胡经之：我希望他们以比较快的速度把前人的研究成果掌握下来。为什么前人研究的成果要掌握呢？每个学科都是问题的集合。你应该知道这个学科曾经提出什么问题，解决了哪些问题，还有什么问题需要解决。最重要的是要有问题意识。无论是西方的，还是中国的，你都要在前人研究的基础上追问。有了问题意识，才可能建构个人的学术自主性。

朱鹏杰：我们今天主要谈的是中国当代文艺学主体性建构问题，在中国这样一个前现代、现代、后现代多元混合的社会环境中，如何结合具体的中国情况、中国问题来建构中国当代文艺学的主体性呢？

胡经之：现在中国不缺各方面的专家，缺的是能解决中国问题的思想家。在掌握了世界学术界的情况以后，要解决中国的问题。你要知道中国有什么问题，你对这个问题是不是心中有数，对这个问题是怎么看，这个问题你怎么解决？王晓华老师就对中国当代的文化动态等比较敏感，这样就能很快抓住当下的中国问题进行讨论。现在像王老师这样结合中国的实际搞理论的人就很少，现在很多理论都倾向于技术化和专业化。这个我深有感触。如今，文艺学界的专家不少，但各吹各的号，我搞西方的，就只抓西方的，别的不闻不问；我搞古典文论的，就抓住古典文论，别的我不管。就这样搞也可以，甚至可以一辈子这样生活。但这样解决的只能是很局部的问题。我觉得建构中国文艺学的主体性，要有个宏观的思路。有了宏观的思路，才能在前现代、现代、后现代混杂的情况下搞出我们独特的体系。

周扬剑：王晓华老师把中国文艺学的主体性分为内外两个向度。向内的维度实际上就是文艺学作为学科的学术自主性。我觉得您的那本《文艺美学》体现了这方面的追求。《文艺美学》有个很明晰的线索，就是以审美体验为逻辑起点，以人的审美生成为逻辑终点。我觉得这种写法克服了意识形态中心主义。以前，我们在很长一段时间内是以狭隘的阶级性替代了人的主体性。现在，情况似乎朝着另外的方向发展。刚才您和王老师谈到的就是现在社会的那种物本主义和官本位思想的盛行，我想，这种物本主义和官本位的思想也遮蔽了甚至埋没了人的精神主体性,因此我觉得你的《文艺美学》这本书,对现在人的精神主体性的重构还是有着很重要的启示和意义。这是我读您《文艺美学》这本书的一点感想。

胡经之: 如果我现在再写的话,我肯定会涉及更多方面的问题,思路会更开阔。但基本的路子还是没变,首先把文学艺术活动作为一个活动的系列来考察,强调文学艺术本身的自律性。至于文艺和社会的关系,我不想多讲,这和当时的时代环境有关。在我写这本书时,学术界对于文艺自律讲得很少,对文艺的社会功能却谈得很多。我这个人喜欢谈人家不怎么说得清楚的东西,在重点问题上我能说清楚几个问题就说几个问题。因此,我在书里就主要谈对生活的艺术体验,以及体验如何转化为意象体系,最后就是这些的符号化。没有对文艺创造过程本身的分析,你怎么谈文学艺术呢?人的精神主体性和学术的主体性归根结底要落实为艺术的自律性,说清楚文学艺术是如何按美的规律来创造的。

王晓华: 刚才我们谈的都是学术的内部主体性问题。我们说的学术主体性还有外部的维度,就是中国学术相对于西方、印度、伊斯兰文化和世界上其他地区而言的主体性。说到这个问题,我发现个有趣的现象。中国学者提到这种意义上的学术主体性时主要想到的是西方,仿佛世界上只有中国和西方。实际上世界上除了中国和西方外,还有许多学术主体,比如印度学术就对世界文化有很大的影响。我们忘记了这点,不是谈中国,就是讲西方。实际上这两种中心主义思想,一个是中国文化中心主义,一个是西方文化中心主义。中国学者现在对第三方资源整合不够。这也会妨碍中国学术主体性的建构。

胡经之: 我提倡世界视野,反对的就是中国和西方的二分法。对事情了解得越多,创造性就越大。过去笼而统之谈中西文化,实际上把世界文化看得太简单了。其实印度文化和中国文化是不一样的,日本文化也跟中国文化不一样。所以,我们要进行中外文化的比较研究。在改革开放之初,我参加了北京大学比较文学研究会(季羡林领导)的筹建,成立后就为《光明日报》写了一篇《比较文艺学漫说》,后又发表了《艺术的民族特色》,竭力倡导对中外文艺以至美学的比较研究。我对中国现代音乐学的奠基人王光祈特别敬佩,他在五四时期就把中国音乐和西方音乐、阿拉伯音乐、印度音乐等作了比较研究,创立了比较音乐学。搞学问既要有整体观,又要不断地深入到各个文化领域进行细化的研究,最后再综合。如果能做到这点,那么,你知道得越多就越好,参照系越多就越全面。当然,比较之后,还得有能力去概括、综合。可能在一定的历史条件下,有些不能进入我们的视野,但我们应该补课。

王晓华:的确,中国学者作为学术主体应该整合尽可能多的学术资源,建立丰富的主体间际关系。不过,最终我们还是要回到汉语,回到自己的学术传统。在建构中国文艺学、美学、文艺批评的主体性时,如何对待传统文化也是个不能回避的问题。

胡经之:提到传统,我觉得中国的传统文化有个优点,就是把文学艺术看作整体,并不把它分割得这一块那一块的。它从感觉和体验出发,把艺术体验和生活体验结合起来,放在一块谈。这把握住了文艺发挥作用的关键。文艺本来就是给你整体体验的。当然,传统艺术理论的缺点也很明晰,那就是缺乏深入的分析,没有在体验的基础上进行细致的分析和演绎。理想的文艺理论应是从体验感受出发,然后有自己的理论分析,最后再回到文学艺术整体。中国文艺学要想把体验和分析结合起来,就需要学习西方。所以,我不赞同美化传统的做法。要建构中国文艺学的主体性,既要回到传统,又要有向世界学习的开放心态。

刘　晨:那么,中国古典文论的现代转换有没有可能,能不能从现代转换这个过程或者思路里面发现中国一些原创性的理论?或许这些理论对中国当代文艺学主体性建构有一定启发。

胡经之:我认为中国古代的文艺理论是当时的文学艺术实践的概括,不能解决中国当前的实践问题,但是我们现在艺术创作的问题与以前有没有共通之处呢?有没有?应该是有共通性的,创作和欣赏过程中有些基本的东西是有共通性的,但是这里面不是简单的古今一样,所以不能照抄,要具体化。古代有古代的问题,现代有现代的问题。我的想法是这样的,我为了解决我当前的问题,什么有用我就用什么，我还是"拿来主义"。西方的有用，我用；中国古代的有用，我用。关键要看能不能解决当前的问题。要以问题为中心，问题就是现实生活中碰到的矛盾，如果能够解决它们，西方的也用，古代的也要用，应该就事论事。实际上中国的问题是很复杂的，不能简单地用是或否解决的。古典文论是建构中国当代文艺学的思想资料，必不可少，但不是充足条件，重视古典是为了创新，古为今用，不是怀旧。

其实，在当下，我们已面临着三个传统。我想起1958年周扬带了张光年、何其芳、邵荃麟、林默涵等到北大来开设"马克思主义文艺理论"讲座，我被北大指定为助教，因而有机缘到他沙滩北街的家里当面讨教。他当时就对我说，中国的文艺理论有三个传统：一是中国古典传统，二是西方引进来的传统，三是苏联引进来的马克思主义传统。我后来想想，这有道理。辛亥革命前后，蔡元培、梁启超、王国维这第一辈就从西方引进了美学、美育，后来朱光潜、宗白华等又接着引进，西方美学逐渐中国化。马克思主义也是如此，先是从苏联引进，如今又在引进西方马克思主义，也在逐渐中国化。如今我们需要解决的是如何将三种传统结为一体，洋为中用，古为今用，共同面向当下现实，回答当下文学艺术实践中的难题。我们要建立和发展的还是马克思主义文艺学、美学，但要有国际视野，融合中西，会通古今，面向现实。

王晓华：最后，我想请您谈一谈对新世纪中国文艺学创建主体性前景的展望。

胡经之：首先，我们搞文学艺术的人都要关心现实，正视现实，真正从我们的文学艺术实践中提出问题。其次，就是我们应该是对中外古今的那些理论遗产要有真正的了解。能真正地做到这两点，那我们理论的前景还是广阔的。能不能真正变作有中国原创性的理论，确实是中国的而不是照抄人家的。但是也不完全是中国古代的，你要重复中国古代的问题也不行，解决不了我们的现实问题，中国古代的东西要能解决我的问题它才能发挥作用，要不它也就是死东西。学问有两种，一种是活学问，一种是死学问。死学问我也搞，当时杨晦让我搞文学批评史，我就搞了两年。周扬要探索中国问题，他认为苏联那套东西不解决中国问题,古代的理论也不能解决现实问题,我受他影响,要关心中国现实问题。我知道有人主张按照古代中国的思想体系来重新建构中国文论,但完全挪用中国古典文论,这也不大可能。我讲中国古典文艺学就是古典的,只能做资源,是建立和发展中国马克思主义文艺学的思想资料。所以,新世纪中国文艺学要把古代的东西当作资源,不能从中寻找答案。对待西方和世界上其他地方的文化,也要抱同样的态度。我和严家炎、王世德在20世纪50年代师从"五四"老人杨晦攻读文艺学副博士研究生时,杨晦就要我们博览中外古今的经典之作,涉猎要广博。不久前我清理在北大时的听课笔记,发现了杨晦、钱学熙为我们开的"文艺学副博士研究生必读书目"(1956),但杨晦告诫我们,中外古今的经典要多读,但目的还是要我们面向现实,探索和解决现实中出现的问题。我看,新世纪的中国当代文艺学的建构,就是要以马克思主义为指针,吸取中外古今的文艺学思想资料,来解决中国自己的文学艺术问题,这是我们的主体性。

2008年春,深圳大学文学院胡经之工作室

附文五

导师杨晦、钱学熙先生为文艺学副博士研究生规定的必读书（1956）

一

马克思：《1844年经济学哲学手稿》

马克思、恩格斯：《德意志意识形态》

恩格斯：《费尔巴哈与德国古典哲学的终结》

列宁：《唯物主义与经验批判主义》《哲学笔记》

《马克思、恩格斯论艺术》（四卷本，苏联编）

《列宁论文学艺术》（二卷本，苏联编）

《斯大林论文学与艺术》

《毛泽东论文艺》

《周恩来论文艺》

《拉法格文学论文选》

《梅林文学论文选》

普列汉诺夫：《没有地址的信》《艺术与社会生活》《普列汉诺夫哲学著作选集》（第五卷）

《高尔基论文学》

《苏联文学艺术问题》

《鲁迅论文学与艺术》（上、下卷）

二

《诗集传》（朱熹注）

《楚辞集注》（朱熹注）

《史记选》（王伯祥选注）

《乐府诗集》

《昭明文选》

《汉魏六朝散文选》（陈中凡选注）

《汉魏六朝诗选》（余冠英选注）

《三曹诗选》（余冠英选注）
《阮步兵咏怀诗注》（黄节注）
《陶靖节集》（陶澍注）
《六朝文絜》（许梿评选）
《唐诗选》（文研所选注）
《李白诗集》（王琦注）
《杜少陵集评注》（仇兆鳌注）
《杜甫诗选》（冯至等选注）
《王维诗选》（陈贻焮选注）
《白香山集》
《唐宋传奇集》（鲁迅编）
《唐宋文举要》（高步瀛选注）
《宋词选》（胡云翼选注）
《宋诗选注》（钱锺书）
《苏轼诗选》（陈迩冬选注）
《稼轩词编年笺注》（邓广铭）
《陆游诗选》（游国恩等选注）
《古代白话小说选》（上海古籍出版社）
《元曲选》（臧晋叔）
《关汉卿戏曲集》（吴晓铃编）
王实甫：《西厢记》
高则诚：《琵琶记》
罗贯中：《三国演义》
施耐庵：《水浒全传》
吴承恩：《西游记》
汤显祖：《牡丹亭》
蒲松龄：《聊斋志异》
吴敬梓：《儒林外史》
曹雪芹：《红楼梦》
孔尚任：《桃花扇》
洪昇：《长生殿》
《近代诗选》（北大中文系）
李伯元：《官场现形记》
吴趼人：《二十年目睹之怪现状》
刘鹗：《老残游记》
曾朴：《孽海花》
《晚清文学丛钞》（阿英编）
《先秦文学史参考资料》（北大中文系）
《两汉文学史参考资料》（北大中文系）
《魏晋南北朝文学史参考资料》（北大中文系）
《中国历代文学作品选》（朱东润）
《古书源》（沈德潜辑）
王国维：《宋元戏曲史》
鲁迅：《中国小说史略》
刘勰：《文心雕龙》
钟嵘：《诗品》
司空图：《二十四诗品》
张戒：《岁寒堂诗话》
胡仔：《苕溪渔隐丛话》
严羽：《沧浪诗话》
王夫之：《姜斋诗话》
王士祯：《渔洋诗话》
叶燮：《原诗》
章学诚：《文史通义》

陈廷焯：《白雨斋词话》
李渔：《李笠翁曲话》
刘大櫆：《论文杂记》
王国维：《人间词话》《戏曲论文集》

《中国历代文论选》（郭绍虞）
《中国近代文论选》（郭绍虞、罗根泽）
郭绍虞：《中国文学批评史》
刘大杰：《中国文学发展史》

三

《希腊神话和传说》（楚图南译）
荷马：《伊里亚特》
《奥德赛》
《伊索寓言》
埃斯库罗斯：《悲剧二种》
索福克勒斯：《悲剧二种》
欧里庇得斯：《悲剧二种》
《阿里斯托芬喜剧集》
《圣经》
但丁：《神曲》
塞万提斯：《堂吉诃德》
《莎士比亚戏剧集》
莫里哀：《伪君子》《悭吝人》
歌德：《少年维特之烦恼》《浮士德》
席勒：《阴谋与爱情》《威廉·退尔》
《拜伦诗选》
《雪莱诗选》
雨果：《巴黎圣母院》《悲惨世界》
司汤达：《红与黑》

巴尔扎克：《欧也妮·葛朗台》
《高老头》
《幻灭》
《农民》
福楼拜：《包法利夫人》
《莫泊桑短篇小说选》
左拉：《萌芽》
《巴黎公社诗选》
《密茨凯维支诗选》
《裴多菲诗选》
《易卜生戏剧四种》
狄更斯：《大卫·高柏菲尔》《艰难时世》
萨克雷：《名利场》
哈代：《还乡》
《肖伯纳戏剧三种》
马克·吐温：《汤姆·索亚历险记》
《惠特曼诗选》
普希金：《叶甫盖尼·奥涅金》
莱蒙托夫：《当代英雄》
果戈里：《钦差大臣》《死魂灵》

车尔尼雪夫斯基:《怎么办?》
《谢德林寓言选》《生活与美学》《杜勃罗留波夫选集》
奥斯特洛夫斯基:《大雷雨》
屠格涅夫:《父与子》《罗亭》
陀斯妥耶夫斯基:《穷人》《罪与罚》
托尔斯泰:《战争与和平》《安娜·卡列尼娜》《复活》
《契诃夫短篇小说选》
《契诃夫戏剧集》
高尔基:《母亲》《在底层》《短篇小说集》"自传体三部曲"
马雅可夫斯基:《列宁》《好!》
绥拉菲摩维支:《铁流》
法捷耶夫:《毁灭》《青年近卫军》
《腊玛延娜》
《玛哈帕拉达》

迦梨陀娑:《沙恭达罗》
《泰戈尔诗选》
《一千零一夜》
《二叶亭四迷小说集》
小林多喜二:《蟹工船》
杨周翰主编:《欧洲文学史》
柏拉图:《文艺对话录》
亚里士多德:《诗学》
布瓦洛:《诗的艺术》
狄德罗:《论戏剧艺术》
莱辛:《拉奥孔》《汉堡剧评》
康德:《判断力批判》
黑格尔:《美学》
《歌德谈话录》
《别林斯基选集》
泰纳:《艺术哲学》
克罗齐:《美学原理》
伍蠡甫主编:《西方文论选》
朱光潜:《西方美学史》

西方二十世纪文论史

胡经之 张首映 著

绪　论

近代世界和中国的历史都表明,拒绝了解和接受外国的先进的文化,任何国家、任何民族要发展进步是不可能的。一个国家的文艺理论建设也同样是这样。

我国当代的文艺理论作为一个开放与发展的体系,应当在密切联系时代和文艺的新现实、新变化中,积极而广博地择取和借鉴世界各国文艺理论中有价值的东西,尤其是它在20世纪所取得的而又为我们所不熟悉的新成果、新动向,从而在世界文学的大格局中发展具有中国特点的以马克思主义为指导的文艺理论体系。而要择取和借鉴世界各国现当代文艺理论中有益的养分,对它们的主要成果、发展脉络等进行一番梳理、分析和评介,则是首先需要的。《西方二十世纪文论史》便是这一方面工作的一个尝试。

第一节　西方20世纪文论的社会文化基础

西方20世纪文论是西方20世纪社会的产物。

20世纪的欧美社会,变化万端,错综复杂。第一次世界大战的爆发,是西方社会危机积聚已久的一次大暴露。韦尔斯说:"1914年以前所有欧洲的大国都处在侵略性的民族国家主义状态中,而且趋向战争;德国政府只不过是确实引导了这一普遍运动而已。"从此,"欧洲的那个舒适、信赖、文雅和举止大方的时代开始结束了。"[①]两次世界大战的结果,改变了西方的社会结构和组织,原有的资本主义社会

---

① [英]韦尔斯:《世界史纲》,吴文藻、谢冰心、费孝通译,人民出版社,北京,1982年,第1162、1166页。

虽然仍在不断发展,但新兴的社会主义社会却大步登上了历史舞台,并在20世纪的世界历史中扮演着重要的角色。两次世界大战给西方各国人民的精神世界带来了巨大的创伤,悲观与忧郁的情绪弥漫欧美各地。这是尼采、叔本华、郭尔凯戈尔以及弗洛伊德学说之所以流行的社会根源,也是西方文论中偏重研究人的内心世界的现实土壤。20世纪中叶,西方社会一方面受到新的世界大战的威胁,另一方面又寻求新的平衡。阿诺德·汤因比在《历史研究》(1933~1954)中分析了早期兴衰的症结,试图指出历史与未来的希望,认为人将从过去的历史中得到教益,使新的历史时期有利于西方社会、经济和人民的生存与发展。休斯也指出:"在20世纪后半叶,欧洲人正在达到新的平衡、树立新的自尊心。他们当年称霸世界的雄心已成过去,现在正把注意力集中在内部事务上,这不但得到过去的崇尚的认可,而且也得到今天的需要的支持。欧洲人目前正扮演另一个较为谦逊的角色,在社会和文化方面,作为急起直追他们的其他人类的有经验的带路人和应有的榜样。"[①]从这里,人们不难看到自由学说、科学主义、主体哲学与文论在西方得以发展的温床。

西方20世纪文论也与西方20世纪这种文化趋向密切相关。

西方当代文化以其大胆执着的创新为显著标志。正如休斯所说:"现代精神"获得了胜利,重组了整整一个世纪的科学和艺术的特点。如20世纪20年代,物理学领域中的相对性、多种释义和非决定性,社会思想方面的崇尚非理性和关注精确意义,文学方面的象征主义和表现主义的胜利,美术和音乐方面的反感伤主义和采用高音调及硬线条的趋向。"不论在哪一方面,20世纪风格都共同具有对上一世纪不屑一顾的态度,文化创新者抛弃了他们祖辈的教训,有意识地选择了新的词汇来表现自己。"这是因为"在战后的年代,人们一次又一次宣告欧洲传统文化已经失败。他们认为欧洲上层资产阶级的那种悠闲的文化传统不再能表现新的生活现实,而必须创造一些更

---

① [美]H.S.休斯:《欧洲现代史(1914~1980)》,陈少衡等译,商务印书馆,北京,1984年,第3~4页。

鲜明更有生命力的东西来代替它们,结果就涌现了本世纪内任何其他十年都无法与之相比的极丰富的文化和科学"。[①]其实,远不止20年代,20世纪中的任何年代的科学与文化的总体特征都表现出创造性。重复传统见解在西方当代文化中是没有地位的。当然,这并不是说西方人完全抛弃和否定了传统文化,而是说,他们在传统文化基础上更大胆、更迅速地向新的方向探求。这便是西方当代文论中的新流派、新观点、新词汇超越以往任何世纪的文化氛围。

西方当代文化的主流是人文主义和科学主义的渗透与融汇或对立与冲突。两次世界大战摧残了人,破坏了科学事业的建设,这就决定了战后文化建设的使命。休斯说:"欧洲战后的文化生活是从反法西斯的抵抗运动开始的。当战争还在进行的时候,这种文化生活就开始了,当时反对希特勒和墨索里尼的人们在他们隐藏的地方、在流放地或在集中营,就已承担起确定新文化价值的涵义的任务。即使在战争的最暗淡的时刻,这种抵抗文学也是充满了希望的文学。它也像30年代的作品那样,积极地'投入'意识形态斗争,但它的反暴政斗争较少指向指定的政治目标,主要是着眼恢复欧洲最广泛意义上的人文主义和人道主义传统。"[②]这样,科学主义思潮,如孔德开创的实证主义、马赫的经验批判主义、逻辑实证主义、批判理性主义、科学哲学的历史主义等,人文主义思潮,如叔本华的悲观主义、尼采的唯意志论、生命哲学、现象学、存在主义、阐释学、西方马克思主义以及法兰克福学派等,这两股思潮就在不断地撞击、渗透中发展。这两股思潮及其融汇或冲突,都在文艺理论中得到了比较明显的表现。

第二节 西方20世纪文论的基本走向

研究一个时代的文论走向,至少有三种方式:第一种是从编年史的角度按时间次序予以展示;第二种是按逻辑构成分门别类予以说

[①] [美]H.S.休斯:《欧洲现代史(1914~1980)》,陈少衡等译,商务印书馆,北京,1984年,第221~222页。
[②] 同上书,第525页。

明；第三种是既按逻辑构成又按编年史方式使两者有机地统一起来予以阐释。我们采取的是第三种方式。

采取这种方式的原因是多方面的，主要原因是：西方20世纪文论存在的时空很复杂。在时间上，往往同一个时期乃至同一年甚至同一季度，不同的流派纷至沓来，令人应接不暇。如在美国，正当新批评派甚嚣尘上的时候，结构主义、现象学、阐释学的势头也方兴未艾，而且代表了一种新的动向；在法国，结构主义突出一时，但同时，现象学、存在主义、符号学、语义学，乃至解构主义也在法国文坛中并存，有时让人很难把握谁是论坛首领。而且，这种论坛首领的观念在他们看来也是传统的，因为西方当代论坛以创新为主潮，以附会为羞耻，既然都在创新，就不存在谁执牛耳之事。在空间上，欧美各国的文坛情况各不一样，那种希腊、罗马、中世纪、文艺复兴、古典主义、启蒙运动、浪漫主义时期的传统划分并不适用于现在。现在，欧美各种社会制度并存，既有苏联、波兰、南斯拉夫、民主德国等一些社会主义国家，也有英、美、法、联邦德国等资本主义国家。各种哲学观念同在，可以毫不夸张地说，20世纪的西方哲学是世界哲学史上最活跃、各种流派最多的时期。自然科学对人文科学的强大渗透力，使不少人文科学已与自然科学结下了不解之缘，整个西方20世纪文论的空间不断发生错位、交流，要想在一本教科书性质的著作中详细叙述这种空间变化是不可能的。因此，根据我们自己的理解，把西方影响较大的18个文论流派按其主要倾向在逻辑上分成四个系统：作者系统、作品系统、读者系统、社会—文化系统；同时，各个系统的各个流派的编排以编年史为主线，如作者系统按先后次序分为表现主义、象征主义、直觉主义、文艺心理学派、原型批评，作品系统分为形式主义、新批评、结构主义、解构主义、符号学，读者系统分为阅读现象学、阐释学、接受美学等等，社会—文化系统分为艺术文化学、存在主义、新马克思主义、法兰克福学派、新历史主义等等。这种方法，既突出了文论研究的对象和范围，即作者、作品、读者及与社会—文化的关系，又照顾到了各个系统的时间先后的发展次序，虽然有不及编年史和专题史的某些缺点，但就对研究西方20世纪文论这一特殊对象来说，我们认为是比较可行的方法。

关于西方20世纪文论的基本走向,我们便从这样的一个思路出发进行考察和叙述,目的是要对这个世纪的文论概貌有个整体了解。

一、作者系统。所谓作者系统,指重视并突出对作者进行理论研究的有关文论派别的群体。这并不意味着这些流派或它们的理论家不研究作品和读者。事实上,孤立地从事作者研究或作品研究是不可能的。表现主义的文论家克罗齐、科林伍德也研究过作品、读者。科林伍德的《艺术原理》中许多地方都谈到了读者研究的重要性;文艺心理学派的理论家弗洛伊德、荣格、阿恩海姆、马斯洛也不忽视对读者的研究;象征主义的文论家瓦雷里也是如此。但是,从整体上看,他们更多地关注作者、研究作者,在理论上的突出成就也在作者研究一方面。克罗齐的直觉—表现说,科林伍德的想象论,弗洛伊德的个体无意识,荣格的集体无意识论,阿恩海姆的知觉整体学说,瓦雷里的纯诗论及象征主义宣言,集中讨论的都是作者问题。他们对作者进行了哲学、心理学、创作论方面的研究,解开了作者的心理时空结构,对创作中存在的一系列问题进行了深入的研究。在时间上,这种研究处在20世纪初期,在浪漫主义文学达到一定高度、现代主义艺术方兴未艾的时候。当然,这种研究也暴露出了它的一些弱点,比如它不能够对作者之外的其他方面进行全面的论证和阐释。尤其是形式主义文论逐渐引人注目时,作者研究的弊病就越来越显眼了。

二、作品系统。作品系统,指主要从事文艺作品研究的理论现象。兰色姆曾说过:"数学家的构造物……有可能存在,但不一定确实存在;有可能确实存在,但不一定有用处。这样,数学运算就变成一种思考推理的东西,变成了在用意方面非常一般化,非常基本化的东西,除了用'本体'字样,都无法说明。"[①]与此一致,他认为文艺理论除了把作品作为本体研究以外,别无他途。这种研究最早发轫于俄国形式主义者,如什克洛夫斯基、图尼安诺夫、艾亨鲍姆、雅克布逊等;后来由于政治运动的变故,俄国形式主义者不得不迁往捷克,

---

[①][美]兰色姆:《论文选集》,英文版,1972年,第12页。

20世纪20年代后期,布拉格成为文学和语言研究的重镇,使得作品的形式主义研究日趋在整个欧洲抬头。他们追求科学分析的可靠性,细致剖析文学的构造原则,把握文学系统,对作品进行母题分析。但到布拉格以后,什克洛夫斯基等人逐渐转入结构主义的研究,为原来法国结构主义的兴盛奠定了基础。同时,有的俄国形式主义者到了美国,成为美国新批评派的鼓动者。英美新批评派虽然受了俄国形式主义的启发,但艾略特、瑞恰兹等人更多的是作为对浪漫主义、表现主义、心理分析的文论的一种反拨而提出自己的理论。英美新批评派活动时间之长、影响之深远,是其他学派鲜能相比的。结构主义文论一方面吸收了布拉格学派的优点和新批评派的作品分析理论,另一方面接受了索绪尔的语言学理论,形成了像巴特、托多洛夫、热奈特等实力雄厚的结构主义文论阵营。德国、法国和美国流行的符号学理论既吸取了前几派的理论,又有自己的哲学依据,使卡西尔、苏珊·朗格成为新的一代宗师。所有这些流派和文论家,都对作品的理论研究做出了贡献。他们的主要活动期几乎占了大半个世纪,到20世纪60年代后期和70年代中期还有广泛的影响,至今仍然余响不绝。

三、读者系统。读者研究是在20世纪初开始出现的,但它早先更多地"裹"在哲学体系的外衣里,像阅读现象学就是在现象学哲学体系中,如胡塞尔等人的哲学、美学论著等。但是,当萨特的文论著作、英伽登和杜夫海纳的著作流行以后,对读者的关注就很引人注目了。虽然他们的论著并不仅仅研究读者,主要是通过文艺进行现象学研究,但是,因为现象学强调主体的意向投射,而读者对作品的意向投射也属这一研究系列,所以,他们对读者的研究日益深入,并引起了较大反响。文艺阐释学是在现象学、哲学阐释学基础上发展起来的新学科,海德格尔、加达默尔主要是现象学、存在主义、哲学阐释学的宗师,由于他们对文艺问题异常关注,写了不少这方面的论文和论著,加上美国学者赫什、尤尔等人的研究,使文艺阐释学对读者的阐释成为人们感兴趣的课题。到尧斯正式提出接受美学,读者研究便正式登上文论史的舞台,尧斯的《文学史作为文学理论的挑战》是一篇经典性的论文,它对文论史的贡献和影响是巨大的,因为它填补了西方文论史缺乏对读者作系统研究的空白，成为20世纪最有特色的文论之一。他的朋友伊塞尔等人也在这方面做了大量工作，使接受美学得到了系统而长足的发展。从此，文艺读者不容置疑地成为文论研究的对象和范围。美国流行的读者反应理论虽并不专谈文艺，还包括新闻、杂志、宣传的接受等问题，但对读者研究的蓬勃发展也起了一定作用，汤普斯金、霍尔等人在这方面的研究使读者研究进一步具体化、深入化。西欧正在流行的批评学，如托多洛夫的《批评之批评》等，也对批评学的建设起了一定的铺垫作用。批评学虽主要是对读者群中一些专事文艺批评的人的研究，但仍然属于读者研究的范围。批评学广泛接受各家之长，具有综合发展的趋向，应该引起我们的注意和研究。不过，它似乎尚处在形成过程中，连托多洛夫的《批评之批评》也是在最后一部分谈论批评作为对话交流的问题，批评学中有很大影响的体系性著作尚未出现。读者研究主要是近二三十年的事，它的发展还在持续。

四、社会—文化系统。西方当代文论家起初是反对对文艺与社会—文化的关系进行理论研究的，因为他们痛感丹纳、圣佩韦等人专门提倡文艺的"外围"研究，不能在本体上揭示文艺的作者、作品、读者的关系。但是，由于文艺与社会—文化的关系是客观存在以及对此有兴趣的研究者不乏其人，社会—文化系统的研究仍存在着、发展着。比较有代表性的有：美国自然主义和经验主义学派，简称为自然—经验主义，代表者如桑塔耶那、杜威等；人文主义学派或道德批评学派，代表人白璧德；欧美和苏联的社会—文化分析，苏联在这方面的研究最为突出。苏联20世纪有国际影响的文化分析主要是早期的形式主义和后来的艺术文化学的研究。此外，西方对马克思主义文论的研究也颇有成果，最有代表性的是新马克思主义学派和法兰克福学派，前者的代表人物有卢卡契、本亚明，后者的代表人物为马尔库塞、阿多尔诺等。西方的新历史主义也自成特色，对西方当代文论产生了一定的影响，对我们从事马克思主义文艺思想的研究也有一定的参考价值。

第三节　西方20世纪文论的基本特色

在几十年的发展进程中，西方20世纪文论也形成了自己的一些特征，这些特征主要表现在四个方面：

第一，它基本上是在作者、作品、读者与社会—文化的总体构架中研究文艺的。尽管各家各派持论不一，如弗洛伊德侧重心理分析，巴特偏向作品研究，尧斯主论读者系统，杜威更重视社会经验分析，卡冈对文化与文艺的关系尤为看重，但是，在整体上，西方当代文论家们多数没有跳出这个圈子进行文艺学研究。其原因在于：文论家们认为，他们在这个时代找到了文艺学的应有范围，文艺学的范围主要就是对这四个方面的关系的研究，如果不在这四个方面的某一个或某两个环节的研究上有重大突破，这样的文论家不能算杰出的文论家。西方20世纪文论的这一总体认识，与19世纪及其以前所有的西方文论是不同的。柏拉图、亚里士多德的时代，以及康德、黑格尔的时代，在对文艺学的范围的确立上没有20世纪文论家具有这样明晰的认识，他们更多的是从自己的哲学立场出发来观照文艺，结果，文艺的丰富性往往被哲学的抽象议论和非文艺学的哲学体系淹没。西方古代文论的另一支队伍是一些作家，如雨果、巴尔扎克、华兹华斯等，这些作家主要是结合自己的创作经验及自己的创作角度来讨论文艺理论问题，带有明显的经验色彩，他们的主要工作是创作，没有更多时间来研究文艺学的对象与范围问题。所以，西方20世纪文论家在几十年的探索历程中，总结出了作者、作品、读者和社会—文化这样一个文艺理论研究的四维空间。美国浪漫主义文学理论家艾布拉姆斯的《镜与灯》（1953）对此作了概括，在西方文论史上是有着重要贡献的。

第二，在文艺的本体方面，西方20世纪文论总体上是既重视内容，又看重形式而偏向于形式研究的。如果笼统地说西方20世纪文论只研究文艺形式，那并不完全切合实际情形。像克罗齐那样大肆强调艺术的直觉要素、轻视文艺形式的人在20世纪并不乏其人；一些注重作者分析、社会历史文化分析的文论家们对艺术内容的研究也取得了积极的成果，如法兰克福学派对文艺表现自由与斗争的认识，虽然有片面性，但在西方20世纪文论中是独树一帜的；即使是俄国形式主义文论家所标举的"陌生化"，也是使文学以一种将现实陌生化的方式表现现实，抑或像韦勒克这样并不十分关心作品以外的研究的人，在原则上也同意李维斯在《重新评价》一书中所说的观点："你认为诗歌必须与现实有严肃的关系，必须紧紧地抓住现实，抓住对象；必须与生活相通，绝不允许脱离直接的世俗生活；通常应该是人性的，应该证明精神上是健康与完善的；而不应该是个人的，即沉湎于个人的梦幻与空想之中；诗歌不应为情感而抒发情感。"[①]然而，全面地看待西方20世纪文论，一个显而易见的事实是：它虽然确实以不少新的方法和值得借鉴的方式研究过文艺的内容，但是，在整体倾向上，它更偏重于研究艺术形式。我们这样说，不是从文艺理论著作的数量上来看问题，而是在文艺理论著作的思想影响的深度和广度上所作的判断。从英、法、美等主要欧美国家的文艺理论看，新批评派、结构主义曾占主要地位，至今有的大学还以瑞恰兹的《文学批评原理》和韦勒克、沃伦合写的《文学理论》作为文论教材，巴特、托多洛夫的文艺理论著作仍然是法国在20世纪最突出的文艺理论作品，他们至今还影响着欧美的批评家和文学家。他们所说的文本分析，并没有强调文本的内容，而主要突出文本的形式，他们采用了各种各样的方法乃至自然科学研究的方法进行艺术形式的精细分析，力反传统的印象式批评和鉴赏式批评，总是把文本的形式的科学分析作为衡量文艺理论的科学性的一个标尺。这对研究读者系统的文论家们也产生过很大的影响，使他们的立论在局部也借鉴了他们的形式分析法，如伊塞尔所理解的"隐含的读者"以及"文本的召唤结构"等具有强烈的形式分析的色彩，读者反应理论中的文论家也有这样的倾向。因此，有人说西方20世纪文论具有形式主义的色彩，这句话在一定程度上和一定范围内并不是完全没有道理的。不过，似乎用科学主义来称呼这种研究更为妥当。

第三，在研究方法上，西方20世纪文论刻意求新，以人文科学、

[①] [英]安·杰弗森等：《西方现代文学理论概述与比较》，陈昭全、樊锦鑫、包华富译，湖南文艺出版社，长沙，1986年，第7页。

社会科学、自然科学的研究方法来研究文艺理论，像一曲以文论研究为主旋律、以各个学科为和声的交响乐。因此，以前那种一个世纪某一种文艺理论主张占宗主地位的现象没有了。各种不同的研究方法产生了不同的文艺理论，不同的文艺理论被不同的科学方法论所阐释。有人说，19世纪以前的古典哲学以认识论为主，20世纪的西方哲学以方法论为主，在文艺理论方面，这种倾向也是不难看出的。阿诺德·伯兰特曾说："美学上的文艺批评理论，正像其他领域里的那些理论一样，可以跟随着任何一种完全不同的方向，一种理论完全可以按照批评家自己不同的见解为标准。"①多种声音、多种交流、多种取向、多种价值观，是20世纪文论的一大特点。这种特点建立在研究方法的多元化方面。没有这种多元化，西方20世纪文论根本上不可能有诸说涌立、群峰竞秀的繁荣景象。V.提吉拉这样描述过："过去20年的美学转向了艺术，转向人的独创性，（恰如哲学那样）转向人类境况。这种美学主要接受了卡西尔（和克罗齐）、杜威（和桑塔亚那）、海德格尔（和胡塞尔）、加缪和萨特的影响。而那些旨在将现成的哲学方法推广到艺术中去的美学，则多少植根于马赫主义或新实证论的科学理论和逻辑的符号逻辑理论。这一派的最近的前辈有穆尔（和罗素）、卡尔纳普、维特根斯坦、奥斯丁（和早期的I.A.瑞恰兹）和莱尔。艺术型的哲学家们应该正视既富有精确性又富有创造性的科学，并有必要运用它的方法来改进自己关于艺术和人的独创性的理论。而那些自封的'语言'哲学家们则需要学习归纳科学之外的大量其他领域的知识；或许，把科学看作创造性的活动，而不是一套孤立的、干巴巴的论断，对他们更有益处。人们对社会科学以及社会和政治哲学的日益增长的兴趣，也许甚至会促进对自然科学的理解。"②提吉拉对过去的总结是恰当的，对后来的希望也成为事实或日趋化为现实。仅仅用传统的形而上或形而下来概括方法的多元已经不可能了，取而代之的还有一系列新的方法。不可否认，这些方法对促进文艺理论的

---

① [美]阿诺德·伯兰特：《审美领域》，纽约版，1970年，第20页。
② [美]V.提吉拉：《当代美学潮流》，见李普曼编：《当代美学》，邓鹏译，光明日报出版社，北京，1986年，第57页。

发展是有着很大贡献的。

第四,表述上的新颖性和独创性。文艺理论的表述并不比研究实际内容容易,很多人有许多新的思想却由于表述的陈旧而不能全面展开。爱因斯坦认为,19世纪及其以前的哲学是推理的,20世纪的哲学则是概念的,对概念的表述比对概念内涵的界定更为艰难。爱因斯坦曾说:"我们从事于分析那些流行已久的概念,从而指明它们的正确性和适用性所依据的条件,指明它们是怎样从经验所给予的东西中——产生出来的……它们的过大权威性就会被戳穿。如果它们不能证明为充分合理,它们就将被抛弃;如果它们同所给定的东西之间的对应过于松懈,它们就将被修改;如果能建立一个新的、由于无论哪种理由都被认为是优越的体系,那么,这些概念就会被别的概念所代替。"①爱因斯坦描绘的这种情景基本上也符合西方20世纪文论在使用词汇、概念、范畴时的情况。打开西方20世纪文论的一些名作佳篇,我们会看到一个个新概念、新名词纷至沓来,让人应接不暇,如意识流、文本、意图谬误、感受谬误、叙事分析、原型批评等等。因为一个新的理论体系必须用一系列符合自己体系的概念和范畴予以表述,"旧瓶装新药"也是表述体系的一种方法,但毕竟不是最好的办法。任何文论大师都有自己的概念、范畴体系。西方20世纪文论在这方面体现得尤为充分。在这本书中,尽管企图用最简单明了、浅显易懂的文字表达那些新概念和范畴的意义,但是,我们深深感到要表达得很准确是非常困难的。所以,我们只能在最切近的程度上转达出西方当代文论家的概念、范畴的意思。

第四节　西方20世纪文论的现实价值

我们所谈的西方20世纪文论的现实价值,主要指西方20世纪文论对我国文艺学建设的参考价值、借鉴作用。古训道:他山之石,可以

---

① [美]爱因斯坦:《爱因斯坦文集》,许良英、范岱年译,商务印书馆,北京,1976年,第85页。

攻玉。借鉴西方20世纪文论，对我国文艺学的发展无疑是有帮助的。无论在观念上，还是在方法上，多学点别人的东西以补充和丰富自己，总比夜郎自大、故步自封的非科学主义好得多。

　　在文艺观念上，我们可以从西方20世纪文论的求新精神中得到一定的启迪。文艺理论研究不同于文学史研究的最突出的标志是在求新方面。求新是人类追求真理的一种方式和精神，一个文艺理论家一生不能给人们提供一点新的文艺思想是不称职的、不合格的。求新不同于标新立异和胡说八道，求新是人类对必然规律认识的一种深化、一种发现。西方当代文论在对文艺的必然规律的认识方面确乎取得了不少新的成果，为我们展开了当代文艺的面面观。20世纪80年间的西方文论在新观念的总数方面远远超过19世纪及其以前2000多年的观念，这是很能说明西方20世纪文论家的求新意识的。尽管这些观念并不一定正确和科学，也不尽如人意，但是，迄今为止，几千年的文论史并未能为人们提供一个人人都能完全接受的文艺的本体观念，"文艺是什么"仍是一个亘古常新、令人着迷的命题。正像不能因此而说以前的文艺的本体观点都是错误的一样，我们也不能轻易否定20世纪西方文论家在这方面的探索的必要性。文艺是一个十分丰富、异常复杂的世界，需要许多代人的顽强努力才能得出一些切近实际的结论，需要许许多多的专家、学者揭示其中的真谛。正如瑞恰兹所说："为了说明诗如何重要，首先必须弄清它究竟是什么。迄今为止，这个最初的任务做得极不完全。"[①]所以，西方20世纪中许许多多的文艺理论家带着非常强烈的使命意识探讨文艺理论中的诸问题，追寻文艺及其各部门的本质特征。有人说，西方20世纪文论只讨论形式技巧，不关心文艺的本质特征。这是不了解西方当代文论的一个误解。不论从这篇"绪论"中第二节的简述中，还是读者即将打开的这本书的各章各节，我们都可看到西方当代文论家思考问题的方式基本上还是从文艺观念出发的。所不同的是，他们对文艺观念的看法不尽一致，即使同一流派的不同理论家也会唱出不同的调子。如新批

[①] [英]瑞恰兹：《科学与诗》，英文版，1926年，第3页。

评派的兰色姆本是反对艾略特、瑞恰兹和Y.温特斯等人的理论而出版《新批评》(*The New Criticism*) 一书的，然而，正因为这种反对，新批评派的名声越来越大，"越批越香"，连兰色姆自己也成了其中的一员猛将。他虽然不同意其他人的文艺观点，但总体上有近似之处，人们也把他看作新批评派的一员，知情人也充其量把他作为一个新批评派的持不同观点者。这种文艺观点上的各抒己见、相互辩驳，是西方20世纪文论领域得以出现隆茂繁盛的景象的一个重要原因。

在文论方法的讨论上，西方当代文论家也极尽各人之能事，进行了深入的考究。研究文艺理论，总是与研究方法联系起来的。忽视研究方法，很多问题便不能深入下去。我们长期在既定的方法里逡巡不前，当打开文化文学交流的大门，发现西方文论的研究方法如此繁多、如此多变时，一时间使人眼花缭乱，手足无措。于是，有的人便开始尝试用一种新的光透视研究对象，结果发现能从一个新的窗口得到对研究对象的一种新的认识。这样，注重方法的借鉴、呼吁方法的革新的人便渐渐多起来。这是改革时代迟早会出现的事情。但是，这并不意味着传统方法一切皆坏，新方法一切皆好，方法的多元发展才是文艺理论发展的正常趋势。相互交流，取长补短，才是学术研究应有的态度。中国古训就有：海纳百川，有容乃大；兼收并蓄，知己知彼，方能百战百胜。研究文艺理论也同样是这样。接受美学创始人尧斯提出接受美学之后，为了深入地论证它、发展它，他又着手研究阐释学，产生了新著《审美经验与文学阐释学》，把接受美学和阐释学融汇起来。我们相信，我国的文艺理论工作者能做到在马克思主义的总的观点、方法的指引下，以开放的姿态广泛吸收中外一切有价值的研究方法，一定能在理论研究中取得新的突破，达到更高的水平。

第五节　如何对待西方20世纪文论

"对待"一词，包含有态度、评价、方法和目的等意义。我们在对待西方20世纪文论的时候，实际上就涉及态度、评价、方法和目的等方面的问题。

在态度上，我们既是科学的，又是辩证的。对待西方20世纪文论，对中年学者来说应有一种补课意识，对青年学者和学生来说更是应该作为一门必修的知识课程。当然，这并不意味着我们对西方古典文论、近代文论不需要补课，事实上，我们在这些方面都做得很不够。比如对康德这个西方文论史承上启下的关键性人物，我们至今没有一个他的美学、文论著作的令人满意的译本，而他在前批判期写的几十万字的美学、文论著作在国内还鲜为人知，这是很可惜的。但对康德，人们毕竟还知道一些，对西方古典、近代文论还多少有所了解，对西方20世纪文论来说，多数文艺理论家不是完全不知，就是知之甚浅，这有多方面的原因，主要是过去极"左"思潮影响下闭关锁国的原因所致，而且也由于极"左"思潮的影响，不少人养成了盲目否定的习惯，比如对卢卡契，我们过去很少翻译介绍他的著作、论文，绝大多数批判者未能看到他主要的代表作，如《审美特性》三卷本，结果，由于苏联的批判，我们的不少文艺理论家也跟着批判，而且批判的调子相当高又脱离实际。在这一方面，我们有着许多深刻而又惨痛的教训。所以，对待西方20世纪文论，我们必须严肃审慎，采取科学的态度，既不能盲目信从，也不能盲目否定。事实上，我们过去对西方20世纪文论的批判，因为无的放矢，所以，不仅未能对西方人的研究方面有所影响，反而使我们对西方当代文论更加茫然，甚至谈虎色变，不敢越雷池一步。但过去的失误并不等于今后就不批判，批判仍然是需要的，但批判必须有的放矢、有理有据，有科学的反驳、独到的见地，从而使它更加合乎实际，令人折服。

在评价上，我们应该是客观的、经得起推敲的。既然我们的评价是建立在科学的、辩证的态度的基础上，我们必然要有一种客观的评价。毫无疑问，我们评价的标准是马克思主义的观点和方法，然而，正因为马克思主义的观点和方法是科学的、辩证的，它要求我们对研究对象采取客观的态度。反过来，主观的、武断的、似是而非的评价是马克思主义所不能容许的。西方20世纪文论很复杂，往往一个理论家兼有几种研究方法，有许多学者的研究吸收了辩证法和马克思主义的研究成果，尤其是新马克思主义学派的文论家、法兰克福学派的文论家,这就需要我们去冷静地评判,看看他们的理论哪些是马克思主义的,哪些是非马克思主义和反马克思主义的。即使对非马克思主义学派的文论观点和方法,我们在用马克思主义观点和方法进行评价的时候,也要采取心平气和的学术态度、科学态度、辩证分析法。比如对克罗齐及其弟子科林伍德,他们说的艺术即直觉—表现有唯心主义成分,但艺术中的确有直觉—表现的成分,不能一概否定。他们对艺术语言的看法是反对语言技巧伤害直觉—表现,主张艺术和语言学在表现的精神实质上取得一致,与我国古文论说的"神似"、"君形"说有一致之处,也不能一概骂倒了事。再比如,弗洛伊德的文艺思想在揭示文艺创作无意识方面有其贡献,但它把艺术作为性的表现、转移、升华,就又陷入了泥潭。这里就需要下一番认真细致的功夫,肯定应当肯定的,否定应当否定的,通过分理良莠的正确评判,正确地揭示文艺的本质。

在方法上,我们应该从西方文论史的发展走向上看各家各派的贡献和流弊,从文艺实践和理论科学的对应轴上分辨出他们的理论的合理处与悖理处。从史的角度看,西方20世纪文论是西方文论史上最繁盛的时期,对它的理论贡献必须予以肯定。对个别的理论家及其观点,我们主要看其在文论史上的地位,不一定以自我标榜为主,比如对科林伍德的《艺术原理》,他自我赞赏的是第三编"艺术论",但他对文论史的贡献却在第二编与第三编交接的"总体想象和语言"之中。此其一。其二,西方当代文论中有些理论貌似新鲜,实则与实践有很大差距,必须进行检讨。佛克马夫妇在其《二十世纪文学理论》一书中已指出:"首先我们应当讨论的是这样一种说法,认为文学研究备受创作中某些流向的影响。有人辩道:古典主义的理论应被看作是当时戏剧和史诗的总结;传记式的方法被认为是浪漫主义的诸多成果之一,因为其资料多取于自传;心理小说则被说成是导致心理批评的主要缘故。也有人认为,俄国形式主义多少受了未来主义的理想和口号的影响。"①我们认为,所有这些说法都不无道理,但是,由一

---

① [荷]佛克马、易布思:《二十世纪文学理论》,伦敦版,1977年,第1页。

种文学流派产生出一种流派的文学观点的宣言是可以理解的,却不能作为对整个文学实际的概括和总结。西方当代文论中有许多不切合实际之论,我们必须予以注意并加以扬弃。

在目的方面,我们以建设发展中国式马克思主义文艺理论为旨归,不能以照搬西方20世纪文论为我们研究的归宿。我们对西方20世纪文论采取"拿来主义"、批判继承的方式。我们把它作为建设发展中国式马克思主义文艺理论的一种养料、一种参照,远不是建设发展本身。五四时期和近几年的文论研究表明,任何生搬硬套西方20世纪文论的文艺理论体系,都不能很好地总结文艺发展的规律,阐释生动的文艺现象。如果把目的作为手段,就是本末倒置,这是我们坚决反对的。我国的文艺理论正处在建设发展的大好时期,适当地、有选择地吸收西方20世纪文论中的科学成果和方法,对于这种建设发展是极其有益的。

第一辑

作者系统

第一章 表现主义

第一节 渊源流变与基本主张

20世纪的西方文论，以其特有的理论色调，向人们展示了新的篇章。首先揭开这新的一页的，是意大利美学家、文艺评论家克罗齐。他为现代西方文论树起了一面旗帜，招引来无数的后来人。

克罗齐首先是个哲学家，有着一套较为完整的心灵哲学体系。但是，使他闻名遐迩、影响至今的主要是他的美学与文艺理论。就文艺理论而言，克罗齐反对雄踞19世纪文论领域的亚里士多德学说和黑格尔理性主义的文艺主张，提倡直觉—表现说，号召文论家不要使文论成为逻辑的仆人、理性"部长的夫人"，而应该给艺术的特殊性立法，给新时代的艺术制造理论依据，用符合艺术实践的理论来说明艺术的性质、功能，摒弃那些食古不化、头脑僵硬、借古人之口评说今天飞跃发展的艺术创造的理论家的所谓"金口玉言"，在直觉—表现方面走出一条具有时代特色的文艺理论之路。克罗齐的这种反传统文论、立"直觉—表现"思想的行为，得到了20世纪西方不少文论家的首肯。

一、表现主义文论的渊源流变

表现主义最初是1901年巴黎马蒂斯画展中茹利安·奥古斯特·埃尔维一组油画的题名;在1911年德国《暴风雨》杂志中,希勒尔首次借用这个词称呼柏林先锋派作家的艺术风格,以反对印象主义的风格;1914年后在艺术批评中被广泛运用。此后,在文学、音乐、戏剧、绘画等艺术门类中,表现主义曾风行一时,成为欧洲现代艺术中的一个重要流派。这是创作方面的情况。

表现主义文论,主要承浪漫主义文论而来。19世纪德国美学家考德内依,继维柯之后,深入地论证了艺术想象的作用与功能,给鲍威尔的《浪漫主义诗学》以很大启发。这本诗学阐发了考德内依的意见,在直觉—表现、想象、意象等方面,给克罗齐《美学》重大启示。克罗齐的美学理论,就这样在康德哲学和浪漫主义诗学基础上,形成了自己的系统认识。西方不少批评史家都把克罗齐称为浪漫主义文论的集大成者。①

在英语国家,克罗齐的影响很大。不少翻译家和克罗齐的研究者,如科林伍德、卡勒特、华克莱、卡尔以及鲍桑葵等,大力宣扬他的学说,甚至是敌对阵营在论战中也传播了他的思想。克罗齐曾与杜威在《美国美学与艺术评论》杂志上开展过谁受谁的哲学启发的讨论,当时很引人注目。在克罗齐的门徒中,科林伍德的成就最大,他几乎继承了克罗齐的全部学说,在《艺术原理》中,他对直觉、表现、情感、意象作了更为具体的阐发;在想象方面,他取得了比克罗齐更为深入的成就。在后来兴起的英美新批评派的不少领袖人物中,自称是克罗齐学生的也不在少数。

在德语国家,克罗齐的影响远不如在英语国家的影响那么大。特别是德国哲学美学高度发达,浪漫主义诗学达到相当高的成就,表现主义戏剧与文学取得了西方戏剧界所少有的成果,出现了一支有别于英语国家的表现主义文艺理论队伍。从戏剧和剧论方面说,在1910年至1924年期间,德国表现主义戏剧已很发达,成为德国当时主要

---

①[美]维姆萨特、布鲁克斯:《文论简史》第23章,纽约版,1962年。

戏剧流派。①布莱希特的戏剧理论与实践是这种戏剧流派的集大成者。布莱希特与克罗齐美学有一定的关系,但显然也有明显区别。布莱希特主要是在戏剧活动中运用马克思主义认识论建立起他的剧论体系,而克罗齐主要是根据康德等主观唯心主义哲学家建立起自己的哲学体系。布莱希特的"陌生化效果",是主张艺术家与欣赏者之间产生"间离",不同于克罗齐主张的"沟通",二者在主要观点上有着重要分歧(在本书第十六章将专门介绍布莱希特的观点)。但是,布莱希特仍然是个表现主义的剧论家,他的理论有着表现主义戏剧方面和美学方面的许多特点。认识这个整体内部的复杂性,不等于否认表现主义有共同的主张。

二、表现主义文论的共同主张

如前所说,表现主义内部并不完全一致,克罗齐与布莱希特的理论在哲学基础上几乎两相对峙,一个是主观唯心主义者,一个是辩证唯物主义者;前者的理论表现主义色彩十分强烈,后者的理论却充满了现实主义精神;但是,这并不妨碍他们的理论之间有某些相近之处,从而形成大致接近的基本内容。

首先,表现主义文论家高度重视作家研究。他们认为,与善于抽象思维的逻辑学家不同,与富于伦理与经济实践的道德学家与经济学家也不同,艺术的根本在于作家的直觉—表现。文艺之所以为文艺,主要决定于作家的这种直觉—表现的内心活动。如果文艺离开了作家,就像儿女没有母亲,根本不可能产生。因此,艺术的活动中心是作家的活动,而不能是以作品或欣赏者为中心的活动。美学与文艺学的中心工作就是研究作家,其他的方面都在其次。认为只有研究作家,文艺学才算把握了艺术的特殊性,文艺的特性在作家身上体现得最为充分,评论家研究这种特性,也就是从艺术规律出发来探讨艺术,否则,评论就不能算是文艺评论。

其次,表现主义强调对艺术的心灵传达的研究。表现主义者对艺

---

① [德]R.色谬尔、R.H.托马斯:《德国生活、文学和戏剧中的表现主义》第2章,剑桥版,1939年。

术传达有不同于一般的认识。传统文论认为,艺术传达是由艺术构思与行诸美的文字的"由里及表"的过程。表现主义认为,行诸文字,进行修饰,只是技术上的事,艺术传达的核心部位在作家的大脑皮层里;艺术传达是作家心理产生、形成意象的过程,是由联想、想象构成审美意象的过程,不包括作家用手、用笔体现这种意象的过程。科林伍德认为,一件艺术品,并不是我们所说的实在的事物,而有可能是一种想象的事物,当它作为一个仅仅在艺术家脑海中的创造物的时候,一件艺术品便已经完全被创造出来了。实际上,表现主义者的这种认识,是从强调作家研究推出来的,既然作家是艺术的化身,作家心灵的直觉—表现过程,当然是艺术传达的过程;如果对作家进行研究,必然进一步研究艺术传达,而研究艺术传达,则可能在直觉—表现过程方面对作家研究进行深层的开掘。这两者是互为表里、互为因果的。

第二节 直觉—表现的内在含义

克罗齐的直觉—表现学说,是他的整个心灵哲学的一个组成部分。

克罗齐认为,世界由心灵活动组成,心灵活动由认识与实践两部分构成,认识包括直觉(个别意象)与概念(普遍概念)两部分,实践包括经济(个别利益)与道德(普遍利益)两部分,这样又组成四种属于心灵哲学的学问:美学、逻辑学、经济学、伦理学。它们最后回归于哲学与历史中去。朱光潜先生用图表现为:

	两度四阶段	产品	价值	哲学部门	全体
心灵活动	认识 { 直觉	个别意象	美(丑)	美 学	
真实世界	认识 { 概念	普遍概念	真(伪)	逻辑学	哲学=美学①
	实践 { 经济	个别利益	利(害)	经济学	
	实践 { 道德	普遍利益	善(恶)	伦理学	

在"两度四阶段"中,四者的关系是依次递进的:由直觉到概念,由概念到经济,由经济到道德。可见,直觉是起点,直觉属于较低的认

---

① 朱光潜:《西方美学史》,人民文学出版社,北京,1979年,第631页。

识层次，但它的长处是可以不依赖概念而生存，概念则必须建立在诸直觉的联系之中，因此，直觉作为艺术的特性，作为美学研究的对象，具有相对的独立性。

问题的关键在于：直觉是什么意思？为什么直觉——表现才能构成艺术的特性？

克罗齐的直觉处在这两个层次之中：下一层次是"灵魂的晦昧区域"，是印象的、感受的；上一层次是理性的、概念的。直觉既不属于前者，不是无意识与下意识的，也不属于后者，不是范畴的、理念的，而是处于两者之间，具有特殊的含义：直觉是个体的形象，是属于形式的，因此是个体的形式。克罗齐说："直觉在一个艺术作品中所见出的不是时间和空间，而是性格、个别的相貌。"①为了更加清楚地表述他的这种看法，他还专门把直觉与非直觉的其他有关因素作了比较。他在比较直觉与逻辑时说："知识有两种形式：不是直觉的，就是逻辑的；不是从想象得到的，就是从理智得来的；不是关于个体的，就是关于共相的；不是关于诸个别的事物，就是关于它们中间关系的；总之，知识所产生的不是意象，就是概念。"如果把想象、个体、诸个别的事物、意象看成是对直觉的诠释，便更可看到，克罗齐把直觉作为个体的形式的认识；如果把它与逻辑的诸诠释如理智、共相等比较而论，克罗齐的这种认识则更为清晰。

直觉与表现是一回事。直觉与表现构成了艺术的特殊性。艺术的定义是直觉，直觉即表现。在克罗齐那里，直觉、表现、艺术几乎是同义词。克罗齐说："一个科学作品和一个艺术作品的分别，即一个是理智的事实，一个是直觉的事实。"②在《美学纲要》里，他斩钉截铁地说道："艺术是什么——我愿意立即用最简单的方式来说，艺术是幻象或直觉。艺术家造了一个意象或幻想；而喜欢艺术的人则把他的目光凝聚在艺术家所指出的那一点上，从他打开的裂口朝里看，并在他自己身上再现这个意象。当谈到艺术家时，'直觉'、'幻象'、

---

① [意]克罗齐：《美学原理 美学纲要》，朱光潜译，人民文学出版社，北京，1983年，第11页。
② 同上书，第9页。

'凝神观照'、'想象'、'幻想'、'形象刻画'、'表象'等词就像同义词一样，不断地重复出现，这些词都把心灵引向一个同样的概念或诸概念的一个同样范围，一个大体一致的指定。"①因此，脱离直觉与表现来考察文艺的特性，根本上是行不通的。反过来，艺术具备了直觉—表现的应有的特征。

直觉是充满个性的，也洋溢着情感。由这个观点引申下去，直觉与表现之间还有一个情感因素，用克罗齐进一步限定的词语来说，就是"直觉是抒情的表现"。艺术中，之所以直觉具有完整性与连贯性的特点，是因为情感的作用。克罗齐不同意把古典艺术作为再现艺术、浪漫艺术作为情感艺术的划分，而认为，无论什么艺术，都既是再现的，又是情感的，在多数优秀的艺术品中"都是已经完全变成鲜明的再现的一种活泼情感"。克罗齐也反对人为地把艺术进行分类，认为"艺术永远是抒情的——也就是饱含情感的叙事诗和戏剧"，而脱离艺术的这个总的特点，把艺术分为叙事诗和戏剧等，没有什么意义。克罗齐赞成这样一句话："一切艺术都以逼近音乐为归指"，因为它强调审美意象源于情感，使文学和音乐与其他艺术找到了形成的根源。最后，克罗齐干脆作了这样一个结论："艺术的直觉总是抒情的直觉：后者是前者的同义词，而不是一个形容词或前者的定义。"②这一点，后来的科林伍德更是明确地说：艺术的本质不是别的，而是艺术家情感的表现；没有情感的艺术，不具有艺术的这种性质，因而不配作为艺术。

直觉也是创造的。因为心灵状态具有特殊性、创造性，作为心灵状态的一种状态的直觉，也具有这两种属性，所以，直觉虽是全部心灵历程的起始点，但并不因此影响它的创造性。克罗齐说："实际上是艺术即直觉（或抒情直觉）概念的一个方面；因为每一部艺术作品表现心灵的一种状态，而心灵的状态是独特的，而且总是新的，所以直觉就有无数个，不可能把它们放进体裁种类那样的鸽棚里去。"与此同时，"直觉的独特性包含了表现的独特性"，所以，表现与直觉

---

①[意]克罗齐：《美学原理 美学纲要》，朱光潜译，人民文学出版社，北京，1983年，第209页。
②同上书，第229页。

一样，也充满了独特性和由独特性带来的创造性。接下来，艺术是直觉—表现，当然，"一切作品都是有独创的，任何一个都不能被改变成另一个（因为，改变——用艺术技巧去改变——本身就是创作的一个新的艺术品），任何一个都是理智所不能征服的"①。

由此可见，艺术的本质是直觉—表现，但是，由于直觉不是单一的，而是多样的，不是一元的，而是多元的，所以，艺术的本质不是一元的，而也应该是多元的，直觉的创造性和前面讲的个性、情感性等都属于艺术的本质属性。把艺术的本质定于一尊，实行封闭的办法，是不利于理解艺术的特性的。

克罗齐之所以把直觉—表现作为艺术的特性，首先是因为他的心灵哲学体系的需要。简单地说，他的哲学体系，是美、真、益、善的层层递进系统。美是艺术的特性，是直觉—表现的具体体现；美向上层发展则依次是逻辑、经济、伦理，要形成这个规模恢宏的理论体系，必须研究艺术，必须把艺术纳于直觉之中，直觉这个层次需要艺术这个对应物，正像理性这个层次需要逻辑这个对应物一样；同时，艺术本身的这种属性，也成为这种理论所需要的内在条件。其次，因为克罗齐立志建立一元论的学说，反对黑格尔既主张主观又羞羞答答地找一个本身不存在的客观从而形成二元的看法，也不赞成康德先验与经验综合的做法，而是建立彻底的主观心灵学说，反映在文艺理论中，就是艺术不是客观，而是纯主观的；不是感性的，也不是理性的，而是直觉—表现。克罗齐对不作分析、硬把哲学中感性理性统一说套在艺术身上极为反感。他说："'理性'、'理念'这些词只能指概念……作为具体的概念，本身就包含了感性因素，因此在具体概念及表达具体概念的词汇以外去为概念追求一种感性因素，将是不必要的。"②再次，因为克罗齐与科林伍德一直主张文艺理论应研究作家为主。他们认为，直觉—表现只能存在于人的意识之中，艺术的直觉—表现主要存在于作家的心灵意识之中，只有研究作家，才能更加

---

① [意]克罗齐：《美学原理 美学纲要》，朱光潜译，人民文学出版社，北京，1983年，第248页。
② 同上书，第225页。

完善地论证直觉—表现，才能更利于完善哲学体系。艺术的直觉—表现的一切特性，诸如个性、情感、创造性，都是处于作为哲学起点的心灵活动的特性，而对这些特性的研究，最合适的是研究作家，所以，以作家为中心研究直觉—表现，是他们的整个体系的第一步。这一点，在艺术传达的心理机制研究中体现得也很充分。

第三节　艺术表现的心理机制

表现主义文论重作家研究，重主观意识中的直觉—表现，反映在对艺术创作的研究中，必然是对艺术表现的心理机制的分析与把握。

克罗齐把艺术表现分为四部分。这四部分是艺术创作全过程中的不同阶段。从这四个阶段中，可以看到克罗齐对整个艺术创作过程或表现过程中的心理机制的把握。他说："审美的创作的全程可以分为四个阶段：一、诸印象；二、表现，即心灵的审美的综合作用；三、快感的陪伴，即美的快感，或审美的快感；四、由审美事实到物理现象的翻译（声音、音调、运动、线条与颜色的组合之类）。任何人都可以看出真正可以算得上审美的，真正实在的，最重要的东西是在第二阶段，而这恰是仅为自然科学意义的表现（即以譬喻口气称为'表现'的那种方便假立）所缺乏的。""表现的历程尽于这四个阶段；除非它重新开始新的印象，作新的审美的综合，产生新的陪伴。"[①]不难看出，前三阶段都属于艺术创造的心理范畴；后一阶段，尽管克罗齐强调艺术传达的物质材料的结构组织，即审美意象向审美物象的转化，但是，他的侧重点仍在指出审美的心理事实的重要性，把物象的构造仅仅看作意象的"翻译"，忽视了这种在由意象到物象的转化中，仍有创造的因素，所以，克罗齐所说的艺术传达的四阶段，实际上主要是强调艺术传达的心理机制的重要以及各个机制的功能与作用。

克罗齐认为，艺术生产是自发的。他说："建立一张种属的网肯定是有用的，不是为了艺术的生产，因为艺术的生产是自发的；也不是为

---

① [意]克罗齐：《美学原理　美学纲要》，朱光潜译，人民文学出版社，北京，1983年，第105~106页。

了艺术的评价,因为艺术的评价是带哲理的;而是为了运用注意力和记忆去采集,并在某种意义上限制那无数单个的直觉,以便在某种意义上把无数具体的艺术品弄到一起进行归类。"① 艺术生产不是自觉的,而艺术家创造作品时的诸印象是由平时的注意和记忆的结果组成的,这在平时也是不自觉的,艺术生产的第一步就是要求有由这种平时自发的积累所形成的诸印象。没有印象,就不可能开展艺术生产的其他环节的工作。

克罗齐也认为,艺术生产又是自觉的。诸印象的来源是自发的,但是,一旦进入创作过程的第二、第三、第四阶段,这种自觉性便体现得越来越明显。

克罗齐所说的心灵综合作用主要指作家创作过程中艺术联想和想象的作用。他说:"创造的联想已不是感受主义者所了解的联想,而是综合,是心灵的活动。综合可称为联想,但是既有了创造一个意思,就已假定有被动与主动、感受与直觉的分别了。"② 由此可见,克罗齐所说的联想的意义不同于普遍的文艺心理学中的联想的意义。一般文艺心理学认为,联想是处在感知阶段上的对诸印象的综合,这种综合还没有上升到创造心理的阶段。克罗齐把联想与创造联系起来,认为联想是一种具有创造性的心灵活动,它不仅仅是对感知诸印象的综合。只有在创造心理这个层次上理解联想的综合作用,才能使联想作为文艺心理学的范畴。比如,一个作家把感受中的梅花、冬雪、寒冷等联系起来,创造性地把它们组成一幅意象图画,那么,这种组织或综合作用就是文艺心理学的联想的功能。实际上,克罗齐对这种联想意义的界定,虽不同于想象,但是与我们现在所说的想象的心理作用非常接近或者就是想象的心理作用。因为克罗齐把联想置入感受之上、理性之下的心理层次,所以,即使在这两个层次中间,还可以有若干层次,但是,总体上是比较接近的,何况克罗齐对联想的这种解释已经同我们所说的想象的意义相差无多。科林伍德更是明确认为表现即想象,一件

---

① [意]克罗齐:《美学原理 美学纲要》,朱光潜译,人民文学出版社,北京,1983年,第249页。
② 同上书,第14页。

艺术品，并不是我们所说的实在的事物，而有可能是一件想象的事物，当它作为一个仅仅出现在艺术家脑海中的创造物的时候，一件艺术品便已经完全被创造出来了。因此，从克罗齐到科林伍德的言论看来，表现主义文论家把联想与想象推到了最高的心灵综合的层次上。

但是，想象不是抽象的，并不仅仅是没有具体内容的心灵运动，而是充满着情感的心灵综合过程。克罗齐把直觉作为抒情的表现，就是看到了情感与想象的交互运动。在他看来，只有在想象中意识到自我的情感，作为直觉的表现才能起到应有的审美效果，因为情感与想象是异于逻辑与推理的，艺术依靠情感与想象来维系自己的生命，所以，艺术的情感与想象是艺术区别于一切其他非艺术的最显著、最具体的标志。在具体地谈到情感的时候，科林伍德认为，一个诗人要尽量避免把自己要表现的情感归于这一类或那一类，而是尽最大努力，用某种可以把它与同类中一切其他的情感区分开来的方式去表现它。从这种思想出发，科林伍德认为作家是表现情感，不是发泄情感和描述情感。导泄的情绪是发怒，想象自己将仇人一脚踢到楼下，这时，这种发怒的情绪无疑是被导泄出来了，而它一经被导泄出来，便不再存留心间了……但是，说到"表现"，则是指我们将这种情绪转换成刻毒和愤怒的语言的情况，这时怒气并未导泄出来，仍然留在心间，留在心间意味作家对自我情感的认识，它是一种作家对自我情感进行表现的过程，比如《水浒》的作者写武松发怒，是作者意识到这种发怒的意义，而不是作者自己把愤怒这种情感发泄出来就了事，如果是这样，就不是艺术的情感了。科林伍德还认为，作家没有必要在表现愤怒时，直接说出"我很愤怒"，因为这种说法，只是描述愤怒，是在指出情感的属性，即指出这种情感属于"愤怒"这一类，不属于"狂欢"、"高兴"那一类，所以，它不是表现，至少"语言会变得索然无味，即刻失去表现性"。在他看来，一个真正的诗人，在真正的诗情爆发时，从来不说出他要表现的情感的名字。表现情感就是自然而然地流露，用不着用确定的概念进行限定。如果进行限定，作家将永远得不到表现的真谛，作家心灵中的审美意象永远不可能产生。反过来，如果在想象中自觉地表现情感，作家不仅创造了审美意象，而且整个艺术创造过程也宣告完成了。

在克罗齐看来,作家的创造到心灵产生意象就结束了,用不着把物质材料作为媒介使这种心灵意象转化成审美形象。克罗齐写道:"审美的事实在对诸印象作表现的加工之中就已完成了。我们在心中作成了文章,明确地构思了一个形状或雕像,或者找到一个乐曲的时候,表现品就已产生而且完成了,此外并不需要什么。如果在此之后,我们要开口——起意志要开口说话……这都是后来附加的工作,另一种事实,比起表现活动来,遵循另一套不同的规律。……(它)是一种实践的事实,意志的事实"①,而不是一种审美的事实。他认为,艺术品只是存在于艺术家的心中,人物形象只有存在于作者心目之中时才是审美的形象。艺术技巧、艺术语言材料都是"服务于实践活动的知识,用来产生审美的再造的刺激物",不能产生审美意象,不属于直觉—表现的范围,因而根本上不属于艺术。克罗齐的这种理论,如果从"意在笔先"这个角度讲,还是有积极意义的。艺术构思没有完成,作者在纸上胡乱涂抹,无疑会损害艺术。但是,他忽视艺术技巧和艺术语言材料对审美创造的重要性,却是非常错误的。中外文艺史之所以存在,是因为艺术家们用精湛的艺术技巧与美的语言材料传达审美意象的结果。朱光潜先生正确地指出:"克罗齐因为把传达看作物质的事实,把媒介看做物质,便把古今中外所公认的艺术类别完全推倒,也未免过于轻率。"②克罗齐的这种片面观点,引起了后来者对它的长期的驳难。这方面,科林伍德进行了一定的修正。

第四节　总体想象和语言

总体想象是科林伍德对克罗齐想象论的一大发展。科林伍德的总体想象理论在文论史上比他的情感论、符号论更有理论贡献。当我

---

①[意]克罗齐:《美学原理　美学纲要》,朱光潜译,人民文学出版社,北京,1983年,第59~60页。
②朱光潜:《克罗齐哲学述评》,见《朱光潜美学文集》第2卷,上海文艺出版社,上海,1982年,第454页。

们读完科林伍德的《艺术原理》之后，深感总体想象论的提出，对文艺学的发展大有益处。因此，我们有必要把它特别提出来，进行比较具体一些的评述。

所谓总体想象，用科林伍德自己的话说："从一件艺术品中获得的东西总是可以分为两部分：一、存在一种特殊化的感官经验，它是看到的经验还是听到的经验要依具体情况而定。二、还存在一种非特殊化的想象性经验，它不仅包括（按照其想象方式）与构成特殊化感官经验的东西同属一类的因素，而且包括与之异类的其他因素。这些想象性经验与其感官基础上的相应的特殊化经验相去甚远，于是我们只好称它们为总体活动的想象性经验。"①这是说，总体想象首先是不同于感官经验的另一种特殊化经验；其次，它又包括感官经验，而且更具有自己的特殊因素。因为它是总体的，所以它并不抛弃感官经验，也因为它的总体性，所以，它并不仅仅包括感官经验。

想象并不是人们陌生的概念，克罗齐在《美学原理 美学纲要》中已专门论述。科林伍德的贡献在"总体"上。何谓总体呢？科林伍德主要指总体的两个部分：一是指作品使人激发起自己的想象力；一是指读者的想象力渗透于作品之中，从而揭示作品的意蕴。

就第一个方面来说，科林伍德认为作品是作者想象力展开的产物，这样，作品充满想象，充溢着想象的色彩。他说："在某种程度上，音乐作品只能唯一地存在于音乐家（当然在这个称呼下，既包括作曲家，也包括听众在内）的头脑中，因为他的想象力总是对他实际听到的声音加以补充、校正和净化"，"这样，作为艺术作品而被他实际欣赏的音乐，根本不是感官上的或'实际'听到的东西，它是某种被想象的东西"。②这样，科林伍德仍旧是从作者的想象力来观照作品中的想象，把作品的想象置于作者的想象力的基础之上。在文学方面，他也是这样。他认为，文学作品中的想象也是作者想象力展开的结果，没有作者的想象力，根本不可能有作品中的想象。同时，这种

---

① [英]科林伍德：《艺术原理》，王至元、陈华中译，中国社会科学出版社，北京，1985年，第152页。
② 同上书，第155页。

想象不同于感官刺激,因为想象实际上已把感官需要扬弃掉了。它不是技艺,而是创造;它也不同于实际生活中的事物,而是对实际生活的再创造。

值得特别重视的是,科林伍德的总体想象论更多是对作者和读者尤其是后者的研究。他经常使用"携带想象力"这个词来说明作者尤其是读者对作品的影响。他说:"我们随身携带着总体活动的想象性经验,对于我们来说,获得这种经验并不纯粹是偶然发生的事情,而是我们所做的事情,我们之所以做它,是因为我们正好属于那种能做它的人。"①他还说:"我们随身带着自己的想象力,就能发现想象力所揭示的东西,即总体活动的想象性经验;我们在作品里发现它,是因为画家本来就把它放在那里了。""因此,一件真正艺术的作品,是欣赏它的人运用他的想象力所领会、意识到的总体活动。"②我们认为,科林伍德这段话是非常重要的。因为这是科林伍德比克罗齐进步的标志之一,它比较系统地说明作品不仅是作者想象的产物,也是读者想象的结晶。科林伍德主要是把读者的想象作为总体想象的重要组成部分。他认为,面对一部文学作品,读者把已有的随身携带的想象力注入其中,从而使自己的想象力和作品所蕴含的想象力融汇交流,产生审美体验,进入艺术境界。如果读者不具备想象力,当然不可能有总体想象性经验,也必然不能与作品的想象力进行交流,不可能进入艺术境界中去。他把这种想象力强调到作为艺术生命的一种保证的程度,这在克罗齐那里是不可能有的。他说:"通过为自己创造一种想象性经验或想象性活动以表现自己的情感,这就是我们所说的艺术。"③

这里,科林伍德已经提出了想象力、想象性经验、想象性活动的联系和区别。在想象层次上,这三者是一致的。但是,想象力更多指人的一种潜能以及它在与作品发生交流时所产生的想象力。科林伍德往往

---

① [英]科林伍德:《艺术原理》,王至元、陈华中译,中国社会科学出版社,北京,1985年,第154页。
② 同上书,第155页。
③ 同上书,第156页。

把经验与活动并提，指在作者、读者与作品发生交流之前的经验和活动，抑或交流、创造、选择之后的重新组织的经验和活动，它们包括整个自我在内的某种活动。这就从另一层次中显露出总体想象与作者、读者的自我关联。说到底，想象是主体的想象，总体想象就是整个主体自身的想象。

科林伍德这样重视总体想象，是他的整个哲学和艺术论的体系所需要的。科林伍德把自由分为三个不同的层次：感觉、想象、意识。他说："想象比感觉更自由，甚至感觉也并非完全不自由的，它是有生命有感觉的有机体的自发性活动，但是想象的自由就更进一步。具有意图的意识是自由的，在这种情况下想象却是不自由的；想象具有的自由并不是抉择的自由，尽管如此，这也是感觉所绝没有的一种自由。这样，想象被认为是自由的活动或表现，它似乎在自由较少的单纯感觉和自由较多的思维（一般这样称呼）之间占据了一个中间位置。"[①]由此可见，科林伍德是把想象看作感觉与意识之间的中介。他认为，从自由的成分看，从感觉到想象至意识是一个层进过程，想象的自由成分比感觉多，意识的自由成分比想象多，这样，想象就把较少自由的感觉导向较多自由的想象。在文学作品的人物形象的活动里，我们能感觉到一种色彩、一个声音、一种动作与另一个动作的连贯，动作一结束，感觉就停止了或消失了。虽然感觉也是一种主动，是主体对客体的感受活动，但是，它毕竟是有很大限制的，它不可能离开客体而感受，即使在与客体的关系中，它也是在极其表面的范围内活动。想象与此大不一样了。想象在与客体发生关系或不发生关系的时候都能自由地进行活动，它能对对象进行加工、补充、修正、扩大、改造，读者的想象能把作品的想象进行再想象，从而组成新的审美意象。但是，比起意识来，想象毕竟有局限，这种局限在于不能执行自由的计划，也没有选择的自由，更没有判断的自由，而所有这些自由在意识中都实现了。想象的任务就是起感觉和意识的中介作用，总体想象的任务也是起读者从感觉到意识

[①] [英]科林伍德：《艺术原理》，王至元、陈华中译，中国社会科学出版社，北京，1985年，第204页。

的中介作用。科林伍德的这样一个看法对于文论的贡献在于,文艺既不属于感觉,也不属于意识,而是想象和总体想象,文艺既不同于客观实在,也不同于意识形态的标志之一,在于它是想象和总体想象的产物,用他的话说,文艺是想象的表现。

这里,表现的问题也是一个复杂问题,尤其在表现的工具论方面,科林伍德与克罗齐有所不同。克罗齐以为:文艺的本质就是直觉—表现,而表现一旦形成,工具即可弃之不顾,极而言之,他反对文艺理论对工具进行认真细致的研究。科林伍德虽然与克罗齐在工具论上有共同点,对语言在文艺创作、欣赏中的地位认识不够,但是,他还是就表现的工具问题做了深入具体的研究。

在《艺术原理》的第十一章、第十二章,科林伍德专门讨论了文艺的语言问题。科林伍德指出:"因为艺术是情感的想象性表现,美学家本人对于这种第二阶段的发展(指语言发展)是毫无兴趣的。这将是一个错误。即使艺术从不表现思维本身而只是表现情感,它所表现的情感也不仅仅是单纯意识经验的情感,它们还包括了思维者的情感。因此,一种艺术理论必须考虑这样一个问题,即从根本上说,为了在语言的范围内表现这些情感,语言必须如何做出修正。"①事实上,科林伍德不仅仅考虑语言是怎样修正表现的问题,而且对语言和想象的关系做了论证。不过,科林伍德所说的语言,不同于我们理解的语言。他不是把语言作为工具,而是把它作为活动。他说:"语言不是一种可以利用的东西,它是一种纯粹的活动。……语言就本身而言是不能这样变性的,可能变性的是由语言活动留下的内部和外部的积存物:发出某些词汇或词语的习惯,做出某些种类姿势的习惯,连同这些姿势所产生的各种听得见的响声、带有渲染性的语调等等。"②从这个意义上说,艺术活动与语言活动是一回事,都是作为总体想象性经验的活动,或者说,都是想象的表现。一旦艺术进入了一定的境界,它就扬弃掉语言的那些积存物,而与语言活动自身融为一体,或者

---

① [英]科林伍德:《艺术原理》,王至元、陈华中译,中国社会科学出版社,北京,1985年,第258~259页。
② 同上书,第281页。

说,它就是语言。科林伍德不止一次指出:"如果艺术具有表现性和想象性这两个特征,它必然会是一类什么东西呢? 答案是:'艺术必然是语言。'"[1]他还说:"审美经验或者艺术活动,是表现一个人情感的经验,而表现它们的活动,就是一般被称为语言或艺术的那种总体想象性活动,这就是真正的艺术。"[2]否则,在他看来,就是虚假的名不符实的艺术。依我们之见,科林伍德仍然是沿着克罗齐开辟的道路在前进,在语言的本体精神和艺术的本体精神方面寻求一致,绝不是对艺术作为目的而把语言作为传达工具的意义上使用这种"同一"的概念。否则,克罗齐所说的语言学与历史学的统一就无法理解,由此产生的艺术与语言的统一也无法理解。我们过去长期对此的误解正在于没有从根本精神上理解文艺与语言的一致性。

第五节 结束语

表现主义文论的内容还很丰富,值得进行多方面的研究。从以上的评介看,表现主义文论既有许多可取之处,也有不少必须扬弃并予以批判的部分。

在对作家的思维层次的研究上,表现主义文论家的研究具有积极意义。作家不同于非作家的标志是什么,这是西方文论史长期探讨的命题。哲学家讨论作家与其他专家的区别,像康德、黑格尔等往往从理性入手,把理性与感性联系起来考察。克罗齐、科林伍德不赞成这种做法,因为这样远没有把握住作家的思维层次及其特征。所以,他们既把作家作为哲学与美学的对象进行研究,又在深入思考中探寻作家的思维层次的特殊之处。从文学研究方法论的角度看,克罗齐、科林伍德这种做法是具有启发性的。作家之所以不同于一般人,正像一般人不同于作家一样,有自己的特殊之处。这种特殊性体现在思维上,思维也有其独特性。克罗齐把这种思维特性定义为直觉—表现,

---

[1] [英]科林伍德:《艺术原理》,王至元、陈华中译,中国社会科学出版社,北京,1985年,第279、281页。
[2] 同上书,第281页。

意在根据整个哲学体系的构想和艺术的特性来给艺术下定义。在一定意义上,从事艺术创作的作家的思维结构中,确具有直觉—表现的特点。苏轼在《腊日游孤山访惠勤惠思二僧》中说:"作诗火急追亡逋,清景一失后难摹。"就是讲创作的直观感受与直觉—表现的情状。因此,从一定程度上说,克罗齐、科林伍德等表现主义文论家把作家思维结构中的直觉—表现作为艺术的特性是抓住了艺术固有的一个方面的特殊性的。过去有些文论史家完全否认直觉—表现及其在艺术创作中的地位与作用,事实说明这种见解并不正确。

在对艺术创作的心理机制上,克罗齐、科林伍德的评述有不少可取之处。他们从直觉—表现这个总的前提出发,对作家创作过程中存在的情感、想象等活动进行了既是哲学又是艺术心理学的研究。这种研究具有一定的价值。在西方文论史上,侧重于对艺术创作心理研究是近代的事,浪漫主义诗学对古典主义文论的冲击,开启了自觉探讨作家心理的大门。随浪漫主义诗学之后,克罗齐对这种探讨做了符合自己理论体系的总结,所以,克罗齐的这种理论不是孤立的,而是与浪漫主义具有密切关系。因此,不能因为克罗齐是唯心主义哲学观的一个代表就完全抹杀他对创作心理研究的实际价值。我国古代文论,对艺术创作心理的研究,也有许多三昧之论。唐代书法理论家孙过庭在《书谱》中指出,不同的内容,需要表达不同感情,需要运用不同的艺术想象,形成比较独特的艺术风貌。他在说明王羲之的书法创作心理时说:"写《乐毅》则情多怫郁;书《画赞》则意涉瑰奇;《黄庭经》则怡怿虚无;《太师箴》则纵横争折;暨乎《兰亭》兴集,思逸神超;私门诫誓,情拘志惨。所谓涉乐方笑,言哀已叹。岂惟驻想流波,将贻啴嗳之奏;驰神睢涣,方思藻绘之文,虽其目击道存,尚或心迷议舛。莫不强名为体,共习分区。岂知情动形言,取会风骚之意;阳舒阴惨,本乎天地之心。"这是对情感与想象的内在关系的生动描述。中外文论家的论证说明:艺术创作是由一系列审美心理活动构成的,其中想象与情感的交互运动是比较突出的心理运动形式;离开它们,艺术创作无法进行。

但是,表现主义文论有许多必须否定的部分。

首先，表现主义文论家过分强调作家的直觉——表现的重要性，轻视作品研究的重要性。他们把作品当作可有可无的东西，认为艺术只要存在于作家的意象就够了，写不写出来无关紧要。这是彻头彻尾的主观唯心主义论调。因为无论多么富有直觉——表现力的艺术家，在没有产生非凡的艺术品之前，都不能称为伟大的艺术家，一般的作者没有写出作品，也不能叫作作家。把艺术生产与生产的产品对立起来，从根本上否定了艺术家的审美实践的直接目的是生产作品的客观事实。从文论史看，表现主义文论源于康德的美学思想，但是，康德所谓意象，既指艺术家的审美心理创造活动，又指作品中的意蕴与理想的有机构成，因此，在这一点上，克罗齐、科林伍德等人的表现主义观点是文论史上的一种"倒退"。

其次，表现主义文论家有意忽视艺术技巧对艺术创作的重要作用，这也是很荒唐的。克罗齐与科林伍德人为地把艺术这个完整的审美活动分为认识与实践两种，从而使这两者对立起来，认为艺术实践不是一种创作活动，而是一种机械的实际操作与传达方式，这在根本上是不符合艺术规律的。文学总是作家将内心意象物化出来的结果，诚如刘勰所说："夫情动而言形，理发而文见，墨沿隐以至显，因内而符外者也。"所谓"形"、"文"、"显"、"外"这些审美物象的具体表现，都是作家审美认识与实践的有机统一的产物。因此，忽视艺术技巧与一般实践技巧的区别，否认艺术技巧的创造性以及它在产生艺术品与艺术史发展的重要性，是错误的。

表现主义文论的可取之处或不可取之处，都对后来的文艺理论发展产生了重要作用。连反对它的人，也不得不承认它在现代文论发展史上的地位和产生的广泛影响。韦勒克在1979年于华盛顿大学的演讲中说："贝·克罗齐的美学理论是20世纪所产生的最有影响的理论，它不仅在意大利美学界占统治地位，而且在大多数西方国家里都是如此。"因此，当我们要了解20世纪西方文论发展史的时候，首先必须研究克罗齐的一些比较重要的理论见解，这是入门的一个必要的理论准备。

第二章 象征主义

第一节 发展及倾向

法国,是举世瞩目的艺术之邦,同时也是许多影响世界的艺术理论的诞生地之一。19世纪,以巴尔扎克为代表的现实主义文论、以丹纳为代表的实证主义文论,以及以左拉为代表的自然主义文论,都有力地影响着世界上不少国家的文论发展。产生于19世纪末、大盛于20世纪上半叶的象征主义文论,作为对上述三种文论的反叛,也在西欧文坛树起了一面新的旗帜。

溯其源流,应该说象征主义文论在古典美学中就有着最初的萌芽。黑格尔《美学》第二卷,在把艺术史分为象征型艺术、古典型艺术、浪漫型艺术的论证中,对象征型艺术的分析研究可以视作这一理论的哲学形态。黑格尔从感性与理性、具体与抽象、客观与主观等方面研究象征艺术,认为象征艺术是理性高于感性、抽象胜于具体、主观大于客观。尽管现代象征主义文论家很少说他们受到黑格尔的影响,但是从理论主张看,其基本精神仍与黑格尔的思想不无联系。不过,黑格尔所面对的对象是古代艺术,而现代的象征主义文论家所面对的对象是自己的作品和现代象征派的艺术。因此,20世纪的象征主义文论具有鲜明的现代意识。

确切地说,象征主义首先是一种诗歌流派。这种流派主要由法国象征派先驱波德莱尔、兰波和魏尔伦的艺术创作发展而来。1886年9月15日巴黎《费加罗报》上,诗人莫雷阿斯提出了"象征主义"这个名词,要求诗人们摆脱自然主义文学着重描写外界事物的倾向,努力探求内心的"最高真实",要求赋予抽象观念以具体的可感知的形式。此时或以后,象征主义文学运动便轰轰烈烈地开展了。

作为文论，19世纪的马拉美对象征主义文论作出了一定的贡献。马拉美主张诗是观念与形式的统一，是抽象的观念赋予具体的感性的形式，这种形式更多是对抽象观念的暗示。但是，在20世纪对象征主义文论真正有重大建树的是马拉美之后的保尔·瓦雷里。他在19世纪写过诗，出过诗集，后来一度中断，转而钻研数学与哲理诸问题。他写过很多关于法国著名文学家的评论文章、哲学论文，后来也写过像《海滨墓园》这样一些优秀的诗作，发表了关于诗歌与文学的演讲与论文。从1926年起，他被选为法兰西学院院士，他逝世时，戴高乐为他举行了国葬。他的文学理论研究活动，主要在20世纪二三十年代。苏联出过他的论文选集《瓦雷里论艺术》。与克罗齐、科林伍德一样，瓦雷里侧重从作者的角度讨论文艺，认为作为文学理论的象征，不同于修辞学中的象征，是作者从整体上把观念与字词组合的形式结合起来，不是修辞学中的局部的修辞手段。

叶芝也是著名的象征主义文论家之一。他受爱伦·坡的影响较深，认为诗人的感受与表现是非常重要的，诗人须在宁静中感受宇宙万物中存在的哲理，并用寓意极深的文字来表现这种哲理。这种表现能使人产生联想，使人们通过有限的字句认识无限的宇宙，借刹那间的感受从而把握住永恒的历史线索及其规律。梅特林克主要是个戏剧家，他的理论侧重于剧论，集中于悲剧理论。他认为，悲剧能使人在冥冥之中通往认识神明之路。生活中真正的悲剧不在冒险、悲痛和危险的时候，而是在冒险、悲痛和危险消失的时候。里尔克以对人生和宇宙的深刻玄想以及主张诗有新奇的形象而著称。他要求诗歌表现诗人内在的真实，抒写主体的"自我"，从音乐中唤起语言的旋律。但是，他后来受雕塑家罗丹的影响极大，开始改变这一观点。总体上看，叶芝、梅特林克、里尔克都具有明显的神秘主义的理论色彩，但是，同马拉美、瓦雷里一样，他们都是后期象征主义的理论与创作的代表。

在几十年的发展中，象征主义文论逐渐形成了自己的基本主张。尽管在其内部，交锋激烈，时见相互对峙，但在这种纷纭复杂的议论中，仍可大致看出象征主义文论的主要倾向。

第一，在对象征的解释上，他们的基本倾向趋于一致。虽然前期象征主义理论在这个问题上也有争议和分歧,如马拉美认为读诗的乐趣在于逐渐猜透诗人的命意,这样,诗人要求自己的作品暗示对象,借以表达一种心理状态,使读者通过反复阅读从而辨别其中的意味。魏尔伦则指出,诗即"谁也说不清作品到底是什么",这样的诗才叫象征派的诗,否则就不属于象征派的作品。但到后期,象征主义理论家在对象征的认识上,主要观点都比较一致或接近。他们认为,现实世界是不可信的,诗人的追求点不在现实世界,而应该在远离现实的另外一种更真实的世界。这种观点,类似柏拉图的意见。柏拉图把世界分为三层:理式的世界、现实的世界、诗画中的世界。象征派诗人们所追求的是高于现实的世界,但是象征主义文论家们认为,诗并非远离真理,只有诗才能认识和把握最高层的真实。与此相联系的,诗人们必须运用抽象思维,用高超而又神秘的技巧去把握这最高的真实。

第二,象征主义文论家十分重视抽象思维在艺术创作中的重要性。在这一点上,他们与丹纳、左拉的实证主义、自然主义的文论观明显相左。丹纳、左拉认为文艺应忠实于客观生活,尽可能惟妙惟肖地再现生活就行了,不必用抽象思维来进行艺术构思。象征主义理论家认为,诗人要追求超现实的真实,不用抽象思维是绝对办不到的。有一次,法国印象派画家德加对马拉美说:"你的行业是恶魔似的行业。我没有法子说出我要说的话,然而我有很丰富的思想。"马拉美回答说:"我亲爱的德加,人们并不是用思想来写诗的,而是用词语来写诗的。"[①]换句话说,诗人必须用思想来写诗,这种思想不同于一般人所说的诗的主题思想,而是一种抽象思维的方式,这一点,瓦雷里在《诗与抽象思维》中说得更为清楚透彻。

第三,象征主义理论家追求纯诗,主张诗的创造是从形式到内容的创造,而不是先有内容再用形式表达式的创作。瓦雷里在论波德莱尔的一篇文章中说道:"在某种程度以内,诗可以在一种纯粹的情况中,实现它的目的,塑造它自己。……于是,爱伦·坡分析诗之娱悦的条件,以最彻底的方式,界说了绝对的诗(absolute poetry),指明一条

[①] [法]瓦雷里:《诗与抽象思维》,见伍蠡甫主编:《现代西方文论选》,上海译文出版社,上海,1983年,第32页。

途径，教给后人一个非常严格与迷人的原则。他在这个原则下，结合了数学与神秘主义……"①瓦雷里反对在诗中夹杂非艺术的成分，像左拉那样肆无忌惮地描写局部面貌，刻意模拟客体，更是他深恶痛绝的。纯诗是由形式与内容组成的。象征主义理论家认为：纯诗的产生，是从形式向内容运动的结果。瓦雷里抱怨说："哲学家很不容易理解为什么艺术家几乎不加任何区别就从形式过渡到内容，就像内容过渡到形式一样。"②因此，他把艺术的这种特殊运动过程作为艺术不同于哲学的特质之一，从而在形式与内容的关系上建立他的纯诗说。显然，这是从早期唯美主义、象征主义发展而来的艺术思想。

第二节 对"象征"的理解

如前所述，象征主义文论家对"象征"的理解，不同于修辞学家对"象征"的理解。这种区别具体表现在：

一、象征主义强调整部作品的象征性。比如，鲁迅的《药》的结尾处，在死者的墓上"平添"了一些花圈。这些花圈作为一个局部的存在，象征着光明和对光明的渴求。但是，我们不能因此就说鲁迅的《药》是象征主义的作品。这是因为，局部的修辞不能替代作品的整体特色，现实主义小说中运用某些象征手法，并不一定就因而改变其现实主义作品的性质，这正像现实主义作品中也有浪漫主义的因素，也不能因此就改说它是浪漫主义作品一样。因此，作为修辞手段的象征只存在于一部作品的部分环节之中，而作为象征主义理论所理解的象征则是指整部作品都是充满着象征，比如林和靖的诗"疏影横斜水清浅，暗香浮动月黄昏"，在诗中，体现了作者陶醉在大自然之中，内心的感受与自然的运动融为一体，在澄澈与迷茫的境观中，表现了诗人超凡脱俗、隔绝尘世的理想。瓦雷里的名诗《风灵》："无影也无踪，我是股芳香，活跃和消亡，全凭一阵风！无影也无踪，神工呢碰巧？别

---

① [美]维姆萨特、布鲁克斯：《文论简史》，纽约版，1962年。
② [美]韦勒克：《西方四大批评家》，林骧华译，复旦大学出版社，上海，1983年，第52页。

看我刚到,一举便成功!不识也不知?超群的才智,盼多少偏差!无影也无踪,换内衣露胸,两件一刹那!"瓦雷里以风灵(中世纪克尔特和日耳曼民族的空气精)来象征诗人的灵感。灵感到来时,无影无踪,形迹不见,却使诗人茅塞顿开,浮想联翩,创造出优美的作品。瓦雷里的这首诗,始终把风灵与灵感融为一体,构成全诗的象征性。爱默生在《诗人》中这样写道:"据说林西阿斯的眸子,可以透视地球,诗人也能把世界变成玻璃球,让我们目击一切事物正常的排列与层次。由于有这样好的透视力,诗人离事物要比一般人更近一步,可以观察事物的流变或蜕化……用他的目光追踪生命,巧用那表达生命的形式,显示生命,于是诗人的语言,随着自然之流动一齐流动。"爱默生的这段话说明,诗人的象征始终把事物与所要表达的意念构成一个整体,在诗人的思维中形成一个象征的形象体系,然后外化到作品中来。因为诗人思维中已形成了象征的整体,所以,作品的象征性渗透到作品的主要部分中去。因此,尽管象征主义的作品中也可以有现实主义、浪漫主义、表现主义等成分,但是,它们只是局部的存在,而象征主义作品的象征性却表现在作品的最主要成分和各个环节之中。

二、象征主义追求的是从有限到无限的意念,而不是修辞的象征手法把象征作为服从于作品的主题思想的意念。鲁迅之所以在《药》的尾部描写具有象征意味的"花圈",是因为他想使这部作品增加一些"亮色",服务于作品中揭示黑暗面而又对未来寄予希望的主题。这说明,非象征主义作品的象征手段所寄寓的意义,不是由整部作品的象征意义决定的,而是由这样的作品的特定的内涵所决定的,因此,任何修辞手法不是孤立的,而是与作品的主要意义紧密相连。象征主义也注重象征的意义,但象征主义诗人要通过这有限的象征的描写表现无限的意义。歌德的名诗《神秘的和歌》:"一切消逝的,不过是象征,那不美满的,在这里完成;不可言喻的,在这里实行了永恒的女性,引我们上升。"梁宗岱认为,歌德的这首诗表达了象征主义的概念。①虽然歌德并不是象征主义时代的诗人,但歌德的这首诗客

---

① 梁宗岱:《象征主义》,见《诗与真》,商务印书馆,北京,1935年,第75~77页。

观上揭示出象征主义不仅仅是对一花一草、一丘一壑的感发,而且要通过这种感发表达作者对于永恒的思想的追求,要从有限的现象走向无限的丰富的世界。用瓦雷里的诗说:"全宇宙在我底枝头飘摇。"勃莱克有一首诗也是这样地追求永恒的理性:"一颗沙粒看出一个世界,一朵野花里有一个天堂,把无限放在你的手掌上,永恒在一刹那里收藏。"诗中的"沙粒"、"野花"、"手掌"、"一刹那"等词无疑都是有限的,"一个世界"、"一个天堂"、"无限"、"永恒"都是在说明对无限的追求。象征主义正是这样把无限的意念赋于有限的形式之中,使全部作品充满着对有限的超越,对无限的神往。哲学与美学中的有限与无限的关系在象征主义文论与作品中得到了充分的体现。所以,朱自清说:"象征派是'远取譬',而不是'近取譬',他们能在普通人以为不同的事物中看出同来。"(《新诗的进步》)所谓"远取譬",从象征主义文论观点看,是对无限的意念的思考与探索,从而用具体的事物或对象表现出来。从更深一步说,象征主义文论要求诗人把有限的、有形的描写对象融于无限的、无形的意念之中,做到庄子所说的"得意忘形"。《庄子·外物》中说:"荃者所以在鱼,得鱼而忘荃;蹄者所以在兔,得兔而忘蹄;言者所以在意,得意而忘言。"《庄子·天道》中云:"世之所贵道者书也,书不过语,语有贵也。语之所贵者意也,意有所随。意之所随者,不可以言传也,而世因贵言传书。"庄子当然不是在讲象征主义理论,但可以从这样的论断中借以窥知象征主义文论的涵义。意义的表达是很困难的,用文字或其他手段表达完整也不容易,但又必须用物质手段表达。那么,这就只有把有限的物质手段融于无限的意义之中,才能达到传达意义的目的。叶芝说:"从意志的压抑下解放出来的心智就在象征中充分显露出来了。"[1]换句话说,只有在象征里,诗人才能充分地表现出永恒的

---

[1] [爱尔兰]叶芝:《诗歌的象征主义》,见伍蠡甫主编:《现代西方文论选》,上海译文出版社,上海,1983年,第56页。需要说明的是,伍蠡甫主编的《现代西方文论选》把梅特林克与叶芝作为神秘主义文论的代表。从创作的角度说,梅特林克与叶芝虽可作为神秘主义的作家,但这些作家仍属象征派,袁可嘉等主编的《外国现代派作品选》曾作如是观。从文论方面说,西方多数人把他们作为象征主义文论的代表。本章采用这种说法。

情感与理性。

值得重视的是,象征主义文论家并不是为了区别象征手法与象征主义文学而论象征的,而是为了从象征主义的观点出发,深入地剖析艺术或文学的本质。在他们看来,文艺不是过去生活的历史记录,也不是社会的测动仪与"晴雨表",文艺与思想更接近。在这一点上,象征主义文论家把自己与实证主义和自然主义文艺本体论截然区别开来。同时,他们也不赞成把诗与梦等同。尽管爱默生、叶芝等人曾对诗与梦的联系做过许多研究,但是,他们根本上不赞成诗即梦的观点。瓦雷里说:"一个真正的诗人的真正创作条件是区别于梦的状态的,尽可能越清晰越好。我从前者所见的是自觉的努力,思想的轻快反应,精神活动屈从于剧烈的抑制,和牺牲所得到的永久性胜利。"瓦雷里认为,文艺应该是作者从整体上追求一种永恒的具有无限意义的情感与理性的象征,而不是其他。文艺的象征规定了它的特性。文艺不是一种盲目的梦呓般的活动,而是作家自觉的、有目的的对思想与精神的内在原则的追寻。对此,韦勒克看得很清楚。他说:"瓦雷里虽然承认某种最初的非理性的暗示,譬如坚持要听到两种韵事,正如他在《一首诗的回忆》中所描述的那样,但他的全部实际重点放在观念时刻之后的理论沉思部分上,放在诗的计算上,放在诗人在可能性中作选择的行为上,他对一种娱乐或游戏作富有洞察力的、有高度意识的追求上。"①象征主义文论家都是作家,不像克罗齐仅仅从哲学与美学的角度来推论文艺创作活动与文艺的本质,但是,他们对理论、沉思的重视却比克罗齐更甚,而且与克罗齐的直觉—表现说大相径庭。克罗齐要求诗人直抒感受的内容,而象征主义文论家却直言不讳地说"每一个真正的诗人都必须是一个头等的批评家"。而且他们反对诗人做直观感受型的批评家,要求成为一个富有理性思考的具有高度抽象能力的批评家。他们认为,只有做后一种批评家,作家才能写出真正的象征主义的作品。由此看来,象征主义对艺术意象是

---

① [美]韦勒克:《西方四大批评家》,林骧华译,复旦大学出版社,上海,1983年,第44页。

重视的,而它们作为唯美主义文论的支流,也是有其自身的发展逻辑的。事实上,象征主义文论家不仅重视作家的思想意识,而且对作家的抽象思维给予了相当高的重视与较为具体的层次分析。

第三节　诗与抽象思维

也许有人认为,现代西方只有抽象派的艺术家们才注意艺术家的抽象思维,其他流派,尤其是象征派诗人根本不会关注诗的抽象思维的特性。这是一种误解。瓦雷里还是在那篇著名的《诗与抽象思维》的文章中说道:"每一个真正的诗人,其正确辩理与抽象思维的能力,比一般人所想象的要强得多。"

因此,重视文艺的抽象思维可以说是象征主义文论家的一大特色。象征主义文论家不是从形象思维与抽象思维的区别来研究抽象思维的,也不是由哲学的一般原理演绎出艺术的抽象思维的几点特色,而是从自己的创作实践出发,从自己的亲身感受中认识到抽象思维在艺术创作中具有重要的地位。瓦雷里明确地说:"每次我作为诗人而工作时,我注意到,我的工作要求于我的,不仅是我所说过的那个'诗的世界'的存在,而且还要有许多思考、决定、选择和组合;没有这些,文艺之神或命运之神可能给予我们的一切才能,会变得像放在一个没有建筑师的车间里的宝贵材料一样",因此,作为一个诗的建筑师来说,诗的各部分的构成,"需要一种完全不同的脑力劳动",这种脑力劳动的一个重要组成部分,是从事抽象思维的工作。

由这种思想出发,象征主义要求诗人不仅做一个诗人,而且还要做一个逻辑学家和思想家。这种观点,类似陆游所说的"功夫在诗外",当然,陆游所说的这句话包含的面很广,其中也包括对诗人抽象思维的训练与要求。象征主义者明确地说,仅仅写诗的人,最终不会有大的出息,这样只会产生出拙劣的、空洞的玩弄技巧的作品,而这样的作品是没有生命力的。瓦雷里说:"诗人并非总是没有推论'三率法'的能力,逻辑学家也并非总是除了词语中的概念、类别和纯粹进行三段论的机会之外而别无他求。在这一点上,我甚至还要补充一个反常的见解:如果一个逻辑学家永远只能是逻辑学家,那他就不会成为,也不可能成为一个逻辑学家;如果一个诗人永远只是诗人,没有丝毫进行抽象思维和逻辑思维的愿望,那么就不会在自己身后留下任何诗的痕迹。我深信倘若每个人除了自己的生活之外不能体验其他多种多样的生活,那么也就不能过好自己的生活。"①瓦雷里这样强调诗人的抽象思维,目的是为了提高诗人们认识真理、辨别社会生活中存在的各种现象的能力,用我们的话说,是为了强化诗的内在灵魂。要达到这种目的,诗人必须摆脱仅仅做一个职业诗人的圈子,争取在各个方面,尤其是逻辑思维方面得到应有的高水平的训练。

另一方面,象征主义文论家所说的诗人—逻辑学家,不是传统哲学中包括了辩证逻辑在内的逻辑学家(如坚持把辩证逻辑看成高于形式逻辑而孜孜不倦地写作《大逻辑》《小逻辑》的黑格尔),而是现代意义上的主要研究思维形式的逻辑学家。但是,象征主义文论家并没仅仅局限在这里,而是要求诗人还要做一个思想家。在法国以及西欧,瓦雷里一直以一个诗人兼哲学家而著称。这不仅表现在他写了《B字练习部》《罗盘针上之诸点》《续罗盘针上之诸点》等哲学与诗学的论著,而且表现在他于深刻的沉思中把哲学与诗统一起来。曾追随瓦雷里的梁宗岱写道:"批评家和读者都异口同声称焚乐希(即瓦雷里)是哲学的诗人。一提到哲学的诗人,我们便自然而然地联想到那作无味的教训诗的蒲吕东,想到那肤浅的、虽然是很真的诗人韦尼,或者较伟大的,想起歌德底《浮士德》第二部——他们都告诉我们以冷静的理智混入纯美的艺术之危险,使我们对于哲学诗发生很大的怀疑。焚乐希却不然。他像达文希(即达·芬奇)之于绘画一样,在思想或概念未练成浓丽的色彩或影像之前,是用了极端的忍耐去守候、用极敏捷的手腕去捕住那微妙而悠忽之顷的——在这灵幻的刹那浑浊的池水给月光底银指点成溶溶的流晶,无情的哲学化作缱绻的诗魂。"②可以说,在象征主义文论家与诗人那里,哲学的沉思

---

① [法]瓦雷里:《瓦雷里全集》第1卷,法文版,第1320页。
② 梁宗岱:《诗与真》,商务印书馆,北京,1935年,第15~16页。

和诗的意象最为有机地统一起来了。瓦雷里说:"我曾在我内心注意到某些很可以称为'诗意的'心境,其中有一些后来就写入诗歌中了。这些心境并不是因明显的原因而发生的,而是在某种偶然情况下发生的;它们根据自己的性质而发展,结果我发现自己有一时被震撼而摆脱了惯常的心境。以后,一个循环完成了,我回复到惯常的生活与思想之间的交流。"瓦雷里这里说的诗意,是思想与诗歌形象的统一物,这样的诗意有自己的性质,由于这种性质的作用,诗人的心理产生强大的震动,带来诗创作的无比巨大的冲动,从而产生思想深邃、艺术精美的作品。这是思想的力量在写诗过程中的作用。诗写成了,诗人仍然需要使自己的思想与生活交流,从而为下次的创作做好准备。

那么,象征主义文论家追求的是一种什么样的思想呢?思想是一个辽阔的海洋,不同流派的文论家都驾驶自己的航船,去取得自己所需要的部分。象征主义文论家反对用思想把世界弄得支离破碎(因为任何思想只能为世界的一部分真理提供说明),同时也不把思想自身弄得支离破碎,而是主张用思想的整体去观照世界。但是,像很多哲学家都不能轻易达到这种境界一样,象征主义文论家只能在思想的总体中找到自己的支撑点。首先,他们重视"生命"的意义。在西方现代文论中,重视思想生命意义的,有叔本华、尼采等人,也有当代符号学文论家,如苏珊·朗格、卡西尔等人,但是,联系自己创作实践谈生命意义,确属象征主义文论的独家所长。在《诗与抽象思维中》,瓦雷里写道:"我发现天真朴实的冲动和形象,也就是我的需求和我的个人经验的原始产物,是我的生命本身受到突然袭击;如果可能的话,我的生命必须向我提供回答,因为我们的真理的十足力量与其必要性只能存在于我们生命的反应中。来自那个生命的思想,从来不使用某些似乎只适宜于外间使用的词语来表达自己;也不使用其他一些涵义晦涩而可能歪曲思想的真正力量和价值的词语。"瓦雷里想把生命作为体验、观照、表现世界的主要参照系,认为它大于真理,真理不过是其中的反应,生命的外化直接体现为象征的艺术。换句话说,在象征艺术中,必须体现生命的一些主要方面,如原生性、朴实性、冲动性、全面性等,在生命中刺激艺术的创作的冲动,如早期波德莱尔酗酒作诗,在艺术中激起生命的伟大与永恒的力量。其次,象征主义文论家追求"无限的价值"。他们认为,艺术家追求个人价值是一种小农经济的生产者所追求的观念,而不应是一个把自己奉献给无穷世界的艺术家理想的观念。因为艺术本身不是属于此时此地的,而是属于无限的时空,所以,艺术的这种特殊性要求艺术家去追求那无限的价值。瓦雷里说:"诗人的确有一种特殊的精神力量:这种精神力量在某些具有无限价值的时刻表现在他身上,并向他透露出来。对他来说具有无限价值。……我说'对他来说具有无限价值',因为很可惜,经验向我们表明,这些对我们来说似乎具有普遍价值的时刻,有时是没有前途的;最后使我们沉思这一句格言:'仅仅对一个人有价值的东西是没有价值的。'这是文学的铁的规律。"[1]反过来,文学的铁的规律的实际内容是作家应该追求无限的价值,把作品作为这种追求的积极成果。在西方文论中,把价值区分为有限与无限,这是瓦雷里的独创。作家把眼光盯在有限价值上,急功近利,附从他人,这种作家的作品恰如过眼烟云,而真正有生命力的作品不仅对作家本人来说具有无限价值,对于全人类、全部艺术史来说也具有无限价值。因此,作家追求无限价值,是文学的艺术规律的必然要求。违背这一规律,任何艺术家的制造无一例外都要失败。这就是象征主义文论家所说的"铁的规律"的含义之所在。

第四节 纯诗论与意辞观

象征主义并不是就抽象思维而论抽象思维,它们谈论抽象思维是为了给"纯诗"注入"充足"的思想的底蕴。因为,诗毕竟是诗,不是哲学,也不是逻辑学,高扬抽象思维在文艺创作中的作用,并不是为了贬低文艺的特殊性;恰恰相反,重视抽象思维与重视纯诗,在象征主义文论家看来,是并行不悖的。因此,在象征主义文论家那里,诗的抽象思维与纯诗论有着密切联系。

---

[1] [法]瓦雷里:《诗与抽象思维》,见伍蠡甫主编:《现代西方文论选》,上海译文出版社,上海,1983年。

由此也可看到：象征主义文论家所谈的"纯诗"的内涵不是狭隘的，而是宽泛的；也不是我们原先理解的是排斥诗的思想性的形式主义，而是注重内容与形式的交融和谐。在《纯诗》中，瓦雷里这样写道："纯诗是观察获得的一种推断而知的想象，它通常应帮助我们对于诗的观念，并在对语言的各式各样的关联和它在读者身上所产生的效果这个如此困难而又如此重要的研究中担任我们的向导。"瓦雷里把纯诗首先作为一种想象，这在根本上抓住了诗的特征。这种想象不是先天的，而是通过诗人的观察所得到的，这就为想象找到了来源，但并不是一旦进行观察，就会产生想象，而是通过观察这条渠道进而达到一种通过推断而知的想象，瓦雷里用的"推断"、"推想"包含有逻辑思维的意义，属于诗人创作过程中的一种心理活动。其次，瓦雷里认为纯诗是一种向导。这种向导是诗人和文论家们确立诗的观念、运用和认识语言的作用以及帮助读者进行审美欣赏的向导。比如读瓦雷里的《海滨墓园》，人们可以从中获得诗的理论、分析诗中语言运用的精美处，提高审美欣赏水平。瓦雷里对纯诗的这两种意见，前者就作家的创造活动立论，后者从作品与读者进行分析，可以说，在瓦雷里的纯诗论中，能看到象征主义文论家把作者、作品、读者联系起来的企图，但是，他们的基本着眼点仍在作者方面。瓦雷里继续写道："如果我们能够借助于一部诗体或非诗体作品给人以我们的思想、形象和语言表达方式之间的'相互'关系所构成的完整体系的印象——这个体系特别适合于创造心灵的情感状态，这大致就是纯诗所面临的问题了。我所说的'纯'与物理学家所讲的净水同义。我的意思是，问题在于人们能否写就一部没有任何非诗歌成分的作品。我一向认为这是一个无法达到的目的，而且现在还是这样看，诗永远是为接近这个纯理想境界所作的一种努力。总之，人们所说的诗实际上是由插在语言物质中的若干纯诗片断构成的。一行精美的诗句就是很纯的诗歌成分。"[1]瓦雷里的理论很明确，纯诗的问题，实际是要求创造出一个由思想、形象、语言的关系所组成的表达心灵的情感体系

---

[1] [法]瓦雷里：《瓦雷里全集》第1卷，法文版，第1457页。

问题,纯诗要求诗的思想、形象、语言、心灵情感及其合成的整体都是审美的。审美与纯诗原则上是一致的。因此,象征主义文论家与其说追求纯诗,不如说是追求审美的艺术。这种追求一方面带有19世纪唯美主义的痕迹,另一方面也体现了一切艺术的普遍追求,客观上揭示了艺术的审美特性。从这个意义说,纯诗论的提出,具有一定的积极意义。而且,象征主义文论家对纯诗的要求虽然像物理学家对净水的要求那样,但并非以此为绳墨从而判断其他诗不是纯诗,而是仅仅作为一种追求的理想,他们自己认为这种诗很难写出,对诗中的非诗成分仍然允许其存在,对有些诗句,如谢灵运的"池塘生春草"、陶渊明的"采菊东篱下,悠然见南山"之类的诗句,都可作为纯诗的诗句看待。所以,从本质上说,纯诗论不是一种理论,而是诗人们表现出来的追求和向往的意愿。

诗是由内容与形式组成的。象征主义文论家在文艺的内容与形式方面都有自己的理解和看法,特别对内容与形式的关系的研究有独到之处。如前所述,象征主义文论家不同于表现主义文论家的地方之一,在于象征主义文论家高度重视艺术形式在文艺创作中的巨大作用。象征主义文论家也与一般文论家不同,他们从形式入手来展开对形式与内容的论述。叶芝在他的著名的《诗歌的象征主义》中说:"全部声音,全部颜色,全部形式,或者是因为它们的固有的力量,或者是由于源远流长的联想,会唤起一些难以用语言说明,然而却又是很精确的感情。"叶芝还说:"一种感情在找到它的表现形式——颜色、声音、形状,或某种兼而有之之物——之前,是并不存在的,或者说,它是不可感知的,也是没有生气的。"因为文艺的物质形式是文艺的内容的载体,所以,没有这种载体是根本不可能有文艺的。而且,作家的创作活动中的联想、想象与情感活动不是由客观刺激物激发产生的,而是由艺术形式以及艺术形式本身所具有的意义产生的。例如,瓦雷里创作《海滨墓园》时,开始在头脑中形成的是一种法语四、六顿,十音节诗的节律,他没有任何思想去填充这种形式,后来逐渐地有了一些漂浮不定的词句,又联想到少年时代的生活和家乡墓园所在的地中海海边的风光,倾注了平素积累的思想与情感,经过一段时间的思考和推敲后,对诗的各节之间的意象和思路作了对比和呼应,又把它们与乐曲和建筑的结构调配相当,从而组织形象体系,暗示诗中"我"的存在,使全诗体现出"我"对生命和死亡的探寻。也就是说,形式与内容相比:具有超前性,不是内容决定或先于形式,而是形式决定或先于内容;具有引发性,不一定只有内容才能产生思想,形式本身不是孤立的,它也有意义,一样可以产生思想,用瓦雷里的话说:"我渴望从纯粹的形式条件出发逐渐得到我的作品,这种纯形式的条件经过不断思考,渐趋明确,直到我提出或几乎是指定出一个主题";具有整体的暗示性,象征主义文论家希望在象征主义作品的形式的各个部分中充满意义的暗示性,而不是像寓言那样把意义附属于形式之上。瓦雷里说:"这意义是不能脱离那芳馥的外形的。因为它并不是牵强地附在外形的上面,像寓言式的文学一样;而是完全濡浸和溶解在形体里面,如太阳的光和热之不能分离。"①他们还认为,作家的巧妙在于,在作品的语言、意辞、结构及其组合中,不明白说出而是暗示出自己要表现的思想。马拉美明确地说:"与直接表现对象相反,我认为必须去暗示。对于对象的观照,以及由对象引起梦幻而产生的形象,这种观照和形象——就是诗歌。"

到这里,如果把前节所论的诗的抽象性与这里的纯诗论、意辞观联系起来看,那么,不难看出,象征主义文论家没有孤立地谈内容或孤立地谈形式,而是从不同侧面、不同角度,根据自己的创造实践出发,深入地剖析本来就是内容与形式的完美统一体的艺术作品的各个方面,辨析诗与文艺,与非诗、非文艺的区别所在。象征主义文论家不同于自然主义、历史主义文论家的一个明确标志在于,他们谈文艺的内容与形式是从文艺表现的深层结构和创作经验出发,而不是从外在的自然和历史出发。出发点不同,他们对内容与形式的关系必然会产生不同的理解。他们认为,一部深沉有力的作品总是具有倾向性,创作特别是天才的创作,必然具有鲜明的爱憎,而这种爱憎不是皮相的,而与作者的生命和人们的生命的深处联系在一起,它使

---

① 陈力川:《瓦雷里诗论简述》,见《国外文学》1983年第2期,北京大学出版社。

作者不顺从自然与历史的摆布,而是与生命的无限价值永远结合在一起。象征主义文论家不同于表现主义文论家的一个重要特征在于:他们高度重视形式的地位与作用;与克罗齐、科林伍德相反,他们从形式入手研究内容,内容应该"化"在美的形式之中,而不是表现主义的要形式"化"在内容之中,从而根本否认形式的重要性。归根到底,象征主义文论家自始至终是从形式出发、从创作出发进行研究,从而得出文艺是纯美的内容与形式的有机的统一体的结论。

第五节　结束语

在西方,象征主义不只是一个诗歌流派、文论流派,还是一个社会学流派、思想流派①。这个流派的思想渗透在不少领域,产生了很大影响。因此,低估象征主义文论的成就,是不合实际的。我国现代不少诗人、文论家,如艾青、闻一多、徐志摩、梁宗岱深受象征主义文学的影响,也可说明它本身具有一定的魅力。

象征主义追求文艺的整体的无限性,是一种意识与潜意识的交互发展的结果。文艺不是一些支离破碎的简单的组合物,而是作家主观整个体验、感受集合运动的产物。作家的整体审美意识的外化所产生的作品,必然具有完整性。象征主义文论家对作品的整体性的追求,实际上是他们对作家审美意识的完整性的要求。因为完全的理性活动,可以产生哲学,不一定能产生文艺;纯非理性的运动,可以产生梦呓,也不一定能产生文学或其他艺术。文艺创作的冲动,往往是一种意识与潜意识的完整结合所产生的精神状态。作家的这种精神状态源于生命的运动,生命运动是完整的,这种精神状态也应该具有完整性。而生命本身包括有限性与无限性。象征主义文论家要求作家用生命去体会生命的无限性,而不是仅仅写一些肤浅的、皮相化的东西。这一点,对作家创作意识的把握与要求,具有启发性。

为了把握生命的无限性,象征主义文论家主张诗人们学哲学、逻

---

① [美]B.N.麦尔茨等:《象征的相互作用:起源、多样性与批评》,英文版,1975年。

辑学,训练抽象思维,提高这种思维的水平,以期更深刻地反映生命的内在运动。因为诗人作为一个具有高度文化素养的人,缺乏抽象思维是不合适的,诗人要深刻地把握现实与生命的本质与特征,表现人类生活活动的无限价值,缺乏抽象思维根本不可能达到。比如,歌德写《浮士德》,如果只是从感受出发写浮士德博士的追求精神,那么,歌德肯定不可能达到这么高的艺术成就。因为他笔下的人物是一个活生生的有思想的探索者,他在无比艰难困苦的情境下也要实现他的宏愿,对这样一个描写对象,作家必须比浮士德博士更具有抽象思维的能力,更能准确地判断这个人的所作所为,处理他与周围的关系。这一例证说明,诗人不断加强自己的抽象思维能力是十分必要的。

象征主义文论家主张作家不要把文学作品作为理论作品来写,保持文艺的特殊性,提出开放的纯诗论。纯诗论的核心在于坚持文艺的独特性,在于使文艺具有永久的艺术生命力,在于使文艺永远在社会生活和精神活动中有自己的一席之地。从这个方面去理解纯诗,会发现这种理论的价值。因为在20世纪初,19世纪那种把文艺附从于自然、历史或某种观念形态的风气仍在,象征主义文论家为了恢复文艺应有的本来面貌,提出这种理论,在客观上起了救补缺陷的作用。因此,他们对艺术形式、艺术技巧给予了很大的重视与关注,并身体力行,贯彻到创作实践中去,这给20世纪初的西方文坛带来了新鲜空气。

不可否认,作为一种文论流派,象征主义有许多不足之处。

象征主义文论最大的缺点在于忽视社会现实在创作中的巨大作用。它过多地看重生命的无限价值,忽视生命是在社会实践中运动的。因此,这种理论缺乏深厚的现实基础,是一种新世纪的永恒生命式的思想体系在文艺理论中的表现。

象征主义文论还有一大弱点,就是具有明显的神秘性。它不仅没有指出生命的内核是什么,而且把抽象的生命引入朦胧恍惚的迷宫。因为要找到生命运动的实质,必须在广阔的社会生活与文化背景中去寻找,如果不是这样,必然把生命置于一种看不见摸不着的位置之上,所以,梅特林克等人不得不把神秘的生命过程作为自己写诗论文的方向，要人们拼命去猜想他们作品的内容，他们认为艺术形式高于艺术内容，其目的也在于加强作品的神秘性，似乎不神秘的作品就不是好作品，好的作品就是让人无穷尽地猜下去。瓦雷里提出，读者阅读作品，必须具有"克难"的水平。人们理解作品是不容易的，越是优秀的作品越具有神秘性，理解这样的作品的难度就越大，所以，读者只有克服这些困难，才能真正理解这一作品，用他的话说："你想要对一件艺术作品作出每一种判断，都必须首先考虑到作者替自己规定的必须克服的那些困难。"他们不仅要求作者写作时"带着镣铐跳舞"，而且要求读者"克难"时也要"带着镣铐跳舞"。这样，势必使读者由进入所谓神秘的艺术世界而脱离现实和社会实践。

　　总的来说，象征主义文论虽对作品、读者也给予了一定的关注，但更注重作者的创作活动。因此，它本质上是一种创作论，是为自己的创作撰写宣言，尽管在文论史上有所贡献，但是，着实没有十分新颖而深刻的理论体系见之于世。它比表现主义文论更切合创作实践，却比表现主义文论肤浅，感受的成分胜过理性的分析，因此，它在文论史上起着过渡作用，但影响却不及表现主义文论那么大。而在当时，真正产生了与克罗齐为首的表现主义文论影响相当的是另外一个文论流派——心理分析学派。

第三章 直觉主义

第一节 发展与特征

20世纪西方哲学和人文科学具有人本主义与科学主义交互运动的特点。文学学作为其中的一个组成部分,也具有这个特点;就文学学自身来说,它在20世纪初则具体化为现代浪漫主义或表现主义与形式主义的交互运动。

以狄尔泰、柏格森为代表的生命直觉主义的文学理论批评,深切而又具体地体现着文学学的表现主义精神。克罗齐把直觉表现化了,他们将直觉置入与生命的交互运动中,更加突出其表现性。他们三位把"一战"前后文学学的表现主义推向高峰。

维·狄尔泰,德国哲学家和文学评论家,1868年获博士学位,曾任巴塞尔大学、基尔大学、柏林大学教授;著有《精神科学引论》(1883)、《体验与诗》(1905)、《论德国诗歌和音乐》(1933)、《伟大的幻想诗》(1954)、《论文汇编》(1914~1936)等。

柏格森,法国当时影响最大的一位哲学家和喜剧理论家,1878~1881年在封丹公立中学和巴黎高等师范学院受教育,1889年在巴黎大学获博士学位,1899~1900年在巴黎高等师范学院任教授,1901~1940年在法兰西学院任教授,1914年为法兰西学院院士,1927年获诺贝尔文学奖,著有《笑——论喜剧的意义》(1900)、《形而上学导论》(1903)、《创造的进化论》(1907)、《关于时间、空间和生命的思考》(1929)和《柏格森全集》(1945~1946)等。

柏格森的哲学和文论,给法国20世纪二三十年代最有影响的批评家之一蒂博代以深刻影响;蒂博代的《批评生理学》对柏格森学说在文学批评上更有具体的展开;受柏格森等哲学影响较深的意识流的创作论,因其在中国一度产生过一定影响,本章专列一节叙述之。意识流小说还受到过美国机能主义心理学家威廉·詹姆斯的直接影响;伍尔夫、乔伊斯、萨洛特、莫洛亚、普鲁斯特、福克纳等作家在作为一种思维方法的意识流文学论方面,提出过不少富有启示的观点。

生命直觉主义的文学评论或生命文学学具有鲜明的理论特征,它既有哲学的人本主义性格,又有文学学的表现主义个性,直接影响了文学创作和批评。

它以生命(life, leben)存在的价值为理论中心,以人生为主题,以哲学为主要媒介,对文学中的生命问题进行了现代阐释。它反对理性主义、理智主义和实证论,是继19世纪叔本华、尼采之后人本主义思潮的代表,是德国浪漫主义哲学家弗·施莱格尔(较早阐述生命哲学之人)在20世纪的发扬光大,是现代非理性主义文学思潮的有力支持者。它关于生命存在的本体论,改变原有的认识主体论,以个人的生命价值取替原有的理性价值,以生命的运动反对对生命仅仅进行静态的科学的考察,以内省体验为思维方式取代实证论,展开了作者和作品中人物的生命画卷。用蒂博代的话说,真正的小说家"用他的生命的无限的方向去创造他的人物"。

它从个体生命的内在性出发,确立文学的思维方式,把文学思维定位在"直觉"上,体现在内在的"体验"和"冲动"上,强调生命的内在运动,显示出文学研究的内省视界。作为人文学者和历史学家的狄尔泰,对于心理学,他"渴望它尽可能广泛地利用有关人类本性的证据,例如,利用自传、编年史和文学等等。他还谈到将心理学应用于其他学科的问题——帮助历史学家理解历史人物的动机,或者,为文学史家说明创作的过程"[①];作为哲学家的柏格森认为,"哲学是真正的世界观,是直觉。直觉是生活,即能反省的实在和直接的生活。宇宙中有类似诗人创造的东西,一种活生生的推动力,一种生命之流","我们的直觉同本能,即与意识、精神和化为精神的本能相仿,本能

---

① [英]H.P.里克曼:《狄尔泰》,殷晓蓉、吴晓明译,中国社会科学出版社,北京,1989年,第24页。

比理智和科学更接近生命"①;本能是容易冲动的,它是生命之流中的激浪和旋涡,它把生命带入更为本真的地方。

柏格森的哲学和詹姆斯的心理学成为意识流作家群体的理论基础。威廉·詹姆斯在《心理学原理》中使用了"意识流"这个词,认为思想意识像一条溪流,其中的各种关系如同有机体一样,是知觉和感情的直接资料;意识流的核心是内心独白、自由联想和"心灵的音乐的辩证法",它们建立在直觉主义基础之上;"比起威廉·詹姆斯的作品,柏格森的作品更能被理解为当时公认的文学实践评论。它为现代小说的支持者提供了一种诗论,他们总喜欢从各种各样的书中把偶然提到的东西串联起来","柏格森实际上已经在无意中为当代小说指出了一条新的创作途径"②。

第二节 生命体验

生命体验,是生命文学学的出发点。生命处于外界,是经验的;生命处于直觉中,是体验的。狄尔泰追求整体世界观,在"理解→表达→意义"的阐释学进程中,把生命体验作为其中的电源或电流;没有这个电源或电流,他说他画的阐释学循环图只是一些破烂的线圈。他在文学学中的两个著名命题——体验和阐释学循环——均以生命体验为出发点。

狄尔泰从生命体验的整体性、想象的复合性、直觉的创造性和表达四个方面,展示他关于生命体验的内在蕴涵。

生命体验的整体性。狄尔泰对整体的追求甚于对理性的酷爱,认为生命体验这个个体小宇宙内省的活动能包揽宇宙八荒,吞吐世界万物;它把外在的一切事物和人生经验全部纳入其中;它是一个无限大的蒸锅,能把世界上的一切东西置入其中煎熬和蒸馏;它吞进去的是"整体",吐出来的或表达的还是整体,由此,生命体验是整体体

---

① [美]梯利:《西方哲学史》,葛力译,商务印书馆,北京,1995年,第631页。
② [美]弗里德曼:《意识流,文学手法研究》,申雨平译,华东师范大学出版社,上海,1992年,第93页。

验。生命体验的整体性，是其生命哲学和生命文学学的命根子。狄尔泰写道：

> 我的哲学的基本观点是：迄今为止，还没有一个人把他的哲学探讨奠定在充分而又全面的经验整体之上，并因此而使之奠定在现实的全部完满性的基础之上。思辨固然是抽象的……但是经验主义同样如此。它使自身立足于支离破碎的经验之上，这种经验从一开始就被精神、生活的原子论观点所歪曲……完整的人是不可能被限制在这样的经验之内的。①

生命体验因其整体性而高于和大于经验主义的"经验"，而整体，并非只是指称空间的那种局部与整体的关系，更是时间的。狄尔泰和柏格森一样，把时间性置于空间感之上，像雪莱《悲歌》开头所咏叹的："呵，世界！呵，人生！呵，时间！"狄尔泰喜欢把哲学作为精神科学和人文科学，倾向于对它们进行人类学的探索，人类学的历史性把历史和现在都置于生命体验的整体之中；"人性中所具有的，在历史的巨大转折中被揭示出来。只有历史才能表明，什么是人"②；我们理解人类的生活、历史以及所有人类心灵之隐秘的深处，因为我们体验了这些变迁和结果，意识到这样一种结构，它囊括了所有激情、苦难以及人类的命运；因此，对人类历史的生命精神的解释与诗歌的描述方法在人类学上是一致的。他说：

> 精神生活可以用不同的方法来加以阐明，来加以分析。在每一种方法之中，经验和理解都是互相缠结在一起的，因为只有理解才包含着精神生活的整个视野，只有经验才照亮精神生活的深层，并使这些深层易于理解。最接近生活本身的是这样一种方法，它描述并且分析具体的精神状态的结果和共存

---

① [英]H.P.里克曼：《狄尔泰》，殷晓蓉、吴晓明译，中国社会科学出版社，北京，1989年，第106页。
② [德]狄尔泰：《诗的伟大想象》，见《西方文艺理论名著选编》，北京大学出版社，北京，1987年，第558页。

(coexistence)……这是人类学的方法。

人类学的研究类似于诗歌。经验根据其内在意义而得到了富于想象力的阐发,因此,精神过程对于周围生活的关系就得到了具体的描述。①

想象的复合性。想象也是一个整体,整体具有复合性,想象也具有复合性。把生命内在的情感、联想、幻想、体悟、感受、思考、外在经验等杂糅在一起,在体验这个巨型搅拌机中一起搅拌,让它们在生命体验中燃烧,形成整体的复合结构。生命体验异常活跃,像暴雨,似洪水,似火山奔涌前的奋力煎熬和强劲冲突,具有巨大的能量,形成创造诗和文学的能源。狄尔泰反对当时与表现主义对立的、建立在法国实证主义基础上的德国自然主义文学创作及评论,认为它们简单地把外在经验移入作品之中,并对它肆意鼓吹,没有在生命体验的复合化过程中进行整体的心理处理。他认为"审美"这个词是极其虚弱的,其中没有多少实质性内容,不如"复合"这个词更能体现生命体验和复杂的心理创造过程。由于狄尔泰等人的理论支持,法国表现主义文学在与自然主义抗争中取得了胜利,形成了20世纪20年代"表现主义十年"的全盛期②,三四十年代至七八十年代,德国文坛一直以表现主义为主导,它们从生命体验中滋生出"无限活力"。

如果一个被体验过的经验又被引入这个外现的世界,它对读者或听众所唤起的过程已与体验在本人的心理过程不同。为了更准确地把握这些固有的过程,此处我们把重新体验(das Wiedererleben)的过程和那些伴随的过程区别为效果和我们对别人体验过的经验之把握。③

---

① [英]H.P.里克曼:《狄尔泰》,殷晓蓉、吴晓明译,中国社会科学出版社,北京,1989年,第262~263页。
② 张玉书主编:《二十世纪欧美文学史》第一卷,北京大学出版社,北京,1995年,第80~86页。
③ [德]狄尔泰:《哲学与诗人之人生观》,见《西方文艺理论名著选编》,北京大学出版社,北京,1987年,第567页。

诗歌的本质就是活动；这个活动总是代表着内心的完善，真正富于诗意，只有在伟大的激情中才显示出完美的人类和真实的特质；它是在悲喜交集中，在激情的强力以及自然活动所产生的内心移情中得到确认的。①

理性严格按照归纳法、数学概念以及自然法则来调整自己的思想和意志，作为直觉的想象按照生命运动的规律自由活动，把各种关系串联在一起，以新的率真感受和想象支配人的精神生活；想象把自然和社会纳入生命之中，使精神的特质如同美丽的暮霭和月光，回荡在万物之上，并以自己的方式为它们赋予意义；移情并不是一种修辞和象征手法，也不是布洛所说的是一种距离的产物，它是诗人及其想象观察和把握世界、孕育万物的自然结果；在文艺复兴诗歌中，体验类似一种神性存在，它打开万物，通过想象赋予万物以神性，移情由此产生，它把无生命的对象赋予生命，把无意识和无感情的东西赋予意识和情感。这些被激活的事物复又回到想象中，在生命体验新的循环中展示新的生命。

直觉的革新性。整体作为一种世界观，想象作为一种心理学，直觉作为一种思维方式，狄尔泰通过生命体验将它们融为一体。他把直观的创生性分为两种：一是创造性，一是革命性。

生命体验是一个直觉过程。诗的体验作为直觉过程的一个范例而存在，由于想象力的巨大复合和创生作用，万物皆备于我而我赋予万物以生命和意义，无须通达理性或者理性已作为被体验的一分子而对万物给予直觉的创造。直觉比理性更富有创造力，诗和文学比哲学和其他科学更具有创造性，因为它们在生命体验的直觉过程中产生；狄尔泰与克罗齐一样，认同维柯的直觉创造学说，认为在一个越来越理性化的文明社会中，如果忽视并抛弃了直觉的原创性和创生性，人类的创造性进步会带来危害，文学发展将受到阻碍。

狄尔泰把直觉作为一种革命性创造的思维方式。创造性与革命

---

① [德]狄尔泰：《德国文学中一个新世界观的诞生》，见刘小枫主编：《人类困境中的审美精神》，上海知识出版社，上海，1994年，第132页。

性的关系，正如聪明人或智者与天才的关系一样。他总是把天才与革命性放在一起，认为那是生命高峰体验的最高境界。他称莱辛在直觉中感知到德国文化的民族性，成为新时代文学的奠基人；歌德在直觉中把握了大自然和宇宙，改变了思想和文学的进程；文克尔曼在直觉的激情中取得了学术上革命性的突破。"这个感受到和体验到的受到激发的能量应该以其革命性来证实其自身的价值。所有这些心灵的力量应该合作起来再生产出客体的最深处的存在。人只有在一定的深度上领会一切事物才能得到新生"①，只有在革命性的创举中，才能更有力地赋予一切事物以深度。

生命体验的表达和意义。生命体验是内在的，因而它超功利、超实用、超经验；它又是整体的，因而具有普遍性、道德的反省性、审美的感染力，并在健全人生和完善人性方面赋予意义。体验将客体作为主体的对象或自身的一部分，将客人视为亲人和爱人，表达使主体的体验外在化，使之精神客观化；诗歌是所有文字表达的最高形式，正如它是生命的高峰体验一样；美学是对这种表达的恰当性和有效性原则进行研究；文学批评展示出诗人的生命体验及其形式；意义是整体体验的辩证运动的产物，它是辩证的，因而需要得到辩证的表达，它是在整体与局部、"上下文"、"目的—手段"等关系网络中构成的，核心在于人的完整性，所以，"理解→表达→意义"在根本上是要传达出人和人类的完整的意义。

第三节 生命运动

关于非理性问题的讨论，20世纪西方文论主要来源于18世纪以来的浪漫主义文艺思潮和19世纪下半叶叔本华和尼采等人的哲学和文艺思想。20世纪上半叶，柏格森和弗洛伊德等掀起了第一次非理性讨论高潮。柏格森对文学学最大的冲击主要在于三个方面：一是关于

---

① [德]狄尔泰：《德国文学中一个新世界观的诞生》，见刘小枫主编：《人类困境中的审美精神》，上海知识出版社，上海，1994年，第138页。

生命绵延、冲动的本体论和关于直觉的认识论;二是关于戏剧尤其是喜剧的言论;三是关于艺术分类的意见。它们都由生命运动的精神所灌注,都是在生命直觉主义的统摄之中展开的。

柏格森重视理性和科学,把直觉作为辩证推理和逻辑的补充,作为人的本质属性的一个部分。像帕斯卡一样,他把精神分成直觉的(或微妙的)和理性的(或几何的)两种,他说他的"观点的关键在于对绵延的直觉";在绵延、本能、冲动、创化这四个关键词中,他展开了他的生命运动学说。

文学是生命绵延和生命冲动的直觉形式。绵延(duration),就是持续不断,如同"一条无底的、无岸的河流,它不惜可以标出的力量而流向一个不能确定的方向,即使如此,我们也只能称它为一条河流,而这条河流只是流动"①;绵延是生命中最深层的意识流,它没有界限,不分阶段,不被理性分割;它变化不居,无定向无专门目的,是一种心理的综合的绝对的运动;它是一种进化和创化,不断涌现新质;它是生命的本体,显示出世界的本质,因为世界的本质在于运动,在于整体运动。柏格森认为,文学表现着生命中的这种绵延。

绵延本体论与生命冲动本体论并行不悖。后者是它后来取代前者的替换词;生命冲动或译为生命之流(élan vital),是一切有机体的本质,是宇宙的本原,是创造万物的原动力,是世界万物的创造者;没有生命的冲动,就没有世界的一切,自然没有文学;生命在于运动,在于冲动;生命冲动向上喷发产生一切生命形式,向下坠落产生无生命的物质世界;物质是生命的反运动,生命贯穿于物质之中并用它创造出生物;本能同生命本质地联系着,其内在方面对事物产生影响,理智的内在方面对事物联系方面产生影响;人的生命之流和冲动是一切存在状态中最为强劲的,是一种自动创化、自由发展的行动过程,它们超越一切,创造一切。

文学尤其是诗歌,表现出人的生命之流,是绵延和生命冲动的表现者。柏格森写道:

---

① [法]柏格森:《形而上学导言》,刘放桐译,商务印书馆,北京,1963年,第28页。

当一个诗人向我们朗读他的诗时,我能对他感到足够的兴趣而进入他的思想,融合到他的感情中去,重新处于被化为诗句的原来的精神状态中。于是我和他的灵感产生共鸣,我以一个连续不断的运动来追随他的灵感,这种运动就像灵感本身一样,是一种不可分割的动作。现在,我只需放松我的注意力和我的紧张状态,那么,进入听觉的声音便一个接一个地使我清晰地感到其实质性了。

诗人创造了诗歌,人类的思想由此变丰富了。我们很理解:这种创作是心灵的一种简单动作,这动作只需停顿一下,不必继续进入一种新的创造,便足以使它自身分裂成词句,词句又离析成字母,这些字母又并入世界上已有的全部字母中去。①

文学是生命绵延和冲动的凝聚,形式是这种凝聚的展现。文学中的生命绵延、冲动是第一性的、最重要的;形式是物质的、次要的。文学既是生命之流的产物,是生命运动的形式,又表现出植物、动物和人的生命之流。植物的生命在于储蓄能源,动物的生命在于利用能源进行快速运动,人的生命在于利用它们进行永无间断的运动;作家和诗人能够听到自然之声,穿透植物、动物和人的生命之流,用语言文字把这生命跃然纸上,让人们在阅读中领悟自身的生命之流,文学描绘了植物、动物和人的生命之流。文学形式是生命之流的形式,它是生命之流的一部分,不能孤立于生命之流之外;生命之流与形式之物本质上是对立的,物质根本上是反运动的,它们的对立关系不是对抗的成反比的关系,而是成正比的关系:文学越是生命的,形式越是成为生命之流的有机部分,形式越具有价值和生命力;反之,文学中的生命之流与形式之物平分秋色或被其异化,生命之流不能主宰文学并成为充盈作品各个角落的一切,这样的文学则是形式的、物质的、俗气的;文学的雅俗之分全在于生命之流的运动形式。柏格森的这种生命文学论,可与曹丕的"文以气为主,气之清浊有体"和"至于引气不齐,巧拙有素,虽在父兄,不能以移子弟"(《典论·论文》)进行对

---

① [法]柏格森:《创化论》,见伍蠡甫主编:《现代西方文论选》,上海译文出版社,上海,1983年,第87~88页。

话和交流。

生命运动的程序、层次、级量等决定着喜剧、正剧和悲剧的区别。柏格森按生命运动的不同状态厘定它们的差别，认为生命之流在精神、情感、形态、表达中的差别，决定着喜剧、正剧和悲剧的差别。或者说，喜剧、正剧和悲剧显现出生命之流的不同阶段、层次和性质，正如植物、动物和人类显现出生命之流的不同状态一样。

喜剧处于生活与艺术的中间地带，尚未展示生命之流，是对无生命运动的模仿，是对外在生活进行模仿的一种游戏。"戏剧是生活的放大和简化"，"而喜剧就是一种游戏，一种模拟生活的游戏"[①]。生活不是实在，而是"将行动和事件安排得使我们产生一个幻象"，喜剧把生命之流向下逆行而接近这种幻象或生活，表现生命的机械性、呆滞性和拙笨感；它以清醒的姿态去再现人们那种失去活性的东西，展示与生命之流相对立的机械、僵硬行为；它不去显示生命的运动，而是塑造活的木偶和传达凝固的幻象及思维的习惯。正如行人遇上石头挡路，本应减速或绕行，却仍然机械前往而摔跤，他缺乏生命的张力和弹性，缺乏生命运动所必需的心理素质，其机械性造就了喜剧性。柏格森说："喜剧这种戏剧是以把机械装置渗入生活的外部表现这样一种方式把种种事件组合起来的"，体现的"是人和物相似的那一方面，是人的行为以特殊的僵硬性模仿简单而纯粹的机械活动、模仿自动机械动作、模仿无生命的运动的那一方面"[②]。喜剧并不表现人的个性，而是显示人类的某些类型；并不显现个体的生命之流和自由意志，而是反映重复、误会、夸张、倒置和相互干涉及理智。

在这个机械王国里，随着它自身生命形式的展开，喜剧依次成为情景的、语言性格的滑稽戏；它与植物一样，具有三级生长过程，过程中的每个阶段有其标志和特色。情景喜剧如同一个装有弹簧的机械装置，把任何严肃的、真实的甚至崇高的场面滑稽化，展示人与物的机械运动。语言滑稽开始显示人的生命形式，人们往往在陈词滥调

---

① [法] 柏格森：《笑——论滑稽的意义》，徐继曾译，中国戏剧出版社，北京，1980年，第41~42页。
② 同上书，第53~54页。

中插进荒谬的概念,用高尚的语言表达不道德的思想,以诡辩方式说反话、讲反语,在意义的转移或移置中寻找滑稽效果,以心不在焉的姿态讲出含沙射影的话语,以最简单的语言行为展现生命运动的原始状态。性格喜剧是喜剧的最高形式,它展现人的那些不合社会、不动感情、心在不焉、机械生硬的特点,令人发笑;它展示人的性格类型,从反面激活或启动人的生命之流,用类型激发人的个性,用社会的、生活的、规范的压力去刺激人的生命冲动或本能。喜剧以对社会生活的不适应开始,以对个体生命之流的开启作为结束。

正剧在个体与社会的辩证关系中探寻深刻的现实和人的本质,展示人的精神状态,使人们面对现实。正剧所探索和揭露的,正是那时常是为了人们的利益,也是为了生活的必要而隐藏在帷幕后面的深刻的现实,它"给自然提供了向社会进行报复的机会。它有时候单刀直入,把人们心底要炸毁一切的情欲召唤出来。它有时候侧重进攻,用有时不免流于诡辩的手法,把社会本身的矛盾揭示出来;它夸大社会准则中人为的东西,也就是用间接的方式把社会的表层溶解掉,使我们能触及它的深处。在这两种情况下,正剧或则削弱社会,或则加强自然,但都是追求同一个目标,即揭示我们身上为我们所看不见的那一部分——我们可以称之为我们人格中的悲剧成分"①。

悲剧高度个性化,在文学中最充分表现了生命之流,揭示出人的本能和生命冲动,荡涤着社会的功利和生活的种种污秽,艺术地展现出人性中最深刻的本质,否定了喜剧与生活的同源性和机械性,扬弃了正剧的伦理性和严肃性,在对生命之流的本质呈现中塑造独一无二的个体。如果说植物、动物推演出人的充分的生命之流,那么在戏剧文学中,喜剧和正剧推演出文学的生命之流的终极真理和最高极致即悲剧,使生命运动进入巅峰状态;悲剧撕破的是社会生活的假面具,显示生命之流的本质,表现个性化的情感,体现生命的律动;它最深刻地唤醒人的生命本能和自由意志,开发人们与生俱来就作为生

---

① [法]柏格森:《笑——论滑稽的意义》,徐继曾译,中国戏剧出版社,北京,1980年,第97~98页。

命之流的内在的自由精神。

生命运动从"无"开始，进入植物和动物及人类之中，体现在喜剧、正剧和悲剧中。从"无"到"有"，它愈向前发展，愈否定"有"，最后返归于"无"。生命运动达到"无"就是到达它的顶点，成为纯净的抽象形式的、否定一切并创造一切的东西。悲剧显示"无"，"伴随着问题的具体解决的，却是无法预见的'无'或'不存在'，而这个'无'，却正是一件艺术作品中的一切。并且正是这个'无'提取了时间，因而作为创造本身的，不是物质，而是形式了。这种形式的萌芽和开发，在不可收缩的绵延中四下伸展"①。如同交响乐那样，文学在悲剧中走向音乐，走向"无"，如同音乐乃至哀乐那样播散出生命之流。它超越空间和功利，进入永恒的直觉之中。

文学的生命之流和生命运动主要体现在直觉之中。克罗齐的"直觉即表现"，重在直觉的表现，直觉在他的哲学体系中只占四分之一，而且被表现化了，他不是一个直觉主义者。柏格森的"直觉即一切"，他把理性锁在他的哲学大楼里的工具间和保姆间内，让直觉放射出无比的、无穷的光芒，照亮整个大厦和宇宙万物，他是一位地地道道的直觉主义者。

柏格森把理智主要交给了自然科学，把直觉主要划拨给社会科学和人文科学，尤其是文学艺术。他与他的结构主义的同胞走了相反的道路，他反对对文学进行理性分析，提倡生命直觉主义的文学评论，主张深入到作者的心灵深处，与对象契合，揭示作者和文本中作为整体的生命运动及其形式。文学是一种生命直觉，只有钻进对象之中，与之打成一片，文学批评才能释放出对象的生命运动的全部过程和意义；只有这样，文学才是直觉的，文学批评才是生命直觉主义的。他在从事小说评论时写道：

> 我从小说里读到了种种经历。小说家可以堆砌种种性格特点，可以尽量让他的主人公说话和行动。但是这一切根本不能与我在

---

① [法]柏格森：《创化论》，见伍蠡甫主编：《现代西方文论选》，上海译文出版社，上海，1983年，第89页。

一刹那间与这个人物打成一片时所得到的那种直截了当、不可分割的感受相提并论。有了这种感受,我就会看到那些行为举止和言语非常自然地从本源中奔流而出。它们就不再是一种附加在我对这个人物所形成的观点上面,并且不断地充实这个观念,却永远不能达到完满地步的东西。我就一下子得到了这个人物的全貌。

唯有与人物本身打成一片,才会使我得到绝对。

任何一项分析都是一种转述,一种使用符号的阐述,一种由于采取一连串观点而获得的表述。从多少个观点出发,就是指出研究的对象与其他被已认为已经知道的对象之间有多种联系。分析永远不知满足地要求掌握它绕着转的那个对象,它无穷无尽地增加观点的数目,以便使那个老是不完全的表象完全起来,它也无休止地变换着各式各样的符号,以便使那个永远不完满的转述完满起来。而直觉——如果它是可能的——则是一个单纯的进程。[①]

第四节 意识流

意识流小说较为充分体现了生命体验和运动。意识流(stream of consciousness/strom des Bcmusstein),就是生命直觉之流,是生命意识之流的文学化,是以"内心独白"(interior monologue/inner monologue)为主体的现代主义文学的一种重要的创作方式,是现代主义文学评论的一个组成部分。在文学评论方面,意识流论者主要在心理现实的本体论、内心独白的语言观、自由联想的创作心理论、时空错位的结构论、追求音乐化的表现论诸方面,取得新见。

心理现实本体论。意识流作为一种心理现实,是作家描写的一种对象或本体。意识流小说之所以成为意识流小说,是因为它描绘出这种心理现实,而不是社会现实;是因为有一群现代派作家把它作为创作的素材和作品中的题材。意识流首先是一种生命内在的本体,其次

---

① [法]柏格森:《形而上学引论》,见伍蠡甫主编:《现代西方文论选》,上海译文出版社,上海,1983年,第82~84页。

才表现并派生出内心独白的叙事论和方法论。只有在本体论上确立地位和取向,才能更好地认识其认识论和方法论。萨洛特写道:

> 人们是不能重复乔伊斯或普鲁斯特的……对他们来说,小说的兴趣中心已不再是列举境遇和性格,也不再是描述风俗,而是要揭示一种新的心理材料。哪怕是这种材料的几块碎片,也是一种发现,这些无名材料存在于一切人、一切社会之中,对他们以及他们的后继者来说,这种材料就是真正的更新。①

威廉·詹姆斯以为:

> 意识在它自己看来并非是许多截成一段一段的碎片。乍看起来,似乎可以用"链条"或"系列"之类字眼来描述它,其实,这是不恰当的。意识并不是一节一节地拼起来的。用"河"或者"流"这样的比喻来描述它才说得上是恰如其分。以后再谈到它的时候,我们就称它为思维流、意识流或者主观生活之流吧。②

深受其兄影响的亨利·詹姆斯,在小说创作与理论中把错综复杂的意识作为创作的素材,因为任何一幅图画里的人物,任何一部戏剧中的角色,他们引人入胜的程度,只和他们对各自的地位的感受成正比,而表达明显错综复杂情况的意识,就是构成他们与这种情况相互联系的环节。他结合自己创作《卡萨玛西玛公主》的体会,认为一部作品有一套意识形象体系,"从任何一个形象的整体来看,其鲜明和具体的程度,都有赖于它们某种集中、独特的标志。这种标志,在这部书里,是在小海森司(《卡萨玛西玛公主》男主角)的意识中发展着,由于他那种生活,他对事物的理解这一事实,这种发展大大加快了"③。

---

① [法]娜塔丽·萨洛特:《对话与潜对话》,见胡经之、张首映主编:《西方二十世纪文论选》第一卷,中国社会科学出版社,北京,1989年,第121~213页。
② [美]威廉·詹姆斯:《心理学原理》,纽约版,1890年,第237页。
③ [美]亨利·詹姆斯:《意识的中心》,见胡经之、张首映主编:《西方二十世纪文论选》第一卷,中国社会科学出版社,北京,1989年,第199~203页。

乔伊斯在《青年艺术家的肖像》中，把文学视为最高级、最具有精神性质的艺术形式，理由在于文学"环绕着每一个人物漩流的生命力，给每一个人物都注满了活力，使得他或者她具有一种恰如其分而且不可捉摸的美学生命"，美学形象是人类通过想象净化了的生活，是人的意识发展所投射的"生活"，因而属于生命本体。

内心独白的语言观。作家揭示人内在的作为本体的意识流或意识活动，必然要叙述其"内心独白"，描述生命的内在话语和言语。在本体论中，"内心独白"是意识流的组成部分，意识面对自己说话，内心面向自己"独白"；意识流作为生命的一种存在，不仅具有话语，而且有着生命律动的那种音乐性的旋律和节奏。作家是叙述者，他在叙述意识流的同时必须叙述其内心独白。它们原本是联系在一起的，作家写出人的内心独白，就是揭示意识流的某些方面。萨洛特说："由于缺少行动，我们就有了言语。言语具有必要的品质，可以截获、保护和披露这些既急切又胆小的潜在运动"，这是因为，"言语是在对话者最无戒备的时候打动他，只给他一种不快的发痒的感觉或轻轻的灼烫的感觉，其速度之快无与伦比，而且直抵对话者最隐秘、最脆弱的地方，停留在他内心的最深处"，所以，"言语就成了小说家最宝贵的工具"[①]，内心独白因此成为叙述的对象、叙述本身和叙述的手段。作为手段，内心独白已成为意识流小说的一种标志，杜雅尔丹在《月桂树被砍》中写道："我曾经相信，现在仍然相信，内心独白的创作手法会被大批法国和国外的先锋派作家采用，就像自《尤利西斯》出版后这种手法在美国被接受一样。我还相信这种形式——平庸的作家也可能运用——迟早会被怀疑，但是，运用内心独白的上乘作品将会战胜这种怀疑以及对形式的摒弃——正像拉辛终于摆脱了古典悲剧的束缚那样。"

自由联想的创作心理论。意识流、内心独白及自由联想本质上都是一种心理活动，文学创作通过作家的自由联想，把握并描写对象的

---

① [法]娜塔丽·萨洛特：《对话与潜对话》，见胡经之、张首映主编：《西方二十世纪文论选》第一卷，中国社会科学出版社，北京，1989年，第216~217页。

自由联想。意识流的自由联想与现实主义创作的自由联想不同,它是把作家与对象的自由联想合而为一的,作家描述自己的自由联想,就是写出了人物的自由联想。从一定意义上说,意识流的这种自由联想,与内心独白一样,不仅是心理的,而且更是本体的;作家在传达内心独白的同时,也表现出自由联想。意识流的自由联想包括回忆、梦、联想、想象、感觉、感受、感情、意识、理性等心理活动,如伍尔夫所说:"一切都是恰当的小说;我们可以取材于每一种感情、每一种思想、每一种头脑和心灵的特征;没有任何一种知觉和观点是不适用的"[①];比起广袤无垠的社会生活,人的心理活动相当有限,意识流小说论希望作家充分发挥自己的自由联想,哪怕它混乱、混杂、晦涩、重复、反逻辑和非理性,都不足惜;心理越是自由的,心理小说就越丰富生动;意识流越是自由的,其小说越能显示出意识表象和深层的意义。

时空错位的结构论。意识流作家们不赞成柏格森把意识流仅仅作为时间性的哲学化、逻辑化的观点,主张在时空同构和错位中展示人内在的心理空间和意识时间。心理现实复杂,自由联想混乱无序,心理时空不能如哲学表述那样清晰和界划,意识流小说家主张打破时空的秩序和区划,如自由联想那样自由建构文学。普鲁斯特在《驳圣伯夫》中写道:"有时我像半夜突然醒来的人那样,不知道身处何地。我试图给自己的躯体定方位,以便弄清所处的地方,因为我一时弄不清躺在哪张床上,睡在哪个房间,处在一生中哪年哪月。"意识流的时空观,实际上是没有或全新的时空观,它们是混杂、倒置、错乱的,其时空结构是错位或倒置的,心理的时空状态成为作品的时空结构,不能以传统时空结构观视之;在创作中,意识流小说呈现出光怪陆离的时空结构,就其运动形态而言,它至少具有这样几种结构:"一是线形的意识流结构,即意识由一个源头连续地、一个关联一个地、单线地向前活动,像一环接一环的链条;一是放射形的意识流结构,即由一个固定的中心持续地向四周放射,像一个放射的星状;一是彩

---

① [英]弗吉尼亚·伍尔夫:《论小说与小说家》,瞿世镜译,上海译文出版社,上海,1986年,第13页。

点式的意识流结构,即意识杂乱地互不相关地闪烁涌现,像散布的彩点;一是块状的意识流结构,即意识集结为大块的构件,整个意识之流由大块构件排列而成。乔伊斯与福克纳的作品中,前二种结构似乎居多,普鲁斯特的作品则属于第四种结构。"①

意识流的心理时空观比柏格森更为全面地把握了生命之流的存在方式。意识流小说"以人物的精神生活为主题,那么小说的主要情节和基本叙述就一定发生在人物的意识之中",意识"不是井井有条地组织起来的,也不受一般的时间和空间概念的影响"②,它按自己的行为轨迹去结构或解构。詹姆斯写道:"我们在小说提供给我们的东西中越是看到没有重新安排的生活,我们就越感到接触着真实",在"心灵充满想象之际,才能汲取生活中最微弱的暗示"③。

追求音乐化的表现论。生命之中的意识流富有节奏和韵律,意识流作家在表现主观精神时更加投入到对音乐性表现的追求中。西方古典文论对于再现自然和社会的文学,要求它追求绘画性表述,"诗与画"成为其中的一个主题。西方现代文论对于表现人的内在精神和意识流的文学,主张它追求音乐性表现,"诗与乐"遂成为其中的一个主题。早期的意识流作家杜雅尔丹认为:"在音乐主题及内心独白的简短、直接的语言之间存在着一般被误解的相似性,我要透露一个秘密:《月桂树被砍》一开始就执意把瓦格纳程序转变为文学技巧。我对这一方法下的定义是:意识运动通过音乐主题的不断插入得到表达,这种音乐主题试图接连地、不确定地但却是不断地接近思想、感情或感觉所处的状态";普鲁斯特接受了柏格森的音乐与文学的差异论,认为意识流小说必须如音乐那样表现人的内在精神,则更依赖于音乐去结构和表达;字词具有太多的局限性,不如音乐更能体现灵魂深处,他说:

---

① 柳鸣九主编:《意识流》,中国社会科学出版社,北京,1989年,第11页。
② [美]汉弗莱:《现代小说中的意识流》,程爱民、王正文译,湖南人民出版社,长沙,1987年,第115页。
③ [美]亨利·詹姆斯:《小说的艺术及其他》,牛津大学出版社,1948年,第11页。

我和神圣的音乐有着亲密的关系。同它相比,我对人们说的每一个词都不感兴趣,但是,这些词又有什么意义呢?我简直像一个从欢乐的天堂降落到人间的天使,在毫无意义的现实中折腾。……如果没有发明语言,没有创造文字,如果人们未曾分析过思想,那么,灵魂间的交流是否就是靠音乐。①

第五节　结束语

生命直觉主义及其意识流,在中国文坛产生过影响。五四时期《民铎》分别出过"尼采专号"和"柏格森专号";鲁迅的《狂人日记》、郭沫若、郁达夫、冰心、庐隐、废名、汪曾祺、李拓之、王蒙、李陀等人的作品不同程度地受到它的启示。如祁雅理所说:"柏格森主义作为认识论同美学认识论很接近,如果考虑到柏格森还写过一些关于艺术的很好的著作这一事实,就可以很容易理解为什么当时大多数艺术家对他的著作抱很大的同情和共鸣。"②

生命直觉主义文论有效地开发了文学中人的内在资源,有力地扩大了文学表现的对象和视界,展示了艺术的某些规律。生命体验、生命之流、内心独白既为人所固有,又是文学创作和评论的重要组成部分。19世纪及以前的西方文论虽对它们有过描述,但远不如生命直觉主义的论证这么系统、深入和有力。赫伯特·里德曾认为,在过去的哲学家中,很少有人像柏格森那样的理论令他接受,他关于直觉与理智、文学与音乐、主观与客观的区别接触到艺术中较为深层的问题③。生命直觉主义文论突出了人的主体性、内在性和运动性,较为充分地显示出作家创造的内在的复杂过程,使文学生产由外在系统转向对内在生命的描绘和塑造,为现代主义文论及其评论的发展奠定了较为

---

① [法]普鲁斯特:《女囚》,见弗里德曼:《意识流,文学手法研究》,申雨平译,华东师范大学出版社,上海,1992年,第91页。
② [法]约瑟夫·祁雅理:《二十世纪法国思潮》,吴永泉、陈京璇、尹大贻译,商务印书馆,北京,1987年,第54页。
③ [英]赫伯特·里德:《现在的艺术哲学》,伦敦版,1936年,第290~292页。

坚实的哲学和美学基础，成为继叔本华、尼采之后在20世纪文论中影响深远的哲学、文学及其批评的理论出发点和一种世界观。

20世纪上半叶的文论是以直觉主义为基调的表现主义文论。在弘扬内在精神上，表现主义、生命直觉主义、象征主义、精神分析等的文学评论基本一致，现代主义文学同时受到它们的影响。意识流小说，以受生命直觉主义、精神分析影响为主，以受表现主义、象征主义文论影响为次，把现代主义文学推向了历史高峰，涌现出像《追忆似水年华》《尤利西斯》等一系列卓越的现代主义精神的现代主义作品，出现了一大批影响世界文坛的作家和评论家。生命直觉主义是其中对文学创作最具影响力的文论流源，如库列科娃所说："柏格森不但把艺术置于现实生活之上，从而受到资产阶级艺术家的百倍敬仰。正是柏格森的这些思想促使现代主义艺术的理论家们把反现实主义创作宣布为认识世界的新方法"，"柏格森形象地把直觉与行将熄灭的蜡烛相比，但是，一旦出现生活的兴趣，这支蜡烛就会重新点燃起来，用闪烁跳动的微弱烛光，照亮我们的个性，我们在自然中占据的一席地位，和我们的使命"。① 生命直觉主义给文学批评以影响，蒂博代据此将批评分为自发的、职业的、大师的三种。自发的批评就是读者的批评，职业的批评是"教授的批评"，大师的批评是公众认可的大作家、大评论家的批评，他最看重的，是第一种批评，即品鉴的、来自生命意识的批评。②

人的思维是在运动中发展的，正如缺少生命、直觉、体验、绵延、意识流等发展因素，文学的发生、生产和发展中的许多问题不能得到全面揭示一样，思维那生生不息的时间和不断拓展的空间也不能仅仅由"小坚果"式的"直觉即表现"以及"小蜡烛"式的生命直觉主义的思想所占有和完全照亮。文学所需要的广博素材和不断变化的思维系统在发展中需要多方面探索和由多种光环所照亮，生命直觉主义只是其中的一种，历史和文学整体的发展已把它扔回它们的起点，

---

① [苏]N.C.库列科娃：《哲学与现代派艺术》，王守仁译，文化艺术出版社，北京，1987年，第43页。
② [法]蒂博代：《六说文学批评》，赵坚译，生活·读书·新知三联书店，北京，1989年。

在存在主义和西方马克思主义支配西方文坛的时候，生命直觉主义的"烛光"自然熄灭了。

思维的发展是一种辩证的发展。就生命直觉主义自身来说，它有一套由外及里和由里到外的彻头彻尾的思维系统。这只是一个单质的线型系统，而不是一个双向的、辩证的发展的系统。在狄尔泰构筑精神科学和体验诗学的时候，法兰克福学派的社会批判学家已把他那个玻璃缸式的人文诗学体系砸烂了；在柏格森狂傲地用时间去统帅一切的时候，普鲁斯特以他病弱之躯和以一种诗人的调侃把它给击败了；在意识流小说不可一世的时候，现实主义与后现代主义的合力把它推到了历史的幕后；在他们都对文学赖以生存的语言文字感到头痛和愁眉不展的时候，以语言学为基础的种种形式主义文学评论成为20世纪中叶文坛的主流，再一次把这种论调退还他们自身。

发展的辩证法在发展中把直觉与理性、心理与社会、动与静、质与量、思维与语言、文学与诗学、自然科学与社会科学等有机组合在一起。生命直觉主义那种单质的线型的思维方式只是在自己认同的那条线上把直觉、本能、思维、文学与音乐形成一个系统，忽略了在社会和文学中具有重要作用的理性、实践、语言等因素，使之不可能是发展的、辩证的。一只脚站在地球上是不能持续太久的，生命直觉主义诗学只是一种跛脚的诗学，没有在综合发展和辩证思维中深入地展示文学的多维关系和时空结构。尽管在单质性思维中，它不乏洞见，并使这种洞见成为系统，由点促成一个方面。然而，它在起点的时候寻找的出发点就过于狭小了，它更多只能在文学艺术的某些方面有些启发，而不能作为它所追求的哲学之光去照耀更为广泛的时空领域。发展的辩证法是一个机能健全、永远充满生机和活力的有机体，它比生命直觉主义等的哲学、伦理学、美学和诗学更能说明世界，解释文学现象，更有助于文学评论的综合协调发展。

第四章 文艺心理学派

第一节 发展与总体特色

用心理学的分析方式研究文学艺术,是20世纪西方文论的特色之一。在20世纪以前,虽然也有运用心理分析的,如康德、里普斯、伏尔盖特、谷鲁斯等,但是,真正在文艺理论和批评领域自觉运用心理分析并取得长足进展的,还是20世纪弗洛伊德的学说问世以后的事情。

弗洛伊德本是奥地利的一个精神病医生,早年对神经生理学感兴趣,后因经济关系,改行做精神病医师。他在巴黎时与人合写过《歇斯底里研究》,1900年出版的《梦的解析》使他一举成名,继而成为精神分析学派的杰出代表和将精神分析与文学分析结合进行研究的大师。弗洛伊德认为人的心理是由本能冲动、认识过程与良知三大部分组成的。本能冲动也叫下意识或潜意识,习惯叫伊德;认识过程指人按现实原则活动的满足本能要求的活动;良知主要体现于社会伦理道德活动,是对本能冲动的压抑。弗洛伊德的学说有五个支撑点——无意识、婴儿性欲、恋母情结(也称俄狄浦斯情结)、抑制、转移。对文艺研究影响较大的是无意识、恋母情结、抑制与转移,其中恋母情结对文艺批评的影响更大。弗洛伊德文艺观的核心是非理性主义,主张本能的升华是文艺创作的任务,主张本能与理性的冲突,反对理性化的文艺理论。

与弗洛伊德文论同时或稍后的是意识流的文艺理论。意识流文论在哲学上来源于柏格森的直觉主义,心理学上来源于威廉·詹姆斯的意识流学说。威廉·詹姆斯是美国机能主义心理学的代表,他认为人的意识的各个组成部分是互相交流而融为一体的,反对把意识的各个部分看作孤立的实体,因为"人是一种有行为、有热情,又有思想和理智的生物"①,而人的理智受各种欲望和需要的支配,所以人不是纯粹的理性动物。詹姆斯的弟弟亨利·詹姆斯多从心理学说的角度出发写小说,也发表过一些文论方面的文字,这样,亨利便成为意识流文论的主要代表人物。除他以外,伍尔夫、乔伊斯、萨洛特都发表了意识流文论方面的文章,西方也有人把他们作为这一派文论的代表。

从文艺心理学的发展史上看,意识流文论之后,当是格式塔的文艺心理学。格式塔心理学也叫完形心理学,它反对原子论的心理学,认为观察心理现象时必须保持其本来面目,不能将它分解为感觉元素,因为心理现象是一个整体或完形或格式塔。格式塔文艺心理学的代表是鲁道夫·阿恩海姆,其代表作为《艺术与视知觉》。不过,这本书实际上是一本审美心理学的著作,但也关涉文艺心理学的不少问题,如文艺的创作与欣赏等。阿恩海姆的文艺心理学的核心是"异质同构"学说。所谓异质同构,是指"外部事物、艺术式样、人的知觉(尤其指视知觉)组织活动(主要在大脑皮层中进行)以及内在情感之间,存在着根本的统一"②。简单地说,就是不同的心理部门之间是由一个统一的整体维系着,不同的心理因素可以构成一个共同的整体。阿恩海姆说道:"我们必须认识到,那推动我们自己的情感活动的力,与那些作用于整个宇宙的普遍的力,实际上是同一种力。只有这样去看问题,我们才能意识到自身在整个宇宙中的地位,以及这种整体的内在统一。"③

当代欧美文艺心理学十分发达,但主要代表就是精神分析学派、意识流派、格式塔心理学派。东欧,特别是苏联的文艺心理学也达到了一个高峰。苏联的文艺心理学有很久的历史,1902年就出版过Ⅱ.奥弗夏尼科-库里科夫斯基的专著《创作心理学问题》,后来萨托拉夫

---

① [美]杜·舒尔茨:《现代心理史》,杨立能、沈德灿译,人民教育出版社,北京,1981年,第144页。
② 滕守尧:《审美心理描述》,中国社会科学出版社,北京,1985年,第36页。
③ [美]阿恩海姆:《艺术与视知觉》,滕守尧译,中国社会科学出版社,北京,1984年,第625页。

师范学院心理学教研室一度成为苏联文艺心理学界瞩目的中心,并在此基础上,苏联文艺心理学愈来愈向广度和深度扩进。仅译成中文的有科瓦廖夫的《文学创作心理学》、维戈茨基的《艺术心理学》和О.И.尼季伏洛娃的《文艺创作心理学》等。苏联文艺心理学的特点是侧重于创作心理的研究,而其成果中超过西欧的主要在创作中的思维活动的研究方面。当代苏联最大的心理学派是以列昂捷夫为代表的社会文化历史学派。列昂捷夫的《心理发展问题》《活动、意知、个性》等著作,都对文艺心理学的发展产生了重大作用,使苏联文艺心理学具有浓厚的社会文化历史色彩。

心理分析学派的文艺理论有着他们独有的特色。

第一,它重视文艺的审美经验。心理分析学派的文论之所以能形成较大的声势,与20世纪西方文化反对形而上的思辨哲学有关。20世纪以前的西方文论,尤其是德国文论,思辨的色彩相当浓烈,相比之下,心理经验的总结显得逊色一些。虽然18世纪英国经验派的文论有一些心理现象的描述,但缺乏科学实验的依据和比较精确的分析。现代心理学文论的成果,改变了公众对艺术和审美经验的态度,使人们更加相信,艺术和审美经验是科学所揭示的自然秩序的一个更加高级的阶段,因此不需要对它们进行超自然的和超经验的解释。这些鼓舞人心的成功使人们更加确信,即使像艺术和感情生活这样一些最微妙的现象,也不可能永远处于神秘状态。为了取代唯心主义美学提出的种种模糊的信条,人们越来越要求对艺术遇到的一切问题作出自然主义的回答。[①]从这个意义上说,心理分析学派与表现主义文论的代表克罗齐、科林伍德的理论大相径庭。前者是形而下的经验总结,后者是形而上的哲学演绎;也与象征主义文论更多地从创作实践出发来立论不同,心理分析派更多地从心理学的例证来看文艺。因此,同属于作者研究系统,却呈现出各有千秋的光彩。

第二,心理分析学派重创作心理的描述。无论是奥地利的精神分

[①] [美]托马斯·门罗:《走向科学的美学》,石天曙、滕守尧译,中国文联出版公司,北京,1984年,第72~73页。

析文论、法国精神分析文论、格式塔心理学文论,还是意识流、苏联心理学文论,它们的普遍特点是把创作心理作为一个活生生的过程进行描述和科学证明。正如美国理论家L.艾德尔在《心理学与文学》一文中所指出的:"在弗洛伊德阶段以前的许多文学研究成果都是致力于从传记因素和文学因素这两个方面追溯作品的素材来源。大量的文献材料存在于作家所读过的那些书籍和一生中对他们的作品产生影响的那些事里。自从精神分析学出现以后,批评便从对艺术家意识的渗透所进行的这种常常是素朴的尝试转向对想象过程的更系统的研究,也就是说,转向对艺术家幻想的本质以及对他作品中——无论是诗歌、戏剧,还是散文——所采用的潜在模式的更系统的研究。"①这种系统研究一方面是对创作心理过程的描写,另一方面又是对创作心理活动的经验事实进行反思,从而使一种描述过渡到对创作中心理活动的规律的把握。拉冈在进行精神分析的文艺评论的时候,往往把评论与心理哲学联系起来考察,深入到人类的心理结构中把握文艺创作的心理构成与转换方式。这种把握常常是以心理描述为手段,达到对文艺本体论的解释的目的。因此,不能简单地看待这种心理描述。

第三,心理分析派对艺术思维的研究比以前更细致、更具体、更富有科学意味。这一点,在苏联学派中表现得特别突出。苏联文艺心理学家自己并没有意识到有个苏联学派,其内部矛盾很多,流派之间的纠葛不少。不过,比起欧美来,他们的研究有自己的整体特色,形成了自己的风格。因为在苏联文论界,形象思维的问题如同美的本质一样,是研究最多、讨论最热烈的课题之一。Б.梅拉赫曾说:"苏联创作心理学研究者面临的首要任务是在哲学、心理学、文艺学和其他人文科学以及自然科学最新成就的基础上重新理解先前的问题:灵感、想象、创作动机、直觉和天赋等等。研究艺术思维的心理和由于艺术方法不同而形成的不同类型的艺术思维的心理,具有最重要的意义。先前是把创作过程的特点同一化,多半是在按照通用栏目("灵感"、

---

① [美]L.艾德尔:《心理学与文学》,见《二十世纪世界文学百科全书》,纽约版,1971年。

"构思"、"计划"等等）描绘和划分作家讲述的内容的基础上来研究创作过程本身，区别于先前的这种划分方法，必须根据艺术思维的类型来划分创作过程的类型，而艺术思维的类型可以具有理性的，或者主观—富于表情的，或者分析—综合的倾向。"① 也就是说，他们把艺术思维的心理学研究视作最有意义的文艺心理学方面的研究课题，并把这一研究看作区分过去和现在研究方式的不同的重要标志。

西方文艺心理学的发展有其深厚的社会基础，第一次、第二次世界大战的发生，重组了人的心理结构，改变了人对封建文化与宗教信仰的看法。小说《牛虻》的心理意识在客观上揭示了封建意识与宗教的片面性与虚伪性，使人们对人及其文艺的心理构成进行探本寻源式的研究，突破了人为制造的种种条条框框，用一种科学的方式来与那种落后迂腐的学说进行抗争。但是，这些学说本身还在发展中，显得不够完善，这就直接影响了文艺心理学的发展。尽管如此，在我国文艺心理学研究方兴未艾之时，客观评介以弗洛伊德为代表的现代文艺心理学思想，对我们是不无益处的。

第二节 精神分析与文艺研究

精神分析的文艺心理学，在我国早有介绍。朱光潜等人在这方面做过大量工作。在文学创作中，也有作家受到弗洛伊德的心理学的显著影响。当左翼作家楼适夷批评施蛰存是"新感觉主义者"的时候，施蛰存回答说："这是不十分确实的。我虽然不明白西洋或日本的新感觉主义是什么样的东西，但我知道我的小说不过是应用了一些Freudism的心理小说而已。"（《我的创作生活之历程》）

弗洛伊德精神分析学的文艺思想的核心是"无意识"。不仅他的文艺思想是如此，而且他的整个精神分析学说最有特色的也是这个"无意识"。无意识也叫下意识或潜意识。无意识是相对意识而言，

---

① [苏] Б.梅拉赫：《文学创作心理学》，原载《苏联简明文学百科全书》，见科瓦廖夫：《文学创作心理学》，程正民译，福建人民出版社，福州，1983年，第168页。

内容是性爱。因此，说到底，弗洛伊德是一个泛性主义者，也是一个泛性主义的文艺论者。

在文艺的本质方面，弗洛伊德认为艺术是人的本能的一种升华。首先，这种本能"是推动或者起动的因素，是个体释放心理能的生物力量"，它"来源于身体内部的刺激，它们的目的是通过某种活动，如性的满足消除或者减少刺激"。[①]由此不难看到，弗洛伊德所认识的本能主要指人的生物要素，而不是指人的社会意识所凝聚的本能。早年的弗洛伊德把本能分为自存本能和性本能，后来他又分成生的本能和死的本能。求生的本能包括饥饿、口渴或性欲，与人的自我保存和种族生存相关。这种本能是作为生命本身的基础的创作力而存在的。死亡的本能具有破坏力，如攻击、嫉妒、憎恶等等，严重的如自杀、色情狂等，他认为："一切生命的目标是死亡。"在弗洛伊德的著作中，这种本能也叫"里比多"（又译为"性力"），它作为个人特征冲动的现象也可称为"伊德"。"里比多"的活动必须坚持两条原则：一条是快乐原则，强调人的身体由不愉快、不满足状态进入快乐与满足状态；另一条是现实原则，因为"里比多"是无意识领域中活动能力最强的"性力"，所以对它必须加以节制，把节余下来的精力用来改造自然和社会。艺术正是属于这种本能的一种外化与升华。其次，弗洛伊德讲的升华，有具体的涵义。其实，这种升华本质上是一种转移，即本能的发泄由生物性转移到社会及现实中去，使之得到一种补偿。如果这种转移在一般领域中，就叫转移；如果转移到比较高级的文化领域中，就叫升华，因此，升华是本能的发泄于文化领域包括艺术领域中的转移。但这种转移可以得到社会的承认、人们的赞许，它仍然是本能的一种补偿。因此，与其说升华是对艺术而言，不如说是对整个高层次的文化领域而言更为恰切。但弗洛伊德常用此论艺术，所以也可以说艺术是本能的一种升华。他说："凡是艺术家，都是被过分的性欲所驱使的人"[②]，由于"性的精力被升华了，就是说，它

[①] [美]杜·舒尔茨：《现代心理学史》，杨立能、沈德灿译，人民教育出版社，北京，1981年，第344页。
[②] [奥]弗洛伊德：《心理学导论》，伦敦版，1933年，第314页。

舍却性的目标,而转向他种较高尚的社会的目标",所以,"参与文化事业的各个人都不免有受性力反抗的危险"①。用钱锺书先生的话说:"弗洛伊德的有名理论:在实际生活里不能满足欲望的人,死了心作退一步想,创造出文艺来,起一种精神代品的功用(Ersatz für den Triebverzicht),借幻想来过瘾(Phantasiebefriedigungen)。"②总之,按弗洛伊德的观点看,文艺既是本能的升华,又是对本能的补偿。

弗洛伊德运用他的理论对一些具体作品的解析,不少结论是令人啼笑皆非的。例如,他把达·芬奇创作各种圣母像所激发的情感,看作是达·芬奇对早年离别的母亲的思念的升华,莎士比亚的十四行诗、惠特曼的诗篇、柴可夫斯基的音乐和普鲁斯特的小说等也都被视为性的渴望与升华。最典型的例子是他对《哈姆雷特》的分析。我们知道,哈姆雷特刺杀克劳狄斯时的"忧郁"的原因,是莎学研究中的一个重大课题。对这个课题,弗洛伊德作出了这样的回答:哈姆雷特迟迟不杀死克劳狄斯是因为他的无意识在起作用,是由于他对母亲的爱恋所产生的"恋母情结"在起作用。人们欣赏《哈姆雷特》,也是因为哈姆雷特的"恋母情结"激起了人类潜藏在无意识领域中的"恋母情结"这个共鸣区,使人们能重温孩提时曾有过的对母亲的爱恋之情,这样,人们的这种本能可以得到升华,又得到了这种本能本身的满足。

弗洛伊德从无意识的理论出发,对文艺创作的幻化作用进行了研究。不过,这种研究不是一种纯文论的研究,而是像以往的哲学家、美学家那样,把文学作为他们推演理论的"场所"之一。莱昂内尔·特里林说道:弗洛伊德"把一些文学家称作他所创立的科学的先驱和助手。因为这些人懂得潜伏动机在生活中所起的作用"③。明确这一点,就可以把弗洛伊德的心理学思想与其文艺思想联系起来考

---

① [奥]弗洛伊德:《精神分析引论》,高敏敷译,商务印书馆,北京,1984年,第7页。
② 钱锺书:《诗可以怨》,见《比较文学论文集》,北京大学出版社,北京,1984年,第36页。
③ [美]莱昂内尔·特里林:《弗洛伊德与文学》,见《外国现代文艺批评方法论》,江西人民出版社,南昌,1985年,第82页。

察。第一,必须先弄清弗洛伊德的幻化指什么。幻化应该包括幻想与表现这个幻想的外化两种。弗洛伊德认为,幻想是人人都有的,正像创造性是人人都具备的一样,从这个意义上说,"每一个人在内心都是一个诗人,直到最后一个人死去,最后一个诗人才死去"。但是,这种幻想的来源却不是每个人都具备的,幸福完满的人用不着幻想,愿望不满足的人则不甘现状而崇尚幻想,比如流浪汉幻想快乐,少女幻想英俊少年,青年男子幻想社会地位与日俱增等等。这种幻想往往与过去的行为思想有密切关系。假设一个贫困的孤儿,有人告诉他某个雇主的地址,使他去找工作。他一路上可能具有某种幻想:努力工作,讨雇主喜欢,与雇主漂亮的女儿完婚,成为雇主的继承人。这种幻想源于他童年就有的思想意识,即尽可能保护家庭、建设家庭。这样,幻想就成为按过去的格式,利用现实的环境设计未来的生活。这就把幻想与梦联系起来了。比如亚历山大大帝出征时,"梦见一个半人半羊的神得意洋洋地跳舞,他将此梦告诉详梦者,详梦者以为这是破城的胜利预兆;大帝因此发出攻击令,以暴力取得了泰尔城"[1]。这种梦源于进攻胜利的幻想,在梦境里,幻想得到了充分的展开。而在幻想的实现过程中则往往不可能实现全部的幻想,只能根据快乐原则与现实原则,实现其中的一部分。

第二,艺术的幻化正是由人类的这种共存的幻化性演化而来。弗洛伊德有感于浪漫主义文学的反理性的倾向,认为浪漫主义文学是人的潜意识的高度升华。因此,西方有的文论史家认为弗洛伊德的文论是浪漫主义文学走到顶峰所必然出现的理论总结。弗洛伊德认为,艺术家像精神病患者一样,受过本能需要的压抑,这一需要把他从现实引入幻想。艺术家具有内向性格的气质,受着本能的强烈的驱使,想去获得力量、财产、声誉和女人的爱恋,由于缺乏获取的手段,他就逃避眼前的环境,转入幻想的创造性中,用幻想的方式创造出作品,从而获得他本能的潜在需要。弗洛伊德把作家分成再现型与表现型两种,前者"接收现成的材料",后者"创造他们自己的材料"。

---

[1] [奥]弗洛伊德:《精神分析引论》,高敏毅译,商务印书馆,北京,1984年,第59页。

在这两种作家中,前一种作家的幻想尤为突出,这类作家写出的作品多为心理小说,而"心理小说的特殊性质无疑由现代作家的一种倾向所造成:作家用自我观察的方法将他的'自我'分裂成许多'部分的自我',结果就使他自己精神生活中冲突的思想在几个主角身上得到体现。有一些小说——我们可以称之谓'古怪'小说——看来同白日梦的类型形成很特殊的对比。在这些小说中,被当作主角介绍给读者的人物只起着很小的积极作用;他像一个旁观者一样,看着眼前经过的人们所进行的活动和遭受的痛苦。左拉的许多后期作品属于这一类。但是我们必须指出,我们对那些既非创作家,又在某些方面逸出所谓'规范'的个人作了精神分析,发现了同白日梦相似的变体,在这些作品中,自我以扮演旁观者的角色满足自己"①。在这里,弗洛伊德所说的自我的分裂,是指艺术家的本能与自我在幻想中分化而演变,并由这种分化与演变产生小说中不同的角色,又在这不同的角色中,作家获得了本能所需要的一切。这样的作品在作家脱手以后,就不仅仅属于作家了,对于作品,作家也成了旁观者,只是以这种旁观者的身份对待作品,作家又从作品中得到了本能的满足。因此,弗洛伊德没有把文艺当作一种反映,而是作为一种生产,生产的原料是潜意识、幻想与梦或性爱,将这些分别表现出来,就是文艺。如果说文艺是一种再现的话,也只是再现的这种心理结构。所以,在第二种文艺类型,即再现型方面,弗洛伊德认为,它也是"现成的和熟悉的素材的再创造。即使在这种情况下,作家还保持着一定程度上的独立性。这种独立性表现在对素材的选择和改变上——这种改变往往是很广泛的。不过,就素材早已具备这点而言,它是从人民大众的神话、传说和民间故事宝库中取来的。"像神话这样的东西,很可能是所有民族寄托愿望的幻想和人类年轻时代的长期梦想被歪曲之后所遗留的迹象。"②也就是说,再现型的作品不是对客观生活的再现,而是对人类的心理结构的再现,仍然是对人们早已形成的幻化成果的再"幻

---

① [奥]弗洛伊德:《创作家与白日梦》,见伍蠡甫主编:《现代西方文论选》,上海译文出版社,上海,1983年,第145~146页。
② 同上书,第147页。

化",使已经凝聚在人们心中的幻想通过艺术家的幻想传达或外化出来。用他的话说:"作为梦所特有的,并区别于白日梦的是再现的内容并不是一种思想,而是变幻成一种能知觉的形象。"①艺术家之所以成为艺术家就在于懂得如何以别人可以接受的方式检视、塑造和软化他自己的白日梦。这样,能传达幻想与梦的艺术家便与只存幻想与梦的一般人分道扬镳了。

前面我们叙述了弗洛伊德的艺术本质、艺术的幻化这两个问题,主要是从弗洛伊德文论重心理内容入手的。事实上,弗洛伊德也重形式。特雷·伊格尔顿看到了这一点,他说:"形式问题确实进入了弗洛伊德的艺术思考之中",弗洛伊德意识到:"像梦一样,作品包括'原材料'——语言、其他文学文本、知觉世界的方式——并且依靠某些技术把它们变成一个产品,使这一生产得以实现的技术是我们认作'文学形式'的各种设计。"弗洛伊德对语言高度重视,把语言作为艺术技巧的重要因素,因为在语言中,积淀了人们的心理意识,从中窥见艺术创作与游戏的关系。他说:"在语言中保留了儿童游戏和诗歌创作之间的这种关系。语言给那些充满想象力的创作形式起了个德文名字叫'Spie'(游戏),这种创作要求与可触摸到的物体产生联系,要能表现它们。语言中讲到'Lustspiel'(喜剧)和'Trauerspiel'(悲剧),把从事这种表现的人称为'Schauspieler'(演员)。然而,作家那个充满想象的世界的虚伪性,对于他的艺术技巧产生了十分重要的效果。"②这说明,语言既是表现者,又是被表现者,作家的虚幻意识决定了技巧的表现性;没有好的艺术技巧,即使再强烈的本能冲突与美丽的幻想也无法表达;但是如果没有作家的想象,再娴熟的技巧也不能表达充实的内容。这里,弗洛伊德已经接触到内容与技巧的关系。

弗洛伊德还曾从艺术形式的角度,考察过艺术魅力的来源。他有一个重要的概念叫"诱惑的奖赏",这种诱惑的奖赏不是对其他对象

---

① [奥]弗洛伊德:《梦的解析》,纽约版,1927年,第424页。
② [奥]弗洛伊德:《创作家与白日梦》,见伍蠡甫主编:《现代西方文论选》,上海译文出版社,上海,1983年,第139页。

的奖赏,而主要是对由形式组成的作品的奖赏。艺术形式是组成作品的重要因素,艺术家通过形式把潜意识传达出来,从而使形式"凝固"内容,成为人们鉴赏的对象,这种对象对人发生诱惑,人们欣赏它,即为这种诱惑的奖赏。在这里,弗洛伊德不仅始终对作家进行研究,而且把作家、作品与读者联合起来考虑,尽管其重心仍然放在作家方面。弗洛伊德的追随者诺尔曼·N.霍兰德在《文学反应的动力学》一书中,认为文学作品的愉悦性在于作品通过迂回的形式、方法把我们最深的焦虑与欲望转变成为社会可以接受的意义。假令作品没有以它的形式和语言"软化"这种焦虑与欲望,不能使我们充分支配和抵抗它们,也就无法接受它们。拉冈更是把潜意识作为一种不稳定的语言符号,认为潜意识依靠隐喻和换喻进行工作,比如一只鸡,在潜意识中可能只是鸡的尾巴或鸡头或鸡的翅膀,而鸡的意义远远大于鸡的形象,用拉冈的话说"所指能从能指下面溜掉",读者欣赏这种形象,往往用语言构成的心理结构去进行再创想、再幻想,绝不会因为某种批评文章的阐释而改变自己的主张。

第三节 格式塔的知觉与整体动化原则

如果说精神分析与意识流的文艺心理学侧重意识内容研究,那么,格式塔派的文艺心理学则侧重形式研究。因为"完形心理学即形式心理学"[①],与之相一致的,它也是注重形式的文艺心理学。

格式塔心理学所讲的形式,不是指客观事物艺术,而是指经过知觉所组成的形式。比如,对一幅地图,上面有各式各样的符号,这些符号组成了地图的外在形式。格式塔所指的不是这种形式,而是指看地图的人对地图的知觉所产生的形式,属于心理范围。同时,由于格式塔学说从"异质同构"来说明这个问题,地图上的符号形式与人的知觉形式是一致的,所以,这种心理的知觉形式也不会因为不是地图

[①] [美]J.P.查普林、T.S.克拉威克:《心理学的体系和理论》上册,林方译,商务印书馆,北京,1983年,第184页。

上的符号形式而与地图上的符号形式不一致。

这里,什么是格式塔所理解的知觉,这个问题就很突出了。格式塔心理学家库尔特·科夫卡曾这样说过,知觉心理学的基本问题就在于回答:为什么事物看起来会像那个样子,正像人看地图为什么会出现地图那样的东西。这就是说,知觉什么就是经验什么——去看、听、尝、摸、嗅,对事物进行辨析,从经验出发去获得一个完整的、有意义的经验世界。从这个意义上说,格式塔心理学是从功能效果来考察知觉的。首先,知觉具有经验事物的特点,没有对事物的体验以及由这种体验形成的经验,再用这些经验去观照并认识世界,这就是知觉的功能。其次,这种经验的效果就是获得了一个世界。一个艺术世界,并不是一般人所认为的是整个世界的反映,而是艺术家通过自己的知觉所获得的审美世界。同时,知觉不同于感觉,具有抽象思维的特点,阿恩海姆说:"知觉是种抽象过程,在这个过程中,知觉通过一般范畴的外形再现个别的事实。这样,抽象就在一种最基本的认识水平上开始,即以感性材料的获得来开始。"[1]知觉的抽象性,也不同于理性的思辨性,它通过一般展开个别,通过对整个的理解从而在个别中表现整体,它始终以感性材料为基础理解整体和表现整体。如果把这种观点放到西方文论史的长河中考察,不难发现,它与歌德的从个别到一般多么相悖,而与席勒的从一般到个别多么接近。不少人认为,格式塔的这种知觉说乃至由此演绎而来的艺术知觉说是对现代西方抽象派艺术的一种鼓吹,并为之制造理论依据。

格式塔所强调的审美与艺术知觉,不同于一般的知觉,主要表现在它的非功利性与审美的特殊性。比如品尝美味,是一种知觉活动,但这种品尝本身具有吞食的功利性质;如果鉴赏艺术品,品味博物馆的古代食品,则不会产生据为己有的念头,如果有,审美便全被破坏。格式塔的"知觉"所涵指的主要是后者这样的知觉活动。

一般说来,格式塔的文艺心理学有两大特征:一是完整性,这种完整性既包括视觉的完全性,也具有不完全性,是这两者的融合;二

---

[1] [美]阿恩海姆:《走向艺术心理学》,英文版,1972年,第33页。

是运动变化性。

格式塔本来就叫完形,就是讲完整性。格式塔心理学观察现象经验时,认为现象经验是一个整体,不许将它分析为感觉元素。知觉首先感知整体,尔后才关注构成整体的诸部分,部分是整体的部分,不是部分相加等于整体。部分相加等于整体是先看到了部分,这与格式塔心理学先看到整体的学说相矛盾,因此不符合该派学说。一个梯形绝不是四条边之和,一幅油画不仅仅是画布、颜料的总和,一个曲调也不是所有乐音的连续相加的结果。在《艺术与视知觉》一书中,阿恩海姆声称:"我们从'视觉不是对元素的机械复制,而是对有意义的整体结构式样的把握'这一发现中,同样也吸取了有益于健康的营养。如果这一发现适合于知觉一件事物的简单行为的话,那它就更应被适合于艺术家对现实的把握。很明显,无论是艺术家的视觉组织,还是艺术家的整个心灵,都不是某种机械地复制现实的装置,更不能把艺术家对客观事物的再现看作是对这些客观事物偶然性表象所进行的照相式录制(或抄写);换言之,这些科学发现使人们愈加坚信,虽然艺术形象远远不'醒似现实的形象',它们仍然能使人感到是真实的。"①阿恩海姆还引用了薄伽丘《十日谈》中的一段话,来说明知觉是完整地把握现实这一道理。《十日谈》第六个夜晚讲的第五个故事写道:"画家吉托是这样一个天才,对自然中所拥有的任何事物,他都能用铅笔、钢笔、毛笔加以描绘,这些由他描绘出来的形象与原物相比,不仅仅是与原物相似,它们本身看上去似乎就是原物。由于如此逼真,很多人的眼睛都被这些形象欺骗了,人们全都错把画中的形象当成了真实的东西。"阿恩海姆以为,如果真是把原物与吉托的画相比,吉托的画无论如何也不会与原物酷似,而是人的视觉在起作用。由于人的视觉的整体感,欣赏艺术时便容易将此整体与彼整体联结起来,好像它们是一回事。换句话说,视觉对整体结构的把握,是形成艺术真实的原因之一。

---

① [美]阿恩海姆:《艺术与视知觉》,滕守尧译,中国社会科学出版社,北京,1984年,第6~7页。

但是，完整并不等于完全，尽管它包括完全。审美的完整不仅具有完全性，而且还具有不完全的特征。维纳斯雕像断手残臂，却仍被视为完整的举世称誉的艺术品；中国古代文人的画并不处处皆实，倒是虚境很多，谁也没指责这不完整的造境不是美的完整的绘画杰作。格式塔的文艺心理学认为，艺术的不完全性，正好引起视觉中一种强烈追求完整、和谐的激情，唤起补充不完全部分的冲动，使之恢复完全、完整的面目。从这一点上来看，格式塔文艺心理学家希望从不完形中见出完形，对不完形的空间作完形的处理。阿恩海姆援引过这样一个例子：雕塑家亚克奎斯·立普奇斯偶尔见到画家于安·格勒斯的一幅尚未完工的画后，不禁大加称赞，惊叹地说："这幅画真是美极了，再也不要动它了，它已经完成了。"在立普奇斯的视知觉中，这幅尚未完成的作品倒是完整的，不完形的作品引起了他对完形的认识与追求。阿恩海姆分析道："那些形象与客观物体之间的自相矛盾的等同，却很有可能是由那种只对具有表现性的突出结构特征进行反应的知觉能力所把握的，而不是被那种精密性和全面性的知觉能力所把握的。"① 把不完全的形象看成是完整的形象，是人的知觉及其视知觉的结果，简洁地说，作品的完全与否，关键在于人看起来完整与否，某种程度上艺术的不完全并不取决于艺术品自身，乃是取决于人看来是不是完整的，人看来是完整的，不完全的作品也是完整的。不少小说故意"留空子"、"卖关子"，结局让读者自己去想象，反而比作者径直把作品写满、写全更有艺术魅力、更有诱惑力、更能刺激人的想象与知觉的伸展与发挥。

格式塔文艺心理学的第二个特点是讲究形象整体的运动变化性，也称之为动化原则。

所谓运动，照阿恩海姆的观点，就是指由人的视知觉感知的一件事物在空间上发生了位移。比如，一个人在桥上看滔滔流水，会感到水在运动，如果他紧紧盯住的物体不是流水，而是桥本身，他会看到

---

① [美]阿恩海姆：《艺术与视知觉》，滕守尧译，中国社会科学出版社，北京，1984年，第162页。

自己和桥似乎都在水上流动着。"按照规律，凡是被看作'图形'的物体总是呈现出运动状态，而被看作基底的物体总是倾向于静止状态，因此，盯住一件物体就会造成这个物体的运动。"①也就是说，由于视知觉把对象转换到不同方面，这种对象立即成为运动的，好比人乘坐汽车，表面上只有汽车在动，如果设身处地考虑自己，立即会感到自己也在动。戏剧舞台上，好像只有演员在运动，布景、灯光、观众都没有动，但是，如果从整体上看，布景因演员的运动而发生位移，灯光随演员的活动而变换，观众为剧情的紧张而紧张、松弛而松弛。与此同时，阿恩海姆还提出了"不动之动"的观点，他引用T.S.艾略特的一句名言："一个中国式的花瓶，虽然是静止的，但看上去却似乎在不断地运动着。"②因为从视知觉上看，艺术作品传送的是一种审美信息，传达某种事件，它本身不是一种客观存在，所以，表面上看，审美信息、事件是静态的，实际上在人们看来却是非静态的、动态的。无论是一首小诗，还是篇幅浩繁的小说，在作品中都是固定的，但是，人们读起来，却感到其中有一种运动感，这种感知到的运动反过来又可帮助读者提高运动能力、积累运动经验。

格式塔派所说的变化，主要是从时间上说的，以区别从空间上研究的运动。用阿恩海姆的话说："时间是衡量变化的尺子，因为它能够描述变化。如果没有变化，也就无所谓时间；如果宇宙中一切活动都停止了，那也就不存在时间了。"③作品中的故事情节，随着时序的推演而展开，不可能在同一时间把所有的人物及其故事都展开。但是，与其说格式塔派讲时间，不如说它重次序与发展更为恰当。阿恩海姆写道："我们的经验中，一件物体和一件事件之间的区别并不在于对时间有没有知觉，而是在于我们能不能亲眼看到一种条理清楚的次序——各个阶段是否按照一定的意义在一个一度的次序中先后

---

① [美]阿恩海姆：《艺术与视知觉》，滕守尧译，中国社会科学出版社，北京，1984年，第525页。
② T.S.艾略特：《四个四重奏》，纽约版，1943年，第9页。
③ [美]阿恩海姆：《艺术与视知觉》，滕守尧译，中国社会科学出版社，北京，1984年，第515页。

相继。如果一个事件没有一定的条理和不容易把握时,其中的次序就无异于一种纯粹的连续,因为它已经失去了时间这一重要特征。"① 比如欣赏舞蹈,很难注意演员在时间中变化着舞姿,更多地关注演员的舞姿在音乐中舒展开来,或缓慢轻优,或高空飞旋,是有次序、有节奏的表演。为什么阿恩海姆有这种意识呢?原因在于他把顺序作为视知觉的范畴,把时间作为存在本体的范畴,所以,他从视知觉的角度分析艺术,必然重视顺序。但是,说到底,时间与次序是不矛盾的,两者具有一致性,时间的变化更内在一些,次序的变化更外在一些,因此,更容易被视知觉所观照。

与格式塔派重整体动化相一致的,是形式的组织结构学说。阿恩海姆通过艺术的组织结构,从而具体地展开他的整体动化的思想。国内有的文艺论著指出:"所谓形,乃是经验中的一种组织、一种结构,而且与视知觉活动密不可分。它既然是一种组织,而且伴随知觉活动而产生,就不能把它理解为一种静态的、不变的印象,绝不是各部分机械相加之和,或者说,先有各部分感觉,然后把这些感觉加在一起,凑成一个印象。"②格式塔派正是把形式视为一个整体。从整体出发,形式的组织结构是形式的组织方式与重要部分。组织结构离不开整体,而且帮助整体实现其自身。格式塔文艺心理学根据韦太默提出的组合原则及相似性原理,对整体动化进行了切实的探讨。所谓组合原则,主要指那些看上去关系比较密切的成分之间的联结因素。比如,在抽象派的绘画中,方形与圆形的构图较多,一幅画同时出现方形或圆形的形状,方形与方形关系密切,即组合在一起,圆形与圆形关系比较密切,因之组合在一起。舞蹈中演员表演的弧线与曲线之间的对应组合,形成优美的姿态。小说中,人物性格的相同与不同各自组合在一起,局部的组合与整体相协调,整体的组合又与局部相照应。所谓相似性原理,主要指知觉方面的相似性的程度有助于人们确定部分与部分之间的关系,简单地说,是指在作品中部分与部分之间看起来有差不多的

---

① [美]阿恩海姆:《艺术与视知觉》,滕守尧译,中国社会科学出版社,北京,1984年,第517页。
② 滕守尧:《审美心理描述》,中国社会科学出版社,北京,1985年,第100页。

东西。比如在《沉重的翅膀》里,郑圆圆的性格在小说的前后部分看起来有相似的因素,都那样沉静稳健、自有主见,这种相似性的性格保持了性格的一致性与连贯性。同时,也有超相似性或不相似的部分,像莫征的消极厌世发展成为积极入世,使人物性格得到了充分的、全面的展开。正是在这些组合原则下的相似性与不相似性的一系列对应组合中,艺术作品才呈现出斑斓绚丽而又相得益彰的色彩和画面。

第四节　苏联的形象思维论

西欧与美国的文艺心理学越来越朝具体的分支方向发展,并在绘画、音乐、舞蹈等方面都有一系列的有关心理学的论著。相形之下,苏联的文艺心理学因一度中断而显得不够发达。

但是,苏联文艺心理学比欧美文艺心理学更结合创作实践,与西方文艺心理学比较而言,它们又有着重视形象思维与社会历史文化的独自特色。本节主要评介苏联文艺心理学关于形象思维方面的言论,对社会历史文化学说将在"社会—文化系统"一辑中专门论述。

梅拉赫在《简明文学百科全书》"文艺创作心理学"条目中谈到该门学科的研究重心时说:"研究艺术思维心理以及各种不同艺术创作方法相联系的各种艺术思维类型,具有最重要的意义。"事实上,苏联文艺心理学家也是把对艺术思维的研究看成是最有意义的事情,并且在研究艺术思维方面取得了不少独到的成绩。

从苏联形象思维理论的发展看,文艺学家们首先研究了形象是艺术反映生活的一种形式,后来又从内容入手探讨形象及其思维的特殊性,从而做到了把形象思维的内容与形式结合起来进行研究。

在研究形象思维的形式方面,苏联文艺心理学家普遍遵循别林斯基关于"艺术是寓于形象的思维"的理论,并对别林斯基的这种思想进行阐发。别林斯基曾说:"政治经济学家运用统计的材料,作用于读者或听众的理智,证明社会中某一阶级的状况,由于某些原因,业已大为改善,或大为恶化。诗人则运用生动而鲜明的现实的描绘,作用于读者的想象,在真理的画面里显示社会中某一阶级的状况……一个是证明,另一个是显示,他们都在说服人,所不同的只是一个用逻辑论据,另一个是用描绘而已。"①这就是说,抽象思维与形象思维的内容与目的都是一样的,都反映现实、说服人,然而形式却不一样,抽象思维在于证明,形象思维在于用形象来思维,体现在作品中就是显示与描绘。拉甫列茨基在1959年出版的《别林斯基美学》一书中,坚持别林斯基的这种学说,并一再声明别林斯基的这样一段话是正确的,即:"就内容而言——他在自己远为成熟的另一发展阶段发挥同一思想时写道——诗情作品是跟哲学论文一样的东西;在这方面,诗歌和思维之间没有任何不同之处……它们因其形式不同而显著地互相有所区别。"②这种观点直接给我国文艺理论以影响。直到现在出版的不少文艺学论著仍沿用这一说法。

但是,20世纪五六十年代乃至以后的苏联,越来越多的文艺学家对此提出了异议,认为形象思维不仅形式有特殊性,内容也有自己的规定性。这方面的代表是布罗夫。在《论艺术概括的认识论特征》一文中,他强调思维的内容决定思维的形式,而不是与此相反;缺乏对艺术思维的内容的研究,等于没有研究该思维的形式,因为思维形式失去了思维的内容,就变成了空中楼阁。他说:"所有的社会意识形态,所有的科学都反映着实在的现实,但是,每一种意识形态都撷取现实的某一个有自己特点的方面来供自己研究,而这些特点也正决定了该门科学和其他科学的区别。"从这种设想出发,他认为对艺术思维的内容应该进行逻辑规定。从这种规定中,文艺学家找出形象思维的内容的概念与观念。这些概念与观念当然不属于抽象思维的概念与观念。不同性质的思维有不同的概念与观念,本来就是理所当然的。他说:"如果艺术思维是真正的、正常的思维,而不是'次等'思维,那么,它就不能没有名副其实的抽象,不能没有概念和观念。这就是说,艺术思维的特点在于它的逻辑因素的质的特殊性。"③

---

① 中国社会科学院外国文学研究所外国文学研究资料丛刊编委会:《外国理论家作家论形象思维》,中国社会科学出版社,北京,1979年,第79页。
② 同上书,第67页。
③ 同上书,第266页。

从这种思想出发，布罗夫提出了艺术思维的内容是人及其整体的社会生活。他说："艺术的内容就是人类的生活及其天然的（社会的和自然的）环境，这种环境是艺术家根据一定的社会理想从综合其各方面来把握和理解的。"① 与此相一致，艺术思维的内容就是对这些在各方面的把握和理解。在《艺术的审美本质》一书中，布罗夫反复研究了艺术思维的这一特性。他不同意别林斯基的看法，而主张形象不过是具体形式，不过是思维的形式，正像哲学用概念思维一样，但是，哲学家思维有其内容、有其对象，否则任何用词、概念思维的人都可以成为哲学家，同样，任何用形象来思维的人都可以成为艺术家。他也不同意用典型化来充当艺术思维的内容，"典型化就是生活的概括，就是在个别的、具体的现象中揭示本质的、有普遍意义的东西。这样就产生了一个主辞与宾辞相等的绝望的判断：概括通过典型化实现，而典型化也就是概括"②。从对别林斯基和流行的典型化理论的反驳中，布罗夫提出了艺术思维的内容在于体验的观点。他说："在有充分价值的艺术作品中，感情以及形象的表象，之所以是有板有眼、有条不紊的和井然有序的，正是因为它受逻辑的指引，为意识之光所穿透，被思想所充满。这是'聪明的'感情，这是感情——思想。我们认为，把它叫做体验最为妥当，因为所谓体验，正是指的思想和感情的统一。"为了说明这一点，他从几个方面展开论述：首先，作家的创作经验是如此，福楼拜写爱玛·包法利服毒自杀时，体验到她的心理，竟觉得自己口中也有砒霜的味道；列宾画纤夫时，自己感到酷热的严厉、呼吸的沉重、身体的疲乏；高尔基更是明确地说："'生活印象'、'体验'被哲学加工成为思想，被科学加工形成假说和理论，被文学加工成为形象。"③ 其次，从艺术的认识对象看，艺术家对对象不发生情绪上的关系，就不可能认识对象，因而也不能进行艺术加

---

① 中国社会科学院外国文学研究所外国文学研究资料丛刊编委会：《外国理论家作家论形象思维》，中国社会科学出版社，北京，1979年，第275～276页。
② 同上书，第286页。
③ [苏]高尔基：《论文学》，孟昌、曹葆华、戈宝权译，人民文学出版社，北京，1978年，第316页。

工。如果艺术家不通过自己的心灵，没有感同身受的能力，就不可能掌握情感、体验、生动的性格及其真实的关系。第三，从艺术想象看，"艺术家的想象的物质在于善于以生活经验和知识为基础虚构出人生的逼真的画面，按照虚构人物的具体生活状况清楚地想象出他们的性格、关系和感受"①，也就是说，想象与体验关系密切，没有体验的想象不失为一种想象，但不是艺术家的想象。布罗夫引用了马雅可夫斯基的一句诗：

> 想象力的
> 　　　笨鱼，
> 在心灵的旋涡里
> 　　　乱动。

就是说，想象仍然是艺术家心灵体验的产物。第四，从巴甫洛夫的心理学观点来看，艺术型的人，"经常在词的后面看到实在的印象即第一信号的倾向，他们同周围现实世界的联系要比第一种人（指思维型的人——引者）强"②。艺术家的体验的敞开性与广泛性，必然导致这种联系的开放性与密切感。布罗夫还认为，艺术家的思维与抽象思维的关系是密切的，巴甫洛夫武断地认为具有第一信号系统，即艺术型的人，比第二信号系统，即思维型的人，更能感受和认识现实，布罗夫认为这种说法是不确切的。因为艺术家的思维与思想家的思想没有这种不同，而是受逻辑思维的牵制与引导，只有这样，艺术家才能深入地认识生活的本质规律。

但是，不论是阐发别林斯基的思想的人，还是支持布罗夫观点的人，基本上都认为形象思维或艺术思维（布罗夫不同意用形象思维，主张用艺术思维，说到底不过是语义问题，不影响对艺术家的思维的剖析）的内容与形式应该统一，只不过各自强调的侧重点不同而已。О.И.尼季伏洛娃从实验中提出概括与形象的统一性。作者把亚美尼

---

① 中国社会科学院外国文学研究所外国文学研究资料丛刊编委会：《外国理论家作家论形象思维》，中国社会科学出版社，北京，1979年，第304页。
② [俄]巴甫洛夫：《巴甫洛夫星期三》第三卷，俄文版，1949年，第320页。

亚建筑让两组人去研究，结果，对对象概括力强的人观察得深入一些，能把握其中的特点，形象的感性特征被理解得更鲜明一些，由此说明："感知许多同类对象时，形象地概括着体现对象基本标志的感性特点。由于这一点，形象概括按其水平就成为与概念等值的东西。换言之，典型形象之高度的认识水平有赖于概念，但不是直接地，而要通过提高对现实的感知水平和受概念制约的形象概括的水平。"①比如，托尔斯泰写《安娜·卡列尼娜》，他一方面必须对安娜生活的环境及其个人的成长史有透彻的了解；另一方面，必须对安娜的形象进行合规律、合性格的描绘。形象思维总不可能离开这两方面，即内容与形式，而且要做到这两者的统一，使之朝着健全的方向发展，使形象思维之花能更好地结出典型与优美的艺术形象的果实。

第五节　结束语

朱光潜早在《文艺心理学》中就说过："美学的最大任务就在分析这种美感经验。"②与此相适应的，我们可不可以说，文艺学的最大任务就是研究文艺的心理素质呢？不管怎么说，至少，文艺学绝不能不研究文艺的心理素质。这样，吸收现代西方文论关于这方面的知识就显得很有必要了。

客观地说，现代西方的文艺心理学的研究已有较长的历史，它一直伴随着现代西方心理学与文艺学的发展，在心理学与文艺学的结合方面做了很多有益的工作。不论是弗洛伊德的精神分析学、格式塔派的文艺心理学，还是意识流的文艺心理学思想、苏联文艺心理学派，都在揭示作家、艺术家的心理素质方面做出了一定的贡献。它们分别从意识、潜意识、意志的联系、知觉、形象思维方面，对文艺心理学的一些重要的问题进行了一些研究，取得了举世瞩目的成果。在西方整个文论发展史上，虽有英国经验派、康德的《判断力批判》运用了

---

① [苏]O.И.尼季伏洛娃:《文艺创作心理学》，魏庆安译，甘肃人民出版社，兰州，1984年，第38页。
② 朱光潜:《朱光潜美学文集》第一卷，上海文艺出版社，上海，1982年，第10页。

心理分析的方法，但是真正在文艺心理学方面有重大建树的还是现代文艺心理学家们的成果。可以毫不夸张地说，现代西方文艺心理学取得了到现在为止的人类文艺心理学发展历史中的最高成就。有人把20世纪作为心理分析的时代，从史的角度讲，这并不为过。首先，它大大开阔了人们的研究视野，从研究领域方面拓展了文艺学的思维空间。西方文艺心理学的发展，在很大程度上是对以丹纳为代表的文艺社会学的反驳。丹纳过去重视文学的种族、时代与环境，忽视了文学是人学和人的审美心理学这一基本事实。弗赖依说："没有一种把诗与诗人联系起来的文学心理学，几乎不可能进行批评。"[1]戴切斯也说："对于作为一种活动的想象性文学的考察，不涉及心理学因素的话，很少有批评家能获得成功。"[2]这些话当然有点言过其实，历史上很多卓有成就的批评家并非是靠文艺心理学取得成功的。但是，有了文艺心理学的发展，文艺学确乎取得了突飞猛进的发展。其次，它加深了人们对文学的本质与特征的认识。如沃伦所说："文学心理学的含义可以从心理学角度，把作家当作一种类型和个体来研究，也可以指创作过程的研究，或者指对文学作品中所表现的心理类型和法则的研究，最后还可以指有关文学对读者影响的研究。"[3]所有这些研究，都能帮助人们多方面地认识文学。再次，它加深了文学史与文学批评的研究。弗洛伊德的《图腾与禁忌》，可以视为从心理学研究原始文化与文艺的代表作，他对达·芬奇等人的研究，客观上也给人们提供了新的参照系。

西方文艺心理学的发展，虽有一定的成绩，但缺点和错误甚多。这些缺点和错误有时害人不浅，使不少人误入歧途。

首先的一点是西欧与美国的文艺心理学家普遍忽视社会实践的作用，他们不能看到文艺心理并不仅仅是心理本身，而是社会实践、审美实践的反映。列宁在《唯物主义与经验批判主义》一书中，反复强调人

---

[1] [英]洛奇编：《二十世纪文学批评文选》，伦敦版，1972年，第425页。
[2] [英]戴切斯：《文学的批评方法》，伦敦版，1981年，第330页。
[3] [美]韦勒克、沃伦：《文学理论》，刘象愚等译，生活·读书·新知三联书店，北京，1984年，第75页。

的意识来源于客观社会的发展,不是来源于意识本身。可是,弗洛伊德偏偏相反,他认为意识来源于无意识,否定人的社会实践,这在根本上是唯心主义理论家所耍的新花招。维戈茨基错误地认识到:"解释作家和读者心理的各种旧手法正在随着这种观点一起成为过去,因此必须以客观的和可靠的事实作根据,通过分析这些事实,才能得到有关无意识过程的某些知识。不言而喻,艺术作品就是无意识在其中表现得最为鲜明的客观事实,它们便成为我们分析无意识的出发点。"① 换句话说,无意识成为无意识的出发点,因为艺术是无意识的表现。以无意识作为分析作品及其无意识的出发点,这在根本上是与马克思主义文艺学背道而驰的,必须给予有力的批判。

其次,西方文艺心理学研究文艺,存在着一种泛心理主义的错误,好像一切都可通过心理分析,只有心理分析才能认识文艺。这一点,西方人自己也意识到了。斯特雷卡曾指出:"在文学批评家那里,最大的谬误是把文学诸方面归并为心理学的方法和目的,把它整个地心理化,从而实际上抛弃了完全是一个独立学科的文学批评。心理学家可以合法地这样做,文学批评家则不能,尽管这绝不阻碍批评家运用心理学知识于其他著述。"② 无论在弗洛伊德的著作中,还是在阿恩海姆的作品里,我们可以看到大量用心理学分析文学的牵强附会与生搬硬套的例子,以致发展到20世纪二三十年代,美国好莱坞电影厂成了巨大的"幻觉的工厂"。西部片则常常根据"恋母情结"制造影片,成为这一理论的象征:畜牧场被视作母亲的象征,互相射击被看作害怕阉割的象征,马匹则被认为是生殖器崇拜的象征,等等。这些纯粹是一些低级下流、无聊粗鄙之类的东西,简直是对人类文化的肆意践踏。从美学上说,这种泛心理主义的错误,也大大损害了文学艺术审美意义的丰富性与多样化。我们知道,文艺有不仅仅限于心理意义的多方面的意义,而这种泛心理主义却仅此而替代。文艺心理学的泛化本身就是对文艺作品审美内涵的削弱与简化。高云等人指出:

---

① [苏]列·谢·维戈茨基:《艺术心理学》,周新译,上海文艺出版社,上海,1985年,第88页。
② [美]斯特雷卡编:《文学批评与心理学》,宾夕法尼亚大学出版社,1976年。

"仅仅从心理方面研究小说和诗歌作品常常丧失了其广泛的所指和也许由它提供的基本的审美经验。"①

从这些经验教训中,我们应该得到启示:一味反对用心理学研究文艺或一味用心理学研究文艺,都是错误的。我们要建立以马克思主义为指南的多元研究空间,要从社会实践出发,从社会性与自然性等方面全面地理解人及其艺术,从审美实践出发研究艺术,绝不能顾此失彼、以偏概全,要在文艺研究中真正贯穿多元辩证与科学主义的思想,不能盲从西方的一家一言,因为它本身就有矛盾、有争议、有扬弃,不能抓其一点而不及其余,从而影响对文艺的研究。

---

① [美]W.L.高云等:《文学批评方法手册》,英文版。

第五章 原型批评

第一节 发展与特征

原型批评与社会历史批评一样,侧重于把非文学以外的文化内容纳入文学理论的视野之中。二者所不同的是,社会历史批评侧重于历史学、社会学、思想史、传记学等方面,原型理论则侧重于神话学、人类文化学、图腾与仪式、心理学等方面。

原型批评从形成到成熟,走过了一段漫漫的路程。

19世纪中叶,资本主义社会的高度发展推动了人文科学的发展,进化论促进人类文化学派的产生。1871年,英国人类学家泰勒出版了《原始文化》,首次系统地开始对神话进行人类学的研究,形成了神话学中的人类学派。这一学派的代表主要是三位英国人类学家:爱德华·泰勒、安德鲁·兰和詹姆斯·弗雷泽。他们的基本主张是:神话是原始社会中人类的生活与精神之反映,具有重要的历史价值;神话中不合理的因素是人类早期历史的遗留物,它足以证明现代文明民族也是由野蛮状况中进化而来的;科学的神话学,必须对古往今来的从野蛮民族到文明民族的全部神话加以比较,才能得出令人满意的结论。

在这三位学者中,对文论中的原型理论有较大影响的是弗雷泽。弗雷泽20岁入剑桥大学,25岁成为剑桥大学研究员,遂任剑桥社会人类学教授。其传世之作为十二卷巨著《金枝》,被誉为"人类学的百科全书"。其理论核心是"巫术、宗教、科学"的思想进化论,弗雷泽以此作为经线,罗列了十分丰博的材料,从而认识到:"如果我们考虑到,一方面,各地和各时代的人们之主要需求的相似,另一方面,在不同时代他们为满足这些需求而采用的手段有极大差别,我们大约会被引向这样一个结论:较高级思想的运动,在我们所能追溯的范围内,总的说来是由巫术经宗教到科学的。"① 也就是说,人的高级思维不是一下子形成的,而是经过了从巫术到宗教,再到科学的过程。反过来,在人的高级思维中,仍然保留着巫术、宗教的痕迹。因此,人们可以在高级思维中追溯到巫术、宗教、神话、仪式、图腾等原型。不少文学史家从人类学的这种理论出发,追溯希腊悲剧起源于仪式,起源于表现酒神的受难与死亡的祭祀仪式,进而认为一切伟大的文学作品都包涵神话与仪式的因素。

但是,直接用原型理论研究人文科学与文学的,是弗洛伊德的学生及反叛者荣格。荣格认为,弗洛伊德的精神分析法用来治病还可以,用来分析文艺必然会得出非驴非马的结论。他对弗洛伊德的"里比多"进行改造并赋予其新的生命力。荣格肯定人的心理有意识和无意识两部分,这两部分相互补充、配合,从而取得心理平衡。无意识又分两个层次:上一层是个人无意识,下一层是集体无意识(种属无意识)。集体无意识是个人意识的基础,保存在个人意识中,使个人意识不是纯个人的,而是超个人、超时空的。自原始社会以来,人类世代相传的心理经验处于不断积累与创造之中,沉淀在每个人的无意识的深处,成为集体的、普遍的、历史的无意识,因而称之为集体无意识。集体无意识包含着种属的原始类型,原始类型也叫原始意象。在神话基础上发展起来的文学,仍然保留着这种原始意象,如天父和圣母、再生与原罪、升天堂与下地狱、酒神与日神等。对此,苏联心理学家有一个中肯的评述:"荣格同阿德勒一样,在批驳弗洛伊德的泛性论时也企图驳倒弗洛伊德关于人和社会自古以来的对立性的论题。他主张,人类所经历过的发展阶段,是人的心理的无意识领域的内容。人类进化的最古老阶段被记录在最低级的原始的无意识阶级上。深深印入无意识现象的前人类历史阶段——原型,照荣格看来,是在梦中、神话中以及宗教观念中显现出来的。"② 由此可以看到两个不同类型的学者弗雷泽与荣格在原型问题上的一致之处。

---

① [英]弗雷泽:《金枝》,伦敦版,1922年,第711页。
② [苏]姆·格·雅罗舍夫斯基等:《国外心理学的发展与现状》,王玉琴等译,人民教育出版社,北京,1981年,第495页。

不过，真正系统地把神话与原型理论运用于文学与文学作品分析并取得较大成绩的是加拿大学者弗莱。他先后担任过加拿大和美国几十所大学的教授，主要著作有《批评的解剖》(1957)、《同一的寓言》(1963)。其中《批评的解剖》被认为是原型理论的"经典"。该书实际上是由四篇论文组成的论文集，书的副标题就叫"四篇论文"。这四篇文章分别为：第一篇《历史批评：模式理论》，讨论悲剧小说模式、喜剧小说模式、戏剧模式。第二篇《伦理的批评：象征的理论》，论述文字和描写方面，象征作为母题和记号；形式方面，象征作为意象；神话方面，象征作为原型；神秘解释方面，象征作为元素。第三篇《原型批评：神话理论》，主要研究原型意义的理论：启示录的意象与恶魔的意象及神秘的意象；春天的神话：喜剧；夏天的神话：浪漫或传奇文学；秋天的神话：悲剧；冬天的神话：嘲讽与讽刺文学。第四篇《修辞的理论》，论述再生的韵律：史诗；连续的韵律：散文；仪式的韵律：戏剧；联系的韵律：抒情诗；戏剧的特殊形式、特殊的主题形式（抒情诗与散文）、特殊的连续形式（散文式小说）、特殊的百科全书的形式、非文学散文的修辞学。最后有一篇《尝试性的结语》。从总体上看，弗莱系统论证神话与原型的主要是一篇文章，但它却以独到的角度和见地给当代文论增添了异彩。此外，在《同一的寓言》《教化的意象》等著作中，弗莱也发挥了这方面的思想。

神话与原型批评作为现代文艺理论之一种，确有着自己的特色。

首先，它注重从原始文化形态出发揭示创作潜在的深层意识，把一个人们不在意的文学现象突出地显示在人们的面前，使人们由此而认识到了自身中潜在的人类早期的遗留物。关于遗留说，在神话人类学崛起的时候，泰勒等人就相信"既然人体或其他动物有机体上异常的、明显无用的以及罕见的特征可以解释为那些在生命的前一阶段还有用的器官发育受到阻碍或退化后的遗留物，那么文明种族异常的不合理的神话也就可以解释为那些在思维和知识的早期阶段还是非常自然的故事的遗留物"①。这种遗留物沉淀在艺术家的创作的头脑

---

① [英]安德鲁·兰：《神话、仪式与宗教》第1卷，伦敦版，1899年，第40页。

中，在创作时便自觉不自觉地外化出来。李泽厚论到这点的时候写道："原始巫术礼仪中的社会情感是强烈炽热而含混多义的，它包含有大量的观念、想象，却又不是用理智、逻辑、概念所能阐释清楚，当它演化和沉淀为感官感受时，便自然变成了一种不可用概念言说和穷尽表达的深层情绪反应。某些心理学家企图用人类集体的下意识'原型'来神秘地解说。实际上，它并不神秘，它正是这种沉淀、溶化在形式、感受中的特定的社会内容和社会感情。但要注意的是，随着岁月的流逝、时代的变迁，这种原来是'有意味的形式'却因其重复的仿制而日益沦为失去这种意味的形式，变成规范化的一般形式美。"①尽管这种原始的沉淀并非仅仅局限于形式，但是，它客观上指明了它在创作过程中的一种无意识的作用。

其次，它表明了一种比较稳定的原始意象的模式对创作的制约和推动作用。因为原始意象沉淀在创作者的头脑中，成为一种模式，这种模式束缚了艺术家的思维空间，但是，也因为如此，它能使艺术家写出供人类赏玩的作品。荣格写道："原始意象即原型——无论是神怪，是人，还是一个过程——都总是在历史进程中反复出现的一个形象，在创造性幻想得到自由表现的地方，也会见到这种形象。因此，它基本上是神话的形象。我们再仔细审视，就会发现这类意象赋予我们祖先的无数典型经验以形式。因此我们可以说，它们是许许多多同类经验在心理上留下的痕迹。"②荣格在这里使用了"历史进程"、"典型经验"、"同类经验"等概念，犹如康德使用"人类共通原则"一样，说明了人类具有某些相通的地方，说明作家能够通过个体心理窥视到潜藏在其中的种属意象，把超个体的更深层的意象显现出来，体现出真正感人至深的人类的共鸣区。在《荒原》的注释里，艾略特承认他受益于杰西·威士顿的著作《从仪式到浪漫》，以及一部更早的人类学的著作，"一部深刻地影响了我们这一代的著作，我指的是《金枝》"。艾略特企图用人类学建立人类不分时空的宇宙意识，使之能

---

① 李泽厚：《美的历程》，文物出版社，北京，1981年，第27页。
② [瑞士]荣格：《论分析心理学与诗的关系》，见亚当斯编：《柏拉图以来的批评理论》，纽约版，1971年，第818页。

与现代荒原上的人物和情景作各种对照与比较。

再次,原型批评注意到了作品与批评的文化意识。它不仅仅是用文化人类学或神话内容分析作品,而且还在比较广泛的文化形态方面研究文艺作品与作品之间的相互关系。魏伯·司各特曾说:"原型批评并不一定要追溯到某些特定的神话,它可以只发现基本的文化形态,这些形态在某种特定文化中显出神话的特征。我指的是勒斯利·费德莱尔做的这类研究。他发现(敌意批评家会用'发明')包括了人与人之间关系的美国文化模式,有时反映在儿童结伙的仪式,有时反映在成年人无意识的象征礼仪。在一些美国小说中他发现这种仪式,尤其在《哈克贝利·芬历险记》和《白鲸记》中,以及蒙大拿牧童的社会习俗之中。他的分析引起许多人不安,我相信那是由于对他探讨的模式具有同性恋性质感到不快的缘故。"①也就是说,一定的原始的文化形态,也可以潜伏在艺术家的心目中,表现在作品中,成为批评家分析作品的依据。总之,是在原始文化的圈子中寻求作品的文化形态,指出其原型的存在。

第二节 集体无意识与原型

荣格的集体无意识理论是与弗洛伊德的个体的性力论相对立而出现的。

荣格这个瑞士医生,在弗洛伊德《梦的解析》问世后,就被其中的无意识理论所吸引,成为弗洛伊德的狂热追求者。这对后来荣格主张的无意识很有影响。荣格的集体无意识说与弗洛伊德的个体无意识说,在强调无意识上没有什么两样。因此,归根结蒂,荣格的心理分析与弗洛伊德的精神分析没有原则的分歧,只有一种无意识内部的侧重点不同的对立。这是首先必须说明的。

荣格的集体无意识论与弗洛伊德的个体无意识论的区别主要表

---

① [美]司各特:《西方文艺批评的五种模式》,蓝仁哲译,重庆出版社,重庆,1983年,第139~140页。

现在这样几个方面：(1) 从时间上看，荣格主张的无意识是由原始时代演变而来潜伏在人们心中的，弗洛伊德则没有或很少作这种历史与现实的综合分析，往往侧重对现实个体的分析。荣格曾受列维-布留尔《原始思维》的很大影响。他的集体无意识与布留尔的集体表象有一定的联系。布留尔《原始思维》开篇就说："所谓集体表象，如果只从大体上下定义，不深入其细节问题，则可根据其与社会集体的全部成员所共有的下列各特征来加以识别：这些表象在该集体中是世代相传的；它们在集体中的每个成员身上留下深刻的烙印，同时根据不同情况，引起该集体中每个成员对有关客体产生尊敬、恐惧、崇拜等感情，它们的存在不取决于每个人；其所以如此，并非因为集体表象要求以某种不同于构成社会集体的各个体的集体主体为前提，而是因为它们所表现的特征不可能以研究个体本身的途径来得到理解。例如语言，实在说来，虽然它只存在于操持这种语言的个人的意识中，然而它仍是以集体表象的总和为基础的无可怀疑的社会现实，因为它是把自己强加给这些个体中的每一个；它先于个体，并久于个体而存在。"[①] 荣格也认为，集体无意识是原始的无意识的形态，它通过遗传，逐渐潜入人的心中，比如人做梦时，梦的内容可能与原始时代的某些内容有一致之处，人爬树的动作往往类似于猿猴的动作，这证明人先天地还受这种集体无意识的制约与影响。(2) 从范围上看，荣格的集体无意识说显然比弗洛伊德的个体无意识说广泛得多。这很明显，一个是个体的，一个是集体的，集体的范围自然比个体的范围大得多。上引布留尔的话，仍可以说明这个问题。因为集体表象是一个集体共同生活与思想的产物，不取决于个体的好恶，所以，个人的意向自然必须服务于集体的意向，使个体从属于集体，成为集体中的个体，这样个体的范围也因为集体而扩大。荣格在《集体无意识和原型》中写道："集体无意识并不像一个人，倒好似我们梦中，或者处于不正常的心理状态时涌现出来无尽流水或汪洋大海的无限幻影和形象。"这就是说，个体是有限的，集体是无限的，集体永

---

① [法]列维-布留尔：《原始思维》，丁由译，商务印书馆，北京，1985年，第5页。

远大于个体。(3)从无意识本身的层次上说,荣格认为,弗洛伊德的个体无意识说处在表层,而他的集体无意识说则处于深层。因为个体无意识以集体无意识为基础,集体无意识好像房子的地基,个体无意识好比房子,房子比地基更明显地展示在人们的眼前,地基却比房子更厚实、更宽广、更内在。荣格在同一篇文章中写道:"或多或少属于表层的无意识无疑含有个人特征,作者愿称其为'个人无意识',但这种个人无意识有赖于更深的一层,它并非来源于个人经验,并非从后天中获得,而是先天就存在的。作者将这更深的一层定名为集体无意识。"①荣格与弗洛伊德关于无意识论的差异,还表现在其他方面,但主要表现在以上三个方面。明确了这些,就便于我们研究荣格由此生发出来的文艺观点。

荣格的文艺思想主要在文艺的本质、创造、分类、职能四个方面。这四个方面,都与弗洛伊德的理论相对立。

在文艺的本质方面,荣格认为:"一件艺术作品中的基本的东西,应该是远远超出个人的生活范围,诗人应该以人的身份,表现个人乃至全人类的精神和心灵。在艺术领域里,掺杂个人因素是一个缺陷——它根本不应该有。如果一种'艺术'形式主要是个人的,那么它只配当作精神病来对待。"②照荣格看来,文艺的本质不在于表现自我、宣扬个性,而在于表现人及人类的精神的心灵。弗洛伊德一味主张艺术表现自我,荣格认为这种理论与艺术的特征格格不入。因为个体不是孤立的,也不是抽象的,而是沉淀着全人类的无意识,艺术家就是把这种无意识传达出来,使之成为艺术。荣格说道:"作为一个人,他可以有一定的心情、意志和个人目的,可是作为一个艺术家,他是一个更高意义上的人——他是一个'集体的人',一个具有人类无意识心理生活并使之具体化的人。为了完成这次困难的工作,有时候艺术家必须牺牲个人的幸福,舍弃一般人生活中不可缺少的一切

---

① [瑞士]荣格:《集体无意识与原型》,见《外国现代文艺批评方法论》,江西人民出版社,南昌,1985年,第120页。
② [瑞士]荣格:《心理学与文学》,见《外国现代文艺批评方法论》,江西人民出版社,南昌,1985年,第111~112页。

东西。"这样,荣格就把艺术家与一般人所需具备的素质区别开了,艺术家是把人类的无意识心理生活外化成艺术品的人,一般人则不一定非这样做不可,可以有自己喜好、憎恶的自由。但是,如果一般人要成为艺术家,就必须以表现人类的无意识为己任,摒弃其他的个人私欲。荣格认为,弗洛伊德把艺术作为人的本能的升华或转移,纯粹是无稽之谈。他说:"如果一件艺术品可以被当作诗人的郁结压抑来分析的话,那么人们就会怀疑它和神经病差不多了",因此,"渗入艺术品的个人特征还不是主要的;实际上,纠缠于这些怪癖特征越多,艺术问题就研究得越少",而且,这种"说明个人因素对诗人选用素材的重大影响这个问题上,并无新的见解"。① 可见,荣格对弗洛伊德个人无意识说采用了多么有力而极端的抨击,其目的在于反证他的集体无意识理论对艺术与艺术家有至关重要的作用。或者说,这种集体无意识是艺术的本质所在,是艺术之所以成为艺术的支撑点,是艺术家之所以成为艺术家的核心要素。直截了当地说,艺术表现了集体无意识才叫艺术,艺术家能很好地表现集体无意识才算是艺术家,否则,失去了集体无意识,无论以多大的热忱追求个体无意识,都不算艺术品,都成不了艺术家。动摇了集体无意识这一基础,整个艺术大厦都会倒塌,艺术家作为艺术家的生命也会完结。

从这种思想出发,荣格大谈集体无意识与原型在艺术创作中的地位与作用。首先,他认为艺术创作的源泉正是这种集体无意识与原型。荣格认为,伟大的作品的材料都无不在集体无意识中汲取,然后通过形式融合个人尤其是种族的经验而创造成作品。他把集体无意识以外的材料称为第二手材料,把集体无意识称为第一手材料,艺术创作不是根据第二手材料,而是根据第一手材料。他说:"我们可以预料,诗人为了最确切地表达他的经验,就要求助于神话。如果认为诗人是运用第二手材料进行创作,那就大错特错了。原始经验是他的创作之源,这种经验无从捉摸,因此要求神话想象来赋予形式。经验本身

---

① [瑞士]荣格:《心理学与文学》,见《外国现代文艺批评方法论》,江西人民出版社,南昌,1985年。

并不提供词汇或形象,因为它像在黑暗中戴着眼镜所见到的一种幻象,它只是一种千方百计寻求表达方式的深切预感。"他举例说:"但丁的预感披着遨游天堂与地狱的形象的外衣;歌德必须介绍布劳克堡和古希腊地狱般的地区;瓦格纳需要整个北欧神话;尼采恢复回到僧侣的风格,重新创作了史前时代传说中的先知;布莱克独创了一些难以描述的形象,斯毕特勒则借古老的名字用于想象中的新人物。"① 总之,杰出的艺术创造都来源于神话与集体无意识。没有这种集体无意识,艺术创造将成为无源之水、无本之木。其次,荣格认为,艺术创作不仅源于集体无意识,而且自始至终伴随着集体无意识。在《心理学与文学》中,荣格写道:"无论诗人知道他的作品和他一起问世、生长、成熟,还是认为他的作品是凭空虚构,这都无关紧要。他的看法不会改变这样一个事实:他的作品超过了他,他就好比孩子超过母亲一样。创作过程具有女性的特征,作品产生于无意识深处——可以说,产生于母亲们的怀抱。每当创作力量占上风时,人的生活被潜意识所控制和影响以对抗积极意志,意识的'自我'就被秘密的潜流冲走,成为不过是对事件束手无策的旁观者罢了。"比如,歌德创作《浮士德》时,浮士德的精神始终伴随着他,尼采创作《查拉图斯特拉如是说》时,主人公的精神也一直伴随着他。但是,这两个形象都是一种原始形象,一位医生的形象,或者人类导师的形象。这两个形象说到底都是救世主的形象,"这种智者、救世主的原始形象,自文明之初,就已经潜藏蛰伏在人的无意识之中;每当人们误入迷途,便感到需要有个向导、导师,甚至医生。这种原始形象不胜其数,只有在总的形势产生混乱的时候,它才会出现在个人的梦境或艺术品中"。歌德与尼采写这两部书时,这种救世主的原型始终支配着他们,使他们把这种原型披上现代的色彩表现出来。从这个意义上说,歌德与尼采正是适应了时代对这种原型的需要,从而重新艺术地再造了这种原型。再次,艺术家创作的才能不是别的,而是能预感到这种原型,能表现这种原型。

---

① [瑞士]荣格:《心理学与文学》,见《外国现代文艺批评方法论》,江西人民出版社,南昌,1985年。

荣格认为，飞速发展的时代使不少人对古老的神话与原型淡忘了，即使有不少少年和老者能感受到它们的存在，由于社会的制约，他们便自己否定了这种存在。但是，历史不是被历史学家们分割了的历史，而是一个系统，原始意象对现代人来说，也是历史的一个部分，现代人对于远古的人来说，也是其中的一个部分。因此，"今天对原始人来说，这个世界无疑是他头脑中这个宇宙图像的一部分。是我们否定了它，因为我们害怕迷信和玄学，也因为我们致力建设一个安全而易于控制的意识世界。在这个世界里，国家成文的法律被约束于自然规律之下。然而甚至就在我们中间，诗人也不时地看见人们在黑夜世界隐约所见的形象——精灵、魔鬼和神仙。他知道那些超出人类限度的目的意图对人类来说是一种秘密。他能预感种种诺斯底教所不能理解的事情。简而言之，他发现了使未开化的原始人胆战心惊的心理世界中的某些东西。"这样，艺术家的这种感知与预知，就成为他创造艺术的不可缺少的基本功。一般的作家只能写些随声附和的东西，而伟大的作家能把历史从头到尾沟通起来，潜在历史的最深层创造作品。歌德是这样，尼采也是这样，他们的全部才能的核心就在于感受到和预知到这种潜在历史深层的集体无意识和原型。只有在这个层次上把握集体无意识和原型，艺术才能创造伟大的艺术家，使艺术家永彪史册，流芳百世。否则，只是应景作文，为时为事而作，这样的作家也只能如其作品一样，"时过境迁，人去楼空"，浪费自己的艺术创造的力量，浪费人类欣赏艺术的宝贵时间。

在艺术作品的分类方面，荣格把作品分为两类：心理型、幻觉型。心理型的作品是从生活的外表中撷取素材，表现人的意识与感情，是读者容易理解的作品，是靠作者明晰地表现主题的作品。比如白居易的某些诗歌、宋元戏文、流行的轻音乐等等，主要涉及的素材来自人的意识范围，诸如生活教训、感情波动、情欲体验，一般说来，是人的命运的各种转折点——所有这一切构成人的意识生活，特别是感情生活。在这些作品中，作者的任务是解释和阐发意识的内涵，揭示生活的经验，表现人生中不可避免的喜怒哀乐。这类作品没有超过一般心理学解释的范围，换句话说，普通心理学都可以解释这些作品，所以，原则上叫心理型的作品。最值得注意的是第二种类型，即幻觉型的作品。在《心理学与文学》一文中，荣格对这种类型的作品进行了比较具体的论证，他说："幻觉型的情形与心理型恰恰相反。为艺术表现提供素材的经验，不再是人们所熟悉的了。这种经验是来自人类心灵深处某种陌生的东西——它使人想起分隔我们与史前时代的深渊，或者使人想起一个光明与黑暗形成鲜明对照的超人世界。这是一种人所不能理解的原始经验，人的理解力有可能屈从于它。这种经验的价值和力量来自深重的罪恶。它来自无底的深渊，是外来的、冷漠的、多方面的、有魅力的和怪诞的。"这里要注意两点：一是荣格讲的幻觉不同于其他文艺理论家讲的幻觉，后者往往指艺术创作中幻想之类的有意识的心理活动，荣格讲的幻觉是无意识的幻觉，是一种原型结构；二是要注意荣格如何把幻觉型区别于心理型。他认为，幻觉型作品所提供的素材不是一般的外在的生活素材，而是潜藏于艺术家心灵深处的底层，它是原型经验的曲折反映，不容易理解。这种原型经验在艺术中要彻底摧毁井然有序的世界，使人们向自身的原始文化的遗留物或积淀物"反躬自省"、"躬身自问"。这类作品中的形象，一般稀奇古怪、荒诞离奇，唯其如此，才体现了原始诸神的复活。他指责但丁的《神曲》用历史事实的外衣掩盖了原始的幻觉经验。在荣格看来，但丁的《神曲》的原型还没有充分地显露出来，倒是历史事实冲淡了这种原型。荣格认为，全面而充分地体现了原型的幻觉型作品，才是文学中的上品，它比心理型的作品更有诱惑力，更耐读，更能传世。

荣格根据他的集体无意识理论，还研究了文艺的职能。简单地说，荣格认为文艺的职能就是平衡及和谐。他认为，文艺可以把人的个体性与社会性协调起来，具有使人的个体性与社会性和谐平衡的作用。荣格认为，人的个体性与社会性是矛盾的，解决这种矛盾的方式之一便是创作或欣赏文艺，因此，他说："一种特别的灵丹妙药便是艺术，对艺术的分析表明这种看法是真实的。"[1]因为文艺能表现

---

[1] [瑞士]荣格：《献给分析心理学》，伦敦和纽约版，1928年，第361页。

出集体无意识与原型，唤起人们对自身的沉淀物的回忆，从而更好地认识时代精神，更好地认识与把握社会。荣格在研究《浮士德》与歌德同当代时代意识的关系时说道："每当集体无意识成为一种活生生的经验，并对一个时代的意识观念产生影响的时候，这就进行了一次创造性活动，这一活动对生活在那个时代的每一个人都是重要的。作家创造的艺术作品包含着那种可以真正称之为代代相传的信息。因此《浮士德》触及了每个德国人灵魂中的某些东西。"同时，一个时期有一个时期的思想倾向，比如歌德时代是狂飙突进的时代，黑格尔的时代则相对稳定，这种思想倾向有时也是一种特有的偏见与心理病征，如过"左"与过"右"都会产生偏激而带来时代的心理毛病，这就需补偿性的调整。"这种调整由集体无意识来实现。在这种集体无意识中，诗人、先知或领袖接受他那个时代难以表达的愿望的引导，并用自己的言行指出一条人人都在盲目追求和期待的成功之道——无论其结果是好是坏，能治愈一个时代或者毁灭这个时代。"因此，在个体与群体的协调中，集体无意识成了共同的纽带与不可缺少的中介。歌德的《浮士德》之所以引起当时那样大的反响，是因为他表现了当时所偏重的时代意向，激发了人们对原型中的某种形状的回忆，从而成为他那个时代意识的向导与导师。因此，荣格下结论说："无论诗人多么傲慢自重，他们中每一个人都代表了成千上万个声音说话，预言着他的那个时代意识观的种种变化。"①荣格由此反驳弗洛伊德把艺术看成满足本能的手段，只看到了个性本体，忽略了社会功能，是完全错误的。但弗洛伊德也指责荣格想当"先知"，难以真正成功。

第三节　神话仪式与原型

在荣格之后，对原型理论贡献最大的是加拿大学者弗莱。弗莱对荣格等人用人类文化学、心理学研究原型很有兴趣，并视为是真正从

---

① [瑞士]荣格：《心理学与文学》，见《外国现代文艺批评方法论》，江西人民出版社，南昌，1985年。

科学角度研究文艺的有益的尝试。弗莱的基本设想是：真正的科学必须对研究对象作深刻的分析，不能仅仅停留在对对象结构的描述上，而要追寻其中更内在的东西。从这个意义上讲，诗人只是诗篇的动因，但是，一首诗既然有形式，便还有一个形式因，弗莱认为，诗的形式因不是别的，正是原始类型或原型。

弗莱的原型说，自有其哲学与美学的基础。与荣格的集体无意识理论一样，它并不仅仅针对文学而言。虽然弗莱用这种思想主要研究文艺，但是，我们不能因为这样就忽视其在哲学与美学上的所指。因此，为了更好地理解弗莱的原型理论，有必要先从哲学和美学上作些说明。

弗莱的哲学和美学思想与符号学家卡西尔、苏珊·朗格的思想有某些一致之处，即都认为包罗万象的普遍的观念是社会集团的思想基础，个人的观念只是其中的一部分，不能用个体观念代替集体观念。孤立地追求个体意识，从而与世隔绝，在弗莱看来，这是根本行不通的。弗莱与马拉美一样，认为诗人必须寻求一种想象的冥想模式，艺术品并不一定都是独创的产物。他还说，由于版权法常常提出保护艺术家的个人创造，使不少人误以为艺术品真的是艺术家个人创造的，与人类的一类意识没有关系。"在我们这个时代，文学的传统因素被版权法的复杂因素给掩盖了，版权法认为每件艺术品都是独创的产物，应该受到保护……如果甲死去，那么说甲受到乙的影响只是学术问题，倘若甲还在世，这种说法便成了道德过失的证据。"[1]实际上，个体并不比社会优越或先进，即使这样，也仍然是一种社会化的表现。基于这种认识，他批评说："英美新批评派"不顾社会与历史因素，孤立地分析作品的结构与语言，是苍白无力的。他声称，他的理论要与这种文学理论中的唯我论与孤独论区别开来，要批判这种排外主义与孤立主义的倾向。弗莱认为，如果把作家的独创性视为一个文论的中心，那么，必然导致文艺起源于自我主观创造的结论。这样的话，文艺自身成了一个封闭系统，从而排斥了文学并不起源于作家的

---

[1] [加]弗莱：《批评的解剖》，英文版，1971年。

主观创造这一基本事实。弗莱反复强调,艺术家应该将心灵与感官整个地表现在艺术作品的结构之中,再将各种象征聚合在一起,如与春天象征美好、冬天象征冷酷等结合起来,达到观察整个结构的目的。但是,弗莱并不赞成将文艺作为哲学与伦理的象征,而主张文艺有其独立性,文艺的象征也有自己的独立性。正因为这样,所以弗兰克·林特利切尔把弗莱的理论看作"压缩后的康德式的美学小珍品。把艺术从知识和伦理的效果中孤立出来,只视为独立的文学模式,正是康德的'无目的之有目的性'"①这一看法在揭示弗莱与康德的联系方面不无道理,弗莱所说的诗人应该追求冥想模式也就是康德所说的"人类普遍原则"的代用语。因为在强调人类有共同的原则与结构方面,他们如出一辙,至少可以说,弗莱的哲学与美学思想受到了康德的很大影响。当然,在哲学美学整体上,弗莱远不如康德;在强调神话与原型方面,康德也不及弗莱突出。但是,在追求人类的一种共通感方面,他们是一致的。

弗莱由其哲学与美学思想出发提出了"文学的人类学"的观点。所谓文学的人类学,包括两方面的含义:一是从人类学的角度观照文学,把文学纳入人类学的模式之中,例如从人类学的观点看但丁的《神曲》,具有原始文化的某些性质,体现了人类的冥想模式;二是从文学角度来看人类学,如《神曲》表现了人类借神话创造世界、安身立命的思想。弗莱认为,文学是真正的人类学的精华与特有的基础,文学具有宇宙性,人世间的一切喜怒哀乐,大自然中的一切生命与物质,全在文学的视野之内,均是文学所表现的对象,也是文学的基本素材、基本内容与主题。但是,正像文化人类学偏重研究原型文化一样,弗莱也侧重从原始文化的角度研究文学,这样就出现了把神话仪式与原型联合起来的研究局面。

首先,弗莱认为,文学是神话与仪式在艺术中的具体表现。弗莱把《圣经》作为文学结构的源头来研究文学,《圣经》不是文学作品,但西方不少文学作品都受到它的影响。左拉的《萌芽》、托尔斯泰的

---

① [美]弗兰克·林特利切尔:《"新批评"之后》,芝加哥大学出版社,1980年。

《复活》，还有一些以"启示录"命名的作品，从题目上看就用了《圣经》中的词汇。弗莱说得很清楚，他研究这些问题的"目的在于给古典的和基督教传统的西方文学的某些结构原则提供一个理论性的说明"①。为了达到这一目的，弗莱硬是把文学规定为神话仪式的表现，并把这一文学本体论作为文学人类学的主要命题，由这一本体论构筑起来的文学人类学的"目的是探讨文学之前的范畴，如祭礼、神话与民间故事，如何孕育文学的成长"②，从这点出发，弗莱把文学当作是"移位的神话"③。也就是说，古代的宗教信仰与神话在近现代发生了"移位"，这种移位的结果就是文学。比如《山海经》里面的一些神话，发展到后来就成了不少中国古典文学作品。小说中的大量情节，如写主人公诞生、发展、遭难、胜利或死亡，都与神话中某某神的诞生、发展、遭难、胜利或灭亡有近似之处；诗歌中的意象有不少是一种原始意象的"复活"，如歌唱大自然、讴颂神灵、幻想伟大与无比的力量，对海伦似的美丽女人的赞美、对宙斯的咒骂等等，都与原始诗歌有一致之处。一句话，文学就是这种神话的再生与复活，文学中的许多结构实质上都与神话结构类似，用格雷夫斯的诗的语言来说："有一个故事而且只有一个故事，真正值得你不断地讲述。"文学讲述的是同一故事，尽管人名事迹不同，但总体上与神话故事差不多。比如，中国古代长篇小说《西游记》《封神演义》中描写的大量神魔故事，都可能与神话故事有一定的渊源。这种渊源正是在新的历史时期神话以不同的形式的复现。即使不写神魔的其他小说，也有穷人的儿子与富家女儿联姻、国王招驸马、少数民族文学中的公主与奴隶的儿子结婚等故事，都表现出原始神话的基本结构与精神。因此，文学是神话的延续，是神话的"位移"的结果。这种说法，与弗洛伊德把文学视为本能冲动的"位移"在形式上有近似之处，在内容上却大相径庭：弗洛伊德是从横的方面讲"里必多"的位移，弗莱是从纵的方面讲神话的更替发展与文学的关系。

---

①[加]弗莱：《批评的解剖》，英文版，1971年。
②[美]威姆萨特、布鲁克斯：《文论简史》，纽约版，1962年。
③[加]弗莱：《同一的寓言》，纽约版，1963年，第1页。

弗莱也讲文学艺术与仪式的关系。在不少宗教文学中，如中国古代的变文，敦煌发掘的变文及其故事，文艺复兴时期的绘画，希腊的悲剧与喜剧以及后来西方的一些戏剧文学作品和表演之中，这种仪式普遍存在。这一点上，杰恩·赫丽生的"艺术与仪式同源"的观点更有代表性。赫丽生写道："实质上，艺术作为它动力和主泉的，不是那种想复制自然的愿望，也不是想改进自然的愿望——黑格尔认为印第安人把精力花在这样无结果的努力上，并非无的放矢——而是一种艺术与仪式同享的冲动，是想通过再现，通过创造或丰富所希望的实物或行动来说出、表现出强烈的内心感情与愿望。奥里斯的艺术与仪式的共同来源是举世都有的、深切的愿望：但愿那看来是死的自然能复活起来。这个共同的感情上的因素使得艺术和仪式在一开始就密切得无法区别。首先两者都从复制一个动作开始，但并非是首要地为了复制。只有在感情衰退并被人遗忘的时候，复制本身才成了目的，仅仅是为了仿造。"①弗莱将这样一个观点推向极端，即认为文学中一定包括这种仪式的因素。无疑，这种武断的说法是不科学的，因为仪式也好，神话也好，都只是文学的一种式样、一种体裁，承认这种文学史上的渊源关系，并不意味着文学就是仪式与神话的再现。

其次，弗莱提出了符合他的理论架构的文学的"独创性"的看法。弗莱所说的独创性与人们通常所说的独创性的含义出入很大，或许称不上是独创性。这一点，林特利切尔在他的著作的第一章《诺·弗莱〈批评的解剖〉的地位》中一针见血地指出："弗莱和别的理想主义思想家曾把'艺术'视作心灵的创造性举动，后来又把这个创造性举动普遍化为人性化意识的典型行为，他像新康德主义者通常做的那样，使作为意识的'独特'模型的文学或艺术，失去其可信赖的真正的基础，因为所有的意识行为都是艺术的。"②也就是说，弗莱的所谓独创不是要艺术家出新，而是要努力找出人类的原型。能进入这种原型之中、常规之中，作家的创造就算发生了作用。弗莱说：

---

① [英]杰恩·赫丽生：《艺术与仪式》，见《现代美英资产阶级文艺理论选》上编，作家出版社，北京，1962年，第310页。
② [美]弗兰克·林特利切尔：《"新批评"之后》，芝加哥大学出版社，1980年，第10页。

"神话是对大致上不离开可想象的愿望范围内的行动的模仿。神话爱美丽的女子,永不疲倦地互相搏斗、安慰、扶助人类,从永恒自由的上苍窥视人类的秘密。神话施展于人类愿望的最高层次,这一事实并不意味着它必须把它的世界表现为人类所达到的或可以达到的世界,因此,神话是一个总体隐喻的世界,其中一切的一切都潜藏在同一性中,好像它们都处在一个独立的、无限的整体之内。"①文学家的任务是什么呢?就是通过独创的手段,揭示神话内潜藏的东西,揭开这个隐喻的世界及其无限的意蕴,表达人类的最高层次的愿望。例如霍桑的一些小说,像《牧神雕像》写了神话中的一些东西,但霍桑不是低级地模仿神话,而是创造性地认识神话、表现神话、体现神话的精神。

再次,弗莱提出了有名的"七范畴"说。七范畴中的核心范畴是"循环"(Cyclical)。弗莱认为,世界的一切都是一个循环系统:生与死、成功与失败、努力与宁息,都是一个循环的运动过程。神话正是表现了这一过程,把世界的循环与轮回描绘出来。"因此,我们所谓意象的七范畴可以视为交替与循环运动的不同形式。"②基于这种循环论,弗莱提出了以下七个意象范畴:

1. 在神的世界中,中心过程或核心运动是神的死亡与再生、消失与复归、灵魂附体与退隐。这种神的活动常常与自然的一种或多种循环过程相联系或相一致。神可以是太阳神,黑夜里死去,黎明时再生,或在冬至时的季生性的再生;或是植物神,秋天死去,春天再生;或是灵魂附体的神,经过一系列的人与动物的生命循环。神多数被认为是无限的、不朽的,是作为同一人的起死回生的所有神话的恒定因素。因此,神话或循环的抽象结构原则是在个体的从生到死中的同一的赓续,这种赓续是从死到再生的延伸。弗莱认为,这种类型接近于东方文化,如印度佛教等,因此,东方人比西方人更能够接受这种再生的教义。

---

① [加]弗莱:《批评的解剖》,英文版,1971年,第136页。
② 同上书,第158页。

2. 天体中的火的世界给我们提供了三个重要的循环模式。太阳运行一年产生不同的"至",如冬至、夏至,这些不同的"至"提供了同样的象征,从而使圣经文学具体化。在东方的象征中,这三个循环模式分别是死亡、消失、光复。

3. 人类世界是精灵与动物的中间地带,反映了它特有的循环模式的二元性。与明和暗的太阳循环并行的是醒和梦的生活意象的循环。人类的循环模式与太阳的循环模式相反:太阳沉睡之时正是人类醒来之时,阳光四射之时正是人人梦乡之时。但与动物一样,人依然是生与死的有序的循环。

4. 在文学中如在生命中一样,这种情况是很少的:用全部生命驯养动物,达到最后的永别——死去。也有例外,如俄狄修斯的狗,与怀乡的主题或循环运动的主题是相宜的。动物的生活与人的生活一样遵守自然的命令,经受悲剧性的考验。

5. 植物世界也给我们提供四季的循环,要么与代表秋天死去的死的形象一致,要么与丰收期、酿造期的聚集,以及在冬天的消失与在春天的再生相一致。神的形象可能是雄的,也可能是雌的,但都是不同类型的象征结构。

6. 诗人们与批评家们一样,一直有如一帮铁匠。作为铁匠,文明的生活常常作为另一种形式中的生长、成熟、衰落、死亡乃至再生的有机体的循环。过去时代的黄金与英雄的主题,以及其他一些主题,都是这种有机体的循环。

7. 水的象征也有自己的循环,从雨到潮,从潮与泉到溪与河,从河到海或冬雪,如此循环往复,以至无穷。①

弗莱还把这些循环划分成四个主要阶段:一年有四季,一天有四时(早、中、晚、夜),水有四种(雨、泉、河、海或雪),生命有四阶段(青年、壮年、老年、死亡),如此类推。

他认为,诗人与批评家了解这些宇宙论是有好处的,宇宙论可以是神话的一个分支,这样,像神话一样,诗的结构原则可以因此而得

---

① [加]弗莱:《批评的解剖》,英文版,1971年,第158~160页。

到科学的说明,把握文学中的意象的规则。他指出,作这样的研究不仅使人们看到文学的架构,而且还可以帮助批评家把对这种架构的描述变成科学的研究。古典的神话在后来成为诗,这其中的研究离不开对这种神话架构的追寻。他认为,在叶芝和爱伦·坡的大量作品中可以看出这种神话的架构。同样,在但丁和弥尔顿的作品中,关于天堂与地狱的描绘,都是这种神话架构的无形的拓展。

最后,弗莱还提出了关于文学分类的一些看法。根据以上的一些设想,弗莱原则上把文学分为三类。他说:"在文学中我们有三种神话和原型象征的体制。第一,是非移植性神话,一般与神鬼或魔怪有关,并以合乎常理和不合常理的相对照,且在总体上从隐喻的等同的世界中取得形式。这些世界常常被等同于与这种文学同时代的宗教中存在的天堂和地狱。隐喻组织的这两种形式,我们分别称之为神谕型和魔幻型的。第二,我们有一直称之为传奇的总的倾向,一种在一个与人类的经验联系更为密切的世界里暗示含蓄的神话模式的倾向。第三,我们有把重点放在内容和表现而不是故事的形式的'现实主义'。反讽文学发轫于现实主义而趋向神话,它的神话模式作为一项法则,在魔幻型中比在神谕型中更富于暗示性。"①于是,弗莱把这些归结为原型的含义:神谕型意象、魔幻型意象、比拟型意象。也就是说,原型本质上是一种不断重复的意象,这种意象包括神谕型、魔幻型、比拟型三个部分。

弗莱为了展开他关于"循环"的理论,把春、夏、秋、冬分别比喻为喜剧、传奇、悲剧、讽刺文学。春天,春光明媚,充满生气,希望在即,对应为喜剧;夏天,色彩斑斓,富于梦幻与奇想,对应为传奇;秋天,崇高而又悲壮,萧瑟而又富有豪气,是英雄蒙难受苦的时候,对应为悲剧;冬天的世界没有英雄,世界趋于荒诞,对应为讽刺文学。然而,"冬天已经到来,春天还会远吗"?随着四季的轮回,文学史也会出现从冬向春的又一次循环。他认为,西方文学在过去15个世纪中,已经走过了神话、传奇、悲剧、喜剧和讽刺文学的过程,经历了由神话到写

---

① [加]弗莱:《批评的解剖》,英文版,1971年,第139~140页。

实的发展，现代又趋向神话，抽象派的绘画、卡夫卡的《变形记》、乔伊斯的《尤利西斯》，正是这种趋向的明证。从这里可以看出，弗莱用自然的循环看待文学史的循环，是一种"有神话论"的循环的文学史观，莎士比亚既有喜剧，又有悲剧，虽然可以把春天与秋天联系起来思考，但是，莎士比亚同时达到了两座高峰，又如何能说明文学史是由喜剧到传奇再到悲剧的呢？这显然是一种机械的、形式的循环论，与马克思主义所说的否定之否定的辩证循环论相距何止天壤。虽然我们承认弗莱的独创性思考有一定的理论价值，但我们坚决反对这种游戏式的文学本体论与文学史论。

第四节　结束语

如何评价原型理论呢？这要进行具体的分析。

原型理论在西方文论史上是有重要地位的。西方不少学者把弗莱的《批评的解剖》誉为当代的亚里士多德的《诗学》，也并非是广告式的吹捧，也有其学术上的理由。第一，原型理论突出了文艺学在人文学科中的地位，大大改变了人们对文艺学的看法。西方文论史上，文艺学的地位一直不是很高，有时是哲学的奴婢，有时又是部分作家创作经验的解说。但是，人类学的文艺学问世以后，人们普遍认为，文艺是人类文化的集中体现，文艺学是对人类文化的集中体现物的研究，具有崇高而又广泛的人类文化学的性质与地位，不可等闲视之。不论是荣格的原型理论，还是弗莱的学说，乃至还早一些的鲍德金的《英诗中的原型》《悲剧诗歌中的原型模式》、赫丽生的《艺术与仪式》、费尔拉特的《神话的宇宙观》，客观上都为提高文艺学的地位立下了各自的功绩。

第二，运用集体无意识与神话仪式的某些理论毕竟能扩充文艺学的研究内容。在文论史上权威的文艺学著作中，很少有把宗教、神话、仪式等理论作为文艺学的研究范围的。荣格、弗莱等人在这方面做了大量的工作，有效地拓展文艺学的研究范围。他们自觉地运用自己悉心研究的理论来说明文艺学中的一些重大理论问题，如荣格对文艺创作与人类文化意识和无意识的关系的揭示等。另外,像荣格这样谙熟弗洛伊德学说的人批判弗洛伊德的性本能说,要比一般的在精神分析方面尚属外行的文艺理论家更有战斗力与说服力。由于弗洛伊德在西方影响深远,没有荣格的反戈一击,很多人还会误入迷途而不知返。荣格用集体无意识取代弗洛伊德的个性无意识,不仅更能说明文艺问题,而且比弗洛伊德的思想进步,他看到了人的文化发展的延续性,把文艺创作中潜在的心理激素挖掘了出来。

第三,用原型理论确能说明一些文艺问题。在我国学者中,闻一多、郑振铎用这方面的理论研究中国古典诗词,取得了不少的成绩。当代楚辞中的某些研究,也说明这种理论有一定的可信性。比如《楚辞·东君》中的"举长矢兮射天狼,援北斗兮酌桂浆",其中"桂浆"一词过去一般解释为以桂花为香料所酿制的酒。当代的楚辞研究家通过对有关神话的考证,证明了"桂浆"不是一般的酒,而是天浆、神物,即月宫中的桂花酒。这样,对东君的形象就深化了,"他(东君——太阳神)满引天弧,猛发长矢,直射天狼;转过身来继续下降,用他的巨臂抓起雄踞天穹的北斗七星做勺子,到了月宫里舀了一大瓢桂花佳酿,痛饮一番,以庆祝他光荣的胜利,减轻一天的辛劳"[①]。这种分析不仅突出了东君的壮美奇丽,而且指明了诗歌的整体结构与神话具有一致性。

然而,要说原型理论无懈可击,或像有些人那样誉《批评的解剖》为"圣经",就不够公允了。承认其理论上的建树,并不意味着接受其中的一切观点与方法。在我们看来,原型理论有一些致命的弱点。首先,文艺学毕竟是文艺学,而不是人类学与神话学,用人类学与神话学取代文艺学,这在根本上是不妥当的。人类学、神话学有自己研究的对象与使命,它们可以帮助文艺学认识文艺问题。但是,由于文艺学有自己的特殊对象与使命,所以,它有不同于人类学与神话学的很多特性。荣格、弗莱等人妄图用人类学、神话学代替文艺学,用心固然良苦,然而在根本上忽视了文艺学的特性。而且,集体无意

[①] 萧兵:《〈楚辞·九歌·东君〉新解》,见《南京师范学院学报》,1979年第1期。

识也好，原型也好，神话仪式也好，都只是文艺涉及的一个方面，远不是文艺的全部，荣格与弗莱的理论犯了失之全面的毛病，希望把集体无意识、原型作为文艺的全部属性，这是不妥当的，是一种逻辑上的极端主义所导致的错误。其次，原型理论根本上忽视了文艺的审美结构及其功能。文艺是一个审美的世界，它给人以审美享受，激发人的审美情怀，唤醒人们的个性、创造与自由意识。而在这三方面，原型理论都用原型取而代之，结果只有共性而没有个性，而且这种共性都是比较偏狭的，充其量是原始文化的赓延。所以，用这种本来偏狭的原型来代替艺术创造的个性、创造性、自由性，在根本上违背了艺术规律，悖逆了审美的规律。再次，也是根本的，原型理论根本上否定了社会生活是文艺创作的唯一源泉这一真理。中外文学史已经反复证明，没有社会生活，文艺创作就失去了源泉。原型理论认为艺术创作源于原型，用抽象的原型取代了具体而又丰富多样的社会生活，这与马克思主义的艺术起源论是大相径庭的，也是我们所不能赞同的。

从以上论述可以看出，现代西方文论从表现主义到原型理论，已经走过了一段相当长的道路。从表现主义的代表一直到荣格，基本上倾向于以研究作家为己任，以研究艺术创造为主要对象。当然，研究作家与作品、读者并不都是孤立的，而是有联系的，作者研究系统中的文论家们，也研究过作品与读者，但是，如果放在整个系统中来考虑，他们的研究仍以研究作者为主。弗莱等是另一种情况。弗莱主要是针对新批评仅重单个作品的研究立论的，强调作品群的联系，具有一定的结构主义文论的倾向。因此，我们的研究视野必须转换一个角度：从作者中心转向作品中心，从而认真审视现代西方文论家关于作品研究的种种学说。

第二辑

作品系统

第六章 形式主义

第一节 发展与特征

20世纪的西方文论在作者研究方面取得了显著的成绩,形成了很大的影响。直到今天,在西方文论界仍有不少人从事作者系统的研究。但是,这种作者研究作为西方文论的主流从20世纪上半叶开始减弱势头,代之而起的,是关于作品系统研究的新的浪潮。从事作品系统的文论研究的主要有形式主义、英美新批评派、结构主义、符号学、语义学等,始作俑者是形式主义派的文艺理论。

形式主义文论是受语言学的影响发展起来的。20世纪初,瑞士语言学家索绪尔自出机杼的《普通语言学教程》问世,动摇了人们对语言学的传统看法,并对当代哲学社会科学的有关方面形成了一定的冲击。索绪尔的这本书是他的学生根据他1906~1907年、1908~1909年、1910~1911年在日内瓦大学讲课的讲稿整理而成,1916年在巴黎出版。索绪尔在《普通语言学教程》中提出的一系列见解给俄国形式主义者以极大的影响。尤其在研究方法上,索绪尔作了外部语言学与内部语言学的区分,说明外部语言学研究语言与文化、政治等的关系,而内部语言学与此不同,它研究语言系统"自己固有的秩序"①。俄国形式主义者由此得到启发,从而提出,文艺学不能研究外部联系,应该研究文艺内部的固有秩序和结构,文艺学不能成为一部缩写的或从文艺角度论证的文化学,必须首先是文艺学。此外,在一些具体的内容方面,索绪尔也给俄国形式主义以诸多影响。

俄国形式主义的文论研究有两个中心:一个是1916年,在列宁格勒成立的"诗语言研究学会",主要成员有列·雅古宾斯基、维·什克洛夫斯基、艾亨鲍姆、沙·伯恩斯坦,这个中心的学者侧重于文学史研究;另外一个形式主义文论中心,是1919年在莫斯科成立的莫斯科语言学会,主要代表是雅克布逊、彼·波格丹诺夫、维诺库,他们较多地从事语言学研究,提出文艺理论或诗学是语言学的一个部分,诗是具有审美功能的语言。他们的影响较前者更大一些。由于政治的原因,不少形式主义文论家到捷克斯洛伐克的布拉格定居,成为盛极一时的结构主义的布拉格学派。纳粹主义兴起后,部分学者只好离开捷克斯洛伐克,到美国等国家去从事学术研究,促进了英美新批评派、结构主义、符号学、语义学等文论流派的发展。可以说,俄国形式主义文论做出的是既推动西方文论发展,又促进新学派成长的双重贡献。

与俄国形式主义学派不同,西欧的部分形式主义文论家并不那么看重语言学在文艺学研究中的地位与作用。当时的德国的一批学者从文体论的角度出发,把文学评论与文体学结合起来,如达马索·阿隆索对文学进行文体的观照,对西班牙诗歌进行新的文体学的估评,对巴洛克风格、贡葛拉和耶稣教徒圣·约翰的研究都采用了文体学的方法。不过,文体学派不及俄国形式主义的影响大。

后来,在西方影响较大的形式主义文论家主要有两位,一位是法国的苏里奥,认为美学是研究艺术形式的科学;另一位是英国艺术史家、文艺理论家克莱夫·贝尔,他在《艺术》等论著里提出的"有意味的形式"的命题在国际美学界与文艺学界相当流行,被看作是总结现

---

① [瑞士]索绪尔:《普通语言学教程》,高名凯译,商务印书馆,北京,1980年,第46页。

代派艺术的理论名言。

在长期的发展中,形式主义文论逐步形成了自己的特色。

第一,它在整体上侧重于形式的研究。所谓形式主义主要是指以研究艺术形式为主要任务的文艺研究学派,不专事研究形式的就不能叫做形式主义。形式主义文论家研究形式不同于其他人研究形式的特点在于,他们认为文艺的本质就在形式方面,不在内容方面,因此,必须从形式的角度去观照文艺、分析文艺、总结文艺的规律。他们像索绪尔区别外部语言学与内部语言学一样,把文艺学区分为外部文艺学与内部文艺学,他们自己的研究兴趣自然是在内部文艺学方面,即文艺的形式研究。所以,所谓内部文艺学也可称为形式文艺学。这种分法可追溯到康德的《判断力批判》。康德把美分为"自由美"与"附庸美"两种。自由美是文艺具有独立自在的美,附庸美是文艺附庸于政治、哲学、历史、文化的美。但是,康德认为,在整个艺术史中自由美是不多的,更多的是附庸美。形式主义文论家把康德的观点推向极端,认为文艺只能是自由美,研究文艺也只能研究自由美。康德的自由美并不是一种纯形式的分类,但是,形式主义文论家则当作纯形式来研究并扩大之。

第二,采用类似语言学的方法研究文艺学。这有多方面的原因:在俄国形式主义文论家看来,俄国民主主义的文论家如别林斯基、车尔尼雪夫斯基、杜勃罗留波夫研究的是文艺的内容,主要从作品中透视出当时社会的政治、制度、历史文化风貌。应当通过文艺形式的研究,弥补他们在文论研究中的不足。还有一个重要原因是俄国形式主义文论家多半是语言学家,从事形式研究,尤其从事艺术语言研究更能发挥其专业所长。事实上,他们的语言学造诣确实给他们的文论研究帮助不少。他们运用一系列语言学、修辞学的概念和术语,如隐喻、转喻、明喻、暗喻、象征、对话、词语、句子等,并把这些概念、术语作为文艺学的重要概念与术语,对作品中一系列的语言、语言结构、细节、情节进行了细致的语言学分析与研究,使文艺学、文艺批评具有浓厚的语言学的色彩。这一点,佛克马夫妇看得很清楚:"雅克布逊已经认为文学理论或诗学是语言学的不可分割的一部分。在1921年,雅克布逊就已指出：'诗不过是语言的美学操作。'40年后，他对这个看法稍加修改后又重新在《语言学与诗学》的专论中予以论证。"①

第三，形式主义对叙事文学很感兴趣，对情节的分析具有独到之处。像普洛普在《民间故事的形态》一书中，搜集了大量民间故事，并对这些民间故事的基本模式进行了总结，找出了31种功能。这种分析方法直接给结构主义的叙事学以影响，结构主义叙事学的模式分析在很大程度上来源于俄国形式主义的分析方法。因此，西方有的批评史家干脆把本属于形式主义流派的普洛普放在结构主义文论中进行论述。

第二节 文艺作为形式

形式主义文论家常常从形式的角度规定文艺的本质，把文艺作为一种表现形式。

出于这种思想，他们认为过去把形象思维作为文艺的本质是不科学的。从数量上说，并不是所有的艺术都是用形象来思维的，有许多作品是无形象的，比如很多抒情诗就没有形象，因此，曾广泛推行形象思维理论的奥夫相尼科-库里科夫斯基院士后来不得不改变初衷，把抒情诗、建筑和音乐归入无形象的艺术之中。从性质上说，形象思维在本质上是一种象征型的思维方式，象征的思维方式就是用形象来思维，借形象来表达思想，通过有限的形象展示出无限的丰富的世界。因此，在象征主义文论家那里，形象思维的理论实际上研究得很多了，同时，在象征主义文论家论形象思维的时候，其弱点已体现出来，即形象不是用来改变诗歌运动的本质的东西，不能把语言艺术的一切因素联结起来。从艺术的目的来说，形象思维理论归根结蒂是企图给人提供一种认识。但是，文艺的目的不是给人提供认识，而是为人提供感受与体验。因为给人提供认识的不只是文艺，哲学、经济学、美学、统计学等都为人提供认识。文艺有自己的目的，即在于其感受性与

---

① [荷]佛克马、易布思：《二十世纪文学理论》，伦敦版，1977年。

体验性，所以，欣赏文艺的人能直接得到一种审美感受与审美体验。

同时，他们还反对从文艺的内容角度去讨论文艺。这一点，托利·贝内特说得很明确："形式主义者考虑的中心问题是文学研究，他们反对把文学研究置于非文学的研究领域——生物学、思想史、社会学、心理学等外文艺的文化部门中去研究，他们提倡用文学研究文学的方法。"① 严格地说，所谓用文学研究文学的方法并不完全符合形式主义文论的实际情况，因为文学既有内容又有形式，形式主义者很少从内容方面谈论文论，更多是从形式入手研究文艺。维·什克洛夫斯基认为，从内容入手论文艺，势必强调文艺的概括作用。但是，文艺本质上是感受的，不是概括的，概括是一个理性概念，而文艺不属于理性探讨的范围，比如舞蹈，谁能说舞蹈演员在表演时是在概括而不是在感受呢？再如文学，文学的概括与哲学概括是迥然不同的，即使是长篇小说也不能像哲学、政治学、历史学那样概括社会与思想的材料，充其量是给人以感受。所以，根本不必用一些哲学范畴往文艺学中硬套。文艺是靠感受来组织语言材料及其结构的，文艺不是靠理性来概括的。由此，维·什克洛夫斯基通过对大量故事的分析，总结出了一条规则：形式为自己创造内容。这条规则至少有三种意思：一是内容不能决定形式，内容不能创造形式；二是形式有自己不受任何支配，包括不受内容支配的独立自主性；三是形式可以支配内容，形式不是内容的形式，而是相反，即内容是形式的内容，形式可以创造内容。因此，人们欣赏文艺，不是从内容看形式，而是相反，从形式看内容，从词语上看内容。

从这些观点出发，形式主义文论家提出：文学的本质不在思维中，也不在内容中，而在形式中。

他们把文艺作为形式，认为文艺的特质主要是由形式因素组合而成的。维·什克洛夫斯基在《作为程序的艺术》中明确地提出：文艺是一种体验创造物的方式，由语言等多种形式因素组成，艺术语言有

---

① [美]托利·贝内特：《形式主义与马克思主义》，伦敦与纽约联合出版，1981年，第48页。

一种自动性和自主性,不受内容的制约,文艺是组织内容的形式与手段。比如,他们在分析屠格涅夫的作品时,认为过去有的文学史家一味从内容入手分析屠格涅夫的作品是片面的。这种分析方法只能使文学史家像哲学史家或思想史家一样,在屠格涅夫的作品中找作者的思想矛盾、反社会意识、反封建行为。如果只是这样,屠格涅夫就远远不如与他同时的大思想家、革命家别林斯基和车尔尼雪夫斯基了,文学家与思想家、社会学家、历史学家就没有什么区别了。这种研究方法的缺点正是忽视了文艺的特质即形式,忽视了文艺之所以不同于其他文化部类的特殊性即形式,从而混淆了文艺同其他文化部门之间的关系。照他们看来,屠格涅夫的作品之所以伟大,正是因为他有非凡的艺术才能,即使用与创造形式的才能,他的《父与子》等一系列作品之所以在世界文学史上彪炳千秋,正是因为这些作品的形式表现远胜于其他平庸之辈的作品。因此,作家之所以成为作家,并不在于他们有没有挖掘社会的本质,也不在于他们有没有找到历史的规律,关键在于他们是否创造了新的形式和由形式组成的世界。

对于文艺的内容,形式主义者也认为是形式的内容。在这一点上,俄国形式主义者采用了顾鲁采尼兹的观点,顾鲁采尼兹认为,形式是内容的载体,形式能制造内容,新形式制造新内容,不同的形式会有不同的内容意义。雅克布逊声称,现代文艺学必须使形式从内容中解放出来,使文字从意义中解放出来。与后面要论到的阿多尔诺一样,俄国形式主义文论家认为,正确解决文艺的内容与形式的关系的途径,是以形式为轴心来调节内容与形式的关系,这样的文艺学才是"精致的"。到了贝尔,这种观点更是愈来愈明确了。贝尔在《艺术》中写道:"在各个不同的作品中,线条、色彩以某种特殊方式组成某种形式或形式的关系,激起我们的审美感情。这种线、色的关系和组合,这些审美的感人的形式,我视之为有意味的形式。'有意味的形式',就是一切视觉艺术的共同性质。"[1]贝尔的这种观点,显然是以

---

[1] [英]克莱夫·贝尔:《艺术》,周金环、马钟元、滕守尧译,中国文联出版公司,北京,1984年,第4页。

形式为核心讨论视觉艺术的本质。因此,李斯托威尔在《近代美学史评述》中把它列入"形式论"中是有道理的[①]。但是,贝尔并没有完全忽视文艺能激起人们的审美感情,即没有完全忽视文艺的内容因素,只是这种因素是由形式决定的、支配的,而且,只有这种纯形式,才能激起人们的审美情感。比如未来派与印象派的绘画,不是由作者的思想感情决定的,而是由作者的形式技巧赋予的,欣赏这两种类型的绘画,欣赏者不需要带入什么思想感情,只要具有形式感、色彩感和三度空间感的知识就可以了。

形式主义文论家为什么这样看重形式呢?原因之一是他们认为,文艺学从形式入手进行研究可以到达科学的高度。如果从内容方面深入研究的话,文艺学很可能成为社会学、政治学、历史学、思想史等学科的阐释者。俄国民主主义文论家如别林斯基、车尔尼雪夫斯基有这方面的教训,他们喜欢从文艺中抉微索隐,找出这样或那样革命的或反革命的因素,忽视了艺术形式的重要性。形式主义文论家吸取这方面的教训,着意于艺术形式的科学分析。艾亨鲍姆说过,研究艺术形式与进行研究科学是一样的,对作品的韵律、节奏、语言材料、结构原则、构造方式进行统计学、语言学的归类和分析,可以使文艺学建立一种科学可靠性。近几十年来,电子计算机与电脑得到较大发展,西方有的形式主义者用计算机、电脑研究文艺作品中的风格、语式、语词,获得了大量的科学证据。艺术内容是不定的、可变的,随着阐释者不同的解释而被赋予不同的意义,艺术形式则是固定的、不变的,可以而且容易成为科学研究的对象。比如莎士比亚商籁体的内容每首不同,很难找到其中一以贯之的主题,但是,针对商籁体这种体裁本身的要求、规则,莎士比亚的突破和创造却是明显而确定的。文论家总结一种体裁的形式规则远胜于进行内容分析,而且,前者的科学性更强。正因为如此,所以形式主义者坚信,文艺的本质在形式,文论家只有在形式方面进行研究,才算把握文艺的本质,才能达到科学的境地。

---

① [英]李斯托威尔:《近代美学史评述》,蒋孔阳译,上海译文出版社,上海,1980年,第125页。

第三节　文学的语言学研究

西方20世纪文论关于作品系统的研究有一个特点,就是用语言学来研究文学。最先运用这种方法的是俄国形式主义文论家,受其影响的则有英美新批评派、结构主义、符号学的文论。

雅克布逊在这方面的研究相当著名。在《隐喻和转喻的两极》一文中,他运用隐喻与转喻研究文学作品。他写道:"在语言艺术中,这两个因素的相互作用尤其需要说明。这一关系研究的丰富材料,可在上下诗行需要强制对应的诗歌类型中找到,如圣经诗和芬兰西部的口头传说,以及某种程度上的俄国口头传说。这就提供了某种言语社会中什么才能作为一致性的客观标准。因为不论在什么词语水平上——词素的、词汇的、句法的和表达方式上的——这两种关系(相似和接近)都会出现——而在这方面的任何一方中——都会创造出给人印象深刻的一系列可能的结构。这引力的两极中任何一极都是很普通的,比如,在俄国抒情歌谣里,隐喻的结构居支配地位;而在英雄史诗里,转喻方式则占优势。"①他进一步论证道,现实主义作品以转喻为特色,它把注重情节的转喻导向注重环境的转喻,通过转喻来表现人物与环境的关系。《安娜·卡列尼娜》写安娜自杀的场景,托尔斯泰集中笔力描写安娜的手提包,使人们从这个手提包上懂得安娜的过去与现在。浪漫主义文学则以隐喻占优势。《草叶集》中许多诗,惠特曼很少通过一种描写而指一种具体特征,而是把他要表达的意义全部隐含在诗中,让人们去品味,去体会,去赏析。

维·什克洛夫斯基更是明确地提出了文艺语言的"陌生化"的问题。关于陌生化,西方现代文论中有两人从不同角度突出地论证过。一个是布莱希特,他从戏剧表现生活方面提出陌生化,我们在第十六章第四节中要专门讲到。另一个就是维·什克洛夫斯基。他在《作为程序的艺术》中,专门讨论了这个问题。他说:"那种称之为艺术的东

---

① [俄]雅克布逊:《隐喻和转喻的两极》,见亚当斯编:《柏拉图以来的批评理论》,纽约版,1971年,第1114页。

西的存在,就是为了要恢复生动感,为了要感觉事物,为了使石头更像石头。艺术的目的就是提供一种对事物的感觉即幻象,而不是认识;事物的'陌生化'程序,以及增加感知的难度和时间的造成困难形式的程序,就是艺术的程序,因为艺术中的接受过程是具有自己目的的,而且应当是缓慢的;艺术是一种体验造物的方式,而在艺术中的创造物并不重要。"什克洛夫斯基希望文艺创作不要照搬对象,而是要对对象经过艺术处理,他认为艺术处理的方式是陌生化,即将熟悉对象变得生疏起来,使人们感受到艺术的新颖别致,体验着文艺的避陈去俗、翻新出奇的创造过程。在同一篇文章中,什克洛夫斯基认为艺术语言是实现这种陌生化的重要保证与条件。比如,列夫·托尔斯泰不用事物的名字称呼事物,而是用第一次的感受来称呼事物,像一位从未出城的人第一次看到辽阔的稻浪滚滚的田野,觉得特别新鲜,用大海来形容稻田,而不用稻田来称呼稻田。采用这种语言描写方式在表面上看来是使旁人听来很陌生,怎么稻田变成了大海,实际上,这样反而更加突出地显示出新鲜感与生动性。因此,艺术陌生化的前提是语言陌生化。他论证说:"对于普希金的同时代人来说,杰尔查文的令人振奋的风格是习惯的诗歌语言。而普希金的风格按其(当时的)平凡程度来说,是使他们出乎意料的困难。我们回想起普希金同时代人对他的言词如此不体面所表现出来的恐惧。普希金使用了作为中断注意力的特殊程序的俗语。"这种意见,有点类似我国宋代黄庭坚的"点铁成金"的说法。在《答洪驹文书》中,黄庭坚写道:"古之能为文章者,真能陶冶万物,虽取古人之陈言入于翰墨,如灵丹一粒,点铁成金也。"也就是说,文学语言取之于日常语言,同时又把日常语言陌生化,使之变成具有新鲜感艺术性的文字。至此,什克洛夫斯基又引出了一个新的问题:日常语言与文学语言的联系与区别。日常语言是文学语言的直接来源,文学语言是日常语言的升华。日常语言要成为文学语言,必须经过艺术家的"扭曲"、"变形"或"陌生化"。或者说,"陌生化"是使日常语言成为文学语言的中介。有没有这个中介,文学语言的情况大不一样。散文语言的陌生化程度不高,所以,它接近日常语言;诗歌语言的陌生化程度很高,因此,它总是处于文学语言的最高层次上。过去,不少作家只看重沙龙里的语言,忽视民间的俗语,什克洛夫斯基认为这是不对的,必须两者兼顾,这样可以丰富文学语言,也可使文学语言保持清新活泼的境状。杰尔查文、普希金、高尔基等语言大师的作品的语言之所以生动清新,其原因正在这里。

俄国形式主义文论家还从语言学角度探寻文学的"文学性"问题。什么样的文化形态都有自己的具体特性,比如,科学有科学性,艺术有艺术性,同样,文学自然也有文学性。什么是文学性呢?简单地说,文学性就是文学的性质和文学的趣味。对文学性,不同的文论家有不同的看法。克罗齐认为文学性在于直觉,弗洛伊德认为文学性在于性本能的转移与升华。俄国形式主义者在现代是最早提出"文学性"这个概念的,在以后要讨论的英美新批评派的文论中,我们可以看到这个概念经常被人引用。俄国形式主义者认为文学性就在文学语言的联系与构造之中。早在1921年,雅克布逊就提出,文学性(literariness, literaturinost)是文艺学的研究对象与任务,而不存在于文学作品之中,因此,研究者必须把作品变成一种构造原则(constructive principles)或手段(devices),不必为作品而作品,更不必从思想感情和艺术形式方面来肢解作品。文艺学的任务就是需要集中研究文学的构造原则、手段、元素等。怎样研究呢?研究者把文学的构造原则、手段、元素等从作品中抽象出来,放在作品的上下文之外作独立探讨。比如,研究托尔斯泰的《复活》,学者不必从内容上为《复活》做内容提要,或从固定原则出发在《复活》中找证据,也不必从形式角度研究《复活》的结构与语言特色,而是要在深入研究作品的基础上从语言学的角度探讨《复活》的内在构造原则与同类作品的构造原则的联系,把《复活》变成一种传达语意的手段,从研究这种手段入手,分析作品在这方面的特点。这一点,我们将在本章第四节详细谈到。这里要说的是,俄国形式主义为什么要把文学性作为文艺学的研究对象与任务。因为俄国形式主义者的任务是建造科学的文艺学;要使文艺学成为科学,必须使文艺学摆脱非科学的窘境。当时,他们认为语言学是科学的,所以,用语言学来研究文学也可能是科学的；所以，雅克布逊、艾亨鲍姆、什克洛夫斯基都倾向于从语言学的角度、用语言学的方法在文学作品中寻求文学性之所在。他们之所以把文学作为语言组合的整体，认为只有在文学中，各种语言才能"和平共处"，不像论文语言那样千篇一律，几乎具有机械化操作的味道，也不像科技著作那样满是符号与图表；他们还之所以把文学作为建构语言的场所，认为文学不是随意地铺陈日常语言，而是为了建造和重新组织语言，"化腐朽为神奇"，而且，如果研究者把文学作为建构语言的部门进行分析，会使文学得到比社会学、历史学等分析更强有力的证据与结论。所有这些，都出自于形式主义文论家企图建立科学的文艺学所采用的语言学分析方法。遗憾的是，俄国形式主义者来不及写一本像韦勒克、沃伦那样系统的《文学理论》，就被放逐了，所以，他们所谓的科学的文艺学的系统完整的著作并未形成，而是为英美新批评派提供了思想与方法，使英美新批评派在俄国形式主义开垦的文学的语言学研究的园地上取得了丰硕的成果。

第四节　情节分析

形式主义文论家认为文学有着自己的构造原则。把这种思想体现在叙事文学的评论中，便是强调对情节进行精细的分析。

形式主义文论家把构造原则分为两部分：情节结构与叙述结构。他们从语言学角度出发，认为情节结构是对事件的描写，是动作依照时间秩序和因果关系的发展，纯属语意的。叙述结构是语意材料在特定作品里的表现。以描写恋爱事件所产生的情节为例，情节结构是文学史上描写这类事件的所有作品的情节构成，叙述结构只是在单个的作品中表现这类情节，或者在莎士比亚的《罗密欧与朱丽叶》中，或者在狄更斯的《艰难时世》中，或者在《简·爱》中。因此，情节结构比叙述结构抽象，是一种宏观把握，叙述结构比情节结构具体，是一种微观呈现。用什克洛夫斯基的话说，叙述结构是情节结构的个别表现，情节结构是叙述结构的语意材料。形式主义对叙述结构的分析更接近文学史与文学批评的分析，对情节结构的分析却具有突出的文学理论价值。因此，我们这节重点评述情节结构。

鲍·托马舍斯基在《主题》中指出："应当强调的是，情节不仅要有时间的特征，而且要有因果的特征。游记也可以按时间特征来写，但如果它只叙述见闻，而不叙述旅行者的个人奇遇，那它仍然是无情节的叙述。"这表明，情节有两大条件：一是时间次序，一是因果关系。像哥伦比亚的加西亚·马尔克斯写的《百年孤独》，不仅从时间上叙述了一个大家族一个世纪的兴衰史，同时祖父母之间、父子之间、儿孙之间以及各个方面的因果关系都交代得十分清楚。如果仅仅有时间次序，还不能叫情节小说，只能算无情节小说，像不少描写旅游的作品。情节小说既要有时间次序，又要有因果联系。这两个条件缺一不可。举凡有情节的作品一般都具备这两个条件。托马舍斯基进一步论道，情节作品中的因果联系"愈弱"，纯时间联系就"愈强"，当作品要强化某一方面时，它必然要弱化另一方面。在情节的发展问题上，托马舍斯基提出了"情境"这个概念。这个概念指作品中人物之间在每一瞬间形成的相互关系，像三角小说中男女主人公，女主人公却爱上了男主人公的情敌。情境表现有各个方面，有典型意义的是因为矛盾关系形成的情境：不同角色以不同方式对现有情境的改变，如《罗密欧与朱丽叶》中罗密欧与朱丽叶相亲相爱，但双方的家人都来阻拦，这样的矛盾斗争形成了一种情境向另一种情境的过渡，使情节变得错综复杂，冲突变得更加激烈。托马舍斯基认为，大多数情节的基础是斗争，角色与角色之间存在着利害冲突，情境与情境之间展开着或激烈或微妙的斗争，情节处于高潮阶段，斗争显得紧张；作品结束时，情境的这种矛盾斗争才平息下来，利害冲突得到调解和缓和。他还运用正反合式的辩证法论证作品情节的发展，一般来说，情节开端是正题，紧张是反题，结局是合题。

随着情节的展开，作品需要一系列的细节"印证"情节，因此，托马舍斯基又提出了"细节印证"的问题。细节印证是指作品的细节为情节服务，使作品血肉丰满，不至于只是依靠情节"搭起一个架子"。细节印证有几种形类：第一种是结构细节印证，指为印证作品主要结构的细节，像契诃夫所说，如果故事开头说过把一个钉子钉在墙上，那么故事结尾时，主人公就在这个钉子上吊死。第二种细节印证是求实细节印证，指根据生活与艺术经验印证作品中的"错觉"和"杜撰"。叙事文学多数是虚构的产物，但是，人们往往相信这种"虚构"，作者要使得作品的这种虚构能"自圆其说"，必须进行求实的细节印证。有经验的读者认为小说是虚构的，但是，他们要求这种虚构不是虚假，符合生活与艺术的逻辑，符合人们的审美习惯，并要求每个细节具有可信性，与印证的情节相得益彰，不能悖逆。第三种是艺术细节印证，指印证作品的艺术构成的细节。托马舍斯基在这里特别提到了艺术的反常化或陌生化的问题，在《格列弗游记》中，作者为了讽刺社会政治制度，大量运用反常化或陌生化的技巧，或过分夸张或极度缩小各种人物与事件，这就要求细节在艺术上印证情节，通过雄辩、描写、铺陈等艺术技巧获得艺术细节印证。有时词语的运用，如为了加重语气，显示当时冲突紧张的情境，写某某主人公打了另一个主人公的耳光，"一下、两下、三下……"，这种艺术细节印证可以使作品情节的情境得到充分的表现。托马舍斯基的研究表明，情节与细节关系密切，相得益彰，缺一不可。

形式主义文论家还重视叙事文学史的情节分析。这种分析也叫"母题分析"。普洛普的研究在这方面具有代表性。对普洛普是不是俄国形式主义者，国内外学者有不同看法。不少学者把普洛普作为结构主义文论家。我们认为，普洛普尽管没有参加过俄国形式主义的文论团体，但他运用的研究方法与俄国形式主义的方法趋于一致，所以，把普洛普放在形式主义中讲比放在结构主义中讲更合适些。普洛普的代表作是《民间故事的形态》，1928年用俄文出版。普洛普认为，在民间故事中，不同的母题可以描述相同的动作，但是叙述人物及其性格可以不同。比如："国王赐鹰给英雄；鹰把英雄带到另一王国"，"老人送你一匹马，马将你带到另一王国"，人名与叙述方式不同，但是其中的叙述结构是相同的，这相同的母题是一个不变的功能的变体。普洛普从大量材料里总结出31种功能：

准备阶段,7种功能:

  家庭中一个成员离家外出

  主人公被要求遵守某次禁令

  那个禁令遭到破坏

  坏人开始侦察动向

  坏人获悉关于受害者的情况

  坏人企图欺骗受害者,以便抓住他或占有其财物

  受害者上当,无意中帮助了敌人

复杂化阶段,3种功能:

  坏人使该家庭中一个成员受到损失或伤害,或者该成员有了什么不幸或需求

  上述不幸或需求明朗化了,有人要求主人公去解决这个问题,主人公出发

  主人公同意或决心采取措施

转移阶段,5种功能:

  主人公离家出走

  主人公受到考验、盘问、攻击等等,使他有机会得到一个懂魔法的使者或者助手

  主人公对将来能满足他追求目标的人物的行动作出反应

  主人公获得了一个会玩魔法的使者

  主人公被转移,或被引导到他所寻求的目标的所在地

斗争阶段,产生4种功能:

  主人公与坏人进行面对面的斗争

  主人公未被识出真面目,就被叫做这样做那样

  坏人被击败

  原来的不幸或需求得到弥补或满足

返回阶段,7种功能:

  主人公回来了

  主人公被追捕

  主人公得救了

　　　　主人公在不被人知的情况下回到家乡或另一国家

　　　　一个假主人公提出没有根据的要求

　　　　对主人公提出一项困难的任务

　　　　那个任务被完成

　　公认阶段，5种功能：

　　　　主人公得到公认

　　　　假主人公（或坏人）被揭露

　　　　假主人公以新的面貌出现

　　　　坏人得到惩罚

　　　　主人公成亲并得到王位①

　　普洛普认为这31种功能可以概括他所搜集的民间故事的基本功能。这些功能实质上仍然是对情节模式的分析。它可以掌握人们准确地把握叙事文学史的某些部类史的历史与现状，为艺术家的创作提供已有的模式，便于艺术家冲破旧有模式，创造新的情节结构。普洛普的这种研究方法直接给后起的结构主义文论以深刻的影响。

第五节　结束语

　　苏联学者M.A.亚洪托娃曾说："当研究者把任何情况下的艺术形式的某些因素只看成是不变的、凝固的、衰落和腐朽文学的特征时，他就可能滑到形式主义的立场上去。在那种情况下，结构或体裁方面的现象将超出它们含义深远的内容和正确思想指导，其本身被看作是仿佛能正确无误地把现代派和现实主义倾向区别开来的标准。这是完全不能允许的。"②因为无论是现实主义文学，还是现代主义文学，都是内容与形式的有机结合的产物，不能说只有现代主义文学才有

---

① [苏]普洛普：《民间故事的形态》，见袁可嘉：《现代派论·英美诗论》，中国社会科学出版社，北京，1985年，第122~124页。
② [苏]M.A.亚洪托娃：《反对在评价方法上的形式主义标准》，见扎通斯基等著：《论现代派文学》，杨宗建、卢永茂、唐素云译，湖南人民出版社，长沙，1986年，第329页。

形式，现实主义文学就只要内容。所以，无论对什么样的文学都需要从内容和形式方面进行总结、进行研究。同样的道理，不能把以研究艺术形式为主体的形式主义文论当作对现代派文学的总结。事实上，它涉及的面很广，从现实主义、浪漫主义、早期现代派到民间故事、神话等都有所涉猎，都提出了一系列新课题、新意见、新思想。它对整个西方文论产生了较大的影响，人们只要提到西方现代文论中的作品系统的研究，会立即想到它的第一个流派——形式主义。过去一段时间，文艺界有的人对形式主义文论的内涵、外延、渊源流变甚至代表人物的代表作都不清楚，便理直气壮地批判这个流派，这种盲目而不踏实的做法显然是非科学的。

我们认为，形式主义文论关于艺术形式的研究是具体的、深入的，并不乏一定的启迪性。首先，他们对文艺的形式进行了细致的剖析，并引用大量的西方文学作品作例证，这使人们在阅读他们的论著和论文时常常感到，他们的材料丰富，论证有力，绝不凭空设议，有的篇什甚至让材料"淹没了"论题。虽然这有观点与材料不尽统一的毛病，但这种求实精神不能说完全不可取。比起表现主义等作者系统的文论家来，形式主义文论家的研究更能把握文学艺术的内在的细微之处。莱辛在《拉奥孔》前言中谈了三种批评家对文艺的鉴定方法：一种是哲学家的，一种是文艺批评家的，一种是文艺爱好者的。从这种分法来看，表现主义文论家更倾向于哲学家的方式，心理分析中有的文论家如弗洛伊德，一半是哲学家的方式，一半是文艺爱好者的方式。形式主义文论家则是彻头彻尾的文艺批评家的方式。其次，他们从语言学角度，为文艺学建设增添了许多新范畴、新概念，扩大了文艺学对文艺的阐释范围。西方古代文艺理论史基本以哲学家与作家的文艺思想为主体，不像中国古代文艺理论那样注重训诂、考据、辞章。形式主义文论家提出从语言学角度研究文艺学，无疑是对西方文论史的一大贡献。雅克布逊、什克洛夫斯基提出的一系列概念与范畴，如文艺作为转喻或隐喻的呈现、文艺的陌生化、文学性等都对现代文艺学的发展产生过很好的影响，对我国建设文艺学也不无借鉴作用。再次，他们对情节的细致深入分析，使人感到形式主义文论家在研究过程中付出了艰辛的劳动,他们中有的是文学史家,有的是民间文学研究的专家,在总结文学史与民间文学的情节结构中进行了大量的统计学的调查分析,掌握了大量的第一手资料,得出的结论有一定的科学价值与可信性。

形式主义文论的缺点也是很明显的。第一,他们把艺术形式夸大了,用它来规定文艺的本质,犯了一种顾点失面的毛病。艺术形式是文艺中的一个重要组成部分,但不是文艺的唯一因素,形式主义文论家把形式作为文艺的本质,让人们觉得文艺除了形式外,就没有别的什么了。他们还把形式作为一种决定因素,认为形式可以决定文艺的其他因素,但是,他们忘记了这样一个常识:艺术形式又是由什么决定的呢?我们认为,艺术形式虽有着自己的发展规律,但在根本上说,它是由艺术内容与社会文化的发展所决定的,形式自己并不能决定自己。文艺史上,形式决定形式的事例还不多见。因此,形式主义文论家的理论不仅与马克思主义的文艺学格格不入,而且也不符合文艺史的实际情况。第二,形式主义文论家尤其是俄国形式主义者在文艺学研究中推行一种"泛语言学主义",把以往文艺学中一些很能说明文艺现象的概念范畴推翻,改用语言学的概念、范畴来说明,使整个文艺学形成了一种语言学化的倾向。这种泛语言学主义的研究方法是不可取的。语言学与文艺学是两门不同的科学,其中有交叉、有相互渗透本是一种正常现象,但是,如果用文艺学代替语言学,使语言学从属于文艺学,或者相反,用语言学代替文艺学,使文艺学从属于语言学,就成为反常的了。在一些具体研究中,比如说雅克布逊认为现实主义是转喻,浪漫主义是隐喻,英雄史诗是转喻,俄国抒情诗是隐喻,就显得牵强附会。我们承认对文艺进行语言学探索很有意义,因为文学是语言的艺术,其他文艺部门也需由自己的语言材料组成,但是,不能由此走向极端。我们认为,用语言学研究文艺是手段,建设文艺学推动创作发展是目的。形式主义者刚刚相反,把手段当目的,得出了一些本末倒置的结论。第三,在情节分析方面,形式主义者的研究很不成熟,很多重要的文学体裁的情节分析与叙述母题研究,并没有深入下去。即使已有的研究论著也显得过于"机械化"、"数学化",没有把对情节的剖析与统计同审美事实结合起来,给人以肢解文艺、为研究而研究的印象;他们也没有把情节的发展史与社会、文化、审美发展史结合起来研究,因而显得过于单薄、浮泛。表面上看形式主义文论,文学材料的确很丰富,但深究一步就会发现其内在的总结并不够深入,揭示的文学规律也不够具体,显示出形式主义文论家感受有余而理论不足的弱点。

我们前面已经说过,形式主义文论的方法论影响大于其内在的科学价值。我们之所以专章评述它,实在是因为不把它首先讲清楚,作品系统中的新批评派、结构主义、符号学就无法从理论渊源上真正说明。形式主义的文论,无论是在把文艺作为形式技巧方面,还是在用语言学研究方面,乃至情节分析方面,都给新批评派、结构主义、符号学以强有力的影响。这一点我们在阅读以下几章之后,会有一个更强烈、更清晰的感受。

第七章　英美新批评派

第一节　发展与特色

英美新批评派与心理分析学派有着一定的联系。正是在弗洛伊德的精神分析学说渗入文坛的同时，新批评派的代表人之一瑞恰兹提出了"情感语言"的理论，使文艺语言的研究进入了一个新的历史时期。

瑞恰兹等人的理论出现在当时，确有它反传统的"新"的一面，这使它显然有别于过去的文论。所以，文艺批评家把它称为新批评派。

新批评派的文论家开始活动的时候，只是意识到传统文论中的理论有不少已经过时，不能说明新的文艺发展的形势，因此文论必须从传统中走出，以适应新的文艺创作的发展。英国批评家休姆（1883~1917）在有名的《古典主义与浪漫主义》一文中宣告：浪漫主义时代已经结束，文学的新时代已经到来。这样，与深受浪漫主义文学影响的克罗齐等人的表现主义文论、心理分析学派的文论开始分道扬镳。休姆的这篇文章对美国评论家庞德产生了很大影响。庞德提出，诗要有"准确的意象"，诗论要研究形式，强调文艺理论研究的准确性与科学性。这又是对克罗齐等人忽视艺术形式的理论的有力反驳。

不过，休姆主要是个哲学家，庞德主要是个诗人，他们的理论只对新批评的兴起有过影响，还不能说他们就是新批评派的文论家。最早属于新批评派的文论家主要是美国的艾略特和英国的瑞恰兹。艾略特是以写诗出名的，曾获1948年的诺贝尔文学奖，他的代表作是《荒原》。在理论上，他一直被认为是新批评派的鼻祖。他的理论文字，连序言、讲稿在内有近百篇，收有好几个集子，如《圣林》《诗的功能和批评的功能》《论诗与诗人》等。他的特点是强调艺术的崇高地位，认为艺术就是艺术，不是其他的附属品，文艺理论家的任务不是别的，就是要研究艺术，不研究艺术本体的文论家，是"半拉子"文论家，是吹牛拍马的人，不是真正的文论家。他的这种观点与英国的瑞恰兹正好相呼应。瑞恰兹曾在剑桥大学、哈佛大学当过教授，1930年还来清华大学教课，1950年也曾访问我国。他是一位语义学家，主张文学作品的字义分析，就是说，要对一部作品的语言、结构进行细致的分析，批评家不要做那些游离于文学作品以外的事，而要去对作品进行语义的解释。他的代表作有《文学批评原理》《意义的意义》《科学与诗歌》《美学基础》《孟子论心：多义性实验》《修辞哲学》，其中有些篇章是与奥格登合写的，但主要思想出自瑞恰兹。

20世纪30年代或者稍后，新批评派出现了第二代的评论家。在英国，燕卜荪先后发表了《七种含混形态》《论几种田园诗》的论著，颇受人注意。燕卜荪在剑桥大学当学生时受瑞恰兹影响，1937年和1947年至1952年先后来北京大学任教。他的第一本书探讨诗歌词句含意的复杂性，第二本书考察文学史一系列著作，"没有明显提到社会背景而反映了社会背景"。此外，英国的李维斯也推崇对作品的细致分析，认为文学是一种特殊的语言形式，文学评论家的重要任务就是要对这语言形式进行深入分析、仔细考究。在美国，以兰色姆为代表的一群批评家，在反对艾略特、瑞恰兹的理论的基础上摆出了自己的新见解。兰色姆在1942年出版《新批评》一书，本意在于批评艾略特、瑞恰兹等几个"新出的批评家"，不料却使"新批评派"的文论流派由此而声名大振。兰色姆自己在新批评文论发展过程中并没有突出的理论成就，倒是他的三个学生阿伦·退特、克林斯·布鲁克斯、罗伯特·潘·沃伦在新批评文论的发展中起到了有力的作用。他们基本上都有同样的感受：诗是语言形式的总概念；诗的语言又是一种上下文互相矛盾的语言，要解决这些矛盾，必须把两者协调起来；诗歌语言中的上下文交互作用的意义不同，又互相影响，必须进行全面的综合的研究。一般来说，20世纪30年代到40年代初的这一批新批评的批评家，叫第二代批评家。

第三代批评家主要是指第二次世界大战后在美国的一些批评家。由于他们主要活动在耶鲁大学，所以也被称为不同于以兰色姆为代表的南方集团的耶鲁集团。其代表人物是韦勒克和威廉·维姆萨特，他们与布鲁克斯和沃伦在40年代后都共事于耶鲁大学，这四人一时成为新批评派后期的中心。这四人中，影响最大的当推韦勒克。他1903年出生于维也纳，1926年在布拉格的卡尔洛夫大学获博士学位，其后在普林斯顿大学、布拉格大学、伦敦大学、艾奥瓦大学等任教，1946年任耶鲁大学比较文学教授，著作（或与人合作）有《康德在英国》《文学的学问》《批评的概念》《捷克文学散论》《英国文学溯源》等，理论代表作是《文学理论》（与沃伦合作，1942年初版）、《现代文学批评史》（五卷本，到1950年，已出四卷）。韦勒克主要从形式主义立场上研究文学，他先从语义学角度划分文学与非文学、文学研究与非文学研究，提出文学研究应以文学作品研究为中心的观点。尽管韦勒克并不承认他属于新批评派的文论家，但在强调作品研究这一点上，与新批评派的其他理论家的观点是一致的。此外，维姆萨特与布鲁克斯合写的《文论简史》（1957），与韦勒克等的《文学理论》一纵一横、一纬一经，把整个新批评家的理论推向了高峰。如果说他们以前的新批评还是一种有理论的文学批评的话，那么，他们则把理论的批评与批评的理论结合起来，从而使该理论体系化了。新批评派理论的主要特点都可在他们的著作中看到。

英美新批评派文论的特点主要表现在如下几个方面：

第一，以文艺作品为本体，着重研究文艺作品。新批评派的文论家批评了20世纪以前的文论家机械地运用社会"起因研究法"，认为因袭生物学或病理学的概念、范畴来研究文艺作品终归是"隔靴搔痒"，不得要领，这种理论往往把文艺纳入自己的架构之中，成为这种理论的演绎，文艺作品自身的特点被抽空了，文艺作品的美感效应被抹杀了，作品的想象世界被忽视了，文艺成为这些理论的阐释者。他们对浪漫主义作家表现自我的观点也不感兴趣，认为文艺并不只是表现自我，而应表现广阔的世界，文论家一味去研究作家是不是表现了自我，是没有意义的；文论家的任务就是要分析作品，对作品的文字、构成、意象进行认真细致的分析。新批评派的文论家大都认为:文论家没有必要左顾右盼,好像是个全能的人,什么都懂,什么都没弄清楚;不要一方面去追寻诗人,一方面又去研究什么社会性、历史性;只有研究作品的字义结构的深刻而又丰富的内涵与外延及两者组成的"张力",把作品理解得透彻,文论家才算履行了自己的职责,才算没有白费时光。文学的本体就是作品,诗人的本体也是作品,所以,兰色姆声称:一位健全的批评家,他的本体论与诗人的本体论是一致的,即是作品;忽视作品研究的评论家,都不可能到达文学研究的终极境界。

第二,新批评派重视作品的内在构成的各种因素。因为文学作品是由内容与形式、感性与理性、想象与张力等各种因素构成的,所以,不能用一条恒定而又简单的理论来说明作品的有机构成。维姆萨特就对贺拉斯的文学是单纯的统一的观点很反感,他反驳道:文学完全不是什么单纯的统一,每首真正的诗都是复杂的诗,文学作品都是复杂的构成,这种复杂的构成不是散漫的无序的构成,而是有机的辩证的构成。这一点,新批评派的看法与象征主义的观点颇为相近。布鲁克斯曾引用叶芝的话说:逻辑跟别人吵架,诗跟自己吵架,要解决诗人自身的这种矛盾,诗人必须彻悟到诗的本质是矛盾的调和。这种矛盾冲突的调和体现在文学作品中,因此,文学作品的辩证构成与其内部的矛盾调和有密切联系。文论家要理解作品的这种辩证构成,必须从作品各要素之间的矛盾冲突及其调和中去寻求答案。俄国形式主义主张文学只有形式,韦勒克不同意这种观点,他认为:"如果我们更加仔细地检查二者的差别,就会发现内容暗示着形式的某些因素。例如,小说中讲述的事件是内容的部分,而把这些事件安排组织成为'情节'的方式则是形式的部分。离开这种安排组织的方式,这些事件就无论如何不会产生艺术效果。"[①]因此,内容中有形式,形式中有内容,文学的内容与形式是一种辩证构成的结果。因此,文学作品是内容与形式以及其他各种因素辩证构成的产物。

---

① [美]韦勒克、沃伦:《文学理论》,刘象愚等译,生活·读书·新知三联书店,北京,1984年,第147页。

第三,新批评派清楚地区别了科学语言与文学语言或情感语言的区别。新批评派文论家认为,过去不少文论家很少从语义学角度考察科学语言与文学语言的质的规定性。这种现象的产生,是与过去的某些文论家没有严格区别科学与文学的关系相一致的;仅仅从社会学角度看文艺,文艺学则会成为社会学的一个分支;仅仅从思想史观照文艺,文艺学则成了思想史的一个新的组成部分。尽管这些文论家也注意到了文学的形象性,但这种形象也不过是社会学与思想史表述的不同形式而已,其目的还是为了说明社会学与思想史的内容,这样,科学语言与文学语言的区分就难以清晰地认识。瑞恰兹在《文学批评原理》中大谈科学语言与文学语言的差异,认为科学语言在于"参证",文学语言在于"情感"。在该书中,瑞恰兹写道:"我们可以为了陈述所引起的联想,不论真联想或假联想,而用陈述。这就是语言的科学用法,但是我们也可以为了陈述所引起的情感的联想所产生的感情和态度方面的效果而用陈述。这就是语言的情感用法。"[①]因此,同样是运用语言,同样用陈述方式,科学是在参证的基础上使用,文学则是以情感为核心研究语言。瑞恰兹之后所产生的批评家维姆萨特与布鲁克斯解释道:"科学作真陈述,而诗作'假陈述':假陈述的参照价值等于零。诗把语言作情感的使用,这是诗的特质。"[②]也就是说,文学的本质与情感语言的运用是一体的,研究情感语言,仍然可以说明文学的本质特征。

第二节 文学研究的本体对象

文学研究的本体对象,是文学研究的核心所在。英美新批评派认为,文学研究可以有较宽广的范围,但必须以作品为本体。文学研究一般是以研究作家、作品、读者为本体,而新批评派研究文学的侧重点在于作品。

[①] [英]瑞恰兹:《语言的两种用法》,见《现代美英资产阶级文艺理论文选》上编,作家出版社,北京,1962年,第99~100页。
[②] [美]维姆萨特、布鲁克斯:《文论简史》,纽约版,1962年。

文学研究的本体与文学的本体应当是一致的。也就是说，只有解决了文学是什么，才能解决文学研究是什么的问题。在新批评派以前，本体论是指17世纪唯理论者构造唯心主义哲学体系的一种方式，目的在于证明"存在本质"（神性）的终极真理。康德曾反对过本体论研究，认为"物自体"在经验之外，无法认识，人不可能认识事物的本体。康德以后，"本体论"一词被哲学、人文科学的许多学科所引用，把哲学中的本体论、认识论、方法论的构筑体系的方式运用到文艺学中来。兰色姆较早地引用了本体论这个概念，他长期坚持构筑"本体论的文学理论"。兰色姆常常把本体、实质、根本等概念并用，认为三者是一致的，其实，这三者的区别很大，不属于本体论的东西，也可能是有实质性的、根本性的东西，比如说文学的本体是作品，但文学的认识论、方法论中的实质与根本的一些问题，不一定是本体论都能回答的。但兰色姆仍然坚持这样用，因此，在读兰色姆的著作时，必须注意这三者的共通之处。他说："一个理想的批评家，在了解方面，还得比这个更进一步。说来说去，最后我们所缺乏的东西，只是关于事物本体论的调查，而且一定要是本体论的调查。"[①]如何进行本体论的观察呢？就是要寻求本体。新批评派的理论家几乎异口同声地说：文学的本体即作品，作品本身是文学活动的本源与目的，作家的创作从作品中来，又回到作品中去。新批评派的文论家对把作品作为作者与读者的中介的理论不以为然，浪漫主义文论家认为作品不是起点，文学的起点是作家，作家表现了自我才有了作品。维姆萨特反驳说：感情本身无法表达，只有诗歌语言才能表达感情，作家不可能离开作品而表现感情。因此，文学的本体是作品无须怀疑。从这个意义出发，他们反对把作品当作作家表达思想情感的工具的理论，认为思想情感的生命不在诗人的历史中，而在诗歌之中。这样，文学作品成了自存自足的实体，无须外界的一切给予。

基于这一文学本体论，新批评派的文论家提出了文艺学以研究作

[①] [美]兰色姆：《纯属思考推理的文学批评》，见《现代美英资产阶级文艺理论文选》上编，作家出版社，北京，1962年，第148页。

品为本体对象的总的看法。新批评派文论家的思路是这样的：先逐一论述文艺学不研究什么，然后再确定文艺学研究什么。

在"文艺学不研究什么"方面，新批评派的文论家做了大量的工作。韦勒克与沃伦写的《文学理论》花了四分之一的篇幅论证这一问题。《文学理论》第三部分专论"文学的外部研究"，实际上是在阐发文艺学不应该研究的方面，或至少是不该用专门的气力进行这种外部的研究。书中说："虽然'外在的'研究可以根据产生文学作品的社会背景和它的前身去解释文学，可是在大多数情况下，这样的研究就成了'因果式的'研究，只是从作品产生的原因去评价和诠释作品，终至于把它完全归结于它的起因（此即'起因谬说'）。文学作品产生于某些条件下，没有人能否认适当认识这些条件有助于理解文学作品；这种研究法在作品释义上的价值，似乎是无可置疑的。但是，研究起因显然绝不可能解决对文学艺术作品这一对象的描述、分析和评价等问题。起因与结果是不能同日而语的：那些外在原因所产生的具体结果——即文学艺术作品——往往是无法预料的。"[1]因此，"我们接着要做的，就是衡量这些不同的因素的重要性，还要考察它们与我们主要称为文学的，或'以文学为中心'的研究，是否相关，然后再从这一角度来批评这一系列研究方法的得失。"[2]首先，在文学与传记方面，新批评派文论家认为，文学创作离不开作家的创造，这样，文艺学就有必要研究作家的生平传记，但是，文学毕竟不是自传，一件艺术品与现实的关系，与回忆录、日记或书信与现实的关系完全不同，文学具有不同于这些回忆录、日记或书信的"别一世界"，编年史式的解释作品看来是真实地记录作家的活动史，结果只可能为作品是作家表现自我的观点作注脚。因此，"不论传记在这些方面有什么重要意义，但如果认为它具有特殊的文学批评价值，则似乎是危险的观点。任何传记上的材料都不可能改变和影响文学批评中对作品

---

[1] [美]韦勒克、沃伦：《文学理论》，刘象愚等译，生活·读书·新知三联书店，北京，1984年，第65、67页。
[2] 同上。

的评价"。①其次,在文学与心理学方面,韦勒克等人并不否认文学心理学对理解文学有一定的帮助,认为一个作家有时可能有意识地运用某种心理学理论,在作品中创造一种情景,但是,作为一个作家,仅仅学点心理学的知识是远远不够的,事实上,许多伟大的艺术仍在不断地违反心理学上的准则,艺术创造未必全有幻想性的母题,因此,"就心理活动及其机制的有意识和系统化的理论而言,心理学对艺术不是必要的,心理学本身也没有艺术上的价值","只不过是艺术创作活动的一种准备;而从作品本身来说,只有当心理学上的真理增强了作品的连贯性和复杂性时,它才有一种艺术上的价值——简而言之,如果它本身就是艺术的话,它才有艺术的价值"。②再次,在文学与社会方面,韦勒克与沃伦对文学社会学是鄙视的。他们不是说文学社会学过于空泛、肤浅,没有把握艺术的实质,就是说文学社会学不符合艺术实践,文学中很多作品不是社会的产物,不是模仿的产儿,更不是某种经济和阶级意识的直接反映。像文艺学不能代替社会学一样,社会学也不能取代文艺学,如果文艺学屈从于社会学,即等于文艺学家成了社会学家的工具,成了宣传家与预言家。这一点,李维斯在《文学与社会》的演讲中,也明确地表露过。他说:"我们所讨论的文学是这样一种东西:给它下定义时,主要是用价值判断的词汇,只有能进行智慧的、敏锐的批评的读者才能了解它。"③那么,用社会学去研究文艺学则不可能有这种智慧、敏锐的批评,这样,文学社会学便成为可有可无的了。此外,新批评派的文论家们还从文学不应该由思想史、非文学的艺术理论来研究等各个方面进行展开,其目的在于说明文学研究的对象不是非文学的其他附属物,而是作品自身。

在突出强调文艺学应以研究文学作品为本体对象时,新批评派的文论家做了大量工作。韦勒克与沃伦总结了他们认为的文学研究的

---

① [美]韦勒克、沃伦:《文学理论》,刘象愚等译,生活·读书·新知三联书店,北京,1984年,第74页。
② 同上书,第90、91页。
③ [英]李维斯:《文学与社会》,见《现代美英资产阶级文艺理论文选》上编,作家出版社,北京,1962年,第127页。

主要成果，认为"文学研究的合情合理的出发点是解释和分析作品本身。无论怎么说，毕竟只有作品能够判断我们对作家的生平、社会环境及其文学创作的全过程所产生的兴趣是否正确。"①他们认为，提出这种观点，并不是他们自己的创造，而是近年来文论发展的必然趋势。事实上，在《文学理论》问世之前对经典性作品的修辞、文论、韵律进行现代的解释这方面，法国的"文本诠释"派、德国瓦尔泽尔的形式分析法、俄国形式主义及其布拉格和波兰的追随者的形式主义研究，以及美国一些小说批评家，都给文学作品的研究带来了活力，加强了这一研究趋向。新批评派文论家便顺着这一发展趋向，通过高度的理论概括与总结，把作品的研究推向了极端。这是一个方面。另一方面，新批评派的文论家所提出的作品本体并不是指总体性的作品，而是指单个的作品，如他们认为，研究悲剧作品，没有必要把所有的悲剧作品都联系起来谈，单单地分析《哈姆雷特》或者仅仅分析《麦克白》就行了，不必把莎士比亚的所有悲剧联系起来。如果以一个悲剧为轴心，牵扯到其他作品，那么，这种研究方式就不是新批评派的文论家所主张的作品研究方式。在新批评看来，主题学式的研究、文类研究，都属于客观主义的批评，不"新"，而以单个作品为研究对象，可以避免这种客观主义的批评，直接把一部作品特有的语言文字及其上下文的关系等各种因素分析出来。因此，新批评派所谓以作品为文学研究的本体对象，不过是以一部作品为文学研究的本体对象。研究鲁迅的《阿Q正传》，就没有必要顾及《呐喊》《彷徨》中的其他作品，否则，就不叫新批评式的本体研究。这对具体作品的研究是有好处的，它可以使批评家集中精力研究一部作品的美与丑的、精与拙的地方，但是，这种批评方式无疑是极端狭隘与偏颇的。任何研究都不可能是单一的研究，即便是研究一部作品，研究者也将研究其他作品的行为方式带入其中。现代阐释学讲研究的"前理解"，即认为在研究一篇作品时，已有以前的理解在起作用，因此，忽视群体的研

---

① [美]韦勒克、沃伦：《文学理论》，刘象愚等译，生活·读书·新知三联书店，北京，1984年，第145页。

究,在实际作品研究中,几乎是不可能的。这就难怪20世纪50年代兴起的结构主义、后结构主义文论将新批评派的文论取而代之了。这是第二个方面。第三个方面,新批评派所指的作品研究,不是整个作品的研究,而主要是指对作品中的形式因素与技巧方式的研究。因为新批评派的文论直接承接俄国形式主义文论而来,所以,所谓批评派可以说是以新的面目出现的英美形式主义批评。关于这一点,韦勒克说得再明确不过了。他说:"传统的两分法(指内容、形式两分法——引者注)会遇到更多的麻烦。如果把所有一切与美学没有什么关系的因素称为'材料'(material),而把一切需要美学效果的因素称为'结构'(structure),可能要好一些。这绝不是给旧的一对概念即内容与形式重新命名,而是恰当地沟通了它们之间的边界线。'材料'包括了原先认为是内容的部分,也包括了原先认为是形式的一些部分。'结构'这一概念也同样包括了原先的内容和形式中依审美目的组织起来的部分。这样,艺术品就被看成是一个为某种特别的审美目的服务的完整的符号体系或者符号结构。"① 这里必须注意的是,韦勒克与沃伦理解的"结构"与"材料"同流行的仅仅作为形式因素的结构与材料有区别,但是,无论它有多大的区别,却仍然是结构与材料,归根结蒂是将作品作为一个符号体系,也就是说,尽管他们也考虑到文学研究不可能不作内容分析,但是,他们的侧重点则在形式方面,则在符号与结构方面。事实上,从艾略特、瑞恰兹一直到韦勒克、布鲁克斯,新批评派的所谓作品本体研究,实质上是作品的形式的本体研究。因此,西方不少批评史家,仍把新批评作为形式主义的批评,是不无道理的。

关于这一点,我们还可以从维姆萨特与美学家蒙罗·C.比尔兹莱合写的两篇文章《意图谬见》(1946)与《动情谬见》(1948)中看到。首先,所谓意图谬见,是"将诗与其产生过程相混淆……其始是从写诗的心理原因中推导批评标准,其终则是传记式批评与相对主义"②。

---

① [美]韦勒克、沃伦:《文学理论》,刘象愚等译,生活·读书·新知三联书店,北京,1984年,第174页。
② 赵毅衡:《"新批评"》,见《外国文学研究集刊》第5辑,中国社会科学出版社,北京,1982年,第108页。

"意图谬见"主要是针对传统的学院式的考据式、传记式之类的批评及弗洛伊德主义。新批评派认为,作品的意义与作者的意图是两码事,作品不同于作者,因此,不能把作者的意图强加到作品身上,同理,研究作品,没有必要去研究作者的意图。否则,就是"意图谬误",即专门研究作者的意图可能导致研究作品的荒谬性、错误性。为什么呢?关键在于新批评派的文论家认为,文学作品的主干在于形式,过多地研究作者意图必然导致研究作品的内容,有时还会从作品中寻找作者的主观意图,这样,势必减弱艺术形式的分析。其次,所谓"动情谬见",是"将其与结果相混淆,即混淆诗本身与诗的所作所为……其始是从诗的心理效果推导批评标准,其终则是印象式的批评的相对主义"。显然,"动情谬误"是针对读者来的,主要说明读者阅读作品时可能会错误地认识与分析作品。因为新批评派的文论家是强调作品的,所以,他们一方面反对对作者的研究,认为那是"意图谬误",另一方面又反对对读者的研究,认为这是"动情谬误",好像把作者与读者都抹杀掉,作品的世界才会凸现出来。同时,人们阅读作品时,往往注意情节、意境、内容的诸方面,对形式的品味需要一定的功底与时间,所以,对内容的这种认识往往会使读者激动起来,感情四溢,乃至发生荒谬的错误。总之,不论从意图谬误中,还是从动情谬误中,我们都可以清楚地看到,为了在理论上突出地树立作品及其形式为文艺学的本体对象,新批评派的文论家,既把文艺学与社会学、心理学等分离开来,又把作者与读者统统抹杀掉,从而让作品及其形式显豁而独秀。

第三节 作品的内在构成

对作品的内在构成,新批评派文论家们说法不一,有时甚至有针锋相对的矛盾。这就在客观上给研究带来了困难,要从这些五花八门而又互相矛盾的看法中找出共同的倾向,很不容易。但是,不把握其中的共同倾向,陷入一般的述介之中,新批评派的文论家在这一方面的独有特色则难以突出地显现。

总的来说,新批评派的文论家是以研究作品形式为主的,但是,他们也看到作品毕竟是有内容的,不研究作品的内容,也说不过去。因此,他们在主要研究作品形式的同时,也时隐时现地顾及了内容。拿兰色姆来说,他在西方文论史上较早提出文学研究的本体论,而最能符合其本体论要求的是"构架—肌质"说。什么是"构架—肌质"呢？尽管我们不能轻易用内容与形式对他的"构架—肌质"说进行比附,其意义也并非完全吻合,但是,他的"构架"说确与内容有关。兰色姆有一个很好的比喻,认为诗的"构架"犹如房子的结构,诗的"肌质"犹如房子的装修,他说:"一首诗有一个逻辑的间架,有它各部的装修。……我住的屋子的墙,显然是属于间架的,梁和墙板各看它的功能。墙皮也有它的功能,墙皮只是最外层的墙能看得见的一方面。墙皮本来也可以是光光的,纯属功能性的,上面有颜色,再不就糊着纸,那样它就又有颜色,又有花样,虽然这些东西,对于间架不起任何作用,也许墙上挂着画幔,或者挂着画儿,作为'装饰'。涂抹的东西,糊的纸,挂的画幔,都是装修部分,在逻辑上,这些东西与间架无关的。"①这有两方面的意思:一是构架属于内容的范畴,装饰属于形式的范畴,诗既要有构架,也须有装饰；显然,对于屋子来说,要是没有构架,是不能成为屋子,同理,对于诗来说,诗要是没有构架,也不可能有诗。二是兰色姆在这里提出了内容与形式平行的二元论,形式有自己的美,与内容无关,墙可以是光光的,但仍是构架,装饰可以不依赖于墙的存在而存在。但是,无论如何,兰色姆还是看到了文学的构架或内容的一面,他所说的二元论固然是非科学的,但比那些形式一元论的论者来说,兰色姆毕竟认识到了艺术少不了内容这一要素。所不同的,他从构架的角度谈内容,比从哲学上搬来内容的内涵与外延往文学的内容上套,说得更干脆、更形象一些。

当然,作为一个形式主义的文论流派,新批评派的文论是十分看重形式的。他们把形式作为文学的命根子:没有形式,就没有文学；形式是美的,文学美也自然出现了。在这一点上,新批评文论与以王尔德为代表的唯美主义的文论是一致的。它们的共同点在于:文学是以

---

① [美]兰色姆:《纯属思考推理的文学批评》,见《现代美英资产阶级文艺理论文选》上编,作家出版社,北京,1962年,第147~148页。

形式组成的自在自足的实体,内容或与形式无关,或附丽于形式,或从形式中产生。艾略特打了一个比方,认为诗人的诗,像强盗对付看家狗的一块好肉,美滋滋、香喷喷的,让看家狗闻之动欲,不顾其他而贪食。诗像这块好肉一样,转移人们一切非诗的视线,忘掉那些哲学、伦理、功利、欲望,而专注于诗,这样的诗才叫真正的诗。这种诗,基本上不以内容取胜,而是以美的形式引人注目。如果诗中有内容的话,那么,这种内容也是为形式服务的。韦勒克、沃伦研究文学作品的内在构成时,绝口不谈作品中的内容,而是一味地分析形式。他们说:"我们必须首先尽力探讨用以描述和分析艺术品不同层面的方法。这些层面是:(1)声音层面,谐音、节奏和格律;(2)意义单元,它决定文学作品形式上的语言结构、风格与文体的规则,并对之作系统的研讨;(3)意象和隐喻,即所有文体风格中可表现诗的最核心的部分,需要特别探讨,因为它们还几乎难以觉察地转换成(4)存在于象征和象征系统中的诗的特殊'世界',我们称这些象征和象征系统为诗的'神话',由叙述性的小说投射出的世界所提出的(5)有关形式与技巧的特殊问题。"①因此,可以说,新批评派文论中最有系统的著作——韦勒克与沃伦的《文学理论》的着重点是研究形式。因为他们认为文学的构成主要是形式的构成,研究文学,首要的或者主要的是研究文学形式。

新批评派文论家还认为,内容是从形式中产生的。他们与阐释学的文论家一样,认为人在认识一件事物之前,有一种"先形式"或"前形式",即人在认识该作品以前就有了认识一些其他作品的经验与形式。布鲁克斯和沃伦认为,人是创造形式的动物,只有人才能创造形式,人创造形式的特质决定了人不同于其他动物的标志,这样,人是用创造形式来把握世界的。艺术家是人,所以,艺术家把创造艺术形式作为自己的天职。正因为这样,所以,艺术内容是从形式中产生的,而不是从其他地方产生的。艾略特认为世界是混乱的、无序的,艺术的功用就是把无序的日常生活变成有序,艺术地诱导出一种现实的

---

① [美]韦勒克、沃伦:《文学理论》,刘象愚等译,生活·读书·新知三联书店,北京,1984年,第165页。

秩序感。马克·肖勒在《技巧即发现》中，更把形式万能的理论推向极端，认为技巧使艺术材料（即题材与内容）客观化，因此只有技巧才能给材料以审美价值。这种观点与兰色姆的观点有一致之处，即技巧是肌质，是"装修"，可以独立于内容而存在，是文艺的审美的核心。但是，马克·肖勒走得更远，把艺术形式的支配作用推向了极端，在根本上抹杀了艺术内容的审美价值。

在文艺作品的内在构成的各因素的协调方面，新批评派文论家提出了不少有见地的观点，最使人们感兴趣的是，瑞恰兹提出的中和诗、退特的张力论及其延续。

瑞恰兹与中国文化关系较深。他提出的中和诗，有时也称之为包容诗，与儒家的中庸之道有关。他在与人合写的《美学原理》中，一头一尾都引用了《中庸》，卷首引朱熹题解"不偏不谓中，不易之谓庸，庸者天下之定理"。从这个意义上说，他的包容诗或综合诗，其实就是中和诗。瑞恰兹认为，好诗总是各方面平衡的结果，对立的平衡是最有价值的审美反应的基础，比单一的、明晰的情感经验更具有审美价值，更能培养人的人格。此外，有些诗具有排他性，写欢乐缺乏忧郁、写悲伤缺乏滑稽、写理想缺乏绝望，从这个意义上说，瑞恰兹确实在建立一种以中国儒家思想为基础的"二重组合"的文学观，即中和的文学观。从这里可以看出，瑞恰兹并不像后来的韦勒克、马克·肖勒等人忽视内容而专注形式，而是把内容间各要素的关系归为中和。然而，瑞恰兹毕竟是一个语义学家，他始终坚持把哲学、美学、文艺学、语义学融为一体，所以，在强调文艺的内容与语言形式的关系上，他也认为两者必须协调并达到和谐统一。瑞恰兹由此提出了条理说。这种条理说有两个意思：一是指内容间各要素的条理化，他说："在艺术家身上活跃着的这些冲动却彼此变更着对方，因而获得很大程度的条理化"，诗人"是陷在生活常规和实际的但是狭隘的需要的窠臼之中的，现在冲破了樊笼，彼此组织成为一个新的条理"；二是指形式将内容条理化、秩序化，他说："把形式因素的各种不同效果全部组成一个单一的反应的能力提高了，这是诗人的赐予。……在一切艺术中想象表现得明显的地方就在于能够把纷乱的、互不联系的各种冲动组织成一个单一的、有条理的反应。"①这种条理说,可以作为瑞恰兹在美学上的"中和论"在文论中的具体表现。就形式将内容条理化来说,瑞恰兹是将"中和论"具体落实到创作论中,认为形式把内容条理化了,形式与内容的中和的境界便会出现,诗人的工作才算完成。当然,瑞恰兹主要是形式决定论者,所以,他始终认为只有形式将内容条理化,艺术的审美价值才能实现,艺术才能给人以美感,才能出现审美效应。这是瑞恰兹的中和论及其条理化的主要内容。

此外,退特的张力论在新批评派中也颇有新意。张力这个概念,我们在第四章第三节中已经提到过,它本来是个物理学的概念,格式塔讲张力,是把张力与场联系起来,退特讲张力,与格式塔不同,是根据形式逻辑中的内涵与外延的概念进行语义学的阐释。在《诗的张力》(1938)一文中,退特提出,诗歌语言中有两个经常在起作用的因素:外延和内涵。一般来说,在形式逻辑中,外延指适合某词的一切对象与范围,内涵指反映此词所包含的对象属性的总和。退特对外延与内涵的解释与此不同,他根据语义学的思想来解说这两个概念:外延是词的"词典意义",即词典中把一个词分解为若干意义;内涵指暗示意义,或附属于文词的感情色彩。在英文中,外延为extension,内涵为intension,而张力为这两个词省掉了前缀ex或in的核心词,tension,英文中意为紧张关系。退特认为张力就是语义学意义上的外延与内涵的协调。也就是说,文学既要有内涵,也要有外延,即既有丰富的联想意义,又有明晰的概念意义,诗应当是"所有意义的统一体,从最极端的外延意义,到最极端的内涵意义",因为"我们所能引申出来的最远的比喻意义也不会损害文字陈述的外延"②。退特认为,优秀的诗作都是联想、暗示与明晰、概念的结合体。比如柳宗元的《江雪》"千山鸟飞绝,万径人踪灭。孤舟蓑笠翁,独钓寒江雪",不仅联想丰富,把自己的审美旨趣、品格追求、道德追求与自然风光融

---

① [英]瑞恰兹:《想象》,见《现代美英资产阶级文艺理论文选》上编,作家出版社,北京,1962年,第83、85页。
② 赵毅衡:《"新批评"》,见《外国文学研究集刊》第5辑,中国社会科学出版社,北京,1982年,第100页。

为一体,而且正在这一体化的境界中体现出柳宗元的苦闷、矛盾、孤独的内在心理世界。

张力论一直被作为新批评派的作品内在构成的最高总结而闻名于世,新批评派的张力论比格式塔派的张力论在文艺学中影响更大。这不仅是因为新批评派的张力论的主张者声名显赫,而且还因为它有深厚的哲学基础。如果说荣格、弗莱的文论多以康德的哲学为其基础,那么,新批评派的文论则明显地以黑格尔的哲学为其基础。依据张力论所提出的感性与理性的结合方式分析,维姆萨特等人就是根据黑格尔的"具体共相"的理论提出的。黑格尔认为,理念一方面是普遍性,是内容,是本质,另一方面又有实在的具体性,是形式,是现象。1947年,维姆萨特指出,诗人首先必须通过特殊的窄门才能合法地进入普遍性,他必须建立细节,通过细节的具体化而获得他能获得的一般意义。布拉克墨尔也认为,诗体现概念,又不忘记具体事物,是使两种经验变成一种秩序,变成一种和谐。深受新批评派影响的梵·奥康纳在1943年还把张力扩大到文学的全部因素之中,认为文学是各种矛盾的统一体,他说,张力存在于"诗歌节奏与散文节奏之间、节奏格律的形式与非形式之间、个别与一般之间、具体与抽象之间、比喻的两方之间、反讽的两层意义之间、散文风格与诗歌风格之间"。总之,文学的一切,都是张力的延伸。在思维方式上,新批评派的后期理论家无论在构筑体系,还是在撰写文论史方面都沿袭了黑格尔的方式。韦勒克、沃伦的《文学理论》如此,维姆萨特与布鲁克斯的《文论简史》更是如此。后者几乎把从古希腊到神话原型理论写成了一部张力论的发展史,居于发展史的峰巅的是新批评的张力论。《文论简史》结束语的最后一句话是:"显然,我们要明确的是:一部公允而又优美的文学或艺术的理论,应该各异于以上各家各派的所作所为。它必须不断以各种论述方式,各种策略,并遵循时代的辩证推理的要求,以强调Y(诗或文学的优美性)的特性,即在创造与耳闻目睹之间富有张力的结合(tensionalunion)。"而结合得最好的理论,即新批评派的张力论。但是,新批评派的文论家毕竟不是哲学家,他们还不可能写出像黑格尔《美学》那样既有理论又合逻辑、合历史发展的艺术史。一部《文论简史》也不过是从史的方面叙述前人的文艺认识论的过程,批评了他人的不足,而借以抬高乃至突出自己的理论体系,还不是文论史规律的必然总结。英美一些学者不止一次说过,他们对辩证法是陌生的。英美新批评派能用辩证法的某些原理研究文论,可谓难能可贵。但他们对黑格尔与马克思主义的辩证法仍不很熟悉,所以,像《文论简史》这样"生硬的机械的"历史主义的现象仍然存在,这就影响了他们在理论上取得更大成就。

第四节 科学语言与文学语言

新批评派在研究文艺作品的内在构成的同时,对科学语言与文学语言的区别进行了重点分析,指出了文学语言不同于科学语言的若干特征。

这方面最有代表性的是瑞恰兹。瑞恰兹思考问题的方法是二分法,强调对立双方的和谐与平衡,他的理论因此而命名为"张力的诗学"①。不过,在主张审美的宁静与和谐方面,他是强调张力的;在科学语言与文学语言的区分方面,他坚持二分法。这种二分法就是把研究对象同与此相关的另一个对象区分开来,从而找出各自的规定性,然后申论研究对象的特性。

这样,瑞恰兹认为,科学语言是"参证的",文学语言是"情感的"。所谓参证,是语言参与证明真理与命题。无论是自然科学,还是人文科学、社会科学所运用的语言,都是为了证明命题的真或者假、正确或者错误。文学语言与此不同,它是为了表现情感,并不要求证明命题、陈述结论,没有必要去帮助科学家论证是非与真伪,只要表达了艺术的情感,文学语言就算完成了任务,否则,就不是文学语言。

为了深入说明这一问题,瑞恰兹在《文学批评原理》中,从两个方面论证了文学语言的特性。首先,文学语言与科学语言在传真这一点上,有明显的不同。瑞恰兹把"真"分为三种:(1)"真"具有科

---

①[美]维姆萨特、布鲁克斯:《文论简史》,纽约版,1962年。

学意义,运用语言的主要目的是传达这种科学意义上的"真"。这种"真"与科学关系密切,与艺术关系不大,因为艺术的本质不是科学的传真。(2)"真"具有可接受性。比如,《鲁滨孙漂流记》所叙述的故事可以为人接受,人们认为它有真实性。这种真实性并不是因为鲁滨孙的故事与亚历山大·塞尔科克或另一个人经历的事实一致,而是因为故事本身具有"内在必然性"。因此,在这个层次上的"真"与内在必然性具有相等的性质。瑞恰兹说:"正是在这一意义上,'真'才等于'内在必然性'或正确性。所谓'真'或'内在必然'的东西指的是能够完成或能够符合其余的经验的东西,它在引起我们有条理的反应中,不论是美或其他的反应,起着辅助合作的作用。"①文学语言能够协助作品表现出这种内在必然性,也可以叫做一种"真",只不过是一种特殊的"真"罢了。(3)"真"与"诚"相等。文学家在作品中表达诚挚的情感,就是一种"真",同样,文学语言在作品中表现了这种诚挚的情感,也是文学语言的"真"。比如莎士比亚的十四行诗、拜伦的抒情诗,其中的语言并不矫揉造作,而是表现了作者"真"的情感,这样,语言也就具有了情感的真实性。

其次,为了论证文学语言不同于科学语言,瑞恰兹还从联想方面进行了心理学的研究。在整个英美新批评派的文论家之中,最具有心理学功底而且不时用心理学研究文艺的只有瑞恰兹。瑞恰兹写道:"头脑活动过程在这两种情况下的区别是很大的,虽然很容易被人忽视……对科学语言来说,联想中的差异本身就可构成大错,因为目的没有达到。但对情感语言来说,联想中的差异无论多大都没有关系;因为我们需要的是进一步的效果,即态度与情感。"他还认为,运用科学语言,必须合乎逻辑,既不能相互矛盾,也不能相互抵消,而是要根据逻辑规律进行。"但为了达到感情目的,逻辑安排就不是必需的了。逻辑安排可能是而且往往是一种障碍。重要的是联想所引起的一系列的态度应有其自己的正确组织,自己的感情的相互关系,而这并不依赖

---

① [英]瑞恰兹:《语言的两种用法》,见《现代美英资产阶级文艺理论文选》上编,作家出版社,北京,1962年,第101页。

于产生态度时可能需要的联想之间的逻辑关系。"①这就是说,为了表达情感,文学语言可以不受一般的逻辑规律的束缚,可以摆脱科学式的逻辑安排,进到联想与情感的领空中去。文学语言传达的联想与情感,不是为了与现实中的事物"丝丝入扣"、互为参证、互相对照,从而"对号入座",使艺术真实与生活真实完全吻合,而是为了解除逻辑与哲学中的真实论对艺术真实论的"绳索",从而使文学语言排除形式逻辑的干扰,自由地表现出联想与情感的内容。或者说,文学符号与生活符号并不一致,文学符号是一个符号系统,生活符号又是一个符号系统,不能用文学符号去参证生活符号,也不能用生活符号去参证文学符号。文学符号的特点是情感的、联想的乃至虚构的,我们不能要求它与生活符号相一致。尽管我们承认这两者有许多相关切的地方,但是在根本上,文学符号有其他任何符号所不可替换的独特之处。

新批评派的文论家不仅重视文学语言的情感性,而且还高度重视文学语言的多义性与复杂性。瑞恰兹不仅在《文学批评原理》中专门研究了科学语言与文学语言在参证与情感上的不同,而且还在《修辞哲学》一书中反复论证了文学语言的多义性与复杂性。他认为,科学语言是尽可能把自己限定在规定的意义之内,不允许有含混不清或支支吾吾的语言,或者说,科学语言的科学性往往是与其规定性、单一性联系在一起的。科学家使用语言时反复考虑用这个词、这句话会不会引起歧义,要不引起歧义,必须把语言规定在一个单一的模式之中。如一加一等于二,"一"、"加"、"等于"、"二"这几个词的意义是相当明确,非常单一的,人们不会把"一"理解为"二",把"加"理解为"乘",把"等于"理解为"约等于"或"近似于"。文学语言就与此大不一样了。瑞恰兹说,为了准确地刻画人物肖像,有必要用一些准确性极高的字。但是,即使这样,文学语言的准确度也不可能像科学语言的精确度那样高,本质上是比较模糊的、含混的。究其原因,是在于文学语言具有多义性与复杂性,可以激起人们多方面的想象及

---

① [英]瑞恰兹:《语言的两种用法》,见《现代美英资产阶级文艺理论文选》上编,作家出版社,北京,1962年,第100页。

描绘。在这个基础上，瑞恰兹又具体地提出了语言的柔韧性，即语言不是僵滞的，而是具有一定的弹性或伸缩性。瑞恰兹说，语言的柔韧性可以传达出"微言大义"，把人们丰富的情感和微妙的意思传达出来。文学语言可以"不精确"，但必须"微妙"，在微妙的语言中，文学的意蕴才能表现得淋漓尽致、入木三分。因此，文学语言的柔韧性与微妙性是二位一体的。柔韧性是语言的内在要求，微妙性是语言的外在状态。这两者运用在文学作品中，必然构成文学作品中的语言的多义性与复杂性。

燕卜荪在《七种含混形态》一书中，与瑞恰兹一样，注意到心理学上的一些因素，如感受、认知、理解等，认为文学语言的多义性、含混性，是文学语言不同于科学的明显的语言标志。一个字往往是一个"生命的细节"，起着协调各种文字与意义关系的作用。如果这个字过于明确，在作品中则难以起到这种作用，反而用于"丁是丁、卯是卯"的科学中是适合的。文学语言往往是在多义中显示出含混，或在含混中显示出多义，他说："'含混'本身可以意味着你的意思不肯定，意味着有意说好几种意义，意味着可能指二者之一或二者皆指，意味着一次陈述有多种意义。如果你愿意的话，能够把这种种意义分别开来是有用的，但是你在某一点上将它们分开所能解决的问题并不见得会比所能引起的问题更多，因此，我常常利用含混的含混性，宣称'这像个含混语'来表述既包括一首诗的读者也包括诗的作者的话，借以避免在传达上引起不相干的问题。"[①]比如，莎士比亚第73首十四行诗中有一句："不再有好鸟歌唱的荒凉的唱诗坛。"这句诗，没有双关语，却有丰富的意蕴：唱诗坛可能是已成废墟的修道院圣咏坛本来的地方；可能意指唱诗坛是木制的，并有雕花；可能是先前唱诗坛的四周有遮蔽的建筑物，体现出树林的形象，有有色玻璃和雕花一样的图案反衬着它；可能是唱诗坛已无人涉足，只有冬天阴沉沉的铅灰色的四壁为伴；可能是男童歌唱队所表露的那种淡漠凄苦与顾影自怜的情感的对照；还有可能具备其他各种社会与历史意义，如新教徒揭毁修道院，对清教主

[①] [英]燕卜荪：《七种含混形态》，见《现代美英资产阶级文艺理论文选》上编，作家出版社，北京，1962年，第111页。

义的恐惧,等等。一句诗的含混的意义,不是诗以外的意义,而是诗本身的意义,因此,诗的含混可以作为其基本要素之一来进行规定。

燕卜荪比瑞恰兹更突出地指出了文学语言的含混的价值。首先,含混性不同于混乱性,含混性指的是文学语言所包含的多种混杂的意义,混乱性指没有条理化的思想在语言上的"任意放任"。由于有这种区别,所以,文学语言的含混性具有"言外之意、弦外之响、象外之象"的意义,可以在比较简短的语句中,体现出丰富多样的意义。燕卜荪还告诫人们,因含混导致文学语言的混乱,反而使人们讨厌,丧失其多项传意的客观价值。其次,文学语言的含混性,具有一定的美感作用。因为作家在创作实践中,往往意识到,字义的选择比字数的选择更困难,常常靠文字潜在的意义发挥作用,从而造成整个作品的艺术氛围,所以,由不同字的意义组织起来的作品具有一定的美感。这种美感实际上就是一种含混感,即人们对美的文字的错综复杂的总体感受所产生的一种审美情绪。在朦胧诗中,语言的含混性毫无疑问会给人们带来一定的美感,让你去揣摸、品赏、玩味、赏析,在一种扑朔迷离的意象之中把握其中的要义。

第五节　结束语

在现代西方文论的发展过程中,英美新批评派的文论具有重要的地位。

这种重要的地位可以通过几个转折看出来。首先,英美新批评派是西方文论在俄国形式主义之后出现结构主义文论的催化剂。俄国形式主义开始只在俄国、布拉格等地活动,它要取得更大的发展和影响,必须到比较开明的英美等国去;同时,英美两国的文论也面临着一定的危机,新批评的出现,使英美许多文论家找到了对付传统文论的新的角度、新的武器,又使俄国形式主义获得新的发展。法国文论家常以天赋的敏锐自豪,他们提出的结构主义文论在很大程度上受结构主义哲学的影响,但是,倘若没有英美新批评派的文论家在形式主义方面的继续探索,倘若没有英美新批评家在运用语言学研究文学上所取得的经验乃至教训,法国结构主义也不可能取得那样长足的进步。

其次,英美新批评派是由外在研究进入内在研究的转折。19世纪的西方文论,以丹纳等人的外在研究为其特色,为英美新批评派所反对。20世纪初,以弗洛伊德为代表的对文学进行纯心理分析的研究,英美新批评派也不赞同。他们提出文艺学应以作品研究为中心的目的,是担心在作者与读者的研究中添加上许多非文艺学的外在分析。在当时,仅仅依靠俄国形式主义文论家的力量,还不可能对以外在研究为主的文学研究局面有所改变,还必须以更有力的研究、更广泛的舆论,逐步影响理论研究的现状。同时,也应该看到,新批评派不仅与东欧的形式主义文论有关,而且与西欧的唯美主义文论有联系,但是,在19世纪,唯美主义只是一种创作论,并未形成建立在一定哲学基础上的有相当规模的文论体系。新批评家有效地完成了唯美主义文论家没有完成的任务,使对作品的形式研究一时蔚然成风,遍及欧美。

复次,英美新批评促成了西方文论中由运用传统语言学向运用以索绪尔为代表的结构主义语言学的过渡。应该说,不论是以雅克布逊为代表的俄国形式主义文论家,还是以瑞恰兹、韦勒克为代表的英美新批评家,他们所用的语言学理论基本上都属于传统语言学的理论。尽管当时以索绪尔为代表的结构主义语言学已在西欧具有十分广泛的影响,但对新批评文论家来说不过是比邻学科的发展,与自己关系并不大,所以,他们并未采用新的语言学理论。但是,雅克布逊与瑞恰兹毕竟是语言学家,他们运用语言学理论研究文学,要比结构主义的某些文论家地道得多。比起形式主义文论家来,英美新批评家坚持运用二分法,坚持用语义学的理论挖掘文学语言的内在意蕴,在对文学语言的研究上更具有新生代的特色。英美新批评家的研究方法与理论,给后起的结构主义文论以重要的语言学的启示,使结构主义文论家在对文学做言语与语言、所指与能指、叙事与话语等方面的研究有了继续拓进的基础。

英美新批评派的文论确有一些无法补救的缺陷。关于这一点,我们仍可通过对史的观照予以认识。

第一,英美新批评派是在俄国形式主义基础上发展起来的文论流派。同俄国形式主义文论比较起来，新批评的文论还注意到了文学与社会的关系、文学与创作的关系，但在根本上，它与俄国形式主义一样，属于形式主义文论的范围。按理来说，新批评家以研究作品文本为对象，以细读法为赏析方法，作品文本系内容与形式的交融，细读也不可避免地要涉及作品的意蕴，但是，新批评家没有这样做，整体上都是以形式研究为宗旨，所以，比起社会—文化学派诸家的文论，比起白璧德、杜威、桑塔耶那等人来，新批评文论家忽视文学的社会性、文化性、经验性的缺点就相当明显。新批评学家热衷黑格尔式的架构体系的方式，但只是得其皮毛，仅仅学习了黑格尔式架构体系的逻辑方法，而根本上忽视了黑格尔的历史精神及在社会文化的总体上观照文艺的根本方法。因此，英美新批评派在轻视作品内容方面，显示出极大的偏向。这种偏向，正好表现出它的片面性与非科学性。马克思主义者认为，文艺与社会文化关系十分密切，没有社会文化，便不可能有文艺，文艺的内容与社会文化联系不可忽视，而新批评家根本无视文艺与社会的这些联系。

第二，新批评家只注重对单一的作品的研究，忽略了作品与作品的历史联系与现实关系。与新批评派以前的文论比较起来，如表现主义、象征主义、心理分析乃至荣格的原型理论，它们都或多或少地注意到了文学与历史和现实的联系，新批评派在这方面明显是一种"倒退"。即使在文学形式研究方面，比起形式主义文论，新批评家也走向了极端，把文学研究归为个别作品的研究，这不利于文学规律的总结，不利于创作的全面发展，更不利于文学研究朝全面的、科学的方向发展。

第三，多数新批评文论家运用的语言学理论是传统的、保守的，尽管它有一定的贡献，但根本上不可能对文学语言的研究有更大、更新的突破与进展。

新批评的这些致命弱点，都成为结构主义文论的攻击对象，结构主义正是在新批评止步的地方迈出自己的步子，使自己最终超出新批评派。

第八章 结构主义

第一节 发展与特征

20世纪60年代,在英美新批评派由兴盛走向衰落的时候,以法国为中心的结构主义文学理论则以独特的风姿,大踏步地登上了西方现代文坛。

"结构"一词源于拉丁文structura,由动词strüëre(构成)演化而来,原意指统一体内各部分、各要素、各单元之间的关系或本质联系的总体,侧重对象的形式方面。作为一个范畴或概念,结构在各门科学中被广泛运用,工程结构、生理结构、艺术结构等术语,在科学著作中俯拾即是。作为一种文学理论流派,它是20世纪四五十年代以后在形式主义母体中滋生和分化出来并逐渐发展壮大的。

结构主义作为一个哲学与文论流派,是一个观念相近而队伍松散的理论联盟。J.皮亚杰曾说过:"要规定结构主义的特征是很困难的,因为结构主义的形式繁多,没有一个公分母,而且大家说到的种种'结构',所获得的涵义越来越不同。"[1]法朗瓦·瓦尔也说过:"有人计算,截至今日有两种实证主义的结构主义(其中第二种谴责第一种为经验主义);一种完全唯理论的结构主义,至少有两种结构主义宣称他们推翻主体(其中第二种认为第一种只是缩减了主体),有一种具有古典意义的哲学使用结构主义,好几种结构主义声称他们排斥一切哲学等等。"以上说法都从不同的角度,说明了结构主义文论流派内部的复杂性。

---

[1] [瑞士]皮亚杰:《结构主义》,倪连生、王琳译,商务印书馆,北京,1984年,第1页。

复杂之中当然仍有规律可循。皮亚杰一方面承认它错综复杂,另一方面又披沙拣金,总结出结构主义的三大特性:"整体性、转换性和自身调整性。"①这里,整体性指任何事物的结构是按照组合规律有秩序地构成的一个整体;转换性指任何事物结构中的各个部分可以按照一定规律来互相替换或改变;自身调整性指任何事物结构内部的各组成部分都互相制约、互为条件。文化人类学家列维-施特劳斯更是明确地否定结构主义是一种哲学思想,"而是一种方法,它对于社会事实进行实验,把它们转移到实验室。在这里,它首先注意的是关系,试图以模型的形式把它们表现出来"②。结构主义哲学与人类学的思想,客观上为结构主义文论特征的形成奠定了基石。

结构主义文论大致有如下特征:

一、注重采用语言学理论的术语和方法,寻求思维的恒定结构。结构主义如同形式主义一样,与语言学特别是索绪尔的《普通语言学教程》有着不解之缘。索绪尔把"语言"(langue)和"言语"(parole)(说话)作了区分:语言是社会现象,言语是个人现象。美国哲学家菲利浦·柏提在《结构主义概念——批判的分析》中明确地区别道:言语是个人行为,语言是共同行为;言语体现个人的自由,语言体现社会的惯例。索绪尔又提出"所指与能指的区别:所指是被指物,相当于实体、意蕴;能指是指示者,相当于形式、风格"。索绪尔的"共时"与"历时"概念,也是结构主义文论常用的。"共时"主张从横断面研究同一时间内各种现象之间的相互联系,"历时"指把语言作为一种处于历史发展过程中的连贯体系来研究。所有这些,在结构主义文论中时常看到。他们结构语言学的目的,是想从亘古至今的文学系统中总结出固定的模式或法则,从而使文艺学达到他们所谓的纯科学的境地。

二、强调整体,善于"分割"。结构主义者把文学作品看作一个整体,把文学史也当作一个整体。他们注重文本分析,这一点,与形式主义、英美新批评派近似。不同的是,他们寻求总体时,也把总体分割

---

① [瑞士]皮亚杰:《结构主义》,倪连生、王琳译,商务印书馆,北京,1984年,第2页。
② [法]列维-施特劳斯:《论反潮派》,见法国《新观察员》,1967年第115期。

成各个部分,这个分割出来的部分本身没有意义,只有组合起来时才有"牵一发而动全身"的意义。也就是说,只有在总体中考察各部分,或把部分与整体联合起来研究,部分才有意义。结构主义反对"原子论倾向",主张"系统论"和"结构论"。《大英百科全书》1977年第15版给"结构主义"下的定义是:"结构主义是对于社会、经济、政治与文化生活的模式的研究。研究的重点是现象之间的关系,而不是现象本身的性质。"这样,与过多看重单篇作品分析的英美新批评派大异其趣,结构主义在英美新批评派的基础上大大地前进了一步。

三、追踪"深层结构",注重高度抽象。结构主义文论家把结构分为"表层结构"与"深层结构":表层结构是可感知的,无须作过多的分析,深层结构是潜藏在作品群中的模式,看不见,摸不着,必须用抽象的手段把模式找出来。他们反对对外界一切因素(社会、政治、经济、文化)的研究,孜孜以求的是封闭的自足体。英国文论家特雷·伊格尔顿在其《文学理论》第五章"结构主义与符号学"中写道:"文学的模式和神话是超历史的,它们把历史压缩成某种同一性,或基于相同主题的一组重复变化。为了使这一系统存活,它必须被严格封闭,不能允许任何外在事物渗透它,以免搅乱它的范畴。这就是为什么弗莱的科学冲突要求一个比新批评派的形式主义更为纯粹的形式主义。"特雷·伊格尔顿的这种评述是有道理的。

四、突出研究叙事学。如果说前面三条是就结构主义作为一种方法来说的特色,那么,在内容上,结构主义叙事学则是既不同于形式主义内部其他各派,又不同于非形式主义各派的特色所在。可以说,结构主义对小说、散文、神话等叙事体裁的文学研究所花费的巨大心血和所采用的形而下的扎实的方法,是现代文论发展中少见的。本章重点评介结构主义的叙事学。

此外,结构主义吸收自然科学的某些成果来研究文论,也获得了可喜的成绩。

斐迪南·德·索绪尔,一直被认为是结构主义之父。他是瑞士语言学家,先后担任过巴黎大学和日内瓦大学教授,是语言学结构主义的创始人。他的特点是把语言作为一个封闭的符号系统来进行科学的研究。他的这一特点自始至终贯穿在其代表作《普通语言学教程》之中。俄国形式主义在一开始就有人用索绪尔的语言学思想研究文学,尤其以雅克布逊和特鲁别茨柯依为代表的布拉格学派发挥索绪尔思想,对音位学做出了贡献。在文学方面,布拉格学派认为:一部文学作品就是一个系统;一个系统的历史本身就创造一个系统;文学史的系统往往创造了一个系统;艺术是符号系统,艺术结构的发展是以连续性和内在合乎法则性为特征,是封闭的自我运动,所以,艺术是封闭的自足的符号系统。

结构主义文论的集大成者是它的法国学派。法国学派有前后"四子"。"前四子"是人类学家列维-施特劳斯、精神分析学家雅克·拉冈、历史哲学家米歇尔·福科、马克思主义理论家路易·阿尔图塞,到20世纪六七十年代,他们被侧重于小说技巧研究的四位文学批评家所替代,他们是罗兰·巴特、A.J.格雷马、茨韦坦·托多洛夫、克劳德·勃瑞蒙,他们又被称为"后四子"。巴特一方面借鉴了人类文化学的观点和方法,另一方面又认为,文学作为符号系统,比人类学结构主义更接近语言,结构主义文艺学更适合表现结构主义的精髓。巴特的方法特征是指出所指与能指的干预。巴特打算创造一个新客体,一个超文本的、建立在雷肯的作品和列维-施特劳斯文化人类学基础上的新形式。但是,巴特并未把他的理论贯彻到底,正如乔纳森·卡勒所说:"巴特是一位拓荒播种的思想家,但他总是在这些种子发芽抽条的时候,又亲手将它们连根拔去。"[1]但无论如何,以"后四子"为代表的结构主义叙事学代表了法国结构主义文艺学的成就。法国结构主义发展到后来,有人对正宗的结构主义发起攻击,提出消解式(具有否定性)的文艺批评,代表人物是雅克·德里达。德里达对结构主义寻找恒定模式进行了攻击,但他本身又是以语言为中心阐发自己的结构主义思想,西方称他的理论为"后结构主义"。后结构主义在进一步阐述符号的意义,即把符号作为"印迹",区分"空言语"(即假的言语)和"实言语"——前者是文学的,后者是非文学的——等方面,做出了自己一定的贡献。

---

[1] [美]乔纳森·卡勒:《巴特》,格拉斯哥版,1983年,第12页。

结构主义的产生与发展,有其一定的社会原因。现代工业和科学技术的迅猛发展,社会信息瞬息多变,致使单纯的个体和静态的观点无法应变,主体的真实性受到了怀疑与挑战,人们看到了条块分割的极大弊病,看到了社会各阶层与个人受制于社会总结构中,从而寻求从整体的、动态的或生存转换式来认识与改造世界的途径。路德维希·维特根斯坦在《逻辑哲学论》中曾指出:世界是由许多"状态"组成的整体;每个"状态"是一条众多事物组成的锁链,它们处于确定的关系中,这种关系是这个"状态"的结构。结构主义重视对系统内部诸因素之间关系的探讨,有人称之为"关系学",这门"关系学"的产生,正是从社会客观中形成和发展的。

结构主义文论的发展,也有其文论发展方面的背景。首先,他们对经验主义与历史主义的批评原则不满。狭隘的经验主义,仅仅承认一时一地的事实,忽视对文学系统的普遍规律的求证。结构主义直接反对这种就事论事、只见树木不见森林的经验主义。结构主义高扬整体性与内在的关联性的旗帜,又是对这种传统方式的反叛。同时,以孔德为代表的法国实证主义哲学,和以丹纳为代表的实证主义艺术理论,集中注意文学的外缘研究,以至于产生了专注传记索隐的历史主义的文艺批评,对于文学的内部是什么,这一派的学者是不屑一顾的,结构主义认为,这种批评根本不是什么文学批评,只能是历史批评、社会批评,因为它不对文学本身的因素作出审美判断。其次,结构主义对英美新批评派过分看重单篇作品而忽视作品群与文学史研究的倾向也是猛烈抨击的。可以说,结构主义是在反传统与针砭时弊的文论背景中发展起来的。

时至今日,我们还不能说结构主义已经烟消云散。从1962年联合国教科文组织出版的《结构一词在人文科学和社会科学中的意义和用法》一书,从1974年6月在意大利米兰召开的国际符号研究会第一届大会,以及从米兰出版的《探索者》所发表的14位作者关于结构主义的文字,和英美、苏联现在[①]的研究来看,都不能说结构主义已经全然

[①]本文写于1986年。——编者注

消失。不过，可以肯定，结构主义文论的盛期已经过去，从它母体中孕育、滋生出的符号学文论已掀起当代西方文论的又一次波澜。

第二节　二项对立

结构主义文论注重二项对立的分析方法，类似我们讲的一分为二，即把研究对象分为一些结构的成分，并从这些成分中找出对立的、有联系的、排列的、转换的关系，从而认识到对象的结构不是单一的结构，而是复合的结构。从索绪尔提出至今，结构主义理论家大都采用这一方法。索绪尔《普通语言学教程》把语言作为一个系统或体系，即结构。索绪尔区分语言与言语，又把语言作为语音和意义的关系构成；还把符号分为所指和能指，把语言研究分为历时和共时两种，把由词组合成的一个结构分为两种关联：结构段关联和聚合体关联。列维-施特劳斯从人类学和高度角度使用这种二项对立的研究方法，他以为，人作为主体不是决定者，而是整体中的一个部分，是整体结构中的一个关系项，由关系的整体决定。阿尔图塞反对线性因果和表现因果，前者指一个因素对另一因素的作用，后者指整体决定个体和部分；他主张整体是不同成分的不对称的关联，其中一个成分为主导成分，这个主导成分是变动的，并不定于一尊，具体到社会发展上，他认为社会发展是多元的，是结构的自动变化，而不仅仅是由经济的基础变革而变革的。这就导致了唯心主义历史观的产生。

结构主义文论的二项对立与上述研究法有异曲同工之妙。巴特的《论拉辛》在这方面比较突出。他说：拉辛的人物在整体结构中各得其所，显示差异，或者因地位不同有所区分，如父与子，或者因作用不同、自由程度不同、家族不同而有所分别；而且还因为性别不同而有所区别，如男人和女人、男性化的女人和女性化的男人，显示出性格的两极组合，即既有正的一面，又有负的一面，组成二项对立的结构模式。这种结构模式，在文艺史上是大量存在的。巴尔扎克在给阿柏朗台斯公爵夫人的信中写道："就我所知，我的性格最最特别。我观察自己，如同观察别人一样；我这五尺二寸的身躯，包含一切可能有的分歧和矛盾。有些人认为我高傲、浪漫、顽固、轻浮、思想散漫、狂妄、疏忽、懒惰、懈怠、冒失、毫无恒心、爱说话、不周到、欠礼教、无礼貌、乖戾、好使性子,另一些人却说我节俭、谦虚、勇敢、顽强、刚毅、不修边幅、用功、有恒、不爱说话、心细、有礼貌、经常快活,其实都有道理。说我胆小如鼠的人,不见得就比说我勇敢过人的人更没有道理,再如说我博学或无知,能干或者愚蠢,也是如此。"①巴尔扎克的这种二项对立的性格反映在他的作品中,形成了美丑并存、善恶同在、真伪共生的错综复杂的人物性格的群体。神学时代的人是单一的,人学时代的人是多元的、立体的、复杂的。结构主义文论所讲的二项对立正是从一个侧面揭示了人的这种复杂性。

结构主义所讲的二项对立,只是分析方法,还不是研究目的。其目的是通过二项对立,重组一个新的世界。这一点,佛克马夫妇看得很清楚,他们说:"巴特按上述的二分法,或类似的二分法,把拉辛的人物大而化之,加以分类,但所提出的佐证只有零星的几个例子,比卡因为此不以为然。然而,巴特在其《结构主义的活动》一文中有力地写道:"结构主义学家由实物开始,将它拆开,而后再加以组合,但最后的重建,并不是要把原物还原,而是要创造一个新的东西——这个东西能够解释'原物中潜沉不露,或无法理解的方面'。这样,尽管重建保留了原形,但是是由人支配,与人相关的形象。"②在整个结构主义文论中,无论是在诗学、叙事学,还是模式分析中,二项对立的重建目的是非常明显的。因此,我们不能只是停留在二项对立本身了解它,必须深入到它的内在用心从而把握它。

第三节 程式论和模式论

由于注重"深层结构"的拓展,企图用程式化的模式表述潜在的深层结构,所以,结构主义强调文学结构的程式与模式。

---

① 段宝林编:《西方古典作家谈文艺创作》,春风文艺出版社,1980年,第340页。
② [荷]佛克马、易布思:《二十世纪文学理论》,伦敦版,1977年。

一般所说的结构,主要指现象内部联系的深层结构。结构主义者认为:如同语言学分析语言结构一样,分析文学结构不可能用归纳法,只能用演绎法。文学作品,浩如烟海,连世界上究竟有多少部作品都无法作统计学的说明,更何况去作结构分析。模式分析,虽有归纳的因素,但主要是演绎的结果,因此,模式具有明显的抽象性与规范性。

程式主要就诗而言,模式则是对包括戏剧在内的叙事文学的主要的结构主义分析方法。

一、诗歌程式

结构主义诗学,十分重视整体结构研究。洛特曼在《诗歌的文本分析——诗歌结构》(1972)中认为:描述性的诗学只是认识一些表层现象,结构主义诗学则认识到现象只是一个复杂整体的组成部分;从结构出发,研究诗歌的文本,必须始终把诗歌看成一个整体,注重节奏、韵脚、循环与意义的联系,"一首诗的文本与结构互为条件,而且都只在相互关系中得到实现"。研究诗歌,必须看到诗歌的意蕴的复杂所负载的特殊意义和结构,并把它与日常意义或其他文化意义区别开来,展开它那隐匿的丰富的语义,构成其整体,从整体找到程式。如分析杜甫诗歌,既要看到杜诗是一个整体,又要看到它的构成是由各部分有机组合的产物。结构主义诗学认为,只有从杜诗的各部分与整体的关系中分析杜诗,才能把杜诗作为一个自给自足的特色。这个整体中的各部分的有机构成是形成整体特色的基础和内在条件,只有识别其中的特殊结构,才能真正在整体上区别杜诗与李白诗歌、王维诗歌、白居易诗歌、花间派诗歌的不同之处。否则,只是停留在对现象的描述或仅仅用任何"史诗"都合适的"结构谨严"来概括,在结构主义看来,是没有意义的。

结构主义诗学强调诗的程式,主要是读诗的程式。乔纳森·卡勒认为,读诗的重要因素是读者期待得到读诗的感受。读者在这种感受中去识别什么是诗,什么不是诗。诗不一定取决于分行排列、押韵,而有赖于读诗的态度,一定的假设,这种态度与假设成为"程式化的期待",这种"程式化的期待"才使人把诗当诗,把诗的语言区别于非诗的语言。在《结构主义诗学》中,卡勒把读诗分为三种程式:首先是诗具有普遍性。诗是虚构的产物,诗反映的时空、人物是诗人头脑虚构出来的,即使诗人抒发一己的情怀,也非纯个人传记式的记述,所以,读诗必须排除诗中的个人成分,见出普遍性的情理妙趣。其次是诗具有整体性。诗人往往从不完整的、缺乏有机体的日常言语行为中进行艺术加工,从而把诗的各个组成部分组合为一个整体,读诗就是要把各个部分连贯成为整体,使整体及其部分得到应有的阐发。再次是诗具有意念性。诗是含蓄的,具有言外之言、意外之意、象外之象的特点,读诗不仅要看出诗本身的意义,而且还要见出它的"意外之意",从有限的语句中悟出其中包含的无限的意义。只有这样,读诗才能达到比较理想的境界。卡勒认为,正因为读诗能产生这样的效果,所以,读诗还可以通过诗的这种意义反映或探讨诗本身的问题。洛特曼亦认为,诗的能量是在各种结构规则、各种不同倾向的矛盾中产生的艺术功能。诗的节奏、语法功能以及能量都能在总的程式中给读者以帮助,从而使读者体会出诗中暗藏的意蕴。

二、戏剧模式

在戏剧理论方面,结构主义对戏剧的模式研究比对诗的程式研究更为具体。结构主义戏剧理论家通过大量的戏剧作品研究,总结出一系列模式与功能。

法国结构主义先行者艾丹·苏瑞奥写过一本名为《戏剧场景二十万例》(1950)的著作。书中,他批评了一些把戏剧企图仅仅归结为几个场景的评论家,提出了"六种功能的五种组合方式",得出了戏剧可能有210141种场景的结论。尽管这个数字有夸大与不够确切之处,但是这种功能组合分析,却不无意义。

苏瑞奥用星球的名称命名这些功能:

(1)狮子星功能:向一定方向发展的主题力量;或剧中主人公的意志、欲望,它推动整部戏的发展。

(2)火星功能:狮子星敌人的力量;体现出对立面、断阻力。

(3)太阳功能:狮子星所追求的目标。

（4）地球功能：受益者，狮子星是为他而追求特定目标的。

（5）天秤星功能：决策者，在狮子星与其敌人斗争中决定胜负的角色。

（6）月亮功能：助手，第一、二种力量的重复。

功能（6）实际上是前五个功能中的任何一种功能的助手或盟友，因此，任何戏剧场景只可能有10种角色——五种基本功能各自配有一名助手，5与2之积是10。

举一个例子。甲（狮子星）追求乙（太阳），与另一追求者丙（火星）展开对抗。如果因为自己追求乙，他自己是受益者（地球），这就决定了三个角色完成四种功能的戏，场景公式为（1）(4)+（3）+（2）。如果乙可以独自做主，她就兼有（3）(5)（太阳、天秤星）两种功能，戏剧场景变为（1）(4)+（3）(5)+（2）。采用这种变换组合方式，苏瑞奥认为，一出三角恋爱剧可以得到36种不同的场景。12种场景中，狮子星本人希望得到太阳；另12种场景中，狮子星希望太阳和他的情敌结合；再12种场景中，狮子星希望太阳自己做主，不属于任何人。依此类推，不同功能的组合，将能产生21万多种的戏剧场景。

苏瑞奥还提出"角度"观点。他认为，一般的戏剧场景包括上述六个角色，分别完成一种功能。由于助手的地位可能变化，他可以站在前五个角色中的任何一个角色中，戏剧场景也就有了五种功能。如果从不同角色的角度看，这五种场景给我们的印象是不同的，这五种场景从六个角色的不同角度去表现，去观赏，会产生5与6之积即30种不同的效果。

苏瑞奥像一位数学家进行排列组合的细致演算。但其角度说，仔细分析了作品文本与观众的关系，具有启发性。

三、小说模式

原则上，小说模式属于结构主义叙事学。这节集中讲模式说，所以把这部分提前作些分析。

结构主义小说模式直接受俄国普洛普的影响。西方有些评论家把普洛普的《民间故事形态学》（1928）作为散文结构主义的开山之作。但是，普洛普更多是在俄国形式主义影响之下写成那部著作，另外一批理论家则因国别、时代和形式主义理论本身的要求把这部书归于形式主义文论之中。① 这恰好也说明，结构主义的小说模式说，直接源于俄国形式主义。

原型理论的代表人物弗莱在《批评的解剖》（1958）和《同一的寓言》（1963）中提出了"模式系统"，他从欧洲小说1000多年的发展中，从主人公与其他人物和环境在力量对比存在的阶段中，得出了五种模式：

（1）神话：作品中主人公的力量绝对地超过其他人物和环境的力量。

（2）罗曼司：作品中主人公的力量相对地超过其他人物和环境的力量。

（3）现实主义小说（直译为高级模仿小说）：作品中主人公的力量相对地超过其他人物，但不超过环境的力量。

（4）自然主义小说（直译为低级模仿小说）：作品中主人公的力量并不超过其他人物和环境的力量。

（5）嘲弄性小说：作品中主人公力量次于其他人物和环境的力量，如当代描写虚无主义的反小说。

弗莱认为，欧洲的小说史基本上依照以上五个模式的次序发展，现代的荒谬小说又向神话回流，罗曼司、现实主义、自然主义是颠倒了的神话，它们的情节转向神话的对立面——真实，从当代嘲弄性小说开始，欧洲小说又复归于神话系统中。他从结构主义立场出发，探寻了欧洲小说发展的这个循环往复的构架。因为，弗莱认为："每个诗人都有自己的神话，有他自己的光谱，有他自己特有的产生形象的方法，虽然他本人未必完全意识到"，文学是由若干结构模式构成，"整个文学史是由原始发展到复杂"，最后"存在着回复到那些范畴的倾向"。所以，他从列维-施特劳斯的文化人类学出发，进而认为："探寻原型实际上就是一种文学上的人类学"，"这种对着原型进行

---

① [荷]佛克马、易布思：《二十世纪文学理论》，伦敦版，1977年，第27页。

归纳的方法,可以说是一种从结构分析倒退的过程,就好像以看布局代替看笔法,是从一幅画面倒退"。①因此,严格说来,弗莱是用列维-施特劳斯的结构主义人类文化学研究文学和文学史的模式的。

美国批评家罗伯特·史柯尔斯提出了更为细致的小说模式理论。在《文学结构主义》(1974)中,他认为一切小说都可以按虚构世界、经验世界之间三种可能的关系而分属于三种主要模式:浪漫小说——虚构世界胜过经验世界;历史小说——虚构世界相当于经验世界;讽刺小说——虚构世界不如经验世界。在这三大模式之间又有四种介乎中间的模式:讽刺小说—流浪汉小说—喜剧小说—历史小说—抒情小说—悲剧小说—浪漫小说。史柯尔斯把这个模式运用于欧洲小说史,得出一个揭示其结构的图式:

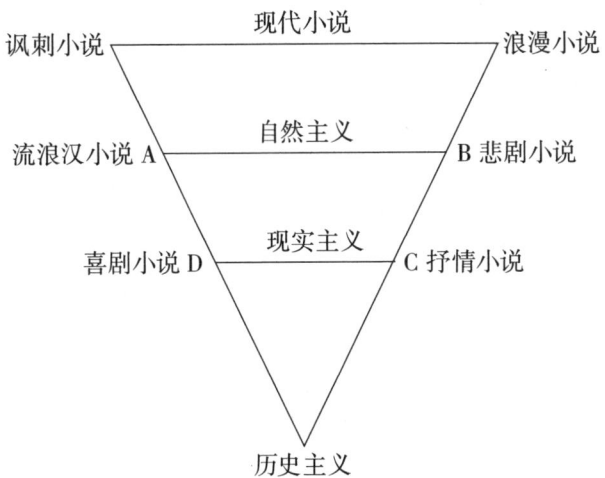

这个图式的意义在于:欧洲近代小说是在中世纪后期盛行的讽刺小说和浪漫小说基础上成长起来的。在文艺复兴后期和启蒙时代成熟起来的历史意识,吸引讽刺小说、浪漫小说向历史小说的方向发展,逐步形成现代小说。这个现代小说运动,具体说来,又可分为五步:

(1)原来讽刺小说和流浪汉小说中的无赖、娼妓、流浪汉演变为

---

①[加]弗莱:《文学的若干原型》,见伍蠡甫主编:《现代西方文论选》,上海译文出版社,上海,1983年,第343页。

喜剧小说中的浪子和情妇。

（2）原来浪漫小说和悲剧小说中的英雄和女英雄演变为抒情小说中敏感的男子和有德行的女子。

（3）18世纪以后由于科学和实验的兴盛，以前的讽刺小说和流浪汉小说、现实主义小说在19世纪向悲剧小说移动，形成自然主义小说，着重描写异化和崩溃的题材。

（4）近代欧洲小说在现实主义与自然主义之间（图式中梯形的A、B、C、D部分）到达高峰，在梯形的中心出现了司汤达、巴尔扎克、福楼拜、托尔斯泰、屠格涅夫和乔治·艾略特那样的大师，在梯形的边缘出现了狄更斯、萨克雷、哈代这样的名家。

（5）进入20世纪，欧洲小说离开现实主义向自然主义前进，作为一种艺术形式，现代小说在讽刺和浪漫主义两种力量的牵制下，呈现解体的趋势，人物变得荒唐怪诞，结构变得曲折离奇。它所描写的世界显得支离破碎，它的语言变成佶屈聱牙、晦涩难解。

比起弗莱，史柯尔斯是有进步的。它已经把社会历史与结构模式的总结联系起来了。结构主义哲学内部的复杂性，反映到文学理论中，既有弗莱的比较抽象的原型—结构主义的批评方式，又有史柯尔斯接近用社会历史对文学史进行结构主义分式的方式，还有一些其他的方式。

列维-施特劳斯说："模式不是理解的目的物，而是它的方法。"结构主义文学理论根据小说故事发展过程中的不同功能，如小说中出现的人、物、思想、理论、时间、空间、气候等列为一定的模式，然后根据模式特征对作品分析判断或根据不同作品模式内容的变化作进一步研究。因此，模式不是批评家达到的目的，而是他们评论的出发点、工具和依据。结构主义的叙事说理论，一部分是对叙事文学的模式分析，一部分是对理论本身进行研究。研究的方法仍然是演绎法，目的在于通过一系列事实说明文学文本中存在的一系列问题。

第四节　结构主义叙事学

结构主义文论最突出之处，是把叙事文学作品作为主要对象，进行新的研究。

叙事文学不同于如抒情诗一样的抒情文学，有人物、行为、环境等共同的结构因素，语言上有独特之处，涵盖的文体范围——包括神话、民间故事、现代小说等——非常广泛。这样，结构主义便"大有用武之地"。

结构主义叙事学的研究中心是法国，代表人物有罗兰·巴特、格雷马斯、钱拉·谢奈德和茨维坦·托多洛夫等。其中，巴特是发起者，托多洛夫在理论上是集大成者。

叙事学在层次分析、句法结构、体裁与小说分类方面取得了较高的成就。

一、层次学说

结构主义文论家习惯于用语言学中层次分级的方法研究文学。

语言学讲究"描述级"，即将一个句子分成不同的级别（音素、音位、句法、上下文）进行描写；每一级都有自己的单位，可以进行独立的描写，但每一级的单位只有融合在高一级的单位中才有意义。比如，音位本身并无意义，当它结合词素时，才和别的音位一起构成某种意义。

结构主义文论家用这种层次分级的方法，把文学作品分成不同层次。托多洛夫主张分为内容（行为逻辑和人物结构）和话语（时间、语态、语式）两级。巴特认为分为三级更合适，更可展现结构主义的层次分级学说。巴特在《叙事作品结构分析导论》中，把文学作品分为三级：功能级、行为级、叙述级。

先看功能级。

从语言学观点看，功能是一个内容单位。一种陈述要成为一个功能单位，主要在于它"要表达的意思"，不在于意思的表达方式。巴特借鉴这种观点，认为在叙事文学中，功能是最小的叙述单位。他把功能比作作品的胚芽,在叙事作品中播下"种",以后在同一层次或在别的地方,或在另一层次上成熟起来。福楼拜在《一颗纯朴的心》中似乎轻描淡写地提到崩-莱维克副省长家的女儿们有一只鹦鹉,然而这只鹦鹉后来在女主人公菲利希德的生活中占据非常重要的地位。这一细节的陈述构成一种功能或一个叙述单位。再比如,庞德在情报处办公室值班,电话铃响了,"他拿起四只听筒中的一只",这是"四"个符素构成一个功能单位,它在整个故事中是一个不可缺少的部分,它不是一个(作为词)语言单位,而只是语言单位所包涵的意义。功能可以小于句子,仍属于话语,所以,是作品中最小的不可缺少的语言单位。

巴特把功能分为两种:功能和标志。在一部作品中,没有无用的单位,这些功能与这些单位具有同一级或更高级的联系。功能属于同一级,作为补充行为或结果与功能单位发生关系的,使人想到一个"动作",是一种横向组合的断定,包含换喻关系,与行为更接近。比如,买手枪的相关单位是使用手枪的时刻;拿起耳机的相关单位是放下耳机;鹦鹉闯入菲利希德的房子和用稻草填塞死去的鸟及对它的顶礼膜拜等细节或行为互为相关单位。与此相反,标志属于更高级,能引出与人物外貌、性格、身份及其周围的氛围有关概念,它表现的是意义,是所指,是一种纵向聚合的断定,包含隐喻关系,与存在接近。比如庞德拿起四只电话中的一只,"四"与人物身份有关,表明在他背后有着强大的官僚机构。因此,人们常常把功能称为组合关系,把标志称为聚合关系。

在功能与标志中,功能的重要程度不同,因此,又可把功能细分为两个小类的叙述单位:核心与催化。巴特说:"有些单位是叙事作品(或叙事作品的片断)的真正的铰链,写一些单位只是'填补'把功能—铰链隔开的叙述空间。我们称前一种单位为基本功能(或核心),鉴于后一种单位的补充性质,我们称其为催化。"简言之,核心是叙述的基本单位,催化是填充由一个叙述基础单位到另一个基础单位之间的空白。"电话铃响了"是基本功能,"庞德接电话"又是一个基本功能,在这两者之间,有一系列的细节描写,如庞德走向办公室、拿起耳机、放下香烟等,这些描写提醒读者:还有一系列的事情发生。这就是催化作用。

标志也分为两类:标志与信息。标志指示人物的性格、情感、气氛;信息用来辨认时间与空间。标志在描写性格、情感或气氛时是暗示性的、含蓄的。如莫泊桑的《一生》叙述约娜躺在床上,看着"月光从窗口射进来,倾泻在地上,晶莹清澈,恍如水泉",月光还反照到墙上,抚弄着绣着一对青年男女爱情故事的挂毡;窗外的大树也沐浴在柔和的月光中。这段描写,暗示约娜对美好爱情的憧憬。"信息"则很外露:"钟声响了11下","男爵夫人出生在哲学昌明的18世纪"。

两组四类功能,关系紧密,任何一个单位都可同时介于两个不同的功能类别。但是,"核心"部分,由某种逻辑联系在一起,是叙事作品的骨架,其余三类起绵延、扩张和补充的作用,在骨架与骨架之间构成血肉丰满的身躯。巴特还说:"叙事作品的功能覆盖层要求有一个中介组织,其基本单位只能是一小群功能,我们在这里将称之为一个序列。"这个序列"是一连串合乎逻辑的、由连带关系结合起来的核心。序列始于一个与前面没有连带关系的项,终于另一个没有后果的项"。因此,巴特所说的核心尽管是多元的,不是单一的,但在整个作品中仍属少数,其他部分有赖于其他功能的完成。"核心"被核心之间、核心与其他功能之间的关系所联系,如图:

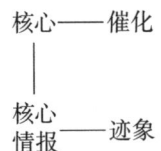

因此,核心是组织支配其他功能的基本元素,结构主义者对核心的这种作用非常重视。

另一方面,在核心与其他单位的组合中,并不是线性的,其中需要作为中介的承上启下的组织,它的基本单位是一组功能,巴特称之为"片断",每个"片断"是"核心"的逻辑系列。片断中的每个功能单位可各自组成一个微型片断,一个微型片断也可以成为另一个微型片断的组成部分,"就这样,从最小的母句到最大的功能,一整套取代

网形成叙事作品的结构。"比如,用这种方式分析《金手指》中的第一个插曲,便呈现为如下的"世系"状态:

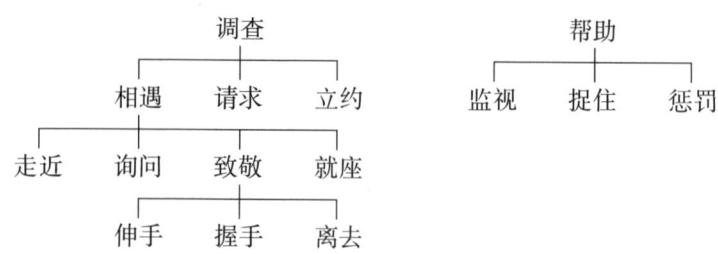

这种分析,使读者可以看到一连串直接排列的项,看到各个片断的组合方式与归属,调查产生三个微型片断:相遇、请求、立约;相遇产生四个微型片断:走近、询问、致敬、就座;致敬产生三个微型片断:伸手、握手、离去。一个序列尚未结束,新序列的首项可能已经在前一个序列中出现。几个序列以对位的方式同时向前移动。巴特在结束这部分论述时写道:"因此,功能层(该层提供了大部分叙述组合段)必须由上级层次来完成,在上级层次里,第一层的单位逐步取得意义。这一层即行动层。"

再看行动层。

与心理分析学派不同,结构主义者一般不把人物看作具有心理内容的具体的人,而是看作附属于人物行为的一个单位;有些人甚至拒绝分析人物心理,而着意分析人物行为。巴特说:"作品中人物的这些心理本质可以加以清点,清点的最纯粹形式是资产阶级戏剧的'角色'单子(风流女子、贵族父亲等等);结构分析从诞生的那天起最讨厌把人物当作心理本质,哪怕是为了分类。"因为"世界上没有一部叙事作品是没有'人物'的,或没有'行动主体'的",所以,"结构主义十分注意不用心理本质这样的词来说明人物的特点,迄今一直努力用各种各样的假设来说明人物的特点,将其视为'参与者'而不是'有生命的人'"。他引述了格雷马斯的观点,认为不必根据人物是什么,而是根据人物做什么(行动)来描述和划分人物。格雷马斯把人物视为三大语义轴的组成部分是成双成对安排的,所以无穷无尽的人物世界也服从于一种投射在整个叙事作品中的纵向聚合结构(主体/客体、施惠者/受惠者,辅助/反对)。这三大语义轴的组成部分是交际、欲望(追求)和考验。由此可见,结构主义所描述的行为层,"在这里不应理解为形成第一层织物的细小行动,而是指praxis(实例)的大的分节(欲望、交际、斗争)"。

在进行人物分类的问题上,结构主义主张运用语法范畴,根据人物行为分类。他们不赞成对作品的主人公进行特殊研究的做法,甚至反对作品有主人公。有许多叙事作品,两个敌手围绕一个对象进行斗争,两个敌手是对等关系,不是主仆关系。这类似比赛结构。在比赛中,两个平等的对手都想争夺裁判发的球,"如果我们愿意相信比赛作为一种特殊的语言也属于人们在语言和叙事作品中所遇到的同样的符号结构,就不会对此说法感到惊讶:比赛也是一个句子"。那么,用什么方式来分析叙事作品中的人物呢? 结构主义主张还是用语言学分析人称的方式。巴特认为本维尼斯特关于人称、非人称的理论可能是解决人物分类的钥匙。本维尼斯特认为,"我"、"你"、"他"三个人物不同质,他们之间存在着两种对立:(1)"我"、"你"与"他"之间的对立。说话人"我"必然引出听话人"你","我"、"你"可以相互转换,但每次都是唯一的,而"他"可能指无穷的人或不指任何人,"他"和"我"、"你"中的任何一个都不存在直接对话者的关系。因此,"我"、"你"是人称,"他"代表非人称的常体(异于变体)。(2)"我"和"你"之间的对立。"我"对"你"具有超越性(说话者必然引出听话者)和内在性("我"发出的陈述必然涉及"我"的内容),所以,"我"为主体人物,"你"为非主体人称。结构主义主张,心理分析并不能像语言分析那样很好地反映人物行为,人物行为是叙事作品的重要组成部分,所以,对行为分析借助语言学的人称分析更有助于对叙事文学的分析。因为,他们认为,叙事作品不是心灵的历史,而是作为言语而存在(参看本节第二部分),所以,对这种语言的分析,当然用语言学的方式比其他方式更好。

最后来说叙述级。

叙述级是叙事文学中的最高层次。它一方面开启封闭的叙事作品的大门,使读者身临其境,予以接受;另一方面,通过读者来更加彻底地认识叙事作品的全部。

巴特主张,文不一定如其人。他严格区分了作者与作品的关系。作者是作品的完成者,作品叙述的行为并不仅仅是作者。作品中的人物不是生活中的人物,而是"纸上的生命"("êtres de papier")或"纸人"。因此,巴特说:"一部叙事作品的(实际的)作者在任何方面都不能同这部作品的叙述者混为一谈。叙述者的符号在叙述作品内部,因此完全可以进行符号学的分析。"茅盾的《腐蚀》用第一人称描写,然而作品中的"我"并不等于说就是茅盾自己。作品内部的"我"是作者故意安排的一个语言符号,对这个符号的分析,没有必要非得去弄清茅盾的身世或写这部小说的背景,只要进行符号学的分析就行了。

叙述与语言一样,只有两个符号体系:人称体系和非人称体系。这两个体系不一定利用与人称(我)和非人称(他)有关的语言记号。有的插曲用第三人称,但实际上往往是作品中的"我"。《金手指》开头用第三人称,实际上仍是詹姆斯·庞德讲的。巴特认为,文学作品是以非人称为传统语式,语言为文学作品制定了以简单过去时为核心的一套时间系统,目的在于把说话者排除在作品之外。与此相反,现代某些叙事作品不再是描述性的,而是传递性的,作品力求表现纯而又纯的现在,叙述的是作品中人物的行为,作品的词语与行为融为一体。叙事作品的变革,必然产生语式的改变。这也推动了文学理论的革命,即对这种语式进行细致的研究。

巴特还认为,叙述级里由叙述性符号把功能和行为单位结合成叙述交际(即作品),而这种交际是围绕着叙述者和读者这一环节实现的。所有的叙事作品都有一种语境——"即叙事作品赖以完成的全体规定"。这种规定包括作者、作品、读者三方面的因素。现代的某些作品,语境的编码不像古代作品那样使人一目了然,必须通过读者对它们进行"译码",把其中的"密码"破译出来,在这种客体(叙事作品)与主体(读者)的交流中,把作品的内在意蕴表现出来,直到作品应真正达到的交际目的。巴特说:"这样,叙述层就具有一种模棱两可的作用:与叙事作品语境相连(有时甚至把作品语境包括在内)的叙述层打开了通向外界的大门,叙事作品展现(消费)了外界方面,但同时,使以前的层次封顶的叙述层封闭了叙事作品大门,终于使之成为一种语言的言语,这种语言规定着和包含着自己的原语言。"超过了叙述层,对叙事作品的心理、社会、历史的一切所谓分析,根本上不是文学分析。

二、句法结构

结构主义反对把文学视为人的心理历程的外化的看法,高扬文学研究的科学性的旗帜,主张把叙事作为话语,进行语言学尤其是对叙述句法结构进行语法学的研究。

结构主义者对人有独特的看法。哲学上,他们既把技术作为人的创造性的本质所在,又把人看作是秩序和有秩序的创造者。列维-施特劳斯用个人名字的例子说明这一点。人名可以用清楚辨识的方式使人与他在分类系统中所起的受结构制约的作用发生关系,人名是一个符号,在人类结构这个总体符号中显示出自己的作用。在文学理论家对人的沉思中,他们遵循的是一条语言学家的思维线路,格莱麦把人定义为"说话的动物",因此,文学理论写人的行为的作品应该从语言结构着手,语言结构决定一切叙述结构,最终构成"情节的语法"。可见,结构主义对文学的语法研究,主要是对叙事情节及其有关方面的研究。他们用了语法研究的方法,但由于对象不同,使这种方法又终于不同于语言学的语法研究。用托多洛夫的话说:"结构主义活动的对象不是文学作品本身……这一科学所关心的不是现实的文学,而是可能的文学,换种说法,它关心的是文学现象所特有的这种抽象性质:文学性。"

在句法结构分析方面成就突出的是托多洛夫。他的主要作品有:《文学和意义》(1967)、《幻想文学引论》(1970)、《散文的诗学》(1971)等,其中《诗学》(1973)和《〈十日谈〉语法》(1967)是其代表作。在《诗学》的第二部分"文学作品分析"中,他用语言学的概念,详细论述了叙事文学的文学属性,即小说结构。他认为,叙事作品由四部分构成:语义、修辞、言语、句法。

语义:着重研究作品的象征属性,即作品的语言文字如何表现意义和它表现什么意义,进一步探讨这些意义和现实的关系。

修辞:主要研究作者运用哪些语言手段组成自己的作品。语言手段可以分为四个方面:具体的与抽象的、形象性程度、多种功能还是单一功能、语言主观性方式。

托多洛夫的主要贡献在于后两个组成部分。

言语:言语与故事是两码事。言语范畴是研究如何"从作品的言语通往故事",也就是语言如何表现故事。这方面,主要研究四个具体问题:语式、时间、视觉(或角度)与语态。(1)语式包含"直接引语"、"间接引语"、"自由间接引语"和叙述口吻四种语言表达形式反映事物不同的精确性。(2)时间一般指作品的时间顺序,但是,按其本质来说,作品的故事是反编年顺序的,作品时间属性是立体的,可以同时向多方面延伸;与作品故事不同,作品的言语的时间属性则是直线型的、单一的,只能一行行一页页循环前进。托多洛夫根据时间的频率,又把叙述文分为三类:单一的,一种表达提出一个事件;反复的,多种表达共指一个相同的事件;多元的,一种表达指多种类似的事件。(3)视觉(角度)指虚构作品中的事件,通过不同角度和不同看法的艺术加工而呈现于读者面前,作品中的每一个事件有一个认识角度的问题。每部作品的视觉特点可以从来源、广度、深度三方面分析。来源——考察认识是来源于主观或客观;广度——研究视觉的内在性与外在性;深度——指认识从外界的形体、心理等表面方面开掘出人物的潜意识。(4)语态:指作品的言语、故事、作品言语的承担者与叙述者之间的关系,主要研究叙述者在作品中出现的程度。叙述者的"你"、"我"、"他"人称可以不同,但在作品中表现出来的程度不大一样。《桃花扇》中侯方域、李香君作为作品的叙述者在作品中经常出现,但是出现的频率、场次、代表的意义、体现的精神则不尽相同。

句法:主要研究作品最基本的单位及相互间的关系。首先,托多洛夫认为,叙事作品是由逻辑时间关系和空间关系组成的,逻辑时间关系由因果关系和时间关系将故事串联起来,因果关系和时间关系常常有联系,但又不同。空间类指构成作品体系的各种成分的空间联系，叙事作品根据这种联系把作品建立在对称、渐进、重复、对比等基础上。其次，托多洛夫还主张将叙事文学分为全文、片断和句子三个层次。其中，片断由五个句子结构构成：静止状态（平衡）、外力干扰、不平衡状态、另一个方向的外力活动、恢复平衡或者说建立新的平衡。这五种句子结构可归纳为两类：一类为表语性的句子结构，表达一种状态（平衡与不平衡）；另一类为动词性的句子结构，表达由一种状态过渡到另一种状态。这五个句子还可分为两类句式：组合句、自由句。组合句是句子结构最基本的部分，自由句可以不必有什么限制，只要全文需要增删有关句子都是可以的。再者，由不同片断组成全文有不同方式，一般分为三类：串联型，两个完整的片断前后依次连接；镶嵌型，一个片断中包含另一个完整的片断；交叉型，两个片断中的句子结构相互交叉发展。最后，托多洛夫把叙事作品中的谓语分成两类：原发型、反应型。原发型研究句子原型加工扩展的特点，可以独立存在；反应型句子不能独立，是原发型的延伸。如《十日谈》中"庞罗奈尔欺骗丈夫"一句，可以单独成立，如果改为"她丈夫想庞罗奈尔欺骗了他"，就属于反应型的句子了。这说明句子结构原则上还是与故事主题相联系的，作品中的每种表现形式及材料都必然转化成为故事主题的一个因素。

托多洛夫之所以不厌其烦地把语言学的概念搬到文学理论中，使文学理论刚摆脱社会学历史学的束缚，又陷入语言学的圈子，原因之一，在于他把叙事作为话语。正因为这样，对叙事文学可以作语言学、语法学的研究。这一点，在后来的符号学分析中更是得到重大发展。

托多洛夫在《叙事作为话语》中，把话语的手段分为三部分：表达故事时间和话语时间之间关系的叙事时间、叙事体态或叙述者观察故事的方式，以及叙事语式，它取决于叙述者为使我们了解故事所运用的话语类型。这三个部分的共同之处，在于托多洛夫自始至终把叙事与生活中的原始行为区分开来：生活中的原始行为有血有肉，是一个生动的有机体，叙事文学中的所谓人物，都是由符号组成的，由话语构成的，对时间、语式、体态的分析，都是对话语的分析。这是典型的形式主义的理论分析原则。第一，在"叙事时间"中，托多洛夫认为,叙事文学的时间具有"歪曲"生活中的时间的特点,例如有的作品,一开始写发现尸体,然后再写如何威胁、如何谋杀,而不是平铺直叙,由威胁、谋杀写到破案。这种时间的"歪曲"之所以具有美学效果,是因为"叙述中事件的布局本身、句子、描述、形象、情节、行为和对白的组合本身,同旋律中音的组合或诗中词的组合一样,服从于同样的美学结构规律"。同理,有些作品写作时间和阅读时间不同,写19世纪的事,20世纪的人也能获得美学享受,原因在于阅读也是对话语的一种感知。第二,"叙述体态"主要反映故事中的"他"和话语中的"我"之间的关系,也就是人物和叙述者的关系。人物与体态具有"大于、小于、等于"的关系。如果从后面看,叙述者大于人物,比如看到房子的东西,想到主人公的思想行为,叙述者比人物占优势地位,如果是同时,就会看到叙述者与人物是相等的。卡夫卡的《城堡》开始用第一人称,后来改为第三人称,福克纳的小说也常常这样。如果从外部观察,叙述者小于人物,叙述者比外部的任何人都知道得少。这样,就涉及"真实和表象"的问题。一种叙述,对于叙述者是真实的,但对于旁人,则是眼中的表象。法国作家拉克洛的书信体小说《危险的关系》中有这样的情节:一方面,赛西尔天真地向索菲讲述自己的经历,而梅尔特侬却在给瓦尔蒙的信里解释这些经历,前者是真实的,后者却是表象的。对表面现象的叙述,往往会激起人们的好奇心,使读者期待更加深入细致的解释。第三,叙述语式,是涉及叙述者向读者陈述、描写的方式。如"您是美",在心理分析中可作大量的心理动势分析。结构主义则认为,说这句话的人在人们面前完成了一个动作,他说了一句话——一句恭维话。因此,托多洛夫说:"任何话语,既是陈述的产物,又是陈述的行为。它作为陈述物时,与陈述物的主体有关,因此是客观的。它作为陈述的行为,同这一行为的主体有关,因此保持着主体的体态,因为它在每种情况下都表示一个由这个主体完成的行为。"这样,话语又有了客体性和主体性之分。例如"杜邦先生于3月18日10点钟从家里出走"这个句子无疑是客观的,"您是傻瓜"这个句子显然也有客观因素,即这个人不聪明,但首先是一种主观性的辱骂行为。所以,叙述作为话语所具有的客观性与主观性,使它能够用语言学、语法学中的很多概念范畴进行分析。语言学与语法学面临的对象——语言或言语既是客观的又是主观的。结构主义文论在这里才找到了最后的理论根据。

三、体裁与小说分类

结构主义叙事学对体裁有自己独特的看法。

这种看法仍与语言学不无关系。他们把体裁当成一种系统化的符号规范。作家写作时,自觉或不自觉地受到这种符号规范的限定,从而服从这种符号规范。克劳迪奥·纪廉在《作为系统的文学》(1971)中写道:体裁是一套"意识符号,实际从事写作的人在著作中总要服从这套符号规定"。文学体裁的这种符号规范性,产生了不同类别的体裁,比如:抒情诗含大量隐喻,具有不可翻译性;由于他们对叙事文学存有极大的兴趣,在叙事文学的体裁方面论述得比较详细。纪廉把流浪汉小说总结为八个基本特点:

(1) 流浪汉是个孤儿,一个与社会几乎无关的人,一个不幸的游子,成年却未脱稚气。

(2) 小说是假的自传体,由流浪汉自己叙述。

(3) 叙述者的观点片面而带偏见。

(4) 叙述者对一切都学习和观察,并拿社会来做试验。

(5) 强调生存的物质方面,如描绘饮食、饥饿、钱财等等。

(6) 流浪汉要观察到各种情形的生活。

(7) 流浪汉在横向上要走过许多地方,纵向上要在社会中经历变化。

(8) 各段情节松散地串在一起,互相连接而不紧密相扣。

阿·于·格雷马斯在《故事的结构分析》中,把神话归结为三大要素:

结构——神话的结构法规:①叙述类型为所有神话故事的结构属性总和而成;②叙述类型既要视神话为一个跨语句单位,即规范系统,又要体现由叙述方式显示的内在结构。

规约——给叙述单位(意群)归类:①试验意群(考验);②契约

意群(缔约与废约);③分离意群(出发与回程)。

信息——神话语音符号的特殊意义:①叙述信息——处于叙述层次的阐释;②处于结构层次的阐释——结构性信息。

更值得注意的是,结构主义叙事学将作品与读者联系起来,考察体裁的特征。结构主义认为,作者和读者在符号规范方面都受制约。作者总是按一定的体裁要求进行创作,读者必须创作,读者必定根据一定的体裁进行阅读。体裁的多边融合,如韩愈以文入诗等,都是由作为读者的作者思索的结果,和作者为了其他读者的审美需要而创造的结果。卡勒在《结构主义诗学》中说:"读者与作品接触时引导读者的规范或期待。"读者的期待,表明读者在按常规体裁阅读,希望其中提供应有的审美信息。比如在疲倦时读传奇故事,在心情舒展时读抒情诗,在思考严峻的问题时看悲剧等等,都表现出在不同的体裁中希望获得理想的审美需要。文学体裁往往是相对稳定的、程式化的、规范性的,所以,属于结构的范畴。所不同的,这种结构已不像结构主义在论述其他部分那样两眼紧盯着文本,而且还看到了读者,进一步从阅读方式的符号系统来考察体裁。托多洛夫说:"读者的犹豫是幻想作品的第一个条件","幻想作品不仅意味着要在读者和故事主人公心里引起犹疑的离奇事件,而且意味着一种阅读方式"。巴特更是明确地将文学分为两种:可读的、可写的。可写的意味着不可读。在《S/Z》(1970)一书中,他认为:"可读的文本"是读者知道怎样去读、能够读懂的作品,如19世纪巴尔扎克式的现实主义小说,它是按照读者熟悉的"密码"写成的;"可写的文本"则不同,作者和读者之间没有达成"默契",如法国"新小说"派的小说,作者写的作品,读者不知道其中"密码",无从理解这部作品。巴特认为,第一种作品,只供读者消费,不能与作品一块"生产"出新的意义,仅仅给人一种"消乐",一般读者习惯于这样;第二种作品,提供了一种新的文学价值观:文学不在于如何表现世界或解释世界,而在于它对人们理解这个世界的思维方式提出挑战。当读者觉得自己无法阅读某些作品,他们会感到阅读习惯应该改革,这样,作品便开始起到读者对传统观念进行反思和检讨的作用,使读者继续不断地探求新的"密码"。这样,阅读不是消极的,而成了积极的活动,读者由不可接受性到可接受性之间,开展了一系列的思考,生产新信息活动,重组思维,建构新的思维结构,使自己的创造和作者达到同一,这就是形式主义批评的所谓"同一批评"。巴特等结构主义理论家推崇的是"可写的作品"。他们明确地给法国新小说和其他现代派作品制定理论根据,像克莱夫·贝尔为现代派艺术奠定理论基础一样。这种理论,对提高我国理论界关于"朦胧诗"讨论水平也有参考之处。

这方面,美国"新亚里士多德学派"的布斯在《小说修辞学》第六章"小说的叙述类型"中,也作了同样的分析。布斯认为,传统的小说分类理论很肤浅,不能解决小说作为叙述艺术中的许多问题。因此,他从叙述者的戏剧化和非戏剧化、可信性与不可信性中,提出了分类原则。他特别重视作者、叙述者、读者和作品人物系列由于叙述不同而导致的"距离"变化。他把由这种"距离"产生的小说类型分为如下几种:

(1)叙述者可以或多或少地远离内含的作者,如《喧哗与骚动》中杰生对作者福克纳。

(2)叙述者也可以或多或少地远离他所讲的故事中的人物,如《远大前程》中成年叙述者和他年轻时的自我。

(3)叙述者可以或多或少地远离读者的准则,如卡夫卡的《变形记》。

(4)内含的作者可以或多或少地远离读者,如《特·项迪传》中的"作者",当然不是项迪本人。

(5)内含的作者(他自己"携带"读者)可以或多或少地远离其他人物,如《爱玛》《傲慢与偏见》。

这种分类,使叙事小说的各种特殊结构分析得更加精细。传统理论往往笼统地讲叙事文学的特质,但是,叙事文学是一个具有成千上万部作品的总体,必须对总体内的各部分仔细研究,总体理论才能建筑在更加科学的基础上。如果布斯的分类研究再前进一步,恐怕会与结构主义代表人物所研究的模式相近,从而使各种类型得以更加科学化、定型化、程式化,为创造者提供已有的模式,便于他们识别并冲破这些模式。结构主义文论的叙事体裁的研究,表明西方文论正朝着更为精密化的方向发展。

第五节 定量分析

结构主义文论注重定量分析,在西方20世纪文论中也显得比较突出。

不少结构主义理论家认为,统计学是一般差异的科学,文体学是语言差异的科学,把统计学的成果与方法运用于文体学之中,文学即可以成为被计量的对象。法国结构主义者P.居约说道:"文体就是一种差异,与一个标准相比较,而被予以数量性的定义。"这种定义既适用于个体,又适用于种类;既可以进行计量,又可以通过定量达到定性分析,从而总结本质特征。

让·科恩从分属三个流派的九名诗人的作品中,对每人任意抽取100句,作为统计总体,然后找出各人的100句诗中无标点的韵律性的停顿的数量,列出百分比,以此说明随着诗体发展,诗慢慢摆脱了语法规范,而在非语法性的道路上越走越远。

无标点的韵律性停顿:

流派	作者	数量	总计	平均值
古典派	高乃依	12	33	11%
古典派	拉 辛	11	33	11%
古典派	莫里哀	10	33	11%
浪漫派	拉马丁	18	57	19%
浪漫派	雨 果	15	57	19%
浪漫派	维 涅	24	57	19%
象征派	兰 波	29	117	39%
象征派	韦莱纳	36	117	39%
象征派	马拉美	52	117	39%

让·科恩还对法国诗歌史上的这九位大诗人的不合逻辑性、不合情理性作了统计,由此说明诗的修辞语的不合情理性已不为某一流派所独有,而且成为诗歌发展的一种内在必然性。

不合逻辑性、不合情理性统计：

流派	作者	数量	总计	平均值
古典派	高乃依	4	11	3.6%
	拉辛	4		
	莫里哀	3		
浪漫派	拉马丁	23	71	23.6%
	雨果	19		
	维涅	29		
象征派	兰波	44	139	46.3%
	韦莱纳	42		
	马拉美	53		

在文体学方面，让·科恩通过定量分析，总结出科学性散文、小说性散文、诗歌的特性。

让·科恩在《诗歌语言的结构》(1966)中认为，诗具有不合情理性。诗不同于科学，是想象和人格化的产物，诗没有必要严格求实，与科学等量齐观。"树木在窃窃私语"，合乎"名词+动词"的语法模式，但是树木是无生命的物体，无意识的植物，怎么能"窃窃私语"呢！分明不合乎科学常识，像马拉美"苍天已死"，韦庄的"无情最是台城柳"，也是这样。让·科恩认为，这种不合情理性恰恰是区分诗与其他体裁的标志之一，诗用"意义转换"，使无生命的实体成为有生命乃至人的化身。由此出发，他就19世纪诗歌与科学性散文、小说性散文的不合情理性作了统计，用以证明诗的特点：

类别	作者	数量	总计	平均值
科学性散文	贝特洛	0	0	0%
	C.L.贝尔纳	0		
	巴斯德	0		
小说性散文	雨果	6	24	8%
	巴尔扎克	8		
	莫泊桑	10		
诗歌（以浪漫派为代表）	雨果	19	71	23.6%
	拉马丁	23		
	维涅	29		

这个图表明，在科学性文体中，高度讲究逻辑与实证的统一，一旦进入艺术，这种不合理性就使艺术与科学分道扬镳了，一旦进入诗，这

种不合情理性更是达到了"有恃无恐"的地步。

西方的定量分析,还有一系列的比值,但多属于统计学的范围,将来还可以更进一步借鉴它们,从而在建设中国特色的文艺理论中达到定量与定性分析的统一。

第六节　结束语

结构主义文学理论在今天已是江河日下,不可能回复到20世纪六七十年代那样的盛世中去了。但是,这并不意味着结构主义文论毫无可取之处,可以全盘否定。

文学理论的任务之一,是通过文学的表层结构深入到文学的深层结构中去进行分析。结构主义文学理论在这方面走出了新的一步。他们反对狭隘的经验描述,更厌恶不作分析的堆砌历史掌故的所谓历史分析,强调对文艺史的内在结构、对审美现象作更为深层的模式化的研究。这种研究方式,避免了就事论事,体现了一种文学发展过程中的内在结构方式。我们可以感觉到,这种研究方式有它科学性的一面。要真正读懂一首诗,必须从一首诗深化到诗的总体结构中去。曹植《美女篇》描写一位采桑女美丽非凡,却没有理想的丈夫。然而,在中国诗体结构中,以美女喻君子是一个较为固定的语义结构,《乐府诗集》中说:"美人者,以喻君子。言君子有美行,愿得明君而事之;若不遇时,虽见征求,终不屈也。"明乎此,去看屈原《离骚》"惟草木之零落兮,恐美人之迟暮",看曹植《美女篇》"盛年处房室,中夜起长叹",就容易理解了。可惜的是,对这种总体结构的科学总结,我国学者至今重视不够。这也说明结构主义关于文学深层结构的模式化研究,有启人之处。

结构主义叙事学理论,是现代西方关于叙事文学研究各个学科的综合产物。中国文艺学的建设特别明显地需要有机地利用自然科学的有关成果。这方面,结构主义为我们提供了经验与教训。

结构主义也有不可忽视的错误与缺点。

最突出的,是它忽视社会实践和人类社会历史发展与模式的内在联系。结构主义文论家认为，结构是自在自为的、独立的，同时，他们排斥非结构的其他系统，诸如社会制度、历史条件、文化运动、文艺思潮等系统。苏瑞奥的《戏剧场景二十万例》所列举的六种功能，脱离了社会功能，只是对场景作孤立的考察，有着为模式而模式的缺陷。我们并不反对用模式分析，但是，模式是社会各方面的运动规律与文学自我运动规律交织而成的产物。孤立地强调后者，当然会产生片面化的倾向，对文学规律的总结也会产生不全面、不深刻、不科学的现象。尽管结构主义文论比新批评派进步，但是他们在注重社会实践方面，仍与马克思主义的科学的文艺学要求相距甚远。美国人类学家克鲁勃批评说："'结构'好像正在蜕化为这样一个词，它本身极好的意义，但十年左右却成了口头禅——像'气体动力学'——而且在它风行时，由于其声音具有美妙的联想而常被滥用。当然，一个典型的个性可以看作一个有机体，一切社会和一切文化、晶体、机器——实际上，一切不是完全无定形的事物，都有一个结构。"把结构当作"万金油"，本身就说明它的臆想成分仍然比较重，与科学的要求存在距离。

　　作为一种方式，结构主义无疑是形式主义的。在叙事学方面，他们把文学仅仅当成一种话语、一种信息与符号，忽视了文学形象的特征和生命。他们更多地注重语言学因素，忽视了文学理论自身的特殊使命，语言学的概念固然可以丰富和充实文学理论，但是，用语言学的概念取代文学理论自身的范畴，却是本末倒置的。他们运用语言学概念的目的，在于便于对文学作形式主义的分析。文学是由意蕴与形式、审美意象与审美物象组织的统一体，形式是意蕴的组织者，审美物象是审美意象的承受者，但这并不意味着文艺学只研究艺术形式、审美物象就万事大吉了。事实上，在这对范畴中，忽视任何一个方面，都是不科学的。由此看来，结构主义文论忽视意蕴与意象的弊病就暴露无遗了。这一点，也是他们忽视文学的社会因素的延伸。艺术是创造的产物，没有创造就没有艺术，正像没有父母就没有子女那样简单，然而，结构主义者过多地追求程式化的模式，轻视艺术的创造作用，这是不符合艺术规律的。

结构主义者所用的定量分析也不够完善。美国芭柏拉·史密斯认为，结构主义忽视了对可变量的考察，因而大大减缩了自己的解释资源。史密斯列举五条予以说明：(1)对任何具体的叙述者来说，绝不会只有一个基本上的基础故事存在于叙述者之中。(2)根据一个特定叙述相应构成的若干叙述，其中任何一个都不见得比其他的更为绝对。(3)对任何特定的叙述来说，总有多种叙述故事。(4)一个叙述的任何"版本"的形式和特征将是在许多东西中，导致这个版本的特定动机和场合的函数，该版本所产生的特定内容的函数，以及该版本注定去服务的特定功能的函数。(5)世界上任何一组叙述——故事或叙述中，有着无数的可能觉察的关系。史密斯的这些批评，侧重于叙事理论的定量、定性分析的非科学成分的批评，对于让·科恩的诗学中的定量分析进行批评也一样适用。他们在这方面犯有同样的错误。

结构主义的致命伤不可能使它维持持久的生命。结构主义的衰落，正与符号学文论的兴起相接。符号学文论由结构主义文体母体繁衍出来，但又以自己的特殊个性，构成了另一个规模恢宏的文学理论和美学体系。

第九章 解构主义

第一节 发展线索

20世纪西方有这样两种理论建构类型:一是发展—建设型,一是否定—批判—创造型。阅读现象学、文学阐释学、接受美学及读者反应理论主要属于前者;社会批判理论、后结构主义、解构主义、后现代主义等主要属于后者。

后结构主义(post-structuralism)是从结构主义阵营发展而来,并在对结构主义进行否定、反诘、驳难、叛逆中逐步形成的一种哲学、文化和文学批评理论,解构主义是其集中的代表。解构批评(destruction criticism)是解构主义文学批评的代码,是解构主义文学理论批评的代表。

犹如英美新批评派是英国和美国部分学者合作的成果,解构主义(destructuralism)及其批评是由法国和美国部分教授、评论家合奏的一曲极具挑战性的交响乐。

法国是解构主义及其批评的策源地。"二战"后,法国思想界经历了从存在主义到结构主义、从结构主义到后结构主义两次根本性变化。后结构主义或解构批评的关键人物为法国"四子":雅克·德里达、罗兰·巴特、福科、克丽斯蒂娃。德娄泽乃至拉康、列乌塔特等,都是曾为结构主义增砖添瓦继而彻底摧毁之的叛逆者。或者说,结构主义内部的几员大将逐渐认识到结构主义已成为一种病魔缠身、前景黯然的理论,必须走向其反面,置之死地而后生。

法国1968年的"五月风暴",是结构主义衰落、后结构主义兴盛的社会—政治契机。"五月风暴"使法国资本主义国家机器受到威胁,激烈的学生运动对整体、结构、秩序、层次、权力中心主义进行了猛烈抨击。曾为青年学生迷狂的结构主义者们躲进书斋,不出面支持学生运动,遭学生怨恨,"因为亵渎和怀疑是青年人的通性,所以青年人自然地倾向于相信世界是以阿尔图塞、拉康、福科和德里达为中心的"①。

法国解构批评的代表作有:德里达的《人文科学话语中的结构、符号和游戏》(1966)、《声音和现象》(1967)、《文字语言学》(1967)、《书写与差异》(1967)、《播撒》(1972)、《立场》(1972)、《哲学的边缘》(1982),巴特的《S/Z》(1970)、《记号的帝国》(1970)、《文本的欢悦》(1973)、《巴特自述》(1975)、《想象—音乐—文本》(1977)、《恋人絮语》(1977)、《描像器》(1980),德娄泽的《根茎》(1976)、《差异和重复》(1978),福科的《雷蒙·卢塞尔》(1963)、《词与物》(1966,1973年英文版更名为《物的秩序》)、《规训与惩罚》(1977)、《知识考古学》(1977)、《性史》(1979)、《权力/知识》(1980),拉康的《著作集》(1966),等等。欧美20世纪哲学和文论的地理特点为:思想之树往往在欧洲"开花",在美国"结果"并"消亡"。

美国解构批评不及法国深邃玄奥,却更切合文学实践和文学读者要求。美国霍普金斯大学1966年举办结构主义国际会议,以为欧洲结构主义正如日中天、灿烂辉煌、炙手可热时,德里达提交的论文《人文科学话语中的结构、符号和游戏》则认为,结构主义已近落日黄昏,夕阳西下,危机四伏。从此,求新务实的美国部分学者开始探索解构批评。

美国解构批评以耶鲁学派为中心。耶鲁大学既是美国新批评派重镇,又是解构批评的要塞;"耶鲁四人帮"在解构批评方面又使耶鲁文论名噪一时。他们是:保尔·德·曼,著作有《盲目与洞见》(1971)、《被毁损了形象的雪莱》(1979)、《阅读的寓言》(1979)等;哈罗德·布鲁姆,论著有《影响的焦虑:一种诗论》(1973)、《误读图示》(1975)、《希伯来神秘教义和批评》(1975)、《诗歌与压抑》

---

① [法]约瑟夫·祁雅理:《二十世纪法国思潮》,吴永泉、陈京璇、尹大贻译,商务印书馆,北京,1987年,第195页。

(1976)、《苦斗：一种再审视的理论》(1981)等；希利斯·米勒，著作有《维多利亚小说的形式》(1968)、《哈代：距离与欲望》(1970)、《小说和重复：七部英国长篇小说论》(1982)、《语言的时刻：从华兹华斯到史蒂文斯》(1985)、《阅读伦理学》(1987)、《毕美莱恩诸貌》(1990)等；杰弗里·哈特曼，著述为《荒野中的批评》《超越形式主义》《华兹华斯的诗》《文本先生：论德里达及其人格》《横渡：作为文学的文学批评》等。此外，乔纳森·卡勒、斯坦利·菲什、芭芭拉·约翰逊等人也相继对解构批评做过贡献。

后结构主义、解构主义、解构批评的鼎盛期在20世纪70年代，与后现代主义一起，引起知识界的重视。解构批评的特点，在与结构主义文论的比较中，一目了然。

第二节 "解构"与"结构"

比较，作为研究策略，是显示特征的有力方式。"解构"或解构批评在与结构主义的抗争中，在以无中心反中心、以文字对抗语言、以解构消解结构、以互文代替模式、以游戏攻击精审、以读者抗拒文本六个方面，显示出自己的特色。

以无中心反中心。"结构"和"解构"共同关心权力中心和逻各斯中心。结构主义要建设这两个中心，而解构主义要推翻它们。

关于权力（power）的解释，解构主义有两个形象比喻：传统权力像一座金字塔，有中心，有自上而下的完整结构，愈往下走基数愈大，"它是这样一种权力，其模式主要是法理的，以法律的表述和禁忌作用为中心，统治、服从和征服的一切方式，最终归结为服从的效果"①。解构主义所理解的权力是蜘蛛网式，无中心，平行组织，四处蔓延。福科以"微观—物理学"概念和方法，把权力关系视为无数对抗或不稳定的点，每点构成不可还原的事件，这些点平行地组织在一起，到处扩散，统统不是"处在其中央位置上的国王，而是处在其相互

---

① [法]福科：《性史》第一卷，伦敦版，1979年，第85页。

关系中的他的臣民:不是主权始终不变的大厦,而是在社会有机体内有一个位置和功能的征服的多种多样形式",个人并不持有权力,个人是权力网络中的一分子,是权力的一件"要素",一种"运载工具"。①

逻各斯中心主义(Logocentrism),作为结构主义的核心,受到解构主义的残酷打击。结构主义属于核桃式,外层是桃,中间有核;解构主义属于葱头式,层层打开,无核无心,由或大或小的一层层葱皮组成。解构主义认为,逻各斯中心主义是不存在的,先验的前提假设只是人为的,它之前先有一个或许多意义,对立面的一个术语隐含着另一个对立面的术语,它们有时相互转化乃至相互抵消,因此,这个中心并不具有本体论的真实价值和意义。对于文本来说,原始文本的"中心"与后来、后世读者的"中心"并不能被逻各斯中心主义、结构主义统一起来,中心依赖于无中心,被无中心所消解,"历史总是被认为是历史的赎罪运动,作为两个出场之间的迂回"②,不存在结构主义沿袭自柏拉图以来西方哲学文论传统所赖以生存的逻各斯中心主义。

以文字论对抗结构主义语言观。解构主义主张文字先于语言,攻击结构主义语言先于文字说。这种先后之争成为它们的死活之论。

解构主义以为,索绪尔的语言中心主义淹没了文字的强劲功能。索绪尔把文字作为语言的符号,认为"语言和文字是两种不同的符号系统,后者唯一的存在理由是在于表现前者"③;德里达与之完全相反,认为没有文字就没有语言,文字造就并丰富了语言,"在狭义的文字出现之前,文字早已在使人能开口说话的差异即原文字中出现了"④;文字不是语言的附属品,而是语言的缔造者;文字缔造了人类文明,如果人类仅仅停留在无文字的婴儿声音、口语、声音的水平,就没有今日的文明。

解构主义者谱写文字赞美诗,颠倒语言和文字的历史次序和等级差别,目的在于用文字的差异性说明文化和文学的开放性、

---

① [法]福科:《权力/知识》,布拉埃登版,1980年,第95~97页。
② [法]德里达:《书写与差异》,伦敦版,1978年,第211页。
③ [瑞士]索绪尔:《普通语言学教程》,高名凯译,商务印书馆,北京,1980年,第47页。
④ [法]德里达:《论文字学》,巴尔的摩版,1974年,第128页。

边缘性、多重性和多义性,否定结构主义的语言乃至语音中心论(phohocentrism)、文本的封闭论、语义的简单论。如果说结构主义以语言学、作品论、叙述学为主体,那么,可以说,解构主义是以文字学、文本论、阅读论为主体的。因此,解构主义把文字学看得非常重要。解构批评的诸多主张由文字学及其方法论演绎而来。它以文字学突破结构主义尤其是索绪尔的语言学为战术,全面实施反结构主义和推行自己学说的战略。解构主义者将文字论扩大为书写论,在书写论中提倡书写的思维。这样,解构主义逐步逃离结构主义樊篱,进而摧毁结构主义的精神支柱。

以解构消解结构。举凡"主义",有其认识论和方法论。解构主义认为,文本在认识论上不断进行消解乃至自我消解,在方法论上解构先于、大于结构,可以作为对结构不断消解的过程。

德里达并不完全反对有限与无限的关系,有时用它分析文本的构成和功能。他认为,结构主义具有古典主义认识论,以为文本有一个超然的内在结构,文本的结构和符号组成一个具有终极意义的艺术世界。事实上,这样的文本、结构、意义根本不存在。文本以有限的、封闭的形式显示出无限的、开放的世界。文本的结构不是锁链,而是传达无限性、开放性的有限手段和功能;文本符号,可以置换。评论家可以多次介入文本,与文本反复交流,可以重新书写文本,不断消解结构和符号,将无限性、开放性不断延伸下去;可以对文本采取"对立"、"分裂"、"拆散"、"批判"、"干预"等办法,重新建构文本。

巴特认为,结构主义方法论不能显示差异。结构主义批评常常在单一结构中寻觅出全部结构,从单一故事中抽象出某种固定模式,并从这个固定模式中显示出一个宏大的叙事结构,再把它应用于任何故事。这种方法不仅令人殚精竭虑,不胜烦琐,而且不能体现出文本之间的差异。文本是创造之物,差异即特色,无差异不仅消抹了文本的特色,而且不符合文学活动的特性[①]。解构批评是一种明辨差异和特色的批评,是针对并企图取消结构主义的中心模式批评的行为。

---

① [法]巴特:《S/Z》,纽约版,1974年,第7~10页。

以互文替代模式。解构主义是倡导"互文"(intertext)、"互文性"(intertextuality)等最有力的学派,赋予"互文"等许多独特的使命和意义,借此取替结构主义锲而不舍追寻的模式和深度模式。

"互文",原只是语义学、修辞学的一个术语,在解构哲学里,它由一只丑小鸭变成了白天鹅。解构批评的"互文"主要具有这样四种意思:(1)文学作品(亦称文本)内部的文字符号、语言系统、社会情节、知识话语等并不是单一的,而是与其他文本及广泛的知识话语具有多种多样的复杂联系;(2)读者阅读原文前已有这种互文性的类似阐释学讲的前理解结构,并非带着一种指令的、专门的、单一的东西去阅读文本;(3)读者与文本(original text)交流时产生一种新的"互文",如中文读者阅读西文文本,中文的话语系统、文化背景与西文文本组成一种既非文本,又非中文话语,而是交织在一起的边缘性意向文本图景;(4)读者和评论家进行原子批评时所产生的"书写文本",是一种互文的产物,其中充满互文性。这样,"互文"由原作为一个形而下概念演变成一个充满哲学形而上的重要命题。

与结构主义相反,解构主义更关心文本可感的、外在的、空间的符号,不去搜寻它背后的结构和深层结构。这些可感的、外在的、空间的符号,可以在与读者和批评家的"互文活动"中形成新的文本;它们后面的所谓结构和深层结构是否存在、有无必要、有无价值,对于解构批评家来说,都已无所谓。解构批评的重心转移已经不在乎结构主义的死生性命了。从这层意义上说,新批评家和结构主义者是"书生",解构批评家和后现代主义者是"战略家"。

以游戏说攻击意义论。结构主义,无论是巴特式"对于'客体'的重建"——这种建构方式必须要表现出这个客体"显示这一客体作用('功能')的功能"[1],还是卡勒式"旨在确立产生意义的条件的诗学"[2],都是为了搜寻原文的意义。解构主义并非完全否认意义,而是否定意义的终极价值和结构主义研究意义的方式。它的游戏说,与18、

---

[1] [法]巴特:《结构主义活动》,见胡经之、张首映主编:《西方二十世纪文论选》第二卷,中国社会科学出版社,北京,1989年,第271页。
[2] [美]乔纳森·卡勒:《结构主义诗学》,英文版,康奈尔大学出版社,1975年。

19世纪的游戏说相反,后者是一种创作论,前者却是一种阐释学。

德里达区分两种文学批评方式:"一种是寻求译解、梦想译解逃避游戏和符号秩序以及阐释为何捉摸不定的真理或本源。另一种不再转向本源,它肯定游戏,企图超越人和人道主义,人的名称成了在整个形而上学和本体神学上——即其整体历史上——梦想充分呈现、稳定基础和游戏始末的实事的名称。"①他倾向并鼓吹后者。

解构批评否定意义的终极性,倡导意义的游戏性。"解构"使作品敞开、解放、开放,终极意义不复存在,没有终极意义就为表意活动的游戏开辟了无限境地,读者和批评家不必囿于文本的符号和意义、所指和能指、言语和语言,而是尽可能放开想象和强化社会知识的关联,在自由游戏中重新书写原文的意义。"解构主义提出的不是终结区别,不是使意义成为读者所创造的非确定性。意义的游戏是德里达称为'世界的游戏'的结果,在这个世界中,一般文本总是提供进一步的联系、关联和语境","意义是由粘贴过程产生,言语行为,无论是严肃的还是非严肃的,都是粘贴"。②

结构主义者把自己作为解释作品的仆人,"入乎其内,出乎其外"式地追求作品的结构和终极意义。解构主义者认为这是徒劳,他将文本置于自己的对立面,自己是阅读、解构、解释、书写的主人。只有这样,他才有权力和力量游戏式探寻文本的游戏性意义。

以读者主体论抗拒作品本体论。解构主义赞同结构主义"作者死去"的观点,进而否定结构主义将作品追奉为本体之"本"的理论,主张读者是文学的主人,他有权力面对一切作品进行解释和批评。艾布拉姆斯指出"解构主义指一种阅读文本的方式。这种方式在它调度的语言体系内推翻一篇文本暗含的意思以获得足够的根据来建立它自己的结构、统一性和明确的意思",否认索绪尔式的结构主义语言学、符号学及作品本体论。

阅读理论是解构主义批评的最重要组成部分。从一定意义上说,

---

① [法]德里达:《书写与差异》,伦敦版,1978年,第427~428页。
② [美]乔纳森·卡勒:《解构主义》,见胡经之、张首映主编:《西方二十世纪文论选》第二卷,中国社会科学出版社,北京,1989年,第530页。

解构主义反权力中心、逻各斯中心、语言中心、结构、终极价值和意义，追求书写性、互文性及游戏性，都可以作为阅读理论的零部件，作为解构阐释学的组成部分。美国有些学者几近调动平生所学，将词源学、语义学、修辞学等置于解构主义的阅读批评中，为解构批评推波助澜。哈特曼以为："如果对批评加以细读，在它置入文学的关系中，把它看作是与文学共生的，而不是寄生于文学之上的，那么这就会使我把目光转向过去丰富多彩的批评"，"批评在文学之内，而不是在文学之外"。①

解构批评是与接受美学同时产生的阅读批评学派，但其影响晚于接受美学，持续时间长于接受美学，其中有些学者对阐释学、接受美学提出了不少否定性意见。有的学者将传统作品观、新解释学文本观、解构主义新文本观的要点罗列在一起，列表显示。这个图表有助于我们更为清晰地理解"读者系统"与作品观及其内部的不同看法，掌握各自的特点，虽然远非它那么简单和机械，但是，它毕竟有助于我们掌握知识和差异。图表如下：

	传统作品观	新阐释学文本观	解构主义新文本观
1	作品是书籍表征出来的实体	文本是体验和理解的过程，作品打开一个通道并清理出一个领域，事物在此相遇并彼此作用	文本是语言活动的领域，文本之外别无他物；文本是一个自我指涉的体系
2	作品是自足的系统，是自我相关的	文本在读者的理解中复活。作家、作品、读者是一个整体，作品具有共同编织而成的特点	文本与其他文本交织，文本间性或互文性使终极意义不复存在
3	作者与作品具有父子式连带、连续性关系	作者是作品之父，读者则是作品的再生之父	文本与作者无涉，是无元的网状关系
4	写作与阅读分离	写作与阅读通过文本而联系起来，阅读即创造	写作即阅读，阅读即误读
5	作品是表达某种或某些东西的	文本说话并呈现意义，它使解读在达到视界融合并超出原有视界	文本以能指为中心，只重视言论行为本身，对于表达的意义无所谓

---

① [美]杰弗里·哈特曼：《荒野中的批评》，耶鲁大学出版社，1980年，第3~10页。

续表

	传统作品观	新闻释学文本观	解构主义新文本观
6	创作是严肃的呕心沥血的事业	文本是作者与读者达到心灵对话而消除误解的中介桥梁,作品具有真诚性	文本就是一切,文本是语言游戏,文本令人愉悦
7	作品是作者思想的外壳,是储存思想的容器	文本在言说,总在揭示某种现实存在,语言是存在之家	文本无意将词与事物一一对等起来,语言无法掌握现实,语言是存在的牢笼

第三节 解构策略

西方20世纪哲学、美学、文论,消解了18、19世纪追寻的整体建构,更专注于类别和"策略"。后结构主义、后现代主义哲学和文论几乎把"策略"视为性命,在多种著述中不厌其烦地讲述策略的重要性、必要性、可行性。

德里达曾这样描述"解构主义的普遍策略":"在传统哲学的对立观念中各种术语不是和平共处的,而是处在一种急剧的等级程序之中。一个术语支配另一个术语(从公理上、逻辑上等)并占首要地位。解构这种对立,在特定时刻,就是颠倒等级秩序"①,因此,必须"以双重姿态、双重科学、双重文字把古典对立运用到实践中去。只有这样,解构主义才能为闯入所批判的对立领域——亦即非推论力的领域——提供手段"②。德里达的这种策略,贯彻在整个后结构主义、解构主义和解构批评之中。这些策略,不只是方法论的,而且已经成为解构主义的基石。

解构主义的批评策略,主要包括解构文本中心,将文本置于困难境地、扩大语境的无限游动性、排列"印迹"、更替补换、文学批评等诸方面。解构批评家如《庄子·养生主》里的庖丁,认为这些策略为"道",不只是"技",像庖丁说的"臣之所好此道也,进乎技矣";其

---

① [法]德里达:《立场》,芝加哥大学出版社,1981年,第41页。
② [法]德里达:《哲学的边缘》,芝加哥大学出版社,1982年,第392页。

对于文本的消解办法,如庖丁解牛,先将牛套住,将牛颠覆,寻找缝隙,解而散之,"彼节者有间,而刀刃无厚,以无厚入有间,恢恢乎其于游刃必有余地";最后,得到文本的欢悦,"提刀而立,为之四顾,为之踌躇满志"。

消解文本中心。解构批评家将原文作为不确定之物,认为其他文论所谓的文本的意图、主题、中心本身,隐含着与之对立的东西,因此,它们原本就不存在。

以前许多对立的概念,诸如内容与形式、积极与消极、灵魂与肉体、直觉与理智、字面与喻义、自然与文化、概念与感知、超验与感觉、在场(Presence)与不在场、现实与虚构、理性与激情、纯洁与污秽、严肃与随意、娱乐与说教、故事与实体、必然与偶然、有限与无限、现象与本质、主流与支流等,传统理论将对立中的一方作为优先的高层次呈现,另一方降格为附属品;解构批评家反对这些传统"对子",破坏这种程序,捣毁这些人为设定的圈套,一方高于甚至排挤及消化另一方的旧巢,让每个概念在不确定性、对立的差异中,回到它自己的位置上,成为它自身的本源;每个概念都有自己的本源,传统形而上学的一元论、二元论自然就瓦解了。每个概念自身有繁衍、派生、衰落的情况,概念之间组成了平行的空间的无元的或无中心的网状结构,这样文本就能无限地延伸下去。

德里达生造的"分延"一词,是这种反中心、反前提、反优先、反突出的关键词。解构、消解的核心就是把这些中心、前提、优先权、突出地位等消灭、抹平,让它们回到原有状态中去。"分延"法文为différance,具有"差别—区分—推延"(difference—differing—deferring)之义;"分延是各种因素相互关联的差异、差异印迹和间隔体系的游戏。这种间隔是积极和消极替换的产物(différance中的a表示积极和消极之间还不能受此对立支配和组合的非确定性),没有两者的交换,'完满'的词语不能表意,不能产生作用"①。"分延"既无普遍性定义,也无特定性意义,既不指涉中心,否定其他二元对立,又不

---

① [法]德里达:《立场》,芝加哥大学出版社,1981年,第27页。

断否定自己,不存在任何一种绝对的意义。文本主义因受到其恒定意义只好让位于不断流动变化的意义;"这个无底的棋盘没有支持也没有深度,存在就是在这个棋盘上玩耍过的游戏"①。

将文本置于困难境地。除掉文本中心,对其他关于作品的文论来说,不亚于釜底抽薪,将原文拆散,使结构支离破裂,解构批评家可以自由主宰文本。"这就是说,分解批评的方法是说明文本怎样使文本的主要逻辑系统陷入困境;而且,分解批评说明这点的方式是紧紧抓住'症状性的'要点,亦即意思的歧途或绝路,因为文本在这种地方陷入困境,变得松散,表现出自相矛盾"②,解构批评家可以在文本这块松软零散的沃土上,自由"播撒"种子,"这里播撒一点,那里播撒一点"③,显示文本的自主性或"文本性"。

"播撒"(Dissemination),将文本陷入破烂不堪的境地,揭示文本的杂乱无序、松散重复,既不完全也不完整,瓦解文本符号规定的意义和内容,宣告任何文本都不具备完整性;"倾巢之下,岂有完卵"。语言具有一定的"矢量"(vector),其大小、方向、速度、动量、力等都在"播撒",文本中的各部分也在"播撒",不可能形成统一乃至唯一的意义;这种互动性"播撒",必然是"荧惑诸侯,倾覆万乘"。但是,反过来,"播撒"需要代替,需要补充,解构文本因此可以大有作为。德里达说:"播撒肯定了无穷的代替","标志着不可约化的和能产的多重性"④。

扩大语境的无限游动性。原文已被"分延"、"播撒",其中的语境成为无源之水,可以自动漂流,自行游动。语境原本受制于文本,语境因此受原义框架的限定;而意义依赖于语境;没有语境,意义就没有依托,失去着落,无家可归,像成人没有家庭和工作单位而变成流浪者一样。解构批评家根据"意义受语境限制而语境没有限制"的公

---

① [法]德里达:《哲学的边缘》,芝加哥大学出版社,1982年,第22页。
② [英]特雷·伊格尔顿:《当代西方文学理论》,王逢振译,中国社会科学出版社,北京,1988年,第194页。
③ [法]德里达:《播撒》,芝加哥大学出版社,1981年,第32页。
④ [法]德里达:《立场》,芝加哥大学出版社,1981年,第45、86页。

式,策划变动语境,扩大语境的自由性和无限性,使粘连在语境中的意义成为无根的浮萍,失去存在基础,不可能在语境中得到呈现。解构批评此时通过加大语境流动的力度,将意义尤其是中心意义连根拔掉,再次获得追杀意义尤其是中心意义的成功喜悦。

语境及其意义最深刻处一般表现在历史之中,而受语境限制的意义乃至历史意义在无限制的语境中大打折扣,正如货币在通货膨胀时期大幅度贬值。解构批评不完全否认历史和历史意义,希望在语境化(contextualization)、消解语境化(decontextualization)、重建语境化(recontextualization)这三部曲中给历史一定的位置。因为语境膨胀并游动,历史及其意义不能脱离语境而存在,所以,解构主义者给的那点位置逐渐成为一张空头支票,历史及其意义仍然是不断受剥削的贫民。解构批评家主张,通过消解语境意义和历史意义办法达到重建的目的,但这种"重建"必然是循环往复以至无穷的"重建"。

排列"印迹"(trace)。从发生学角度看,婴儿不仅牙牙学语,而且胡乱涂抹或画道道(faire des raves),画出的"道道"就是"印迹"。"印迹"没有明确的意义,也无声音,没有超验的"所指",不断被"书写",因为无休止"抹来抹去"和"删改",出现"重叠"和"模糊"。解构主义者把原文中的"印迹"重叠化和模糊化,让文本排列这种重叠化模糊化了的"印迹",进一步消解逻各斯中心、意义中心和语音中心,玩起"印迹的印迹"的游戏或文字游戏,使文本成为不断书写"印迹的印迹"的组合体。

德里达明确写道:"差异游戏包含综合和排列,无论书面语还是口头语,一个因素要作为符号起作用,必须与本身并非简单存在的另一因素联系起来。其中每个'因素'——音素或字母——由参照这个序列或体系的其他因素的印迹构成。这些联系,这种组织就是文本,它通过对其他文本的转换产生出来。在诸因素或体系中,没有任何简单的在场或不在场的东西。到处都是差异和印迹的印迹。"[1]解构批

---

[1] [法]德里达:《立场》,芝加哥大学出版社,1981年,第26页。

评将文本无限地排列这些"印迹的印迹",为的是以外在物质化的东西清除传统形而上学的思想残余,使消解成为更为彻底的解构。

更替补换(supplement)。解构主义的更替补换策略,是把原文中一些能更换的词句尽量换掉,发掘原文中增补递延物背后的"匮乏"和"空缺"。

"是"作为系动词,它后面的许多内容可以更换补替。如语言是思想的媒介,是思维的工具,是交流的手段,是思想的牢笼,是书写的条件,是惹祸的根苗,是成熟的标志,是成功的阶梯,等等;问题不仅在于"是"后面的宾语可以更替补换,更在于它所呈现的道理:人们不可能得到终极意义。

增补,是因为需要增补产生的,是因为"匮乏"而需要增补。卢梭认为教育是自然的增补。自然自在自足,教育则是外在的附加物。社会需要将自然人变成有教养的人,是因为自然人缺乏教育。解构批评呈现这种"匮乏",可以显示词语和事物背后暗含着与之对立的东西,从而反对任何真理和恒定意义。

文学批评。解构主义对传统哲学和文论中的逻各斯中心、语言中心、意义本体、结构主义文本崇拜等进行了多方面的猛烈批判,对文学批评却情有独钟,别怀爱意,几乎把传统文论不能完成的任务和解构的使命,依托文学批评来完成。

德里达对文学批评的热忱来自对文学的理解。他希望人们"去思考这样一种写作,它不具备现存、欠缺、历史、原因、目的,这种写作绝对颠覆一切辩证法、一切神学、一切目的论、一切本体论"[1],他认为这种"写作"正是文学尤其是诗歌及其批评。文学尤其是诗及其批评表现世界是敞开的、无条件的、不确定的、民主的,而哲学和文论则是封闭的、有条件的、理性的、专制武断的。[2]

德里达首先是位哲学家,他对文学批评的形而上学味道不足表示忧虑。他以为,文学批评可在文学与哲学的历史鸿沟中建起边缘性

---

[1] [法]德里达:《哲学的边缘》,芝加哥大学出版社,1982年,第67页。
[2] [法]德里达:《文学行动》,赵兴国等译,中国社会科学出版社,北京,1998年,第11~24页。

的桥梁,可以削平文学与哲学的分界线,可以实现他的"理想"。像哈贝马斯描述的:"德里达对语言艺术作品的独立性和审美幻觉的独立意义的争辩,并不比他对批评具有获得科学地位的可能性所作的争辩更有力。与此同时,文学批评被他作为特定程序中的模式,承担了几乎是世界—历史的使命,而克服了在场形而上学思想和逻各斯中心主义的限制。"①文学批评可以不受形而上学的指引,对文本的消解可以是不确定的,它的感受性、印象性、任意性描述可以消除形而上学的种种病症。在德里达眼里,文学批评成了新世纪、新时代、新文化、新文本的希望。

正像解构主义者对传统哲学和文论的颠覆、破坏、反叛未必如他理想的那样正确一样,他对文学批评的高扬并非高明。如哈贝马斯所说,文学批评不可能侵占哲学而获得德里达所谓的成功,批评家不可能为取代哲学家而不从事自己的事业。

第四节 互文性

解构主义的解构策略,为解构批评奠定了理论基础,解构批评实施解构策略,将解构策略普遍化、具体化、文学化。解构批评中的"互文性"、"景观"及其组成的"互文性景观",进一步将解构策略付诸实践,更为专业和具体地展示解构主义思想。

解构批评将"互文"和"互文性"等专业术语哲学化、文本化。"互文"不只是指称作品中上下文关系或语境关系,而且是对文本中心性、封闭性的反驳;它消解了文本的中心,建构了文本的边缘,并在文本的边缘进行多种复杂的交叉,体现出文本之间的一种复杂关系。德里达把庞德受汉字影响建立的新诗论、马拉美受音乐影响谱写的新华章,作为"极顽固的西方传统中最早的裂口"②,作为反传统中心主义的有力代表。巴特写道:"要说真正的独特性,它既不在对方身上,也不体现

---

① [德]哈贝马斯:《现代性哲学话语》,剑桥大学出版社,1987年,第192页。
② [法]德里达:《论文字学》,巴尔的摩版,1974年,第92页。

在我身上，而在于我们之间的关系。应该把握的是关系的独特性。"①

解构批评要求批评家在不同文本之间的相互指涉之中展示互文性。法国女批评家朱丽叶·克丽斯蒂娃在《符号学》和《诗歌语言的革命》中，用互文性、现象文本、生成文本（intertextualité, phénotexte, génotexte）等术语说明文本间的相互补充和交流。她认为互文性既包括文本之间空间上的组合关系（syntagmatic relationship），又包括此时的文本与彼时的文本在时间上的聚合关系（associative relationship），它体现空间与时间、历时与共时的统一。她说："任何语言链都具有一种发送源，它使身体与其生物学的和社会的历史相联系"，任何文学史、美学或风格学"如果它们仍囿于彼此分割的状态的话"②，都是不可想象的。

解构批评希望批评家同时阅读几种或更多的文本，在不同文本之间印证某种相似性和类似性。因为世界上没有绝对独立的作品，也没有单一的独创性作品，传统所谓"第一部"、"独创的"、"无与伦比的"等评价作品的形象性词语，不仅言过其实，而且不符合文学的"互文性"特点。只要多读几种文本，批评家不难看出，一个文本受多少文本的影响，多少文本在这个文本中发挥作用，这个文本具有多少"分延"、"播撒"、"替补"的"印迹的印迹"。德里达在《丧钟》一书中，"同时说几种语言，同时写几种文本，产生着一种既无始源又无目的的写作"，充满着"印迹的印迹"、"文本的文本"；同时，解构批评写作这种新文本仍然具有许多边缘，仍然不需要太多的新意；如罗蒂所说："把这类东西写在纸上并非轻而易举之事，但我们发现《丧钟》的内容不是一块新地盘。它是对我们已在其上营宿多时的一片土地的逼真描述。"③

---

① [法]巴特：《恋人絮语——一个解构主义的文本》，汪耀进、武佩荣译，上海人民出版社，上海，1988年，第28~29页。
② [法]朱丽叶·克丽斯蒂娃：《人怎样对文学说话》，见巴特著：《符号学原理》，李幼蒸译，生活·读书·新知三联书店，北京，1988年，第216、235页。
③ [美]理查·罗蒂：《哲学和自然之镜》，李幼蒸译，生活·读书·新知三联书店，北京，1987年，第394~395页。

解构批评家心中至少需要存有"双重解读"、"双重文本"、"双重批评",才能呈现出"互文性"。或者说,解构批评所呈现的"互文性"不仅在于知识和文本层面,而且体现在批评家的思维活动和心理活动中。批评家尽可能调动自己所有的知识潜能,发挥意识、潜意识、无意识、联想、幻想等能力,利用一切可以利用的"印迹的印迹",构思不同文本之间的互文性。后结构主义强调重复性阅读(repetitive reading),解构批评突出批评性阅读(critical reading),主张以游戏态度对待文本,而所谓"不同文本",不仅指称同一体裁或同一文类的文本,而且包括所有不同的文本,举凡天文学、地理学、物理学、社会科学、人文科学的文本乃至自然现象、社会生活、不同的人等"文本",均在此范围之内。巴特的《恋人絮语——一个解构主义的文本》即如此。更重要的是,解构主义者企图将这种解构批评普及化、大众化,类似佛教讲的,可不识经,用心即佛,心诚则灵。"颠覆"毕竟是解构主义的灵魂,既是其认识论,也是其方法论。

巴特的《恋人絮语——一个解构主义的文本》,将"恋人"作为一种文本,与消解文学的文本成为"互文"。它"设法让人听到他声音里的某种非现实的,即难以捉摸的东西",其"情境的分布呈发散型,而非聚合型,它们始终保持在同一水平上"。① 它既像恋人的絮语,或散文性作品,又似文学化的文论批评著作,它让人们看到,解构主义的互文性文本并非完全是高深莫测的,而是用心就可以消解文本和世界的。

解构批评不承认传统文论关于文类和体裁的区分,思索一种多媒体电脑的"超文本"②(hypertext)的文本。一切皆文本,一切文本具有互文性,互文性的文本可以成为一种超文本;或者说,超文本的文

---

① [法]巴特:《恋人絮语——一个解构主义的文本》,汪耀进、武佩荣译,上海人民出版社,上海,1996年,第2~6页。
② "超文本"是一个非线性的电脑文件,包括通向其他文本、图像和声音的"连接环节"(键入指定的关键词即可驱动)。如梭罗的《瓦尔登湖》。当梭罗提及新英格兰的一种鸟,你键入鸟的名字,屏幕上立刻显示鸟的图像,有关鸟的一些情况,以及鸣叫声。超文本现在只能在电脑上阅读。

本是互文性文本的一种特例。"书"（book）不同于"作品"（oeuvre），对于传统的"书籍"来说，"意义向来是一种线性的连续体，而现在，任何一种形式超文本都将不容分说地化解掉这一假设"；超文本"在符号的产生、接收和交流方面有自己的全新模式"；"一切阅读，即使是最普通的线性的阅读"，"是一种在文本的记忆库中来回不断的穿插"。米勒认为，普鲁斯特的《追忆似水年华》将近结尾的部分，即马塞尔为自己将要写的伟大作品采用什么形式陷入沉思那部分，具有与超文本没有太大区别的三维技法，"《追忆似水年华》可以被看作是一个巨大的记忆资料库。马塞尔仿佛有一个供他驰骋于记忆之中的超文本程序"（米勒《美国的文学研究新动向》）。

比较文学，不论是法国式的影响研究，还是美国式的平行研究，本质上都具有一种互文性文体的探索精神。解构批评的互文性文体与之不无表象上的相似；它们的不同点，不仅在于语义学、修辞学、文体学上的区别，而且更在于解构批评实施的是解构主义策略，展现的是"互文性游戏"；比较文学则是科学化、学者化的，"比较"本身只是方法，尚无解构批评式的"全套理论"。

"互文性游戏"是解构批评家把对原文的互文性消解作为一种游戏，呈现具有解构主义特色的"景观"。从互文性、互文性文体到互文性消解和互文性游戏，乃至互文性景观，解构批评逐步建构自己的互文理论。本质上，解构批评就是一种互文性消解批评。

巴特的《S/Z》是一部典型的"互文性游戏"之作，也是一部标准的具有"互文性景观"之作。《S/Z》消解的是巴尔扎克小说《萨拉辛涅》（Sarrasine），它随意地把作品分成若干语义单位（lexias），认为文本没有中心和结构，是由一个又一个片断交织起来的网，有千百个入口，读者可以任意选一个入口，随便确立阅读单位；而且，选择"这个入口，并不是为了获得标准的合法结构和出发点，也不是为了获得一个叙述学或诗学法则，而是为了获得一种景观（由各片断组成的景观，由来自其他文本的声音组成的景观，由另外的代码组成的景观)"①。不妨说,巴特把文本视作一个万花筒,这么摇一下,它呈现这种景观,那么摇一下,显现那种景观。

《S/Z》随意编织五种代码,如在超文本中任意编织了有五个代码的程序,它们并无必然联系,只是一种由"互文性游戏"产生的"互文性景观"。它们分别是阐释代码、内涵代码、象征代码、行动代码、文化代码。

(1)阐释代码(hermeneutic code),即以多种方式提出问题,再说明或回答问题。这些问题可以是明指,也可以是暗指,"包括一个主语(谜的主题)、问题的陈述(谜的结构)、问题的标志(谜的提出)、各种附属和插入的从句(拖延回答),这一切都通向最后的宾语(泄露)"。

(2)内涵代码(the semic of connotative code),如微光附在人物、事件、地点之中,在它们及其关系中经常以不起眼的方式闪亮。巴尔扎克的*Sarrasine*(《萨拉辛涅》)这个标题的最后一个字母"e",是女性化的,在文本中常常作为一种内涵"闪现"。

(3)象征代码(symbolic code),这是由修辞艺术长时期形成的数百种意象形成的系统;对偶式的,如白日/梦,花园/独角兽,外/内,热/冷,生/死,等等,是一种战斗性的"对偶",具有侵犯性;一个中介出现,"颠覆"对偶之间的和谐。

(4)行动代码(proairetic code),经验式地把一系列行为序列组织起来,给它们命名,不给它们合法秩序,因为"已经这样做了","已经这样读了",你能怎么样?

(5)文化代码(cultural code),指称文本涉及文化常识、科学知识部分;这是阅读必备的代码,但又可以消解文本中的其他代码。

巴特设立的这五种代码,展现《萨拉辛涅》的松散、破碎、意义相互重叠、交叉、渗透、对抗、侵犯、颠覆,剩下的只是无穷无尽的意指过程本身。经过这么消解,巴尔扎克的这部现实主义作品竟然显示出现代主义的文化特点。

---

① [法]巴特:《S/Z》,纽约版,1974年,第12页。

巴特不仅"能玩"现代主义文体与现实主义文体的互文性游戏，而且"会玩"文学与音乐之间的互文性游戏。巴特是位极富才性的享乐主义者，文本是他享乐的对象，文本不仅能"看"，也能"听"，阅读文本，仿佛听音乐，他将文本作为乐曲，阅读并演奏文本，演奏不是释义，而是工作、生产、活动、创造；他编织的文本代码可以用乐谱显示，"五种代码经常明显地同时被听到，事实上赋予文本一种多义性质"①。《S/Z》标出他阅读的《萨拉辛涅》第1~13阅读单位的乐谱：

单元	1	2	3	4	5	6	7	8	9	10	11	12	13
内涵			♪	♪			♪	♫			♫	♪	
文化			♪					♪		♪	♪		♪
对偶		♪			♪		♪					♪	
谜1	𝄞												
I 深入	♪												
I 隐藏						♪							

第五节　误读即写作

解构批评根据消费与生产的区别理论，将文本划分为可读的文本和可写的文本。可读的文本把一切描绘得清楚明白，给人以真实的假象；读者接受这类作品是出于消费的需要。可写的文本，如法国"新小说派"的文本，晦涩难懂，读者必须通过积极思考，以生产者而不是消费者的姿态接受这种文本，参与文本的写作活动，才能享受和消解这种文本。巴特作为这种主张的代表，既对可写的文本进行消解，又对可读的文本如《萨拉辛涅》进行解构。美国解构批评家们虽没有德里达式的哲学头脑，也没有巴特式的天才，但在对阅读和写作的解构方面，做出了特有的贡献。

"耶鲁四人帮"最响亮的口号是：阅读即误解，误读即写作，写作

---

① [法]巴特：《S/Z》，纽约版，1974年，第30页。

即误读。他们的阅读理论主要表现在语言修辞的欺骗性、影响误读、误读作为分解、误读即创造四个方面;其写作理论主要体现在写作即误读,文学写作、文学批评写作、文学史写作的误读性诸方面。德里达、巴特的解构主义理论是他们著述的理论基础,成为他们理论和批评的内涵因素和理论底蕴。或者说,他们在反逻各斯中心、反语言中心、反意义中心、互文性、游戏等方面的主张,与德里达、巴特等的理论一脉相承,一唱一和,对其一以贯之。

  语言修辞的欺骗性。阅读是一种呈现,阅读呈现并非总是真理性的,更多的时候显示错误,形成误读(misreading)。原因在于:(1)文本是虚构的修辞性作品,文本的语言具有虚构性和修辞性,这两者均具有不确定性、不可靠性和欺骗性,因此文本及其语言修辞本身不是一种真理性呈现,而是欺骗性呈现;(2)读者常常带有几种文本,乃至相互对立的原始经验进入文本,读者不像大学教授去规范文本,也不像中学教员以规范模式分解文本,他按自己的习惯,乃至长期接受语言修辞欺骗性的习惯介入文本,这种阅读当然是错上加错,这种阅读呈现是一种双重欺骗的呈现,所以,"文学和批评一样——它们之间的区别是虚妄的——被贬斥(或抬举)为最严格,因此也是最不可靠的语言"①。

  误读有三种情况:作者对自己文本的误读,批评家对文本的误读,后代对前辈文本的误读;尤其是现在的作者和读者阅读历史文本,更容易出现误解。布鲁姆说:"诗的影响——当它涉及两位强者诗人,两位真正的诗人时——总是以对前一位诗人的误读而进行的。这种误读是一种创造性的校正,实际上必然是误解。一部成果斐然的'诗的影响'的历史——亦即文艺复兴以来的西方诗歌的主要传统——乃是一部焦虑和自我拯救之漫画的历史,是歪曲和误读的历史,是反常和随心所欲的修正的历史,而没有所有这一切,现代诗歌本身是根本不可能生存的。"②不妨说,误读不仅是对历史的叛逆和

---

① [美]保尔·德·曼:《阅读的比喻》,耶鲁大学出版社,1979年,第19页。
② [美]哈罗德·布鲁姆:《影响的焦虑》,徐文博译,生活·读书·新知三联书店,北京,1989年,第31页。

超越,而且误解产生效益——产生新诗、新文学、新批评的一种必然的有效的行为。这种误读效益论,成为写作误解论的理论渊薮,成为反科学主义尤其是解构批评阅读的有力武器。

误读作为一种分解行为,包括两个方面:一是文本自身的消解,一是读者对文本的分解。解构批评家更多是自己对文本进行分解,而文本自身的分解不过是他们分解的产物。

米勒作为美国解构批评出力最多的人,曾这样分解文本:文本因其语言、修辞、比喻等的不确定性,自身处于自相矛盾、彼此难以兼容之中,不断进行着自我分解,成为一种异质的混杂;一个文本与之以前的文本交相关涉,成为互文性分解;文本既是主人,又是寄生者,"先前的文本既是新文本的基础,也是这首新诗必定予以消灭的某种东西。新诗消灭它的方式是使它合并起来,把它化作幽灵似的非实在体,以便完成变成自身基础的那种既可能又不可能的任务"①,文本的这种"自我颠覆性,已经融于整个西方文明使用的概念性词语、意象和神话之中,就像阴影存在于它的光亮之中"②。解构批评就是误读这种文本,对其自我分解性、自我颠覆性进行再度分解和颠覆,成为误解、分解、颠覆的游戏。

误读作为创造。如果说误读不只是人为的错误阅读,而且是文本和读者不可逃避的一种行为,批评不可还原文本的"本意",那么,误读理所当然是一种创造性行为。误读产生洞见(insight),洞见生出创意,产生"创造性的批评"③。哈特曼推翻结构主义的种种合法性,与其他耶鲁评论家一起,建立误读的合法性,将误读提高到"创造"层次。文本与读者无穷无尽的呈现或解构不确定性,像跳入语言不确定性旋涡中的亡命者越陷越深。哈特曼以为,批评的创造性因此越发唤起无限的生命力。误读由此成为创造性批评的一个必要手段和过

---

① [美]米勒:《作为寄生的批评家》,见王逢振等编:《最新西方文论选》,漓江出版社,桂林,1991年,第163页。
② [美]V.利奇:《从三十年代到八十年代的美国文学批评》,哥伦比亚大学出版社,1988年,第287页。
③ [美]杰弗里·哈特曼:《荒野中的批评》,耶鲁大学出版社,1980年,第208页。

程;误读性与创造性成为一种互文性的结合体,误读越多,创造越多,误读愈深,创造愈力。

误读之"误",在于无中心的不确定性,在于文本语言、修辞、比喻、镜像、语境的虚假性和欺骗性,文本自身的矛盾性和颠覆性,因此,文本是杂草丛生的荒野,是一望无际的黑洞,是震带密布的危险区域,是语言监狱的阴曹暗道;更在于解构者的洞见、明察、智慧、创造、分析研究、无穷无尽的写作和在这种误读的背后的明智和对"误"的呈现。人们不可将错就错,步入误区。

误读即写作。批评家是专业写作者,但是不是职业误读者?根据解构批评的没有误读就没有批评的创作和写作、误读即写作的理论,批评家可以称之为误读专家。或者说,误读是写作的依靠,写作是误读的表达,误读和写作如一对孪生姐妹,手挽手地步行在批评大街上。批评家同时分裂为两种形象:误读专家的形象和写作者的形象。批评呢?"没有解释,只有误释,所以一切批评都是散文诗。"①解构批评家的双重形象,及对文本的双重呈现,使解构批评沿着自己的轨迹行进。

"误读即写作"带来批评主体的充分解放,使他能够在一种游戏性活动中解构文本。美国解构批评没有德里达式的沉重,也不完全认同巴特的"作者之死"的主张,而是以更为突出的游戏态度分解文本。米勒是"比喻游戏"的提倡者,他说:"比喻游戏暗示我们必须停止为内心的疑虑或畏惧而去寻找某个完全合理的意义,因为这种疑惧导致意义的摇摆不定。辩证的两极虽能综合,但也可能由同中之异瓦解为互相冲突的成分。"②米勒有这样一个比喻游戏:掌握解构方法,能有效"破坏西方形而上学机制",展现一个拆卸父亲手表的"坏儿子的才能"。

文字写作的误读性。解构批评很少提及"创作",更多使用"写作"。"创作"属于作者论、作品论的术语,"写作"则是解构主义读者

---

① [美]哈罗德·布鲁姆:《影响的焦虑》,徐文博译,生活·读书·新知三联书店,北京,1989年,第100页。
② [美]米勒:《当代理论的走向》,见《美国人文与科学院》杂志,1979年1月号。

论的概念。文学写作很难离开文学史的巨大阴影,"创作"是欺人之谈,"写作"则是一种一般人的行为。文学写作必须建立在对前人文本的误读、曲解、否定之上,但是,即使作者和批评家努力如此,仍然不可能逃脱文化史、文学史的强大阴影,文学写作如不误读、否定前人的文本,难以取得写作的成功。布鲁姆以为,"创作的哲学必然是一种关于想象的谱系学,其研究对象是仅与诗人有关的一种内疚,即受恩来报功的负债感","一位强者诗人的劳作就是在为一位前驱诗人的作品赎罪",因为"死了的强者诗人还会回归",[①]还会给健在者投下阴影,现在的诗人的写作要么与前代诗人进行战斗,要么为前代赎罪。误读、修正、改造、重组,既是文学写作的必由之路,又是作为一种战斗武器所必须背上的包袱。

批评写作的误读性。同在语言写作大厦内办公,批评与文学一样展示语言的不确定性、文本的互文性、写作的误解性,批评与文学没有层次、文体差异,都是文学行为。哈特曼这样确定批评地位的深意在于:批评写作与文学写作一样,具有误读特点;批评不仅呈现文本的误读,而且呈现自身的误读,批评是一种误读的批评的批评,如同有些后现代小说是一种小说的小说。批评作为对非真实事物的存在和对关于存在虚构的一种细察,对文本、对生活、对介入文本的理论方法、对自身等具有多重误读性,批评文本是这种多重误读的呈现。德·曼写道:"作品可以用来反复证明批评家在哪些方面和以怎样方式偏离作品,但是在证明这点的过程中,我们对作品的理解又更改了,因而证明谬误的观点具有生产性。"[②]

文学史写作的误读性。批评即误读,批评史就是误读史;文学史是什么?文学史是关于文学的批评史,也是一种误读史。文学史与批评史的区别在于:文学史主要是对文学文本的历史,批评史是关于文学批评的历史;它们工作的范围和对象不同,在误读方面,它们是一致的,"这就是说,我们对作品的理解实际上构成误读的历史,任何

[①] [美]哈罗德·布鲁姆:《影响的焦虑》,徐文博译,生活·读书·新知三联书店,北京,1989年,第125、151页。
[②] [美]保尔·德·曼:《盲视与洞见》,英文版,明尼苏达大学出版社,1983年,第152页。

一位后来的批评家可根据作品来证明前辈批评家对作品的误读,而正是这样不断误读,批评家对作品的洞见才会不断产生"①。不能不说,当尧斯提出从接受美学入手,从读者角度撰写文学史的建议时,他没有想到他的美国同事已经把文学史、批评史作为误读史了。尧斯反对的是19世纪历史客观主义传统,强调文学史必须以作品作为事件发生的本质及其历史构成作用,建立一种历史的功能观念,"为理解过去所发生的一切提供了一个选择模式"②;几乎同时,耶鲁才子们比他走得更远,他们要建构的是反历史的误读写作新概念。

解构主义及其批评从法国到美国,路越走越窄;它在美国"结果",也在美国"结束"。提出和分解"误读与写作"等类似命题,本身失去解构主义的中兴气象,显示出衰败征兆。

第六节 结束语

后结构主义、解构主义及其解构批评,将西方20世纪文化和文论划分为两个时代。60年代以前的文化和文论,主要以现代主义为主流;从解构主义兴盛的时候起,西方文化和文论步入后现代主义时期,后现代主义、新实用主义、女性主义、新历史主义等文化和文论,无不受其深刻影响。可以说,解构主义标志着西方一种旧文化、旧文论的终结,一种新文化、新文论的开端。

以德里达理论为代表的法国解构主义理论,是一种学术化了的政治、社会、文化行为。西方20世纪文论流派中,占半数的与政治有深刻联系。两次世界大战和法国1968年"五月风暴",给酷爱反思的欧美知识分子强烈刺激。解构主义者以民主、平等、自由自居,"五月风暴"的平息使之无法在政治上再度发泄而转入对哲学、文化、学术、文艺的颠覆、反叛、摧毁,如伊格尔顿所说:"由于无法打破政权结构,后结构主义发现有可能转而破坏语言的结构。至少,任何人都

---

① [美]保尔·德·曼:《盲视与洞见》,英文版,明尼苏达大学出版社,1983年,第153页。
② [联邦德国]尧斯、[美]霍拉勃:《接受美学与接受理论》,周宁、金元浦译,辽宁人民出版社,沈阳,1987年,第451页。

不会因此而敲你的脑袋。学生运动在街道上被冲垮了,被迫进入反传统的叙述",它"是一种基本的政治实践,它企图破坏一种特定的思想体系以及它背后一整套政治结构和社会制度所赖以保持自身力量的逻辑"①。后现代主义者直接秉承了解构主义的这种政治方略,并更进一步发扬光大。

解构主义理论批评在历史上有独特贡献。第一,它从分解语词的能指和所指的关系出发,着手摧毁逻各斯中心主义、语音中心论,动摇了传统哲学和文论的语言学基础,推翻了结构主义学说。第二,它发现了能指之间的互指和无限意指过程,充分认识到文本的开放性、边缘性和互文性,显示出文化艺术相互交织所产生的无限生命力,后现代主义力主的边缘文本直接来源于此。第三,它更加充分认识到读者、批评家在文艺活动和文学写作中的重要地位和作用,倡导批评主体的自由性、开放性和发展性,揭示出阅读写作尤其是误读性写作在文学发展中的作用和力量。第四,解构主义在推翻欧洲政治经济中心主义的同时,也希望砸烂欧洲文化中心论的框架,以一种全球的眼光,对中国文化倾注了具有世纪意义的热情,不仅认为中国文学"具有无法估量的历史意义"②,而且高度评价了毛泽东思想的不朽生命力。第五,解构主义是20世纪后半叶解构主义从出笼那天起以至今日,就遭到来自各方面的批判和否定。除政治、社会因素外,其自身危机四伏、矛盾百出、横扫一切而建树不多等,是受到非议的重要原因。

解构主义的文化虚无主义和无政府主义,受到而且必须受到多数学者的批判和否定。只要稍微检索一下西方当代与解构主义有关的文献,人们就能看到学者们对解构主义这方面的批判到了无以复加的程度。解构主义以极其极端的方式对传统文化和政权进行了极端的批判,其结果是遭到比之更为猛烈的报复和否定。从罗蒂《论德里达》最后一句很轻松的话中,可以看到人们对解构主义这种极端否定论憎恶到何等程度。罗蒂写道:"因果性、独创性、可理解性、文学性

---

① [英]特雷·伊格尔顿:《当代西方文学理论》,王逢振译,中国社会科学出版社,北京,1988年,第206、214页。
② [法]德里达:《论书写》,巴尔的摩版,1976年,第79页。

等这类概念并无危险性和自毁性,正如落日和黑山雀并无危险性和自毁性一样","在很久以前的某一国度里,它们虽被认为是具有神秘的力量,而这并非它们自身之过"。①

解构主义理论矛盾重重。首先,它以无中心论反中心,就像把自己头发揪起来想离开地球一样,陷入极其困难和悖论的境地。哈贝马斯一语中的:"当主体——中心性理性只有求助于自身的中介才能被确信时,总体性的理性的自我批判就陷入了一种运作的矛盾之中。"②其次,文字是否有它所说那样的力量和"优先权",能够推翻西方两千年传统哲学文化的中心,无论什么样的文字,是否能够离开现实、思维、语言而独立自主的发展?马克思曾尖锐地指出"语言是思维的直接现实。正像哲学家们把思维变成一种独立的力量那样,他们也一定要把语言变成某种独立的特殊的王国",然而"哲学家们只要把自己的语言还原为它从抽象出来的普通语言,就可以认清他们的语言是被歪曲了的现实世界的语言,就可以懂得,无论思想或语言都不能独自组成特殊的王国,它们只是现实生活的表现"。③

解构文论虚妄、夸大、否定之词过多,严重损伤其科学性和文学性。第一,它否定作者的重要性,认为"作者已死",有的甚至否定作品的重要性,声称"作品之死",这纯属无稽之谈。否定作者和否定事物的本源,并不能说明事物不存在本源;提升读者、批评家的地位、作用,并不需要巴特所谓的"必须以作者的死亡作为代价"。这反映出解构文论家缺乏协同性的"狭隘"和"专断"。第二,任何事物有其自身的界限,解构批评和后现代文论无限扩大"互文性"和边缘文本,虽然部分增加文本含量,但在总体上破坏文本自身的内涵,文本的"外延"像洪水泛滥,必然淹没"内涵"这个有限的水库,形成灾害。第三,解构批评无限夸大修辞、隐喻、读者、批评家的作用和力量,

---

① [美]理查·罗蒂:《哲学与自然之镜》,李幼蒸译,生活·读书·新知三联书店,北京,1987年,第402页。
② [德]哈贝马斯:《现代性哲学话语》,剑桥大学出版社,1987年,第185页。
③ [德]马克思、恩格斯:《马克思恩格斯全集》第三卷,人民出版社,北京,1960年,第525页。

过分膨胀批评家的权力话语,极力扩张误读写作,"太沉湎于语言游戏"①,结果会造成作者创造力减退,新文学文本数量和质量下降,批评指鹿为马,胡说八道,不利于文学事业的蓬勃发展。反过来,也否定了文学学、语言学、修辞学乃至批评学的科学性和目的性。

我们不仅要科学地探索文学、艺术、文化的意义,反对解构批评的无意义论,而且还要追求人生和社会的意义和价值,反对解构主义的消极虚无主义;消解与《浮士德》中的靡非斯特一样,作为一种否定的精灵,体现的是前进、发展中的社会和人生的负面性;由浮士德所代表的人类对真、善、美的追求,超越了消极和虚妄,显示人类活动的真实意义和内容。

---

① 杨大春:《文本的世界》,中国社会科学出版社,北京,1998年,第372页。

第十章　文艺符号学

第一节　发展与特征

　　文艺符号学与俄国形式主义、新批评、结构主义有一定联系,又有很大区别。它们的联系在于都重视语言学在文艺学研究中的作用,注重作品本身的研究。而其区别在于,文艺符号学与分析哲学关系密切,具有浓厚的哲学意味,而其他形式主义文论更接近索绪尔的语言学理论,带着鲜明的语言学色彩。

　　从西方哲学史来看,谈符号的言论在古希腊就有了。塞克斯都·恩披里可写道:"斯多葛派说某些感官对象以及某些理性的对象是真实的。"①这种可感觉的和可理解的都与符号有关。此后,在康德、黑格尔、赫·赫尔姆霍兹的著作中讨论符号的篇什相当多。仅黑格尔《美学》中所讨论的艺术符号问题就涉及艺术的各个方面。

　　但是,文艺符号学作为一门学科而确立还是20世纪的事情。在它发轫的时候,索绪尔、皮尔士的符号学理论,为文艺符号学的主要代表——卡西尔、苏珊·朗格的论著诞生起了强有力的催化作用。卡西尔和苏珊·朗格都是哲学家,因而他们更多从哲学的角度消化和吸收索绪尔和皮尔士的思想。

　　恩斯特·卡西尔是德国现代著名哲学家,出生于德国一个犹太富商家庭,早年受业于新康德主义学派领袖海尔曼·柯亨,后又成为与柯亨等齐名的马堡学派的主将。1919年起,卡西尔任汉堡大学哲学教授,1930年起任该校校长,因希特勒上台,愤然辞职,在外流亡,曾任

---

①北京大学哲学系外国哲学史教研室:《古希腊罗马哲学》,商务印书馆,北京,1969年,第371页。

美国耶鲁大学、哥伦比亚大学访问学者。他一生著述达120余种,代表作为《符号形式的哲学》和《人论》。与美学、文艺学关系密切的主要是《人论》和《符号、神话及文化》。他对符号学文论的最大贡献是直接促成了苏珊·朗格提出文艺符号学的一系列理论和思想。

苏珊·朗格是现代西方哲学史中成就卓著的女哲学家、美学家和文艺理论家。她的生活经历远没有卡西尔复杂,主要在美国哈佛大学哲学系当教授,主要著作是《哲学新解》《情感与形式》以及《艺术问题》。《哲学新解》一书中的许多美学思想,为她后来专注研究文艺问题奠定了基础;后两本书是美学、文艺学著作,在西方美学史、文艺理论史方面产生了巨大影响。有人说,20世纪的美学主要由三派分领"风骚"——表现派、形式派、符号派,最后一派的代表无疑是苏珊·朗格。苏珊·朗格可称为卡西尔的得意门生,翻译了卡西尔的不少书,并在卡西尔著作中得到启发,写了驰名西方的《情感与形式》《艺术问题》。

此外,美国哲学家莫利斯在《记号、语言和行为》一书中提出行为符号学,把符号学分成语用学、语义学、关系学三部分:语用学指符号使用者对符号的理解和运用;语义学指符号对实物的关系;关系学指符号在符号系统中的相互关系。德国哲学家克劳斯在《词语的强大力量》中又加了"S音变学"部分。符号学的另一支是文化符号学派,代表人物是艾柯和巴特,艾柯主要研究符号的暗示性隐义,巴特主要对暗示隐义进行了一系列引申模式分析。苏联文艺理论家劳特曼、赫拉普钦科在这方面也有研究。

西方现代文艺符号学有把自己同别的文论流派区别开的鲜明标志。

首先,在文艺本体论方面,他们认为文艺是表现人类情感的符号形式。这里有两个概念必须先界定清楚,即艺术符号(art symbol)和艺术中的符号(symbols in art)。前者是把艺术作品作为一个整体,后者只是指艺术作品中的一种因素,如羔羊作为爱的象征等。文艺符号学家所指的文艺本体论意义上的符号当然指的是第一种符号,也就是说,他们是把艺术作品作为一个符号整体来理解艺术的,不是根据作品的某种因素进行研究。在这个意义上,他们把艺术作为一种符号系统,这个符号系统是审美情感的载体,表现的不是个人情感,而是人类的普遍情感。在《情感与形式》一书中,朗格写道:"一件艺术作品往往就是一种自发的情感表达方式,即艺术家思想状态的征候。如果它们代表人的话,很可能就表达某种面部表情,以显示人所应具有的情感。"①这里所谓"以显示人所应具有的情感"就是指人类普遍的情感,是艺术作品需要表现的主要内容。

其次,他们研究了文艺符号的一些特征。他们认为,文艺符号作为艺术作品的整体,不同于俄国形式主义者那样专门研究艺术形式的特征,也不同于英美新批评家那样从细读原则出发专事研究艺术中的语言所蕴含的各个意义,还不同于结构主义者那样从深层结构中找到各种同类作品的共同模式。或者说,他们主张的文艺符号特征不是文艺作品中的符号的特征。他们研究文艺符号特征的前提是与非文艺符号相区别,没有这种区别,文艺符号特征就不可能呈现出来。卡西尔在《人论》中说:"因为艺术和科学是在完全不同的平面上行进的,所以它们不可能彼此相矛盾或相反对。"②就前者来说,卡西尔充分认识到艺术与科学的差异性,说它们"是在完全不同的平面上行进的",两者不是一回事,不能混为一谈;同时,正因为是在两种不同平面上行进,所以,这两者不必同在一个平面上相互抵触、相互矛盾。卡西尔一向认为,矛盾在同一中才能产生,如果艺术与科学在同一中就会产生矛盾,但它们不在同一中,因此不可能产生矛盾。但并不因为它们没有矛盾就否认它们之间的区别,因为它们本来是在不同范围内加以讨论的。卡西尔和朗格总结出艺术符号的抽象性、情感性、系列性、不可言说性等一系列特征,并用这些特征与科学或非文艺符号相区别。

再次,他们高度重视艺术符号的认识作用。前面说过,卡西尔和朗格都是哲学家,举凡哲学家研究文艺有一个共性,就是都强调文艺

---

① [美] 苏珊·朗格:《情感与形式》,见《美学译文》第三辑,中国社会科学出版社,北京,1984年,第106页。
② [德] 卡西尔:《人论》,甘阳译,上海译文出版社,上海,1985年,第216页。

的认识作用,从哲学体系中派生出来的美学、文艺学著作尤为如此。卡西尔和朗格的不同之处在于把文艺作品当作一个符号系统来进行认识论方面的分析与研究,他们不是一般地泛论文艺的认识作用,而是专门从符号整体的角度研究文艺符号的认识作用。用维姆萨特和布鲁克斯的话说:"卡西尔的若干见解,寓意相当深远。他说,符号是由人类的需求和目的组成的。符号不只是真相的一个方面,符号即真相。在符号中,主体与对象二者完全结合。"①因此,符号可以认知。如果符号只是一般的记号,而记号只是一个事物的代名词,那么,符号就不可能被认知。符号之所以能被认知,是因为符号是主体与客体的结合,是二而一的结合。比如审美意象是一种符号,这种符号是创作者与审美对象结合成的有机统一体,因此,它是可以被认知的,是具有认识价值和作用的。

第二节 文艺是表现情感的符号形式

文艺符号学还有一个特点,是从人、文化的本质入手研究文艺的本质。

卡西尔《人论》分两部分:一部分研究人的本质,一部分研究人与文化的关系。卡西尔认为,人不同于动物的特质是进行符号活动,人就是进行符号活动的动物。他从三个方面展开这一观点:第一,人不是生活在单纯的物理世界中,而是生活在一个符号世界中,文化的各个部分如语言、宗教等都是符号世界的一个部分,是人类经验交织的网络,"人的符号活动能力进展多少,物理实在似乎也就相应地退却多少"②。第二,人不仅仅是理性的动物。传统看法所认为的人是理性动物的定义具有以偏概全的缺点,因为人还有非理性,还有想象、情感、宗教感,所以,与其说理性动物是人的定义,不如说是一个道德理性的定义。第三,人既不仅是物理实体,也不只是理性动物,

---

① [美]维姆萨特、布鲁克斯:《文论简史》第31章,纽约版,1962年。
② [德]卡西尔:《人论》,甘阳译,上海译文出版社,上海,1985年,第33页。

而是符号动物。他说:"所有这些文化形式都是符号形式。因此,我们应当把人定义为符号的动物来取代把人定义为理性的动物。只有这样,我们才能指明人的独特之处,也才能理解对人开放的新路——通向文化之路。"①

卡西尔提出的人与文化的关系,主要包括两方面的意思:一方面,他从文化方面入手讨论人的本质,认为柏拉图只是从政治制度入手讨论人的本性,把人的本性作为以大写字母写在国家的本性上,缺乏宽广的文化基础;要改变这种人的本质论,必须在广泛的文化基础上建立新的参照系,把文化与人联系起来,从而规定人的本质。另一方面,必须从人的本质生发开,研究人类文化的各个方面,并把这些方面看成是人的本质展开的一个有机体,用他的话说:"一种'人的哲学'一定是这样一种哲学:它能使我们洞见这些人类活动各自的基本结构,同时又能使我们把这些活动理解为一个有机整体。语言、艺术、神话、宗教绝不是互不相干的任意创造。"②就以艺术来说,它是人的本质展开的产物,又与其他文化形态相联系,因此,只有在这种理论基础上才能理解艺术的本质。

卡西尔和苏珊·朗格都是在人与文化关系的理论基础上谈论文艺问题的。不过,卡西尔只是在整体上提示了一个思路,苏珊·朗格却在艺术问题的许多方面进行了深入细致的论证和阐发,并提出了不少新颖独到的见解。所以,我们在分析文艺符号学的文艺本体论时,必须同时看到他们两个人的意见。

他们认为,文艺始终是脱离不了情感的,文艺区别于其他文化形态的特质之一在于表现情感。苏珊·朗格曾说:"一件艺术品就是一件表现性的形式,这种创造出来的形式是供我们的感官去知觉或供我们想象的,而它所表现的东西就是人类的情感。"什么是人类的情感呢?苏珊·朗格的说法很宽泛:"是指广义上的情感。亦即任何可以被感受到的东西——从一般的肌肉觉、疼痛觉、舒适觉、躁动觉

---

① [德]卡西尔:《人论》,甘阳译,上海译文出版社,上海,1985年,第34页。
② 同上书,第87页。

和平静觉到那些最复杂的情绪和思想紧张程度,还包括人类意识中那些稳定的情调。"①由此说明:第一,文艺不表现个人的情感,也不是表现自我,用她的话说:"纯粹的自我表现不需要艺术形式。"②第二,文艺必须表现人类的情感,因为艺术家在作品中表现情感具有普遍性,这种普遍性即人类的共性,如果表现的情感体现出人类的共性,作品就表现出人类的情感。所以,表现情感不同于发泄情感,表现情感是表现人类情感,发泄情感指艺术家发泄个人的情感,艺术家要发泄个人情感,可以去酗酒,去打架,但不能创作。艺术家创作的任务和目的是表现人类的普遍情感,莎士比亚的《哈姆雷特》不是莎士比亚发泄情感的产物,而是表现出人类都具有的忧郁踌躇的心理活动,体现出人所共有的沉郁情感。第三,文艺表现的情感是多方面的、宽广的,不是单一的、狭隘的。人类的情感生活丰富多彩,有兴高采烈之时,也有低沉消极之时,有爱情,也有濒临死亡的情感,不仅如此,苏珊·朗格认为人的生命的跳动、对外界产生的生理效应,如肌肉的松弛感或紧张感,都应是文艺表现的情感对象。也就是说,朗格界定的情感范围比普通文艺心理学界定的范围更为宽泛。如果按照普通文艺心理学来理解,朗格所说的情感也许不能算情感,其中有感官、感受乃至理性的因素,但是,苏珊·朗格认为把情感范围划得过于狭窄,反而影响了创作的丰富性,也不符合文艺作品表现出来的情感的多样性,所以,必须在宽广的范围内理解情感,从而把文艺的本质定义为人类情感的显现才能更合乎艺术实际,更符合艺术史发展的客观规律。

卡西尔和苏珊·朗格毕竟是符号学家,他们不会孤立地探讨情感,而是把情感和符号联系起来,认为文艺即情感符号。苏珊·朗格写道:"艺术品是将情感(指广义的情感,亦即人所能感受到的一切)呈现出来供人观赏的,是由情感转化成的可见的或可听的形式。它是运用符号的方式把情感转变成的可见的或可听的形式。它是运用符

---

① [美]苏珊·朗格:《艺术问题》,滕守尧、朱疆源译,中国社会科学出版社,北京,1983年,第13~14页。
② [美]苏珊·朗格:《哲学新解》,剑桥大学出版社,1957年,第216页。

号的方式把情感转变成诉诸人的知觉的东西,而不是一种征兆性的东西或是一种诉诸推理能力的东西。"①很明显,苏珊·朗格把情感作为艺术品的意蕴,符号作为艺术品的外观。因为艺术既不是简单地复制、模仿情感,也不是用抽象的思想化为严密的逻辑结构说明情感,像伦理学家瓦西列夫写《情爱论》那样,而是通过艺术符号表现人类情感,把情感转化为具体形式,使人们能从中得到享受,所以,用不用艺术符号表现情感完全是艺术与非艺术区分的标尺,用苏珊·朗格的话说,"一种表现形式归根到底是一种符号的形式","无论是克罗齐认为艺术表现不需要媒介的理论,还是科林伍德认为仅仅发生在艺术家头脑中的'表现活动'就是艺术作品的说法,谁只要想在'观念的表现'下去逃避符号形式,那么他就既不能去研究表现的过程,也不能指出这种艺术的表现活动和其他活动的区别。但是,只要人们一旦承认一种'表现形式'归根到底是一种符号的形式,那么一些有趣的问题立刻就会出现答案"。②

正因为这样,苏珊·朗格同意贝尔在《艺术》中所说的文艺的本质是有意味的形式的看法。在艺术品中,意味与形式是有机结合的"同一种东西"。苏珊·朗格说:"我们这里所说的形式,就是人们所说的,'有意味的形式'或'表现性的形式',它并不是一种抽象的结构,而是一种幻象。在观赏者看来,一件优秀的艺术品所表现出来的富有活力的感觉和情绪是直接融合在形式之中的,它看上去不是象征出来的,而是直接呈现出来的。形式与情感在结构上是如此一致,以至于在人们看来符号与符号表现的意义似乎就是同一种东西。"③也就是说,文艺的内容和形式达到了完美的统一,内容成为形式的内容,形式成为内容的形式,两者水乳交融,不可分割。在艺术品中

---

① [美]苏珊·朗格:《艺术问题》,滕守尧、朱疆源译,中国社会科学出版社,北京,1983年,第24页。
② [美]苏珊·朗格:《情感与形式》,见《美学译文》第三辑,中国社会科学出版社,北京,1984年,第385页。
③ [美]苏珊·朗格:《艺术问题》,滕守尧、朱疆源译,中国社会科学出版社,北京,1983年,第24页。

既不存在孤立的情感内容，也不存在孤立的符号形式。而且，在符号化了的情感内容中，艺术家不可能表现个人情感，只可能表现人类情感，艺术家把握符号的本领越高，要表现的人类情感的普遍性越强，"一旦艺术家掌握了操纵符号的本领，他所掌握的知识就大大超出了他全部个人经验的总和"①。那些大艺术家把握符号时通过符号传达出的人类情感要比普通艺术家传达的普遍性强的原因，在于掌握符号本身需要很高的知识水平，如果知识结构差，就不可能高水平地掌握符号；而像王维、杜甫、李白知识水平高，把握古诗符号变化形式娴熟一样，这样，在高层次上把握的符号就表现出强烈的人类情感，不拘一己私愤，通达人类的深层结构。因此，高层次地把握符号与表现人类情感的普遍性是成正比的。之所以能成正比，是因为艺术的情感与符号达到了高度的融合。苏珊·朗格曾说，如果说艺术的本质是情感符号，那么，优秀的艺术则是人类普遍情感的高质量符号化的产物。

第三节　艺术符号的特征

苏珊·朗格研究艺术符号的特征是以她的这样一段话为根据的："艺术中使用的符号是一种暗喻，一种包含着公开的或隐藏的真实意义的形象；而艺术符号却是一种终极的意象——一种非理性的和不可用言语表达的意象，一种诉诸直接的知觉的意象，一种充满了情感、生命和富有个性的意象，一种诉诸感觉的活的东西。"②这段话表明艺术符号具有三个特点：意象性、非推理性、不可言说性。

苏珊·朗格谈艺术符号时总是把它与意象联系起来谈。在她看来，一般的符号象征实在，如大印象征权力，信物象征情感，地图标明地理位置。艺术则不是这样。艺术是审美经验的产物，审美经验不同于日常生活经验，前者产生审美意象，后者产生日常生活行为。比如

---

① [美]苏珊·朗格：《艺术问题》，滕守尧、朱疆源译，中国社会科学出版社，北京，1983年，第25页。
② 同上书，第134页。

同是一个文学家,他处理行政事务和家庭事务是一回事,这方面的经验积累可以提高他的应对能力;他的创作经验则是另一回事,他不断进行创作的经验可以不断地帮助他创造出更优秀的作品。尽管这两者是有联系的,但是毕竟不能混为一谈。同时,审美经验所产生的审美意象有赖于符号表达,没有符号,审美意象无以生存,意象给艺术符号提供了内容载体,使艺术符号因为能传达意象而不同于其他符号。苏珊·朗格说:"艺术品作为一个整体来说,就是情感的意象。对于这种意象,我们可以称之为艺术符号。"① 因此,一方面,朗格看到了意象中的符号作用,另一方面,也看到了符号的意象性,而且,为了突出艺术符号的意象性,她把艺术符号与审美意象相提并论,把艺术符号干脆作为一种意象。以诗为例,诗歌艺术中艺术符号表现的意象相当明显,如艾青的《树》(1940):"一棵树,一棵树/彼此孤立地兀立着/风与空气/告诉着它们的距离/但是在泥土的覆盖下/它们的根伸长着/在看不见的深处/它们把根须纠缠在一起。"这首诗寄予了作者深厚的爱国情感,表现了中国民族伟大的凝聚力,体现了中国人民内在的团结奋斗、同仇敌忾的精神,使人们掩卷沉思,为其中的哲理和情感交织的意象所感动。在诗中,人们表层上接受的是诗的意象,深层上接受的却是符号凝聚的哲理和情感,显然,没有符号自身的意象性就很难传达出作者头脑中的意象。因此,在作品中首先是有意味的形式,用苏珊·朗格的话说,先有意象的形式,然后才有形式表现的意味或意象。如果符号不具备意象性,符号则很难表达意象,像由一些词语和句子组成的论文,难能具有意象性,盖源于此。也就是说,每种文化符号都有自己的特殊性,艺术符号也有自己的特殊性,这种特殊性首先表现在它的意象性方面。

艺术符号还具有非推理性。在卡西尔和苏珊·朗格看来,科学是讲究推理、讲究逻辑联系的,比如地质学家"他对地面之下的地层加以区别分类,指出年代上的差别,并且进一步追溯地球得以达到它

---

① [美]苏珊·朗格:《艺术问题》,滕守尧、朱疆源译,中国社会科学出版社,北京,1983年,第129页。

现在状态的一般因果规律。所有这些经验的联系,所有这些与其他事实的比较,所有这些对因果关系的探求,对艺术家来说都是不存在的"①。苏珊·朗格接受并发展了卡西尔的这种思想,认为艺术符号与科学符号的不同在于前者是非推理性的,后者则具有推理性。她说:"艺术品表现的是关于生命、情感和内在现实的概念,它既不是一种自我吐露,又不是一种凝固的'个性',而是一种较为发达的隐喻或一种非推理性的符号,它表现的是语言无法表达的东西——意识本身的逻辑。"②这里,苏珊·朗格把隐喻和非推理性以及意识本身的逻辑三者等量齐观,说明她在隐喻方面仍与形式主义文论和索绪尔的语言学保持联系,雅克布逊关于隐喻的理论给她以启发,索绪尔追踪语言的推理性和非推理性也为她的学说增添了内容,而关于意识本身的逻辑则受现代艺术的影响,像意识流的作品,以及朗格十分关心的大量音乐作品,都不是按形式逻辑组织的"意识"去表现意识,而是根据人的意识自身的发展过程进行刻画,人的意识自身的发展过程与形式逻辑组织的意识过程是两回事,前者是非推理的,后者是推理的。举例说,地质学家研究礁石,根据礁石的一系列外部或内部特征推理,总结出一套关于礁石的理论,但是,诗人艾青写礁石则拟人化了,根据人的意识自身活动写礁石:"一个浪,一个浪／无休止地扑过来／每一个浪都在它脚下／被打成碎沫、散开……／它的脸上和身上／像刀砍过的一样／但它依然站在那里／含着微笑,看着海洋……"(《礁石》,1954)这首诗是借礁石写中华民族坚韧不拔的崇高精神,是民族精神的象征,它并不是根据礁石的地质分析进行逻辑推理,而是表现了诗人自身的意识活动,诗人主要不是靠逻辑推理创作,而是从意象出发进行构思,因此,诗人本质上不是推理的逻辑学家或其他方面的科学家,他写出的作品本质上也不是推理的作品。苏珊·朗格认为,作品就是艺术符号,既然作品是非推理的,艺术符号当然也不是推理的。

---

① [德]卡西尔:《人论》,甘阳译,上海译文出版社,上海,1985年,第214页。
② [美]苏珊·朗格:《艺术问题》,滕守尧、朱疆源译,中国社会科学出版社,北京,1983年,第25页。

值得注意的是，苏珊·朗格界说艺术符号的非推理性时很有分寸，或者说，她并不像有的理论家那样喜欢走极端，只承认艺术符号有非推理性，而否定艺术符号的抽象性。苏珊·朗格认为，无论是一般符号，还是艺术符号，都有抽象性。但是，"在艺术中，形式被抽象仅仅是为了使它清晰透明，让它们不受普遍用法的影响而有新的用法：充当符号，用以表现人类的情感"①。苏珊·朗格还提出艺术符号与日常生活乃至情感生活有一种"逻辑类似"，强调所指与能指的契合，认为它"是符号和它所指的事物之间关系的必要因素。符号和被符号化了的对象必须有共同的逻辑形式"②。这种逻辑类似于中国文论中的"神似"，指艺术符号能准确地传达出描写对象的精神实质，其目的是为了更好地体现出艺术家及其描写对象的意识自身的逻辑。如前所述，这种意识逻辑根本不同于哲学意义上的逻辑，因此它仍是非推理的。

苏珊·朗格认为，艺术符号不仅具有非推理性，而且具有不可言说性。她很重视艺术符号与语言的联系，认为艺术符号可以和语言作为同一范畴，原因在于艺术符号与日常生活符号和情感符号有逻辑类似的关系，语言与对象有一种对应的关系。她说："语言是人类有史以来所发明的、最奇特的象征符号。在语言中，以简单一一对应关系为基础，各单位的词分别代表经验中各个单独构思的项目。"③但是，正因为语言有这种一一对应的关系，所以，要用语言来对应大千世界的种种事物则是相当困难的，这就客观上为语言不可能穷尽事物或对事物有时是不可言说制造了根据。一般语言如此，艺术符号则更是这样。苏珊·朗格认为，作家无法用语言描写对象之时，正是其艺术才能大放光华之时。如果一个作家一心想用手中的语言表现所有的对象，这个作家一定是个低劣的作家。苏珊·朗格把符号分为两种：一种是推理符号，一种是表象符号。艺术属于后者，它的意义

---

① [美]苏珊·朗格：《情感与形式》，见《美学译文》第三辑，中国社会科学出版社，北京，1984年，第50～51页。
② 同上书，第27页。
③ 同上书，第30页。

就在自身，难以用语言去复述。在美术作品中，"没有一种专画鼻子或专画嘴巴的斑点，它们只能在不可言传的复合中传达出一幅整体的图画"①。图画不等于地图，没有必要用语言去标记一切。而且，艺术并不完全存在着与对象的一一对应关系，艺术是虚构的产物，是一种"虚形式"，因此，艺术符号更没必要用语言去表述一切。同时，艺术的知觉方式是幻想和想象，要为人们提供想象的空间，不必用语言去叙述对象的全部情况。这种观点，与中国古代文论所说的"不着一字，尽得风流，语不涉难，已不堪忧"（司空图《诗品·含蓄》），"俱似大道，妙契同尘，离形得似，庶几斯人"（《诗品·形容》）有些类似。但是，我们必须注意两个概念的不同：艺术符号的不可言说性不等于不必言说，后者完全是否定艺术符号的，前者则是肯定艺术符号，而且是在肯定的基础上找出它的特殊性。如果用更精确的语言来描述苏珊·朗格的这种观点，我们可以把艺术符号的不可言说性理解为"不尽言性"，即不完全用语言描写对象，以保证意识自身的非推理的运动能在艺术中得到真正的体现。苏珊·朗格的这种思想，得到了西方学者的赞扬，伽里·哈伯格曾专文研究苏珊·朗格关于艺术符号不可言说性的理论，认为它具有极大的丰富性和高度的复杂性，对深入揭示艺术的特质很有好处。②

第四节 艺术符号的认识作用

艺术符号的认识作用主要体现在两个方面：一、能认识人类情感；二、能认识生命形式。

对于第一点，我们不难理解。卡西尔和苏珊·朗格都把艺术定义为一种表现人类情感的符号，把艺术符号的主要传达内容归为人类情感，那么，人们自然可以通过艺术符号认识到人类情感。在这方面，卡西尔和苏珊·朗格突出地指出了艺术符号的"揭示"作用。卡西尔

---

① [美]苏珊·朗格：《哲学新解》，剑桥大学出版社，1957年，第87~88页。
② [英]伽里·哈伯格：《艺术与不可言说——论朗格逻辑哲学论的美学观》，见《英国美学》杂志，1984年秋季号。

说:"艺术家是自然的各种形式的发现者,正像科学家是各种事实或自然法则的发现者一样。……我们可能会一千次地遇见一个普通感觉经验的对象而却从未'看见'它的形式;如果要求我们描述的不是它的物理性质和效果而是它的纯粹形象化的形态和结构,我们就仍然会不知所措。正是艺术弥补了这个缺陷。在艺术中我们是生活在纯粹形式的王国中而不是生活在对感性对象的分析解剖或对它们的效果进行研究的王国中。"①卡西尔这里笼统地谈艺术认识事物形式的作用,实质上也是指艺术符号揭示事物的外在形式的作用。与科学符号揭示的对象和范围不同,艺术符号专事揭示事物的"外观",也就是说,艺术符号没有必要像科学研究那样揭示对象的深刻的本质属性。这里就出现了一个矛盾,既然艺术符号要表现人类情感,而人类情感是深层的,那么为什么又强调认识外观呢?苏珊·朗格有一段话可以解决这个矛盾。她说:"艺术家的观念的全部表现——他的人类情感的概念——全都是通过虚幻空间的外观创造和丰富性表现出来的。"②这就是说,即使是对深层的人类情感的揭示,也必须把情感及其外在形状结合起来表现,人们通过外在形式认识人类情感,通过表层认识深层。这本身还说明苏珊·朗格对卡西尔理论的发展。卡西尔主张艺术家专事发现事物的外观,苏珊·朗格认为这是对的,但仅仅这样还不够,还必须更加深入地认识对象的内在性格,从而使艺术表现出人类情感,为人们提供新的认识对象。

最使人感兴趣的,是苏珊·朗格提出的艺术符号可以展示生命形式。在《哲学新解》《艺术问题》等书中,苏珊·朗格都专门研究过艺术符号与生命形式的关系。所谓生命形式,不等于就是生命,它只是一个暗喻,把艺术比作生命形式,从作品中看到"生命"、"活力"或"生机"。苏珊·朗格从三个方面专门论证艺术符号与生命形式的关系,其中重点是谈以艺术符号认识生命形式。第一,在情感、情绪与生命形式的关系中,苏珊·朗格说道:"如果要想使得某种创造出

---

① [德]卡西尔:《人论》,甘阳译,上海译文出版社,上海,1985年,第183页。
② [美]苏珊·朗格:《人类情感论集》第一卷,巴尔的摩版,1967年,第97页。

来的符号(一个艺术品)激发人们的美感,它就必须以情感的形式展示出来;也就是说,它就必须使自己作为一个生命活动的投影或符号呈现出来,必须使自己成为一种与生命的基本形式相类似的逻辑形式。"比如,中国现代作家杨振声的《玉君》,把玉君作为一个活的生命来写,活的生命就是人,玉君作为一个渴求恋爱自由的女性,本身就是一个人。杨振声通过写玉君的情感、情绪,表现了玉君的生命流动过程,从而使人们认识到生命形式的价值和意义。第二,苏珊·朗格讨论了生命形式的基本特征,认为生命形式的基本特征主要在于流动性,"这是一种机能性的本体,是一种物质的和精神的式样,是一种活动的连续","总之,在很大程度上说,如果一个有机体要存在下去,它的基本活动就不能受到破坏,它可以经历许多变化,也可以在许多偶然事故中脱险,但必须有一个前提,这就是:它的基本生命活动必须是持续不断的"。①作家创造作品往往要认识并表现生命形式的流动性,人们阅读作品,也可以认识到生命形式的这种流动性。在以流动性为核心的特征之外,生命形式还派生出"它的能动性、不可侵犯性、统一性、有机性、节奏性和不断成长性。这些特征也就是一种生命的形式所应具有的基本特征"②。所有这些,都可以通过艺术符号予以认识。比如通过海明威的《老人与海》,我们会认识到老人捕捞的能动性,看到"他身上的每一部分都显得老迈,除了那一双眼睛。那双眼啊,跟海水一样蓝,是愉快的,毫不沮丧的",看到他生命中内在的不可遏制的能量及活力,老人在最后与凶残嗜杀的群鲨进行殊死搏斗时的动作、呼吸、心理活动是复杂的,但又具有鲜明的节奏感,体现出一种身居绝境而又坚毅顽强、战斗不息的崇高精神,为一直守护的小孩曼诺林提供一种"重压下的优雅风范"。第三,艺术家是如何认识并表现生命形式的。苏珊·朗格认为,艺术家必须从部分和整体的关系中认识并表现生命形式,因为生命形式是一个整体,是由各个部分组成的,缺一个部分,生命形式就不完整。她说:"在诗作中见到

---

① [美]苏珊·朗格:《艺术问题》,滕守尧、朱疆源译,中国社会科学出版社,北京,1983年,第43、44、46页。
② 同上书,第50页。

的这种某一个别成分与整体结构之间的多样性联系,这使得诗展示出一种类似有机结构的特征。这就证明,一件艺术品也如一个生物一样,是不可侵犯的,假如硬是要将它的各构成成分分离开来,它就不再是原来的样子了——整个形象也就随之消失了。"①

　　从上面可以看出,苏珊·朗格深刻地认识到艺术符号与生命符号的同构对应关系。这与第四章讲的格式塔的文艺心理学有相近之处。不过,苏珊·朗格更加突出地研究了艺术结构与生命形式的同构对应,格式塔文艺心理学则是就整体的同构对应做了广泛的心理论证。苏珊·朗格极其认真地说道:"你愈是深入地研究艺术品的结构,你就会愈加清楚地发现艺术结构与生命形式的相似之处,这里所说的生命结构,包括从低级生物的生命结构到人类情感和人类本性这样一些高级复杂的生命结构(情感和人性正是那些最高级的艺术所传达的意义)。"②但是,这种同构对应并不是模仿的产物,而是指艺术品看上去就具有生命的形式,没有雕琢或矫揉造作的痕迹。因此,这种富有生命形式的艺术品可以使人松弛、紧张、忧郁、沮丧,可以观照人的生命形式的流动过程。比如,读晏殊词《浣溪沙》:"无可奈何花落去,似曾相识燕归来。小园香径独徘徊。"读第一句,引起人的感伤情绪,使人感到生命在大自然面前无能为力的惆怅,但品味第二句时,感到生命中有一种循环的、永恒的存在,"似曾相识燕归来",有苏轼《前赤壁赋》所说的"自其不变而观之"的感怀,最后一句给人以寂寞、苦闷、探索、踌躇的感觉。总之,人们在欣赏诗中生活形象的情感流动时自己也产生了一种同构对应,从而使人认识自我乃至整个生命运动的过程。

　　此外,苏珊·朗格还认识到艺术符号能帮助人们认识哲学、伦理、情感,能给人以审美享受,能提高人们再次创造符号的水平,等等。但是,这在她的整个体系中不算最突出和最有创见,我们就不一一论列了。

---

① [美]苏珊·朗格:《艺术问题》,滕守尧、朱疆源译,中国社会科学出版社,北京,1983年,第54页。
② 同上书,第55页。

第五节　结束语

　　如何评价文艺符号学，是中西方文论家所面临的一个大问题。有人认为，当代西方文艺美学有一种"三足鼎立之势"：科林伍德的表现说、贝尔的形式说和苏珊·朗格的符号学把当代西方文艺美学推向了高潮。这不是完全没有道理的。就苏珊·朗格来说，同那些只顾一点而不及其余的理论家比起来，她对对象的把握是尽可能全面的；同那些纯语言学角度的文艺研究比起来，她的理论视点更具有哲学的高度；同那些以哲理见长的美学家比起来，苏珊·朗格的艺术感受更加精细入微。正因如此，苏珊·朗格的理论问世以后，便立即引起美学界、文艺学界的普遍关注，并产生了广泛的影响。

　　从我们以上所讨论的问题看，文艺符号学对我们确实不无启发，对文论史发展也是做出了自己的贡献的。卡西尔和苏珊·朗格把人类情感的符号显现作为文艺的本质，明确地树立了表现人类情感的旗帜。尽管这种人类情感还是抽象的，但总比那些一味强调自我情感宣泄的文论家进步得多。同时，苏珊·朗格高度重视艺术符号，比表现主义者克罗齐等人提倡艺术技巧材料取消论要更符合艺术的实际。艺术不可能没有符号，没有符号的作品不可能是艺术。卡西尔和苏珊·朗格紧紧抓住情感符号这个中心命题对艺术的很多问题进行研究，并从情感符号的特色、功能等方面全面予以展开，使他们的文论既以情感符号为逻辑起点，又以它成为贯穿始终的终点，最后以它作为回归到人自身的一种生命形式。所有这些，都比以文本研究为核心的各个流派更富有思辨色彩，更富有审美意味。形式主义者、新批评者、结构主义者的共同弱点是没有充分认识到对文艺的审美意味研究的重要性，文艺符号学家不仅认识到了，而且做出了有益的探索，总结出了不少令人满意的结论。

　　然而，文艺符号学的文论观点并非无懈可击。它最为显眼的一个不足，便是忽视了生活与创作的辩证关系。苏珊·朗格认为，首先，从生活角度讨论文艺问题是有害的，这样会使生活的大海淹没文艺的小舟，文艺的独特性便消灭殆尽了，因此，她反对从生活与创作的辩证关系方面讨论文艺,反对把生活作为创作的源泉。这种观点使符号学刚迈出19世纪印象式、再现式文论的圈子又落入抽象的表现论的窠臼。其次,文艺符号学的理论具有某种神秘主义的倾向。我们不反对卡西尔和苏珊·朗格把艺术与文化乃至神话结合起来研究,但我们不能赞同他们在艺术理论中制造神话的做法。苏珊·朗格说:"音乐是我们内心生活的神话——年轻的、有活力的和充满深刻意义的神话。"[1]实际上,音乐并非是人们内心生活的神话,也非一门刚产生不久的艺术,而是人类情感的表现,是一门具有悠久历史的艺术,早在神话时代,音乐艺术就已经产生了。苏珊·朗格那样推崇艺术符号与生命形式的同构对应,是有新意的,但是她似乎又把这种认识推向了极端,以至于把这个本来不无道理的学说蒙上了几分神秘莫测的色彩,好像只有同构对应才是艺术,否则就不是艺术了。其实,在有些艺术部门中是可以看到这种同构对应关系的,但在很多艺术作品中却看不到这种同构对应关系,比如不少散文诗、建筑艺术中这种同构对应关系的表现就不够明显,现代派的不少作品恰恰是破坏同构对应关系的产物,因此,不能一概而论。再次,这一文论派别对文艺问题的研究仍然具有机械、片面的缺点。他们把情感符号作为一切艺术的特征,这是有道理的,但有的艺术,例如不少建筑、长篇叙事作品、曲调、陶瓷都不一定是人类情感的符号,却仍然是艺术,显然,这种情感符号论具有抽象理论的弱点,没有看到情感符号是具体的,有不可绝对规范的,甚至有反例的。在情感与符号的关系上,他们有时为了突出符号而舍弃情感,为了形式不惜舍弃内容,在这一点上仍然没有走出形式主义的泥淖。

虽然我们不能像路易斯·马运那样认为符号学"表示文学和艺术方面的符号学观点是毫无前途的"[2],但是,我们也不能同意文艺符号学的全部观点。我们认为,文艺符号学确实是一门很有科学价值的

---

[1] [美]苏珊·朗格:《哲学新解》,剑桥大学出版社,1957年,第245页。
[2] [美]路易斯·马运:《符号学方法》,见杜夫海纳主编:《美学与艺术科学主潮》,纽约版,1979年,第173页。

学问,符号学在卡西尔等人那里发展为一种文化哲学,使符号世界成为文化世界,这就在文化哲学的深层建构上把握了符号。因此,文艺学不能忽视符号学的成果,必须对它进行深入的研究,使文艺学与哲学、语义学携手前进,使文艺学突破单一化的模式,朝多元化全方位的方向发展。

第三辑

读者系统

第十一章　阅读现象学

第一节　发展与特征

19世纪以前到20世纪上半叶,西方文论的主要任务是研究作者和作品。在这期间,确有不少文论家提出了研究读者的重要性以及由此产生了一些有价值的学术见解,然而,无论就其研究的深度抑或广度看,这种研究远不及20世纪下半叶的美学家、文论家的研究。如果要用一句话概括近几十年西方文论的主要倾向,那就是把读者作为突出的研究对象。这方面的始作俑者,是阅读现象学。

阅读现象学主要是在现象学哲学基础上发展起来的。什么是现象学哲学呢?它的创始人和集大成者胡塞尔在给1929年第十四版《英国百科全书》撰写的"现象学"条目中写道:现象学的主要特征是"意味着一种新的、描述的哲学方法,它从19世纪末已建立起来了:(1)一种先验的心理学学科,它能够提供唯一可靠的基础,在这种基础上能够建立一种强有力的经验的心理学;(2)一种普遍的哲学,这种哲学能够为一切科学方法的修订提供一种工具"。如果说胡塞尔的这一总结太抽象的话,那么美国学者詹姆斯·艾迪的界说则较为具体:"现象学并不纯是研究客体的科学,也不纯是研究主体的科学,而是研究'经验'的科学。现象学不会只注意经验中的客体,而要集中探讨物体与意识的交接点。因此,现象学要研究的是意识的意向性活动,意识向客体的投射,意识通过意向性活动而构成的世界。主体和客体在每一经验层次上(认知和想象等)的交互关系才是研究重点。这种研究是超越论的,因为所要揭示的,乃纯属意识、纯属经验的种种结构;这种研究要显示的,是构成神秘的主客体关系的意识整体的结构。"现象学哲学的主要代表除胡塞尔以外,还有盖格尔等以及存在主义的一些代表人物,如萨特等。

不过,在现象学尤其是阅读现象学方面卓有成效的主要是:盖格尔,代表作为《美学之路》;萨特,代表作为《为谁写作》(1948)、《想象心理学》(1940);罗曼·英伽登,代表作为《文学的艺术作品》(1931)、《论对文艺的艺术作品的认识》(1937)、《艺术本体论研究》(1962)和《经验、艺术作品与价值》(1969);米盖尔·杜夫海纳,代表作为《审美经验现象学》(1953)、《诗学》(1963)、《美学与哲学》(两卷本论文集,1967~1976)。西方有的学者如罗伯特·R.麦格李欧纳把海德格尔也作为这方面的代表,我们认为从海德格尔的主要贡献来看,把他视为阐释学方面的文论家更为适当。

在阅读现象学的代表人物中,英伽登和杜夫海纳更为重要。英伽登为波兰人,曾经师事胡塞尔。杜夫海纳为法国人,曾就读于巴黎高等师范学校,担任过法国美学协会主席、世界美学学会副主席、法国《美学评论》杂志社社长。这两个人的共同特点是用现象学哲学研究文艺,或者对文艺进行现象学研究,最后建立自己的现象学体系。他们的区别是:英伽登对艺术作品的独立性不够重视,杜夫海纳则高度重视作品的独立性;英伽登通过研究文艺进行本体论认识论的思考,杜夫海纳则对审美对象和知觉进行广泛深入的探寻;英伽登更侧重于文艺理论,杜夫海纳更注重美学。

尽管阅读现象学各家自有主张,但总体上确实有一些相通之处。首先,他们都注意研究作品和读者的联系,认为文艺研究不能像新批评派和结构主义那样仅仅从作品方面入手，而且必须重视作品与读者的联系，把读者纳入文艺研究的视野之中，从而拓展文艺研究的空间。比如研究《庄子》，研究者不仅要研究《庄子》本身，而且还要研究《庄子》产生之时以及以后各代读者对《庄子》的认识，研究读者所意识到的《庄子》，这样《庄子》研究才算真正完成。也就是说，文学是以作品和读者为主体的，忽视其中哪一方面都不完全。阅读现象学，顾名思义，就是研究阅读或读者的现象学，因此，比较起来，这派学者更关注阅读在文艺中的地位和作用。他们认为，既然读者是文艺系统中的一个重要组成部分，那么，读者与作者、作品的地位是平行的，没有高低之分，同时，正像没有作者就没有作品一样，没有读者也不会产生作者，更不会产生作品。因为作者必须首先是读者。只有是读者，他才能慢慢成长为作者，即使是作者，他写作也是为了读者。

其次，这派学者尤其是杜夫海纳十分注重对审美经验的研究，并把审美对象和审美知觉联系起来考察，认为审美对象不是孤立的，往往与审美知觉联系在一起，与审美知觉发生关系后才有审美客体。文艺作品是一种特殊的审美客体，是作家、艺术家通过审美经验进行审美体验的产物，因此，不存在孤立的文艺作品，只存在作者审美体验化的作品。同时，文艺作品是为读者产生的，那么，文艺作品也与读者的审美感知联系在一起。比如，王蒙的《活动变人形》，如果没经过读者的审美感知，只是一本普通的书，不一定是艺术品，只有阅读感知它的时候，它才能成为艺术品。这颇有一些笛卡儿的"我思故我在"的意味，也与胡塞尔"意向性"和还原的思想不无相似之处。

还有，这派学者往往把阅读现象学与文艺批评结合起来，提出了阅读现象学的文艺批评方法。这种方法既是前两种理论的具体运用，又结合了文艺批评的实际，因此，它仍是阅读现象学的一个组成部分。杜夫海纳提出文艺批评有三大任务：说明、解释、评价。仅从字面上看，他提出的这三大任务没有什么独特之处，但在内容实质上，他却赋予它们深刻的现象学思想，使之在欧美发生了巨大影响，成为当代西方著名的文艺批评的新流派。海外不少学者纷纷利用阅读现象学分析文艺作品，取得了一些成绩①。我们在第五节将专门介绍现象学的文艺批评观。

第二节 创作的目的

《为谁写作》是萨特的一篇重要论文，是他的《什么是文学？》（1948）一书的重要组成部分。

人们常常认为萨特是一个存在主义的哲学家和文学家，但对存在主义是在现象学基础上演化发展这一点注意不够。萨特在1933年至1934年到柏林法兰西学院当胡塞尔的研究生，1939年在《法兰西文学评论》发表题为《胡塞尔现象学的基本观念：意向性》的文章。他的《为谁写作》，虽然也被看作是存在主义文论的经典，但它所具有的现象学色彩，也是相当明显的。他的《想象力》（1936）、《想象心理学》（1940）则是用现象学研究美学、伦理学的力作。因此，萨特与现象学的关系一直很密切。

萨特认为，文艺创作有自己的目的。这些目的包括作家对"他的自由做清洗工作"，为一切人而写作。萨特说："乍看起来，'为所有的读者写作'这个问题是不容怀疑的。事实上，我们已经看到，作家提出的要求是在原则上面向一切人。"②因为所有的精神产品都必然是为人们而产生的，具有广泛普遍性的文艺更是这样。萨特进而论道："写作和阅读是同一历史行为的两个方面，作家恳愿我们去争取那种自由，并不是自由存在的纯粹抽象的意识。确切地说，这种自由不是这样的，它是从一种历史处境中争得来的。每一部书都是从某种特殊的异化情况出发，提出某种具体的解放途径。"③萨特像有的西方学者那样，把写作和阅读作为一枚硬币的两面，把它们之间的关系作为相互依存、相互

---

① 郑树森：《现象学与当代美国文评》，见《文学理论与比较文学》，时报文化出版事业有限公司，台北，1982年，第81~112页。
② [法]萨特：《为谁写作》，见《文艺理论译丛》第2辑，人民文学出版社，北京，1957年，第374页。
③ 同上书，第377页。

作用又同时相互制约的关系。但是,他在论证这种关系的时候,无形地把现象学和存在主义哲学的一些内容捎带进来了,于是出现了"意向性"、"异化"与"自由"这些现象学化了的、存在主义化了的概念。以自由来说,西方不少人把萨特哲学称为"自由的哲学"。萨特说:"自由是我存在的要素","自由的计划是根本的,因为它就是我的存在"。①因此,在论到艺术创作的目的时,他总是把创作目的与自由紧紧联系起来,认为创作必须给人指出摆脱异化、回归自由的途径,从而鼓舞读者和一切人为自由而奋进。萨特还说:"既然作者和读者都在相互寻找自由,从一个世界上经过时都感到痛苦不安,那么我们同样可以说,作者是通过对世界的某个方面的选择来确定他的读者;反过来,作者正是通过对读者的选择来决定他的主题的。因此,所有精神产品本身都包含着它们所确定的读者的形象。"②也就是说,作家对主题的选择要参照对读者的选择,作家的写作要以一定的读者为出发点,否则,作家的创作将是无的放矢的、空洞的、无助于人类向自由发展的。一句话,作家是为读者和广大的人们而创作的。

从文艺史上看,作家创作总是为着读者、离不了读者的。萨特认为,不同的时代会出现不同的作者与读者的关系。因为作者和读者都是随着时代发展而变化流动,没有固定不变的作者和读者的关系。萨特列举了几个有代表性的时代的作者和读者的情况,如:17世纪欧洲教士专为教士们写作,教士写作的内容和技巧都受专家集团的控制,贵族们相信这些教士,作家唯一的读者便是这些贵族、教士或作家团体,作家依附法定的思想原则,自己的自主性相当微弱。读者对作家的评价,实际上就是作家对作家的评价,因为读者就是作家,高乃依、帕斯卡、笛卡儿的读者是塞维涅夫人、梅雷骑士、格里昂夫人、朗布伊埃夫人和圣泰弗尔蒙。作者与读者的关系是对等关系,又有监督与被监督的关系。18世纪的情况不同了,资产阶级登上了自己的舞台,作家的读者层扩大了,资产阶级的人们开始读文艺作品了,教士不复存

---

① [法]萨特:《存在与虚无》,英文版,1977年,第415、455页。
② [法]萨特:《为谁写作》,见《文艺理论译丛》第2辑,人民文学出版社,北京,1957年,第378页。

在，教会文学成为无味的护教论，类似的读者也不再存在了，资产阶级要求作家给他们新鲜的自由的信息，与人们的理智"对话"。这个时期，作家主观、客观的地位远不如从前了，达官显贵们对作家的宠信也不复如初，作家的心境如读者一样显得痛苦。但是，作家的独立感与自主性大大增加了，套在作家身上的一切条条框框统统被打破，一切重新开始，写作就是对读者的给予，对社会的批评，对自由的超越以及对个性的追求。从1848年到1914年的战争为止，读者的基本倾向是促使作家在原则上写出与自己相悖的作品。作家出卖他的作品，同时又看不起买作品的人，从而极力使读者的愿望破灭。在文学史上，作家和读者之间的根本性冲突形成了，因此，作家和读者的关系发生了"断裂"，发生了历史上从未有过的整体性的新变化，而越是在这种时候，人们越要关注作者和读者的关系，越要考察这种关系的趋向、势态，以及从考察中明确文艺发展的方向。

为什么要在理论上研究作家和读者的关系呢？萨特以为有这样几个理由：第一，文艺创作的主要动机是给人提供一种感受，使人感受到人与世界及其关系，感受到人的自主性和自由性，感受到我们是世界的本质。第二，文艺作品是一个存在于运动中的客体，这种运动包括作者和读者两方面，说一个人写作只是为自己是不诚实的，萨特在《为谁写作》一文中打了个比喻：鞋匠可以穿他自己刚刚做好的合脚的鞋子，建筑家可以住进自己的房子，作家却不能总是读他写的书。作家把自己的思想、感情投射到纸上的目的是为了它们"延伸"，这就是说，写作包括着给人阅读的活动。"正是由于作者和读者的共同努力，才使那个虚虚实实的客体得以显现出来，因为它是头脑的产物。没有一种艺术可以不为别人或没有别人参加创造的。"①第三，阅读的需要和特殊性。阅读好像是一种观念和创造的综合，既要认识作品，又要超越作品进行再创造，它不是机械的被动的活动，而是能动的创造的活动。萨特认为，这种再创造与创作一样新鲜，一样具有独创性。

---

① [法]萨特：《为谁写作》，见伍蠡甫主编：《现代西方文论选》，上海译文出版社，上海，1983年，第195页。

同时，阅读又将作品的空间展开从而重新组织成一个新的空间，补足了原有作品的不足，确立了原有作品的未定点，因此，归根到底，写作就是向读者提出吁求，要读者通过外在语言的启发将作品转化为一个客观存在，要读者从自由中最纯粹的成分理解作品。萨特还认为，艺术作品的全部价值都表现在对读者自由的一种吁求，因此，任何奴役读者的艺术家最后必是"搬起石头砸自己的脚"，削弱乃至丧失自己的创作能力。

第三节　作品与读者

如果说萨特更多是从作者和读者的关系讨论阅读现象问题，那么，英伽登则更多地从作品与读者的关系入手研究这方面的问题。

像其他现象学家一样，英伽登认为"意向性"是哲学的最基本概念。所谓"意向性"，指人所认识的一切客体不是孤立的存在，而是被意识到的客体。例如，艺术品是最纯粹的意向性对象，只有一部分属性由作品自身呈现出来，其余部分属性则由读者的想象力补充，因此，艺术品本身是不自足的，只有与读者发生密切联系，艺术品才在读者的补充中成为自足体。

鉴于此，英伽登把文学作品分为四个层次。其中，前两个层次属于作品本身，后两个层次则与读者发生关联。

先看前两个层次。第一个层次是语词——声音层，指文学作品是由语音及其符号即语词构成的，包括韵律、音步、声型、外观、语词的"感觉"，是字句中各种声音相互作用所产生的"和谐的复调音乐"的外在表现，是文学作品的音韵美的基础。它类似《宋书·谢灵传》所要求的"若前有浮声，后须切响。一简之内，音韵尽殊；两句之中，轻重悉异，妙达此旨，始可言文"，主要指文学作品的语言文字的音韵效果。第二个层次是意辞层，指由字词的意义构成的层次，以及由字词的意义构成的艺术世界。在这个层次上，文学意义与实际经验大异其趣，文学意义比前一层次表现得更加充分。在《文学的艺术作品》中，英伽登用相当大的篇幅研究意辞层，认为这个层次具有一定的独立性，与现实的实际意义不同。如对托尔斯泰的《安娜·卡列尼娜》的第一句"幸福的家庭是一样的，不幸的家庭则各有各的不幸"，人们不必判断这句话是否概括了各种家庭的类型，因为这是社会学家的任务；用我们的话说，不能将艺术真实与生活真实进行对应的考察，因为各自有自己的质的规定性。英伽登认为，这两个层次的特点是直接呈现作品，与读者暂时不发生直接联系。

到第三、第四层，作品和读者的关系就明显了。第三层称系统方向层。这个层次是作者虚构的产物，它的具体化，需要并依赖于读者的阅读行为。英伽登以罗曼·罗兰《欣悦的灵魂》为例进行说明：《欣悦的灵魂》描写巴黎千奇百怪的街道面貌，到过巴黎的人，能根据具体对象加以想象；没有到过巴黎的人，只能从别的城市街道的样子并根据自己的体验进行想象，使作品的形象具体化。同样，对中国古典小说如《红楼梦》，当时的读者能根据自己的经验进行想象，今天的读者则只能根据古代文化知识以及现代人演的古典剧进行想象，把作品的各种描写、刻画、议论、叙述在头脑中予以具体化。在英伽登看来，生活中真实的事物可以帮助人们认识作品中的一系列图式，因为作品中的图式虽然不是物理世界，然而却是根据物理世界进行创造的；《欣悦的灵魂》对巴黎街头的描写已经构成了一个艺术世界，但艺术世界却是根据巴黎街头的实际情状加工而成的，所以，读者能根据作品提供的描写再经过自己的经验和体验理解作品。英伽登继续论道：不同的人对同一作品的感受因为以前知识的原因而呈现出不同的状态，因此，我们不能要求所有的读者对一部作品的感受都是相同的；要求感受的一致是一种绝对主义的看法，因而是错误的。因为作品呈现出来的客体与读者阅读所呈现的客体是两码事，前者未与读者发生关系，后者与读者发生了关系，而在这种由不同方面所形成的关系中必然会出现不同的客体，没有什么大惊小怪的。但是，英伽登并不以为作品世界和读者世界是截然分开的两个世界，而是强调读者的自由性和自主性，以便加强读者自己和作品的联系，加强读者和作品的"协调"或"合作"。他一再指出，没有读者的作品是没有生气或生命力的，其中的形象只是"纸上的形象"而不是活生生的艺术形象。

在第四层,英伽登提出了"被表现的客体层"。这一层是在前三层基础上形成的,因此它处于作品的较高层次。同时,由于第三层和第四层的关系十分密切,人们很难区分这两个层次的绝对界限。英伽登认为系统方向层与"直觉现象"有关,被表现的客体层则与概念含意有关。因为作品是被表现的客体而不是客体本身,所以,与第三层一样不能将作品世界等同于客观世界,正像狄更斯笔下的伦敦不是真正的伦敦,曹雪芹笔下的大观园不是清代的大观园一样。在这里,英伽登提出了文艺作品可能提供一种"观念",或者是一种"形而上学的品质",这些品质不是对象物的特性、品质或精神状态,但在环境和事件中往往表现出它们的存在。他说,文学作品中形而上学的性质有时是单纯的,有时是复合的,像崇高、悲切、恐怖、动人、莫名其妙、超凡、神圣、罪恶、哀伤、无法形容的幸福的宁静,以及怪诞、妖媚、光明、和平等等,"往往透露在复杂的和往往是零碎的环境或事件之中,有如大气弥漫于这种环境中的人与物之上,以其光芒穿透和照亮每一对象"①。人们根据自己以前的知识和亲身体验来领悟作品中的形而上学的品质,一旦领悟到,人们能产生一种沉思默想的状态;但是,对作品中的这些形而上学的品质,人们不能用理智来把握它们,因为它们不是哲学意义上的观念,也不是命题,而是包含在具体的生活环境之中,观念和被表现客体的一切形象、事物都密切地联系在一起。这样看来,与其说英伽登在这里强调观念或形而上学品质,不如说他在强调被表现客体中的观念或形而上学品质的象征。他引述F.海倍尔的话说:"艺术是实现了的哲学",它"至少能在微缩世界和反省之中赐予我们在现实生活中不可能得到的东西:对形而上学性质的沉思默想"。②英伽登还认为,人在现实中是受压抑的,文学艺术的功能就是让人摆脱这种压抑,感受到一种宁静,领悟隐蔽在作品深处的形而上学品质,消除尘世间的一切苦恼和烦闷,让文艺之光照亮心中那忧暗

---

①[波]英伽登:《文学的艺术作品》,英文版。
②同上。

的空间,使文学中的形而上学品质穿透自己的心胸而幡然醒悟。

英伽登对文学作品进行四个层次的分析是在《文学的艺术作品》中完成的。这本书始终把文学作品作为一种层次不同的金字塔,每一层在另一层基础上垂直升起。在《论对文学的艺术作品的认识》一书中,英伽登提出从阅读过程体验一部作品的看法。他细致地区分了不同类型的阅读:被动的、纯欣赏的、娱乐的阅读,积极的、主动的阅读等。他认为,人们在阅读中组成不同的层次,尤其是在阅读中建立起了第四层次,即被表现的客体。这个层次的建立使人们获得了对作品的整体感,因为这个层次是在阅读中所得到的文学作品的最后一个层次,所以,连同前三个层次一起,这个层次最后构成了作品的统一体。人们进入这个统一体之中,才能与作品进行交流,进行共同创造,才能把握作品的形而上学的品质。比如,我们在阅读巴金的《家》时,很容易看到《家》所呈现的字词及其声调、节奏,表意各个意义单位,然而,阅读仅仅注意语词—声音层和意辞层是不够的,还必须与作品的系统方向和整个被表现的艺术世界进行交流,从而在大脑中形成觉慧、觉新、觉民、梅表姐、高老太爷等一系列人物形象,最后把《家》所描写的封建家族的衰败史和新生力量的成长过程以及这些人物形象综合起来,集中起来,形成对整个作品的全部把握和创造。因为《家》并不只是一个语言的实体或巴金"泄私愤"的个人情感的外露,而是一个表现的艺术世界,其中由各个部分组成,阅读只要了解了各个部分并把它结合在一起,才能形成一个有机体。由此看来,英伽登是把阅读过程看成是建立一种和谐的整体,即他所说的"复调的和谐",也就是人们通常说的"格式塔"。它说明,文学的艺术作品在整体上大大超过语言学,被表现的客观世界不能片面地归入比较低层次的语词—声音层和意辞层。尽管艺术表现离不开它们,但并不能说有了语词—声音层和意辞层就有了文学,文学有比这两个层次更为广泛的空间。

英伽登对文艺理论最突出的贡献,是对文学作品的四层次的划分以及把作品与读者联系起来讨论这些层次。此外,他还提出了不少新的见解,其中有些新见解在美学上意义很大。英伽登在论证读者和作品的关系时,还提出了读者的"投射"、"具体化"等问题。我们有必要对这些概念加以分析,从中看英伽登是如何把握读者与作品关系中的调节或中介机制的。

所谓投射(projected),是指读者把已知扩大到未知,把有限扩大到无限,把客观存在的作品意向伸展到非客观存在的意向,把一个时空点扩充到充满想象的艺术时空中去。这类似陆机《文赋》所说的"精骛八极,心游万仞","浮天渊以安流,濯下泉而潜浸","观古今于须臾,抚四海于一瞬","函绵邈于尺素,吐滂沛乎寸心"以及"笼天地于形内,挫万物于笔端"。所不同的,陆机指的是创作过程,英伽登指的是读者的再创造所产生的巨大的投射作用。比如,读鲁迅《朝花夕拾》,要看到它意象深远,象征色彩浓郁,同时,读者还要充分发挥自己的想象力,以自己的生活经验和审美体验将其"展开",从中看到作品所蕴藉的无比丰厚的意蕴,使自己进入审美境界中去。但是,艺术是一个虚构世界,读者的投射不像对生活认识所需要的"投射"那样实际,而是在与作品保持一定距离并在这种距离中进行交流,只有在这种交流中,读者向作品的投射才能完成。同时,由于文学作品并不是处处写实而充溢"实境"的,而是有许多未定点和空白点,读者必须以自己的知识、经验、材料、体验等确立和填充这些未定点和空白点,使文学作品具体化。英伽登说,填充作品的不定点所需用的是"从作品的许多可能的或可容许的成分之中选出的成分。读者在'选择'时往往不具有有意识的、明确的意向。他只是任其想象驰骋,以一系列新成分来填充客体,以使得客体显得好像是充分地被确定"[1]。

第四节 审美对象和审美知觉

无论是英伽登还是杜夫海纳,都注意研究审美对象和审美知觉。英伽登曾写过《美感经验与美感对象》等文章,杜夫海纳则在自己的几本著作中集中研究了这个问题。因此,我们在这节里专门评介

---

[1] [波]英伽登:《对文学的艺术作品的认识》,英文版,1973年,第53页。

杜夫海纳的观点。

杜夫海纳从现象学角度出发,认为美学必先研究审美对象。他的法文版的《审美经验现象学》,第一卷《审美对象》的篇幅几乎等于第二卷《审美知觉》的两倍,可见杜夫海纳对审美对象的关注之多、用力之深。

杜夫海纳是如何研究审美对象的呢?从文论的角度看,杜夫海纳有意地把审美对象与艺术品区别开来,从而认识各自的特殊性。杜夫海纳的思路是这样的,所谓对象,一般具有两种意义:一是客观存在的对象,一是被意识到的对象。比如一本书作为一种对象,它必须既具有书本身的客观存在,又是人们看到的、意识到的书,否则,这本书只能作为一种文化产品而存在,不能作为人们的对象。审美对象作为一种对象,也必须具有这两个条件:一是具有客观存在的条件,如自然美必须是美的自然,艺术美必须是美的艺术品;仅仅这样还不够,还必须是欣赏者的审美知觉所感知到的对象,如海明威的《永别了,武器》,作为一种审美对象,仅仅写出这部作品还不够,还必须与读者发生审美关系,在这种关系中确认对象。简单地说,审美对象就是被审美感知的对象,审美感知是对象的基础。

艺术品与审美对象有何区别呢?杜夫海纳的中心意思是,艺术品在没有成为审美对象之前只是一种客观存在,还没有与审美感知发生关系。荷马的史诗、莎士比亚的悲剧、莫里哀的喜剧、巴尔扎克的小说、里尔克的诗歌、培根的散文、丘吉尔的演说词,在没有与读者发生关系之前,充其量是一种艺术文化,是一笔宝贵的文化遗产,还不是审美对象。用杜夫海纳的话说:"艺术品与审美对象的区别在于:艺术品可被视为一般物,也就是使它有别于其他物而不给它特殊对待的那个知觉的和思考的对象。"[1]比如对墙上挂的一幅画,搬运工搬家时只是把它当作一个物体搬走了事,文博专家考察它的年代、真伪、风格时,有时也像医院里的大夫解剖病人那样,并没有把它作为一个知觉的对象。所以说,没有成为审美对象的艺术品只是一种物

---

[1] [法]杜夫海纳:《审美经验现象学》,法文版。

质,一个实体,尽管是一种特殊的物质和实体。

杜夫海纳在单独考察艺术品的时候,也指出了艺术品的一些特征。他认为,艺术品具有时间上的永恒性,而审美对象则相对比较短暂,与审美知觉发生关系时,它才成为审美对象,不发生关系时,它就不复存在了。艺术品不论与读者发生关系与否,只要它是优秀的艺术品,总可以经久不衰,而且随着岁月的增长日益显示它那隽永的魅力和对人类发展史的不可替代的情感的征服力。因此,艺术品并不依赖主体的知觉和经验而存在,也不由读者的好恶决定自身的价值,它是相对稳定的。在空间上,艺术品具有牢固的结构,不像审美对象那样随着主体知觉的变化而变化。总的来说,杜夫海纳是把艺术品作为一个处女,具有自在自由性,而审美对象则是当作一个少妇,在一定程度上受丈夫的意志、情感支配和左右。因此,艺术品与审美对象因为审美知觉的关系具有不同的质的规定性。

同时,艺术品要转变成审美对象也是很容易的。转变的条件是:只要艺术品与审美知觉发生关系,艺术品成为审美主体的艺术品,那么,艺术品便成为审美对象了。比如,萨特的《恶心》,在没有与审美知觉发生关系时是艺术品,但是,只要读者读它、感受它、理解它,它便成了审美对象。在《恶心》的中译本没有问世之前,大多数人通过报刊的宣传、文学史家的介绍、专家的讨论,便知道20世纪的法国有这么一部作品。它远隔重洋,我们不可能读到它。即使它就放在不懂法文的人面前,人们也只能承认它是艺术品,不能承认它是审美对象。一旦中译本出来,很多人能从中得到审美享受,获知存在主义的人生观和世界观,那么,这部书便成为审美对象了。杜夫海纳写道:"审美对象和艺术品的区别表现在这里:必须在艺术品上面增加审美知觉,才能出现审美对象。"①

既然如此,那么,什么是审美知觉呢?审美知觉是怎样作用于审美对象的呢?

杜夫海纳明确地说:审美知觉"是种能把艺术品变成审美对象

---

① [法]杜夫海纳:《审美经验现象学》,法文版。

的知觉"①。就是说，从知觉主体的角度说，审美知觉能把作为一种存在的艺术品转化为审美对象，从而使艺术品摆脱那种自在自为的状态，进入人们的审美视野之中，与人发生审美关系。杜夫海纳进而具体指出："审美知觉是极端性的知觉，是那种只愿意作为知觉的知觉，它既不受想象力的诱惑，也不受理解力的诱惑"，"审美知觉是属于对象的真理、在感性中被直接给予的真理。全神贯注的观众毫无保留地专心于对象的突出表现，知觉的意向在某种异化中达到顶点"。②与胡塞尔一样，杜夫海纳尽可能避免从心理学方面讨论文艺问题，而是用现象学观照文艺理论。他说的知觉是一种现象学的知觉，具有明显的意向性，即通过知觉分析说明纯粹意识的本质，说明主体与客体的特殊性。因此，他避免用心理学所讲的想象力、诱惑力等概念来说明审美知觉，而始终从主体与客体的关系中说明审美知觉及其审美对象，认为知觉到的对象是一个丰富的感性的世界，审美知觉是在审美对象中实现的知觉。例如，对老舍的《骆驼祥子》，审美知觉使它成为审美对象，从而揭示这一对象的艺术丰富性和强烈的感染力的存在，把握它内在的真谛。杜夫海纳还认为，审美知觉只是一个中介，是沟通审美对象与审美主体的桥梁。这个中介促进了主体、客体的双向交流，最后使审美主体与审美客体协调一致。

在谈到审美知觉对审美对象的具体作用时，杜夫海纳提出了著名的知觉过程三阶段的学说。这三阶段分别是：（1）呈现（presence）阶段。在这一阶段中，知觉大量发生，这种发生是作为一种综合的、先于思考的、具有整体性的发生，人们对艺术品的审美要素的丰富性进行感知。不过，这个阶段上的知觉还没有进入分析、理解阶段，只是一种对整体的知觉；也没有进入思考阶段，无从把握作品的内在意向，像我们初读老舍的《骆驼祥子》那样，感知到作品中的各种人物形象，如祥子、虎妞，以及其中描写的各种世界，如人力车夫的世界、大杂院的世界和妓院的世界，并且，在感知中把这些人物形象和

---

① [法]杜夫海纳：《审美经验现象学》，法文版。
② [法]杜夫海纳：《美学与哲学》，孙非译，中国社会科学出版社，北京，1985年，第53页。

各种世界组成一个完整的审美对象。这就得到(2)阶段,即表现和想象(representation and imagination),这个阶段的知觉趋向客观化,把最初感知的对象形成明显的实体和世界或能加以分辨的事实。不过,杜夫海纳对这个阶段中的想象作用评价不高,他强调的是表现,他说:"真正的艺术品可使我们不必动用丰富的想象力。"[1]原因是:审美对象已经是一个丰富而又明晰的世界,不需要想象力去填充、扩展、推敲。但是,杜夫海纳对创作需要想象是肯定的,只是在谈到欣赏作品的时候,主张欣赏者不必用创作家那样的想象力而已,他担心的是,欣赏者在作品基础上想入非非,将一些子虚乌有的东西硬性地塞进作品,从而破坏了审美对象本身的整体性和客观实在性。(3)映照和感觉(reflexion and feeling)阶段。它的特点是知觉进入了理解阶段,与感觉接近,并与感觉建立起辩证关系。但是,杜夫海纳对理解估价不高,反而对感觉特别重视。因为仅仅通过理解,人们难以使审美主体与审美客体协调一致,而通过感觉,却可以达到这种一致,可以领会到被表现的世界中的特殊的情感本质,从而使感觉与审美对象的固有的表现性建立联系。杜夫海纳尤其强调说:"审美知觉的真正顶点存在于感觉之中。感觉揭示作品的表现性。"[2]这个阶段的映照并非客观化,而是支持感觉与对象的联系。

最后,杜夫海纳还研究了审美对象与审美主体的协调统一的问题。他以为,审美对象与审美主体及其知觉不是孤立存在的,也不是没有联系的两极运动,而是互相联系,互相促进,通过感觉达到两者的协调统一。他以艺术的真实问题为例论证说,艺术真实是指艺术品依赖于实际情况,而且阐释这些实际情况。但是艺术要表现实际,又必须依赖感觉。只有通过感觉,艺术家才能揭示实际存在的情感本质。同时,从实际存在的固有的特性出发,艺术家可以不通过再现或模仿的方式展示艺术真实,而是"审美对象通过自己的固有特性并从自身内部出发才与实际相连,同时在这里展示实际的真实"[3]。再者,

---

[1] [法]杜夫海纳,《审美经验现象学》,法文版。
[2] 同上。
[3] 同上。

由于审美对象与审美主体关系密切,所以,艺术真实既依赖于实际,又超越了这种存在,这样,审美的主客体的统一导致了艺术真实的两面性,即既由实际出发展示真实,又通过阅读、感受、知觉、体验与审美主体发生关系,形成艺术真实的主客体的统一。也就是说,艺术真实除了艺术品描写的对象与实际一致外,还要与读者的感受一致。忽视其中任何一个方面,艺术真实都不可能实现。杜夫海纳由此说明,在审美中,对象与主体是有距离的,通过距离形成交流,并在交流中达到两者的协调一致。

第五节 文学批评

阅读现象学的理论家们很重视对文学批评进行现象学的研究。这与第十三章讲到的接受美学家们重视对文学史进行接受研究可谓相得益彰。

这派学者论文学批评或开展对文学作品的具体研究基本上是从现象学的立场出发,通过文学批评伸展现象学的理论。因此,他们的文学批评观具有强烈的现象学的倾向和色彩。也因为这样,他们常对非现象学的文学批评给予贬斥。

首先,他们不同意从作者角度开展文学批评,认为那样会肢解作品,对作品进行无意义的"索隐",影响文学批评的科学价值。杜夫海纳就曾说过:"当它(指其他方法的批评——引者)想解释作品时,它却乐于提到作者。这时,它成了传记、心理学、心理分析学,就像不久前它成为历史学或社会学一样。而且,不少批评性著作的书名都带有作家的名字,而不带有作品的名字。但是,批评重新要求的这种崇高的科学知识这时并不能导致对作品的理解,它只会松懈作者与作品之间的联系。科学知识在作品之外寻找有关作者的信息成分,最后它从作品中只保留了那些有助于理解作者或检验创作的一般理论的东西。"[1]

---

[1] [法]杜夫海纳:《美学与哲学》,孙非译,中国社会科学出版社,北京,1985年,第160页。

其次，他们还不赞成像新批评、结构主义专注作品的研究方式，认为这样也会造成就事论事、失落作者和读者的弊端。因为"大部分作品以它们的全部光辉或全部密度，要求人们这样公正地对待它们"，如若把作品当作一个实的、硬的、自律的物体，仅仅作为一种语言的存在和句法结构来对待，"批评就割断了作品与作家之间以及作品通过作家与世界之间联结的脐带"①。

在阅读现象学家看来，正确的文学批评应该始终注意作者、作品、读者这三维空间，把注意力更多地投射到作品与阅读的读者的关系上。因为阅读会像龚古尔学院院士让·凯罗尔所说的那样："阅读便成为地震式的，阅读中到处发生冲撞，这些冲撞暴露出我们思想感情是不坚定的，我们的命运是不牢固的；我们命运的贫困和易朽已经不再使人害怕：坏也罢，好也罢，尽管这样的阅读有种种意外，然而毕竟是坚持住了。"②当然，还有现象学的原因，所以，这派学者在审美对象与审美知觉的理论基础上确立了自己的文学批评观。

一般说来，文学批评主要有三种功能：说明，揭示作品的意义，教育公众；解释，指出作品产生的因果关系、影响、历史上的地位；判断，辨明作品的价值。杜夫海纳认为，阅读现象学主要侧重第一种功能，即说明功能。这时，他举起胡塞尔还原论的大旗，"回到事物去"，借此来标明文学批评应该"回到作品去"，严格地说，文学批评应该通过读者而回到作品中去。

但是，究竟通过读者回到作品的什么地方中去呢？作品是一个丰富的世界，杜夫海纳认为，阅读现象学的文学批评应该通过读者回到作品的意义中去。杜夫海纳指出："现象学还告诉我们：任何现象本身都带有一种意义，这一方面是因为主体总是呈现于'被给定之物'中以便组织它、评论它；另一方面是因为'被给定之物'从来不会以经验主义所想象的感觉——材料的方式作为原始的和无意义的东

---

① [法]杜夫海纳：《美学与哲学》，孙非译，中国社会科学出版社，北京，1985年，第142页。
② 王忠琪等：《法国作家论文学》，生活·读书·新知三联书店，北京，1984年，第552页。

西被给定。因此,作品永远有一种意义。作家说话是为了说出某些东西,作品的效能就在于它说的能力之中。如果说出来的东西不能用真和假的普通标准去衡量,那也无关紧要,作品的真理总是在意义的说明之中。因此,批评的基本任务似乎就在于解释这种意义。"①正是由于现象学的文学批评把解释意义作为批评的主要任务,所以,西方有的学者干脆把现象学批评叫做"意识批评"。不过,现象学家是严格区别意识与意义的。W.L.库运等人显然是在文学批评上将两者混为一谈。尽管如此,我们也可以看到现象学的文学批评对解释意义的重视程度。用米勒的话说:"文学是意识的形式,文学批评是运用各种方法来分析这种形式。"

然而,这里所说的意义又是什么呢?杜夫海纳认为,作品里的意义包括两个方面:一是它内在于感性;一是它由一种独特的意识所体验。对于第一点,人们不难理解,意义本来就是内在于感性形式之中,换句话说,感性形式是作品的表层结构,感性形式的意义是作品的深层结构。如果意义似大海,那么,感性形式则是大海表面的波纹。这与我们哲学教科书中所说的现象、本质的关系没有什么逻辑上的差别。对于第二点,杜夫海纳等人认为这里的意义是由作者和读者共同体验到的意义。作品的意义并不全是作者赋予的,而主要是作者回答了大自然和生活中潜在的意义问题。大自然和生活中的意义是无穷无尽的,也是"无边无际的",作者在作品中揭示的意义也是千差万别、各自相殊的。马拉美与卡夫卡揭示的意义不同,刘宾雁与王蒙揭示的意义也不相同。另一方面,由于作品是由作者和读者共同创造的,作品相对读者来说还只是准客体,只有读者介入作品时,作品才能算作审美客体或审美对象。杜夫海纳说:"一部作品只有当它自身富有启发性时,读者才是启发。瓦雷里常爱说:诗境是对读者而言的,不是对诗人而言的。因此,批评家在说出作品给他的启发时,并不背叛作品。"②

---

① [法]杜夫海纳:《美学与哲学》,孙非译,中国社会科学出版社,北京,1985年,第163页。
② 同上书,第167页。

那么，批评家又该如何解释作品的意义呢？杜夫海纳以为：批评家主要是感受作品的意义。批评家千万不能用自己构思好的图式去肢解意义，也不能用概念去演绎作品的意义。因为作品的意义是一个丰富的世界，对一个丰富的世界只有感受才能全面获得它，批评者每次阅读对这个世界的感受都会加深，都会觉得清新。批评家不是用自己的文化知识去补充作品，而是用这部作品补充这部作品，比如不能用萨特的《苍蝇》去填补卡夫卡的《变形记》，只能通过对《变形记》的丰富而又深入的感受来补充《变形记》。所以，批评家既是从感受出发又是从作品获得的感受来介入、填充作品，使作品在读者心中被对象化，拓展阅读主体。因此，感受不是空洞的、无意义的，它同时是参与，是感受的参与。在这个前提下，批评家才可以运用各种方法而不违背作品的意义来说明作品的意义。

此外，杜夫海纳还认为现象学的文学批评也可以对作品的意义进行解释。他区分了主观化的解释和客观化的解释，认为前者在限定的作者身上寻求作品的根源，后者则"使创造服从于心理学和历史学"。他虽然尽量回避用心理学开展文学批评，但他也认为这种回避有时是不必要的，事实上不少现象学家也用了心理学方法开展研究活动，只是要现象学化，不能任其发展而破坏作品的完整。对文学批评的第三种功能，即判断功能，他们以为也是可以的，只是不能让批评家妄自尊大，随意评判，像顾客挑商品那样地评判，而应该以作品为标准，充分认识作品的感性及其意义，把握作品的精神境界及其深度，这种深度应体现出作品的存在和意义与世界所建立的关系。批评界的那种"批评即我"、"我即批评"、排斥体验的客观化的倾向是错误的。所以说，比较全面地看，现象学的文学批评观并不像有的论者所说的那样是狭隘的，毫无可取之处的。

第六节　结束语

阅读现象学派的文艺理论，对我们建设新的文艺理论体系至少有两点启发：

在艺术认识论方面,这派学者冷静而慎重地分析作品的内在结构和它的意向性,始终把作品与作者尤其与读者联系起来,进行系统的、综合的又有侧重点的分析和阐释。在对作品的层次划分上,他们上承俄国形式主义、新批评、结构主义、符号学的文论体系,并在此基础上以现象学哲学为中轴进行了新的开拓。这样,使他们的文论避免了克罗齐忽视形式因素的偏见,既吸收了形式论者的合理因素,又克服了形式论者对作品的意向性、意义、形而上学的品质、审美知觉认识不足的毛病,同时,还指引文艺理论家在一定的哲学精神感召下对读者进行深刻的理论反思,开辟了一条具有坚实的理论基础的读者研究的新途径。时下,我国学者已经意识到读者研究对文艺理论建设的重要性,这无疑是一个良好的开端。然而,在如何将阅读研究建立在扎实的理论基石之上,怎样划分作者、作品、读者研究的界限,如何确定读者在文艺系统中的地位以及判明其本质方面,我国学者还未及进行系统的研究。在这一方面,阅读现象学起的拓荒作用,可供我们借鉴。

另一方面,阅读现象学还对后来的阐释学、接受美学、读者反应理论以及新兴的对话体的批评学产生了巨大影响。这几个派别相映成趣,成为20世纪后半叶西方文论发展的主流。阅读现象学家们的反传统精神及通过反传统从而建立新的传统的研究方法,为后来读者研究的各派理论家们所效仿,也可以激发我国学者进行理论反思。

在艺术方法论方面,他们从作品的表层入手,从作品与读者的关系着眼,强调文学批评感受的开放性,主张从审美知觉的角度确立艺术作品,申扬文艺的感性与意义的有机结合,并注重对作品与读者的关系作历史的理论分析,使他们的理论既有浓厚的理论色彩,又具有深刻的历史性,形成了别树一帜的理论体系。难怪世界著名的文艺批评史家、后期新批评家的代表者韦勒克说:"罗曼·英伽登……对一种系统连贯的文学理论做出了重要的贡献。我自己在很大范围内赞同他的观点。在这许多问题上,我向他所学的比向其他任何人学到的更多。我将提出某些保留和疑虑的看法,但无论如何,总发觉他阐述了这样一些问题,如文学艺术作品存在的模式,它的多层结构,我们体验它的方式,等等。在这些方面,我所知道的美学家中,谁也比不上他阐述得清楚而且精确。"①M.C.比尔兹利认为《审美经验现象学》具有"极大的清晰性、洞察力和独创性",它与《文学的艺术作品》是阅读现象学文论的"双璧",是"两本最杰出的现象学美学著作"。②

阅读现象学的理论有许多不足之处,主要是矫枉过正,过分夸大阅读的作用,似乎没有阅读就不会有审美,也不会有审美的作品,表现出一种形而上学的倾向。他们还对社会、文化与阅读的关系重视不够,专事纯意识研究,忽视了艺术品的内在意蕴的自我体系,而一味把它纳入读者的视野之中,对创作的契机、创作与阅读的关系、阅读的条件、阅读的秩序以及想象性和一系列的心理因素重视不够。所有这些,都使它在具有科学性的同时又带有不少非科学的因素。

总的看来,阅读现象学在西方现代文论史上有着重要的转折作用。转折时期自然会出现一些问题,但只要完成了这种转折,功莫大焉。这一点,我们在下面几章中可以看到:阅读现象学家所完成的这种转折给后来的更为具体、更为扎实的读者研究奠定了基础,开辟了道路,尤其是直接促成了文艺阐释学的发生和发展。

---

① [美]韦勒克:《西方四大批评家》,林骧华译,复旦大学出版社,上海,1983年,第97页。
② [英]M.C.比尔兹利:《美学——从古希腊到现在》,纽约版,1966年,第371页。

第十二章 文艺阐释学

第一节 发展与特征

阐释学本是一门研究《圣经》和其他具体作品的学问,在20世纪一跃成了一门显学,成了世界性的人文科学,在各方面都被十分关注的科学。

"阐释学"的西文为Hermeneutics(或译为解释学、诠释学、解经学),Hermes(赫尔墨斯)是希腊罗马神话中为神传达消息的信使。赫尔墨斯传达神的旨意时,显得高深莫测,给接受这一旨意的人制造了一些障碍,提出了一些难题,激起人们的思索和研究。这种研究的结果便导致阐释学的产生,亦称"赫尔墨斯之学"。

尔后,由于德国神学家和哲学家弗里德利希·施莱尔马赫的努力,古老的阐释学才成为一门具有普遍意义的学问。又因为康德的影响,尤其是狄尔泰的研究,使阐释学日益兴盛起来。狄尔泰的哲学主要是用科学方法论寻求对生命的理解,他给阐释学做了如下的定义[①]:

命题1:我们把从感觉所给予的精神的生命表示,到这种精神的生命被认识的过程叫做理解。

命题3:我们把对于用文字所固定下来的表示生命的技巧的理解叫做解释。

命题4:我们把对于用文字所固定下来的表示生命的理解的技术学叫做解释学。

由此可见,狄尔泰突破了原来把阐释学作为阐释原文的框架,把

[①] [日]久米博:《解释学的课题和发展》,见北京大学编译:《外国哲学资料》第6辑,商务印书馆,北京,1982年,第155页。

它上升到哲学认识论,从一般文献学上升到历史哲学。但是,他把阐释学作为一种技术学,把艺术作为生命的一种器官,这还不足以使阐释学获得本体论的位置。

在阐释学方面取得了关键性转变的是存在主义大师、萨特的老师海德格尔。他生于西德默斯基尔希,入弗莱堡大学就学,跟随胡塞尔从事研究,并在胡塞尔主编的《哲学与现象学研究年鉴》第八卷上专载了他的主要著作《存在与时间》,之后接替了退休的胡塞尔的教授席位,并在1933年出任纳粹时期的弗莱堡大学校长,尽管只任职十个月,但是,他此后一直作为纳粹帮凶或帮闲的角色而臭名远扬。他的代表作除了《存在与时间》(1927)外,还有《论根据的本质》(1929)、《形而上学是什么?》(1929)、《荷尔德林与诗歌的本质》(1937)、《论人道主义》(1949)、《林中路》(1949)等,他是一个思想深邃、著作等身的当代重要的哲学家,其哲学成就远在萨特之上。海德格尔在解释学方面最大贡献是把这个学科纳入本体存在中进行新的解说,从而建立了本体阐释学。

不过,人们往往把狄尔泰和海德格尔作为生命哲学和存在哲学的代表人物,把加达默尔作为阐释学的杰出代表。加达默尔生于德国马堡,20世纪20年代求学于马堡大学和弗莱堡大学,从1949年起一直为马堡大学教授,代表作是《真理与方法》(1960)、《柏拉图的辩证伦理学》(1931)、《柏拉图与诗人》(1934)、《歌德与哲学》(1947)、《小论集》(三卷,1967)等。他曾师事海德格尔,潜心于古典哲学,深受黑格尔、狄尔泰的影响,他的哲学具有浓厚的历史理论色彩。人们只要提到历史阐释,首先就会想到加达默尔。同时,他还在对话哲学、艺术经验、文本深义等方面提出了自己的系统思想。

此外,法国的保罗·利科也在阐释学哲学和文论方面取得了成就,代表作为《阐释学与人文科学》(1980)及一系列哲学阐释学方面的著作。

除上述几位哲学家之外,文艺阐释学派主要还有另外一支队伍,即一批文艺理论家。在德国有尧斯,代表作为《审美经验与文学阐释学》。美国的文艺理论家对文艺阐释学特别注重,代表人物有赫什，代表作为《理解的有效性》（1967）；尤尔，代表作为《解释》（1980）；托尔豪斯特，代表作是《论什么是作品和它如何意指》、《论作品的个性化》（1979）等。还有一批华裔学者，如徐复观、叶维廉、刘若愚运用阐释学研究中国文学、比较文学，有的甚至把老庄之学和玄学与文艺阐释学进行比较研究，并取得了一定的成就。

文艺阐释学基本上是由哲学阐释学派生出来的。由于哲学是门个性很强的学问，各家各派常处于论战之中，给文艺阐释学带来了很多互为矛盾的见解、针锋相对的论点。我们对文艺阐释学的特征的概括只能在最一般的意义上进行。

第一，文艺阐释学注重文艺的精神价值，认为文艺作为精神产品，可以促进人与人之间的交流。文艺阐释学家认为，文艺不只是文献资料，也不只是供人玩赏的花瓶，而是在长期历史中形成的一种精神形态，是人的生命之流的表现，是人生体验的产物。正因为如此，文艺本质上是交流的，它能沟通生命与生命之间的联系，促进人与人之间的交流。文艺阐释的目的是发现文艺的美，对文艺进行理性把握，从而通过作品的表层发现它内在的精神价值。这派学者认为，分析不同于阐释，分析是指出作品的意义和条件，掌握历史与艺术史的背景知识，如我们常说的历史分析、社会分析、心理分析等。阐释是发现，分析是理解，阐释中具有创造，分析更多是一种知性认识；阐释追求规律性和整体意识，分析则往往就事论事，具有归纳还原的特征。

第二，总结出了一系列阐释作品的中介机制，如阐释的先验图式、历史文化条件、个人修养等。文艺阐释学中的许多哲学家常常从先验的哲学来审视文艺阐释的先验意识，这种先验意识并不仅仅是指我们过去所指的唯心主义的先验论，还指在接受一个作品之前已有的经验，如我们在读王蒙的《活动变人形》之前，已经具有一些文化和艺术知识，在认识倪吾诚的"精神失败"之前，已经有阿Q的"精神胜利"作为参照。保罗·利科说，经验先于语言。在文论中也有这种情况：接受作品的外表时头脑中的经验模式早已形成。文艺阐释学家对文艺阐释的历史文化因素非常重视，海德格尔、加达默尔都是当代从哲学方面论述历史性和文化性的高手,他们把这方面的研究运用到文艺阐释学中来,认为文艺阐释无论如何也摆脱不了历史、文化条件,任何脱离历史、文化的文艺阐释都是欺人之谈。由于名人的先验图式、历史文化条件不同,对文艺的阐释也会出现千差万别的情况。

第三,文艺阐释学研究的中心是文艺作品与读者的关系。尽管这个流派内部关心文艺阐释学究竟研究什么,存在着许多差异和论争,如美国的赫什和尤尔的争论,但是,争论的焦点还是在作品与读者的关系上。也就是说,文艺阐释学所讲的阐释的对象是作品,阐释的主体是读者和批评家,这两者的关系构成了阐释的关系,可以说,文艺阐释学就是处理这种关系的学问。由此,文艺阐释学提出了一系列处理这种关系的方法,很值得我们重视。

第二节 阐释学的循环

阐释学的循环有两种方式:一种是狄尔泰式的,一种是海德格尔式的。

第一种阐释学的循环是阐释的局部与整体的循环。狄尔泰是一个生命哲学家,强调历史研究方法,认为对精神科学(即社会历史和文化科学)必须以历史主义原则进行研究。这种方法的核心就是阐释学,它包括三个原则:一是历史知识是自我知觉的;二是解释(erklären);三是理解(verstehen)。这里解释与理解的含义并不相同,解释不是理性认识,而是包括了心灵的全部情感和精神力量;理解则是生命之间的联系,任何存在就是一个生命,而主体的理解正是建立了这种生命联系。狄尔泰认为,所有的精神科学之所以能长期流传,是因为文字记录的结果,因此,他把文字的理解和阐释作为最基本的阐释活动。文学是一个整体,这个整体又由各个局部构成,两者相互依存,不可分割。阐释活动基本上不能离开对整体和局部的阐释,或从局部阐释整体,或从整体阐释局部,这就形成了阐释学的一种循环。狄尔泰说:"一部作品的整体要通过局部来了解，局部又需在整体联系中才能了解"，这就是一种"阐释的循环"（der hermeneutische zirkel）。①如叶燮在《原诗》中指出的："如杜甫之诗，随举其一篇，篇举其一句，无处不可见其忧国爱君，悯时伤乱，遭颠沛而不苟，处穷约而不滥，崎岖兵戈盗贼之地，而以山川景物友朋杯酒抒愤陶情：此杜甫之面目也。""举韩愈之一篇一句，无处不可见其骨相棱嶒，俯视一切；进则不能容于朝，退又不肯独善于野，疾恶甚严，爱才若渴：此韩愈之面目也。"叶燮论述杜、韩作品的风格，是从整体到"一篇一句"，又从"一篇"到"一句"，再从具体的句子到全篇以至整体风格的循环论证或阐释，他还说："陆机之缠绵铺丽，左思之卓荦磅礴……鲍照之逸俊，谢灵运之警秀，陶潜之澹远……颜延之之藻缋，谢朓之高华，江淹之韶妩，庾信之清新。"他所采用的方法，都是阐释的方法，论证的逻辑倾向于论杜、韩诗的循环阐释的逻辑。事实上，狄尔泰所提出的这种阐释的循环是古往今来文艺评论的一种极普遍的逻辑模式。直到现在，作为我国文艺批评的主要逻辑方式的仍然是这种阐释的循环，仍然是从整体与局部的联系中研究作品。因此，文艺阐释学从研究主体来说，它研究读者，接近接受美学；从关系来说，研究作品与读者的关系，接近阅读现象学；从研究对象来说，它揭示文艺批评的基本的方式方法，类似于批评学。正是这多种构成，形成了它自己不同于其他文论体系的特色。

阐释学的循环的第二种方式比狄尔泰的方式复杂得多。为了便于理解，我们先介绍阐释学的"循环图"（见右图）：

这个图的中心词语—事件，循环线上有六个部分，扼要说明如下：

词语—事件指语言记载、表现

---

① [德]狄尔泰：《阐释学的形成》，见《狄尔泰全集》第5卷，莱比锡版，1924年，第330页。

的事件。从文艺学方面看,文艺反映的事件都不是事件本身,如写死亡并不是生活中某人真正死了,而是用语言描述死亡,这种情况就叫词语—事件。从哲学方面看,阐释学认为,人生活在语言中,人与事件的交流、对话都必须通过语言,因此,人所交流的实际上是词语—事件,而不是事件本身,如哲学家揭示的事物的本体往往并不是一花一石、一草一木的本体,而是一种词语—事件。文艺阐释学要求文艺的阐释通过语言,探索原初的意蕴,把事件当作词语来看待,从而揭示事件的原初意义。①海德格尔在《对荷尔德林诗的解释》一书中,根据荷尔德林的诗歌揭示出诗的本质。荷尔德林认为,语言是人所拥有的物质中最危险的物质。海德格尔由此引申出,语言不仅是传达信息的工具,语言提供了人处于存在的敞开之中的最大可能性,只要有语言,就有人世,人世就是抉择与制作、行动与责任的无限交替着的循环,语言服务于人的存在,使人能历史地存在,把握着人的敞开的历史性,因此,语言本身就意味着人和历史的存在,同时也把人带入历史的陷阱之中。从这个意义上说,用语言表现人的诗的本质也具有历史性,诗所具有的语言和人的因素属于历史,它自身当然也属于历史。那么,诗所展示的历史的原初意义是什么呢?海德格尔借用荷尔德林一句诗,说明诗是人的一切活动中最纯真的,这种纯真是无利害的超脱。

循环图上最重要的两极是阐释者和文本,其他为这两极运动的中介机制。阐释者指揭示词语—事件和文体的主体或人。阐释者有自己独特的文化—心理结构、知识结构、理解结构及创造性,也有与其他人共同的结构和创造性。他面对文本,感受文本,深入到文本的结构中去,进入文本的情景之中。只有这样,阐释者才能研究文本的意义,得出既符合文本原义又具有自己见解的结论。海德格尔在研究荷尔德林的诗歌时,尤其是研究荷尔德林的"还乡"诗时,他把荷尔德林"还乡"诗所蕴含的思与诗的意义揭示出来,指出荷氏作品的哀怨、伤悲、呼唤圣神的本质,以及作者与哀怨、伤悲及圣神的内心交流;同

---

① [美]默里:《新阐释学》,见《现代批评理论》,英文版,1978年。

时,海德格尔还把自己对存在、对思与诗的思考融入这种研究及批评中去,做到无止境地以自己的个性重新感受诗人诗作,与诗人诗作交流,确立新的思与诗的模式。

文本指与阐释者相交流,被阐释者感受、分解,与阐释者的意向性相关联的关联。这一点上,文艺阐释学与阅读现象学的观点相接近。用胡塞尔的说法,客体是主体或主体化的客体,孤立的客体是不存在的,在文学艺术方面,文本就是这种主体或主体化的客体。但是,文艺阐释学更多追求文本的本质、语言构造、意义联系、风格模式,倾向于作具体的文本的研究和评价,尤其重视通过文本语言的媒介达到对文本的本体的认识,使对文本的认识都纳入对语言共同体的体验和解析之中。

阐释的前理解,是文艺阐释学家对文论史的一个重大贡献,本章第三节将专门介绍。活的联系指阐释者与文本组成的活生生的联系,实际上,指的是存在主义哲学中的人与存在的活生生的联系。存在主义哲学认为,人与存在不是孤立的、静止的,而是相联系的、动态的,与此相关的,阐释者与文本的活生生的联系也是交流的、流动的,而绝对不是阐释者对文本的被动反映,或者文本对阐释者的被动接受。保罗·利科说,什么是文本呢?"文本是由写作固定下来的一切话语"[①],这样,固定下来的一切话语就是一种意向性的实体,而这种意向性是由作者写出的,由阐释者感悟、理解的,意向性是一个流动性的概念,所以,文本与阐释者的关系是活的联系。

循环图的左边有两个概念,即"解释"和"世界中的揭示"。文艺阐释学家是从运动结构来研究解释的,他们把解释作为实现揭示文本、实现现实目的的过程。解释的对象当然是文本,但这时的文本不是静止的,而是在过去、现在与未来这三维世界中存在的文本,解释的任务就是从这三维世界中具体地研究作为现在的存在的文本,如研究王蒙的《活动变人形》,必须从历史的过去、现在、未来着手,从《活动变人形》在现时期出现的这个文本着眼,解释它作为现在的实

[①] [法]保罗·利科:《阐释学与人文科学》,J.B.托马帕逊英译本,剑桥版,1981年,第145页。

体的构造和阐释者自己从中感悟到的东西。循环图上的最后一环指阐释者通过前三个中介完成了对文本的揭示,组成了一个新的阐释的世界,完成了研究词语——事件的任务,达到了阐释的目的。

这个循环图所展示的循环过程是这样的:从阐释者出发,到阐释者与文本建立活的联系,而这个活的联系之所以能建立,是因为前理解作为中介。也因为前理解,使阐释者与文本发生了活的联系。这是基础和前提。没有这种联系,后面的解释则不能建立在一个活的本体论的基石之上,使之失去内在的理论依托。阐释者在与文本的活的联系中解释文本,进而研究词语——事件,从而重新组成一个由阐释者自己根据文本创造的世界,这个世界的核心是词语——事件及其文本,世界的建造者是阐释者,世界中自然有阐释者的个人因素。只有这样,"一千个读者就有一千个哈姆雷特"的说法才能成立,因为这句话实际上说明,一千个阐释者有一千个阐释哈姆雷特的世界。到了这一层,阐释者又开始新的运转和循环。西方不少学者认为,这个阐释学的循环图是有道理的,因为它既指出了理论基础,又揭示了具体实践方法,人们很难超越这个循环图,客观上,它总结出了人类认识和阐释世界的基本过程。帕里在他的《现代批评理论:现象学引论》中指出,问题不在于超越这种循环图式,而在于怎样进入这个循环图式,从而达到建立阐释世界的目的。还有人认为,这个动态的整体循环模式是文艺阐释学的最核心内容之一,它表明了人类对自身的理解与创作的反思以及由这种反思所达到的科学认识的程度,为文艺阐释的过程、规律进行了可贵的总结,为后来的阐释者确立了努力追求真理的目标和方式。

第三节　前理解

前理解是文艺阐释学的一个重要概念。它的价值在于找到了理解作品之前的理解的桥梁,确立了阐释者与文本这一活的联系中的中介因素。

前理解是阐释者的一种理解方式,只不过它潜在于具体理解文本的时候，因此，前理解与阐释者的关系是密切的。从这种关系看，阐释者的前理解实际上就是人的前理解，因为阐释者也是人。海德格尔从狄尔泰那里吸取了阐释学的不少营养，他从人与历史、与世界的活的联系来研究阐释学也受了狄尔泰的启发。施太格缪勒说："海德格尔从狄尔泰那里不仅吸收了人是历史的存在物这一思想，而且吸收了解释学（die Hermeneutik）的方法，即不需要任何超验的假定而对世界的意义作内在解释的方法。狄尔泰力图对活生生的人从其本身进行理解。与世界观在历史上的相对化相联系，他认为，这种解释之所以可能，就在于把人理解为历史社会领域的一个环节，把人纳入历史过程的生成关系和作用关系之中。通过对人的过去的可能性的设身处地的事后体会，人就能够把自己从他当下的狭隘视野中解放出来，并学会在自己的历史性中理解自己。"[1]所谓"在自己的历史性中理解自己"就有一个前理解的问题，在理解自己或自己的某些问题之前的历史过程中，以前的理解便逐渐积聚成为一个结构，包括知识结构、文化心理结构等。因此，前理解实际上是人自身的历史性敞开的一个重要因素或条件。

在文艺阐释过程中，前理解是一种常见的现象。例如，在人们阅读《阿Q正传》之前，头脑中早就有了各种各样的文字符号、文学作品、文化知识、意识形态观念，一些无意识的东西如梦、欲等已存在于头脑中，还有一些在社会生活中形成的印象、概念等。一旦这些人读到《阿Q正传》，就像一块磁铁接触到另一块磁铁一样被吸引或被排斥，与之发生交流，对作品的人物、事件、语言描写等开始与自己的前理解发生关系，建立联系，或补充它，或拓展它，或与之相抵触，前理解或指导或制约或限定阐释者对具体作品的理解。因为，一片空白的头脑是不可能接受乃至阐释文艺作品的，没有这种前理解，读者很难自身直接与文艺作品发生关系。所以，布尔特曼写道："没有前理解，任何人都不能领会文学中的爱和友谊、生与死……一句话，根本

---

[1] [联邦德国]施太格缪勒：《当代哲学主流》上卷，王炳文、燕宏远、张金言等译，商务印书馆，北京，1986年，第183～184页。

无法领会一般的人。唯一的差别在于：要么一个人是天真和非批判地牢牢紧握自己的前理解和自己的特殊表达——在这种情况下，解释成了纯粹的主观性；要么，公开地或是隐蔽地怀疑自己的前理解。在这种情况下，无论他是出于本能还是出于清晰的知识，人对自身的理解都绝不会封闭，反而会使新的东西不断展示出来。只有在这种情况下，解释才会获得客观性。"①也就是说，无论阐释者根据对象总结的结论是正确的还是错误的，是客观的还是主观的，都与前理解有关。鲁迅说："北极的爱斯吉摩人和非洲腹地的黑人，我以为是不会懂得'林黛玉型'的。"②之所以如此，原因之一是北极的爱斯基摩人和非洲腹地的人没有中国传统文化所形成的那种前理解，中国人之所以能懂，也是因为这种前理解的作用。

前理解包括三个意义，即前拥有、前观点、前假定。前拥有指阐释者在阐释作品之前已具有的方式、方法，比如，同样是《阿Q正传》，用阶级分析方法、社会学研究方法，或近年来用的系统分析方法、心理分析方法、审美研究方法得出的结论大不一样，所有这些方法并不是在研究《阿Q正传》时才有的，而是在此之前就已经有了的，只不过研究者按照他已有的研究方法对《阿Q正传》进行阐释罢了。保罗·利科提出"据为己有"的理论，要求对这种前理解以及在阐释作品后又重新获得的新的前理解进行研究，从而展现一个更新的世界，他说："据为己有的理论要求随着整个解释问题所经历的改变而加以扩展：它将不是一个精神上的理解的主体间的关系，而是一个理解作品所表达的世界的关系。"③从前拥有的角度讲，人们理解作品所表达的世界需要尽可能地对以前的方法予以了解和掌握，以至于在阐释作品时可以展现一个新的世界，得出新的结论。现在有些人对另一些人的研究方法及其结论不以为然，大为愤懑，其原因在于这些人的

---

① [美]默里：《现代批评理论》第4章，英文版，1978年。
② 鲁迅：《看书琐记》，见《鲁迅全集》第5卷，人民文学出版社，北京，1981，第631页。
③ [法]保罗·利科：《阐释学与人文科学》，J.B.托马帕逊英译本，剑桥版，1981年，第182页。

"前拥有"的狭隘性与贫乏性,忽视科学需要用各种方式进行探讨的客观真理,自以为真理在握。反过来,为了拓展文艺研究,研究者必须建立健全自己的"前拥有"。这种前拥有类似我国学者常说的打好方法论的基础,因此,从打基础的角度说,仅仅是考据学的,或仅仅是系统论的方式都是很窄的,要打好广博的基础,必须丰富"前拥有"。

前观念指阐释具体作品之前就有的一种比较确立的观点。比如,同样研究陀思妥耶夫斯基的作品,高尔基与弗洛伊德的前观点截然不同。高尔基认为陀氏作品低沉、消极,不能促进社会进步;弗洛伊德的认识刚好相反,认为陀氏的作品揭示出人类的深层意识结构,即潜意识,描绘了人类的生存本能和受压抑的欲望,他的作品比屠格涅夫只是写社会的"多余的人"的作品深刻得多,而且具有永恒的价值。在文论和批评史上,很多结论殊异的文论作者因为自己的前观念不一样,从而使自己的理论与别人的区别开来。当然,也有在同一的前观念的条件下得出不同结论的,但是,这种结论基本上是修修补补的,而不是全新的。20世纪的西方文论学派林立,观点差异极大而又"百花齐放",很重要的一个原因是前观念的变化极大,19世纪及其以前的文论有占世纪主流的前观念,即大家基本上按照一种统一的观念思考文艺问题,这种情况在20世纪找不到了。这可以说是20世纪西方文论的一大特色。文艺阐释学的前观念学说对于把握这一特色的来龙去脉无疑是有帮助的。

前假定与前拥有、前观念有许多联系,讲究前方法,前概念也属于前假定的一种,但是,它比前拥有、前观念更具体、更细致。前拥有与前观念的范围更宽泛,有些还不属于文艺的方法与观念,更多是其他学科的方法与观念,这些方法与观念有些适用于文艺学研究,有些则不适用于文艺研究,而前假定虽然也包括其他学科的概念,更多是对文艺学的假定。如中国人一向重视"意境"这个概念,无论在分析文学、电影、戏剧,还是在研究音乐、舞蹈乃至园林建筑方面都常常假定"意境"的存在,说明这个概念已经成为中国文论家和创作者的一个前假定。西方人常用"崇高"、"典型"等假定去分析作品,如认为歌德的《浮士德》表现了人的主体精神的崇高,卡夫卡的《变形记》

塑造了断裂的社会与文化的典型性格和所处时代的典型形象。中西文论前假定的不同，往往是产生中西文论的差异的重要标志，不同的文论家和批评家所具有的前假定的不同，也会产生对作品的不同理解。这一点，是不难理解的。

与海德格尔提出的前理解相一致，加达默尔提出了"成见"的理论。"成见"是阐释者已经形成的基本见解，它的重点在形成的"成"字上，与偏见并无相同之处。偏见是片面的、错误的，成见则是阐释者在一定历史条件下对作品的认识所具有的倾向性。加达默尔说："我们存在的历史性产生着成见，它实实在在地构成我们全部体验能力的最初直接性。成见即我们向世界敞开的倾向性。"[①]可见，偏见是阐释者向作品的封闭，成见则是历史的敞开。前者是消极的，后者具有积极意义。

值得注意的是，海德格尔与加达默尔都把前理解和成见置于历史论和本体论的架构之中予以研究，不像前人那样只是从具体技巧入手来研究这个问题。他们认为，前理解都是人的历史性的敞开，解去语言对事实存在的隐蔽。人的历史性是人的存在的特性，任何人都不可能离开历史而存在。人不是对历史的封闭，相反，是对历史的敞开。这就有两个层次：一是历史向人敞开，使人生活在一个历史开放的时空中；二是人向历史敞开，使历史变成开放的、非封闭的。这两层的相互交流、对话便产生阐释学，也就产生了对具体存在的阐释的前理解。也就是说，前理解不是上天给定的，而是历史形成的，不是静止的，而是流动的，不是暂时的，而是永久的。相反，理解具体作品时的理解可能是暂时的，而制约这种理解并由此产生的新的前理解则是长远的、用之不竭的。同时，前理解也是本体的。海德格尔的基本本体论（die Fundamenta-lontologie）的核心是关于存在的意义的追寻。他认为，单纯地从静态的范畴表中研究阐释学是盲目的，只有把这门学科及其前理解的问题纳入对存在的意义的本体追寻之中，才有意义。前理解是从关于存在的意义中产生的，因此，它的这种特殊来源

---

① [德]加达默尔：《真理与方法》，德文版，1956年，第261页。

构成了它对理解的支配权,像从宫殿来的大臣指挥此时此地的部下一样。正因为如此,前理解可以使理解呈现出五彩缤纷的景象,消解那种绝对客观主义和纯主观主义的种种议论,使理解出现新意迭出的状况成为可能。

第四节　理解

文艺阐释学家关于理解的理解有各种各样的说法,也有很大的争议。如赫什和尤尔各著一书,互相对立。我们不能仅仅停留在介绍争议双方各自论点的层次上,必须看到,这种争议实质上都在从不同层面上揭示理解的对象及其本质,从而评述关于理解学说的基础、内容及目的。

理解的基础是加达默尔所强调的阐释学的"对话"。何谓对话呢?加达默尔认为,人类的思想具有三种逻辑:一是科学的"独白式"逻辑;一是黑格尔的"辩证式"逻辑;一是阐释学的"对话式"逻辑。这种"对话式"逻辑是对阐释者与文本交流过程所进行的研究方式。加达默尔指出:"二者(对话与理解)都关心自己的对象。正如某人努力与其谈话对象达成有关某对象的一致意见一样,解释者也努力理解文本谈话的对象……对在谈话中要出现的事物的理解因而必然意味着在谈话中已获得某种共同的语言。这个调节过程与工具的使用并无不可,但不应说对话者彼此适应,而应说双方都受对象的真理的影响而进入一次成功的谈话,彼此于是合入一个新的共同体中。……对话中的理解就不只是自我表露和陈述一己之见,而是向一种新的融合的过渡,经此融合我们不复是原来的我们了。"[①]就是说,对话作为一种主客体的语言交流,要求主客体双方了解对象,从中得到共同语言,互相介入,并从这种交流中获得一种新的创造,组成新的阐释的世界。

在此基础上,文艺阐释学家提出了理解的一系列内容。

[①] [德]加达默尔:《真理与方法》,德文版,1956年,第360页。

加达默尔与海德格尔一样,认为理解是在者在历史存在中介入的一个事件。这个事件涉及主客体双方,它本身就是一个历史运动。这里,所谓在者主要指阐释者,历史存在主要指文本,这样,理解实际上就是使阐释者和文本进行双向逆反交流的中介,从而让阐释者回答文本提出的问题,也让文本向阐释者提出问题,形成一种"答—问"或"问—答"的理解模式。加达默尔说:"……文学获得了与每一现在的同时性,理解它,不是说要首先回溯过去的生活,而是当下介入文本所说的内容。理解不是一个人与人之间,如读者与作者……之间,关系的问题,而宁可说是参与文本与我们之间进行交流的问题……"①加达默尔强调理解参与文本是要求理解不必站在文本之外进行旁征博引的学究式的研究,而是要深入到文本中去,进入到文本的境界和所提问题的段落中去,在对话逻辑中使理解进入文本,使文本的无限意义在阐释者的理解中得到展开,使文本的开放性通过理解得以敞开,使文本与阐释者形成真正的交流,只有这种交流,才能使"问—答"式或对话式的逻辑全面而具体地展开。比如,《阿Q正传》"大团圆"的结尾,向阐释者提出了许多问题,涉及中国人的国民性、中国文化的生存发展、对辛亥革命的看法、中国悲剧构成等许多问题,要求阐释者予以回答,阐释者只有根据文本这个段落的问题进行深入理解,参与其中,与文本段落进行交流,才能真正地进行理解。如果一味地引经据典,卖弄学问,显示知资,不与文本段落进行交流,那么,文本与阐释者的交流硬被这种研究者的劣习所阻断,真正的理解不会产生,文本与读者的对话亦被破坏。

深受加达默尔这种学说影响的艺术批评家尤尔在《解释》一书中更是把这种观点推向极端。尤尔认为,解释就是读者与文本交流中所产生的主体对作品的解释,而不是主体对作者的解释。尤尔在《解释》导论中说:"在谈论某一具体作品有这样那样意义的时候,我们好像有必要对文学作品解释的一般性质作出描述。这正是本书的目

---

① [德]加达默尔:《真理与方法》,见杜任之主编:《现代西方著名哲学家述评·续集》,生活·读书·新知三联书店,北京,1983年,第452~453页。

的所在。我将尝试地分析'文学作品意义'这个概念,尤其要强调的是,我的目的不是介绍某种文学作品意义的见解,也不是推荐某一解释文学作品的方式;我既不想制定解释作品所应根据的规范或标准,也不想建立起一个经验主义的模式来说明某些读者或某些读者是如何解释文学文本的。恰恰相反,我所要说明的仅仅是我们认为的文学作品的一般概念是什么,我所提出的既不是解释文学作品的经验主义的理论,也不是一个'有说服力的定义',而是对具有特定意义文学文本的一般概念的分析。"①一句话,尤尔追求的是阐释者对文本而非作者的阐释。

尤尔还认为,一种文本只有一种正确解释,不能有多种正确解释。这就涉及解释的科学性和正确性了。同样对待亨利·詹姆斯的小说《拧紧螺旋》,埃·威尔逊认为它表现了一个性压抑的精神病例,作品中的魔鬼不是真正的魔鬼,而是压倒一切的幻觉;亚·琼斯则认为,小说中的魔鬼不是幻觉,而是非常真实的存在;克·布鲁克-罗斯坚持说,小说中魔鬼的真假虚实是未定的。究竟哪一种是正确的呢?对阐释者来说,每个人认为自己对文本的阐释都是正确的,可是从文本本身来说,尤尔认为,只有一种阐释才是正确的。他说,一个文本可能出现多种阐释,但这多样的阐释本身就是一种矛盾现象,而阐释学不允许有这种矛盾。怎么办呢?选择。阐释者选择其中一种最正确的意见作为文本的核心意义,其他的作为一种可能性的结论而存在,像文字一样,在字典里一个字有许多解释,而在文本的上下文中,这个字只有一种解释才是最正确的,于是,研究者必须精心地选择这个字在文本的上下文中最准确的意义,其他的意义也可能有,可以存在字典里,也可以作为资料而聊备一格。尤尔反复地说:"即使我们相信某一特定的文本为两种或两种以上的解释提供了或多或少的同样证据,相信它的意义是含混的,我仍旧认为,明智之举是决定只有一种理解是正确的。"②这并不等于说,尤尔反对多种解释的存在,事实

---

① [美]尤尔:《解释》,普林斯顿大学出版社,1980年,第3~4页。
② 同上书,第207页。

上,同一部作品有各种各样的解释是正常的,也是有条件的,不同的文化条件自然会产生不同的解释。但是,对广大读者来说,真正可接受的解释应该只有一种,这一种可以帮助读者切中肯綮地把握文本的精神实质,使读者能从含混的相似段落中挣脱出来,从而正确地了解文本及其结构。

尤尔的这些看法,很大程度上是针对赫什的。赫什在20世纪70年代出版了他的名著《解释的有效性》。这本书的主要精神是研究读者与作者的关系,认为研究者研究的中心是作者而非文本。赫什的这种见解有其理论依据。这个依据主要是胡塞尔的"意向论"。与胡塞尔不同的是,赫什认为作品是作者意向化的产物,而不是胡塞尔式的作品是读者意向化的结果。赫什指出:"如果一部作品只是意味着它自身表达的意义,那么它实际上什么也不意味着。作品自身并不是一个既定存在的东西,它必定是作者或读者所表达的意义。作品自身在被规定其语义之前甚至不能作为词组而存在;在这之前,它只不过是一组符号罢了。因为词组有时可能是同形而意殊的,而且有时同一个词可能由不同的字组成。"[1]他举华兹华斯的"最有价值"为例,"最有价值"的英文是"most worthy",而"most"也能用"very",读者也可能从"very"的字义上理解。但这本身不能说明华兹华斯用词的原义,不能从根本上阐释作品的本真意义。由此,他提出"保卫作者"的口号,声称"与作者想要达到的目的不完全相符的一切价值标准,都是外在的",他接着批评道:"很多有价值的批评差不多总体上是外在的,因为不仅作者的企图而且那些企图的价值都为这些有价值的批评所抵制。"[2]所以,文艺阐释的任务不是去研究作品,而必须研究作者,尤其是研究作者的意向和企图。这样,赫什就把胡塞尔的意向论与阐释学的解释论结合起来了。我们认为,赫什的这种理论有一定道理,原因是文本必定是作者创造的,文本自身不能产生文本。但是,这种理论有很大的片面性,理由是文本与作者的关系不是对等的,其

---

[1] [美]赫什:《解释的有效性》,耶鲁大学出版社,1967年,第13页。
[2] 同上书,第158页。

中有很大距离，完全以作者企图为依据反而会把文本蕴藏的巨大的丰富的意义给抹杀。在这一点上，托尔豪斯特的分析是中肯的，他说："尽管作者的意向与作品意义有既定的关系，却并不构成作为必然性的意义。"①

从上面可以看出，关于解释的理论基本上没有跳出哲学现象学与哲学阐释学的总的理论圈子。在解释目的方面，文艺阐释学家也沿袭了这种理论。这也难怪，像加达默尔这样的名家主要是哲学家。加达默尔与海德格尔一样，认为阐释学的目的主要是揭示出一个新的世界。加达默尔不赞成批评家完全恢复作者和作品的原初意义，而是主张批评家在与作者和作品的原初意义进行"对话"、"交流"的时候，重新提问，重新解答问题，重新思考新的问题，使阐释在理解和解释的基础上有所创造和更新，组成新的视界，对这个视界的具体阐释便是批评家孜孜以求的阐释的世界。加达默尔重视"超越"这个概念，认为阐释不是复述，也不只是对原义的描写，更不是缩写原文，而是对作者和作品意义的超越。超越不等于抛弃，超越可以有被超越者的存在，抛弃则是否认这种存在。加达默尔理解的超越还有一层意思，即批评家自身的超越。如果批评家不能超越自己，最终也不可能在根本上超越作者和作品。因为作者和作品的敞开必须有阐释者的敞开为条件，而阐释者的敞开又必须有作者的超越为条件，所以，批评家的超越是阐释主体的主动性、积极性、灵活性，乃至生命价值的重要表现，是达到重组阐释世界的目的的一个不可缺少的手段。只有这样，阐释世界才能最后建立。

第五节 阐释与历史

文艺阐释学始终注意阐释与历史和文艺史的关系。这派学者不赞成结构主义文论家关于文艺即语法构成而非历史产物的观点，认为

---

① [英]托尔豪斯特：《论何为作品及其如何意指》，见《英国美学》杂志，1979年第19卷。

巴特等人这种历史分析取消论是错误的,因为任何文艺总离不开具体的历史条件,与历史事实的精神保持着密切的联系。但是,他们也不赞成对文艺完全进行历史主义的批评方法,这种方法的明显局限是用历史主义分析取替了对文艺自身规律的分析,使文艺特性淹没在历史主义的汪洋大海之中。

文艺阐释也不同于哲学阐释。传统美学、文艺理论表面上突出文艺的主体性、研究者的主体性,实际上并没有真正实现这一追求。他们中的许多文艺家是为了复制和加工自然而存在,不是为了自身的使命意识而存在;其中的文艺理论家总是把对美、文艺的本性的自然考察为己任,总是在观照对象,而很少观照自身的审美领悟的条件、机制、过程、状况等。文艺阐释学家不同于以往哲学家、美学家的突出之处在于,集中精力研究真正的独立主体在历史过程中的审美领悟的条件性、时间性等,从而在受对象的奴役的状态中解放出来。

阐释学对时间性的研究尤为引人注目。在它以前,时间性被认为是特指过去或现在或将来,也有人认为时间性特指过去和现在的冲突、现实与未来的冲突等。阐释学不这样看,而认为时间性是指过去、现在、未来的交流存在。加达默尔指出:"支配着我们对一文本理解的那种对意义的预觉,并不是一种主体性的活动,而是来自把我们与传统结合在一起的公共性。但这是被包含在我们与传统的联系中、包含在不断的教育过程中的。传统并不只是我们继承得来的一种先决条件,而是我们自己把它生产出来的,因为我们理解着传统的进展并且参与到传统的进展之中,从而也就靠我们自己进一步地规定了传统。这样,理解的循环就不是一种'方法论的'循环,而是描述了理解中的一个本体论的结构要素。"[1]也就是说,传统与现在不是冲突的,而是融为一体的,现实的人们不仅"参与"传统,而且在创造传统。比如,在《红楼梦》研究史上,由于传统在各人身上的反映和表现不一,不同的研究者往往对其中的人物产生完全不同的观点,即使在当时,就已经有人"遂相龃龉,几挥老拳"了。这种不同,是因为每个人的前

---

[1] [德]加达默尔:《真理与方法》,见《哲学译丛》,1986年第3期。

理解不同。而这种前理解是由传统与个人共同造成的,前理解中的一部分由传统产生,一部分则是由于个人接受的知识及禀性所产生,但这两者在前理解中是不可分的。传统与个人关系的密切产生了前理解的差异性与一致性,不同的前理解对文本的理解将不一致,接近和相同的前理解则对文本的理解产生一致的意见。因此,在文学史研究中,由于时间性中的传统与个人、过去与现在的关系不同,便产生了许许多多的观点。如果文学史研究不只是文献学的研究,还有分析评价的话,那么这种对史上作品的分析评价,主要参照还是现实的观念。例如,研究《红楼梦》,不同时代往往有一种占主流地位的观点,20世纪60年代侧重阶级观点分析,70年代后期侧重文献式的分析,80年代偏重艺术规律的分析,以至于俞平伯先生一扫过去的迷雾,提出《红楼梦》是小说,必须进行艺术分析的看法。也就是说,对文学史的评论分析,主要是从现实观点出发的,文学史的许多评论结果往往是对现实观念的评论结果。这种结论对文学史上的作品有一致之处,也有不一致之处。有少数文学史家提出,抛弃现实观念对文学史的作品进行还原研究。其实,除考据、训诂和一些其他文献学研究分析以外,评价性的绝对非现实的还原是不可能的,只能作为一种美好的愿望罢了。因为他们只要下笔写评价性的文章或著作,就离不开现实观念的指引和深入。只要他们不自己否认自己的这种所作所为,便可看到,在对过去作家作品的评价研究中,绝对的还原和绝对的现实观念是不存在的,一方面是从现实观念入手研究文学史,另一方面又离不开文学史的具体情况,这两方面是相互渗透、交流共存的。同时,这种评价研究为未来的研究打下基础,研究成果也指向未来,所以,在阐释的时间性上,过去、现在、未来并不是完全独立而是相互交融的。说到底,阐释者自己就生活在一个由过去、现在、未来交织的社会文化的氛围中,他所进行的研究活动毕竟不能离开这种氛围,他的评价活动就是这种氛围下的一种具体化的活动。

在对文学史的阐释中,文学阐释学家还重视效果史研究。加达默尔说:"每当一件艺术作品或传统的一个要素,在传统与有待根据它自己的意义清楚敞开地看待的历史之间的朦胧地带中被引发出来时,都必须要求这种效果历史的态度——这却是一个新的要求（不是对研究的要求，而是对方法论意识本身的要求），这种要求是从对历史意识的分析中不可避免地产生的。"①在说明为什么要研究效果史的时候，加达默尔打了个比方：他人的存在并不是孤立的存在，而是通过自己呈现出来的，这样，他人与自身是打成一片的，没有自己也没有他人。同样的道理，文学史上的作品是对阐释者而言的，只有通过阐释者对作品的呈现，作品的面貌才能出现，如果《红楼梦》没有与我们发现这种关系，它的面貌就不能真正呈现出来。这种通过阐释者将作品呈现出来的研究方法，就是文艺阐释学的效果史的研究方法。这种方法与客观主义和历史主义的方法大为不同。客观主义的方法仅仅强调对文艺的客观性的追求，反对主体的阐释，这实际上就把主体的努力掩盖掉了。事实上，文学史上的任何分析评价都很难达到纯客观的程度。历史主义的方法貌似尊重历史事实和精神，实质上是任何评价都不是对历史的回复和还原，而具有极强的主观感情色彩。加达默尔批评道："历史客观主义就像那被宣传机构当作一种最佳手段的统计学一样，因为它让事实说话从而看上去像有客观性，实际上这种客观性则是依赖于所问的问题的合法性的。"②

但是，加达默尔的这种效果史的研究方法是不同于巴特的纯主观式的研究方法的。巴特认为，文本不过是提供了一个词语规则的场所，批评完全是批评家的自由发挥，不必顾及文本的客观意义，文学史不是文学的历史，而是文学史家的文学史。加达默尔在反对心理学分析法、客观历史主义分析法方面与巴特是一致的，但是，加达默尔不赞成巴特舍弃文本自身的客观性的做法。他认为，文本有其内在性和期待性，这种内在性是文本内在的意味、结构等；期待性指文本的敞开所需要的人们的理解和阐释。阐释学如果不对文本的内在性和期待性予以高度重视，并在文学史研究中贯彻到底，那么，它将与巴特等人的主张混为一体，失去其个性。用加达默尔的话说："作为前

---

① [德]加达默尔：《真理与方法》，见《哲学译丛》，1986年第3期。
② [德]加达默尔：《真理与方法》，见杜任之主编：《现代西方著名哲学家述评·续集》，生活·读书·新知三联书店，北京，1983年，第278页。

提条件的不仅是给读者指明方向的意义的内在统一体,而且有不断地指导着读者的理解的超验的意义的期待。"①也就是说,阐释学总是把对象与主体视为不可分割的统一体,在强调主体时,从主体与对象的关系入手;现在在突出对象时,当然必须从对象与主体的关系中进行分析。换句话说,对象是主体的对象,主体也是对象的主体。文学史家一方面把自己置于文学史之中,另一方面,也必须在文学史的研究中呈现出自己的研究风格、个性和形象,从对文学作品的内在性和期待性的理解和展示中显现出自己的研究作风。这样,阐释学对文学史的研究就建立在一个比较辩证的基础上了。

第六节　结束语

文艺阐释学在哲学准备方面比较充分和扎实。狄尔泰、海德格尔、加达默尔主要作为哲学家,他们的文艺阐释学理论具有浓厚的思辨色彩,其文艺思想大都见之于他们的哲学、美学著作,使他们的文艺理论从一开始就具有很深的哲学意味。因此,评价他们的文艺思想,首先,必须评价他们的哲学思想。概括地说,他们的哲学体系标志着现代哲学的新发展,无论是赞成者,还是反对者,只要对西方现代哲学有所研究的人,谁也不会无视他们的哲学体系的存在和作用。海德格尔和加达默尔对马克思主义创始人的哲学思想是重视的,尽管他们不同意或反对马克思、恩格斯的某些学说,但是,他们从来都不否认马克思、恩格斯是值得重视的思想家和社会活动家。但是,他们的思想无论在总的哲学架构方面,还是在具体问题的研究方面,都与马克思、恩格斯的观点不同乃至相对抗。这些观点表现在文艺阐释学方面,使之具有两个特点:一方面,文艺阐释学对西方当代文论史的贡献是巨大的,可以说,没有文艺阐释学,接受美学很难产生也很难发展。尧斯在提出接受美学时大量吸收了阐释学的合理成分,后来自

---

①[德]加达默尔:《真理与方法》,见杜任之主编:《现代西方著名哲学家述评·续集》,生活·读书·新知三联书店,北京,1983年,第278页。

己干脆加入了这一阵营,写出《审美经验与文学阐释学》等书。而且,没有文艺阐释学,接受美学在整个西方当代文论阵营里也势单力薄,不能形成这样大的气候。另一方面,如果用马克思主义的观点看,文艺阐释学中确有不少错误的东西,如过于强调文艺的生命价值,贬斥社会价值,过于突出阐释的循环,而忽视其赖以生存的社会和经济基础;过于表现阐释者的主体精神,在客体与主体的辩证关系的处理方面远不如马克思、恩格斯科学等。

文艺阐释学对西方当代文论的影响是巨大的。它是使文艺理论从现象学走向接受美学、读者反应理论的桥梁和中介。在第十一章中我们已经讲过,海德格尔的思想从胡塞尔的哲学中承接而来,但他又直接给加达默尔以极大的启发,加达默尔可以说是这个过渡和中介的核心。由他又更为直接地给尧斯、赫什等人以影响。不过,由于文艺阐释学是从哲学阐释学中派生出来的,所以,阐释学的影响与其说是文艺的,不如说是哲学的。接受美学、读者反应理论更多是从哲学阐释学中吸取营养的。海德格尔讲的理解,并非简单的是一种主体的认识活动,更多是"定在"的存在方式,理解不同于形式逻辑所讲的逻辑含义,也不是一种新的求知手段,而是指事物本身就存在着一种理解的行为结构,是世界敞开和显现的一种方式,唯其如此,人们才可以理解。也在此基础上,尧斯、伊塞尔提出文艺自身就有一种期待、一种召唤结构、一些需要人们阐释的空白和未定点。这些,我们将在第十三章中专门讲到。加达默尔反对黑格尔式的貌似客观、实为主观唯心的历史观,提出"不应把理解设想为某种主观性的行为,理解就是个人置于传统之内,在此传统之中过去与现在不断地互相融汇"[①],因此,"真正的历史对象不是客体,而是自身和他者的统一物,是一种关系。在此关系中同时存在着历史的真实和历史理解的真实。一种正当的解释学必须在理解本身中显示历史的真实。因此我就把所需要的这样一种历史叫做'效果历史'"[②]。加达默尔的这种思想,与尧斯

[①] [德]加达默尔:《真理与方法》,见杜任之主编:《现代西方著名哲学家述评·续集》,生活·读书·新知三联书店,北京,1983年,第274~275页。
[②] 同上书,第283页。

提出的接受的文学史的观点有相通之处。

有人说，文艺阐释学没有专门研究作者和作品，这应该说是它的缺陷。但是，我们更应该冷静地看到，当代西方文论的特点是解决一个一个具体的文艺问题，并不是像黑格尔那样构造一个包罗万象的体系。如果用黑格尔式的体系观念看当代西方文论，那么，任何文论流派都有这个毛病。反过来，如果更广泛、更精细地看，黑格尔式的体系也有许多问题并没研究或并没有深入地研究。因此，正像我们不能说黑格尔式体系对许多问题没有涉及或没有深入论证就说它没有体系一样，我们也不能说文艺阐释学在许多问题上没有研究就没有体系。我们当然应当指出某某流派在哪些问题上没有弄清楚，尤其是这个流派应该解决的问题而没有予以解决或完满地解决的问题。由此来看，文艺阐释学，它在语言与文学史、接受与审美、文艺与作为定在的理解的内在关系及其特殊性、前理解的社会、心理因素方面，由于自身的局限而没有做出令人信服的研究成果，是令人遗憾的。而这些，在前面讲的结构主义，和后面要讲的接受美学中得到了扩充，尤其是接受美学，在发展文艺学的读者系统的研究方面，更是引人瞩目地做出了促进文艺理论和批评发展的有效努力。

第十三章　接受美学

第一节　发展与特征

在西方20世纪文论新兴的读者系统研究趋向中,接受美学是其中最具代表性的一个分支。

从西方文论的习惯上讲,接受美学也称为接受理论、文学的接受与作用论、接受研究。它主要是研究读者对作品接受过程中所产生的一系列因素与规律。其理论代表主要是几位德国文艺理论家、文学史家,如尧斯、伊塞尔等。

但是,在他们之前,西方不少文论家已在这方面做过一些思考。19世纪,德国批评家F.施莱格尔在研究莱辛的文章中,曾提出过效果批评,并从效果的角度把作家分为两类:分析型作家追求特定的美学效果,综合型作家自己确定作品的效果。1932年,茹尔茨发表了"关于文学作品的文化效果的学说",提出对读者的接受进行分析。1947年,萨特发表《什么是文学》,认为作品是向读者的开放与呼吁,艺术只有在他人接受的情况下才存在。1957年,沃尔夫出版了《谈文学的一种效果说》一书,对效果量与效果质作了区别。1965年,民主德国学者荷曼发表《谈文学效果研究的探究》,指出文学是一种社会媒介,文学的效果对社会发生影响,对社会的意识形态产生作用,读者不是被动地阅读,而是参与了创作,因此,艺术品往往是在阅读者的意识里完成。在尧斯以前的这些人的研究,都为接受美学的确立奠定了重要的学术基础。显然,没有前人的努力,尧斯等人也不可能凭空构造一种新的学说。此外,前章专论的文艺阐释学也为接受美学铺平了哲学与文艺学的道路,使尧斯等人的理论得以顺势产生,并产生了广泛的影响。

接受美学的诞生地在联邦德国南部博登湖畔的康斯坦茨，创始人为五位年轻的文艺理论家和教授伊塞尔、福尔曼、尧斯、普莱森丹茨和施特利德。由于他们活动在康斯坦茨，所以，人们又称他们为"康斯坦茨学派"。这五人之中，常为人所称道的是伊塞尔与尧斯。尧斯以《文学史作为文学理论的挑战》一文而震动整个欧美文艺学界，此后，他陆续写了《试论接受美学》《审美经验与文学阐释学》等书，这两本书已成为西方当代文论的经典著作，在W.高茨齐与J.S.塞色合编的"文学理论与文学史丛书"中，这两本书均已入选。尧斯的主要文学主张大都体现在这两本书中。伊塞尔是在发挥尧斯理论的过程中形成了自己的文艺观点的。他的代表作为《隐含的读者》《阅读活动——审美反应理论》《阅读过程的现象学研究》等。他们的共同主张是：研究文学与文学史，必须侧重研究读者的接受过程。基于这种思想，他们提出重新撰写文学理论与文学史。尧斯与伊塞尔以及"康斯坦茨学派"文论家的代表作都被莱纳·瓦尔宁编入1975年慕尼黑威廉·芬克出版社出版的《接受美学》一书中。

接受美学很快从联邦德国传入民主德国，激起了民主德国文艺学界的强烈反响。从20世纪70年代开始，民主德国有些文艺学家开展了这方面的研究，并探索从马克思主义认识论的角度来研究接受美学，从而建造以马克思主义理论为基础的接受美学体系。瑙曼等人合著的《社会—文学—阅读》（1976）一书为这方面最权威的著作。这本书从马克思主义的"生产—产品—消费"理论出发，认为艺术也有"艺术生产—艺术品—艺术消费"，那么，接受美学的主要任务是研究艺术消费。瑙曼等人的这种观点很快为苏联学者所接受，苏联学者也写了一些有关这方面的文章。此外，欧洲的一些国家和美国、日本也相继介绍和研究了这方面的理论，一时蔚然成风。

接受美学的特点主要表现在以下三个方面：

第一，强调读者研究的重要性、客观性。与英美新批评派、结构主义文论不同，接受美学的理论家们把读者研究抬到了很高的地位，郑重地向人们指出，不研究读者的文艺学，不是健全的文艺科学，不注重读者的作家，不是优秀的作家，不关注读者的文学史家，不是全面研究文学史的专家。因为读者是作品的直接承受者，作品的意象与表现形式有赖于读者完成，所以，读者本身是文学艺术的一个组成部分。既然读者是文学艺术的一个组成部分，那么，研究文艺自然就必须研究读者。但是，接受美学所谈的读者研究，又不同于戏剧理论中的"观众学"，后者过多地进行演出效果、卖座率、观众文化层次与欣赏趣味的研究，而接受美学始终把读者作为文艺的一个组成部分来研究，作为与作者、作品并行的文艺领域来研究，作为艺术思维的又一环节来研究，所以，接受美学的研究始终是从文艺学的角度来研究读者的。R.C.霍拉勃在《接受理论》一书中说道："'接受理论'主要是指有关作者和作品到文本与读者的一般的转移。"①霍拉勃在该书中还区别了接受理论、接受史、接受美学，他把读者反应理论等都作为接受理论来研究，把接受美学作为尧斯早期的文艺思想研究，把接受史作为文学史的一部分研究。但是，无论从哪个方面说，接受美学或更广义的接受理论都是在作者、作品、读者的整个系统中专事研究读者的学问。

第二，注意研究读者的审美经验及其他基本条件。读者在阅读作品前，头脑里并非完全是空白，而有一系列自觉或不自觉的准备，如审美经验、生活经验、文化水准、赏析能力等。接受美学家认为，审美经验使人产生一种潜反射的审美态度。比如，读者在生活中接触到大量的事件与人物，在阅读作品时发现作品有虚假的现象，会自然地产生一种抵制接受，对这部作品所表现的内容一时难以接受，发出与作品的审美意象对峙的观点。再比如，对待同一部作品，由于读者的审美经验与阅读条件不同，会产生不同的批评意见。这就是萨特所说的"读者的接受水平如何，作品就如何存在"，也就是鲁迅先生所举例分析的，一部《红楼梦》"单是命意就因读者的眼光而有种种。经学家看见《易》，道学家看见淫，才子看见缠绵，革命家看见排满，流言家看见宫闱秘事……"②。对这种现象，接受美学家认为从作品到

---

① [美]R.C.霍拉勃：《接受理论》，伦敦与纽约版，1984年，第12页。
② 鲁迅：《鲁迅全集》第一卷，人民文学出版社，北京，1981年，第419页。

接受者之间有一系列的中介因素，如欣赏惯例、阅读密码等，读者必须"动员"自己的知识去破译作品的"密码"，从中挖掘并再造作品中的审美信息。经学家之所以读《红楼梦》看到《易》，是因为经学家的阅读"惯性"，长期从事经学研究，思维中形成了一种经学的思维定式，这样，阅读《红楼梦》时这种思维定式发生作用，俗话说"习惯成自然"，研究经学的习惯自然在《红楼梦》中看到《易》了，道学家、才子、革命家、流言家也是因为这种思维定式所导致的对《红楼梦》的不同看法。

第三，接受美学十分关注文学史的研究，提出了接受的文学史观。所谓接受的文学史观，就是从接受的角度研究文学史。这一点，一直是过去所忽视的。长期以来，西方文学史家一直在作者与作品的圈子中研究文学史，比如研究莎士比亚，要么分析莎士比亚的生平、经历、思想倾向等，要么解析莎士比亚的剧本、诗歌自身的构造要素，很少从读者角度研究莎士比亚及莎士比亚时代的文学艺术。鉴于这种情况，尧斯提出重写文学史，即从作者、作品、读者"三位一体"的全方位的角度研究文学史，在目前极其缺乏从读者角度研究文学史的情况下，甚至可以矫枉过正，撰写接受的文学史。尧斯认为，研究接受的文学史，必须从史料中寻找读者当年对文学作品的复杂的反应，研究不同时代的读者对一部作品有不同意见的原因，指出读者在不同时代、不同环境下对作品的期待心理、审美情趣、文学爱好以及对作家创作的影响。比如，研究莎士比亚，必须既把莎士比亚作为一个读者又把他与当时的读者群的关系联系起来，弄清在17、18世纪的读者群中为什么不能产生莎士比亚，而在文艺复兴时期能产生莎士比亚。因为莎士比亚的出现，不仅有政治、社会、经济、文化、美学的原因，而且有读者的各种生活、心理、美学的因素，所以，要全面研究莎士比亚及其作品，必须研究莎士比亚与读者的关系，从文学史的多方面的史料中找出其中的规律，使文学的作者、作品、读者的"三位一体"的研究贯穿到文学史研究中去。

第二节　以研究读者为核心的文学观

接受美学之所以命名为接受美学，首先是因为它对接受者或读者进行了史无前例的研究。

而要明确接受美学所谓的读者中心说，必须从哲学与信息论方面作些说明。在哲学方面，接受美学家吸取了黑格尔、海德格尔等哲学大师的思想。黑格尔《逻辑学》中研究的"存在"与"定在"可以帮助我们理解接受美学的有关言论。黑格尔说："存在是不曾规定的，因此，在存在那里，并不发生规定。但定在却是一个规定的存在，是一个具体的东西，因此，在它那里，便立即出现了它的环节的许多规定和各种有区别的关系。"① 黑格尔在这里说的存在指未被规定的客观存在的事物，定在却是规定了的存在。黑格尔本无意在此谈文艺，但哲学的广义性却总可以帮助我们理解艺术。在艺术中，如果说作品是存在的话，那么，读者对作品的介入就是定在，即读者去规定作品。在这里，存在与定在本是两回事，却构成了互为对象的关系，成为辩证的统一体。德文的存在为Existenz，定在为Dasein。海德格尔把黑格尔作为规定存在的定在作为自己哲学体系的中心概念进行研究，把它作为人在某一有限时间中的个人存在来理解，即"亲在"，"亲在"与"在"（Sein）有关，"对'在'的领悟本身就是'亲在'的'在'的规定"②。这就是说，个人的存在对其他一切存在居有优先地位，个人的存在是一切其他存在的根据；只有从个人存在出发，才能理解其他一切事物的存在；个人的存在是通过其存在本身而被领悟的。海德格尔进一步指出："凡是以没有'亲在'的'在'的性质的'在者'为课题的各种本体论都是赖'亲在'本身的'在者状态'的结构作根基并作说明"③，以文艺为例，如果说作品为"在者"的话，那么，"亲在"则是接受者或读者。这样，对文艺作品的理解与阐释必须

---

① [德]黑格尔：《逻辑学》下卷，杨一之译，商务印书馆，北京，1976年，第102页。
② [德]海德格尔：《存在与时间》，见洪谦主编：《西方现代资产阶级哲学论著选辑》，商务印书馆，北京，1964年，第361页。
③ 同上书，第362页。

有接受者或读者的理解与阐释才能实现，否则，作品只是孤立于读者以外的事物。

在信息论看来，信息的传播过程有三个单位：一是发送者，二是媒介者，三是接受者。发送者是开始的信息，其目的是将信息传给接受者，使接受者得到发送者发出的信息。媒介者指处在发送者与接受者之间的中介，借助一定的信码、语境等，将发送者发出的信息传送到接受者，其作用是作为一种过渡机制，联结发送者与接受者。接受者主要是接受由发送者发出的与由媒介者传过来的信息。这样，整个信息流通过程才告完成。如果把文艺也作为一个信息流通过程看待，很显然，作者是文艺信息的发送者，读者是文艺信息的接受者，在这两者之间，作品即为文艺信息的媒介者，联结作者与作品两极。这样，研究文艺，必须研究文艺的整个信息流通过程，不能只重视作者与作品，还必须研究读者，只有把读者作为整个信息流通过程中的一个重要方面看待，才能更好地研究作者、作品以及整个文艺信息的流通过程。

无论从黑格尔的存在与定在之分，还是从海德格尔的亲在与在者之别，抑或从信息流通过程看来，文艺研究都离不开对于读者的研究。哲学的推动，信息论的促进，还有直接给接受美学家以影响的俄国形式主义者、罗曼·英伽登、布拉格的结构主义者、加达默尔、文学社会学家都在自觉或自觉的程度不同地注意到读者，接受美学家不过是把读者研究特殊地提出来，让人们充分认识到读者研究的重要性与科学性。

接受美学的核心内容，是把作家、作品、读者联系起来考察，着眼于读者研究。在他们看来，缺乏读者研究的文艺学是不可想象的，正像只研究商品而不研究市场的经济学一样的糟糕。因此，在文艺学的研究对象方面，接受美学家十分明确地提出，读者应是其重要的一个组成部分。举例来说，研究杜甫，不能仅仅研究杜甫本人、杜甫作品，还得研究杜甫的读者。过去，把对杜甫的读者的研究只是作为文学批评史、学术史、杜甫研究史看待，很少把它作为杜甫研究本身的一个重要问题看待。现在的情况不同了。接受美学理论的出现，客观上向人们宣告，必须把读者研究摆到议事日程上来，必须把读者研究作为文学理论工作者的一个重要的研究课题。与此相类似的，在杜甫研究中，有必要把杜甫的成千上万的不同时代的读者作历史的、社会的、文化的、美学的分析与研究。当然，接受美学并不仅仅是一种加强读者的研究的呼吁，更重要的它是一种理论探讨，具有一定的理论价值。

首先，接受美学家提出了"第一文本"与"第二文本"的区别，认为"第一文本"是艺术家创作的艺术制品（Art-efect），"第二文本"是指与读者直接发生关系的审美对象（Aesthetic Object）。在以往的美学与文论中，不少人将两者混为一谈，把艺术制品与审美对象同一化，认为艺术制品就是审美对象，审美对象就是艺术制品。接受美学家认为，这两者有很大的区别：作为艺术制品的第一文本，并没有与读者发生关系，是一种"自在"的存在；如那些藏之名山的艺术品，没有示人，没有读者，它们又确实是艺术品，但又的确没与读者发生联系，因此，只能叫第一文本。从这里我们可以引申出，在艺术史上，并不一定所有的艺术品都与读者发生了关系，也就是说，并非所有的艺术品都能成为审美对象。他们继而认为，没有与读者发生关系的第一文本，承认它是艺术品，但也得承认它没有对读者产生作用，不能作为审美对象，因而没有产生美学意义，更没有接受美学的价值，用伊塞尔的话说："作品的意义只有在阅读过程中才能产生，它是作品和读者相互作用的产物，而不是隐藏在作品之中、等待阐释学去发现的神秘之物。"①这样，作品一旦与读者发生关系，便成为审美对象，即第二文本，它已经不是一个孤立的存在，而是读者感悟、阐释、融化后的再生的艺术情感与形象。这种情感与形象作为审美对象，很难说哪一部分是艺术品本身，哪一部分属于读者的再造，这两者已经像水乳交融一样构成了一个新的艺术世界。是一种"自为"的存在。

如此看来，接受美学家所谓的第二文本由三种因素构成：首先，当然是作为第一文本的艺术品，这是最起码、最基本的，没有艺术品，其他一切根本谈不上；其次，是作为读者欣赏对象的艺术品，即

---

① [德]伊塞尔：《文本的召唤结构》，见瓦尔宁编《接受美学》，慕尼黑威廉·芬克出版社，1975年，第229页。

作为第二文本的艺术品，简单地说，就是把文学作品摆出来，读者进行阅读；再次，是读者对象化了的作品，即读者将自己的思想情感、艺术趣味与作品融为一体，从而构成了作者与读者共同创造的新的艺术品。打个比方，曹雪芹的《红楼梦》，在曹雪芹没有交给人们阅读之前，只是第一文本。一旦曹雪芹把稿子交出去，人们辗转印刷、互相阅读，《红楼梦》成了人们阅读的对象，这是第二文本的第二个层次的构成，即审美对象。但是，人们阅读作品不是消极的、被动的，而是把自己的情感等因素加进去，像鲁迅先生所说的经学家把自己的知识、思想、情感因素加进去，对象化即外化为"《易》"的《红楼梦》，道学家也把自己的标准与禁欲思想加进去，外化为"淫"的《红楼梦》，才子把自己的柔肚情肠"加"进去，外化为"缠绵"的《红楼梦》，革命家、流言家也把自己的思想情感加进去，外化为"排满"的或"宫闱秘事"的《红楼梦》。接受美学与英美新批评、结构主义、符号学不同，主要研究的不是第一文本，而是第二文本的后两个因素：作为审美对象的艺术品与读者的思想情感对象化了的艺术品。前者侧重与读者的外在联系，后者侧重与读者的内在联系。

因此，其次，接受美学家又着重研究了审美对象的特殊性。伊塞尔写道："效果及反应既非文本固有的所有物，也不是读者固有的所有物；文本表现了一种潜在性，而它在读者阅读过程中得到现实化。"① 也就是说，没有文本表现出来的潜在性，读者阅读时难以现实化。既然如此，文本的潜在性就不是可有可无的。瑙曼把文本看成是接受前提，伊塞尔更是在这方面作了探索。伊塞尔认为，作为审美对象的文学作品有许多"不确定性"与"空白"。这两个概念本是罗曼·英伽登常用的概念，为的是说明文学现象学方面的问题；伊塞尔借用过来，为的是说明接受美学的问题。伊塞尔用不确定性与空白来说明文本之所以能被读者接受的前提条件，他说："作品的意义不确定性和意义空白促使读者去寻找作品的意义，从而赋予他参与作品

---

① [德] 伊塞尔：《阅读活动——审美反应理论》，霍普金斯大学出版社，1978年。

意义构成的权利。"①比如,苏曼殊描写南方秋景的小说《莫愁湖寄望》:"清凉如美人,莫愁如月镜。终日对凝女,掩映万荷柄。"苏曼殊把清凉山比作盛装的美人,将莫愁湖比作明净的圆镜,湖光山色,碧水白荷,一片清秀,景清形叠,但是要说清凉山确实是美人,莫愁湖真是镜子,恐怕谁也不会相信,正是这些不确定的东西使读者可以浮想联翩,思寄象外;在此四句中,诗人留下了一大片空白,在清凉山与莫愁湖之间,在美人与月镜之间,在荷花与湖之间,在人与湖之间,有许多意象并不是像京派文人写考据文章那样扎扎实实或严严密密或没有空隙,而是充满了空白,像中国古代文人山水画那样的空白;也正是这些空白,使读者能发挥想象,用自己的知识、经验、情感"填补"这些空白。这样,意义不确定性与意义空白就成了文本的基础结构或审美对象的基础结构,也就是伊塞尔高度重视的所谓文本的"召唤结构"(Appellstruktur)。

这种"召唤结构"自然会产生读者阅读理解所产生的对文本的不同的或接近的或相同的意义。同一部作品,有人这样看,有人那样看,意见分歧很大,用接受美学来看,造成这种现象的原因不仅是读者的知识结构,而且有审美对象本身的模糊性与不确定性以及那些空白点。因为审美对象用的语言是描写性语言,其他科学文本用的是解释性语言。描写性语言比解释性语言具有更多的意义的不确定性与空白,造成人们理解上的不一致,西方人常说"一千个读者就有一千个哈姆雷特",实际上正是《哈姆雷特》本身的不确定性与意义的空白"隐含"了这些不同意见的读者,伊塞尔把它叫做"隐含的读者"。与此同时,对同一作品的认识很多人都是一致的,这也有作品与读者的原因。作品本身一般都具有自己的指向性,使读者能够得出大体接近或基本一致的看法。在文学史上,像李商隐的《锦瑟》那样难解的毕竟不占多数,这就为文学史家在研究作品导致基本一致的结论提供了客观基础,否则,整个文学史研究就无法有一个大体一致的

---

① [德]伊塞尔:《文本的召唤结构》,见瓦尔宁编《接受美学》,慕尼黑威廉·芬克出版社,1975年,第236页。

基本认识了。

再次,尧斯认为,作品的意义来源于两个方面:一是作品本身,一是读者的赋予。作品具有"隐含的读者",读者必将作品中的空白与意义的不确定性"填充"与具体化或定型化,读者对作品意义的"赋予"是主要的、决定性的。他认为,仅仅从作者角度研究作品的意义,是一种"作品拜物教",这种研究越深,作品的意义便越混乱,事实上,这本身不是在研究作品,而是读者或研究者把自己的各种因素在研究作品时具体化了,也就是说,它本质上仍然是读者的赋予。G.格林在《接受美学研究概论》中,评介并总结出了一套模式,可以帮助我们理解。作品(用S表示)的意义结构包含两极:作者赋予的意义(用A表示)、接受者领会并赋予的意义(用R表示)。于是有:

公式Ⅰ　$S=A+R$

接受者的情况不同:有的对同一部作品采取肯定态度,有的却嗤之以鼻,一概否定。同样对韩愈的散文,欧阳修赞道:"篇章缀谈笑,雷电击幽荒。众鸟谁敢和,鸣凤呼其皇"(《欧阳文忠公文集》);朱熹则反论道:"其能言者不过以己和意,敷演立说,义理实处,了无干涉","费了许多精神,甚可惜也"(《朱子语类》)。这样看来,作品A是不变的恒量(A恒),读者R是流动的变量(R变),公式又演化为:

公式Ⅱ　$S=(O-A恒)+R变$

R的文化修养不同,审美观不同,对作品的意义理解不同,作品的解释更是多样:

公式Ⅲ　$S=(O-A恒)+R变$
$=(O-A恒)+(R-\infty-R\infty。)$
$\approx R-\infty-R\infty$

于是又有:

公式Ⅵ　$S\approx R$

这说明,一部作品的意义,主要是读者赋予的。韩愈散文的意义,与欧阳修、朱熹等人的理解密切相关。因此,作品的意义,并不像"动机论"、"因果论"所说的仅仅是作者赋予的,与读者没有关系,而是既有作者赋予的,又有读者赋予的,是二者的结合,其中最重要的甚至是读者的赋予。研究者与批评家都说自己的研究与批评更为符合原作的意义,实质上都是在发表他们自己对于作品意义的理解。

苏联学者梅拉赫认为:文学活动既然由作者、作品、读者构成,那么,这三者各有其功能,即"动力过程"。在第一个过程中,作者赋予作品发挥某种功能的潜力;在第二个过程中,读者实现挖掘与发挥作品的潜力的功能。伊塞尔把第一过程叫做"隐含的读者",把第二过程命名为"实现的读者",意在说明作品中的不确定性与空白是靠读者确定与填补的。由于作品中的不确定性与空白"潜"在作品之中,是固定的,所以,不同的读者有可能得出相近或一致的结论;同时,读者群中的各方面的情况不同,也会得出一些对立性的结论。因此,决定作品意义的关键在于接受者,当然,作品本身的意义的潜在性也不能抹杀。

第三节 读者的接受条件与方式

接受美学在确立文艺学的研究对象与范围之后,很自然地把研究的焦点集中在读者的接受条件与接受方式上。

在对读者的接受条件的研究上,接受美学家也按常规泛泛地谈了读者的生活经历、文化修养、审美趣味在阅读中的重要性。除此以外,接受美学家谈得最多的、对文艺理论贡献较突出的是对读者的审美经验与期待视野的研究。

接受美学家把审美经验作为使读者产生一种阅读的潜反射的审美态势。比如:小孩听外婆讲狗的故事,后来在动物园或乡下见到了真正的狗,头脑中原有的狗的形象及其故事便给予参照。这种参照可能是一致的,也可能是不一致的;这是生活经验的一种潜反射的态势。审美中也有类似的情况。一个饱含风霜、阅历很深的读者在看反映现实的作品时发现虚假描写的时候,潜反射就会产生一种对抗力,抵制接受;反过来,他见到符合自己审美经验的作品,便会十分顺利地接受。这就出现了由审美经验导致的两个概念:抵制接受与顺利接受。抵制接受指读者在阅读作品的过程中发现与自己的审美经验不一致的一种审美态势，或者说，抵制接受就是与读者的审美经验相悖的一种接受。顺利接受指与读者的审美经验大体一致的一种审美态势，也就是说，是与读者的审美经验相近的一种接受，它更容易接受作品的内涵与外延，更能理解作品中的意蕴。同时，这种顺利接受也能潜移默化地丰富读者的审美经验。比如，一见那些矫揉造作、无病呻吟的作品，内心产生一种抵触情绪，这样，读者本能地产生一种憎恶感，就谈不上对作品的审美意蕴的接收，若这一点都达不到，更谈不上去丰富读者的审美经验了。反过来，读那些情真意切、具有内在逻辑的作品，与自己的审美经验相近，读者不仅可以欣赏作品，也可以在欣赏中丰富自己的审美经验，便于适应新的审美艺术。

然而，在审美经验与作品之间，有一个"美学距离"。因为说读者的审美经验与作品接近或一致，并不意味着读者的审美经验等同于作品，说读者的审美经验与作品不一致，也不等于说读者的审美经验不等于作品，而是说，所谓顺利接受与抵制接受，都是从主客体的交流来说的，不是从主客体的统一与不统一来说的。在主客体的交流的两极中，自然出现了距离，这种距离就是美学距离。在格林《接受美学研究概论》中，有这样一个图表：

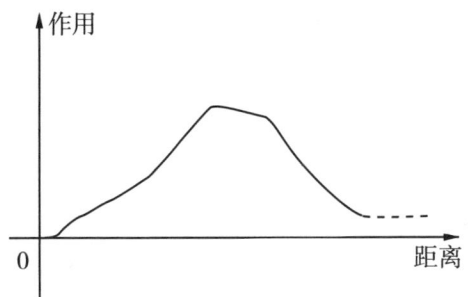

它说明，读者一旦与作品完全一致，是不存在接受问题的。读者只有与作品保持距离，从旁观者的角度边欣赏边领悟，美学接受才成为可能。但是，像距离为0时失控一样，距离增大时，作用趋于0，接受者也不能很好地接受。因此，接受美学家所认为的美学距离是一段适中的距离。只有在这种适中的距离中，才能谈得上顺利接受与抵制接受。

为此，尧斯在《审美经验与文学阐释学》一书中，用一图表，从文本中的主人公与接受的关系进行了仔细的分析：

鉴别主人公与读者相互作用的类型表①

鉴别方式	参照系	接受控制	行为或态度类型 "+"=进步 "-"=倒退
联想	游乐／比赛（仪式）	安排其人进入所有角色中去	+自由存在的喜悦 -允许超越
羡慕	完美的主人公（圣人、贤哲）	钦佩	+模仿 -拟制 +模范 -训导
同情	不完美的主人公	怜悯	+伦理利益 -多愁善感 +为特殊活动而团结 -自我确认
净化	忍受的主人公 烦恼	悲剧情感／心灵解放 同情的笑／对心灵的喜剧性的信任	+无私欲 -迷恋 +自由的伦理判断 -嘲笑
嘲笑	灭亡或叛逆的主人公	离间	+有回响的创造力 -唯我论 +精细的知觉 -有教养的厌烦 +批评的反映 -淡漠

在《审美经验与文学阐释学》（共五章）里，尧斯用了一章的篇幅研究这五种模式。这种研究方法与弗莱的《批评的解剖》有相似之处，也与俄国形式主义者如普洛普的类型分析有相近之处。所不同的是，尧斯从作品与接受的关系中进行理解。在第一种模式之中，作品中主人公往往在仪式或典礼中参加比赛，读者要接受主人公的这种活动，必须发挥自己的联想，用另一个想象中的第三者充任媒介，沟通作品的主人公和读者，从而形成交流，得到正或负的审美反应。在

---

①[联邦德国]尧斯：《审美经验与文学阐释学》，麦纳苏泰大学出版社，1982年，第159页。

第二种模式之中，作品的主人公具有圣人贤哲式的完美无瑕，接受者喋喋叫好，赞不绝口，钦慕万分，有时产生艺术式的模仿，有时则进行拙劣的仿效，东施效颦。在第三种模式中，因主人公的不完美而令人同情，时而产生正确的伦理道理的思想，时而则变得多愁善感。第四种模式，主人公具有烦恼或忍耐精神，即使有灭顶之灾，他们也不在乎，厌烦与悲剧情绪使他们对世界看得很轻，精神的东西倒看得较重，这种类型的主人公可以帮助人们获得心灵的解放，有时也能有阿Q式的精神胜利法聊以自慰。第五种模式，在现代文学中尤为明显，是一种嘲讽的角色，作品与作者保持距离，不能像第一种模式那样形成交流。这种嘲讽，有时可以激发读者的创造力，有时却可以使读者产生高高在上的神情；有时能培养精细的知觉，有时却产生彬彬有礼而又十分厌恶的姿态与情绪；有时有善意的批评，有时却有冷嘲热讽之讥。像弗莱一样，尧斯还有把这五种模式作为划分文学史发展的各阶段的企图，显然失之牵强。这是接受条件的一个方面。

在另一方面，尧斯还提出了著名的所谓"期待视野"（德文为Erwartungshorizont，英译为Horizon of Expectations）的观点。霍拉勃在《接受理论》一书中，曾指出这个概念并非尧斯首创。在尧斯以前，"视野"这个概念已在加达默尔、胡塞尔、海德格尔的著作中反复出现过。"期待"这种心理在不少读者阅读作品时存在。尧斯接受了科学哲学家卡尔·波普尔和社会学家卡尔·麦恩海姆所采用的"期待视野"的概念。例如，波普尔曾在《自然律令与理论体系》一书中写道："在科学发展以前及以后的进程中，人们都有一种可称之为'期待视野'的意识……它对新的认识活动具有参考框架的意义。没有它的存在与参与，新的实验与观察显示不出任何价值。"就是说，在从事科学研究时，人们以自己的经验为依据，对正在进行的科学研究抱有期望，存在一种期待的心理与视野。尧斯把这个概念借用过来，说明读者阅读作品的主动性。尧斯的独创性在于：读者阅读作品时往往具有一种期待视野，当读者阅读的作品与自己的审美经验和期待视野一致的时候，读者反而会失去阅读这部作品的兴趣；但是，当读者阅读的作品超出了、校正了期待视野的时候，读者往往会兴高采烈，认为它提高了自己的审美水平、丰富了自己的审美经验、拓展了自己的期待视野,为自己建立了新的审美标准。他说:"作品的期待视野允许由推测的听众对作品的接受的方式与程度来决定它的艺术性格。如果有人把给定的期待视野和新作品出现的期待视野之间的审美距离进行了很不一致的描绘,他的接受通过否认他熟悉的经验或结合新的经验提高意识水平的方法,可能出现一种'视野的变化',这样,这种审美距离可能在听众的反应与批评的判断的范围内历史地具体化。"①他还说:"一部文学作品在它发表的历史时刻以何种方式适应、超越、辜负或校正读者的期待,显然为确定它的美学价值提供了一种标准。"也就是说,在人类文化生活中,人类对文学作品的接受永远存在,人类对作品的认识经过不断加深、巩固、发展或修改乃至推翻,成为一个无限变化的过程;同时,随着读者视野的变化,一些不见经传的作家作品可能会名传千古,一些名噪一时的作品可能永被遗忘,读者的期待视野可以树立一种审美尺度。而且,即使对同一作品,不同时代的读者的期待视野不同,也会对这部作品进行新的认识。比如,对莎士比亚笔下的哈姆雷特王子,伊丽莎白时代的读者认为他是疯狂的复仇,感伤主义时代的读者认为他温情可爱,浪漫主义时代的读者认为他幻想多于行动,20世纪的有的读者则认为他是"灵魂发病者"。尧斯在著作中也举了莫里哀、福楼拜作品的例子说明期待视野的变化与重组是多么的重要。他认为,莫里哀,尤其是福楼拜的作品直接带来的期待视野的转换,为广大读者带来了新的期待视野,并把以前的期待视野"抛"在脑后。尧斯认为,从接受美学的观点看来,文学史上最杰出的作家往往能带来读者的期待视野的转换,像福楼拜把人们的视野带到现实主义的领域便是一例。这样,尧斯便从期待视野、期待视野的变化论转换为建立新的期待视野的重要性,完成他关于这个问题的研究。

在接受的方式上,尧斯进行了垂直接受与水平接受的区分。实质上,这是一个关于纵的或历史的接受与横的或同一时期的接受的划

---

① [联邦德国]尧斯:《试论接受美学》,麦纳苏泰大学出版社,1982年,第26页。

分。垂直接受主要是从历史发展的角度评价作品被读者接受的情况及其变化。像前举的历代对哈姆雷特的不同评价,可以作为这种垂直接受的一个范例。还如杜甫的诗作,当时并无大的名声,经韩愈、白居易等人评论至欧阳修大加赞扬之后,其美学价值才日益得到重视;拉封丹的小说在当时备受欢迎,今天却少有人披阅;奥地利作家霍尔瓦特的剧作,在他死后三十年内默默无闻,而20世纪六七十年代之交,却成了德语国家的经典作品。造成这种差异的缘由有两个方面:一是作品本身的诸因素具有"潜藏意义",这些意义并非一时一刻能被人理解,相反,人们要理解它,却需要相当长的时间;二是读者期待视野的变化。尧斯分析了加达默尔关于历史—客观主义的一些意见,认为历史是一个不断被理解和认识的过程,文学作品的历史当然也是一个被读者理解和认识的过程,由于各种原因,如政治、经济、文化风尚、审美欲求,限制了一个时期的人们的理解与认识,到另一个时期,人们克服了这种限制进行了新的认识,如此循环,便造成了读者的垂直接受具有无限的过程与意义。

水平接受指同时代人对文学作品的接受具有同中有异、异中有同的状况。比如对待林语堂的作品,20世纪30年代《论语》杂志同人的看法与鲁迅的看法明显不同。对待莎士比亚的《哈姆雷特》,同是20世纪的批评家却认识各异,基托认为它是希腊式的宗教剧,罪恶蔓延,而全剧又充满了天网恢恢、疏而不漏的气氛;阿尼克斯特认为"在哈姆雷特的形象里,莎士比亚体现了他的时代的优秀的、进步的人类的特点"[1]。用接受美学的话说,在研究水平接受的时候,研究者既要考虑这个时代占主导地位的接受时尚,也要充分认识到这个时代接受的复杂性、多面性,反对单一的、简单的、机械的分析与研究。后者无疑是一种反科学的研究。对造成这种现象的原因,接受美学家如其他美学家一样,认为是社会、文化、个人气质、审美倾向等原因造成的。或者说,在这一点上,接受美学家并非提出具有突破性的理论

---

[1] 杨周翰编:《莎士比亚评论汇编》下册,中国社会科学出版社,北京,1981年,第503页。

依据。

此外,有的接受美学家还把接受方式划分为社会接受与个人接受两种。瑙曼曾指出,作品一旦到达读者手中,社会接受便已开始,一些社会机构,如出版社、书店、图书馆、批评机构、宣传广告集团、教学研究、电视广播等,逐步把作品的社会效益变成现实。这些机构"代表了社会的、阶级的、集团的意识,指导读者应该如何评价作家和作品,应当如何看待不同的文学流派、文学时期甚至整个文学史,应当阅读或不应当阅读哪些作家的作品,应当用什么样的思想和艺术标准去衡量作品"。[1]还有一些会议,如关于某个作品的座谈会、讨论会、辩论会、发奖会、批评会等,也属于社会接受的范围之内。它们对作品的社会价值、历史价值、文化价值、审美价值的评判是带有强烈的倾向性的,直接影响到该社会大多数人的审美时尚。对于个人接受来说,社会接受是作品到达读者手中的必要途径,比如出版社是作品转入读者手中的重要中介。在个人接受中,每个人都以自己特有的方式进行接受。瑙曼指出,决定个人接受的因素有:读者的世界观和思想意识,属于什么阶级、阶层和集团,经济状况(包括收入、自由时间、居住条件、工作和一般生活条件),教育程度,知识结构,文化水准,审美需要,年龄,性别,接受过什么样的文学及其他艺术品,等等。不同时间,个人的接受动机、兴趣、目的、需要等,也对个人接受有重要意义。个人的处境也影响读者阅读的过程和结果,比如和平时喜爱雅的作品,战时喜欢崇高的作品,年轻时喜欢言情小说,年长时喜读鲁迅作品式的严肃文学。最后,社会接受与个人接受不是分开的,而是互相影响、互相作用的。社会是由个人组成的,社会机构也主要是由人组成的,个人的接受一般与社会接受是一致的,除部分专家、学者以外。个人接受一方面以社会接受为参照系,社会接受则由个人接受影响而成。因此,孤立地研究社会接受或孤立地研究个人接受,与孤立地研究垂直接受或水平接受一样,都是错误的。正确的是将两者既作分析又作综合的全方位式的研究。

---

[1] [德]瑙曼等:《社会—文学—阅读》,柏林和魏玛建设出版社,1976年,第91页。

第四节　接受目的与接受的文学史观

从文论史上看,一种理论的提出,总有其一定的动机与目的。接受美学也不例外。它不仅是为了纠正过去忽视读者研究的学术毛病,而且具有再创作目的与建设文艺学,尤其是构建新的文学史观的目的。

在读者的接受问题上,接受美学家并不像有的学者所认为的接受美学只研究读者的被动接受,不研究读者的能动作用;而是既研究读者的接受又研究其再创作。瑙曼曾这样写道:"读者通过接受活动,用自己的想象力对作品加以改造,通过释放作品中蕴藏的潜能使这种潜能为自身服务。但是,读者在改造作品的同时,也在改造他自己,当他将作品中潜藏的可能性现实化时,也在扩大自己作为主体的可能性,这就是作品在他身上产生的效果。接受活动是使这两种对立的规定性统一起来的过程。"①如果仅仅从读者的再创作的角度分析这段话,我们可以清楚地看到:一、读者通过接受活动与想象力对作品进行改造,而这种改造已不是对文本的简单"复原",而是一种创造性的"改造"。二、读者在变文本的潜能为自己的服务的过程中,不仅唤起了自己的审美潜能,而且创造性地为自己的审美潜能增添了新的能量;在这个层次上的服务,也具有一定的创造性。三、读者改造作品的同时,也改造了他自己。后者的改造的意义是多方面的。如果这个读者是一位作家,那么,这种改造可能直接影响他的创作,如果这个读者是个批评家,那么,这种改造可能会对他的评论活动发生作用。四、接受扩大了读者的主观能动性。在文学艺术中的所谓主观能动性,最核心的意思是创造性。接受扩大读者的主观能动性的自身就是在强有力地推动这种创造性。因此,接受美学的核心思想并不是鼓动读者消极地接受,而是呼吁并研究读者积极地接受,积极地接受是使读者始终掌握主动权的关键,也是读者进行再创造的前提;反过来,只有在读者的再创造中,积极地接受才能得到最充分、最突出的体现。从这个意义上说,接受美学不仅是影响—接受的美学,而且是

---

① [德]瑙曼等:《社会—文学—阅读》,柏林和魏玛建设出版社,1976年,第87页。

接受—再创造的美学。只有千千万万个读者的再创造,文学作品的创造才能源源不断,文学才不致"灭根绝种",因此,不能说接受美学没有看到这一点,它们只是并不主要研究这些问题,从而使得它在整个理论系统中没有占主导地位,没有得到充分的展开。同时,接受美学家多为学者,不像新批评派的艾略特等人是创作大师,所以,即使有关于这方面的意见,也还是停留在学术的层面上。

从学术目的方面看,在文艺学的各个方面,接受美学家都很少扩充已有的东西,而是试图重新构建。尧斯那篇"震撼"文论史的论文《文学史作为文学理论的挑战》,清楚地表白他对冲破旧有的理论模式、建设新的文艺学的信心与抱负。尧斯等人一再声称,文学是作者、作品、读者的三位一体,忽视其中任何一个环节,都不能算作健全的文艺学。这样比较下来,传统的文艺学忽视读者研究是明显的。这就要求文艺学家在这方面引起足够的重视,使读者研究作为文艺学建设的重要课题,充实文艺学这门科学。尧斯等人的这些想法无疑是正确的,但是,迄今为止,他们并没有写出一部系统的文艺学著作,不能使人们全面、系统地了解他们的整个思想体系。此外,为了达到建设新的文艺学的目的,尧斯等人还提出了接受美学的实验研究(Empirical study)的方法。西德学者鲍埃尔认为,采用实验研究,可以将不同的作品交给一个读者,也可以把同样一部作品交给不同的读者,记录他们的反应。鲍埃尔等人把读者的期待视野分成三个方面:一、语言经验,包含对语言的理解与运用能力;二、以往阅读文学作品的经验,即在阅读"第一文本"方面的素养;三、个人的情感倾向,主要指社会与文化两个方面。鲍埃尔把作品给不同的读者群,请他们谈自己的感受,或者是发挥自由联想的感受,或者是按调查表上的诸栏目填写自己对作品的意见,从而获得进行读者研究的第一手资料,便于扎扎实实地从事读者研究,达到扩充文艺学体系的学术目的。

接受美学常为人称道的是其接受的文学史观。接受美学家不满于传统文学史罗列作家作品的做法,认为传统文学史实际上是文学的创作史与美学表现史,作家作品的地位是由作者的创作活动与各个作品的客观价值决定的,是永不变化的,作品一旦确立便成为文学史的圣典,作家一旦认可也成为文学史上的圣人,这样,文学史上确认的作家作品便成为读者永远都要采用千人同一的接受模式,专家的意见代表了广大读者的意见,即使读者不同意专家的意见,不同时代的读者由于参照系的变化所产生的对作品的不同态度与意见,也不能从根本上改变文学史教科书上的分析乃至结论。接受美学家认为,传统文学史的这种研究方法在根本上忽视了文学是作家、作品、读者三者合作的产物这一事实,抹杀了读者在文学史上的功绩。他们认为,文学作品的价值与历史地位取决于创作意识与接受意识的合作作用。创作意识指作家体现在作品中的主观意图,这种意图是否得到认可,依赖于读者的接受意识,这样,接受意识主要是指读者对作品的理解与认识,接受意识既与审美对象或第二文本有关,又有其独立性,因此,对同一部作品,不同时代的人往往会产生不同看法,同一时代的人也会有歧义,即使一个人对一部作品,也会因为此时此地的变化而产生对它的不同的认识。因此,接受的文学史就不应该忽视这些因素。尧斯写道:"接受美学理论不仅允许人们关涉理解作品的历史展开中的文学作品的意义与形式,而且要求人们将个别作品放在文学经验的联系中的意识到的历史地位与意义的'文学系列'之中。从作品的接受史追踪到重大的文学史,后来证明它自身接受的过程是作者的一部分。换另一种方法,紧接在后的作品可能解释形式与伦理的问题,这些问题被置于最后的作品和正在转化出来的新问题之后。"[1]尧斯还更为明确地说:"文学的历史是一种美学接受与生产的过程,这个过程要通过接受的读者、反思的批评家和再创作的作家将作品现实化才能进行。"这就是说,接受的文学史不同于传统文学史描述作家作品及其地位,而是从读者的接受及其再创造的过程来重新研究文学史。比如,写英国文艺复兴时期的文学史,必须写这个时期读者的接受与这些读者中一部分作家的再创作的生产过程。

尧斯还采用了俄国形式主义所采用的"历时"与"共时"的分析方法证明他的接受的文学史论。俄国形式主义者采用的是索绪尔《普

---

[1] [联邦德国]尧斯:《试论接受美学》,麦纳苏泰大学出版社,1982年,第32页。

通语言学教程》中的"历时"与"共时"概念。尧斯认为,文学史不仅是历时的,即从纵的方面研究接受者的接受与生产,而且是共时的,即从横的方面研究文学史中的接受与生产的问题,这种文学史本来就是接受与生产的过程。照此看来,文学史家的研究总是在一定的历史时期以后对以前的文学现象的认识,这里,如果说对以前的文学现象的分辨是历时的,那么,现在用什么观点、方法,以什么样的期待视野研究文学史就是共时的,所以说,文学史研究从来就不是什么以史研究史,而是以论研究史,也就是说,总是以一定的理论来研究文学史,这样,文学史就不单是历时的,而且是共时的。比如,"五四"以来,我国出现了不同版本、不同作者写的文学史,刘师培的文学史不同于胡适的文学史,林庚的文学史不同于刘大杰的文学史,新中国成立后一段时期关于文学史的讨论所产生的激烈论争,出现了北京大学中文系1955级同学写的《中国文学史》,以及以后出现的游国恩教授等主编的四卷本的《中国文学史》和中国社会科学院文学所编写的三卷本的《中国文学史》,它们所研究的都是中国文学史,但由于不同时代的政治、社会、文化、美学与文学理论以及读者的期待视野的不同,这些人与单位所写的文学史却迥然不同,对文学史的认识明显有很大的区别。之所以这样,是因为文学史家所采用的共时研究法出现了变化,这种变化带来了历时的变化。因此,文学史家的研究必须将历时与共时结合起来。但是,这种结合不能落入窠臼,必须与接受的文学史论联系在一起,把读者的接受与生产联系起来,从而重新建构接受的文学史。因为共时性研究本身就具有一定的接受与生产的性质,文学史家并不能凭空用一种理论研究作品,而是结合对作品的感受与用自己熟悉的理论对作品进行的理解,这种感受与理解就是对文学史的接受,所以,文学史家从接受美学的角度重写文学史并不是不可能的,而是有其基础。接受的文学史既要求文学史家详细考察作品出现的当时乃至以后读者的接受与反应,以及部分作家接受后的再创作,也要求文学史家高度重视作家作品的历史的与美学的价值。在这一点上,尧斯自认为接受了马克思主义文艺批评理论的影响,他证明说,接受的文学史是要在历史与美学之间建立一座桥梁,因此,接受的文学史论并不排斥历史与美学的研究、作家作品价值的评判。尧斯说,接受的文学史并不仅仅是文学的影响史,而是对作家作品价值的不断认识的历史,对作家作品的价值的认识,必须在文学的历时性上、共时性上、接受的尺度上才能进行,才能有理想的结论。从这种观点上看,尧斯的文学史论是有意义的,它至少可以帮助人们从另一个角度重新观照文学史,以拓展或加深对文学史的研究。

第五节　结束语

在现代西方文论史上,接受美学占有重要的地位。如果说20世纪30年代以前的西方文论是以表现主义、心理分析派为代表的作者研究,四五十年代前后的西方文论是以新批评、结构主义为代表的作品研究,那么,最近20多年的读者研究无疑是以接受美学为代表的。因此,在20世纪西方文论的发展过程中,接受美学以其独特的研究开拓了西方文论研究的新途径。

接受美学对读者的重视与研究给人们以许多启示。特雷·伊格尔顿在《文学理论》第二章中写道:"有关阅读主体的每一件东西都在阅读活动中受到质问,只有它是何种主体(自由主义的)除外,这些意识形态的局限无论如何不能受到批判,不然整个模式就会倒塌。从这一点上说,阅读过程的多元性与开放性是可以容许的,因为它们以某种始终保持在适当位置上的封闭的统一性为前提","为了有效地阅读文学,你必须发挥某些其定义始终存在问题的批评能力","一部文学作品或多或少意味着一件可以被这类研究方法有效地阐明的事物"。[①]作品在未与读者发生关系时,它的意义不能为读者所接受,它便失去了存在的价值。一旦与读者发生联系,就成为读者接受的对象,便发挥其作用。以前的西方文论在这方面尚未引起足够重视,接受美学补充了这个不足,这是对西方文论的一个重大贡献。正因为如

[①][英]特雷·伊格尔顿:《当代西方文学理论》,王逢振译,中国社会科学出版社,北京,1988年。

此,尧斯、伊塞尔、瑙曼等人日益受到西方文艺学界乃至世界文艺学界的高度重视,并被认为是文艺学在现代的开拓者。

在对接受的条件与方式的研究上,我们可以看到接受美学理论的具体性与细致性。如果说它提出的以读者为中心的文学研究观给人们提供了新的视角、新的观照点、新的思维角度,那么在对接受的条件与方式的认识上,则是以读者为中心的文艺理论的具体展开。尧斯在那篇具有历史意义的《文学史作为文学理论的挑战》中,提出了七点论纲:1. 文学史研究必须加强读者的接受研究;2. 文学史是接受的文学史;3. 读者的期待视野对接受有重大意义;4. 文学接受包括垂直接受与水平接受两种方式;5. 读者具有再创造的能动作用;6. 文学作品的效果取决于作品与读者两种因素;7. 文学功能离不开作品的社会功能,依赖于读者的接受与发挥。这七点论纲并无空洞无物之嫌,而是具体细致地申论了接受美学的基本原则与方式,尤其是第三、第四、第五点,把接受美学的具体内容深化了,也提高了这种理论的新颖程度。如果仅仅是泛泛地谈读者研究在文艺理论、文学史研究中的重要性,充其量不过是一篇一般性的议论文字。尧斯把自己的思想具体化,使这篇文章充满了科学探索的精神,具有相当高的学术价值。期待视野也好,垂直接受与水平接受也好,还有伊塞尔、瑙曼的某些理论也好,对我们来说都是全新的,因此,我们有必要认真对待,从中汲取有益的东西。

尧斯等人提出的接受的文学史观,也很有见地。如果看了黑格尔《美学》的那种思辨的艺术史,读过丹纳《艺术哲学》的那种以文学的外部研究为基础的文艺史论,再来看尧斯等人的接受的文学史论,我们会发现它是对西方文学史论或文学的历史哲学的重要贡献。尧斯等人自己就是文学史家,他们对文学史研究中的僵化呆滞的模式深为不满,企图从接受的角度打破这种模式,这需要很高的理论胆识与极大的勇气。因为在我们看来,文学史研究的模式比文学理论研究的模式更难打破、更容易激起众多的文学史工作者的失落感以及由这种失落感带来的研究危机乃至愤懑情绪。从这个意义而论,尧斯等人的这种探索至少是有开创新的文学史研究途径的意义。

但是，正像韦勒克所说，接受美学在有些问题上具有很大的片面性或局限性，有的问题也未能得到充分展开。

接受美学最明显的缺点是，在讨论读者研究的重要性时，对创作与接受的关系没有进行充分的论证，以至给人造成忽视创作与作品研究的印象。尽管伊塞尔一再说明，没有作品，就没有文学接受，作品的特殊性是产生文学接受的前提，但是，在作品与接受的关系上，他没有做出更为深入的说明，具有矫枉过正的毛病。"矫枉"是其功绩，"过正"则是其错误。所以，韦勒克批评这个流派有一种终将流失的狂热的趋势，是从价值绝对主义走向价值相对主义而最终忽略文学认识的客观性与一致性。与此相适应的，由于忽视创作的重要作用，对作家创作的社会生活与文化艺术基础就关心不够。他们所提出的文学研究从作家、作品转向读者的主张，只提供了一个新的研究视角，并不是发现了一个新的研究对象，正如法国学者苏利曼所说的，接受美学的变革只是一次视角的变更，一种考察古已有之的对象的新途径。

在对接受的条件与方式的深层思考上，接受美学家也未做出令人十分满意的理论总结。其中的有些论证还停留在描述的层次上、建议的层次上，而接受条件与方式的诸方面，如接受的心理构成、社会效应的诸方面，还没有得到全面的论证。尤其在接受条件、方式与作家、作品的关系上，它过多地注重读者的决定性因素，忽视作家作品对读者的作用，这样就是过分夸大读者的主观作用，忽视了作家的艺术追求的个性与重要性。走向极端，就会造成作家迎合读者的趣味才是好作品的情形，使文学朝商业化方面发展。如果这样，会造成对作品的艺术性的戕害，影响文学艺术发展的独特性与多样性，减弱文艺的审美力量。

此外，接受美学的文学史论，也不是没有商榷之处。尧斯曾努力用他的理论研究19世纪50年代前后英国社会的文学期待视野，没有取得理想的成果。这种文学史写不好，会写成文学批评史，反而失掉文学史的特殊性。因为文学史不仅是个读者对作品的接受史的问题，它还有许多中介因素和决定条件值得研究。即使是同一个时期的期待视野也不是每个作家都照此写作的教条，那些伟大的作家往往是

"从心所欲不逾矩"的，他们只尊重艺术规律这个"矩"，对其他方面往往考虑不多，那些即兴赋作的小诗，也并非按期待视野理论写作，亦仍不失为文学史上的优秀之作。因此，不能一概而论，更不能走向极端，把文学史仅仅作为接受的文学史，这会影响文学史研究的客观性、丰富性与科学性。

20世纪70年代以来，接受美学发展得越来越快，影响也越来越大，在比较文学、比较诗学、文艺传播学、文学未来学等新兴学科中，接受美学得到了愈来愈广泛的发挥，特别是对七八十年代的读者反应理论，接受美学更是起到了不可低估的承上启下的作用。

第四辑

社会—文化系统

第十四章　艺术文化学

第一节　发展与倾向

西方20世纪文论整体上具有文化相对主义倾向。早在30年代，有人把克罗齐的美学和文学评论称为文化相对主义的美学和批评；40年代，有人把俄国形式主义和结构主义批评视为文化相对主义批评；60年代，有人将阿多尔诺对现代主义文学与大众文化的分析，作为文化相对主义分析；80年代，有人把荷兰比较文学学者的研究方法称为文化相对主义方法；八九十年代的女性主义和后殖民主义及第三世界批评，都是典型的文化相对主义批评。

文化相对主义作为一种普遍倾向，或许因其"太普遍"，欧美没有一个像结构主义、接受美学那样的专有名词称呼某个特定流派为"文化相对主义流派"；在苏联，有不少人称巴赫金为文化相对主义者，把他的对话、复调、多声部、文化狂欢节等作为文学的具有文化相对主义色彩的理论概念和范畴。我们在整个第四辑"社会—文化系统"里，着重述介西方（包括苏联）的马克思主义的文论和批评理论；这一章主要述介苏联文论家卡冈、巴赫金及斯托洛维奇的文学文化学思想。

米哈伊尔·米哈伊洛维奇·巴赫金,苏联文论家、语文学家,一生坎坷,曾在莫尔多瓦师范学院,即后来的莫尔多瓦大学执教,文论代表作有《文艺学中的形式主义方法》(曾署名为帕·尼·梅德维捷夫,1928),《陀思妥耶夫斯基创作的诸问题》〔1929,此书后经修改并更名为《陀思妥耶夫斯基诗学问题》(1963)〕,《弗朗索瓦·拉伯雷的创作与中世纪以及文艺复兴时期的民间文化》(1965),《文学与美学问题》(1975)和《语言创作美学》(1979)等。西方文论界自20世纪60年代中期以来对他有过"两次发现",尤其对其"复调小说理论"和"狂欢文化"甚感兴趣;他关于陀思妥耶夫斯基和拉伯雷研究的两本书被译为多种文字,广为传播;他成为西方文论界继俄国形式主义者之后"最受欢迎的苏联文论家"。

莫伊谢依·萨莫伊洛维奇·卡冈,列宁格勒大学哲学系伦理学和美学教研室教授,代表作有《车尔尼雪夫斯基的美学学说》(1958)、《论实用艺术》(1961)、《马克思列宁主义美学讲义》(1971)、《艺术形态学》(1972)、《人类活动》(1974)等。这些作品均有德译本,有的著作也被译成其他文字。我国出版的《美学和系统方法》一书,收入他从系统论方面讨论艺术文化学方面的文章。

20世纪六七十年代,斯托洛维奇的观点在讨论审美价值和文艺价值方面显示出特色。斯托洛维奇,1952年毕业于列宁格勒大学哲学系哲学专业,1953年执教于苏联第二古老的大学——濒临波罗的海的爱沙尼亚境内的塔尔图大学,著有《现实中和艺术中的审美》(1959)、《美学的对象》(1961)、《美的范畴和社会理想》(1969)、《审美价值的本质》(1972)、《美的哲学》(1978)等。

苏联有一大批优秀的文论家和美学家,如波尼亚科夫、波斯别洛夫、狄尔亚诺夫、赫拉普钦科、季莫菲耶夫、利哈乔夫、梅列津斯基、日尔蒙斯基、托玛舍夫斯基、维戈茨基等,在各自领域都卓有建树,他们从不同方面在不同程度上讨论了文学与文化的关系。

在西欧和美国,从文化社会学和人类学、历史学、心理学等各方面研究文学理论的著作很多。杜恩肯主要从事文学和视觉艺术社会学的研究,提出了艺术功能和有序结构与社会联系的可能性,提供了哲学、社会学、心理学和文艺学相互影响的视角。包阿斯、马林诺夫斯基等人类学家从人类学方面看文艺,提出了很多新想法。包阿斯假定文学有两个来源:一为技术的独立发展,即文学中的一些规范、形式的发展;一为在与宗教和其他社会现象中的发展。马林诺夫斯基把艺术的起源看成神话,进行人类学论证。奥地利的民族学家赫塞贝格大声呼吁:必须从整个文化结构中研究文学,否则,文学研究就没有文化价值。

由于许多学者对文化与艺术关系高度重视和深入探索,现代西方文论中的文化分析得到不断发展,并逐渐形成了自己的特色。仅就苏联学者的文化分析,尤其是卡冈、巴赫金和斯托洛维奇对文艺的文化研究来看,文艺文化学和批评的特点主要体现在如下方面:

它首先从"相对"的而非绝对的观念分析文学与文化关系。它既非纯文学的文化分析,也不是纯文化的文学分析,而是充分尊重各自的特殊性和独立性,讨论它们之间的关系,各自兼容对方的优长,因此,这种分析是平等的、平行的研究,既没有文化霸权主义倾向,也没有艺术至上论的怪癖。如托多洛夫所说:"对真理的关注也表现在一个更高层次上。不再是为了对作家思想进行分析,而是为了对批判家也介入其中的对话提供框架,不再是手段,而是目的:文学与批评经过长期的分离后又在这里重新相聚了。"[1]

其次,从文化结构看文学。这里的文化,指人创造的物质和精神产品以及人的生活行为。西方文学学者普遍关心整体文化结构中的文学研究,认为不从整体文化结构中研究文学,文学的许多问题不能得到深刻揭示,文学研究也会因之失去应有的文化基础。加拿大学者F.G.查尔默斯指出:"要概观艺术与文化领域是困难的,因为它并不是一个有一贯方法和既定边界的确切的学术分支。尽管有人不愿研究艺术与社会的关系,但是,我们已经看到,在许多领域,诸如人类学、

---

[1][法]托多洛夫:《批评的批评》,见胡经之、张首映主编:《西方二十世纪文论选》第4卷,中国社会科学出版社,北京,1989年,第510页。

艺术批评、艺术史、普遍心理学和心理分析、哲学、社会学以及其他学科，已做出了不少重要贡献。"用门罗的话说："它所论及的许多问题广泛地被认为对于理解人性和文明是至关重要的，它们还有与教育政策相关的重要性。"①

再次，对艺术文化的机制、特性、功能、符号、意义进行分析。广义地看，艺术属于文化的一个部门，艺术与文化具有天然联系。无论秦砖汉瓦、三代钟鼎、汉碑魏帖，还是唐宋诗词，现在看来，都是一种艺术文化，都有作为艺术文化的不同机制、特性、功能、符号、意义。它不仅与其他物质文化、精神文化、生活方式不同，如唐宋诗词不同于中国人称誉的"四大发明"，还不同于艺术创造。艺术与艺术文化是两个概念，艺术是一种创美活动，艺术文化是历史存在的已经流传的文化产品，西方当代文化家论证了文学作为一种文化的生产、制作、消费过程中的一系列机制和意义。

最后，从文学特点出发，呈现文学的文化意义。霍迦特曾说："如果我们知道如何恰当地阅读文学而不是企图为了外在目的而利用文学的话，那么，好的文学就可以用一种独特的方式向社会自身展示一个社会。"他曾以一种文学—文化方式研究思想，分析"文学—文化思想中英国传统的特征和力量"，认为"这一传统倾向于人和直接的文学经验密切相联系，它基本上是非审美的和非抽象的，不喜欢制定些理智的类型，简单地说，它是高雅的和令人关注的"②。

第二节　文艺与文化

西方关于文化的定义有一百多种，众说纷纭，聚讼已久。对于文学理论家来说，在原则界定文化定义之外，更多的是由此演化出文化

---

① [美]门罗：《艺术心理学：过去、现在和未来》，见《美国美学与艺术批评》杂志第21卷第3期。
② [英]R.霍迦特：《当代文化研究：文学与社会研究的一种途径》，见胡经之、张首映主编：《西方二十世纪文论选》第4卷，中国社会科学出版社，北京，1989年，第154~155页。

与文学的关系。

卡冈认为:"文化是人类活动的各种方式和产品的总和,包括物质生产、精神生产和艺术生产的范围,即包括社会的人的能动性形式的全部丰富性。"[1]他把文化作为与天然(自然)相对的人类活动的"第二自然"来看待,以为人类活动的一切产物都是文化,这样,文化成了人的本质力量的对象化,成了人类的全部能动性的展开;他始终把文化与人、人类联系起来,不是孤立于人和人类来谈文化。人和人类作为活动主体,既是文化的创造者,又是作为文化而存在的社会存在物,还是文化的体现者,所以,人和人类始终是文化活动的中心。人和人类不同于动物的显著标志在于有文化,因而文化构成了人和人类的一种本质力量,这种本质力量的展开的必然结果当然是文化。[2]

艺术文化是不同于物质文化和精神文化的一种特殊文化。卡冈根据文化的物质性和精神性把文化分为三类:物质文化、精神文化、艺术文化。物质文化是从自然向文化的转化,以及人用物质创造的物质文化,如一般的建筑物、电线电杆、家用器具、学生上课用的黑板、桌椅板凳等。精神文化指由精神生产创造的文化,如哲学、美学、伦理学、文艺学、数学、物理学、天文学等一些精神性的学术、知识文化等。艺术创作,不是把文化的精神因素和物质因素简单地结合在一起(如物质生产和精神生产领域那样),而是有机地交融在一起,互相融为一体,产生出某种第三种的、某种性质上独特的现象——被称作"艺术"的精神—物质价值。艺术创作,不同于科学创作或意识形态创作,不应当被解释为思维劳动结果的简单的物质体现,而应当解释为"物质中的思维",即色彩、造型和声音关系中的思维。他说:"人的艺术活动的这种特殊的精神—物质完整性导致了:定形于艺术活动周围的艺术文化不能纳入精神文化的界限内,它在文化的'空间'中既区别于精神文化,又区别于物质文化,具有相对的独立性。而这就是说,艺术文化的内部结构具有特殊性,既区别于精神文化的

---

[1] [苏]卡冈:《美学和系统方法》,凌继尧译,中国文联出版公司,北京,1985年,第185页。
[2] 张首映:《审美形态的立体观照》,人民文学出版社,北京,1989年,第110页。

结构,又区别于物质文化的结构,因为它由艺术活动本身的特性所决定。"①卡冈专门画了一个图表:

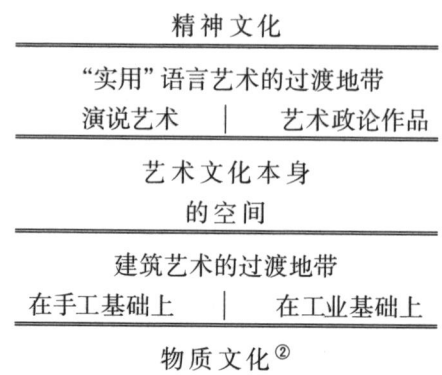

诸如戏剧艺术,一方面,它保持了相当鲜明的物质特色,布景、道具、灯光、服装、舞台、帷幕、烟火、摄影、字幕等属于物质,带有物质文化的某些色彩,尽管已被艺术化;另一方面,它所表现的人的精神风貌、个人气质、文化心理、道德修养、文化程度、宗教概念、政治观点、人际关系等属于精神,具有精神文化的某些特色,虽然也被艺术化。

艺术作为艺术文化的中心环节。艺术文化毕竟是关于艺术的文化,艺术成为艺术文化的中心环节是理所当然的。为了强调这点,卡冈也用图表示,这个图表不仅表明艺术文化在文化整体中的地位,而且说明了艺术在艺术文化中的中心地位。

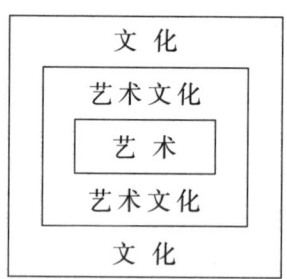

---

① [苏]卡冈:《美学和系统方法》,凌继尧译,中国文联出版公司,北京,1985年,第88~89页。
② 同上书,第93页。

艺术是一种艺术活动。艺术活动由三个部分组成，即艺术创作、艺术作品、艺术知觉。由于艺术活动是一个过程，所以，这三个组成部分处在这种过程中，按从艺术创作到艺术作品至艺术知觉的秩序递进乃至循环。它们在艺术文化中的作用是："艺术活动的第一种形式——艺术创作，即创造艺术作品的过程——作为这样或那样地被体制化的'艺术生产'出现在社会艺术文化中。艺术知觉——艺术活动的最后环节——在艺术消费的前后关系中加入社会文化过程。把艺术生产和艺术消费联系起来的艺术作品，在这里作为艺术价值的体现者，它正是因此获得具体的社会文化意义。"[1]艺术文化的这三种内在机制与艺术价值具有天然的联系。

艺术生产是艺术价值的创造者。艺术生产有四个层次：一是生产层次，指作家、画家、作曲家的创作活动，他们直接创造艺术价值，为艺术价值提供直接的价值体系。二是艺术生产层次，指演员、导演、音乐演奏、舞蹈表现共同的价值创造。卡冈认为，艺术价值的创造者为艺术生产的再生产过程起到显著的社会历史的具体组织作用，同样是艺术生产本质的一个方面。三是艺术观众。艺术观众也是艺术生产者。卡冈把艺术观众作为艺术价值的内行的消费者。这种消费是建立在一定文化基础上的消费，一种"内行的消费"中充满创造，在对作品的感知、理解、分析、研究中，艺术观众的创造性逐步增长，有的观众最后会成为直接创造艺术价值的作家和其他艺术家。四是艺术批评家，他们是艺术价值的消费者和创造者之间的熟练的中间人。一方面，他们通过自己的批评实践，指引、培养艺术消费者，提高消费者的消费水平；另一方面，他们也指引、培养艺术生产者，筛选、发现、引导作家、艺术家，提高后者创造艺术价值的水准。

艺术价值直接把艺术生产同艺术消费联系起来。艺术作品是艺术价值的直接体现者，成了艺术生产同艺术消费之间的纽带。艺术价值相对抽象，艺术作品比较具体，抽象的东西往往通过具体事物来体

---

[1] [苏]卡冈：《美学和系统方法》，凌继尧译，中国文联出版公司，北京，1985年，第100页。

现。卡冈反对把艺术价值等同于审美价值，因为审美价值只是艺术价值的一个方面，此外还有其他方面，如宗教（乃至反宗教）价值、道德（乃至反道德）价值、理性（或者非理性）价值等；艺术价值是一个整体，其中由包括审美价值在内的各种价值组成；用审美价值来代替艺术价值，如同用局部来代替整体。

艺术消费和艺术批评。卡冈把艺术消费确定为观众知觉艺术价值过程的组织的具体社会历史形式，认为这种形式能在人们与艺术的交流中表现出来，摆在书店卖的作品是一种商品，消费者买到这种文化商品，是想在精神上"占有"它。随着科学技术的进步，录音、影视的普及，个人消费和集体消费界限日益模糊，本来供个人独享的文学作品通过广播播放给人们听，变成集体消费，那些影剧院的影剧活动却出现在私人的电视机或录像机中供个人享受，这样，集体消费变成了个人消费。

艺术批评是艺术消费的一个特殊方面。批评揭示和规定着艺术作品的艺术价值，校正艺术生产的生产路向和审美路向，在艺术生产和艺术消费之间起反馈作用。批评对艺术消费起着重要作用，无论对个人消费者，还是对集体消费者都发生作用。因此，艺术批评是艺术文化的一个重要环节。卡冈也反对把艺术批评作为审美批评，因为审美批评只是艺术批评的一个方面，还有历史批评、心理批评、文本批评、接受批评、文化批评等，艺术批评是艺术文化的一种机制，所以，用各种文化方法和艺术文化方法从事艺术批评都有其科学性和合理性。

文艺功能作为一个系统，分为五个子系统：文艺—社会，文艺—人，文艺—自然，文艺—文化，文艺—文艺。文艺—社会学系统指文艺对人类社会及其联系、社会组织、个体社会化、整个情感—理智的精神发展路向的作用。文艺—人学系统指文艺对人的启蒙、教育、交际、享乐等发生作用，对个性的确立、人类精神的完善发生作用。文艺—自然学系统指文艺能帮助提高对自然的审美能力和改造自然的能力，从而给自然带来新的美。文艺—文艺学系统指文艺对自身的影响，包括调节、完善文艺自身的需要，坚持继承与革新的辩证统一以及整个艺术活动水平的提高等。文艺对文化的作用体现在两个方面：文化的内部构造需要文艺；文化的交流也需要文艺。

文艺因其特殊性在文化交流中起到重要作用。卡冈认为，文艺是形象、综合地表现文化的完整性，即文化的各个方面、因素、成分以及相互关系都能在文艺中体现出来，文艺是文化的自我意识，文艺是文化的各方面的"代表"。所以，文艺能成为每种具体文化在同其他文化交往中的"密码"，文艺对其他文化能起到"解码"作用。有人说，文艺是时代精神的表现，同样，文化也是时代文化的代表。任何一个时代的文化，无论是物质文化、精神文化，还是生活行为、艺术文化都凝集在文艺之中，通过文艺，人们可以看到时代文化的总的精神及其各个方面。忽视文艺，以为它仅仅是虚构幻想的玩意，没有体现文化精神、文化价值、文化面面观，那么，文化交流将会遇到很大阻碍。

第三节 复调或对话

文化相对主义的批评实践，是文化相对主义理论的体现。巴赫金的批评实践，既受马克思主义文艺理论和苏联文化思想影响，又有自己的理论蕴涵。巴赫金的《陀思妥耶夫斯基诗学问题》，在关于批评的世界观、认知方式、思维方式、时间和空间相对论以及一些其他方面，呈现出文化相对主义精神，给人以多重启示。

在批评的世界观方面，巴赫金提出，世界不是单一的，而是多极依存的，人与人之间的关系不是服从与被服从的奴化关系，而是民主的平等关系，批评家必须从世界的多极化、多元化的考察中开展文学批评。只有这样，才能正确地认识并评论文学作品。他把社会结构分为两种：一元化的"独白"结构，多元化的"复调"结构。他认为文学作为社会结构的体现者，在不同的作品中显示出这两种不同的社会结构；他由此区分托尔斯泰和陀思妥耶夫斯基。托尔斯泰的小说展示世界的一极，即一元化的"独白"结构，陀思妥耶夫斯基呈现多元的"复调"结构，"在陀思妥耶夫斯基的小说中，独白型的统一世界是被破坏了的，但截取来的现实生活的片断，绝非直接结合在小说的统一体中，因为这些生活片断都足以代表这个或那个人物的完整视野，都反映着这个或那个意识的理解"①。

文学是对社会生活的审美表达,文学批评表达的"社会生活",来自批评家感知世界和社会生活的独特世界观。在巴赫金以前的批评家们没能认识到这一点,不能认识陀思妥耶夫斯基小说中的那种独特世界;他们从既定认识模式中认识陀思妥耶夫斯基,用评论托尔斯泰世界观的方式来观照陀思妥耶夫斯基,出现了批判陀思妥耶夫斯基表现支离破碎的"社会生活"的情况;在巴赫金眼里,陀思妥耶夫斯基表现的恰好是另一种别样的"复调"的社会生活。他不把世界看成是绝对的统一体,而视之为相对的多面体。

在认知方式上,巴赫金倡导民主的平等对话方式,反对命令和服从命令等交流形式,在"我可以像暴君那样对待他人,即以完全独白的方式,我也可以民主地对待他们,即以复调的或对话的方式"中,他选择了后者。他研究陀思妥耶夫斯基,首先是平等而又耐心地倾听作者在作品里的声音,揣摸作者在想些什么,这位作者是怎样认识世界和表现世界的,他与托尔斯泰和其他伟大作家在认识和表现世界方面有什么相同点和差异,再返回自身,对陀思妥耶夫斯基的所说、所指、声音、话语进行反思,因此,"巴赫金与陀思妥耶夫斯基的关系超出了批评家与作家关系的一般限度,达到双面人内部之间的那种密切程度","从陀思妥耶夫斯基创作问题这种最重要的不朽之作见证了两人的这种二重唱"②;苏联许多美学家和批评家对评论对象远没有巴赫金这样民主和平等,更不能进行心灵深处的对话交流,倒是有时把作者作品当作敌人,以主观先验的设定,"大刀向鬼子们头上砍去"。

巴赫金在这种与作者的对话中,看到陀思妥耶夫斯基小说中主人公具有独立的自我意识,作者与主人公、主人公与主人公之间具有对话性,或在小说中平起平坐地对话。虽然小说中的人物都是由作者设

---

①[苏]巴赫金:《陀思妥耶夫斯基诗学问题》,白春仁、顾亚铃译,生活·读书·新知三联书店,北京,1988年,第49页。
②[美]凯·克拉克、迈·霍奎斯特:《米哈伊尔·巴赫金》,语冰译,中国人民大学出版社,北京,1992年,第291、296页。

定的"语言形象",主人公与主人公之间的对话也由作者有意安排;但是,这种安排反映了作者不是任意武断地驱使人物,而是潜入自己的人物内心世界之中,与"我的'他者'"进行交流,"重要的不是主人公在世界上是什么,而首先是世界在主人公心目中是什么,他在自己心目中是什么"。这样的主人公既不是现实主义者,更不是浪漫主义的,而是现代主义乃至存在主义的。考夫曼曾说,陀思妥耶夫斯基的《地下室手记》已"不需要浮面的装饰,心灵的活动已完全自给自足,然而这个心灵却能自觉它的每个弱点,并决定去揭发它。我们所听到的是个性之歌中未被听到的一首:不是古典的,不是圣经式的,也绝不是浪漫的。不!这个个性没有经过修饰,没有经过理想化,也没有神圣化"①。

巴赫金所呈现的小说的"对话"包括:一、对话即"复调";二、作者安排了与作品中的人物形成对话关系;三、作品中的人物自我对话,形成自我的"复调",如自我既充分尊重自我,又揭示自我的弱点等;四、作品中的人物与人物之间的对立和对话;五、作品中的对话分为"大型对话"和"微型对话"两种。

"大型对话",关涉小说结构和人物之间对话关系,即音乐中的"对位"关系,它们不是独白式的"同音齐唱",而是"多声部"现象,"不同的声音各自不同地唱着同一个题目";情节发展具有平行性,有时甚至同一部小说有几条情节线索,它们各自独立,相互交叉,或曲折交叉,在组成巨幅社会生活图景时又密切联系;在小说末尾,意犹未尽,故事似乎没有结束②,像高架多层立体交叉桥;陀思妥耶夫斯基的《卡拉马佐夫兄弟》即如此。

"微型对话",主要指人物结构或人物心理结构的"对话",包括独白性对话和对话的对话等几个层次。独白性对话,是"我"忽而是主体言说,忽而是客体说话,忽而是它们两者的对话,"我"处于一种张力中;《地下室手记》开篇就是主人公好像需要同情,立即暴露自己的劣迹,预感到别人对自己的自由将会反诘,马上又来自我申辩。对

---

① [美]W.考夫曼:《存在主义》,陈鼓应等译,商务印书馆,北京,1987年,第3页。
② 钱中文:《现实主义和现代主义》,人民文学出版社,北京,1987年,第255~256页。

话中的对话比独白性对话更为复杂和精彩,巴赫金绘声绘色地描述道:"陀思妥耶夫斯基总是这样写出两个主人公来:他们之中每个人都与另一人的内心的声音亲密无间","在他们的对话中,一个人的对话会牵涉另一个人内心对话的对话,甚至有的地方与其重合一致。一个主人公讲出的他人话语,与另一主人公隐隐的内心语言,有着极其重要的联系,或者部分地重复一致"。①

对话交流过程显示出作者、作品和读者之间的全息性关系。巴赫金先把握作者与作品之间的对话,继而层层深入地展露作品中人物自身、人物与人物之间的对话层次;这些对话都是他(读者或批评家)与陀思妥耶夫斯基和《罪与罚》等小说中的人物进行对话、交流和研究之后的产物;他自己探索出的对话或复调小说的理论是包含了作者、作品和读者三者进行对话的批评理论,呈现出一种对话性关系网络②:

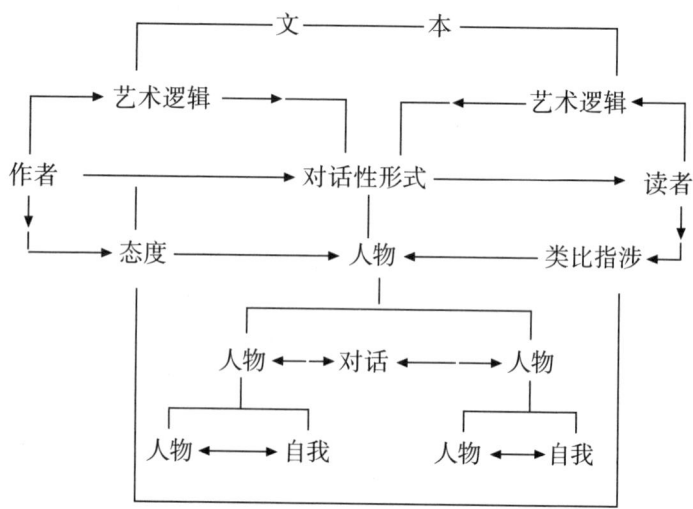

巴赫金把音乐中的纯粹、正统之单声(monoglossia)与多重声音(polyglossia)的区别理论引入诗学和批评之中,将之消化并形成自己的复调(polyphony)理论。在音乐中,"调的一致性在理论上一直是交

---

① [苏]巴赫金:《陀思妥耶夫斯基诗学问题》,白春仁、顾亚铃译,生活·读书·新知三联书店,北京,1988年,第347页。
② 董小英:《再登巴比伦塔——巴赫金与对话理论》,生活·读书·新知三联书店,北京,1994年,第299页。

响乐构造的基础"，"多调音乐就字义上说是把若干调或调性联合起来"，"同时采用两个或两个以上的调"，"试着在同时建立两个或两个以上彼此互相冲突的中心"，在"结束时并不完结在开始的调上的声音"。①巴赫金关于小说的复调思想与这种音乐精神具有表象上的一致性。

"复调"，不仅是巴赫金认为叙事文学的一种认知方式，而且更重要的是作为认知的一种思维方式。巴赫金凭借陀思妥耶夫斯基小说这个载体，既充分肯定了陀思妥耶夫斯基"创造出一种全新的艺术思维类型"，"创造出了世界的一种艺术模式"；又认为这"涉及欧洲美学的一些基本原则"，使"旧艺术形式中的许多基本因素都得到了根本的改造"，是一种"原则性的创新"；还可以作为人们认识世界的一种思维方式，"简直可以说有一种超出小说体裁范围以外的特殊的复调艺术思维。这种思维能够研究独白立场的艺术把握所无法企及的人的一些方面，首先是人的思考着的意识，和人们生活中的对话领域"。②这样，"复调"就从一种小说论、批评论走向了审美学，返归于哲学。

作为思维方式，"复调"具有时间性和空间性这两种展开形式。无论在音乐中还是在文学里，"单调"往往主要是时间的、叙述的，"复调"一般主要是空间的、对话的；尽管时间主体中兼容空间，空间主体中内含时间，但是，它们的轻重差别显示出各自归依的类型特征。就空间而言，巴赫金把它视为开放的、多声部的、立体交叉的、思想的、共时的、未完成或没必要完成的、杂然纷呈的、背后的、缺席的、知觉的、对位的、原色的、情绪的、独立的、包容的、分裂的等等，都是空间的展开形式。巴赫金把托尔斯泰的作品看成时间的、流动的、过程的、缺乏自我意识之间的交叉和联系，把陀思妥耶夫斯基的作品作为空间的、复调的；这种时间与空间的相对论，是他复调思维

---

① [美]R.O.莫瑞斯：《音乐艺术异论》，见薛良编：《音乐知识手册》，中国文联出版公司，北京，1984年，第71页。
② [苏]巴赫金：《陀思妥耶夫斯基诗学问题》，白春仁、顾亚铃译，生活·读书·新知三联书店，北京，1988年，第24、363页。

方式的外化或呈现。他站在这种思维境域中观照时间性小说,自然得出托尔斯泰及其作品比陀思妥耶夫斯基及其作品低一个或几个档次的结论。这并非故作惊人之论,而是其思维方式在大脑皮层中生根、开花后结的果实。

第四节　文化狂欢节

文化相对主义批评,既是一种文学和文化批评,又是一种意识形态批评。文化相对主义"相对"什么?为什么需要"复调"?"对"谁对话?为什么不厌其烦地讨论"文化狂欢(carnivalization)节"?这些都与意识形态批评相关联。巴赫金展开"文化狂欢节"讨论时所使用的世界感受、开放性、反讽、语言狂欢、身体、诙谐、怪诞等关键词,既是对16世纪法国医生拉伯雷写的《巨人传》所进行的文学和文化评论,也为一种意识形态批评。

巴赫金强调"节日世界感受"或"节日情绪",所指的不是陶渊明笔下的"气变知时易,不眠一何速"的时节变化,也不是欧阳修称道的"四时之景不同,而乐亦无穷也",更不是王安石描绘的"爆竹声中一岁除,春风送暖入屠苏"的春节感受,而是与"复调"或对话相一致的世界观和不受限制或制约的情感体验和世界感受。

"节日是人类文化的一个第一性的和不可消灭的范畴。"节日里,各家各户大门洞开,宾客盈门,充满欢声笑语,人们翩翩起舞,乐而无忧,"节日恰恰使人摆脱一切功利性和实用主义;这里暂时走进一个乌托邦的世界。不能把节日归结为某一限定内涵(例如归结为节日所纪念的历史事件),它是摆脱一切有限内涵的"[①];节日与宗教仪式相对立,这种仪式具有意识形态的庄严感,节日则是使世界和人们充满欢快感乃至疯狂感;欢乐乃至狂欢与理性相对立,疯狂更"是思想和行为错综凌乱没有条理","令人怀疑上帝赋予人类的思维能力

[①] [苏]巴赫金:《弗朗索瓦·拉伯雷的创作与中世纪和文艺复兴时代的民间文化》,见《巴赫金文论选》,佟景韩译,中国社会科学出版社,北京,1996年,第250页。

也像其他感觉一样可以错乱"①；节日文化与一体化的意识形态或政治文化相对立，是属于人民而非官方的非主流意识形态，是"复调"的世界和意识形态的一种形式，增加"节日世界感受"，就是增加对"复调"的世界和意识形态感受，增加对多元的相对的世界和意识形态感受。

节日是开放的，它排斥封闭和关门主义，否定禁令和绝对理性，抛弃禁忌和说教，把在工作中所受的一切清规戒律或典章制度都抛向九霄云外。小孩犯了天条，在节日里得到原谅；大人可以纵欲；平时不让吃肉，节日里可以大口猛吃；平时不允许奚落老人和调戏妇女，在狂欢节里都无所谓，老人和妇女反而高兴；平时不敢谩骂长官和统治者，狂欢节里可以一泻无余；如果狂欢节后长官和统治者整你，那么，在下次狂欢节里，你可以报复他们；狂欢节里，一切结构、秩序、等级、规范统统置之脑后；狂欢就是狂欢，不会"狂欢"的反而是傻瓜或疯子。

文化狂欢节是一种开放的哲学或敞开的没有界限的意识形态，是一种多元多样的、无限的文化享乐主义，甚至是一种纵欲主义，具有"世界观意义"。它摆脱等级结构和严肃性，呈现出平等、民主和自由；它具有整体性，"这是人民的整体，但这个整体是按照人民自己的方式组织起来的"，"人民感觉到自己的具体感性的物质和肉体的统一性和共同性"，"造成过人民对自己的统一性的类似感觉"，"是人民生成和生长的统一性和连续性"，"在狂欢节的世界里，人民永生的观念是同现有权力和统治真理的相对性观念结合在一起的"，说明"世界和人民是雄伟乐观而无畏的"。②

文化狂欢节具有反讽特性。生与死、爱与恨、敬与畏、智与愚、贞洁与卑污、老与幼、男与女、官与民、庄与谐、进与退、禁忌与自由、精确与夸张、文明与戏谑、严肃与纵欲、荣誉与失落、权力与退位、

---

① [法]伏尔泰：《哲学辞典》下册，王燕生译，商务印书馆，北京，1995年，第533～535页。
② [苏]巴赫金：《巴赫金文论选》，佟景韩译，中国社会科学出版社，北京，1996年，第227～228页。

歌颂与诅咒、往前看与向后看、历史与预言、教士与嬉皮士、教授与愚民、医生与病人、朋友与敌人、革命与反革命、仙姑与妓女、圣器与小便等等，都是"正反同体"和"互为嘲讽"的。拿"愚蠢"来说，它是无可救药的；而在具有文化狂欢节的小说中，它显示出自由自在的节日的明智，它没有官方世界的关注和官方世界的严肃性，是对官方世界的不理解和背离，"是反过来的明智，反过来的真理"。西方批评家们，尤其是后现代主义批评家们喜欢巴赫金，他比他们早20年描述了他们所希望看到的无边界、无等级、反结构、充满狂欢和反讽的世界。苏联的图甘诺娃不无针对性地写道："后现代主义在一定程度上复活了中世纪西欧的'嘲笑'文化：允许否定，滑稽模仿，嘲笑一切。"①

作为符号学家或语文学家的巴赫金，对语言狂欢做出了别出心裁的探索。他认为，"语言狂欢"为大众娱乐效力，具有高度的自由和坦诚，在特殊时期可以不见容于占统治地位的语言规范，释放人们压抑已久的隐秘和言语，是一种戏仿体文字，具有充分的反讽性。在拉伯雷笔下，鲜血可以视为美酒，订婚可以说成送死，吃饭可以视为放屁，高雅可以说成低俗，殴打可以当成表扬，国王可以说成小丑，妓女可以说成仙女。"语言狂欢"充满了幽默感，具有滑稽性、寓言性、象征性、颠覆性和怪诞性，是一种异质的、异己的、被平时忽视了的人性语言的复归，具有独特的形式和风格。"语言狂欢"与"语言规范"形成两种话语系统，前者是百姓的、欢乐的、代表人性和自由的意识形态话语，后者是官方的、严肃的、代表统治和权势的语言体系。

巴赫金肯定文化狂欢节中的身体乃至肉体的重要性，它们不是禁欲主义、理性主义和独裁极权主义的"工具"或"载体"，而是活生生、生生不息的。狂欢节（Carnival），就是"谢肉节"，在基督教大斋节前三天举行的狂欢节中，人人蒙面，没有国王与小丑的差别，身体在欢蹦，肉体在抖动，部分裸露的男人与女人交错而过，手拉手或肉

---

① [苏]图甘诺娃：《后现代主义及其哲学根源》，见王岳川、尚水编：《后现代主义文化与美学》，北京大学出版社，北京，1992年，第206页。

体贴着肉体同歌而舞,小个子可以打击大个子的腹部,小孩可以打老人臀部;人的身体乃至肉体在这得到解放和充分自由,得到了充分的怪诞的运动,是人自身对自己的身体和肉体的一种解放,是人对自身长期受精神压迫和理性制约的物质性的一种"释放";巴赫金用很大篇幅描写女人的肚子,既把它作为食物的容器,又把它作为生孩子延续生命的生生不息、人民不朽的象征,还赋予它多重意义。巴赫金的传记作家们说:"巴赫金对拉伯雷赞美肉体作用的激赏,也是对社会主义现实主义原则和实践的挑战。"因为1932年至1934年间,"官方发言人警告作家不要表现性和肉体功能,这些被委婉地称作'自然主义'或'生物主义'"[①]。

巴赫金把他对文学的文化狂欢节研究称为民间诙谐文化理论。建立这种理论,"必须从本质上重建整个艺术和意识形态的把握方式,必须善于抛弃许多根深蒂固的文学趣味要求,重新审查许多概念,更主要的是,必须深入了解过去研究得很少而且肤浅的各种民间诙谐创作";这三个"必须",基本说明了诙谐文化理论的研究方法,即重建研究视野、概念和范畴系统,重新研究并发掘诙谐的作品和作家。

民间诙谐文化理论的特点是由作者和作品中人物形象决定,它具有激进的民间性(人民性),不符合传统和正统文学标准的"非文学性",与任何教条主义、任何权威观念和任何片面的严肃性不相容的"非官方性";它们打破了传统和正统的关于民间文学和民间文化的研究框架,以开放的新姿态、新视角、新观念、新方法去研究民间文学和民间文化。

民间诙谐文化具有相互交织的三种基本形式:一、各种仪式和演出形式(各种狂欢节类型的节庆活动,各种诙谐性的广场表演);二、各种诙谐性的语言作品(包括戏仿体作品)——口头作品和书面作品,拉丁语作品和各民族语言的作品;三、各种形式和体裁的不拘形

[①] [美]凯·克拉克、迈·霍奎斯特:《米哈伊尔·巴赫金》,语冰译,中国人民大学出版社,北京,1992年,第378页。

式的广场语言(骂人语,指神赌咒,发誓,顺口溜,等等)①。它们是诙谐文化理论的主要研究对象和展开形式。

巴赫金根据对民间诙谐文学中的人物形象的分析,提出了"怪诞现实主义"(Grotesque Realism)的称谓和主张。怪诞是文化狂欢节精神在文学中的表现,具有未完成性、交易性、多义性、不可定义性、反规范性、无差别性、身体性、诙谐性、自由性等特点;怪诞现实主义与现实主义、批判现实主义和浪漫主义具有本质的区别:它更是以扭曲和变态但是发自人们内心的方式表现现实,更能代表和体现民间意识形态,更能显示出与正统意识形态及其现实主义美学原则的巨大反差,并形成一种与官方相对立的又可被官方容忍的新的美学原则和创作实践。

巴赫金关于文学的文化狂欢节的批评理论,比较集中地体现出他的某些理想。在意识形态方面,他要建立一套与官方意识形态相区别的话语系统,能够代表百姓的思想感情的认知方式;他算不上一个民主主义斗士,但骨子里充满了民主思想,是个民粹主义者。在世界观方面,他要建立具有差异的"复调"的世界观,并以此"观"世界和文学世界。在审美等方面,他要建立以对话主义为轴心的审美原则,在人与物、人与人、人的自我与"他者"之间建构审美框架。在文学学方面,他要创立一种以文本为中心的兼作者、作品、读者和意识形态及文化的文本理论和批评理论,重新组建文学学的概念和范畴的谱系。在创作方面,他努力追寻一种有别于正统现实主义的创作原则和风格,他不惜气力研究极具现代主义和存在主义色彩的陀思妥耶夫斯基的小说和作为怪诞现实主义的《巨人传》。巴赫金之所以在欧美和"解冻"后的苏联红极一时,成为法国批评巨匠托多洛夫和克丽丝蒂娃眼中的上选人物,与这些方面不无关系。如果他仅仅进行了单个作家富有创见的评论,巴赫金不可能获得国际地位,甚至不可能在这里与苏联美学巨子卡冈和斯托洛维奇相提并论了。

---

① [苏]巴赫金:《巴赫金文论选》,佟景韩译,中国社会科学出版社,北京,1996年,第96~99页。

第五节　文学价值

文艺文化学常常从文艺文化和文学艺术出发,追寻它们的文化意义和价值。卡冈从机制分析走向了功能论,巴赫金以文学评论走向了意识形态透视;西欧有哲学家和诗学家从人文论走向价值论乃至终极价值论,斯托洛维奇在"价值—评价"框架中比较具体地演绎出文艺价值的意义。至于文艺社会学,更多是以价值论作为中轴才得以全面展开。

斯托洛维奇先确立"价值—评价"框架,再分别从作者、作品、读者及作品在社会—文化整体结构的价值显现中,展现文艺的价值。

价值是实践关系的产物,是客观的,是对人和社会有意义的;评价是对价值的评价,是价值呈现出的意义的评价,是主观的;"价值—评论"关系就是在社会实践基础上主观与客观的一种关系。斯托洛维奇援引莎士比亚的《哈姆雷特》中的例子说明这种关系。在与罗梦克兰兹和纪尔顿斯丹的谈话中,哈姆雷特称丹麦是一座监狱。罗氏不同意哈姆雷特对丹麦的这种评价,哈姆雷特反驳说:"啊,那么对你们就不是一所监狱;本来么,世界上也没有什么是好,什么是坏,只是想法不同才分出好坏。对于我,这是一所监狱。"丹麦是客观的,对它的评价("监狱")则是主观的,罗氏申述说:"啊,那么是殿下雄心太大,才使它变成了一所监狱;它太狭窄了,使殿下不能称心如意。"主体的心理结构和状态不同,对客观的价值的评论出现差异,哈姆雷特嘲讽地说:"天啊,我关在一个栗子壳里都还能自命为拥有无限的君主的。"在价值系统中,人是第一位的,物本身无所谓良莠好坏,美丑善恶,斯托洛维奇认定:"物的这些性质取决于物和人之间实践的相互关系。而意识在评价中反映这种客观的相互关系,这种相互关系也就是价值。"[①]

作者的价值在于创造作品。作者"按照美的规律"创造作品,他

[①] [苏]斯托洛维奇:《审美价值的本质》,凌继尧译,中国社会科学出版社,北京,1984年,第31~32页。

既反映客观现实,又表现自己和对象的审美意识,使人对审美的审美关系在艺术价值中得到物化和体现。莎士比亚因创造了《哈姆雷特》《李尔王》《亨利四世》《罗密欧与朱丽叶》《威尼斯商人》《麦克白》等几十部戏剧和大量精美的"十四行诗",创造了文艺价值;否则,他只是16世纪伦敦演艺圈的一个工匠或经理,能体现出人生价值而不能展现文艺价值。他塑造的哈姆雷特,与其说是一个可以继位的王子,不如说是一个失落的诗人,因而具有审美性和文艺价值。

文艺价值主要是作品对于人、社会和世界所呈示的价值。对于作品价值来说,作者只是一个"前提",实现文艺作品价值的必要条件;对于具有不朽的艺术生命的作品来说,作者死去多少年无关紧要,作品的价值之光永远照耀人间。

斯托洛维奇根据"人对现实的审美关系"的设定,区别了审美关系与认知关系、功利实践关系、伦理关系和宗教关系①,进而区别了文艺价值与审美价值、认知价值、功利实践价值、伦理价值和宗教价值。他从文艺价值在"主体—客体"系统和"个人—社会"系统中的体现来评定其价值:从"主体—客体"方面看,艺术价值体现在对现实关系的"反映—信息"方面和"创造—生产"方面;从"个人—社会"系统说,文艺价值表现在心理方面和社会方面,显示出政治、教育、享乐、娱乐、净化、心灵补偿等功用。他认为,"艺术结构的每个方面都有功用意义",艺术结构包括符号、游戏、评价、教育等方面,它们都显示出一定的功用意义,他所说"方面"指的是"作者—作品"关系,"功用"指的是"作品—读者"关系;他并"用艺术结构的不同方面来说明艺术的各种功用的条件",如图所示②:

---

① [苏]斯托洛维奇:《现实中和艺术中的审美》,凌继尧、金亚娜译,生活·读书·新知三联书店,北京,1985年,第96~97页。
② [苏]斯托洛维奇:《审美价值的本质》,凌继尧译,中国社会科学出版社,北京,1984年,第174~176页。

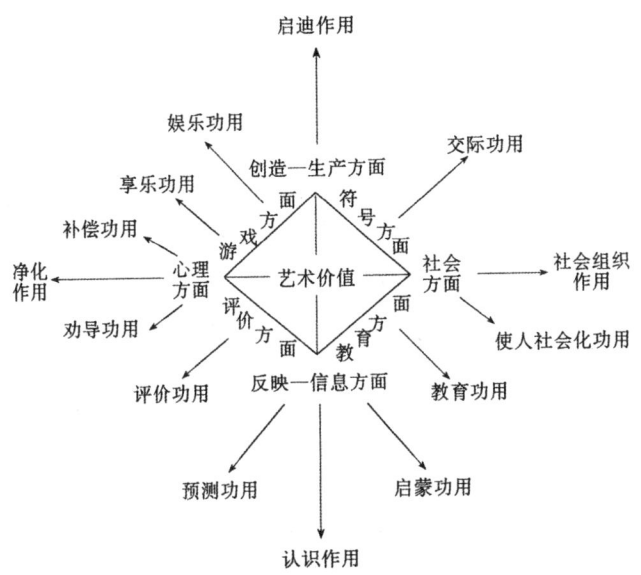

正如波斯彼洛夫所说:"现在人们常把传统上一向称为文学的'类'(叙事类、抒情类、戏剧类)叫做体裁。从词源学来说,这是对的,体裁这个词的法文'genre'就是'类'的意思。"[1]斯托洛维奇在体裁方面更是把艺术体裁与艺术价值联系起来,在不同体裁中展示文艺价值的不同侧面和侧重点。

斯托洛维奇不同意传统把文学分为抒情的、叙事的、戏剧的三类,因为这种分类方式没能显示出人对世界的审美把握的逻辑一致性,没能概括文艺史上不同的风格和流派,这三种分类在造型艺术中一样适用,未能显示其特殊性。他认为,整个文艺活动都存在这三种因素,文艺创作是在"客观"、"主体—客体"和"主观—社会"的统一系统中进行的,因而可以把文艺创作分为这样三类:客观型、主观—个人型和主观—社会型或规范型。

这三种类型体现了人对现实的审美把握,分别代表着文艺史上的不同流派和风格。客观型代表了现实主义的创作方式,它在审美折射中认识客观现实时具有定向作用;主观—个人型创作揭示主体—个人

---

[1] [苏]波斯彼洛夫:《文学原理》,王忠琪、徐京安、张秉真译,生活·读书·新知三联书店,北京,1985年,第296页。

的精神世界,浪漫主义为其"样板",感伤主义、象征主义、表现主义等倾向于它,印象主义则位于客观型与主观—个人型的"交叉"中;主观—社会型或规范型优先解决社会教育问题和确立社会交际规范,古典主义是这个模式的代表,巴洛克艺术亦属此列。它们与文艺价值的关系谱系如下①:

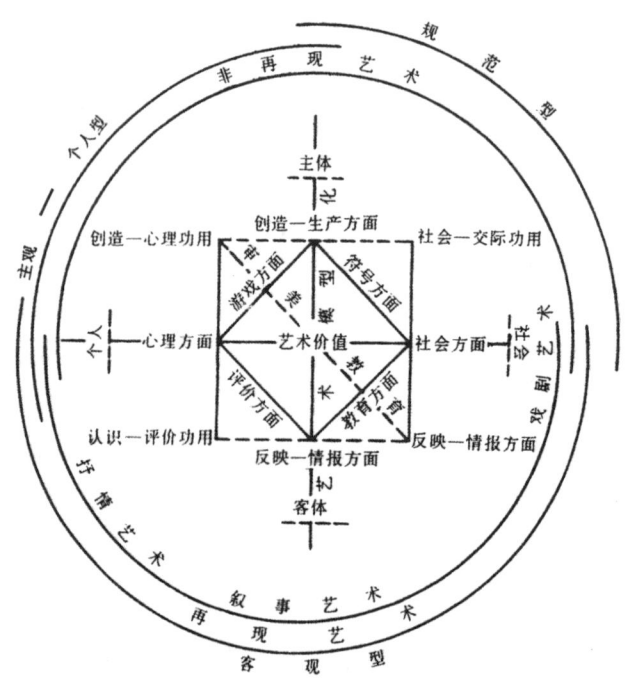

斯托洛维奇对评论艺术价值的标准是以真、善、美为核心的综合标准。他强调"真实的美",认为"审美评价本身由于它的真实性获得特殊价值。真——这是艺术品的艺术性的最重要标准之一"②,他主张对艺术价值从人对现实的认识的、道德的、宗教的、功用的、实践的、审美的多种把握中评论作品及其艺术价值;他从文艺的本质和特点出发确立评价文艺的标准,文艺是由多种属性、多个方面组成的系统,"它的艺术价值的标准就不能不是综合的。从艺术作品结构中产

---

① [苏]斯托洛维奇:《审美价值的本质》,凌继尧译,中国社会科学出版社,北京,1984年,第182~185页。
② 同上书,第193页。

生出来的各种'参数'构成艺术价值的标准"①。

第六节 结束语

从卡冈、巴赫金、斯托洛维奇的观点和分析方法中可以看到,关于文艺与文化的研究大有文章可做。文化是人的本质力量的对象化,文化的延伸实际上是人的本质力量的进一步展开,从文化的角度入手研究文艺,不仅可以揭示文艺中许多过去尚未涉足的领域,而且可以在更深层次上把握"文学是人学"这个宽泛而深刻的理论命题。过去对"文学是人学"只是作了哲学和文艺学的最初步论证,没有从文化方面进一步拓展,使这个问题的研究至今没有得到更加深入的阐明,这不能不说与我们过去忽视从文化方面进行研究有关。卡冈、巴赫金、斯托洛维奇等人的研究是不尽如人意的,因为他们还没有在文化与人和文艺的论证中做出更深入的说明,但是,比起苏联过去的许多理论家,他们在这方面的研究无疑有了很大进步。

在西方文论史上,虽然康德提出过文化是人的目的的口号,并在《判断力批判》中做过关于文化与艺术方面的论证,但是,它既不彻底,也不突出。应该说,卡西尔的《人论》在这方面是有见解的,涉及文化与艺术的关系,但是,卡西尔更多是从文化形态学的角度分析文艺特性,而没有在文化与文艺的关联域中做出具有重要理论意义的建树。西欧和美国的学者更喜欢用非文艺学的文化学科学研究文艺,像卡冈等这样从理论上阐述文化与文艺的关系的毕竟不多。查尔默斯提到的许多学者,如第一节所举的几位,用非文艺学的文化科学研究文艺,而在理论上有重大建树的并不太多。在材料方面,苏联学者虽不如西欧学者,但在理论上的建树却不可抹杀。苏联、西方的马克思主义文艺理论家对文艺的社会——文化的研究,做出了重大而又独特的贡献,对西方当代文论产生了不可低估的影响。

卡冈从系统论研究文艺文化,提供了用一定的自然科学方式研究

---

①凌继尧:《苏联当代美学》,黑龙江人民出版社,哈尔滨,1986年,第187页。

文艺的可能性。斯托洛维奇从价值论介入文艺价值探索的成功，显示了苏联文论家在哲学上从反映论、认识论向价值论的转变。尤其重要的是，巴赫金从文艺学方面研究小说，展示了文化和意识形态的诸多方面，打破了不能从文艺学研究文艺的文化性和意识形态性，而必须是从非文艺学进行这种研究的神话，从20世纪60年代中叶始，尤其是70年代以来，苏联学者的文艺研究已经有了很大变化，"他们不满足长期以来在苏联文艺研究界几乎占了统治地位的社会渊源的研究方法，不仅恢复了比较研究方法，而且开拓了不少新的研究方法"①，如综合研究、系统研究、类型研究、历史功能阐释、历史比较研究、批评自身的研究和价值研究等，对中国文艺学和文学研究，仍然具有重要启发。卡冈、巴赫金、斯托洛维奇等是各自所属的用新方法进行研究的类型中的佼佼者，他们的有些东西值得我们消化和理解。

像20世纪50年代那样一味崇尚苏联和像80年代那样一味追踪西欧和美国的学风，都具有片面性，不利于综合地、辩证地吸收全人类的先进成果，不利于我国文艺学的综合协调发展。它们的研究成果都是瑕瑜互见，各有优长，均有致命弱点。

即使在苏联，对卡冈、巴赫金、斯托洛维奇的批评浪潮，谈不上一浪高过一浪，至少是从未停息过。至少在传统和正统的学者看来，他们的探索具有某种异质性和矛盾性。赫拉普钦科认为，卡冈论及的生活的艺术形象模式同实际的原型在结构上相似的观点，不符合创作规律，文艺创作具有激情，是高度个性化的产物，模式论能说明一定问题，但不能取代创作的个体性、情感性和多样性。斯托洛维奇认为，卡冈所说的艺术的本质和价值取决于审美因素和非审美因素，不符合审美规律，因为艺术只有把非审美因素改造成为文艺作品中的审美世界的一部分，才能具有审美价值和文艺价值。

巴赫金的"复调论"和"狂欢论"从来都是引起争议的。首先，他的"意识形态"概念出现歧义和矛盾。他以他的策略，批评官方意识形态，他又把"狂欢"视为第二种声音，作为一种意识形态，后者在概念

---

① 吴元迈：《苏联文学思潮》，浙江文艺出版社，杭州，1985年，第200页。

上与前者不具有统一性,主要是一种特殊时期乃至特定时间的文化活动和文化意识,怎么能与官方意识形态并列呢?如果仅此而论,他的视野过于狭隘了,也太书生气了。其次,就文学本身而言,他所说的作者与作品中的主人公平等对话的情况不是完全没有,但如果作为一种文艺史上的复调小说的规律,至少他没有作出有力的论证,作者支配着作品及其人物,这种平等对话不可能普遍出现,否则,作品中的人物怎么能够实现作者的审美意图呢?在支配作品人物上,陀思妥耶夫斯基与托尔斯泰在性质上是完全一致的,他树立陀思妥耶夫斯基这个榜样打倒托尔斯泰,至少在这一点上是不攻自破的。再次,时间性小说和空间性小说各有优长,即使在最高水平上,它们的审美价值也基本相同,巴赫金认为后者高于前者,于是陀思妥耶夫斯基高于托尔斯泰。从理论上说,时间和空间都是本体的展开形式,不存在文人化的高低问题;从实际看,托尔斯泰的小说仍是世界小说史上的阿尔卑斯山,无论巴赫金用什么样的说法,也是攻不倒的;托尔斯泰与陀思妥耶夫斯基的优秀作品,都是人类精神文明的丰硕成果,都应该得到重视和珍惜。巴赫金的文学论,有非常独特的东西,也有不少异常天真和稚嫩之处。

对于斯托洛维奇的审美价值论,从它出台之日起到苏联解体,争议之声就不绝于耳。仅从它自身而言,它展示的一些问题或题目,并没有充分展开,这就大大削弱了它的理论性;他关于文艺的三种分类说,只是哲学的,不是艺术的,直至今天亦未被人接受。他过于宽泛的艺术标准论,缺乏必要的限定和界限,容易给人以杂乱论的印象。从根本上说,文艺价值论只是文艺学和美学的一个组成部分,"价值"中心论容易淡化审美论和创作论,特别是在"审美价值"和"文艺价值"自身的审美性、文艺性未得到充分显示的时候。

20世纪,无论东、西或真、假的马克思主义批评家都高度重视文艺的社会—文化分析,取得了较高的学术成就,令世界文坛瞩目和称颂,充分显示了马克思主义的真理性和不朽生命力。在存在主义、法兰克福学派乃至后现代主义文化诗学中,马克思主义仍然焕发出蓬勃生机和活力。

第十五章　存在主义

第一节　演进与特征

存在主义在20世纪西方延续时间之长、著述之丰、代表人物影响之大、内在成分之杂,除西方马克思主义之外,其他哲学、文化、文艺流派,少能与之媲美。科普斯顿说:"存在主义的积极性,无疑是对20世纪的社会和政治动荡的心理学解释。"①

"存在主义"(existentialism),源于拉丁语"existentia",含"存在"(being)、"生存"(subsisting)、"实存"(existence)之意,可直译为"实存主义"。"实存"的对立面是"虚无"(das Nichts),萨特的一部名著叫《存在与虚无》,可直译为《实存与虚无》。存在哲学在虚无中展示存在、存在的意义,走向虚无主义;有的哲学家也把这派哲学,尤其是其政治哲学称为"虚无主义哲学"②。

存在主义的兴起和发展有三个阶段。存在哲学源于19世纪,丹麦的郭尔凯戈尔被公认为存在主义精神之父,一生主要在哥本哈根从事写作,体弱多病,性情忧郁,生活拮据;著有《非此即彼》(1843)、《日记》(1850~1854)等。尼采哲学是存在主义的一大来源,雅斯贝尔斯说:"郭尔凯戈尔和尼采使我们睁开了眼睛。"③胡塞尔作为海德格尔的老师和同事、萨特的导师,其思想在这两位存在主义巨头身上打下了深刻烙印。

20世纪德国和法国等的存在主义代表人物有"八子":雅斯贝尔

---

① [英]F.科普斯顿:《现代哲学》,伦敦版,1956年,第203页。
② [美]列奥-施特劳斯、约·克罗波西主编:《政治哲学史》下卷,李天然等译,河北人民出版社,石家庄,1998年,第1049~1052页。
③ [德]雅斯贝尔斯:《回忆与展望》,慕尼黑版,1951年,第132~133页。

斯,著有《斯特林堡和凡·高》(1922)、《哲学》(三卷,1932)、《真理论》(1947)、《作为哲学家的达·芬奇》;梅洛-庞蒂,著有《行为的结构》(1942)、《知觉现象学》(1945)、《意义与无意义》(1948)、《眼和心》(1961)、《看得见的和看不见的》(1963)等;马塞尔;西蒙娜·德·波伏瓦,著有《第二性》(1949)、《萨特传》(1974)及大量小说、剧本、传记、论著;高兹,著有《卖国贼》(1958)、《艰难的社会主义》(1967)等。

马丁·海德格尔是一位存在主义大家,出生于德国默斯基尔希,1914年获哲学博士学位,1933年至1934年间曾与纳粹政府合作,任弗莱堡大学校长,这是他一生永远洗不清的污点;此后,他闭门著书,著有《存在与时间》(1927)、《什么是形而上学》(1929)、《论人道主义》(1947)、《林中道》(1953)、《诗歌、语言、思想》(1971)等。

让-保罗·萨特是法国存在主义杰出的代表人物,早年受到良好教育,1924年考入巴黎高等师范学校,1927年获哲学博士学位,1933年作为公费留学生赴柏林进修哲学,"二战"期间曾服兵役,做过德军俘虏,热心政治和社会活动,曾加入共产党,与梅洛-庞蒂、爱侣波伏瓦创办《现代》杂志,自任主编,与罗素共同主持"国际仲裁战犯法庭"以反对美国侵略越南,晚年接任《人民事业报》主编一职;1980年辞世,巴黎10多万人自行参加葬礼,许多国家几十万人自动为之默哀。他3岁失去右眼,一生却留下50卷左右如浩瀚汪洋的著述,哲学代表作有《想象》(1936)、《想象心理学》(1940)、《存在与虚无》(1943)、《存在主义是一种人道主义》(1946)、《辩证理性批判》(1960),政治、社会等方面的代表作有《境况种种》(十卷),文论批评代表作有《什么是文学》(1947)、《波德莱尔》(1947)、《圣·热奈特》(1952)、《福楼拜》等,文学代表作有《恶心》《墙》和长篇小说《自由之路》,戏剧代表作有《苍蝇》《间隔》等九部。"现在,当我们来估量萨特的历史地位时,已经很难想象一部没有萨特的当代思想史、一部没有萨特的当代文学史,会是什么样子。"[①]

[①] 柳鸣九主编:《萨特研究》,中国社会科学出版社,北京,1981年,第3页。

加缪出生于阿尔及利亚的蒙多维镇，1957年获诺贝尔文学奖，1960年乘车往巴黎途中因车祸死亡；哲学随笔有《西西弗的神话》（1942）、《反叛者》（1951），文学代表作有《局外人》（1942）、《鼠疫》（1947）、《堕落》（1956）等；他的许多文学作品体现出他关于荒谬、反叛的哲学观点。

存在主义因其"八子"而产生了巨大影响，欧美各国哲学界、文艺界出现了许多存在主义哲学、文论、批评和文学著作。比较有代表性的是美国"五子"：克尔莫德、苏珊·桑塔格、伊哈布·哈桑、威廉·斯潘诺斯、克利格等；后三位，尤其是哈桑、斯潘诺斯后来成为后现代主义哲学和文论的主要干将。日本曾作为亚洲存在主义中心，美学家今道友信的《关于美》（1971）、《东方美学》（1980）等受存在主义影响甚深。

存在主义具有多方面特征，从文学理论和批评方面看，至少具有如下五个特点：

它首先是一种哲学、文化、文艺运动，文论批评只是其副产品。存在主义兴起于第一次世界大战之前，兴旺于第二次世界大战之后，成为20世纪五六十年代西方世界最流行、最时髦的哲学、文化、社会、文艺思潮。尤其在法国，存在主义有大量时髦的追捧者，巴雷特曾有过这样的描述："当时法国存在主义在巴黎是一种生活豪放不羁的风尚；它作为哲学的一种装饰，成为它的年轻爱好者们通过夜总会闲荡、美国爵士舞、特殊的发型和衣服式样来造成的狂热风气。"[1]萨特的第一兴趣是文学创作，其次才是哲学写作，50岁后关注政治和社会公益事业，成为"五月风暴"的精神导师之一，直到70年代，他年老体衰，左眼几近失明，仍然支持《人民事业报》，亲自走向街头直销报纸。存在主义文论的两本代表作——海德格尔的《诗歌、语言、思想》、萨特的《什么是文学》，都是他们在从事哲学或文学创作之余撰写的，在当时并没有产生多大影响。存在主义产生广泛影响力的主要是哲学和文学。

存在主义表达了当时充满悲观、虚无、危机、荒诞的时代精神。

---

[1] [英]巴雷特：《非理性主义》，伦敦版，1961年，第7页。

"二战"期间，欧洲大陆多数国家曾宣告战败，波兰、比利时、丹麦、荷兰、挪威和法国于1940年投降，芬兰、南斯拉夫和希腊于1941年投降，意大利于1942年言败，希特勒最终于1945年宣告战败；"在战后，欧洲大陆被贬为东、西方'冷战'的一枚走卒。这一事实进一步强化了人们的失败和绝望感"①，原来流行的理论体系和信仰出现衰落，人们不再对实证主义、马赫主义、分析哲学之类标榜科学和玩弄概念的东西怀有兴趣；对存在主义者提出和描绘的虚无、荒谬、悲观、危机、焦虑、烦恼、绝望、毁灭、负罪、忧虑、恶心、自杀等产生共鸣；存在主义一方面证实人类存在的这些现象，同时又竭力提倡个性、人道、自由、辩证、努力、奉献等，为医治当时社会流行病开出药方。存在主义以高度理性化方式和审美手段传达非理性内容，并使之返回到理性和审美中去。因此，不能简单称之为非理性主义，毋宁说，它是一种讨论和描绘过非理性因素的理性主义。

存在主义的主张代表了现代主义文学的部分创作倾向。一般来说，现代主义具有两种形态：一是文学理论表明的在与现实主义对立中的现代主义文学精神和原则；一是指创作实践。就文学实践而言，习惯上把1890年到1930年间出现的象征主义、印象主义、颓废派、意象主义、旋涡派、未来主义、表现主义、超现实主义等作为正宗的经典的现代主义文学，它们受到郭尔凯戈尔存在哲学的影响，"现代主义意识也想赞同以郭尔凯戈尔的'或此／或彼'概念代替黑格尔的'亦此／亦彼'概念"，更是用郭尔凯戈尔调和黑格尔，"于是现代主义的公式变成了'亦此／亦彼'以及／或者'或此／或彼'"②的模棱两可的东西。同时，萨特、加缪、波伏瓦、布朗肖、梅尔勒等的存在主义作品，以及以萨特、加缪为首的存在主义文学给"荒诞派戏剧"、"新小说"、"垮掉的一代"、"黑色幽默"等以深刻影响，它们无疑都属于文论指称的具有现代主义精神品格的文学代表，可称之为"二

---

① [美]霍顿、霍珀：《欧洲文学背景》，房炜、孟昭庆译，人民文学出版社，北京，1992年，第465页。
② [英]布雷德伯里、麦克法兰编：《现代主义》，胡家峦等译，上海外语教育出版社，上海，1992年，第69页。

战"前后的新现代主义文学。存在主义哲学和文学是这些文学流派的精神领袖,它关于虚无、恐惧、荒诞等的主张和实践,在"二战"前后新现代主义文学的主张和创作中不同程度地得到体现。

存在主义具有意识形态性,为后现代主义发展开了先河。一方面,萨特把笛卡儿和洛克、康德及黑格尔、马克思作为三个"哲学创造"的时代,认为"马克思主义是我们时代不可超越的哲学"[①];另一方面,他分析西方社会存在着的异化问题,提出匮乏—异化社会本体论,提倡人学辩证法,希望苏联成为一个人道主义的社会主义国家。1968年8月苏联出兵捷克斯洛伐克事件发生后,他谴责苏联并要放弃人道主义的慰藉;同年5月到6月的"五月风暴",既受到他的《辩证理性批判》影响,又使他从共产党同路人转化到极"左"的激进主义中去。他既对资本主义的意识形态进行理论和实践的攻击,又对社会主义意识形态由向往转入批判。他的存在主义哲学和文学与意识形态批判,给后结构主义者和后现代主义者强烈影响;后现代主义更加明确地指出资本主义及其意识形态的危机和意识的不确定性,更何况,哈桑就是一位存在主义的后现代主义者。

存在主义文论与存在主义哲学和文学实践水乳交融般地联系在一起。在本书述介的西方18个文论流派中,只有象征主义和存在主义文论是与自己的创作完全不可分离的;存在主义比象征主义更为哲学化,而且是在20世纪中叶占据了显要位置。萨特的"法国式的敏感使他的思想具有一种两栖的特点,一方面他考虑着抽象的哲理问题写了论'自我'、'想象'等方面的著作,另一方面他的《恶心》《墙》已为他在文学事业上奠定了坚实的基础。他的文学作品的深厚的哲理性,使得他在文学界不同寻常,而他的哲学著作具体性,又使他在哲学圈子里别具特色"[②]。事实上,人们只有阅读加缪的《西西弗的神话》和《局外人》等,才能真正理解其"荒谬哲学"和文论,如萨特所说:"《西西弗的神话》可说是要告诉我们这种概念,而《局外人》则是

---

① [法]萨特:《方法研究》,纽约版,1963年,第XXIV页。
② 叶秀山:《思·史·诗》,人民出版社,北京,1988年,第264页。

用来传达这种情绪的","先发行的《局外人》不加以说明,就把我们扔进荒谬的'气候'里,接着才刊登短论来说明之"。①存在主义思想完全可以在自己的哲学、文论、创作的"三位一体"中加以贯彻,这已成为西方20世纪文坛的独特景观。

第二节 存在先于本质

存在哲学和文论作为20世纪人本主义的典型代表,表现在对存在、本质、自由等的学说之中。存在哲学,尤其是海德格尔哲学,看上去艰涩晦暗,一旦它与文论,尤其是萨特的文论和萨特、波伏瓦、加缪等人的作品结合起来,就能看出,它浸透着诗学的诸多内涵和演绎程序,具有诗学意蕴,人们从诗学角度领会、体悟存在哲学,往往是理解、消化、把握存在哲学的有效途径,能从存在哲学中感受到诗学意义。

存在哲学作为一种人本哲学,"存在先于本质"是其核心理论,就是说,存在在前,本质在后;人的存在在前,人的本质在后;人在世界上"产生"出来,然后才给自己下定义。萨特说:"人首先是存在——人在谈得上别的一切之前,首先是一个把自己推向未来的东西,并且感觉到自己在这样做。人确实是一个拥有主观生命的规划,而不是一种苔藓或者一种真菌,或者一棵花椰菜","如果存在真是先于本质的话,人就要对自己是怎样的人负责。所以存在主义的第一后果是使人明白自己的本来面目,并且把自己的存在的责任完全由自己担负起来"。②

文学首先描绘人的这种存在本体,然后展示人走向未来、自己设计自己、自己发展自己的过程、方向和目的。存在与本质不是同一的,文学创作也是"存在先于本质",它必须先显示出人物和生活的存在,然后才能在他的经历、性格、命运、故事、胜利或死亡、悲剧或喜剧、崇高或卑贱中,表现他的本质。萨特说:"你要使人物活起来吗?那你

---

① [法]萨特:《加缪的〈局外人〉》,《萨特文学和哲学论集》,伦敦版,1955年,第32页。
② [法]萨特:《存在主义是一种人道主义》,周煦良、汤永宽译,上海译文出版社,上海,1988年,第8页。

就得让人物自由。不要去画框框,更不要去解释(在一本小说中,即使最高明的心理分析方法也会显得死气沉沉),只要去表现事先无法预见的情感和行为就行了。"①

在存在主义者看来,文学的本质在于作家对人的存在及其本质创造性的体悟和表述,在于以非本质性非抽象陈述展现个体存在及其本质,在于以非自由的题材显示自由,并以非理性境况表达人对于未来的希望和追求。萨特的《什么是文学》、加缪的《西西弗的神话》以及相当一部分存在主义文论和批评,表达了他们关于文学本质的这四个方面的看法。韦勒克认为,在这里,"纯诗的存在权利得到了承认。艺术的最终目的和席勒的美学教育相差并不太远:'不是如实地去看世界,而是认为世界的根源就来自人类的自由活动,这样我们才能重新发现这个世界'",文学"想象力产生一种歪曲现实、不真实和呈现幻象的影响世界,这个世界一碰到现实存在中荒谬的可怕的东西就会消失得无影无踪"。②存在主义文论或存在诗学把存在哲学最有代表性的"存在先于本质"论,带入了关于文学本质和作品本体的分析之中。

萨特把作家分为两种:基督教主义者和无神论者。前者喜欢设定作品的人物、倾向和走向,后者则是按对象存在的本来面目构造作品。存在主义哲学也有这两种差别,郭尔凯戈尔等属于前者,萨特等属于后者。萨特对前一种作家,包括获得诺贝尔文学奖的莫里亚克大为不敬,攻击他们"本质先于存在"、"本质大于存在"的创作主张和实践,认为这会给作品带来危害,作家的创作自由严重影响了作品的自由展开;作家的任务是写作自由完美的作品,不能因自己的自由企图和行为而破坏作品的自由完美,作家的自由是在展示"存在先于本质"之后获得的。他结合自己的创作实践写道:"我之所以喜欢我的疯狂,是因为它从一开始就保护我不受'名流们'的迷惑。我从来就不认为我是具有某种'才华'的幸运者;我唯一的事情就是赤手空拳、

---

① [法]萨特:《弗朗索瓦·莫里亚克先生与自由》,见《萨特文学论文集》,施康强等译,安徽文艺出版社,合肥,1998年,第2页。
② [美]韦勒克:《二十世纪文学批评的主要趋势》,见胡经之、张首映主编:《西方二十世纪文论选》第1卷,中国社会科学出版社,北京,1989年,第17页。

两袖清风地通过我的工作和真诚来拯救我自己。因而我的抽象选择并没有使我超出于任何人之上：我一无装备，二无工具，我以我的全部力量去拯救我的一切。"①

作为哲学家的萨特，反对将哲学和作家的本质性叙述引入作品，哲学作为一种世界观、人性论和方法论，是作家把握世界、分析人生的参照；参照一旦介入特别是进入作品，就成为主宰，文学就失去文学性，不再成为文学；所以，参照必须返回它自身的位置，不能越俎代庖，对于描写人物性格，作家亦要按照人物自身的发展轨迹来写，不能因为作家的任性随意而率意直行；作家描写人物性格必先摆脱自己的性格；作家一人的性格要塑造出几种、几十种乃至几百种文学人物性格，作家不摆脱自己的性格，就像不摆脱哲学一样，文学人物性格不可能跃然纸上、栩栩如生、千姿百态。西方文学的概念化倾向比中国远为严重，萨特反对作家对文学作品进行本质性陈述，主张在对其存在的叙述中显现其本质。在这一点上，存在主义与现实主义有某种抽象的近似性。

存在主义所谓人的存在，不是泛泛而论人类和公众（public）或集体的存在，而是指个体（individual）的存在；"存在先于本质"，也就是个体存在先于本体，或个体先于本质。雅斯贝尔斯说："一切现实的东西，其对我们所以为现实，纯然因为我是我自身"，人是"一切事物在其中和通过它完全成为真实的东西"，"排除了人的存在，这对我们就意味着陷入虚无"。②存在哲学有一种从存在到人到个人的演进程序，本质上是一种个体哲学，或人学本体论；"存在主义是一种个人主义哲学，这种个人主义同传统的个人主义不同的地方，在于它不是把人看作自满自足的社会原子，而是把孤独的个人看作是自己的出发点"③。

存在主义文论显示一种个人主义的创作态度和风格。它自称要建立一种"人学的文学"，或者说，构筑个人主义的文学。存在主义要

---

① [法]萨特：《词语》，潘培庆译，生活·读书·新知三联书店，北京，1989年，第183页。
② [德]雅斯贝尔斯：《回忆与展望》，慕尼黑版，1951年，第344页。
③ 徐崇温主编：《存在主义哲学》，中国社会科学出版社，北京，1986年，第27页。

求文学题材主要表现人,尤其是个人,小说要成为个人的镜子,戏剧要将个人存在及其与他人的矛盾冲突作为原动力;在叙事作品主要展现的人与人的关系上,存在主义主张,人是孤独的存在,"他人是我的地狱","对待他人的第一种态度:爱、语言、受虐色情狂","对待他人的第二种态度:冷漠、情欲、憎恨、性虐待狂"。①存在主义文论的这种人人关系论,在作品中得到具体体现,"存在主义所写的好些主题过去也曾经是自然主义小说用过的主题:肮脏不堪的景象和日常生活的不幸、可悲。担心流产一事差不多占了萨特整个一部小说的篇幅,而在自然主义小说中也有过许多流产或早产的描写,存在主义小说家之所展现的天地与其说是社会调查,还不如说是它涉及人类生存的精神境地"②。从存在主义小说、戏剧的名称,如萨特的《恶心》《苍蝇》《间隔》《墙》《死无葬身之地》《肮脏的手》《魔鬼与上帝》,加缪的《局外人》《鼠疫》,波伏瓦的《他人的血》《人无不死》等中,可以看出存在主义文学的主题和题材的一些特点。

萨特曾把存在哲学作为自由哲学,或人本自由哲学,认为文学要使人意识到自由和美。首先,作家必须在自己的寄生性、不自由性中认识自由,"写作就是要给予,作家通过这一方式来承受和挽回他在一个勤劳社会里所处的寄生境遇下难以接受的东西,并且也通过这一方式来认识这种绝对的自由,认识文学创作的这种无偿的特性"③。其次,创作要充分展开个体排斥他人、他人对自我限制的矛盾冲突过程,显示个体存在的自由,因为"别人的存在给我的自由带来了一种事实上的限制",这是"一种不是以我们的自由为基础的强加于我们的存在方式"。④个体的自由必须在排斥他人,并在通过他人的种种不

---

① [法]萨特:《存在与虚无》,陈宣良等译,生活·读书·新知三联书店,北京,1987年,第470、490页。
② [法]米歇尔·莱蒙:《法国现代小说史》,徐知免、杨剑译,上海译文出版社,上海,1995年,第318页。
③ [法]萨特:《为谁写作》,见《文艺理论译丛》第2卷,人民文学出版社,北京,1957年,第411页。
④ [法]萨特:《存在与虚无》,陈宣良等译,生活·读书·新知三联书店,北京,1987年,第670、671页。

自由限制中展示自己的自由，这就像屈原原本是自由的，后来遭到楚怀王的怀疑，和上官大夫、靳尚等人的排挤而遭流放，他人的限制使屈原不自由，屈原的《离骚》等正是这种原本自由、他人使之不自由、反抗他人的限制、渴望政治自由和人身自由的写照，屈原的作品显示出个体存在的自由性，表达了个体存在的不自由处境和要求自由的心路历程。

存在主义哲学和文学以理性和审美方式表现出资本主义的非理性，主张文学在这种非理性境况中传达意义。资本主义非理性是客观存在的，文学在这种存在中传达出本质性意义。加缪说，作家"首先是一个生存者，他明白在此生活是经历也同样是思索"，现实充满荒谬，作品充满荒谬，"艺术作品本身就是一种荒谬的现象，而最关键的仅仅是它所作的描述。它并不是要为精神痛苦提供一种出路。相反，它本身就是在人的全部思想中使人的痛苦发出反响的信号之一"。加缪的《抵抗、反叛与死亡》更进一步认识到，荒谬是当代社会现象的一种表征，文学对它的描写重在否定，人们不能逃避在荒谬中生存，而应该叛逆和反抗，应该干预和赋予理性。他说："我对人类命运是悲观的，但对人类却是乐观的。"[①]

第三节　情绪体悟

存在主义的"体悟"，含有反思、体验、感悟、领悟、领会等意义。体悟是对人自身的存在、虚无和自由及其情绪的体悟。

存在主义由现象学而来，意向性、意识和体验占据重要位置。现象学的"主观性"和"先验性"在存在哲学和诗学中得到了更深入的贯彻，"意识体验"得到了更为具体的展示。海德格尔在《我进入现象学之路》一文中写道："现象学保留了'意识体验'作为它的主题范围，然而，现在现象学在对经验行为的结构进行系统规划和可靠的研究与在对着眼于它的对象性的、在这种行为中被体验的对象进行的

[①] [法]加缪：《抵抗、反叛与死亡》，伦敦版，1963年，第51页。

研究是一致的。"①"意识体验"贯穿于存在哲学和文学之中，一样在存在诗学中得到系统体现。从传统哲学和诗学的界划中，"意识体验"及其"情绪体验"更属于诗学；在存在哲学中，它首先属于哲学，或者说，这种诗学运作方式改变了存在哲学，存在诗学仍然关注着"意识体验"及其"情绪体验"。

存在主义作为一种体悟哲学，或"意识体验"哲学，既有诗学成分，又给存在诗学重大影响，可以作为一种诗学生成方式。今道友信曾说，一方面，"海德格尔对艺术根源的追问在某种程度上远远超出了从前的美学、艺术学的框框，这种倾向极为明显地表露在关于'诗作'（Dichtung）的思维中，他说诗在所有艺术中占据明显的位置，一切艺术本质上是诗作"；另一方面，"海德格尔近日来的思维有主要是围绕诗作而进行之感"，"应该把它理解为他的哲学的发展或转变的结果"。②萨特在"我思"（cogito）和"反思前的我思及感知的存在"之中讨论哲学和文论，仍然是以"意识体验"为出发点，他说："哲学是实现文学的一种方式"，"我希望表达我的世界观，我让我的文学作品或随笔中的人物在他们的生活中体验这种观点。我是给我同时代人描述这个观点"。③他的文学写作深刻地影响了他的哲学写作，他对想象心理学和存在哲学的虚无、冷漠、受虐等的分析，充满了文论精神。存在哲学在其高度抽象的外表之下，有一颗诗性和诗学性的心一直在一种有序节奏中欢跳着。

存在诗学作为20世纪文学学的一种代码，并非仅仅以抽象、语言、本体论等作为标志，更重要的是，它与存在哲学一起，以对世界和文学的虚无、焦虑、烦恼、冷漠、受虐等的"意识体验"而令文学批评家、文学史家所感动和沿用。文学作为把握世界的一种方式，具有多

---

① [德]海德格尔：《面向思的事情》，陈小文、孙周译，商务印书馆，北京，1996年，第80页。
② [日]今道友信：《存在主义美学》，崔相录、王生平译，辽宁人民出版社，沈阳，1987年，第249～250页。
③ [法]西蒙娜·德·波伏瓦：《同萨特的谈话》，见《萨特传》，黄忠晶译，百花洲文艺出版社，南昌，1996年，第174～175页。

种把握视角和方法；存在哲学及其诗学对一系列情绪状态、结构等的把握，已经成为20世纪文论的一种异常独特的具有某种经典性的把握标志。因此，我们把存在哲学关于体悟情绪的理论，与存在诗学一并视之；这种理论无疑在20世纪文论中，比存在诗学的其他观点和其他学派更为独特。

体悟情绪，作为存在哲学和存在诗学具有代表性的重要内容，是显示存在和个体存在的重要标志。海德格尔曾说："在生存论上，领会包含有此在之为能在的存在方式"；"解释植根于领会，而不是领会生自解释"；"领会总是带有情绪的领会。既然我们把带有情绪的领会阐释为基本的生存论环节，那也就表明我们把这种现象理解为此在存在的基本样式"。[①]这就是说，领会或体悟是对存在和人自身的领会或体悟；这种体悟是一种情绪性体悟，情绪先天赋予人体悟；体悟展开存在和人自身的多种可能性，这种可能性并不是人之外，不在周围环境，就在人自身。因此，领会或体悟、情绪、可能性、解释都是人自身的固有属性，与存在先于本质一样，都属于存在—本体论的范畴，而不属于认识论、心理学范畴。

本体论的体悟是人从虚无到死亡的全面体悟，是从无到有和由有至无的全过程体悟，是对虚无、孤独、焦虑、自欺、受虐、荒谬、绝望等诸方面的体悟。存在哲学和诗学正是在这种全过程、多方面体悟中展开的，赋予它们不同的位置和意义，存在诗学和文学则在自己的理解中展示并描述它们。不难看出，这种情绪体悟，从狄尔泰的《体验与诗》，经过表现主义、直觉主义、心理分析，尤其是现象学，到存在哲学和诗学，已经发展到一个本体化、专门化的境地。

虚无（nèant）。虚无与存在是一枚硬币的两面，是人自身的属性，人生下来什么都没有，通过后天努力和人为设计，才有了作为自身素质的东西，从"无"到"有"；人只有知道自己的"无"，才会"有"，正所谓"无所为才能有所为"。存在哲学通过人自身的体悟"体悟"出人

[①] [德]海德格尔：《存在与时间》，陈嘉映、王庆节译，生活·读书·新知三联书店，北京，1987年，第174～175、181页。

自身的"无","空无"或者"虚无";如人生下来很穷,通过自己的选择、设计和劳作,成为不穷或富足;所以,认识人自身的"无",就是知道自己的"有"。

现实主义文学更多地显示人的"有",存在主义更多地表现人的"无"。"文学为什么是人学",只有有力地表达出个体存在的"有"和"无",才能称得上人学,否则,只是一句口号或空话。首先,文学突出表现人的个性,这个"个性"就是存在或"有",实际上突出表现个性时,删去了人的许多丰富性的东西,把它们变成"无";只有遮掩这些"无",才能显示个体个性的那个存在或"有",否则,文学人物会千人一面,千篇一律。其次,人有虚无或空无的情绪,有时流露出来,《红楼梦》中贾宝玉和林黛玉在"空无"方面心心相印,息息相通,《葬花词》中的名句"昨宵庭外悲剧发,知是花魂与鸟魂?花魂鸟魂总难留,鸟自无言花自羞;愿奴胁下生双翼,随花飞到天尽头;天尽头,何处有香丘",充分显示文学人物的"虚无"情绪。再次,文学表达方式显示出"空无"或"虚无",萨特评论加缪的《局外人》时说:"一个词出现时,它来自虚无。《局外人》中的句子都是孤岛。我们从一句话跳到另一句话,从空无到空无。"①朱光潜的《无言之美》,可以帮助人们从另一侧面认识这一点②。

孤独(solitude)。存在诗学把他人看成是"我"的地狱,"我"自然孤独。无论是"高处不胜寒"的总统和专家,还是平民百姓和学者文人,都有孤独的特性。郭尔凯戈尔的孤独个体本体论,主张人对自身的孤独的领悟和体验,个人达到与上帝的联系,认识自身的存在;同时,孤独个体与公众、集体区别或"间离"开来,后者由一个又一个孤独个体组成;人体验自身的孤独更能明白与他人的关系,更能显示自身和他人的特性。

古典主义文学常常通过"类型"而遮盖个体,忽视个体对孤独的体悟。海德格尔在《艺术作品的本源》中指出:"作品越是孤立地牢系

---

① [法]萨特:《加缪的〈局外人〉》,见《文艺理论译丛》第2卷,人民文学出版社,北京,1957年,第348页。
② 朱光潜:《朱光潜美学文集》第2卷,上海文艺出版社,上海,1982年,第473~483页。

形象于自身,它越纯粹地显得解脱了与人类的关系,冲击将越纯然地进入这一作品所是的敞开之中,超常将越本质地被打开而迄今显得正常的东西将更加本质地被推翻。"①

文学显示出人的孤独。《红楼梦》里林黛玉从出场到死,始终具有孤独品格,孤独成为她的特性,孤独成为她自身,她的聪明才智和行为方式具有孤独性。深入地看,成功作品的人物本质上是一种广义的孤独,具有卓尔独立和形而上学的独特个性。人物在孤独中,唤醒人的自由;体验孤独,有时就是体验自由。人在忙碌时,与他人共处时,体验不到这份孤独和自由。孤独精神使人超越万物和他人,孤独因此具有美学和文学意义。

焦虑(angoisse)。海德格尔哲学中,论述不安、忧虑、烦恼等占据相当篇幅,西方文论史家结合存在主义后期发展和文学创作,将它们统称为"焦虑"。焦虑作为人的存在状态,仍然具有不安、忧虑、烦恼、烦神、焦躁等意义。人在世界中充满着不安、忧虑、烦恼或焦虑;人承担着为将来筹划的重任,人为将来的筹划和负责的选择备感焦虑,"在烦中,将来突出出来作为生存的首要意义。为现在烦、为历史烦,归根到底为将来烦。于是烦也就指明了生存整体的那种无功而就,死而后已的情形"②。

文学表现焦虑就是显示个体存在的状态和特性。焦虑并没达到自由境界,却显露出人的自由性,因为人为自己而焦虑,更为将来而焦虑,为人在世界中将来的存在而焦虑,所以,焦虑不仅是一种状态,而且与将来的存在和自由联系在一起,正如刘备于当阳长坂坡为曹操追及、周瑜被诸葛亮"几气"而焦虑,贾宝玉为林黛玉的病和不能与之婚配而焦虑。文学是人的情感学、情绪学,不可逃避地要表述作为人的存在状态、显露具有一定自由性的焦虑。

自欺(mauvaise foi)。如果说焦虑是人正视自由时对自己的一种态度,那么自欺就是人逃避自由的一种态度。它体现出人对焦虑、苦

---

① [德]海德格尔:《诗·语言·思》,彭富春译,文化艺术出版社,北京,1991年,第63页。
② 陈嘉映:《海德格尔哲学概论》,生活·读书·新知三联书店,北京,1995年,第411页。

恼、存在和自由的一种逃避，反映出人对自身的否定。萨特说："在自欺中，我正是对自己掩盖真情"，"被欺骗的和欺骗的是同一个人，这意味着作为欺骗者，我应当知道在我被欺骗时对我掩盖着真情"，自欺不是犬儒主义的说谎，"自欺的原始活动是为了逃避人们不能逃避的东西"，然而，"逃避的谋划本身向自欺揭示了存在内部的内在分裂，自欺希望成为的正是这种分裂"。①

萨特反对莫里亚克小说中的自欺欺人的精神分裂，认为"娜塔丽·萨洛特厌恶的是小说家的自欺欺人"，以及她通过对内心与外在世界的矛盾"来捍卫她作为叙述者的诚意"②。他认为萨洛特的《向往》《一个陌生人的肖像》等，打开了不真实之门，向读者显示出人对真实性的渴望，和一种灵魂深处的真诚，完善了人的心理。或者说，他不仅对自欺予以确认，而且对它进行了否定。

受虐。自欺是自为的，部分否定自我和自由；受虐则是为他的，全面否定自我和自由，是一种异化行为。个体接受了他人和自己对自己的虐待，"用我自己的自由否认的是我自己的主观性"，"因为一个要吞并我的自由的自由将是这个自在的基础"，"通过他人，面对着我在他人眼中代表的自在，我非主题地把我的主观性当作一个乌有"。③萨特在《存在与虚无》中，长篇大论地谈论受虐色情狂和性虐待狂，通过这种谈论而指明受虐存在的意义。

人在世界中，不可能完全免遭虐待，不可能完全没有受虐。贾宝玉接受薛宝钗作为妻子，就是受虐；作家接受自己完全不愿意写作的东西而进行写作，也是受虐。萨特在《一九四七年作家的处境》中，分析了作家和知识分子的受虐和异化；同时，文学作品尤其是存在主义作品描述了人在现实社会中的受虐和异化。波伏瓦的处女作《女客人》（1943）是与萨特《恶心》齐名的作品，描写一对自由结合的青

---

① [法]萨特：《存在与虚无》，陈宣良等译，生活·读书·新知三联书店，北京，1987年，第84~111页。
② [法]萨特：《〈一个陌生人的肖像〉序》，见《萨特文学论文集》，施康强等译，安徽文艺出版社，合肥，1998年，第293页。
③ [法]萨特：《存在与虚无》，陈宣良等译，生活·读书·新知三联书店，北京，1987年，第488~489页。

年与一个女客人的感情纠葛,"女客人"放浪形骸、咄咄逼人、我行我素,使"女主人"感到受虐和不堪忍受并一死了之,显示出受虐及其否定的存在意向。

荒诞(absurde)。荒诞是人与世界发生关系的产物。人不能离开外在世界而生存,但希望摆脱外在的制约而成为孤独的个体,同时,因不能离开外在世界而又要离开外在世界,自己成为世界的局外人或外来客;自己摆脱外在世界而得到自由,又可能离开外在世界使之不自由,这双重矛盾使之成为荒诞。加缪在《西西弗的神话》里说:"一个可怕可以用极不像样的理由解释的世界也是人们感到熟悉的世界。然而,一旦世界失去幻想与照明,人就会觉得自己是陌路人,他就成为无所依托的流放者,因为他被剥夺了对失去的家乡的记忆,而且丧失了对未来世界的希望,这种人与他的生活之间的分离,演员与舞台之间的分离,真正构成荒诞感。"他的荒诞英雄西西弗不敬诸神,泄露天机,被打入阴曹地府受刑;阎王把他暂时放回人间,他感到人间的美好,不听阎王召唤,不愿重返地狱;最后,他被罚从山下把巨石推到山上,到达目的地后,那块巨石飞速滚落下山,他从头再往上推。这个西西弗就是荒诞的象征。荒诞的自然出路是绝望。

绝望(despair)。当被虚无、孤独、焦虑、自欺、荒诞乃至恐怖、冷漠等包围时,人陷入绝望;"人之所以绝望,是因为他不能消灭自己,而令自己成为他物"①,用海德格尔的话说,绝望是"向死而生"。《局外人》的主人公莫尔索是一家轮船公司的职员,在母亲死后的第二天无动于衷地去游泳,和女人厮混,还看了一场喜剧电影;"因为太阳"枪杀了一个阿拉伯人被判死刑,在狱中感到一切都将粉碎和崩溃并陷入绝望,临刑前自称"以前很快活,现在还是觉得很快活",使荒诞与绝望如影随形地伴随在一起。萨特评价道:这"还有一种荒谬的热情。荒谬的人不会自杀;他想活下去,不放弃自己的任何信念,没有未来,不怀希望,不想入非非,也谈不上消极沮丧。他专注热忱地直接

---

① [丹麦]郭尔凯戈尔:《致死的病》,见《郭尔凯戈尔人生哲学》,香港版,1963年,第85页。

面对死亡,对死的迷恋使他超脱,体验到死刑犯人的那种'神妙的无责一身轻'之感"①。绝望的自然走向是死亡,存在哲学和诗学关于死亡做过许多分析,认为死亡就是一了百了,是人的存在宣告终结。

第四节 人学辩证法

存在主义文论主要由四部分组成,它们是个体本体论、个体体悟论、个体实践论和批评论。"二战"以后,萨特和巴特的文论批评,成为法国当时两个最重要的代表,萨特的"存在主义的马克思主义"成为更有广泛影响的显学。苏联和中国共产党领导下的反法西斯战争取得胜利,稳定了世界和西方,在意识形态上,马克思主义在西方取得了长足进步,得到知识界的广泛支持和社会公众的接受。萨特的"存在主义的马克思主义",尤其是其倡导的"人学辩证法"和个体实践论,因此应运而生并产生反响。

萨特以为,作为哲学和文论的马克思主义,曾走过以普列汉诺夫、卢卡契等代表的社会学道路,以弗洛伊德以后的拉康等为代表的文化心理学道路,以他为代表的人道主义的"第三条道路";现在,他要建立一种纯粹辩证的具体的人类学(anthropologic),它"不是以唯心主义人道主义或第三条道路的名义拒斥马克思主义,而是要在马克思主义内部重新争取人的位置","形成人类行为及其内在矛盾统一的辩证法(dialectique)"。

存在主义的个体本体论和个体体悟论已经表明,存在主义是属于人学的和主观论的。萨特以为,存在主义的这两个命根子可以弥补马克思主义的社会存在论和客观论;存在主义与马克思主义结合起来,可以构成"人学辩证法",成为以人学和人类学为基础的主、客观统一的存在主义的马克思主义学说。萨特写道:"存在主义试图用间接的认识去阐明马克思主义知识的已定形态,并在马克思主义的理论构架

---

① [法]萨特:《加缪的〈局外人〉》,见《文艺理论译丛》第2卷,人民文学出版社,北京,1957年,第335页。

内造成一种真实的、有理解力的认识,即在社会范围内重新发现人,并根据人的实践,或者毋宁说根据那种按照既定条件把人抛入社会可能性的那种谋划来探索人。因此存在主义将显现为体系的一个片断,它曾一直被置于知识之外。一旦马克思主义想以人的向度(即生存论谋划)作为人类学知识的基础,存在主义就丧失存在的理由。"① 或者说,萨特的人学辩证法的核心在于人学,而他所谓的人学是关于个体实践的学说,所以,其人学辩证法主要是关于个体实践的辩证法。

作为存在哲学和诗学的人学辩证法,具有丰富蕴涵,它以个体实践为本源,以总体化为核心,强调介入功能,主张前进—逆溯方法,融会精神分析方法,倡导文学介入或干预政治和生活。萨特至少在这六个方面对文学进行了他的人学辩证法分析。他的《什么是文学》《辩证理性批判》《唯物主义与革命》《福楼拜》等对这些方面展开了充分的讨论。

人学辩证法的第一原理是个体实践论。《存在与虚无》和《辩证理性批判》作为萨特哲学的双子星,后者对个体实践进行了充分说明。它反对先验地设入必然性命题,认为个体实践具有偶然性,个体实践作为人学辩证法的来源,超越必然性;"如果我们不想把辩证法重新变成一种神的法则和形而上学的宿命,那么,它必须来自一个个的个人,而不是来自我们不知道的什么超个人的集合体"。他认为,自然界是不存在辩证法的,辩证法只存在个体实践和人类社会中,首先存在于个体实践的原始辩证运动中,而作为原始辩证运动,没有预先设定的公式,也没有统一的意志和思想;他认为,唯物辩证法是一种外在于人的辩证法,它使人的本性寓于一种超人的自然中和先验的规律中,它只能作为一种普遍的辩证法,而不能作为人学辩证法。后者只有以个体实践作为本源和出发点,才能真正成为对人有用的辩证法。

辩证法就是总体化,总体化是个体实践展开的人类社会的"总体化"。萨特说:"辩证法乃是总体化的活动,除了由正在进行的总体化所产生的各项法则之外,再也没有别的规律";总体化是"总体化过程

---

① [法]萨特:《方法研究》,纽约版,1963年,第83~158页。

中许多的个别性所造成的许多具体的总体化总汇",它不属于自然,而属于社会实践,是一种行动的逻辑,是理解的一种有效途径,"人们倘若立足在总体化的观点上,那么,每一条所谓辩证法的规律就会找到一种完全的可理解性"①。他认为,传统的马克思主义者只认为瓦雷里是一个小资产阶级知识分子,而没有进一步分析,并非每一个小资产阶级知识分子都是瓦雷里,因此,他"责备当代马克思主义把人类生活的所有具体决定看作偶然性因素而加以抛弃,除了普遍性的抽象骨架外,来保留历史总体化的任何东西。其结果是它完全无视人之为人的意义;只有荒唐的巴甫洛夫心理学填补这个空白"②。

关于介入(engager),萨特以为,它是个体在总体化过程中的一种生存方式,可以大大丰富辩证法。他用力研究过福楼拜,认为福楼拜的成长不仅与福楼拜出身于农村资产阶级家庭有关,而且与他和哥哥斗气有关;福楼拜的哥哥是一个医学院的优秀学生,得到父亲钟爱,他怨恨他的哥哥,赌气不走科学之路,决心追求一种理想作为另外的补偿。父亲的介入,形成他的叛逆,他要追寻自由,选择一种新的责任或承担,把文学作为一种"批判性的镜子"③。如果只是给福楼拜及其《包法利夫人》《萨朗波》和《情感教育》贴上资产阶级和现实主义作品的标签,而不分析他成长过程中的具体过程和作品的环节,就不能对文学进行总体化的、具体的深入的理解,也就不能掌握、运用、理解辩证法。更为重要的,萨特"把物质匮乏概念置于这一中介的中心"④,他说,在匮乏(rareté)的条件下,"人毕竟是匮乏的动物","匮乏作为每一个人和一切人同物质的唯一关系,在最后变成物质环境的一个实现的社会结构,并在那样做时,它的惰性的指头指向每一个个人,使之既成为匮乏的原因,又成为匮乏的牺牲品。每个人

---

① [法]萨特:《辩证理性批判》,伦敦版,1976年,第36~47页。
② [法]萨特:《方法研究》,纽约版,1963年,第82页。
③ 郭宏安:《萨特:自由与介入》,见《二十世纪西方文论研究》,中国社会科学出版社,北京,1997年,第103页。
④ [英]戴维·麦克莱伦:《马克思以后的马克思主义》,余其铨、赵常林译,中国社会科学出版社,北京,1986年,第378页。

把这种结构加以内在化","使他自己成为匮乏的人"①。中国农民因为物质和资金匮乏而砍伐树木、开垦土地,但是,由于这种大量砍伐引起火灾或水灾,导致农民们意想不到的结果,目标被歪曲,理想破灭,匮乏和偶然使之异化;文学也是这样,文学写作与需要大量纸张和颜料的绘画,需要机器和不断冲刷相片的摄影,需要房间和石头的雕塑,需要众多演员、舞台、场景的戏剧和电影相比,是投资成本最低的艺术行业,许多作家因为贫困或物质匮乏而走向文学写作,有的甚至为给他们提供给养的个人或团体乃至政府而写作,文学及其写作因此失去个体和创作的自由,成为异化。

后期存在哲学和诗学突出地采用前进—逆溯分析方法。所谓"前进方法",就是从分析社会整体进步而分析个体的方法;"逆溯方法"是再从个体(个体的过去、现在和未来的计划)分析到社会整体的把握;萨特把它们称为"一来一往"的方法。他认为,马克思主义方法是前进的方法,偷懒的乃至庸俗的马克思主义者只是用马克思主义原理和结论去叙述个体实践过程和社会历史进程,而这种叙述既无新的发现,也没有有力度的分析和论证,更不可能产生新的思想见解,从而使马克思主义成为抽象的教条,而不是分析和解决问题的指南。他的《福楼拜》采用了这种办法,其中继承了传统社会学和传记分析方法,他从福楼拜出生、成长、成熟的一系列偶然性细节中展开分析,从福楼拜及其与双亲、兄弟关系的追溯乃至逆溯分析中,认识福楼拜作为个体文学实践者为自己的筹划、体悟及对未来设计的发展史;他说,这种"'一往一来'能够使历史的一切奥秘的对象丰富起来,它在历史的总汇之中,规定了对象的本来还是一片空白的基地",能够"在他的客观化过程中掌握整个个人"。②

为了更细致、更具体地分析个体实践,萨特提出,在宏观上采用马克思主义方法,在微观上还可以采取弗洛伊德的精神分析方法。他说:"借助于精神分析的存在主义在今天只能研究一个从童年就迷失

---

① [法]萨特:《辩证理性批判》,伦敦版,1976年,第131页。
② [法]萨特:《方法研究》,纽约版,1963年,第146、138页。

了自己的种种状况,因为在一个建立在剥削制度上面的社会里,再没有其他状况了。"他把精神分析作为一种中介分析,纳入一定的社会阶层、环境、现实分析的总体化过程中,运用于历史人物和历史事件的分析之中,认为"马克思主义与精神分析结合起来必然是可能的"①。他的《家庭白痴——居斯达夫·福楼拜》运用精神分析方法,通过福楼拜的作品、书信、资料,几近揣测地认定福楼拜有着依赖性、服从性乃至"女性化"的特征;其"作品泄露了福楼拜的自恋癖,他的手淫症,他的幻想性,他的孤独性,他的依赖性,他的女性,他的服从性",他的前进方法又使他断定,"通过《包法利夫人》这部著作,我们应当并且可能约略看到地租的运动,上升阶级的发展,无产阶级的渐趋成熟:这就是一切"②。

萨特曾是一个无政府主义者,后来转变为自由社会主义者③,他依恃自由社会主义理想评论文学史,要求文学介入或干预(engagement)政治、意识形态和社会生活。他在《为什么写作?》中说:"作家为诉诸读者的自由而写作,他只有得到这个自由才能使他的作品存在","正因为作家们选择了写作,所以我们有理由要求他们介入",介入什么?"保卫自由"。④他不仅本人直接参与一系列政治活动和国际社会中有关意识形态问题的大论战,组成团体加入社会活动,而且以他的声望和影响力号召作家不要成为闭门造车者,而要走出书斋,投身于政治和社会活动中,以自由学说开展意识形态批判。他认为,如果文学什么都不涉及,不能在时代运动中发出自己的声音,像唯美主义者那样躲进"为艺术而艺术"的象牙之塔,不能通过个体实践召唤社会人生的自由,那么,这样的作家将一文不值,这样的文学有可能被异化为非文学。他的《什么是文学》像是鼓动作家起来为自由而奋斗的宣言,或挑

---

① [法]萨特:《辩证理性批判·方法问题》,徐懋庸译,商务印书馆,北京,1963年,第49页。
② 同上书,第105~107页。
③ [法]萨特:《七十岁自画像》,见柳鸣九主编:《萨特研究》,中国社会科学出版社,北京,1981年,第93页。
④ 同上。

战书,或倡议书。这样,萨特的人学辩证法就走向社会实践辩证法。

第五节　诗性自由化批评

自由是无限的,又不是空幻的。它不仅体现在存在哲学和诗学中,还表现在存在主义的文学批评中。海德格尔和萨特都是从事文学批评的好手,有不少名篇传世;他们承认文学的诗性存在,但是反对形式主义和唯美主义;他们的诗性批评仍然贯彻着他们不可遏止的自由化思想,反映出"不自由,毋宁死"的彻底自由化倾向。毫无疑问,诗性自由化批评,既是存在主义文学批评的主导思想,又是其方法、特色和代码。

"人诗意地居住",既是德国诗人荷尔德林的名句,也是海德格尔《诗·语言·思》和《荷尔德林与诗的本质》等文学评论篇的一个主题。它表明,"人的居住是居于诗意之中","诗意建造了居住的特殊本性。诗意和居住并非相互排斥。相反,诗意和居住同属一起,相互呼唤","诗意是人类居住的基本能力"。①"诗意居住"意味着什么?它具有审美自由的意义。

海德格尔主张"诗言志",其批评方法是,将"诗"、"言"(语言)、"志"(思想)分开,让它们互相"对话",从而在这三者的对话中显示思想和意义。他认为,艺术的本性在于诗性,诗的任务之一是显示真理和意义,而真理和意义掩蔽在诗和语言之中,批评就是要"去蔽",使其思想和意义"敞开",由隐至显地展示诗和语言的思想意义。他说,之所以选择荷尔德林作为批评对象,"并非因为他的诗作作为众多的诗作之一揭示了诗的普遍本质,而只是因为荷尔德林的诗作为诗的天命的召唤身不由己地表达出诗的本质",这有助于"探求本质的本质性因素"。②

---

① [德]海德格尔:《诗·语言·思》,彭富春译,文化艺术出版社,北京,1991年,第193~199页。
② [德]海德格尔:《荷尔德林与诗的本质》,见伍蠡甫、胡经之主编:《西方文艺理论名著选编》,北京大学出版社,北京,1987年,第575页。

他从荷尔德林诗集中摘出他需要的五句诗。如写诗"是人的一切活动中最纯真的";"这样,人类拥有最危险的东西——语言,来证实自己的存在";"自从人类成为交谈、能够聆听彼此的心声","然而,那长存的,由诗人去神思";"充满才德的人类,诗意地栖属于这片大地";显示他关于诗与语言、历史、思想的存在主义思想和思考方式;认为"诗的活动领域是语言。因此,诗的本质就必须通过语言的本质去理解","人的此在的基础是交谈,在交谈中语言才真正成为现实的","荷尔德林一直在思考的诗的本质,从最高的意义上看是历史的,因为它预示了历史的时代;但作为历史的本质,它是唯一的本质性本质"。①

何谓"本质性本质"?萨特以为,就是自由。在他看来,批判的武器不能带来武器的批判,"诗性"展开离开自由的内容,只会变成语言学、修辞学、符号学、语义学、叙述学和思维的对象,不能成为反思的自由评论。西方20世纪上半叶的文坛已呈现出批评的误导:形式批评太多而自由反思太少,文学失去了自由的本真,批评成为讲义而正在丧失存在的价值。萨特对17世纪以来的法国文坛乃至欧洲文学,对他所处时代的文学,展开了黑格尔式的诗性自由化批评。

他像黑格尔展示理念的升沉消长一样,显示出一种强烈的诗性自由化批评的狂热,勾勒近250年文学自由化的运动轨迹。

他认为,17世纪,作者与读者具有同一性,作家职责明确,写作对象是那些有教养的、被严格界定的、积极的读者,这些读者对作家进行监督,作家不可能充分地表达自由。古典主义文学不能有力显现自由精神,古典主义作家是一个寄生阶级,他不为劳苦大众说话,努力使作品尽善尽美,合乎伦理道德和社会规范,赢得君王和贵族的喜好;作品描述多于体验,和谐大于冲突,适应大于批判,自由意志得不到有力张扬。18世纪文学,感受资产阶级上升时期的时代气息;政治性、民主性和自由性得到展开,作家不仅仅被领导阶级供养,而且

---

① [德]海德格尔:《荷尔德林与诗的本质》,见伍蠡甫、胡经之主编:《西方文艺理论名著选编》,北京大学出版社,北京,1987年,第583、588页。

还受到资产阶级乃至民众的支持，作家写作出现多元化的服务对象，像歌德、卢梭这样的作家可以直白地表达他们对情欲、痛苦、自由等的体验和感想，自由精神可以得到公众的反应。但是，18世纪历史理性对历史权力的抗争和流行的教会文学，理性精神的弘扬在一定程度上抑制了文学的自由精神。

面对19世纪以来的文学，萨特根据他对资产阶级自由观的理解进行诗性自由化分析。资产阶级把文学作为工具，而文学自身渴望独立，文学渴望冲破资产阶级樊篱而走向自由，它们的矛盾产生张力；另一方面，民主性、自由性文学，尤其是平民文学得到了发展，人性的自由得到一定程度的表达；商业文学占据部分市场，它摆脱宗教思想束缚，拒绝为资产阶级意识形态服务，但文学的独立和自由一样受到金钱的诱引。主流文学缓慢而形式扭曲地走向现代派文学，它又一次被少数人掌握，不能为人民大众所接受；文学转入反省阶段，在打破旧的形式时锤炼出一种新的写作技巧，努力建立自己的审美标准；结果是，文学独立性增加了，自由性却得不到更为广泛的支持。19世纪后期和两次大战，无产阶级得到发展，资产阶级与无产阶级文学在自由方面此消彼长，成为文坛的两种主要力量；自由的否定和否定的自由成为"二战"后文学的主旋律。

文学批评主要是指对当代的、当下的文学现象和作品的批评。萨特一度作为左翼文坛旗手，对他时代的作家作品，尤其是著名的关于加缪和莫里亚克及其作品的评论，更是痛快淋漓地施展其诗性自由化批评的才华。

萨特与加缪发生了一场由朋友走向论敌的论战。他认为加缪在描绘自由的否定方面取得业绩，在对否定的自由，即新的自由时代精神方面却已落后于时代，加缪未能写出代表无产阶级自由精神的划时代作品，《局外人》和《堕落》等只是对战争和战后自由的荒野的描写。他认为，莫里亚克不仅比加缪缺乏诗情诗性，更是把自由价值取代自由本质；向上向善者为自由，向恶者为奴役，只是自由价值，不是人自身自由的本性；作为基督教小说家，莫里亚克的《黑暗的终止》等作品不仅未能写出诗性自由，而且用一堆符号滥用了自由。应该说，加缪和莫里亚克作为诺贝尔文学奖得主,各有其文学成就;萨特的诗性自由化批评像一把锋芒毕露、寒光凛凛的匕首,直接向他们及其作品刺去。

诗性自由化批评,作为资产阶级存在诗学的一种批评武器,在描述和抨击资产阶级文学方面发挥过作用。但是,它毕竟是"二战"前后的产物,现在西方世界已经弃之如敝屣,不再使用了。

第六节　结束语

存在主义哲学、诗学、文学,作为"二战"前后的一种显学,具有世纪性和国际性影响。

前期存在哲学和诗学,既承接现象学的思理和方法,又有对现实人生、文学艺术的穿透和体悟,给20世纪西方文论带来重大启示。以英伽登、杜夫海纳为代表的现象学诗学,以加达默尔为代表的现代阐释学,以尧斯、伊塞尔为代表的接受美学等,以及以马塞尔、拉弗尔、马利坦为代表的宗教存在主义诗学等,无不受其影响。

后期存在哲学和诗学,既学习和吸收马克思主义精华,又结合当时实际,虽左右摇摆不定,但对注重科学主义而精神贫乏的西方文论以有力冲击。它们吸收了卢卡契等人的总体化思想,又给新马克思主义者、法兰克福学派乃至后现代主义和女性主义以启迪:"因为它们同时也把20世纪最富有创造性的存在主义和马克思主义的某些思想融合在一起。萨特把20世纪两种不可超越的哲学结合在一起,使之成为一个不容忽视的行动领域。"[1]

存在主义文学在陀思妥耶夫斯基、里尔克、卡夫卡[2]、萨特、波伏瓦、加缪等一些世界级作家及其作品感召下,更是掀起世界文坛的轩然大波,在索尔·贝尔、拉尔夫·埃里森、约翰·厄普代克等人的作品中,在新小说派、荒诞派戏剧、黑色幽默、后现代小说等中,至今仍能

---

[1] [美]戈尔曼:《"新马克思主义"传记辞典》,赵培杰等译,重庆出版社,重庆,1990年,第749~750页。
[2] [美]W.考夫曼:《存在主义》,陈鼓应等译,商务印书馆,北京,1995年。

听到它的回响。我国20世纪三四十年代尤其是冯至等的诗文①、80年代的新写实主义小说,明显接受了存在主义文学的影响。

应该说,马克思主义在"二战"后的欧洲和西方产生全面影响,和在后现代主义文论中的勃兴,与存在哲学、诗学、文学,尤其是萨特的努力分不开。

理论问题往往需要从理论上解决;存在诗学必须通过存在哲学及其作品给予澄清。西方和国内有的学者多从极为抽象或共性意义上述介其关于创作、干预、想象、阅读批评等的主张,不能本质地显示出存在主义文论的特点和个性。存在诗学具有诗性智慧,更重要的是,它充满了智性精神和具有把握世界、分析文学的方法论,其情绪体悟、辩证批评已成为20世纪西方文论批评的某种"代码",作为与其他流派相殊异的标志。或者说,没有它们,就失去了存在主义文论的特殊性和理论价值。梯利写道:"存在主义是一种非唯理主义哲学,由于它重视人的热情和审美的性质,重视他的苦恼、爱情、内疚的感情以及内在的自由意识,它是沿袭浪漫主义的传统的。"他还以为:"存在主义的意义不在于它对专门哲学的贡献,因为在这方面它要说,没有什么不是以往的哲学体系没有更清楚、明白而有系统地申述过的;毋宁在于用哲学语言表达了当前文化普遍的情境。"②

存在诗学与20世纪上、中叶的西方文论相比,它为文学创作、批评和研究提供了最多最直接的精神内容。存在诗学广泛融会了存在主义、马克思主义、心理和精神分析、宗教哲学、社会学、人类学、语言学等方面的精神内容,使之比克罗齐和科林伍德为代表的表现主义、柏格森的直觉主义、瓦雷里的象征主义、弗洛伊德的精神分析、白璧德的新人文主义、杜威的经验主义、尧斯等的接受美学等具有更为丰富的意蕴和内涵;更不用说,形式主义、新批评派、结构主义、符号学、分析诗学等具有一定科学主义因素的流派,在精神世界上无法望其项背,尽管分析诗学等拒斥这种精神世界。文学活动主要是一种精

---

① 钱理群、温儒敏、吴福辉:《中国现代文学三十年》,北京大学出版社,北京,1998年,第581页。
② [美]梯利:《西方哲学史》,葛力译,商务印书馆,北京,1995年,第666页。

神行为，文学理论的重要任务是体悟并概括这种精神行为。尽管存在诗学充满了非理性概念和精神分析，然而，它毕竟从另一侧面丰富了诗学的精神生活；因为诗学的知识论不能取代其精神论和价值论，正如分析不能代替综合，价格不能代替价值一样。当然，反过来，这也暴露存在诗学轻视科学的弱点。

存在主义的马克思主义毕竟是存在主义的马克思主义，不是本真的马克思主义。在存在哲学内部，萨特的存在主义马克思主义与梅洛-庞蒂、高兹的是不尽相同的，它们在许多方面甚至针锋相对、水火不容。后两位曾与萨特是朋友，因理解马克思主义许多观点不同而对峙并分道扬镳。就存在诗学来说，首先，在马克思主义看来，存在与本质是同一的，并无先后之分[①]，存在是具有本质的存在，本质寓于存在之中，"存在先于本质"是典型的唯我论的唯心主义论调。其次，辩证法是不能脱离自然界的，恩格斯指出："自然界是检验辩证法的试金石，而且我们必须说，现代自然科学为这种检验提供了极其丰富的、与日俱增的材料，并从而证明了，自然界的一切归根到底是辩证地而不是形而上学地发生的"[②]，"人学辩证法"否定自然辩证法，是与马克思主义相悖的。再次，马克思主义倡导集体主义和社会主义，存在主义的马克思主义主张个人主义。总之，马克思主义帮助存在主义克服了一些固有的缺陷，但是，存在主义在一些根本问题上，仍然顽固地坚持着它原来的观念和立场，因此，它仍然是存在主义的，并未回到马克思主义科学轨道上来。

自由是相对的，并不是绝对的；萨特主张绝对自由或自由化，遭到了曾作为他的同路人的梅洛-庞蒂的反对。梅洛-庞蒂写道："我的自由虽然具有把我投入其他地方的力量，但它没有立即把我变成我所决定要成为的东西的力量"；如果自由是绝对的，没有约束，那么"自由"就失去了确定意义；"如果自由等同于我们的一切行动，甚

---

① [法]约瑟夫·祁雅理：《二十世纪法国思潮》，吴永泉、陈京璇、尹大贻译，商务印书馆，北京，1987年，第92~93页。
② [德]马克思、恩格斯：《马克思恩格斯全集》第二十卷，人民出版社，北京，1971年，第25页。

等同于我们的激情","那谁也无法说在此有任何自由行动","它无所不在,随心所欲,但它又是什么地方也没有"。①当萨特1963年发表《词语》时,他不得不说:"长期以来,我一直把我的笔看作是我的剑,现在我才认识到我的无能","文化并不拯救任何什么,也不拯救任何人,它并不证实什么"。②作为一个自由主义者,他此时又回到虚无主义之中。这不能不说是极端论者有时应得的某种报酬。

西方不少学者指出过存在诗学的一些缺点。对于海德格尔的《艺术作品的本源》,鲍桑特认为,他"把对艺术的兴趣局限于艺术构造行为领域里而忽略了许多因素","认为艺术对生活的独立性是反映现代文化的无根性和非真实性,也是错误的"。③阿多尔诺认为,《荷尔德林与诗的本质》任意独断,漫无边际,强行给荷尔德林的诗"灌注"一种外部哲学,把荷尔德林曲解为一个"思想抒情诗人"(Gedankenlyrike)。M.H.阿法西热夫以为,萨特的美学和诗学"尽管在解释当代资产阶级艺术发展的性质时,有个别的真知灼见,但是整个的存在主义立场却证明着当代资产阶级美学深深的消沉"④。所有这些,印证了海德格尔的一句名言:运伟大之思者,行伟大之迷途。

存在主义文论关注文学的社会批判功能。虽然比起马尔库塞、阿多尔诺为代表的法兰克福学派的社会批判理论在这方面的突出贡献,它显得缺乏战斗力,但其战斗精神仍然是难能可贵的。存在主义的最后一名斗士高兹结合20世纪70年代的政治生态学,提出将"后工业技术"作为人类解放的主要前提;后现代主义在这方面更是刷新了人们的认识。在以后的有关章节中,我们将看到社会批判理论和后现代主义理论在文论舞台上的表演情况。

---

① [法]梅洛-庞蒂:《知觉现象学》,法文版,1962年,第436~447页。
② [法]萨特:《词语》,潘培庆译,生活·读书·新知三联书店,北京,1989年,第182页。
③ [美]W.鲍桑特:《海德格尔的艺术论》,见《美学与艺术批评》杂志,1968年春季号。
④ [苏]M.H.阿法西热夫:《萨特的存在主义美学》,奥符相尼科夫等编:《现代资产阶级美学》,牟萍等译,中国社会科学出版社,北京,1988年,第285页。

第十六章　新马克思主义

第一节　发展与特征

马克思主义自创立以来,不仅是无产阶级进行革命斗争的理论武器和建设社会主义的指导思想,而且还是20世纪理论研究中包括文艺理论研究所广泛讨论、研究的重要论题。马克思主义文艺思想在近代以来的发展,基本上形成了四个派别:一是以普列汉诺夫、列宁等为代表的被西方学者认为的正统派;一是以伯恩斯坦、考茨基、布哈林、托洛茨基为代表的修正派;一是以卢卡契、本亚明、布莱希特等为代表的新派;一是以马尔库塞、阿多尔诺为代表的西方马克思主义学派。

西方不少学者把上边的后两个派别统称为西方马克思主义派或新马克思主义派,我们认为,以卢卡契等为代表的马克思主义与以马尔库塞等为代表的马克思主义存在着很大的差别,不能混为一谈。为了区别起见,我们把卢卡契等为代表的马克思主义者叫新马克思主义者,把马尔库塞等为代表的法兰克福学派称为西方马克思主义学派。同时,由于新马克思主义与西方马克思主义内部很复杂,并包括一些其他流派,所以,我们所说的新马克思主义者限于卢卡契、本亚明、布莱希特、布洛赫等人;而把马尔库塞等人称为法兰克福学派。

这样,本章讨论的范围与命题便大致清楚了。我们知道,第一次世界大战,尤其是第二次世界大战爆发以后,西方的政治、经济和文化发生了根本的变化,它促使西方不少国家的无产阶级和劳动人民到摆脱压迫和剥削的社会主义革命中去寻找出路。这样,马克思主义便以比以前更快的速度在西方传播开来。同时,共产国际内部出现了"左"的思潮,冲击苏联共产党的内外政策;有的人如卢森堡直接批评了列宁的一些观点,并在理论上进行阐发。卢卡契等人在这期间或以后的一段时期,写了不少这方面的文字,批评苏联的模式。他们的文艺理论批评也在这种思想基础上发展起来。

卢卡契是匈牙利著名的美学家和文艺理论家。20岁时就以两卷本的《现代戏剧发展史》获得克丽丝丁娜文学奖。1908年起开始研究马克思、黑格尔和德国哲学。1918年加入刚建立的匈牙利共产党,是个十分活跃的革命活动家与理论家,曾流亡维也纳、柏林、莫斯科,直到1945年才返回布达佩斯,当选为匈牙利科学院院士,并担任布达佩斯大学美学、哲学教授。1956年曾任纳吉政府的文化部长。他的主要哲学著作有《历史和阶级意识》等,主要的美学、文艺学著作有《小说理论》《欧洲现实主义研究》《历史小说》《审美特性》《当代现实主义的意义》以及其他美学、文艺理论和文艺史方面的著作。他以及他的著作,一直不断地引起激烈的争辩,直到今天,这种争辩仍未停息。

德国学者沃尔特·本亚明在文论方面与卢卡契齐名,他出身富裕的犹太人家庭,曾以一篇关于德国巴洛克式悲剧起源的论文获得博士学位。本亚明与法兰克福学派有一定交往,并为《社会研究》杂志撰稿。他是布莱希特的密友,在与卢卡契的论战中,他和布洛赫站在布莱希特一边,共同攻击卢卡契。1933年纳粹上台,他逃亡巴黎。纳粹攻占巴黎后,他在逃往西班牙途中因被捕而自杀。他的主要代表作有《历史哲学论集》《理解布莱希特》《启发》等。

与卢卡契、本亚明不同,布莱希特主要是个戏剧作家。但在与卢卡契的论战中,他写了不少理论文字,并表现出对现实主义问题的独到见地。他曾研读黑格尔、马克思、恩格斯、列宁、毛泽东的著作,赞同辩证观点,称自己的戏剧为"辩证戏剧",被西方学者称为马克思主义作家。1933年,他被纳粹驱逐出境,移居丹麦,后到美国,于1948年回到民主德国,曾任剧院院长。他既信奉现实主义,又倾向表现主义,所以西方有的学者也把他的理论放在表现主义文论中进行研究。他的剧本代表作有《人就是人》《三分钱歌剧》《大胆妈妈和她的孩子们》《高加索灰阑记》,文论方面的代表作为《论戏剧》。其剧论的独创之处在于"间离说"(又译"陌生化")。

此外,考得威尔的《幻想与现实》、P.德梅茨的《马克思、恩格斯和诗人》、费歇尔的《艺术的必然性》、戈德曼的《隐藏的上帝》、杰姆逊的《马克思主义与形式》、特雷·伊格尔顿的《文学理论》等,都是新马克思主义文论的重要论著,作者也都是新马克思主义学派的代表学者。他们不仅对卢卡契等人的著作进行研究,而且在很多地方提出了新的见解。

从宏观的角度看,以卢卡契为代表的新马克思主义文论比较关心的问题,主要在以下三个方面:

第一,关心文艺与其他意识形态的关系。马克思主义的创始人始终把文艺作为意识形态的一个部类看待,认为文艺既受经济基础的支配,又与意识形态的其他部门密切相连。在普列汉诺夫的《艺术的社会基础》、托洛茨基的《文学与革命中》,也有这些意思的论述。新马克思主义的文论家在肯定马克思主义创始人的这一观点的正确性的同时,在对意识形态与文艺的界定,及两者的关系上又有自己的一些看法。比如,马舍雷在《文学创作理论》中,把意识形态称作"幻觉",指人们普遍的意识形态经验;把文艺称为"虚构",指依据现实与意识形态经验提供的材料并改变这些材料,赋予新的形状与结构。因此,他要求作家艺术家摆脱意识形态的束缚,超越这种"幻觉"进入"虚构"的境界。

第二,高度重视现实主义问题。新马克思主义建立之初,便展开了一次关于现实主义的论战,这场论战,是继马克思、恩格斯与拉萨尔争论《济金根》之后,马克思主义文论史上最著名的论战之一。争论于20世纪30年代在德语作家卢卡契、布洛赫、本亚明、布莱希特等人之间展开,并在不同国家以自由的形式进行。这是马克思、恩格斯致斐·拉萨尔、恩格斯致保·恩格斯特和马·哈克奈斯等的重要信件在1931~1933年间的苏联《文学遗产》发表后的必然反应,更是对以弗里契为代表的庸俗社会学批判的应有的深化。用P.约翰逊的话说,卢卡契、本亚明"采用不同的理论构架"①对待意识形态和现实主义问题。卢卡契是从整体观对待意识形态和现实主义问题,本亚明是从社会实践的角度研究这些问题。正因为如此,它们内部的争论就不可避免了。通过这次争论,现实主义理论得到了更加广泛而深入的发展。

第三,提出了具有重要意义的"间离说"或"陌生化效果"的创作理论。新马克思主义学派的布莱希特结合自己的创作实践提出的"间离说"或"陌生化效果"的理论,既有表现主义的成分,也有现实主义的因素。他的立足点在现实和戏剧的创造性方面。如果把他与卢卡契相比较,可以说,卢卡契主要是论理的、思辨的,布莱希特主要是实践的、现实的。正像有的文论家所指出的:"30年代期间,戏剧家布莱希特和文学、政治批评家乔治·卢卡契就是这样用不同的基本方法独立发展马克思主义关于现代艺术和文化生活的。"②

第二节 文艺与现实及其意识形态

关于现实及其意识形态,尽管新马克思主义内部有种种不同意见,但是,他们在这两个问题上的意见却是趋于一致的:一是意识形态不是机械地由经济基础所决定;二是意识形态与文艺具有相当密切的联系。

新马克思主义文论家认为,经济基础对意识形态具有决定作用,是可以肯定的,但是,这并不意味着意识形态就是被动的,不对经济基础发生作用。卢卡契一再引用恩格斯致符·博尔吉乌斯的信中的一段话:"政治、法律、哲学、宗教、文学、艺术等的发展是以经济发展为基础的。但是它们又都互相影响并对经济基础发生影响。并不是只有经济状况才是原因,才是积极的,而其余一切都不过是消极的结果;这是在归根到底不断为自己开辟道路的经济必然性的基础上的

---

① [英]P.约翰逊:《马克思主义者的美学》,伦敦版,1984年,第49页。
② [美]刘运:《马克思主义与现代主义》,加州大学出版社,1982年,第75页。

互相作用。"①卢卡契在引证这一段时写道:"在庸俗马克思主义看来,上层建筑是生产力发展的机械的、从原因中产生出来的结果。这样的关系从辩证法看来是根本不存在的。辩证法否认在世界上存在任何纯粹单方面的因果关系;连在最简单的事实里它也看到原因和结果复杂的相互作用。而历史唯物主义则特别鲜明地强调,像社会发展这样一个多层次的、多方面的过程中,社会和历史发展的总过程处处都是相互作用的复杂的编织物。只有用这样的方法才有可能哪怕只是去碰一碰这个意识形态的问题。"②卢卡契特别把普列汉诺夫的那种因果论称为庸俗化的观点,认为普列汉诺夫的庸俗化的观点与马克思主义的基本原则不相符合,因为它片面地理解辩证法,否认意识形态自身的主动性、独立性、复杂性。卢卡契还提出了整体性的观点,他说:"构成马克思主义和资产阶级思想之间的决定性区别的,不是历史解释中的经济功能的首要性,而是整体性的观点","整体性的范畴,整体对于局部的遍及一切的优越性"。③卢卡契所说的整体性,是一个动态概念,它包括一定的趋向、它的方向及其结果;在逻辑上,整体先于事实,因为事实不能说明自身,只有在与整体的联系中才能得到说明,使历史与思维统一起来。

新马克思主义的另一位代表布洛赫提出了历史发展中主体创造的重要性。他认为,哲学史的主要内容,和所有精神文化内容一样,力求洞察创造性的世界本原,并理解其目的,哲学史的矛盾斗争不是唯心主义和唯物主义之争,而是维护主体能动性的"动态思维"同反对这种能动性的"静态思维"之争。④前者是运动的、发展的、进步型的,如亚里士多德、新柏拉图主义者、帕拉塞尔苏斯、波墨、莱布尼茨、谢林、黑格尔等;后者是直观的、机械的,如诡辩论者、埃利亚学

---

① [德]马克思、恩格斯:《马克思恩格斯选集》第四卷,人民出版社,北京,1958年,第506页。
② [匈]卢卡契:《卢卡契文学论文集》第1卷,中国社会科学出版社,北京,1980年,第276页。
③ [匈]卢卡契:《历史和阶级意识》,剑桥版,1971年,第27页。
④ 徐崇温:《"西方马克思主义"》,天津人民出版社,天津,1982年,第250页。

派、斯多葛学派、德谟克里特、伊壁鸠鲁、洛克、法国唯物主义者。布洛赫是想从另一个侧面突出并强调意识形态与经济基础之间的距离以及意识形态的独立性与复杂性，抬高人的主体性对世界以及人类的现在与未来的巨大作用。因此，从卢卡契或者是布洛赫的哲学及文艺思想中，可以看到，新马克思主义不同于普列汉诺夫等人的哲学与文艺观点的一个明显之处，在于突出意识形态的重要地位与作用。

在这样一个总的思想基础上，他们对于文艺与现实及其意识形态的关系的理解显然也不同于普列汉诺夫等人的观点。

首先，卢卡契从整体论出发，认为文艺创作不是与意识形态的某个部门或某些部门发生关系，而是与整个意识形态发生关系。但普列汉诺夫要么把文艺与哲学、政治联系在一起，要么把文艺与社会、心理结合起来，卢卡契认为，这种做法是用局部的意识形态代替整体，最后把文艺置入某个部门的附庸，不可能使文艺得到真正的独立，因而是片面的。比如说商品，"仅仅把它视为经济学的核心问题，都是不允许的，而必须把它视为囊括一切方面的整个资本主义社会的核心、结构的问题"①。同样，不能把文艺纳入意识形态的部门之中，而应该把文艺放在一定社会的整个意识形态中进行研究。只有这样，才能保证文艺创作与意识形态的正常的联系，保证文艺创作对意识形态发生作用。同时，因为意识形态是对人的丰富性的全面展开的研究，所以，文艺创作必须运用全面研究的成果观察社会与人生。卢卡契写道："马克思和恩格斯要求他们的同时代作家用使人物性格化的办法对资本主义分工所引起的破坏作用和对人受到屈辱采取激烈的反对态度，他们要求作家们能从本质上、从整体上理解人。而正因为他们同时代的作家大多数没有能做到从整体和本质上去进行探索，没有作出掌握整体的努力，所以他们把这种作家看成为一些没有出息的仿古派文人。"②

---

① [匈] 卢卡契：《物化和无产阶级的意识》，见复旦大学哲学系现代西方哲学研究室编译：《西方学者论〈一八四四年经济学—哲学手稿〉》，复旦大学出版社，上海，1983年，第276页。
② [匈] 卢卡契：《卢卡契文学论文集》第1卷，中国社会科学出版社，北京，1980年，第284页。

卢卡契注重文艺的整体意识,更强调文艺的创造作用。他不同意"模仿论"或"再现论"的近乎自然主义的文艺主张,认为这两种观点都是强调文艺必须纯客观地反映生活,从根本上违背了艺术规律,因为任何一部文艺作品都不可能是完全"模仿"或"再现"现实的产物。文艺不排斥"模仿"与"再现"的因素,但文艺创作的根本是创新,而不是被动的"模仿"与"再现"。在现实主义问题上与卢卡契观点对立的本亚明、布洛赫,也同意卢卡契的这一观点。本亚明认为,革命的作家必须批判地对待社会,通过作品促进人们改变现实,如果文艺创造与现实完全同一,文艺创造就不可能发挥其应有的效能与作用。[1]布洛赫也认为,不同时代会产生不同的文艺,因此,时代产生文艺大体上是不错的,但是,文艺如何能在这个时代独具风采,则是文艺创新的产物。布洛赫更为明确地论道,文艺的独创可以直接冲破意识形态中的种种条条框框,为人们指明一条未来的意识形态的发展道路。他举例说,表现主义的艺术不仅打破长期以来所形成的程式化的文艺观,而且强有力地冲击了意识形态中的一些固若金汤的僵化模式,使人们对新的时期中的人的本质进入了新的沉思。

其次,在作品方面,卢卡契主张作品应表现出完整的人和完整的社会结构。这一点,韦勒克看得很清楚。他说:"卢卡契能获得成功,因为他把一件艺术作品当作一个整体来看待,艺术作品反映的也应该是社会整体。"[2]特雷·伊格尔顿更为明确地阐述道:"在卢卡契看来,最伟大的艺术家是那些能恢复和再创造和谐的人类生活整体的艺术家。资本主义的'异化'日益加剧一般和特殊、概念和感觉、社会和个人之间的分裂,而在这样一个社会中,伟大的作家则把这些东西辩证地结合成一个复杂的整体。……在这样做的时候,伟大的艺术与资本主义社会的异化和分裂作斗争,展示丰富多样的人类整体形象。"[3]在具体地评价作品的时候,卢卡契大量地运用他的整体论学

---

[1][德]本亚明:《作为生产者的作家》,见《理解布莱希特》,伦敦版,1973年。
[2][美]韦勒克:《西方四大批评家》,林骧华译,复旦大学出版社,上海,1983年,第74页。
[3][英]特雷·伊格尔顿:《马克思主义与文学批评》,文宝译,人民文学出版社,北京,1980年,第32页。

说研究作品。比如，他在研究歌德的《浮士德》的时候，提出要从作品反映的整个社会意识的整体角度进行反思。他说："我们必须探讨靡非斯特关于资本主义社会中的自由的概念。外在的表现形式虽说是原始积累，其实质却适用于整个时代"，对浮士德来说，他虽然需要靡非斯特的臂助，以解散封建社会的意识形态体系，看到资本主义胜利所带来的原始生活方式的毁灭，但是，他也明白，他无形地"陷入了魔鬼的资本主义魔法的罗网"。① 浮士德的这种悲剧性的矛盾，不是浮士德能解决的，也不是当时的社会现实的力量与意识形态所能解决的。恰恰相反，这种矛盾正是当时的社会现实及其意识形态的真实而又集中的表现。

从这种整体意识出发，卢卡契提出了他的典型理论。卢卡契在《马克思、恩格斯美学论文集》引言中写道："按照马克思、恩格斯的看法，典型不是古典悲剧中的抽象化的类型，也不是席勒式的理想化、概念化的人物，更不是左拉式和仿左拉式的文学和文艺理论炮制出来的'平均数'。可以这样来说明典型的性质：一切真正的文学用来反映生活的那运动着的统一体，它的一切突出的特征都在典型中凝聚成一个矛盾的统一体，这些矛盾——一个时代最重要的社会的、道德的和灵魂的矛盾——在典型里交织成一个活生生的统一体。"② 这种典型论的特点在于揭示了典型的运动性、发展性、矛盾性与统一性，其核心是客观性。他以巴尔扎克为例，说明典型并不仅仅是某个阶级、某个政治集团的意识的寓言式的表现，而是从作家选取的历史事件中揭示出具有运动发展趋向的客观必然性，展示出这种运动发展着的社会的矛盾性，竭力表现整个社会的各种结构的统一性。为了达到典型的要求，作家可以违背自己的信仰、政治主张、理想与观点。例如，巴尔扎克写《农民》时，"尽管巴尔扎克不辞劳累地作了准备，而且殚精竭虑地进行布局，他在这部小说里实际做到的，恰恰和他准

---

① [匈]卢卡契：《卢卡契文学论文集》第2卷，中国社会科学出版社，北京，1980年，第536页。
② [匈]卢卡契：《卢卡契文学论文集》第1卷，中国社会科学出版社，北京，1980年，第290~291页。

备要做的相反:他所描绘的并不是贵族庄园,而是农民小块土地的悲剧。正是这种主观意图和客观实践之间的矛盾,这种政治思想家巴尔扎克和《人间喜剧》作者巴尔扎克之间的矛盾,构成了巴尔扎克的历史伟大性。"①从这个意义讲,作品的内容意象的复杂性完全可以突破作者意识形态的某种狭隘性,典型就是要建立在人类发展的整体的意识形态而不是建立在局部的集团的狭隘的意识形态的基础之上。卢卡契认为,巴尔扎克的伟大正在这里,巴尔扎克的卓越也正在这里。

当然,文艺毕竟不同于其他意识形态,在内容与形式方面都有自己的特色。但是,新马克思主义者认为,即使在文艺形式方面,文艺仍然与意识形态保持着密切的联系。文艺是一个整体,既然整体都与意识形态保持着联系,整体的部分当然也有这种联系。这一点,特雷·伊格尔顿在《马克思主义与文学批评》一书中说得比较清楚。他说,布莱希特不仅正面接受了马克思主义的文艺形式论,而且受了达达主义与超现实主义的启发,提出了三个相关的观点。"第一,它赋予形式这一概念以新的意义;第二,它重新考虑了作家这个概念;第三,它重新考虑了艺术生产的概念。"②布莱希特与本亚明一样,认为形式是思想知觉方式的具体化,艺术作品在群众中流传的时候,艺术形式也会得到新的发展,群众能分辨出传统形式与现代形式在艺术中的表现;作品的生产者作家不能专门制造语言,但他能运用语言等形式材料,将语言与经验结合起来即成为艺术品,语言与经验结合的时候,经验对语言的运用而发生作用,可以改变语言的意义与结构,造成艺术的神秘氛围;艺术生产应该接受社会的检验,艺术的匀称与完整,应该在读者接受的过程中逐步形成。这实质上是说,艺术作品的形式如作品自身一样,不是封闭的,而是开放的。布莱希特所理解的艺术形式的开放性,存在于作者、作品、读者的三维空间中。这一点,

---

① [匈]卢卡契:《卢卡契文学论文集》第2卷,中国社会科学出版社,北京,1980年,第159页。
② [英]特雷·伊格尔顿:《马克思主义与文学批评》,文宝译,人民文学出版社,北京,1980年,第73页。

他比卢卡契更多地在作品的完整中理解形式显得进步一些,因为形式本身不是完全受制于作品的,还与作者的创造、读者的接受有一定的关系,所以,从更广泛的意义理解形式要比仅仅从一个方面理解形式更能揭示出其中的意义。但是,无论这种形式如何在三维空间中存在,都与意识形态有关,在赋予形式以新的意义、作家创作、艺术生产三方面都离不开意识形态。就第三方面说,布莱希特的原义是显示出艺术形式的矛盾、参差、错乱,正显示社会意识结构的混乱、复杂、盘根错节,读者接受这种艺术形式的时候会联想到社会意识的形式,并在对这种社会意识形式的否定之中,得到完整的意识形式(参看本章第四节)。现代主义作品的形式不同于古典主义作品的形式,它的价值与意义正在这里,即在矛盾、荒诞、怪异的形式中让人感受到社会结构与资本主义意识形态的形式的矛盾、荒诞与怪异。所以,当代西方文学作品的形式是对原有形式概念的否定,更是对现存社会结构与意识形态形式的否定。从这个意义上理解现代西方作品的形式,能加深对它存在价值的理解,加快我们对艺术形式的沿革及其所积淀的意识形态意味的深层反思,促进文艺理论中的形式论的改造,使以总结古今中外文学现象为己任的文论能对当代艺术形式的变化做出合规律、合目的的分析与理论说明。

第三节 现实主义问题

新马克思主义在现实主义的讨论中,各自提出了不同的观点,产生了激烈的争辩,形成了马克思主义文论史上的第二次大的论战。

这场论战的过程大致上是这样的:1934年至1938年,卢卡契发表了两篇重要论文——《表现主义的伟大和衰亡》(1934)、《现实主义辩》(1938),引起了一场国际性的关于表现主义与现实主义的讨论。卢卡契认为,现实主义的特点是人民性,现代派或先锋主义的特点是站在民主的对立面,用一种近乎唯我论的主观主义来发泄自己的情感。布洛赫、本亚明、布莱希特等不同意卢卡契的观点。布洛赫在《表现主义探讨》《当代遗产》等文章中指出,必须高度重视表现主义文艺，它打破了艺术的公式化、程式化的写作方式，注重对人类及其本质的深层开拓。本亚明在他著名的论文《作为生产者的作家》中，把马克思主义关于生产力和生产关系的学说运用到文艺领域，提出了研究"艺术生产"的重要性的问题，认为作家艺术家是生产者，作品是商品，欣赏者是消费者，艺术家、出版商、消费群众之间的关系是艺术生产的关系，这样，文艺的倾向性并不单存在于作品中，而是作家、作品、读者共同交流的产物。在不同的时代，作家既要改变政治主张，又要改变艺术工具进行艺术生产，进行艺术生产的革命。而卢卡契仅以19世纪批判现实主义文学对现实主义的模仿为例，忽视当代艺术生产的特殊性，是完全错误的。在《机械复制时代的艺术作品》一文中，本亚明认为随着文化工业的发展，产生了机械复制时代的艺术品，如有艺术性的照片、电影、唱片、木刻、石印等，众多的摹本代替了独一无二的原本的存在。这样，现代艺术的复制技术导致了现代文化的危机和传统文化的覆没。而执着追求传统美学的卢卡契显然不识时务。布莱希特写过一些与卢卡契论争的文章，比较重要的有《乔·卢卡契的文章》《论现实主义理论的形式主义性质》《评一篇文章》和《大众化与现实主义》等。但布莱希特的这些文章并没参加当时的论争，它们直到1967年才在联邦德国正式发表。布莱希特文章的特点是，紧密地结合自己的创作实践来论说现实主义，而他的创作实践经过本亚明的生发，又形成具有现代实践意义的本亚明的文论。此外，阿多尔诺也卷入了这场论战，批评本亚明的文艺观，认为本亚明的艺术生产论过于机械与简单，机械复制论忽略了自主的艺术的技术性，过分抬高了流行艺术而轻视严肃文艺。但是，阿多尔诺反对本亚明的文艺观，却不像布洛赫、本亚明、布莱希特结成统一战线共同批评卢卡契那样，并没有与卢卡契结成同盟，反而认为卢卡契20世纪30年代的观点是"保守理论"，是"前美学"。这样，整个论战形成了一种错综复杂、盘根错节的状况。①不过，通过这场论争，我们可以看到新马克思主义

---

①王齐建：《马克思主义美学史上的一次重要论战》，见《文艺研究》，1985年第1期；
[英]P.约翰逊：《马克思主义者的美学》，伦敦版，1984年，第22~33、49~89页。

所理解的现实主义的基本思想，看到作为19世纪现实主义文艺的总结者卢卡契与作为20世纪上半叶现代主义文艺与现实主义文艺的总结者布莱希特等人理论思想的异同。

首先，无论是卢卡契还是布莱希特，他们都不否定文艺表现现实的客观与主观的辩证关系。

卢卡契是从现象与本质的关系来看文艺的客观性的。他说："现象与本质的真正辩证关系是基于这两者都是客观现实的因素，两者都是现实的产物，而不是人的意识的产物。"而且，"现实有各种不同的阶级：有表面的和瞬息即逝的不再重现的暂时的现实，也有更为深刻的现实因素和倾向，它们虽然随着变化着的情况而变化，但总是规律性地一再重现。"①那些非本质的非必然的现象，不是现实主义文学的描写对象。在《艺术与客观真实》一文中，卢卡契认为，即使堆上一千个偶然的东西，都不是现实主义文学所需要的。也就是说，现实主义文艺必须揭示那些本质的现象，描绘现象的本质；千万不能用镜子式、照相式的自然主义式的手法对待现实主义文艺。卢卡契认为，文艺的客观性就是建立在文艺自身反映现实的现象与本质的辩证关系之中。例如，巴尔扎克不仅当了他那个时代的书记官，忠实地记录了19世纪法国风俗的各个方面，而且揭露了当时社会的本质。还必须看到，卢卡契的这种客观论与他的哲学上的整体论有一定关系。他说："艺术反映现实的客观性，建立在正确反映总联系的基础之上"，"完全有这样的可能，一部艺术作品尽管是由纯属对外在世界照相真实的反映'组装'而成，但整体却是对现实的不正确的、主观任意的反映"。②反过来，从整体出发来写一件小事，也可能体现出文艺反映现实的客观必然性。巴尔扎克并未描绘整个19世纪法国的各个方面，但是，巴尔扎克的作品仍然具有整体性，因为他是从整体的高度来表现他的社会的现象与本质的。

卢卡契认为文艺表现客观必然性时有自己的特点。据此，他提出

---

① [匈]卢卡契：《美学史论丛》，柏林建设出版社，1954年，第205页。
② [匈]卢卡契：《艺术与客观真实》，见《马克思主义文艺理论研究》，文化艺术出版社，北京，1984年，第436页。

了文艺的"审美假象"的问题。他说:"艺术作品发生效果的自相矛盾之处在于,我们把艺术作品当作摆在我们面前的现实而委身于它,承认它是现实,并且当作现实来接受它,虽然我们始终清楚地知道,它并不是现实,而只是反映现实的一种特殊形式而已","因此,艺术作品所产生的幻觉,审美假象,一方面是建立在我们已经分析过的艺术作品的独立性上面:艺术作品在其总体上反映了生活的一般过程……另一方面,与此不可分割的是,只有当艺术作品客观上反映了生活的客观的一般过程,艺术作品的这种独立性才是可能的,才可能产生审美假象"。①前者是产生审美假象的前提,后者是结果。这样,人们既不可把作品不当现实看,也不可全当现实看,"上艺术的当"。因此,对现实主义作品的客观必然性,既不能完全按照"对号入座"的或统计学的方式来看待,也不能纯粹以此走极端,认为文艺可以不反映现实的客观必然性。只能说,文艺反映现实有自己的特殊性与独立性,不同于其他意识形态对现实的反映。

　　同时,卢卡契也认为文艺反映现实的客观必然性与作家的审美创造并非是对立的。他写道:"马克思主义美学认为,艺术家主观的创造性劳动的最伟大的价值在于,他在他的作品中把社会过程提高到自觉的程度,并使人们能够形象地感觉它、体验它,他在他的作品中写下了他自己对社会发展的认识和领悟;这样说并没有低估艺术家的主观能动性,而是对它前所未有的合情合理的尊重。"②这段话比较明确地说明:(1)艺术表现现实与作家的审美创造不是矛盾的,而是一致的,共同的任务都是用理想的方式表现现实。(2)现实主义作家是否发挥了主观能动性的标志在于是否在作品中写了自己对现实过程的感受、认知与理解并使人在审美享受中获得这种感受、认知与理解。(3)尊重艺术家的主观能动性的目的,是为了让艺术家能通过自己的主观创造表现现实中的客观必然性。卢卡契要求作家有自己独特的感情与观点,他说:"如果一个作家对进步没有热情,对反动不憎恨,不爱善,

---

① [匈]卢卡契:《艺术与客观真实》,见《马克思主义文艺理论研究》,文化艺术出版社,北京,1984年,第436页。
② [匈]卢卡契:《美学史论丛》,柏林建设出版社,1954年,第209页。

不憎恶，那他就不能正确地分辨本质与非本质的东西"，因此，也"就不会有真正的典型塑造，不会有真正的现实主义"。[①]反过来，现实主义文学总是作品反映的客观性与作者的主观性辩证结合的产物，失去其中任何一个方面，都不可能产生完美的现实主义的作品。

比起卢卡契的这些论述来，布莱希特的论证更充满现代精神。有的文论家就认为，卢卡契是古典文化的总结者，布莱希特在对20世纪的现代主义的审美研究中，有意识地采用科学实验和经济生产的成果。[②]因此，布莱希特在这场论战中是现代主义的化身。布莱希特认为，现代文学理论应该总结现代的现实主义文学的发展，不能站在现代生活的立场上"怀念"19世纪的现实主义文学，他与杰姆逊一样，希望文艺理论家抛弃这种"怀乡病"，大胆地发展现实主义文论。他扩大了现实主义的范围，"我们的现实主义概念必须广阔，具有政治性，凌驾于一切俗套之上……我们不能从现存的具体作品里推论出现实主义，我们应当使用一切手段，不管是老的还是新的、用过的还是没用过的、从艺术领域还是其他领域里拿来的，以人们可以驾驭的形式来表现现实"[③]。也就是说，现实主义文学在艺术形式方面不应有固定之规，有利于表现现实的一切形式都可作为艺术形式；在内容上，现实主义要求站在解决社会问题的立场上，在揭示社会矛盾中发掘社会发展的客观必然性或规律性；在对现实的关系上，现实主义作品虽然追求逼真性，但与宽广的想象和创造并不矛盾。由这种思路出发，布莱希特提出了现实主义文学的"五层次说"：一、揭示社会的错综复杂的因果关系；二、揭露在社会上占统治地位的观点只不过是统治者的观点；三、要站在给人类最紧迫的问题提供最广泛的解决办法的那个阶级的立场上写作；四、强调发展的因素；五、使具体化成为可能，又使具体的抽象成为可能。布莱希特的这"五层次说"是根据一个公式来的，这个公式是：先有现实，后有现实主义文学，然后才

[①] [匈]卢卡契：《美学史论丛》，柏林建设出版社，1954年，第211~212页。
[②] [美]刘运：《马克思主义与现代主义》，加州大学出版社，1982年，第75页。
[③] [英]特雷·伊格尔顿：《马克思主义与文学批评》，文宝译，人民文学出版社，北京，1980年，第77页。

有现实主义文学的定义。他认为卢卡契是学院派的研究公式：先有定义，再举作品。不过，我们确实可以通过布莱希特的现实主义的"五层次说"看到现实主义在当代的发展：第一，现实主义文学家不一定只当一个时代的书记官，而是必须站在人类运动发展的制高点上指引矛盾的社会以解决的出路；第二，现实主义文学必须体现出发展的精神，把现实与未来联结起来；第三，现实主义作品必须把具体与抽象结合起来，把客观的描写与对现实的深刻的反思融为一体。布莱希特的这些主张在他的"间离"学说中得到了具体的发展与运用。

其次，卢卡契、本亚明、布莱希特都十分强调人民性与现实主义文学的关系。卢卡契指出："同人民生活保持活跃的联系，使群众自己的生活实践朝着进步方向继续发展——这就是文学的伟大社会使命。"[①]他要求现实主义作家做人民的儿子，为人民的发展洪流而呐喊，不要高高在上、远离人民，要像高尔基做俄国人民的儿子，罗曼·罗兰做法国人民的儿子，托马斯·曼做德国人民的儿子那样；现实主义的文学作品都是人民群众喜闻乐见的作品，"尽管他们作品的艺术造诣都很高，但作品的音调却能够在广大人民群众中引起反响，并且也已经引起了反响"[②]。他反对现代派的一些作品打着人民性的旗号，却制造一些不从人民出发，永远都不能让人民明白的作品。他认为，不能用资产阶级的人道主义代替现实主义的人民性，必须坚持不懈地与人民站在一起，表现人民的命运，适应人民接受的作品才是具有现实主义的人民性的作品。

布洛赫不赞同卢卡契对现实主义的人民性的理解，认为卢卡契所谓的现实主义是古典主义，人民并不需要，而表现主义作品接近民歌、民谣、民间工艺等人民传统，在形式的改造上更符合人民的要求。尽管有些现代艺术人民暂时还看不懂，但从长远的发展观点看，人民终归能懂，并能接受。因此，不能因为人民暂时看不懂今天现实主义作品就说现代艺术没有人民性。尽管这样，布洛赫与卢卡契在强

---

① [匈]卢卡契：《卢卡契文学论文集》第2卷，中国社会科学出版社，北京，1980年，第32页。
② 同上书，第28页。

调现实主义的人民性这一点上,并无异议。

布莱希特也是这样。他提出了文艺大众化的五层含义:一、广大群众易懂,群众乐于采用来丰富他们的表现方式;二、采用群众的立场,加强并修正这一立场;三、代表人民最进步的部分,使之能引导别的人民看懂;四、继承传统和发扬传统;五、将现在统治着国家的那个阶层的所作所为告诉为夺取领导权而奋斗的那部分人民。他认为,随着时代与文化的发展,人民对文艺并不一定都以看懂与否作为标志。因此,现实主义文艺以人民性为基准更新形式,并不一定以看得懂与否为标尺决定是否改革形式。人民感兴趣的作品、喜闻乐见的艺术品一般是他们生活中有强烈感受的作品,他们喜爱的艺术形象同他们的生活经历与遭遇有关系。这样,现实主义作品与人民性之间的关系如水与乳的关系。有人民的生活作为文学艺术创作的基础,有广大人民来欣赏接受文学作品,人民生活成了文艺"取之不竭,用之不尽"的源泉,现实主义文艺的人民性也将永远发展下去。

第四节　陌生化效果

由布莱希特提出并付诸创作的"陌生化"的理论,是新马克思主义文论的成果之一。

布莱希特认为,包括克罗齐在内的传统与现代的文艺理论都是强调作者与观众之间的"沟通"与共鸣。这种千篇一律的理论,基本上自亚里士多德强调作品对读者的影响而来。布莱希特指出,人类的思想与生活具有多样性,表现人类思想和生活的艺术及其理论也应该具有多样性;亚里士多德的理论不是不可推翻的戒律,文学既可以有亚里士多德式的,也可以有非亚里士多德式的。由于布莱希特主要是戏剧家与诗人,他的理论最有创造的部分在戏剧理论方面;所以,他继续论道,戏剧既可以是"亚里士多德式戏剧",当然也可以是"非亚里士多德式戏剧"。同样的道理,戏剧既可以是强调作者与观众之间的"沟通",也可以在作者与观众的"间离"方面,即非亚里士多德方面做出尝试。

按照这种构想，布莱希特提出了文学艺术，特别是戏剧艺术的"陌生化"效果。

德文Verfremdungseffekt，具有间离、陌生化等多种意义。在西方研究布莱希特的表现主义戏剧理论的论著中，研究者们常常把它称为"V—效果"、"间离效果"、"陌生化效果"，其实，这三者的意义是相同的。

"陌生化"主要包括两个方面的意义。首先，从作者的角度说，作者必须面对观众的理智，选取那些鲜为人知、具有新奇感的事件，挖掘社会生活还未广为人知的本质及深层结构，使观众能独立思考。在《论实验戏剧》中，他说道，陌生化是"把一个事件或者一个人物性格陌生化，首先意味着简单地剥去这一事件或人物性格中的理所当然的、众所周知的和显而易见的东西，从而制造出对它的惊愕和新奇感"。根据这种理论，他认为荒诞派剧作家尤奈斯库的《秃头歌女》和《椅子》是对一些能产生新奇感又在追求一种深刻的理性的优秀作品。这两部作品一反传统的人们熟悉的戏剧题材，而是选择不是人们在舞台上常常看到的、表面上荒诞不经而实际上寄托着很深的思想的人物或事件作为戏剧表现的对象，从而使人们感受到它的新奇与寓意。这样，就要求作家有比过去的作家更深的积累。因为过去作家只是关注人们可理解的东西，而表现主义作家不仅要关注人们可理解的事件或人物，更重要的是深入认识并发掘人们不可理解的事件或人物，所以，戏剧要达到陌生化的效果，作者必须首先使作品的内容意象陌生化。从这个意义上说，作者事先使自己的作品陌生化，是作者、作品与观众之间产生"间离"效果的前提。

其次，"陌生化"尤其重视观众对作品的"旁观"态度，观众与作品之间的"间离"，力反观众与作品的融汇。布莱希特主张，要使观众与作品保持距离，必须把观众置入一个"旁观者"的位置。因为这样，既可以使观众不为剧情所动，也可以让观众有更多的冷静思考的时间和空间。布莱希特在《戏剧小工具篇》中指出："因为观众不是被邀请来像投河那样一头扎进剧情而难以自拔，所以事件之间的联结一定要十分明显。这个事件与下一个事件的过渡应该引人注目。观众应该在一个事件结束之后和下一个事件开始之前能作出自己的判断","戏剧必须使观众吃惊。要做到这一点就必须运用对熟悉的事物进行间离的技巧"。布莱希特的这种革新,是为了重新改造戏剧观念,加强戏剧表现的功能。因为陌生化使作品与观众之间存在距离,所以观众对作品的思考则更为深刻,更为清晰。为了明确起见,布莱希特对陌生化作了这样一个比喻式的解释,他说:"要使一个人把他的母亲视为一个男人的妻子,这就需要一种陌生化效果,比方说,若是他有一个继父,就会产生这种效果。如果一个人看到自己的教师被法警追逐,陌生化效果就会产生,他会因这个形象高大的教师变得渺小而感到震惊。"① 这种解释未必恰当,但是,它形象地说明了陌生化效果的意义。

同时,为了进一步阐述观众由作品产生的陌生化效果,布莱希特把他所认为的这种非亚里士多德戏剧形式(或叙事剧形式)与传统戏剧形式作了比较:

一般戏剧形式	叙事剧形式
场面体现剧情本身	它只是叙述剧情
把观众吸引入剧情	使观众处于旁观者地位
"扼杀"他的主动精神	促使他的主动精神
唤起观众的感情	迫使观众作出决定
把观众带入另一环境	使观众看到另一环境
使观众处于剧情的中心	使观众与剧情对立起来
引起观众对结局的兴趣	引起观众对发展过程的兴趣
诉诸观众的感情	诉诸观众的理智
要求观众产生共鸣	要求观众研究剧情

这个对立的公式表明,布莱希特开创的叙事剧形式与传统形式是针锋相对的,这种对立反映于戏剧上的作用就是:叙事剧的作用是通过陌生化技巧产生教育作用,传统戏剧是所谓寓教于乐。在《戏剧论

---

① [德]布莱希特:《尝试》第11卷,德文版,第103页。

著》中,布莱希特还就这两种对立的戏剧作了进一步的说明:"一般戏剧的观众说:是的,我以前也有这种感觉。——我就是这样。——这完全是很自然的。——永远就是这个样子。——这个人物的苦难使他深受感动,因为他没有出路了。——这是伟大的艺术:一切都是自然而然的。——我随着人物的哭而哭,随着他的笑而笑","叙事的观众说:要是我,我怎么也不会这么想。——不应当这样做。——这可太惊人啦,几乎是难以置信的。——这种事应当永远根除。——这个人物的苦难使我深受感动,因为他可能有出路。——这是伟大的艺术:剧中没有一点是自然而然的。——我对剧中落泪的人物感到好笑,我为剧中嬉笑的人物落泪"。这些鲜明的对照,说明了布莱希特经过长期准备的关于陌生化的理论与传统戏剧形式是背道而驰的。从这种反叛中,可以看到,戏剧作品与观众之间的处理方式及其效果并不是一个固定的模式,而是一个具有多样性的可以发展变化的开放系统。

值得注意的是,布莱希特的陌生化,是为了使戏剧创作方式与戏剧效果多样化的一种手段,不是"唯陌生而陌生",而是通过陌生化达到更高层次的"熟悉"与理解。陌生化并不是像想象的那样只是为了制造间隔,而是为了在更高水平上清除这种间隔。布莱希特的学生维克维尔特说:"'陌生化'是在更高一级的水平上消除所表演的东西和观众之间的间隔。陌生化是一种可以排除任何现象的'陌生性'的可能性……因此,陌生化是真正的令人熟悉……"比如,有这样一个剧情:一伙强盗头子,在具有陌生化效果的剧本中被表现为专心算账的人,账本按照意大利会计学规则,记载他经营的各种账目,甚至临刑前的几小时,他还在平衡借贷双方。观众看到这里时,思想顿时活跃起来,不难产生这样的想法:强盗跟资本家一样,资本家不也是强盗吗?[①]由此可见,"间离"或陌生化是手段,在更高层次上的理解与认识才是目的,陌生化既是一种审美技巧,又是一种作用于人的理性的审美方式,通过这种审美方式,戏剧一样能起到应有的认

[①] 苏联科学院编:《德国近代文学史》,人民文学出版社,北京,1984年,第1046页。

识与教育作用。

布莱希特的陌生化理论,不是凭空杜撰的,而是具有一定的哲学基础和艺术交流的基础。在哲学上,布莱希特认为陌生化理论基础是辩证法。他把陌生化的过程,看成是辩证的三段法的过程。布莱希特在《辩证法与陌生化》里写道:"间离是认识(认识—不认识—认识),是否定的否定。这个公式说明了戏剧创作的三阶段:(1)先表现人们熟知的、可以理解的人和事物(正题);(2)再表现不平常的新的不可理解的人和事物,从而使作品陌生化(反题);(3)通过这种陌生化,人们在更高阶级认识到一些隐藏在作品中的内在意蕴,获得创造世界的知识(合题)。显然,这是根据黑格尔的辩证法演变而来的。布莱希特还认为他的陌生化理论有马克思的异化思想作为依据。他在《娱乐戏剧还是教育戏剧》一文中写道:"异化是必要的,以便使人们能够理解。"布莱希特所用的异化,与他用的陌生化有相关之处。第二次世界大战期间,他目睹了法西斯惨无人道的种种罪恶行径(他自己在希特勒上台后背井离乡,度过了15年的流亡生活),写下了《大胆妈妈和她的孩子们》等异化色彩很鲜明同时又是陌生化的经典剧本和一些剧论。陌生化与异化相近之处,是故意造成人和人之间的对立,从而使人们产生消灭异化、进入理想境界的思想与信念。其次,布莱希特的陌生化与俄国形式主义文论和中国表现艺术,尤其是梅兰芳的京剧表现艺术有直接联系。布莱希特在1935年有一次莫斯科之行,他对形式主义文论家提出的文学陌生化原则很感兴趣。这对后来布莱希特提出戏剧陌生化效果有直接思想启蒙作用。梅兰芳与布莱希特的会晤,是促使布莱希特创造陌生化戏剧或叙事剧比较直接的契机。布莱希特在《中国戏曲表演艺术中的陌生化效果》等文中,不止一次说过:"中国演员首先不这样表演:似乎除了围绕他的三堵墙之外,还有第四堵墙。他流露出知道别人在观看他的样子。……另一个措施是演员目睹自己。……演员力求引起观众感到新奇,甚至有点震惊。他通过使用奇异的眼神来观察自己和自己的表演,方能达到这个目的。这样一来,他所表演的事物获得了某些令人惊愕的素质。日常的事物通过这种艺术被排除于理所当然的事物的领域。"他认为,中国京剧艺术的一些技法对他的陌生化理论产生很大的影响,如他所说:"事实上,只有那些把这样一种技巧用来为完全特定的社会目的服务的人们,才能够在研究类似中国戏曲表演艺术中的陌生化效果这样的技巧当中获得益处。"

第五节 结束语

我国读者对马克思主义文艺理论是比较熟悉的。对新马克思主义的文艺思想也并不完全陌生,20世纪50年代就在文艺界开展过对卢卡契文艺思想的批判。但是,50年代批判卢卡契的不少人并未读到卢卡契的文章与著作,当时卢卡契的多数论文与著作没有中译本,而且连他的以德文、俄文及至英文出版的论集国内也不易查找。可以说,那场批判总体上是无的放矢的。正因为如此,那时还谈不上对新马克思主义文论进行具体的分析与研究,由于受苏联"左"倾文艺思潮的影响,有的论者把卢卡契正确的观点当作错误的观点进行讨伐。这种历史教训应该引起深刻的反思。

新马克思主义关于文艺与现实及其意识形态的关系的研究,总体上应该说是符合马克思主义的文艺思想的。他们认为,意识形态是由经济基础决定并反作用于经济基础,文艺作为意识形态受制于并反作用于意识形态,又与意识形态各部门有着密切关系。这些都是马克思主义文艺理论中的基本原则,他们并没有违背这些原则。尽管在具体问题的理解方面还有出入,但是在总的原则上他们与马克思主义是一致的。而且,像卢卡契那样在20世纪三四十年代对马克思主义创始人的文艺思想作了大量的研究与阐释,可能是在普列汉诺夫以后在这方面工作做得比较扎实、具体、深入的少数论者之一。

他们关于现实主义的论争,虽各有侧重点,各自从自己的理解出发攻击对方,但这场争论在客观上却造成了推动马克思主义文艺学传播的效果。马克思主义创始人关于现实主义的经典论述刚在苏联发表不久,卢卡契立即研究,并撰文著述阐明马克思主义的现实主义的文艺思想。就我们所看到的国内外的论文来看,卢卡契写的《现实主义辩》等文章直到现在都是研究马克思主义现实主义极有参考价值的少数重要文献之一。应该说,新马克思主义者关于现实主义的论战是审慎的,不是起哄式的,是以马克思主义为指导又联系创作实践的,不是以非马克思主义为出发点而乱放空炮的。在理论上,如在正确处理现实主义文学中的主客体的辩证关系、人民性的问题上,他们还作了一些可贵的探索,从辩证的角度反对机械唯物论者和极"左"分子对马克思主义文艺观的片面理解,并在与形形色色的反马克思主义文艺观的斗争中,捍卫了马克思主义。

在新马克思主义的文论发展中,布莱希特提出的间离效果论,富有一定的创新精神,亦应值得珍视。

但是,这并不意味着卢卡契、本亚明、布莱希特这些新马克思主义者的文艺观是完全正确的。实际上,其中有许多可以商榷的地方。

首先,在文艺与现实及其意识形态的关系上,他们错误地理解了反映论。马克思主义的反映论是建立在辩证唯物主义与历史唯物主义基础之上的一种理论,并不像他们所说的只是要求文艺镜子式地反映现实,而是既强调反映现实性又主张发挥艺术家的主观能动性的。而且,他们在强调文艺同整个现实与整个意识形态的关系时,有时把文艺与后两者的关系过分抽象化了,使文艺与现实及其意识形态的关系的具体性淡化了、模糊了,似乎文艺不是建立在具体的现实生活与具体的意识形态的基础之上的。这种观点无疑是片面的。其次,在现实主义的论争中,他们的意见也有缺点,比如卢卡契过多地以19世纪批判现实主义文艺作为参照系讨论现实主义,本亚明、布莱希特等人又过多地抬高现代派的某些作品,把一些非现实主义文艺也当作现实主义文艺来讨论,虽然他们想开拓现实主义的广阔道路,但是客观上却掩盖了现实主义的特质,因为过分扩大现实主义定义的外延,反而失去了其内涵的确定性与具体性。再次,布莱希特的陌生化理论本身并非十全十美的,也不能作为所有的戏剧理论的模式,我们只能把它作为一种探索。

总的来说,卢卡契、布莱希特等多年追求马克思主义的学者,为马克思主义文艺思想的传播、发展做出了可喜的贡献。我们不能因为他们有这样或那样的缺点而把他们关在马克思主义的门外,更不能把他们当作马克思主义的敌人或反马克思主义者。我们要吸取国外一切马克思主义学者包括新马克思主义学者的研究成果,为我们建设中国式的马克思主义文艺学服务。盲目地排斥他们,正像无原则地吹捧他们一样,都是与真正马克思主义者的科学态度格格不入的。

第十七章　法兰克福学派

第一节　发展与特征

在西方"新马克思主义"中，法兰克福学派是影响很大的派别之一。如果说以卢卡契、本亚明、葛兰西为代表的文论家在西方开辟了一条研究马克思主义文论的蹊径，那么，法兰克福学派则在研究马克思主义文论方面更具独特风姿。无论就其独创性抑或片面性来说，法兰克福学派的文论比早期的新马克思主义文论都更为突出。

法兰克福是位于德国美因河畔的一座城市，1923年出现了一个由富商资助而成立的社会研究所，形式上隶属于法兰克福大学，实际上在体制上自为一家，在思想方式上不拘一格。由于这个所在研究社会与马克思主义方面成就卓著，自成一派，人们把它命名为法兰克福学派。这个学派的成就主要在哲学、社会政治研究方面，在美学、文艺学方面也以相当的业绩引人注目。

法兰克福社会研究所的首任所长格律恩堡，是奥地利一个马克思主义历史学家，他力求把研究所办成一个"西方和东方的马克思主义思潮的联结点"。格律恩堡在1929年退休后，霍克海默继任所长，他突出地强调哲学研究，在其题为《社会哲学的现状和社会研究所的任务》的就职演说中，要求把哲学与社会学结合起来，对现代社会进行分析，对哲学概念进行社会学批判，对社会学概念进行哲学批判。为了达到此目的，霍克海默广罗人才，这些人要么直接参加社会研究所，要么为《社会研究》杂志撰稿，其中比较著名的有：文学研究专家洛文塔尔，著有《文学和人的想象》（1957）等著作；魏特夫，以研究亚细亚生产方式和中国史而著名；还有布尔克曼、本亚明、弗洛姆等。其中，尤以马尔库塞和阿多尔诺在美学文艺学方面成就最大。

马尔库塞出生在德国柏林的一个犹太人家庭,第一次世界大战中服役期满后参加过政治活动,后在柏林大学和弗赖堡大学研究哲学,1923年在弗赖堡大学获得博士学位,1929年在胡塞尔和海德格尔指导下进行学术研究。因与海德格尔发生政治上的冲突,胡塞尔把马尔库塞推荐给霍克海默。1933年纳粹掌权,马尔库塞逃到瑞士,一年后前往美国,从1934年到1940年,他在纽约哥伦比亚大学的社会研究所工作,后在布兰代斯大学、哈佛大学、加州大学任哲学教授。美学文艺学方面的代表作是《审美之维》(又译《美学方面》)。

阿多尔诺出生于法兰克福的一个酒商家庭。他对政治持冷漠、超然态度,未直接参加过政治活动,获得博士学位后,于1938年加入社会研究所。在此之前,他为《社会研究》杂志撰写了许多音乐方面的文章,如论音乐的社会地位、爵士音乐等。进所以后,他的研究方向转向哲学方面。第二次世界大战后的1949年至1950年,法兰克福社会研究所重新恢复,阿多尔诺与霍克海默一同任所长。不久,霍克海默任法兰克福大学校长,阿多尔诺一人出任所长,1963年后还兼任德国社会学协会主席,哲学代表作是《否定的辩证法》(1966),美学代表作为《审美学理论》(1970)。

法兰克福学派是在1968年法国"五月风暴"时期风靡欧美的,马尔库塞的理论对"五月风暴"起了一定的影响作用,这使法兰克福学派学者得以以"马克思主义的现代化论者"自居。其主要理论是"社会批判理论"和"黑格尔主义的马克思主义"。1937年,霍克海默发表了《传统理论和批判理论》的文章,由此"批判理论"成为马克思主义的代名词,它使人意识到资本主义社会的基本矛盾,从主体的不同中批判社会的不合理,而不是像传统理论那样从客体的不同中认识社会。这个学派也称为"黑格尔主义的马克思主义",用黑格尔式的理性武器批判现象学和存在主义,并对黑格尔的美学理论进行了批判,他们还把弗洛伊德的学说同马克思主义融合起来进行研究,在这一方面既取得了一定的学术成就,也表现出曲解马克思主义的错误。

在美学文艺学方面,法兰克福学派的理论以马尔库塞和阿多尔诺的著作为代表,主要有以下两大特征:

一是对现实与艺术的关系给予了新的理解。法兰克福学派的文论家们认为，以前的马克思主义者过多地研究现实对艺术的决定作用，形成了一种现实决定论的观念，而这是片面的；文艺不仅由现实决定，而且还反作用于现实。一方面，他们认为文艺不可能脱离现实，文艺在现实中成长，也会在现实中消亡；另一方面，他们坚持认为艺术虽然不能直接改造世界，却能间接地帮助人们改造世界，成为人们改造世界的一种潜在的能量。这种能量一旦释放出来，社会中的人改造世界的成功性会更大，有效性也更明显。澳大利亚学者波琳·约翰生在《阿多尔诺的美学思想》一文中认为，阿多尔诺在文艺的社会职能问题上认定文艺具有颠覆作用。这种颠覆作用指文艺对意识形态的颠覆。在资本主义社会，意识形态具有明显的保守性，严肃的艺术家深知这一点，并在作品中反对这种保守性，从而使文艺发挥颠覆意识形态的作用。他们认为，在资本主义国家中的无产阶级不同于社会主义国家的无产阶级，前者或多或少地侵蚀了不少资本主义的东西，部分地接受了资产阶级的意识形态，因此，无产阶级的文艺就是要帮助无产阶级的读者颠覆资产阶级的意识形态，从而使无产阶级进行全面的革命。我们从这里可以看到，法兰克福学派的社会批判理论对文艺理论的透渗，和由此而带来的新的文艺功能论。

二是关于文艺自律性的研究。他们认为，正统的马克思主义文艺理论家把文艺作为意识形态的一个部门来研究，这就忽视了文艺的另一方面，即与经济基础的联系。根据马克思《剩余价值学说》的观点："作家所以是生产劳动者，并不是因为他生产出观念，而是因为他使出版他的著作的书商发财，也就是说只有在他作为某一资本家的雇佣劳动者的时候，他才是生产的。"① 他们认为，文艺不仅仅是一种意识形态，而且还是一个生产部门。由于西方文化工业的空前发达，文艺工业的形势已经形成，文艺作品既使作家出名，又使出版商获利，它已不是单纯的艺术品，而且还是市场上销售的商品；作家不仅是艺

---

① [德]马克思、恩格斯：《马克思恩格斯论艺术》第一卷，中国社会科学出版社，北京，1982年，第210页。

术的创作者，而且也是出版公司的雇佣工人，以生产赚钱的商品；戏剧也不仅是文学脚本与其他艺术的综合，而且也是集体挣钱的商品，表演是为了获利。所以，文艺有上层建筑和经济基础的两重属性。在《美学方面》中，马尔库塞曾反复强调，文艺有自己的规律和特殊性，它既不同于一般的上层建筑，也不同于一般的经济基础，尽管它具有这两者的双重属性，但是它仍然按照自己的运动轴心运转，作家总是按艺术规律进行创作，作品也是以美的形式呈现于读者面前，读者总是按自己的艺术趣味欣赏作品。因此，艺术的自律性是很突出的。但是，这种自律并不排斥非艺术的部门，如政治、经济、法律、伦理道德、社会心理、文化风尚、意识与无意识乃至日常生活诸方面对艺术的影响。文艺是一个有自己规律的开放体系。

第二节　社会与文艺的关系

前面已说过，法兰克福学派是以社会批判理论或批判的社会理论著名的。他们关于社会与文艺的看法与社会批判理论有十分密切的关系，因此，我们有必要先知道社会批判理论的主要内容。

法兰克福学派认为，马克思著作的主线是批判，马克思的许多书名及书的副标题都称为"批判"，如《政治经济学批判》《法哲学批判》等等；马克思以后的一批马克思主义学者从批判性转移到了科学性方面，这不符合马克思的原意，因此，法兰克福学派必须恢复马克思主义作为批判理论的本质，这样，他们把马克思主义以及他们自己的理论均称为"批判理论"。批判理论集中在社会批判方面，所以，也叫"社会批判理论"。这一理论的来源是弗洛伊德主义、黑格尔主义、存在主义，特色在于与传统理论有很大差异。传统理论认为，学者必须通过纯智力劳动达到一个没有矛盾的和谐协调理论的目的，这一理论源于物质生产过程，得出顺从"物产生产过程的结论，学者采用的是非批判的态度，其危害是把抽象概念变成具有实体的意识形态范畴，以帮助现存社会的再生产。社会批判理论以为，研究者必须置身于资本主义再生产的机械和劳动分工的限制之外，清醒地意识到资本主义社会的基本矛盾以便破坏一切既定性、事实性的东西，证明它们不是真实的，达到动摇以至于推翻现存制度的目的。总之，对现存社会应采取批判的态度"①，"创立一个适合于人的能力的需要的世界的历史努力的不可分割的环节"②。在方法论上，批判理论的理论分析所使用的概念是学者力图掌握的实在的组成部分，它有助于改变实在，改变自身，具有真正的辩证思想的实质。正因为如此，所以，他们认为，传统理论属于资产阶级时代，是以现代专门科学为基础的，批判理论属于资本主义以后的时代，把人看作其全部历史生活形式的生产者，以人为本体对象，是一种人道主义的认识论。

基于这种社会批判理论，法兰克福学派的文论家们提出了自己的文艺社会学的观点。他们反对从一般的社会学泛泛地研究文艺，而是强调从社会学与文艺的内在联系中分析文艺。阿多尔诺在《艺术社会学论纲》中写道："西尔伯曼赞成这一观点，即艺术社会学的任务之一是发挥社会批判的作用。然而在我看来，要公正地评判这一迫切需要的东西似乎是不可能的，倘若摒除了作品的内容及其质量的话。"③因此，不能简单地用社会学观点研究文艺与社会的关系，也不能机械地从社会批判理论中引申出文艺社会学观点。

在法兰克福学派看来，艺术无论如何是不能脱离社会存在的。但是，文艺与社会的关系并不同于正统的马克思主义的美学观点，而是有自己的特色。马尔库塞在《美学方面》中，认为"正统的马克思主义美学观念"主要有六条：

  1. 在艺术和物质基础之间，在艺术和全部生产关系之间，有一种明确的联系。随着生产关系的变革，艺术本身转化为上层建筑的一部分，虽然像其他意识形态一样，它也可能落后于或先发于社会变革。

---

① 徐崇温：《法兰克福学派述评》，生活·读书·新知三联书店，北京，1980年，第7~141页。
② [德]霍克海默：《传统理论和批判理论》，见阿·施密特编：《批判的理论》第2卷，法兰克福版，1968年，第193~194页。
③ 胡经之主编：《文艺美学论丛》，内蒙古人民出版社，呼和浩特，1985年，第340页。

2. 在艺术与社会阶级之间有一种明确的联系。唯一真实的和进步的艺术就是代表上升阶级的艺术。它表现这个阶级的意识。

3. 因此,政治性和艺术性、革命内容和艺术质量达到一致。

4. 作者有义务表达上升阶级的利益和需要(在资本主义社会,它就是无产阶级)。

5. 没落阶级或其代表人物仅仅能产生"颓废"艺术。

6. 现实主义(在多种意义上)被认为是最切合社会关系的艺术形式,因此是"正确的"艺术形式。①

对这六条正统观念,马尔库塞认为它们都是从基础—上层建筑概念得出来的,是一种僵硬的先验图式和破坏美学的程式化的概念,与马克思主义创始人的文艺思想相悖逆。它们只是从经济基础对上层建筑的决定论中演绎出来的,仍然没有走出传统理论中的源于物质生产达到顺应再生产的结论,和达到与先验的社会模式相一致的目的。马尔库塞说这些理论没有跳出社会的圈子,没有足够地研究艺术在一定条件下的反作用,是片面的,不是完整地理解马克思主义文艺思想的结论,不能正确地阐释文艺与社会之间的复杂的辩证关系,它们如同自称正统的第二国际内右派理论家们的机械唯物主义或庸俗的经济唯物论,或像苏联20世纪二三十年代的那种庸俗社会学的文艺论。

由批判的基点出发,马尔库塞和阿多尔诺提出了他们关于文艺与社会的关系的理解。马尔库塞认为,文艺具有超历史的和普遍真理的性质,不仅属于一个特殊阶级,而且属于作为"类的存在物"的人的意识。因此,文艺并不仅是直接与现在的社会有关系,而且与整个人类社会有关。按社会批判理论,它要求文艺家置身于现存社会以外,写出超出现存社会的合乎人类普遍性的作品,从而批判现存社会。马尔库塞写道:"作为现实形式的艺术这一概念的本意不是要美化所给予的现实,而是要建造一个完全不同的与所给予的现实相对抗的现实。"他还说:"艺术是性质上和劳动不同的一种生产力;它的根本上

---

① [美]马尔库塞:《现代美学析疑》,绿原译,文化艺术出版社,北京,1987年,第4页。

的主体性的性质反对那种阶级斗争的坚固的客体性的性质。作为艺术家参加到无产阶级中去的作家们仍然还是些局外人——不管他们为了有利于直接表现和交流而放弃了多少审美形式。"所以，马尔库塞反对把作品作为一个阶级一种政治思想的代表，反对把作品作为一种思想意识的体现，反对政治与文艺的同一。他认为经济基础对上层建筑的决定是一种僵化的模式，必须彻底打破，大有"超其象外，得其环中"的意思。这里的"象"指一定时期的经济基础与社会生活，"环中"指艺术作品的艺术性以及艺术的功能。

阿多尔诺更是明确地把文艺作为社会的"反题"。阿多尔诺说："艺术对于社会是社会的反题，是不能直接从社会中推演出来的。"他还说："艺术不只是一种比迄今占统治地位的实践更好的实践的代理人，而且也是对现存东西内并且为现存东西进行的残酷的自我保存的统治这种实践的批判。它反对为生产而生产，倾向于劳动规范彼岸的实践状态。"也就是说，阿多尔诺主张文艺超乎既定的社会形态之外而又在社会总体上与社会保持联系，要求文艺家在总的主体社会中实现自己的理想与目的。他写道："艺术成为社会的东西宁可说是由于它的同社会对立的立场，它只能作为自律的艺术才与社会发生关系。当它作为自己的东西使自身在自身内结晶，而不是逢迎现存社会的规范和使自己有'社会有益'的品格，它通过自己的单纯批判着社会。"因为这样，阿多尔诺反对把文艺抽象地纳入社会学的轨道中，主张艺术家依照美的规律进行创作，千万不要按照社会某时某刻的需要进行写作，由此，他还反对西方现代艺术商品化的倾向。目睹西方艺术的"沦丧"，阿多尔诺竭力主张艺术应从商业化的危机中"解救"出来。在《音乐社会学引论》中，他认为，严肃的文艺并不一定要迎合大众的需要，先锋派的作品从对社会总体性需要的回应的必然性中解放出来走向了自由的境地，真正体现了艺术与社会的那种特殊与一般的矛盾关系而不是同一关系。文艺"对对抗性质的了解愈是纯粹和完全，它的表现愈是深刻，音乐就愈少意识形态性，它作为客观意识就愈是正确"①。与此相反,流行音乐反复无常地投合大众的口味,虽讨得一时欢心,却失去了应有的真正在社会上存在的永久生命。因此,文艺作为社会的"反题"比作为社会的"正题"更有艺术价值,更能对社会起到反作用。

在文艺对社会的反作用的问题上,马尔库塞与阿多尔诺也独辟蹊径地提出了他们的意见。

首先,他们提出文艺有使人快乐的作用,不过,这种快乐不是人们常说的娱乐作用,而是包括了人的性爱在内的快乐作用。马尔库塞治学的方法是把马克思主义与弗洛伊德主义联系起来。在文艺的快乐作用方面,他一方面接受了弗洛伊德的本能冲动的学说,另一方面,他又用马克思主义的社会实践学说改造弗洛伊德的学说,因此,他所提出的快乐,既有性爱的因素,也有社会的因素。在《审美之维》中,他说:"人作为'类的存在物'的出现——男人和女人们都有能力在自由的社会中生活正是类的潜能——是无阶级社会的主体的基础……在这一维中,男人和女人们所面对的是心理—内体力量,他们不需要克服这些力量的自然性就可以把这些力量变成自己的力量。这里是原始内驱力的领域,是里比多能量和破坏性能量的领域。团结和社会的基础就在于使破坏性和侵犯性的能量从属于生命本能在社会中解放。"因此,"男人和女人们的言行在文艺作品中比在日常生活重压下少受抑制;他们在爱和恨中显得更少羞耻(但也更困恼);甚至在他们的激情要摧毁他们的时候,他们也忠于这种激情。但是,他们同时也更自觉、更沉思、更可爱和更卑鄙。他们世界中的事物也更透明、更独立和更令人感兴趣"。这就是说,文艺更集中地表现了人的这种情形,从而获得更容易激起人的快乐感的效果。

其次,文艺具有批判社会的功能。马尔库塞和阿多尔诺都是把文艺从现存社会中孤立出来,从而突出文艺的超社会性与自律性,但是,他们这样议论的目的并不是排斥文艺的社会批判功能,恰恰相反,是为了从更高的要求对社会进行强有力的批判。马尔库塞明确地

---

① [德]阿多尔诺:《音乐社会学引论》,纽约版,1976年,第69页。

写道:"作品从现实的恒常过程中'取出'并呈现了一种自身的意义和真理。审美转换经语言、感觉与理解的再造来实现,以便它们在现象中展示社会的本质:人与自然的被压抑的潜能。这样,文艺作品就在谴责现实的同时,再现了它。"①阿多尔诺也写道:"作为艺术作品负荷者的艺术家,不是创造艺术作品的那种个人,而是通过他的劳动,通过被动消极的活动成了社会总的主体的代理人。当他使自己服从艺术作品的必然性,他即从作品中去掉一切单纯可以归于他个人的偶然性。而在这样的代表总体社会的主体即代表法勒利的美的观念所诉诸的那种完整的人的职能中,同时也考虑到一种状况,它消灭个别化的命运,在它之内总的主体社会中实现自己。"就是说,文艺是站在总体社会的制高点上,发现并揭露现存社会的种种弊端,对现存社会的种种恶习给予历史的与现实的猛烈批判。如果囿于一时一地,作家就不可能有深层的历史意识,对现实的批判也没有力量,也不能帮助人们从异化了的社会中解放出来,从而摧毁现实世界,建立理想社会。在资本主义社会中生活的无产阶级,不如在社会主义生活的无产阶级对资产阶级认识深刻、诋毁有力,原因在于后者超越了那种社会,更能从人类社会发展史中认识资产阶级的反动性。因此,文艺对现存社会的超越是为了它更有力地批判这个社会。

再次,文艺具有使人解放自己的功能。处在阶级社会中,人被异化了,人的本质与才能不能得到全面的发挥,被阶级社会的各种限制束缚了。阿多尔诺充分认识到,在商品生产关系占统治地位的情况下,有的作品难免具有商品性与实用性,但如果顺应之,文艺必会失去其自律性,这样的文艺不仅不能解放人的全部本能,而且连自己都不能得到自由。与之相反,严肃的文艺必须超乎这种商品生产关系,追求人的解放。马尔库塞企图把美学与人类学结合起来,给文艺规定任务——"通过感觉洞察那个把个体从其机能性的存在和社会行为中异化出来的世界——它的义务是献身于在主体性和客体性的所有范围内解放感性、想象和理性"。他还说:"在反对一切生产力拜

---

① [德]马尔库塞:《审美之维》,伦敦版,1977年,第8页。

物教，反对客观条件（依然是具有支配力量的条件）对个体继续奴役的斗争中，艺术表现出了所有革命的最终目标——个体的自由和幸福。"这样，文艺必须把历史革命中受压抑的主体解放出来，使人们从异化的社会中走向理想的自由王国。这是一种乌托邦式的幻想，但是，阿多尔诺说："作为乌托邦所感觉到的，仍然是对现存东西的否定物"，"新的东西作为秘文是描绘衰亡的图画；只有通过衰亡的绝对否定性，艺术表现没有表现的东西，即乌托邦"。文艺正是从这种悖论的现象之中把人们引向改造社会与创造社会的实践中去。

第三节　文艺自律与审美形式

从上面的论述中可以看出，法兰克福学派的理论家们是不主张经济决定论与社会决定论的。相反，他们主张主体对文艺创作的决定作用。

还是在霍克海默那篇《传统理论与批判理论》中，霍克海默就曾说过，批判理论从普遍的基本概念中演绎出"自己对现实过程的认识，只是因此，这些关系才能作为必然性的关系而表现出来"。由此可见，他所认为的概念不是体现客观存在的现实过程的必然性，而是与之相反，从概念中演绎出对现实过程的必然的关系。马尔库塞在《自由和历史命令》中说得更加干脆："主体作为决定因素而出现，历史命令归根到底是由人所给予的，因为规定这些命令的客观条件从来都不是'单方面的'、毫不含糊的，它们总是提供不是一个而是几个选择"，"人的自由的本质就在于选择一种超越于既定实践的可能的历史实践"。[①]显然，马尔库塞是把主体作为包括文艺创作在内的社会发展的决定因素。这样，文艺的自律性实际上摒弃经济及社会对文艺的决定作用，而与主体的自律性保持着密切的关系。因此，说法兰克福学派孤立地讲文艺的自律性是没有道理的，它的意思是想把文艺的规

[①] 徐崇温：《法兰克福学派述评》，生活·读书·新知三联书店，北京，1980年，第231~233页。

律纳入自己独特的理论构架之中。

由此,法兰克福学派的理论家们反对反映论,主张主体创造论。他们认为,反映论只注重主体对客体的印象,忽视了主体的能动作用。阿多尔诺在《否定的辩证法》一书中,指责反映论站在"照相理论"、"消极反映客观结构"的立场上;认为反映论规定和辩护现存的东西,同顺从主义的意识形态相一致;阿多尔诺的学生施密特认为反映论是"一种为素朴的反映实在论所特有的片面形式"。这些理论都是对马克思主义的反映论的歪曲。马克思主义的反映论不同于机械唯物主义的反映论,而是既重客体,又重主体的。马克思在《资本论》第一卷第二版的跋中指出:"观念的东西不外是移入人的头脑并在人的头脑中改造过的物质的东西而已。"[1]法兰克福学派反对反映论的背后,是为突出创造论,认为人是创造的主体,人类社会史就是主体不断创造的发展史,文艺史当然也是艺术家不断创造的发展史。马尔库塞强调说:"如果历史唯物主义不说明这一主体性的作用,它就会呈现出庸俗唯物主义的色彩。"由此不难看出,建立在这种哲学思想基础上的审美与文艺理论主要是一种阐释主体的理论。马尔库塞的《审美之维》所强调的"维"主要是主体方向,从而与存在之维相对照。在《审美之维》的开篇部分,马尔库塞写道:"我将要提出的是下列的论点:艺术的激进性质,即它对既定现实的控诉和对解放的美的意象的召唤,恰恰是建立在这一维之中的,在这一维中,艺术超越了社会的决定性,并把自己从一定的谈论和行为领域中解放出来,同时维持了它的势不可挡的存在。因此,艺术创造了一个领域,在这一领域中,艺术所特有的对经验的颠覆成为可能,艺术所塑造的世界被承认为一个现实,这一现实在所给予的现实中是被压抑和被歪曲了的。"也就是说,马尔库塞要在文艺理论中竭力推行他那关于以本能结构为核心的主体思想,从批判经济支配人的一维中恢复人的另一维——主体的能动性,文艺的使命就是要恢复人的这一维。在这种前提下,马

---

[1] [德]马克思、恩格斯:《马克思恩格斯全集》第二十三卷,人民出版社,北京,1972年,第24页。

尔库塞等人提出了文艺的自律性与文艺的审美形式的问题。

所谓文艺自律，就是指文艺的独立自在的性质，意思是文艺必须超越既定社会政治的各方面，与既定社会政治的诸方面保持距离，并疏远社会政治的各方面，以显示出自己的独立性。这种思想与其主体性思想有关，因为文艺超越了社会可以保持独立，保持了独立就可以进入人的主体，比如兰波与波德莱尔的有些诗歌，并没有反映一时一地的社会政治风云，与社会政治保持了距离，但世界的读者都喜欢它们，它们可以帮助人们宣泄内在的压抑、意识到主体的存在，相反，那些类似"文章合为时而作，歌诗合为事而著"的时论式的作品，却不能收到这种效果；同时，这种理论与批判理论也如出一辙，因为文艺家成为既定社会政治的局外人，反而可以冷静而又深入地认识既定社会政治中的种种弊端，从而用批判的眼光否定这个社会，推动社会的进步。文艺家顺应了社会政治，必然会失去其作为创作主体的自由，从而也失去了文艺的独立性，使作品成为这一社会政治的附庸。正因为这样，所以，法兰克福学派的文论坚持反对庸俗的文艺社会学所强调的文艺为政治服务、为革命服务的论调，认为它是一种极权主义所带来的错误观点。他们认为，历史唯物主义的哲学理论不能以极权主义为核心，同样，历史唯物主义的文艺理论也不能以极权主义为核心，不能使整个文艺理论建立在一种荒唐的文艺为一时一地的社会政治服务的思想基础上，更不能把整个文艺理论社会化、政治化、倾向化，并用此"扼杀"文艺的独立自在性。

马尔库塞认为，即便是革命文艺，也不在于表现革命。革命文艺不应该是革命的文艺，而应该是文艺的革命。只有文艺完成了自身的革命，革命文艺才能出现。他说："在狭义上说，如果艺术表现出风格和技巧上的根本的变革，它就可以被称为是革命的。这样的变革也许是真正的先锋派艺术的成就，预示或反映了整个社会的实质性的变革。因此，表现主义和超现实主义就预示了垄断资本主义的毁灭，预示了新的激进变革目标的出现……从更广的意义上看，如果一件艺术作品凭借审美转化的手段通过范例性的个人命运的描绘表现了占优势的非自由与反抗力量之间的冲突，因此而打破了被神秘化了的（被僵化了的)社会现实,开阔了变革的(解放的)眼界,这样的艺术作品就可以被称作革命的作品。"无论是狭义的还是广义的,革命文艺都首先要是文艺,要有文艺的审美表现力,才谈得上革命与不革命。从马尔库塞的这段话看,狭义的革命文艺实际上是指文艺史中的审美形式的革命,广义的革命文艺是指文艺内容的革命,对广义的革命文艺,马尔库塞要求它在内容上打破僵化的现实,拓展改革与指示人的自由解放的空间,是在从人类社会史的发展中而不是从一时一地的政治政策中创造文艺的内容。也就是说,革命文艺实质上是审美形式的变革与审美内容的变革的有机结合的产物。或者说,革命文艺必须首先保持文艺的独立性,才能谈得上政治上革命与不革命的问题。正因如此,马尔库塞很同意本亚明的一个观点:"一个文学作品的倾向只有以文学标准衡量也是正确的时候,它在政治上才能是正确的。"这种观点,多少带有一些唯美主义的倾向。

阿多尔诺提出的"反艺术"的理论,实质上仍然具有坚持文艺的独立自在性的意思。与马尔库塞担心文艺沦为政治的附庸不同,阿多尔诺一再反对把文艺作为商品。他说:"坚持自己的概念,排拒消费的艺术,过渡为反艺术。"也就是说,文艺必须保持自己的独立性,不能成为商品或消费品,文艺必须"反"这种把自己沦为商品和消费品的现象,从"反"商品化的艺术中保持自己的生命。这种反艺术的理论带有强烈的否定现代西方文艺商业化的色彩。他把现代西方文艺危机与反艺术论联系起来。他把艺术危机分作两种情况,即"意义的危机"和"显现的危机"。"意义的危机"指作品意义遭到否定,比如艺术的真理的意义,在西方现代艺术中很难找到了;"显现的危机"指艺术表现形式的危机,比如结构、风格、语言给人以奇特的印象,既难理解,又难鉴赏。现代艺术无论在内容方面,还是在形式方面,都陷入了危机。这种危机植根于现代社会,使艺术走向了它的反面,即反艺术。阿多尔诺认为这种反艺术是艺术发展所产生的必然现象,反艺术是艺术仍保持独立的象征,仍是艺术自律性的一种正常的表现。

除了强调艺术自律以外,法兰克福学派的文论还高度重视艺术的审美形式。这两者是一致的。文论史上,重视文艺独立自在性的理论无一不是十分看重形式的,法兰克福学派自然也不例外。

马尔库塞反对"镜子式"的反映现实的作品,反对自然主义倾向的作品与客观主义倾向的作品,因为这些作品把"仅有的那点形式味"投给了客观生活,艺术的审美形式体现得不够充分,不符合作为一个艺术家的主体创造原则。他认为,文艺不应抛弃作为自律的审美形式,而屈从于它否定的对象,即现实。抛弃了审美形式,文艺就与本该对抗的现实一体化了,文艺自身则沦于"镜子式"的反映论的模式之中,失去了自身的独立自在性。打个不恰当的比方,如果说现实是水,艺术是蜜,那么,蜜不同于水,就在于组成蜜的特殊因素,抽掉了这些特殊因素,蜜与水就没有什么两样了。从这个意义上说,马尔库塞把艺术形式当作文艺与现实的区别的标志。他说:"不仅诗和戏剧,而且连逼真的小说也必须改造那作为它们的材料的现实,以便再现展现在艺术中的现实的本质。任何历史现实都可以成为模仿的'舞台'。唯一的要求就是它必须被风格化,必须从属于审美'构成'的规则。正是这种风格化产生了对既定社会原则标准的超评价——建立在原始升华基础上的否定升华,对社会禁忌和对厄洛斯与塔那托斯的社会操纵的解除。"

在这里,马尔库塞提出了风格化或审美转化这个概念。艺术形式的形成在于风格化或审美转化,实质是指文艺如何从现实中进行审美转化,生活素材按文艺形式的要求被赋予新的形式和新的秩序,现实转化成为艺术,文艺的内容风格化,成为形式的内容。一首诗是从现实中转化而来的,一部小说也是从现实中转化而来的,因此,在文艺与现实之间,审美转化或风格化成了中介。审美主体通过审美转化,将现实改造成为一个超乎原有形态的另一个虚构的世界。例如,莎士比亚的《哈姆雷特》原是根据丹麦史事创作而成,莎士比亚通过审美转化或风格化把史书中的记载转化成为世界的精美绝伦的《哈姆雷特》,《哈姆雷特》的内容不同于史书中的内容,而首先是艺术形式化的内容或形式的内容。正因为如此,文艺才保持了自己的独立自在性,文艺才由审美转化或风格化组成了一个全新的艺术系统。

阿多尔诺也持有类似的见解。他认为,文艺要保持独立的地位,必须高度重视艺术形式。他说:"每一个环节在艺术中都能否定自身,美的统一性,使艺术作品作为一个整体、使艺术作品的自律一般得以可能的形式的理念,也包括在内。在高度发展了的那些现代艺术作品中,形式有这样的倾向:或者为了表现,或者是作为对肯定的本质的批判,而使这些作品的统一性解体。"根据现代艺术的发展情况,他认为文艺的内容与形式的比例应重新分配,应把形式的比例摆在重要的地位,给艺术形式以更大的独立性与能动性,对形式进行新的界定。H.佩左尔特曾指出过,阿多尔诺非常注意现代艺术经验,并根据这种经验对形式加以界说,"虽然艺术通过形式本质上是可规定的,并且这是与哲学的美学相一致的,形式的概念还是必须从同代艺术经验水准重新加以界说。"阿多尔诺也明确地说:"毫无疑问,在文艺作品中被命名为形式的东西是所有运动的逻辑性,或十分宽广性、连续性的总体","即使形式有别于艺术内容,美学也或多或少地认为形式是当然的存在"。阿多尔诺认为黑格尔的美学是内容的美学,即使黑格尔谈到了内容与形式的辩证运动,也是一种"粗疏的辩证法",而阿多尔诺的"精致的辩证法"是确立以形式概念为中心把形式作为文艺的尺度和固有的逻辑实体。但是,这种重视形式又不是形式主义或唯美主义的唯形式论,而是以形式为中心把形式与内容结合起来。他说:"艺术作品的形式分析,以及在艺术作品本身所说的形式的东西,唯有在同艺术作品的具体的材料性东西的关系中才是有意义的。……庸俗的唯物主义和同等庸俗的古典主义在一种谬误上是一致的,即认为存在纯粹的形式。被官方唯物主义教理忽视的尚有艺术中拜物性的辩证法。"这样,阿多尔诺关于形式与内容的新的界说,既与内容美学不同,也与形式美学有别,从而自成一家之言。

第四节　结束语

法兰克福学派是一个置身于资产阶级的学术文化氛围中的马克思主义研究团体。它表明马克思主义不仅在社会主义国家得到长足的发展,而且在资本主义国家也有着一定的地位。法兰克福学派多为德国人或是主要在德国研究马克思主义的学者所组成,对德国哲学、美学与文化及当代西方文化都比较熟悉。这既给他们的研究带来了优越的条件,也带来了不少局限。因此,在他们的美学著作中,这种优点与缺点都有相当明显的反映。

诚如特雷·伊格尔顿所说:"至少从1968年起在西方对马克思主义文艺批评这种意识形态的决定论有了新的兴趣。"①其中兴趣最大而且作为研究中心影响最为广泛的是法兰克福学派。这不仅与像马尔库塞等人直接或间接地参加了政治运动有关,而且也与他们的学术成就日益为人瞩目不无关系。不论他们采用了什么方式,他们对马克思主义在西方的广泛传播在客观上的确起到了不少推波助澜的作用。不看到这一点,与不能看到马克思主义的伟大感召力一样,无疑是错误的。法兰克福学派在20多年的马克思主义的传播中起到了应有的作用,马克思主义的学术研究史不应该忘记他们。

在文艺理论方面,法兰克福学派从社会总体或总体性社会中理解文艺与社会的关系,反对庸俗社会学把文艺与社会的关系置于文艺与时事政治的被动关系之中。这种观点对20世纪60年代的中国读者来说,会被认为是大逆不道,对80年代的中国读者来说应该说是不难接受的。因为这种观点并不是法兰克福学派的新发现,而是马克思主义的创始人在他们的著作中反复论证过的。马克思、恩格斯指出艺术生产与物质生产的不平衡问题,显然是从总体社会中来认识文艺与社会的辩证关系的。在文艺对社会的反作用上,法兰克福学派提出以批判社会为核心的反作用论,这不仅抓住了马克思、恩格斯在他们生前对资本主义社会批判的一个特点,而且对当代资产阶级社会的种种弊端提出了有意义的批判,这是有价值的。马克思主义的学说从批判与否认黑格尔的学说开始,逐步发展、完善成辩证唯物主义与历史唯物主义理论。法兰克福学派在总体上遵循他们理解的马克思主义原则,也或多或少地对推动马克思主义的经典学说及其文艺理论起到了应有的作用。因此,在传播和发展马克思主义文艺学方面,应该

---

① [英]特雷·伊格尔顿:《批评与意识形态》,英文版,1976年,第16页。

说，法兰克福学派不是完全没有贡献的。

但是，要对法兰克福学派在推动和发展马克思主义方面评价过高，也是不符合实际的。首先，法兰克福学派所谓的社会批判理论是存在问题的。霍克海默把批判理论作为马克思主义的代名词。这是对马克思主义的片面理解。这在根本上把马克思主义的革命性、批判性同其科学性绝对对立起来和割裂开来。马克思主义之所以成为革命和批判的武器，恰恰是因为它具有科学性，马克思主义首先是一种科学。法兰克福学派用青年黑格尔派的"批判的批判"、存在主义、弗洛伊德主义的理论来理解、扩充、修正马克思主义，从根本上歪曲乃至否定了马克思主义，因此，我们不能不看到法兰克福学派对马克思主义的一些错误理解和有意曲解。

在社会与文艺的关系方面，法兰克福学派用抽象的总体社会观代替具体的社会生活对文艺的作用。他们反对马克思主义的反映论，指责其忽视主体的能动性，这是对马克思主义的曲解。在《哲学笔记》中，列宁指出："认识是思维对客体的永远的、没有止境的接近。自然界在人的思想中的反映，应当了解为不是'僵死的'，不是'抽象的'，不是没有运动的，不是没有矛盾的，而是处在运动的永恒过程中，处在矛盾的产生和解决的永恒过程中的。"[1]马克思主义从来都是重视主、客体的辩证运动，法兰克福学派说马克思主义忽视主体的能动性，与马克思主义的理论是相违背的。正因如此，他们在文艺与社会的关系上，过分抬高了艺术的超社会的地位。马尔库塞说："由于遵循美学的形式，艺术在相当大的程度上自动地同现存社会关系相对立。艺术自动地对抗这些关系同时又超越它们。因此，艺术倾覆占统治地位的意识及普通的经验"[2]，"艺术超越直接的现实，就粉碎了既定社会关系的物化了的客观性并且打开了经验的新方面，作为推动力的主体的再生"[3]。这种观点明显地具有胡塞尔式的唯心主义的错误，也不符合马克思主义。马克思、恩格斯曾说过："意识在任何

---

[1] [苏]列宁：《列宁全集》第三十八卷，人民出版社，北京，1959年，第194页。
[2] [美]马尔库塞：《审美之维》，伦敦版，1977年，第Ⅸ页。
[3] 同上书，第Ⅹ页。

时候都只是被意识到了的存在,而人们的存在就是他们的实际生活过程。"①艺术创作也是这样,艺术家总是取材于一定时期的社会生活来进行创作的,抽象地追求所谓总体社会,超越现实生活,反会把文艺引向概念化、绝对化的死胡同中去。马尔库塞还把超越的根源归结于人的本性,犯了弗洛伊德主义与存在主义的老毛病,从根本上脱离了社会生活,违背了创作规律。

话说回来,在对文艺自律性与审美形式的高度重视方面,法兰克福学派比一切庸俗的马克思主义研究学派却要高明。他们把文艺的独立自在性看作文艺的生命,把艺术形式作为文艺不同于其他文化领域的标志,并在理论上进行了有针对性的阐述与论证,所有这些,都不无道理,值得我们认真地汲取。尤其是像阿多尔诺,他作为一个音乐理论家和美学家,高度注重现代艺术经验及其特色,并很快上升到理论上予以总结,使自己的理论具有鲜明的时代色彩。从这个意义上说,这种研究作风比那些成天摆弄教条、根本无视当代文艺创作的新发展的所有空头文论家们要好得多。直到今天,不仅在西欧、东欧,还是在我国,不少所谓严肃的马克思主义文艺理论家根本不看当代作品,不仅不看外国近二三十年来的优秀作品,而且连本国十年来的文艺作品也熟视无睹。其实,这是很不严肃的。恩格斯一再指出,马克思主义不是教义,而是从实践中总结出来的科学理论。可是,上述那种所谓的马克思主义学者恰恰是只把马克思主义当作教义,而从根本方法上忽视了从文艺创造实践中坚持和发展马克思主义文艺学的正确方法。因此,阿多尔诺的某些研究方法还是不无可取之处的。但是,这绝不意味着法兰克福学派的文论在主张文艺自律与艺术形式方面全都正确。我们认为,法兰克福学派在主张文艺自律性方面,具有明显的唯美主义与形式主义的色彩,过分夸大形式的重要性,而忽视了艺术的内容特征仍然是保持文艺独立性的一种根本所在,因为他们谈艺术的内容时还是把它与其他内容相混淆,最后只剩下形式

---

① [德] 马克思、恩格斯:《马克思恩格斯全集》第三卷,人民出版社,北京,1956年,第29页。

来保持文艺的独立了。在艺术的形式与内容的关系上，法兰克福学派犯了调和主义的错误。阿多尔诺虽然反对黑格尔的内容美学，但还是从中汲取营养，进而综合现代派艺术的形式因素，把两者折中起来，并未对马克思主义文艺学关于内容与形式的辩证关系作出更加深入、更为独到的研究。

　　法兰克福学派与整个新马克思主义的文艺学都具有极大的复杂性。回避这些，不是科学的态度。我们必须正视它们，了解它们，批判地吸收它们的成果，以丰富我们的马克思主义的理论素养，从而建立起有中国特色的马克思主义文艺学。

第十八章　新历史主义

第一节　历史背景

20世纪西方文论，高奏创新这个主旋律，呈现出"江山'年'有人才出，各领风骚'没几年'"、"谢朝华于已披，启夕秀于未振"、"宁可使腐儒厌，不可使通儒呕"的局面。历史发展的辩证法，又一次将历史这个主题置于文论史格局，经过否定之否定之后，这个主题得到了新的展示。美国新历史主义批评家，以"不薄今人爱古人"、"采故实于前代，观通变于当今"之精神，将历史批评置于后现代文化氛围中，对它进行了全新的阐释。

新历史主义（New historicism）文论具有鲜明的后现代色彩，是后现代社会文化的产物。当斯蒂芬·格林布拉特于20世纪70年代中期在加州大学伯克利分校讲授"马克思主义美学"时，他那骑墙折中的态度，使得他的学生在课堂上站起来骂他："你要么是布尔什维克，要么是孟什维克，你他妈的总该二者取一才是！"此后，他不得不讲授"文化诗学"（poetits of culture），钻进有关16、17世纪文学史的故纸堆；1980年出版的《文艺复兴时期的自我塑造：从莫尔到莎士比亚》，使他声名鹊起，有人甚至认为该书采用的研究方法可能取代已呈颓势的解构主义和后现代主义。他于1982年为《文类》杂志"文艺复兴研究"专号撰写导言时，正式提出"新历史主义"，具有后现代性的历史批评从此有了一个名称。

新历史主义批评的理论中坚是加州大学的海登·怀特，其《元历史：十九世纪欧洲的历史想象》（1973）和《话语转喻论》两部著作成为文论界，尤其是批评家们的案头之作；他对福科的分析和有关历史叙事及修辞学的讨论引人瞩目。布鲁克·托马斯、弗兰克·林特利查、伊丽莎白·福克斯、杰诺韦塞、朱迪思·劳德·牛顿、理查德·特迪曼、玛格丽特·佛格荪、多利蒙尔、辛菲尔德、赖恩、韦恩、泰伦豪等曾先后介入新历史主义学派，进行历史主义研讨或批判；新历史主义理论刊物《表征》(Representations)主编凯瑟琳·伽勒尔对新历史主义用力较多。美国著名文化理论家、评论家F.詹姆逊加入新历史主义讨论，有力推动了新历史主义文论的发展。

英国渥尔伯格-考脱德研究所的路易斯·蒙特鲁斯，德国的罗伯特·卫曼、莱茵哈特·科瑟莱科，意大利的弗兰克·摩拉提，加拿大的P.帕克等，在20世纪80年代都加入新历史主义讨论行列。

尼采、福科、德里达的哲学及历史思想给新历史主义者直接影响。尼采的历史健忘论和超人重构历史学说，福科关于历史的癫狂、懒散、欲望、压抑、性征、刑狱、知识话语、权力交往及写作方面的思想①，尤其是他关于让历史学家处理历史中的断裂、动荡、缺陷、瓦解并重构历史文本的意见，给新历史主义相当刺激，"新历史派以此为纲，辅以差异与断裂法则，展开对传统史学整体模式的冲击"②；德里达作为解构主义和后现代主义精神之父，仍然是新历史主义的思想先导。新历史主义者表现出对马克思主义历史观的热忱，对英国的"文化唯物论"给予关注，但他们本质上是后现代主义的马克思主义者。

克罗齐的《美学原理》出版于1901年。克罗齐曾以为，一切历史都是当代史，历史是活的历史，编年史是死的历史，"只有在我们自己的胸中才能找到那种熔炉，使确凿的东西变为真实的东西，使语文学与哲学携手去产生历史"③。毋宁说，新历史主义文论批评可以作为克罗齐世纪开元声音的世纪末回响，或世纪末后现代历史主义批评的绝唱。

---

① [法]福科：《自我的技术》，马萨诸塞大学出版社，1988年，第15~20页。
② 赵一凡：《美国文化批评集》，生活·读书·新知三联书店，北京，1994年，第238~239页。
③ [意]克罗齐：《历史学的理论和实际》，傅任敢译，商务印书馆，北京，1982年，第14页。

第二节 "新"与"旧"

关于历史的意识形态话语,一直指导和限制历史写作、批评及形形色色历史主义的理论和实践。历史和意识形态话语,已经成为各种历史主义对待历史的两个"硬件"或"常数",成为所有历史主义共通共识的标志。历史主义各派的不同点,更多地表现在"软件"或"变数"的差异方面。

新历史主义指称的"旧"历史主义范围,包括历史、哲学、文论诸方面。对从亚里士多德、希罗多德、奥古斯丁、培根一直到维柯的历史写作和史学思想,它都进行过评说;从启蒙时代孟德斯鸠、伏尔泰、爱尔维修、卢梭、孔多塞等法国历史思想家,莱辛、康德、赫德尔等德国历史思想家以及他们共同形成的历史哲学,一直到黑格尔、施本格勒、汤因比、雅斯贝尔斯的"历史的哲学",直至实证主义的历史相对论、新康德主义、新黑格尔主义、分析哲学、解构哲学的"历史学的哲学"[1],它均有涉猎和分析。新历史主义首先是一种关于历史的主义,不能不与以往历史哲学发生联系,其次才显示出"新"与"旧"的对立性评判。

新历史主义文论对于我们熟悉的黑格尔三种艺术类型史,歌德时代和民族与文艺关系,斯塔尔夫人南北地域差异与文学关系,丹纳种族、环境、时代"三因素",圣·佩韦传记批评,勃兰兑斯"精神革命"[2]等学说,以马克思主义的辩证唯物史观,尤其是生产方式理论为指导的文学史论和文艺史论,有全面和具体的研究;对结构主义、法兰克福学派、现象学、接受美学、读者反应理论、女权主义等的文学史观,也作出了有针对性的批评。

新历史主义文论以文本论对抗真实论、以生产论反模式论、以读者论反作者论、以修辞论反模仿说、以解构论反客观论、以人类学反社会学、以文学化反理性化、以叙述论反再现论、以现在时对抗过

---

[1] 韩震:《西方历史哲学导论》,山东人民出版社,济南,1992年,第2~5页。
[2] 伍蠡甫:《欧洲文论简史》,人民文学出版社,北京,1985年,第294~310页。

去时等,全面展示其"新"的主张和特点。新历史主义者的这些"新"论,基本在历史、文学史之上展开,是一种"史论"的"史论",而不仅仅是"史"和"史论"。

以文本论对抗真实论。新历史主义在"是什么"问题上,持历史文本、文学史文本说。历史及其文学史是零散的、原始的、片断的,文本则是重要的,是经过加工整理并经过意识形态化的完整文本。传统文学史论要求文学史叙述是真实的,充满必然律;新历史主义把它划归历史编纂学范围,而不具有历史主义精神;历史主义精神是意识形态化、哲学化了的精神,是一种更为抽象,更能与当代人对话、交流的精神,文本则是这种精神的产物。文学史文本是一个有灵魂、有血有肉、能够行走的人,而不是一个僵尸。文学史文本的"灵魂"就是文本赖以产生的意识形态和历史哲学,文学的历史故事、材料是在这种灵魂指挥下的结构和零部件。一代有一代的文学史,文学史文本不断在发展,后代批判、否定、超越前代文学史文本,这并不是对历史真实的肆意践踏,而是对其文本的意识形态话语和历史哲学的批判、否定和超越。因此,"文本除了是我们所能知道的一切之外,还是唯一使我们感知到这一切的形式"[1]。于是,蒙特鲁斯那句"文本的历史性和历史的文本性"(the historicity of texts and the textuality of history)成为新历史主义的一种醒目对称的界说。

以解构论反客观论。新历史主义要求文学史文本的"灵魂"具有解构主义特性,具有颠覆以前文本意识形态的中心思想、逻各斯中心主义的精神,否则,文学史文本只是同一模式下的东西,不具备写作者全新的思想、视角和方法。同一时代往往产生几种、数十种文学史文本,因其意识形态话语一致,它们大同小异,只有结构、数量的变化,没有质的区别。这样的文学史文本多一本、少一本原本是无所谓的。文学史文本是当代精神、意识形态话语、历史哲学的体现,失去这种"灵魂"的文学史文本,在历史客观层面上、在历史编纂学层次

---

[1] [美]伊丽莎白·福克斯-杰诺韦塞:《文学批评和新历史主义的政治》,见张京媛主编:《新历史主义与文学批评》,北京大学出版社,北京,1993年,第59页。

上增删有关章节,只是作为一种匠人的简单劳动的东西,作为机械复制品,而不具备新历史主义文本的新历史性和新文本特性。世界上目前流行这种具有复制性客观化的文学史讲义,缺少新历史主义的文学史文本。新历史主义要求文学史文本作为一种新的精神现象学,而不只是描绘历史现象的原生态。新历史主义文论因此成为后现代意识形态话语的一个组成部分,而模仿历史、再现历史只是早期现实主义文学史的表现形态。

以叙述论反再现论。文学史文本作为一种叙述文本,具有自己的精神气质,新历史主义者借此认为,传统文论把文学史文本作为文学史的再现而不具有这种精神气质,而且,"时间、空间的隔离构成再现,因而从结构上看,再现所凭依的是歪曲的再现。因为从定义上看,再现永远不可能是完整的,所以一切再现活动都会产生一个边缘化的或者遭到排斥的'他者'(other)"①。新历史主义者反对结构主义叙述学,后者是类型化、意义化了的叙述学,他要求的叙述不具有再现历史的意义,而是意识形态化、修辞化了的叙述。作为一种话语形式,叙述重要的是传达出意识形态话语,而不只是再现历史;编纂历史的任务是再现,文学史家的任务是以一定的意识形态话语叙述历史;叙事和叙述更为灵活多变,再现更易一致化、类同化、僵化。

以修辞论替代模仿论。新历史主义将模仿作为一种修辞手法,反对传统文学史论把它夸大为一种原则和文学把握世界的一种方式,认为模仿只是一种低级修辞手法,不具备亚里士多德及以后现实主义文学史论所主张的那么宽泛的哲学意义和审美价值。格林布拉特希望"避开稳定的艺术模仿论","重建一种能够更好地说明物质与话语间不稳定的阐释范式",把这两者的交流,作为"现代审美实践的核心",他要求"当代理论必须重新选位,不是在阐释之

---

① [美]托马斯:《新历史主义与其他过时话题》,见张京媛主编:《新历史主义与文学批评》,北京大学出版社,北京,1993年,第70页。

外,而是在谈判和交易的隐秘处"定位。①海登·怀特更是把修辞学作为历史哲学的重要武器,将"转喻"(trope)的四种形式,即隐喻(metaphor)、换喻(metonymy)、提喻(synecdoche)、讽喻(irony)广泛运用于文学史写作之中,在叙事修辞学方面展示新历史主义的文学史观,他认为模仿、再现不可能显示文学史精神,而人们理解文学史及其文本本质上是"转喻"的②,模仿不过是这种"转喻"的一种蹩脚的实践。

以文化人类学对抗社会学。新历史主义早期把自己称为"文化诗学"、"文化人类学诗学或阐释学",企图通过文化学、文化人类学介入文学史文本,与传统社会学、政治学、社会制度笼罩下的文学史等批评视角形成鲜明对照,在文化意识形态话语、文化哲学层次上展示文学史文本。伊丽莎白·福克斯-杰诺韦塞写道:"'新历史主义'乃是一种采用人类学的'厚描'方法(thick description)的历史学和一种旨在探寻其自身的可能意义的文学理论的混合产物,其中融会了泛文化研究中的多种相互趋同然而又相互冲突的潮流。"③新历史主义者认为,文学与文化更为接近,传统文学史论把时代政治、社会制度、作者英雄主义作为文学史文本的主要结构,而忽略了更为广泛的文化因素;他试图把文化学、文化人类学作为文学史文本阐释的意蕴,在文学批评和文学史文本中体现出来。

以生产论取代模式论。写作文学史文本是一种精神生产活动,精神生产实质上是批判、否定、超越、创造性的生产,不是在统一模式下编写讲义。精神生产是一种复杂劳作,没有整体创新的讲义只是一种简单劳动。文学史文本之所以讲义多于创造,是因为对其精神生产的特性把握不足。新历史主义把文学史文本作为精神生产话语形式,以解构主义方式反对结构主义模式论,强调文学文本在历史著作中不

---

① [美]格林布拉特:《通向一种文化诗学》,见张京媛主编:《新历史主义与文学批评》,北京大学出版社,北京,1993年,第15页。
② [美]海登·怀特:《话语转喻论》,霍普金斯大学出版社,1978年,第5页。
③ [美]伊丽莎白·福克斯-杰诺韦塞:《文学批评和新历史主义的政治》,见张京媛主编:《新历史主义与文学批评》,北京大学出版社,北京,1993年,第52页。

断"生产"出新的意义和意识形态精神,不断"生产"出新的文学史文本,不断"生产"出一代又一代的历史批评家和文学史家,文学史家最重要的任务是以一定意识形态话语"生产"出新的文学史文本。结构主义乃至文化专制主义的模式论则削平了精神生产的创新性和差异性,使文学史家不能在写作文学史文本时更多地探索文学史的意识形态特点。

以读者论"兼并"作者论。历史上的作者是死人或历史人物,陷于作者研究导致历史局限论。新历史主义强调文学文本在历史上的发展演变过程,强调"活的历史",更多地站在读者角度阐释文学史文本。即使从作者论方面看,任何作者必是读者,作者同时兼有读者角色,文本不可避免地具有互文性。新历史主义者要建构一种生气蓬勃的文学史文本,从读者对文学文本的接受、理解、阐释中显示出文学文本在历史上的生命力和种种传奇性"遭遇"和冲突,"我们必须试图适应这种观点,认为每一个阅读行为、每一个局部阐释实践,都是两个不同的生产模式相互冲突和相互审查的媒介物。因此,我们个人的阅读成为两种社会模式的集体冲突的隐喻修辞"①。

以现在时代替过去时。新历史主义者认同克罗齐的一切历史都是当代史、科林伍德的"一切历史都是思想史"②的说法,认为文学史写作就是以当代思想对文学史的一种"书写",文学史文本必须是,也必然是一种当代话语形式;否则,文学史文本只能是对历史的编纂,而不能真正成为一种"历史",不能将"编年史"、"文学史长篇"之类的著述与"文学史文本"等同视之。蒙特鲁斯说:"我们的分析和理解,必然是以我们自己特定的历史、社会和学术现状为出发点;我们所重构的历史(histories),都是我们这些作为历史的人的批评家所作的文本建构。"③

---

① [美]詹姆逊:《马克思主义与历史主义》,见张京媛主编:《新历史主义与文学批评》,北京大学出版社,北京,1993年,第47页。
② [英]科林伍德:《历史的观念》,中国社会科学出版社,北京,1986年,第244页。
③ [美]蒙特鲁斯:《诗学和文化政治》,见H.A.威瑟编:《新历史主义》,纽约版,1989年,第23页。

以批评家替代文史学家。新历史主义认为,文学史家、文史学家并不只是以史治史的学者,更应该是当代的文学批评家,甚至只有更好地成为当代文学批评家,才能很好地写作文学史文本。文学史家的思想达不到当代思想家、批评家的层次,他所写出的文学史文本不可能呈现出新的面貌,不可能在如林史书中出类拔萃,脱颖而出。没有批评个性的文学史文本,只能流入讲义、模式化写作的循环运动之中。文学史文本是作为批评家的史家的个人思想、风格、特点的写照,是个人话语与历史话语形成的互文。史家与批评家的工作重点、范围不同,但在本质上他们是一体的。

新历史主义与"旧"历史主义毕竟都是历史主义,它们的联系复杂而且微妙,历史、历史主义、意识形态话语把它们紧密地联系在一起。新历史主义作为一种文论批评称谓,并不能完全体现所有新历史主义批评的全部主张,但在文本、叙述、修辞等方面,新历史主义批评家们有一定共识。

第三节　文学史作为文化文本

从诗学文化到文化诗学,西方20世纪文论经过了一定的历史时期。新历史主义继而从文化诗学走向文化史诗学,第一次让文学史家作为理论家、批评家站在世纪论坛上发言。格林布拉特自信地说:"新历史主义的文化研究与建立在笃信符号和阐释过程的透明性基础之上的历史主义,其区别标志之一就是前者在方法论上的自觉意识。"[①]

新历史主义者在文化有别于科学,有别于政治、社会制度、经济等及意识形态话语等方面,展示文学史作为文化文本这一命题。

文学史作为历史话语、文化话语、审美话语,不同于科学话语。写作文学史需要科学准备,需要档案学准备,收集、整理、甄别资料,

[①] [美]格林布拉特:《通向一种文化诗学》,见张京媛主编:《新历史主义与文学批评》,北京大学出版社,北京,1993年,第14页。

将资料归类并编目等,没有这些"档案性"工作,与历史打交道的文学史批评家将无法工作;需要一系列科学程序,如分类、整合、构思、逻辑思维等等,否则,写出的文学史不具备科学性。失去科学性,便失去阐释和阅读的基础。但是,任何科学准备都属于"前科学"范围,前科学不能等于科学,科学性不等于科学本身。新历史主义并不要求文学史家将科学话语作为文学史话语,或扬弃科学话语,从而使文学成为历史、文化、审美话语。文学不是科学,甚至是反科学,科学的代数性并不能显示出文学史的历史、文化蕴含,只能抹杀、戕害这些蕴含。文学史作为历史文化文本,并不需要用科学话语来装裱它。文学史已经形成了自己独特的话语系统。

对历史性、文本性的理解不同于对科学性的把握。只有当"过去的东西"成为文学史题材时,它才具有历史性。科学把存在当作合理的,不论过去的人或物能否成为被书写的对象,都是历史的,承认历史就是科学的,不承认历史就是伪科学。文学史批评家把过去的东西作为写作的题材,写出历史题材文本,写出"活"的文学史,而不是"死"的文学史。"只有使之成为历史话语的题材,我们所拥有的关于过去的资料和源于过去的知识才能说是'历史的'","历史只有首先被写作出来,才能被阅读"。①

"文学史"不是一种历史科学,而是一种历史话语、文化话语,或历史写作、文化写作。人类迄今并没有产生,也没必要产生纯科学的文学史,即使是精确性描述,都会带来危害。文学史写作是一种人文化、社会化行为,是一种知识性话语或写作。新历史主义在此吸收了福科的思想,福科的一段话亦反映出新历史主义的主张:"古典时期知识共因的最一般的表现是一种精确系统,一种分类方法和发生分析。每一种科学无不计划地对这个世界进行详尽的秩序规定。每一种科学的方向永远是发现简单因素并一步一步向它们的组合形式深入。在每一种科学的中心都有一张表,以便把知识规划为一个系统。

---

① [美]海登·怀特:《"描绘逝去时代的性质":文学理论与历史写作》,见拉尔夫·科恩主编:《文学理论的未来》,程锡麟等译,中国社会科学出版社,北京,1993年,第45~46页。

至于那些与这一知识共因相左的伟大思想,它们自然而然地被现存知识组织所掩盖。"①文学的审美韵致因此而被掩埋。

文学史作为一种文化文本,与政治史、社会制度史、经济史不同,具有自己的文化属性。

文化更多属于精神领域,政治、制度、经济更多是实践表现。新历史主义者对政治、社会制度和机制及经济怀有热忱,但在文学史作为文化文本这一命题面前,其逻辑仍然显示出排斥律的作用。如果文学史写作囿于这三个方面,文学史的文化性和叙述性将不能得到全面展示。文学与文化更为接近,而与这三者不仅保持距离,而且很多时候反而起反拨、冲突、碰撞,乃至达到你死我活的对立程度。文学有时与它们达成协议,像格林布拉特讲的"制定协议",但必须将它们内化为一种审美文化之后才能进入文学史写作视野。或者说,它们在文学史写作面前,属于"前文化"和"潜文化"领域,只有它们成为文学史的文化之后,才能纳入文化文学史范围。

文化更多具有不确定性,历史上的政治、社会制度、经济比文化有更多的确定性,文化与它们之间存在着相互确定关系。文学史作为文化文本,其不确定性可以让人充分进入、介入、理解、阐释、写作。文化的相对不确定性,加强了文学史文本的自主性、自律性,有的新历史主义称之为文化相对主义的自主性文学史。文化在与政治、社会制度、经济的交往中,前者影响后者,后者规定前者,相互确认并限定,蒙特鲁斯做过这样的分析:"主题化和结构化的相互依存过程都不可避免地既是社会的,又是历史的;在个人和集体相互依存的社会实践中,这类社会系统不断地被创造和再创造;集体结构既会加强也会强行抑制个人的力量;行为的可能性和模式也总是社会性地或历史性地定位的,既被限定,又进行限定","与他们的行为的实际结果之间,并不存在必然的联系"。②

新历史主义认为,"旧"历史主义忽略了人的本质,用反人文主

---

① [法]福科:《事物的秩序》,纽约版,1970年,第74~75页。
② [英]蒙特鲁斯:《文艺复兴文学研究与历史主题》,见《英国文学复兴》,1986年第7期。

义的因果关系破坏文学史文本的人文性,用文化传统、各种机构、制度、种族、环境、民族、性别、经济、权力等淹没了文学史文本的人文精神。特别对丹纳提出的三因素说,新历史主义者给予抨击,认为它导致"人的本质并不存在,因而没有一个自由表现它的学科",这种客观性假设具有很大的局限性和欺骗性,它以一种因果性、连续性、决定性、强制性压抑着人文精神的生长,"在丹纳那里,通过对实证论的机械的(物质的)因果关系和黑格尔式的表现性的(精神的)因果关系——对这两者他都自由地取用——之间的区别的压制,这种对决定论的全面信奉暴露出了一群奇怪的同伙"①。

文学史作为文化文本,根本任务是传达出批评家的意识形态话语,建构新的文化文本。

批评家写作文学史时,是在与过去的文学对话和交流,因此,文学史写作并不是一种历时性的,而是一种共时性行为。批评家与古人对话和交流,与古人的语言符号交流;批评家从受影响的语言符号中寻找交流机会,或者说,批评家写作文学史时,是把自己的意识形态话语强加给古人,让古人服从自己的思想和意志,"古为今用"。这种共时性交流,是一种空间交流,是打破时间界限的交流,空间交流形成某种意识形态确认,形成意识形态化的文化文本。

今人与古人交流,不可避免地形成冲突。当代批评家总是以自己的文化—心理结构和意识形态话语面对古人古文,时空的差异带来交流的阻塞和冲突。新历史主义解决冲突的办法,是以自己先验的设定消解、匡正这种冲突,与过去达成"协议";或者说,不必以历史的态度对待历史,必须以现在的需要构筑历史文本,处理由自己引发的冲突。西方有的评论家把新历史主义这种行为视为"文化主义谬误"(culturalistic fallacy)和"文本主义谬误"(textualist fallacy)。新历史主义者认为,今人与古人永远无法逃遁的冲突能够带来一个极大的好处:谁都明白冲突存在,谁也要在这种冲突中无穷无尽地重构文学史。

---

① [美]弗兰克·林特利查:《福科的遗产:一种新历史主义?》,见张京媛主编:《新历史主义与文学批评》,北京大学出版社,北京,1993年,第145~146页。

解决这种冲突的另一个办法是强化"互文化"工作。两者交流形成互文,交流达成协议的程度依赖于文化文本的"互文化"水准,关键在于"化"。如果今人对于古文的阐释达不到化境,那么,互文只能滞留在交流冲突状态,批评家的阐释达不到预期目的,作为文化文本的文学史也不可能获得成功。新历史主义在过去与现在、文学与文化之间形成互文,以现在意识形态话语"化"解历史及其文学和文化,以自己的成规作为主轴达到自己希望的"互文化"。当历史中某些情节和细节不能贯彻批评家的写作意图时,必须酌情将之删削或加强释义,让"互文化"得到较为圆满体现。

新历史主义者重视文化系统与语境关系,并在它们之间的张力中表述自己的意识形态话语。他的语境论包括:(1)不同历史单位形成的语境;(2)文本中的语境;(3)文本中的语境与文化的关联;(4)文本中的语境在历次阅读、解释中形成的语境。文化系统与这四种语境具有紧切关系。如写"鸟",不同语境寄寓了不同意义:《诗经·关雎》以鸟起兴,表白爱情;《山海经》的"精卫鸟"则表述一种锲而不舍、"常衔西山之木石以堙于东海"的精神;屈原《离骚》以鸟为媒,追思美人,意思是不愿被放逐,想回到政府工作;两千多年来对《离骚》"望瑶台之偃蹇兮,见有娀之佚女。吾令鸩为媒兮,鸩告余以不好;雄鸠之鸣逝兮,余犹恶其佻巧。心犹豫而狐疑兮,欲自适而不可。凤凰既受诒兮,恐高辛之先我"的释义则更是五花八门,各有心得。新历史主义主张,将这些语境与文化系统联系起来,传达出批评家的意识形态话语。

新历史主义的意识形态话语充满文化人类学精神,尤其是马克思和福柯式的文化人类学思想。借用佛克马夫妇的说法,就是"一种文化变化理论需要一门人类学,一个关于人的概念,或者是一种关于人类能够做什么或能够写什么的观念"[1]。新历史主义者将人的特征作为特定历史时期社会、文化因素的产物,充满人文主义精神[2];他更关心人类的政治和意识形态,在对它们进行加固或破坏中阐发其

---

[1] [荷]佛克马、易布思:《文学研究与文化参与》,俞国强译,北京大学出版社,北京,1996年,第97页。
[2] [美]J.多利莫尔:《激进悲剧》,芝加哥大学出版社,1984年,第82~86页。

文化人类学思想,从历史过程、社会结构、文学表达等方面分析文学对巩固政权和意识形态的调节作用,从主导意识形态产生的"他异"及其对立、价值否定、消解过程等方面分析文学的破坏作用。重写文学史,需要从文化人类学方面分析文学史的发展历程。

新历史主义者更关心文学史在当代的作用,尤其是文化和意识形态作用。文学史可以起到巩固抑或破坏当代主流文化和意识形态的作用,对历史的分析,也是对现实的分析,分析过去的文化关系、意识形态、文化人类学,同时也是在研究它们的现实关系。或者说,既是从现实看历史,也是把历史作为现实的镜像。他们欣赏辛德斯和赫斯特曾引起争议的一段话:"历史研究不仅在科学上而且在政治上也是毫无价值的。历史的客体,即过去,无论它是如何被看待的,不可能影响现在的情况。历史事件并不存在,在今天也没有物质功用","历史"为"当前的局势"而存在,"提供分析当前局势的可能性而存在"。①这种极端历史无用论和历史当前化的矛盾性思想,虽不能完全代表新历史主义对待历史的态度、观点,但其将历史文本作为现实产物、为现实服务的思想,却体现出新历史主义的思想,甚至能够成为某些新历史主义者关于文学史写作的诸多主张的一种注脚。

第四节 历史叙述和修辞

中外文学史中,诗歌和小说占有文学体裁中最重要的位置;叙事和修辞,历史、文学史的叙事和修辞因之成为文学和文学史体裁论的重头戏。新历史主义在意识形态话语中,展开有关历史、文学史叙述和修辞的论述。

叙述和意识形态关系。新历史主义者认为,旧历史主义政治上比较天真,很少把意识形态运用于历史叙述之中。他们要扭转这种局面,在文学研究战略和战术中,施加意识形态的影响力和渗透力。格林布拉特说:"获得权力的一种特别形式的人的表现——那个

---

① [法]辛德斯、赫斯特:《前资本主义生产模式》,伦敦版,1975年,第312页。

'我'——的结果的具体理解,这种权力既体现在特定的机构中——法院、教会、殖民政府、父权家庭——也融合在意义的意识形态、表达法的典型方式、反复出现的叙述模式中。"①历史叙述不是超验的,而是先验的,文学史必须以一种意识形态话语阐释和叙述意识形态意义。

历史叙述、文学史写作是一种释义、改写、描述活动。新历史主义者把叙述与意识形态关系作为分析这三者的前提性因素,在意识形态话语中展示叙述。

历史叙述是一种释义行为。历史叙述既要描绘历史,又要产生意义,文学史叙述只有在展示意义的情况下,叙述本身才有价值和意义。在文学史的叙述史上,原初阶段单纯描述历史者居多,继而开展感悟、接受的文学史写作,进而进入阐释阶段。从阐释角度说,历史叙述学就是一种历史阐释学;阐释作为一种释义行为,要求文学史释义解构历史、重建历史的意义系统和话语体系。海登·怀特把历史叙述分为三种形态:审美形态(主要是选择叙述结构)、认识形态(主要是选择解释范型)、伦理形态(主要是让历史呈现出的意识形态取向)。

怀特把审美形态分为浪漫史、喜剧、悲剧、讽刺剧四种;把解释范型分为表意型、形势型、有机型、机械型四种:表意型即客观描述历史事件,形势型即把历史事件放在某种特定形势中叙述,有机型要求像黑格尔那样驾驭历史的整体格局,机械型则是从某一局部的基本法则(如经济法则、政治法则)确立某种特殊条件对历史的影响。他更重视历史叙述的道德和意识形态选择,并把它分为无政府主义、保守主义、激进主义和自由主义四种。他说:"哪怕历史学家自称没有意识形态倾向,自称在历史社会分析中避免意识形态观念,他在历史表现应取何种形式问题上表现立场的时候,也就已经处在特定的意识形态框架之中。"②他列表显示上述三种形态的对应关系:

---

① [美]格林布拉特:《文艺复兴时期的自我形象塑造》,芝加哥大学出版社,1980年,第6页。
② [美]海登·怀特:《话语转喻论》,霍普金斯大学出版社,1978年,第68~69页。

审美形态	解释范型	意识形态内容
浪漫史	表意型	无政府主义
喜剧	有机型	保守主义
悲剧	机械型	激进主义
讽刺剧	形势型	自由主义

释义意味着改写。历史叙述和文学史写作有一个不断释义、不断改写或重写的过程；每个时代和不同的史家有自己的意义趋向和意识形态倾向，导致对史料的重新认识及对这种认识的表达。"如果我们把'阐释'理解为'重写的运作'（a rewriting operation），那么我们可以把各种批评方法或批评立场置放进最终优越的阐释模式之中。文化客体按照这些阐释模型隐喻地重新写过"①，如弗洛伊德的"欲望"、结构主义标举的语言形式、存在主义的"焦虑和自由"、现象学的"意向性"、神话批评的"集体无意识"、各种伦理学和心理学的"人文主义"等，作为阐释视角和解释符码，都可以加强重写文学史的工作。

詹姆逊认为，马克思主义批评是"最终和不可超越的语义地平线（semantic horizon）"，或社会地平线，是文学史释义的"主导符码"。马克思主义批评的基本符码是"生产方式"，不是西方狭隘理解的经济决定论和阶级斗争论。生产方式包括生产力与生产关系、经济基础与上层建筑等多种复杂关系，显示历史社会的总体存在，可以作为优越的、自足的、完整的释义体系，可以更为完整、充分地显现文学史的意识形态意义。现代世界存在多种对马克思主义释义论，可以产生多种文学史著作。

叙述要求真实，也不可避免地需要虚构和想象。历史叙述和文学史叙述不可能完全真实，没有虚构和想象的帮助，很难完成叙述。文学和文学史中本来存在着许多未定点和空白，文学史叙述贯彻着意识形态意图，这种叙述本身具有解释历史现象功能，因此，借助必要的想象和虚构，可以更好地进行意识形态叙述。怀特写道："'历史'

---

① [美]詹姆逊：《马克思主义与历史主义》，见张京媛主编：《新历史主义与文学批评》，北京大学出版社，北京，1993年，第18页。

乃是在语言、感情、思想和话语中形成的'历史',目的在于使这些家庭承受的经历显示出意义",叙述"就其介入政治或具有意识形态动机的范围而言,更有可能是转义的、推论的和虚构的"。①

历史叙述需要必要的虚构,有外部和内部原因。外部原因在于:古代史料残缺不全,并有许多谬误,近代史料太多,史家选择史料必然渗进主观成分;政治对历史叙述有专门要求和相当压力,道德限制有时使史家不能秉笔直书,史家意识形态的倾向性不可避免地对历史情节和细节进行程度不同的虚构和歪曲。内部原因在于:史家辨识史料真伪的差异、鉴定史料的根据不同而产生真伪之争,历史叙述需要推理、演绎、合乎逻辑而未必完全符合事实,历史叙述语言与历史言语存在差异,文学史论本身缺乏一套完整的概念、范围和体系,已有的也歧义丛生,意识形态的合规律合目的要求使文学史叙述千姿百态,文学史叙述的政治、教育、文化功能要求也加强了叙述的虚构性。所以,正如不能完全否认文学史叙述的真实性一样,也不能完全否定这种叙述的虚构性和想象性。②

这样,历史与文学、历史性与文学性在历史叙述和文学史写作中的矛盾可以缓解乃至消解了。历史、文学史作为文本与文学文本都有一定的真实、虚构、想象、情感因素,它们不是对立的,而是在历史叙述中有机地组织在一起。新历史主义者,尤其是曾经反对过前期新历史主义主张的怀特走向了中国"文史合一"的历史叙述论。怀特写道:"历史作为一种虚构形式,与小说作为历史真实的再现,可以说是半斤八两,大同小异",因为"事实"不等于"真实",而是"事实与一个观念构造的结合",历史话语中的"真实"依存于那个观念构造物。③

历史文本成为文学文本的重要性在于其修辞化趋向。叙述具有修辞性,必须修辞化;文学叙述如此,历史叙述和文学史叙述亦然。新历史主义者扩充了修辞含量,进一步把传统语义学,尤其是修辞学哲学

---

① [美]海登·怀特:《文学理论与历史写作》,见拉尔夫·科恩主编:《文学理论的未来》,程锡麟等译,中国社会科学出版社,北京,1993年,第60页。
② 杨周翰:《镜子和七巧板》,中国社会科学出版社,北京,1990年,第53~58页。
③ [美]海登·怀特:《话语转喻论》,霍普金斯大学出版社,1978年,第122~123页。

化,从哲学方面确立历史叙述的修辞格,使之成为思想意识的普遍性模式。怀特的转喻理论同雅克布逊的隐喻理论一样,不是传统修辞学的简单发挥,也不是对历史叙述的表层理解,而是更深意义上的、更为哲学化、充满人类普遍精神的概括和解释。

怀特对其转喻理论有四点说明。首先,转喻论是一种话语理论,是表现的话语理论;其次,它不否认话语以外的实体存在,强调话语的超语言学功能,甚至指称性功能,注意话语行为(discourse performance);再次,它所指称的"事实"是语言的、话语的和文本性的事实,结构上暗示着转喻论者的个人言语,转喻本身是严肃的而非轻浮的游戏;最后,它并非使事实和虚构的区别崩溃,而是在给定话语中对这两者的关系重新定义,"一方面似乎取消了科学型历史学家对科学性的正当要求,另一方面也取消了传统的叙述型历史学家宣称自己提供了真实的而非想象的权利"[1]。由于缺乏真正科学的历史理论和方法,转义学(tropology)成为"我们拥有的唯一概念草案"。

怀特的转喻论或转义学,包括从维柯那里借用的四个关键词:隐喻、换喻、提喻、讽喻。它们分别为"异中见同"、"分离相邻"、"整体部分"、"言意相异"[2];它们处在语言与现实、意识与社会、历史与比喻性文本的关系网络之中,可以喻指人类许多思想意识和行为。维柯把隐喻作为某种寓言故事,把感性意象为事物命名称为换喻,把整体中的局部打比方作为提喻,把从事物中反思出来的道理作为暗讽或讽喻[3]。如"人",原始人以"人"命名这种高级动物,用"首"(头)表示顶端和开始,用"心"代表中央。这种命名替代了原生态,仍保持一定联系。从整体中抽象的部分,或从部分抽象而推及整体,最后反思"人"的一切,人的文本与人的区别。

怀特对"四"有特殊爱好,他的许多分类都有"四"点,他把"四喻"扩大为比喻马克思区分的原始共产主义、奴隶社会、封建社会和

---

[1] [美]海登·怀特:《文学理论与历史写作》,见拉尔夫·科恩主编:《文学理论的未来》,程锡麟等译,中国社会科学出版社,北京,1993年,第64页。
[2] 徐贲:《走向后现代与后殖民》,中国社会科学出版社,北京,1996年,第14页。
[3] [意]维柯:《新科学》,朱光潜译,人民文学出版社,北京,1986年,第180~183页。

资本主义社会四种社会形态，《资本论》分析的初级、延伸、普遍、金钱四种价值形式，他说，马克思所作的种种分析，"无论是对社会发展的阶段，对价值形式，还是对社会主义形式本身，都倾向于把研究的现象分解为隐喻、换喻、提喻和讽喻相对应的四种范畴或类别"①；他认为资本主义经济制度处于"讽喻"顶端，代表着历史自我叙述到达资本主义社会的意义的终结。

作为文化诗学，新历史主义文论把它运用于众多历史领域。旧历史主义文论是一种历史化的文论，新历史主义则是文学化的历史哲学。怀特以为："所有历史写作中都普遍存在诗学因素，即作为修辞而出现于散文话语中的一种因素"；"一部历史名著或历史哲学名著一旦成为过去，它就再生为（reborn into）艺术"，所以，文论关于历史的叙述和修辞理论不仅运用于文学、文学史、现实主义与现代主义及后现代主义文学研究，而且还可以广泛运用于哲学史、艺术史、史学史、政治史、经济史、法律史、人类史、社会史的评论中去。②

中国古代哲学、历史等理论具有鲜明的文学化趋向，文学理论一直作为一种支撑性话语形式，对哲学、史学、文化艺术理论等做过贡献。西方古代文论乃至现代文论，长期是哲学和历史的附庸。新历史主义之所以引起轰动效应，在于它以文学、历史视角重新审视了哲学、历史和文化，给他们的写作带来新的信息和气息。

第五节 历史的辩证批评

新历史主义者多为历史学家、文学史家、文艺复兴和莎士比亚研究专家，他们的历史评述和写作使新历史主义批评具有凝重的历史感和鲜明的实践性；他们的理论是他们从事实践的"导语"或"结语"，他们的历史哲学，服务于历史实践。

新历史主义者魂牵梦绕的问题是批评与意识形态的关系、批评

---

① [美]海登·怀特：《元历史》，霍普金斯大学出版社，1973年，第317页。
② [美]海登·怀特：《历史主义·历史与修辞想象》，见张京媛主编：《新历史主义与文学批评》，北京大学出版社，北京，1993年，第199页。

的辩证关系。他们虽然受了后现代主义思潮影响,但是,他们毕竟是历史主义者,历史的重负使他们不可能像后现代主义那样"一切皆可"、"一切全无所谓";即使在元语言、虚构问题上,他们仍然不能忘记现实和历史,他们在历史主义批评实践中,仍然有像德国历史学家莱茵哈特·科瑟莱科那样的注重体验、检验历史报告的学者。科瑟莱科看到了历史语言的局限性,认为语言对于体验并不具有第一性,语言的简约性不能替代体验的丰富性,历史阐释学对于历史批评也不具有第一性。历史是第一性的,阐释和批评只是对历史的解读和写作。科瑟莱科的历史思想与海登·怀特的理论可以形成一种辩证关系,或欧洲与美国这种批评天平上的制衡砝码。他们遵奉马克思主义历史的辩证批评,具体分析则参照福科的理论和方法。

新历史主义的辩证批评主要表现在对古与今、探索与批判、政治与文化、语言与现实、虚构与检验、个别与一般等诸种辩证关系的认识和处理上。

古今合一论。历史作品、文学作品流传到今天,今人解读、借鉴和利用,今天不可能回到历史中去,只能用今人话语去编织历史文本,新历史主义文学批评以现代和后现代意识形态观念评论历史,建构"古今同体"的文学史文本。

蒙特鲁斯用女权主义意识形态分析文艺复兴时期女王的身体(女性、处女)与政体(父权、母亲)的关系。伊丽莎白女王是处女,整个文化表现出复杂的性别政治,女王有权控制或协调、推动或拒斥其臣民对她及其管辖范围的"欲望"。莎士比亚剧作中,欲望政治化、情爱经济化的描绘,显示出女王是政治的核心、文化的中心、权力角逐的对象,不断被臣民包围和塑造。蒙特鲁斯以此建构他具有政治性和意识形态性的文学史文本。

探索与批判。新历史主义者用马克思主义和福科的权力、知识话语理论,开展意识形态批评,他不愿当传统或主流意识形态的卫道士,开展必要的批判。

多利莫尔这样评论莎士比亚《李尔王》:一方面用人本主义意识形态取代基督教人文主义的天道宇宙秩序观,认为《李尔王》的主题不再是"自然",而是人文主义的"正义";另一方面,认为在剧本的背后,隐匿着被压制的、必欲破坏的他异因素,大臣格罗萨斯特的私生子埃迪门进谗言加害艾德加,骗取继承权,忤逆父亲,与李尔的长女通奸,迫害老国王,这种封建缺席的异己分子本身就是对那个社会制度和意识形态的颠覆和破坏,显示出主流意识形态与其异化的异己分子的对抗,体现出权威与他异的复杂矛盾关系。它们给资本主义意识形态以启示,认为任何制度下的意识形态都不可能是铁板一块,对立和矛盾因素远比主流、权威复杂得多。

政治与文化。解构主义以后的"后文化",具有鲜明的政治色彩;参与后文化的学者角色意识明确,他们分析并把握政治与文化的辩证关系,建构相应的文本,意识形态包含着政治、文化双重因素;辩证分析意识形态,代表着辩证把握政治与文化关系。

格林布拉特分析莎士比亚《亨利四世》时认为,《亨利四世》前后两集展示霍尔亲王无信无义,狡黠凶残,王权在手后,摆出一副仁义之君的模样,意识形态乃至君主政治文化形象需要使霍尔扮演两种形象,对权力的要求和达到权力极致后的政治与文化形象,其实它们早已内化于霍尔身上,使之一体化。贝特逊在研究"政治查禁"(censorship)与文学关系时,认为诗人常以"有作用的故作含糊"(functional ambiguity),逃避政治迫害或社会误解;"故作含糊"的背后,隐藏着诗人的文化旨趣,16、17世纪大量的田园诗、历史剧显示出淡化政治与隐含政治、突出文化与讽喻政治的复杂关系;这就是哥德堡所看到的:诗人运用皇家语言又反过来反抗帝王,在强调革命语言时利用其中的多重性和自相矛盾处,进行诗的文化反抗;批评家只有在这种矛盾冲突的隐秘处,建构自己关于政治与文化关系分析的文本。

语言与真实。受福科思想影响的新历史主义者,有忽视真实的趋向,在一种更为抽象和符号化文本中显露历史话语。用后现代的话说,就是在这两者关系中,突出语言而淡化真实,但是,新历史主义者即使在元语言、元虚构、元叙事、元结构、元真实的探索之中,比解构主义、后现代主义更关注"真实"蕴藏的历史和现实因素。尽管后者已被"编码"或编织于批评家的文本世界,然而,显示它们的存在并赋予意义已比解构主义、后现代主义进步。安克斯密特表述了故事（story）和过去事件（past events）的区别，认为叙事批评不能忘却过去事件，必须寻求历史性描述与过去事件的历程之间的一致性。科瑟莱科认为，历史真实的丰富性，对他的历史批评更有吸引力；元语言在语言与真实关系中，起到解码和编码、分析和建构的工具性作用。

田纳豪士以"丑怪"（grotesque）、"群众联欢会"分解世俗与贵族文化彼此界定、相互修正的关系，延伸出"贵族政体"（aristocratic body）与"丑怪肉体"（grotesque body）的辩证关系；"丑怪"对正统、僵滞、权威进行挑战，莎士比亚让丑角充当公爵，欣赏、嘲弄贵族文化，让王子与丑怪的恶棍一起厮混，显示丑怪才能。[①]这表明，真实虽然作为符号、痕迹、编码等进入文学史文本，但特定时代和意识形态的指称仍然需要在真实乃至真实故事和事件中体现出来。

虚构与检验。历史批评既是历史的文本，也是历史的批评，有虚构的一面，也有需要对事件进行调查、质询、理解和令人信任的一面。新历史主义标举的历史文学化、叙述化，融入大量想象、虚构、情感，它们如何被检验，成为广受非议的问题。安克斯密特在1987年批驳提高历史编纂科学性的做法，在1990年不得不提出两种历史研究方法：科学理性和叙述理性。科瑟莱科认为，批评家可以提出许多历史构架方案，对历史情节和细节可以以必要的虚构作为合理补充，但所有这些需要有真实的历史论据作为支持；书写历史文本有一定规则，批评家必须遵守这些规则，从而作为值得传播的知识得到信任和接受。这与中国的"信史"或"信史批评"提法相近似，"信史"就是科学理性（"信"）与叙事理性（"史"）的有机统一。

佛格逊与人合编的《重写文艺复兴时代史》，强调欲望与修辞的关系，在对文艺复兴时期文学的女性批评上，对历史名称、人物、事件的处理上，仍然是审慎而希望经得起检查的；其研究重点放在语言、修辞上，也有一定虚构成分，但在修辞与判断理性上，仍然希望对

---

① 廖炳惠：《新历史观与莎士比亚研究》，见张京媛主编：《新历史主义与文学批评》，北京大学出版社，北京，1993年，第272页。

历史批评文本的呈现进行进一步的观察。

个别与一般关系。新历史主义往往采取惯用的程序：先从历史典籍中找到某个被人忽略的逸事、诗词、片断或说法，再将其中一点与将要批评的文学文本并置，分析它为文学文本提供的新意，让个别的、被遗忘的历史事件发出声音，诉说自己的历史。格林布拉特在他引以为豪的《文艺复兴时期的自我形象塑造》一书中写道："本书无意提出一种解释英国文艺复兴时期自我塑造的全面理论。本书的每一章都是一次独立的探索，它的途径决定于论题所及的具体作家和文本。当然，我们也还可以就自我塑造的各个实例了解一些有规律性的共同条件。"[①]

格林布拉特在《莎士比亚与祛魔师》中，先抓住祛魔捉鬼的逸事，认为《李尔王》中的埃德加乔装成乞丐"可怜的汤姆"时念叨魔鬼的名字；认为这隐含着一种社会体制的转换，即被英国国教和天主教耶稣会会士严禁的"祛魔捉鬼"，在公演的《李尔王》中得到了公开展示，祛魔术由神圣沦为对神圣的亵渎。在《学会诅咒》中，格林布拉特先从塞缪尔·丹尼尔1599年写的一首诗谈起，分析莎士比亚的《暴风雨》时将它与之并置，认为莎士比亚表达了一种欧洲文化的优越感，显示出语言如何诅咒的权利。

新历史主义批评既是政治的，也是文化的，既是历史的，又是文学的，它们集中体现在意识形态话语形式分析中。新历史主义批评是继路易·阿尔图塞、彼埃尔·马库雷、雷蒙德·威廉斯等新马克思主义者之后重要的意识形态批评学派；在一定意义上，也是福科1984年在巴黎萨尔佩特里医院死后幽灵的复现。这个世纪"盲人摸象"式的片面探索过多，辩证批评太少；新历史主义的辩证批评显示西方当代文论的进步。

[①] [美]格林布拉特：《文艺复兴时期的自我形象塑造》，芝加哥大学出版社，1980年，第8~9页。

第六节　结束语

　　历史意识形态化和意识形态历史化，作为新历史主义的一种倾向，引起学术界的普遍关注，既具必然性，也有偶然性。西方20世纪文论，现实和理论问题过多，迫使它很少专注于历史问题，即使历史学家和文学史家层出不穷，史学著作不绝如缕，也没有像新历史主义批评这样引起重视。新历史主义文论，在诸文论登台表演并趋于疲弱之后出现，历史维度和新历史主义的基本主张给文论界吹进了一股新风，才引起震动和注意。

　　历史与意识形态的关系，自马克思主义学说传播之后，一直作为重大历史和现实课题，得到知识界、学术界的广泛重视和深入研究。自阶级社会产生以来，意识形态作为一种主流观念、文化和艺术形态，集中体现政治、经济、社会乃至军事、民族、宗教、思想、文化、艺术的观念，反映着时代的精神风貌和文艺导向，历史学家和文学史家自觉不自觉地对它做过不懈探索。新历史主义以后现代姿态，既延续了这种探索，也为这种探索增加了新的活力，更加推动了这种探索。

　　无论是卢卡契的《历史和阶级意识》、G.A.柯亨的《马克思的历史理论》、阿尔图塞的《保卫马克思》、萨特的《辩证理性批判》、弗罗姆的《社会主义人道主义：国际论丛》、法兰克福学派的诸种代表作，还是新历史主义文论，也不论它们从什么样的理论和角度评论历史和意识形态，都是当时社会文化的产物。新历史主义的独特性正是后现代社会和文化赋予的。它把马克思主义与福科哲学方法论结合起来，对历史和意识形态做出新的阐释，展示出晚期资本主义的历史和意识形态面貌。

　　新历史主义文论作为一种学者化、学院派主张和行为，在文化文本、叙述修辞、辩证批评等诸多方面颇具新意，对西方20世纪文论有所贡献。西方过去习惯于从认识论、过程论、方法论探索历史如何产生，包含哪些内容，怎样研究；新历史主义在"元历史"（meta-history）、"元意识形态"方面有所思考，探索什么是历史和历史是什么，意识形态本身的定位、定义等问题，继而由此展开对文化文本、叙述修辞、辩证批评的分析；这种研究方法有助于人们提高历史和意识形态研究的思维境界。

新历史主义如同西方20世纪多数文论，有一种"内耗制衡"或"矛盾均势"特点。个性理论即使在同一旗帜、称谓内，另一个性理论也会自然批驳，张扬自己的学说。海登·怀特对布林格拉特、科瑟莱科对怀特，乃至不少女性主义批评家对新历史主义、后殖民主义对新历史主义的批驳，都暴露并从另一维度填充新历史主义的缺陷或漏洞。杰诺韦塞说，一方面"对'新'的强调也表明了一个贯穿于新历史主义方案的根本性悖论：尽管有一些显著的例外，新历史主义并不那么看重历史，特别是在自我批评或自我反思方面它并不是历史的"；另一方面，"当代历史主义策略的一部分工作必须是对历史自身进行全新的思考，即是说，它必须正视现代历史主义的历史以及它同其他批评策略的冲突关系"。①

新历史主义历史真实观与克罗齐、罗素和更早的康德、黑格尔的历史真实观有相近之处，即在事实真实与逻辑真实中把握历史真实；也有自己的特色，即在福科式忽视事实真实情况下强调文本意指，以文本事件说明意识形态意义，在历史断裂中进行拉康式更为宏观的意识形态化的精神分析。淡化事件真实，使文化诗学在逻辑上得以成立。或者说，逻辑真实不是为澄清历史事实服务的，而是相反，文化诗学追求在逻辑真实中的文化人类学意义，所以，新历史主义本质上属于文学化、文论化、叙述化的历史文本，并不属于科学化、分析化的历史本体。我们仍然追求历史真实与逻辑真实的有机结合，因为违反历史真实不可能真正展示历史意识形态意义和价值观念。

新历史主义过于强调文学化叙述和修辞，严重损伤了历史科学和文学史的科学形态。在理论上，新历史主义"历史叙事的形式并不是一扇洁净明亮的窗户，人们可以毫无阻碍地透过它回望过去，它可能镶有有色玻璃或以其他的形式歪曲被看到的景象"，"海登·怀特

---

① [美]伊丽莎白·福克斯-杰诺韦塞：《文学批评和新历史主义的政治》，见张京媛主编：《新历史主义与文学批评》，北京大学出版社，北京，1993年，第54页。

和弗兰卡·安克斯密特关注的是这扇窗户的物质而非透过它所能够看到的景象,所以他们就集中讨论了历史叙事的形成而不是它的真实性"。①在历史批评实践中,新历史主义至今没能以其视角重写一部文学通史,断代史写作主要是批评性的,而非历史性展示。历史写作中,叙述和修辞只是相对的,过分夸大它们的功能,就不是历史而是其他。新历史主义没有历史的制衡机制而不能走向一条通向科学之路,仍然像英美新批评、后现代主义、女性批评一样,走向极端。

我国20世纪关于历史和文学史的理解,先有魏源、章太炎、梁启超、王国维、胡适、顾颉刚等人的"新史学"思想②,再有马克思主义历史观。马克思主义历史观一直指导我们的历史和文学史写作,苏联模式一度整化过我们的历史和文学史,但中国特色仍然清晰可见,当然也走入误区出现许多流弊,尤其是"文革"模式的流弊。80年代"重写美学"、"重写文学史"呼声日隆,90年代"重评历史"、"重构文学史"的风气很盛,多少受到新历史主义历史观的影响,带有新历史主义色彩。我们的任务仍然是以马克思主义历史观为指导,借鉴包括新历史主义在内的中外历史理论和写作经验,建造具有中国特色的"中国历史"和"文学史"。

文学学包括文学理论、文学史论、文学史、文学阐释学、文学批评五个部分,新历史主义文论主要是一种文学史论,落实在文学的历史批评实践中,旨归在意识形态分析。文学史论一直是我国文学学构架的薄弱环节,新历史主义的文学史论可以在思理上促进我们建设走向21世纪的有中国特色的文学史论。只有文学史论的兴盛发达,才能从根本上扭转目前文学史、文艺史写作的重复、平面的局面。

---

① [荷]佛克马、易布思:《文学研究与文化参与》,俞国强译,北京大学出版社,北京,1996年,第67~68页。
② 吴怀祺:《中国史学思想史》,安徽人民出版社,合肥,1996年,第333页。

后　记

"只有确切地了解人类全部发展过程所创造的文化，只有对这种文化加以改造，才能建设无产阶级的文化。"为了创造性地建设和发展马克思主义文艺学、美学，只能从两方面进行努力：一是去总结中外古今的文艺实践经验，探索文艺活动的审美规律；二是去了解中外古今的文艺理论成就，借鉴有价值的东西。

可惜，近数十年来，我们忽视西方文艺理论在20世纪的变化和发展，闭目塞听，不闻不问。在我们的大学讲坛上不能评介西方当代文艺理论，更不要说编写教科书了。长期以来，我们对西方当代文艺理论的情况不明，又谈得上什么批判继承！

20世纪80年代以来，随着文化交流的发展和扩大，西方当代文艺理论开始陆续介绍到我国，开阔了我们的视野，给我们以不少启发。但是，20世纪西方文艺理论变化多端，错综复杂，使人眼花缭乱，应接不暇。对于20世纪的西方文艺理论，既不能嗤之以鼻，又不能片面吹捧，而要作出实事求是的评价，就需要我们首先对它有较为系统、全面的了解。这是当务之急，却也是个难题。

受国家教育委员会的委托，我们接受了撰写这本《西方二十世纪文论史》的任务，以应教学之急需。我们的主观意图是想在有限的篇幅中，尽可能较为系统、完整、全面地介绍20世纪的西方文艺理论。因而我们同时也编选了一套近200万字的《西方二十世纪文论选》（四卷本），作为教学参考用书。

因缺乏资料，经多方努力，我们在1985年才着手撰写此书。我们曾先写过一些提纲式的短文发表。1986年春，我们又为北京大学的一些研究生、进修生、本科生开设过"西方当代文艺理论"一课。在听取多方意见的基础上，才完成此书。

国际比较文学学会会长佛克马教授，香港中文大学袁鹤翔博士、李达三博士，香港大学黄德伟博士等给予我们鼓励和支持。国内许多专家、教授，如北京大学季羡林、杨周翰、孙凤城、复旦大学伍蠡甫、蒋孔阳，中国社会科学院钱中文、南京师范大学许汝祉等，先后曾对我们有所指点。此项工作还得到了北京大学、深圳大学比较文学研究所和湖北大学的帮助和支持。中国社会科学出版社文学室白烨更是给了我们莫大帮助。对此，我们表示衷心感谢。

撰写这样的教科书，尚属初次尝试，是否能切合教学需要，有待实践验证。我们热切等待各方面的批评、帮助，匡正悖谬，补苴疏漏，以便今后修改完善。①

胡经之　张首映
1986年冬于北京大学

---

① 胡经之、张首映合著的《西方二十世纪文论史》，1988年由中国社会科学出版社出版。同时出版的还有《西方二十世纪文论选》四卷，作为教学参考资料。《西方二十世纪文论史》获新闻出版署颁发之全国首届外国文学优秀著作奖。